RUTH RENDELL

Eine entwaffnende Frau

Mord ist ein schweres Erbe

Eine entwaffnende Frau

In Tancred House, einem prachtvollen Anwesen, hat sich ein schreckliches Verbrechen zugetragen. Während des Abendessens wurden die Eigentümerin Davina Flory, ihr zweiter Ehemann sowie Davinas Tochter erschossen. Einzige Überlebende, wenn auch schwer verletzt, ist Davinas Enkelin. Inspector Wexford scheint der Fall klar: Raubmord. – Doch je genauer er hinter die Kulissen dieser merkwürdigen Familie sieht, desto verwirrender erscheinen ihm die Verhältnisse ...

Mord ist ein schweres Erbe

Für Inspector Wexford bestand nie ein Zweifel: »Herbert Arthur Painter tötete mit einem Beil seine neunzigjährige Arbeitgeberin durch einen Schlag auf den Kopf, und er tat es wegen 200 Pfund. Komisch, daß sich ein Pfarrer zum Verteidiger von so einem macht.« – Doch Pfarrer Henry Archery hat seine ganz persönlichen Gründe ...

Autorin

Ruth Rendell wurde 1930 in South Woodford/London geboren. Nach der Schule arbeitete sie zunächst als Journalistin, bevor sie sich ganz dem Schreiben widmete. Seitdem hat sie an die dreißig Romane veröffentlicht. Dreimal schon hat sie den Edgar-Allan-Poe-Preis erhalten; außerdem wurde sie zweifach mit dem »Golden Dagger« der Crime Writers' Association für den besten Kriminalroman ausgezeichnet. Ruth Rendell lebt in London.

Von Ruth Rendell außerdem im Goldmann Verlag lieferbar:

Alles Liebe vom Tod (43813) · Das geheime Haus des Todes (42582) · Der Krokodilwächter (43201) · Der Kuß der Schlange (43717) · Der Liebe böser Engel (42454) · Der Tod fällt aus dem Rahmen (43814) · Die Besucherin (43962) · Die Brautjungfer (41240) · Die Werbung (42015) · Flucht ist kein Entkommen (43815) · Eine entwaffnende Frau (42805) · Mord ist des Rätsels Lösung (43718) · Mord ist ein schweres Erbe (42583) · Phantom in Rot (43610) · Schuld verjährt nicht (43482) · Der Herr des Moors (44566) · Die Herzensgabe (44363) · Die Tote im falschen Grab (43580) · Die Verblendeten (43812) · Leben mit doppeltem Boden (44590) · Mancher Traum hat kein Erwachen (44664) · Urteil in Stein (44225) · Wer Zwietracht sät (44672) · Der gefallene Vorhang (45388) · Lizzies Liebhaber (43308) · Durch Gewalt und List (44978) · Kein Ort für Fremde (45012) · Der Mord am Polterabend (42581) · Schweiß der Angst (44979) · See der Dunkelheit (44910) · Der Sonderling (45004) · Das Verderben (45129) · Die Wege des Bösen (44980)

Ruth Rendell

Eine entwaffnende Frau

Mord ist ein schweres Erbe

Zwei Inspector-Wexford-Romane
in einem Band

GOLDMANN

Die Originalausgabe von
»Eine entwaffnende Frau«
erschien unter dem Titel »Kissing the Gunner's Daughter«
bei Hutchinson Ltd., London

Die Originalausgabe von
»Mord ist ein schweres Erbe«
erschien unter dem Titel »A New Lease of Death«
bei Hutchinson Ltd., London

Umwelthinweis:
Alle bedruckten Materialien dieses Taschenbuches
sind chlorfrei und umweltschonend.

Der Wilhelm Goldmann Verlag, München,
ist ein Unternehmen der Verlagsgruppe Random House GmbH

Einmalige Sonderausgabe Juni 2003

Umschlaggestaltung: Design Team München
Umschlagfoto: PicturePress/Graphistock
Druck: Elsnerdruck, Berlin
Made in Germany · Titelnummer: 13348

ISBN 3-442-13348-3
www.goldmann-verlag.de

Eine entwaffnende Frau

Aus dem Englischen von
Christian Spiel

Zum Andenken an Eleanor Sullivan
(1928–1991),
eine enge Freundin.

I

Der 13. Mai ist *der* Unglückstag des Jahres. Und noch viel, viel schlimmer wird die Sache, wenn er zufällig auf einen Freitag fällt. In diesem Jahr war es allerdings ein Montag, trotzdem schlimm genug, obwohl Martin alles Abergläubische verachtete und am 13. Mai jedes wichtige Vorhaben ohne Bedenken in Angriff genommen und ebenso bedenkenlos ein Flugzeug bestiegen hätte.

Am Morgen entdeckte er in der Schultasche seines Sohnes eine Waffe. Zu seiner Zeit hatte so etwas Ranzen geheißen, aber inzwischen war es eine Aktentasche. Das Schießeisen steckte in einem Wirrwarr von Lehrbüchern, Schulheften mit Eselsohren, zerknülltem Papier und einem Paar Fußballsocken, und für einen kurzen, angsterfüllten Augenblick hielt Martin es für echt. Ungefähr fünfzehn Sekunden lang dachte er, Kevin besitze tatsächlich den größten Revolver, den er, sein Vater, jemals gesehen hatte, noch dazu ein Modell, das zu identifizieren er nicht in der Lage war.

Dann erkannte er, daß es sich um eine Nachbildung handelte. Es hielt ihn aber nicht davon ab, das Ding zu konfiszieren.

»Du kannst dich von dieser Waffe verabschieden, verlaß dich drauf«, sagte er zu seinem Sohn.

Diese Entdeckung machte Martin in seinem Wagen kurz vor neun Uhr morgens, am Montag, dem 13. Mai, auf der Fahrt zur Gesamtschule in Kingsmarkham. Kevins Aktentasche war nicht richtig verschlossen gewesen, und als sie vom Rücksitz glitt, war ein Teil des Inhalts auf den Wagenboden gerutscht. Kevin sah trübselig und stumm zu, wie die Revolverkopie in einer Regenmanteltasche seines Vaters verschwand. Vor dem Eingang der Schule stieg er aus, murmelte noch ein Abschiedswort und warf dann keinen Blick mehr zurück.

Das war das erste Glied in einer Kette von Ereignissen, die schließlich dazu führen sollten, daß fünf Menschen ums Leben kamen. Hätte Martin den Revolver früher gefunden, ehe er und Kevin das Haus verließen, wäre nichts von alledem passiert. Es sei denn, man glaubt, unsere Erdentage seien uns im voraus zugemessen. Wenn man sie in umgekehrter Reihenfolge zählte, vom Tod zur Geburt, hatte Martin den Tag eins erreicht.

Montag, den 13. Mai.

Es war sein freier Tag, dieser Tag eins im Leben von Detective Sergeant Martin. Er hatte früh das Haus verlassen, nicht nur um seinen Sohn zur Schule zu bringen – das ergab sich noch nebenher, wenn er bereits um zehn vor neun aufbrach –, sondern auch, um die Scheibenwischer seines Wagens erneuern zu lassen. Es war ein schöner Morgen, die Sonne schien an einem klaren Himmel, und die Wettervorhersage war verheißungsvoll, aber er wollte es trotzdem nicht riskieren, zusammen mit seiner Frau mit defekten Scheibenwischern für einen Tag nach Eastbourne hinauszufahren.

Die Leute in der Autowerkstatt verhielten sich, wie eigentlich nicht anders zu erwarten gewesen war. Martin hatte den Termin zwei Tage zuvor telefonisch vereinbart, aber das hinderte die Sekretärin nicht daran, sich aufzuführen, als hätte sie noch nie etwas von ihm gehört. Ebensowenig hielt es den einzigen verfügbaren Mechaniker davon ab, kopfschüttelnd zu sagen, es sei schon möglich, es ließe sich gerade so machen, aber der Kollege sei unerwartet zu einer Unfallstelle gerufen worden, und es wäre besser, wenn Martin zu Hause auf ihren Anruf wartete. Immerhin konnte Martin dem Mann das fragwürdige Versprechen abnötigen, daß die Sache bis halb elf geregelt sein werde.

Er ging durch die Queen Street zurück. Die meisten Läden hatten noch nicht geöffnet. Die Leute, an denen er vorüberging, waren Pendler auf dem Weg zum Bahnhof. Martin spürte den Revolver in seiner Tasche, seine Form und sein Gewicht, das ihn auf der rechten Seite ein wenig nach unten zog. Es war ein großes, schweres Schießeisen mit einem gut neun Zentimeter langen Lauf. Sollten die britischen Polizeibeamten schließlich doch einmal Waffen tragen, würden sie genau dieses Gefühl empfinden. Tag für Tag. Martin fand, daß ebensoviel dafür wie dagegen spräche, aber eigentlich konnte er sich nicht vorstellen, daß eine solche Neuerung das Parlament passieren würde.

Er überlegte, ob er seiner Frau von dem Revolver erzählen oder gar Chief Inspector Wexford davon berichten solle. Was fängt ein Dreizehnjähriger mit der Nachbildung einer Waffe an, die vermutlich dem Dienstrevolver eines Polizisten aus Los Angeles nachempfunden war? Eigentlich war er schon zu alt für einen Spielzeugrevolver, aber was konnte eine Nachbildung für einen anderen Zweck haben, als andere zu bedrohen und glauben zu machen, das Ding sei echt? Und konnte sich damit etwas anderes als eine kriminelle Absicht verbinden?

Im Augenblick konnte Martin nichts unternehmen. Aber abends mußte er sich Kevin vorknöpfen. Er bog in die High Street ein, von wo aus er die blaugoldene Uhr am Turm von St. Peter sehen konnte. Die Zeiger näherten sich halb zehn. Er schlug die Richtung zur Bank ein, wo er so viel abheben wollte, daß er die Reparatur sowie eine Tankfüllung, Lunch für zwei Personen und ein paar kleinere Ausgaben in Eastbourne bezahlen konnte und trotzdem noch etwas Bargeld für die nächsten Tage hatte. Martin hielt nichts von Kreditkarten; er besaß zwar eine, benutzte sie aber nur höchst selten.

Nicht anders dachte er über Geldautomaten. Die Bank hatte noch nicht geöffnet, die schwere Eingangstür aus Eiche war fest verschlossen. Er hätte sich des Automaten bedienen können, der, Dienst am Kunden, in die Granitfassade eingelassen war. In seiner Brieftasche steckte die Karte, die er immerhin herauszog und ansah. Irgendwo hatte er sich die Geheimzahl notiert. Er versuchte sie sich ins Gedächtnis zu rufen. 5053? 5305? Doch dann hörte er, wie die Riegel zurückgeschoben wurden. Die Eingangstür öffnete sich und gab den Blick auf die innere Glastür frei. Die Bankkunden, die schon vor ihm wartend dagestanden hatten, schoben sich hinein.

Martin ging zu einem der Schalter, wo für die Kunden eine Schreibunterlage und ein Kugelschreiber auslag, der durch eine Kette mit einem imitierten Tintenfaß verbunden war. Er zog sein Scheckheft heraus. Hier brauchte er sich nicht eigens auszuweisen, da er sein Konto in dieser Filiale hatte und allgemein bekannt war. Schon hatte er den Blick einer der Leute hinter den Kassenschaltern aufgefangen und sagte guten Morgen.

Selbst unter seinen Freunden kannte kaum einer Martins Vornamen. Alle Welt nannte ihn Martin, so war es schon immer gewesen. Sogar seine Frau redete ihn mit Martin an. Wexford mußte den Vornamen kennen und natürlich auch die Bank. Er hatte ihn bei seiner Trauung ausgesprochen, und seine Frau hatte ihn wiederholt. Und doch glaubten nicht wenige, Martin sei sein Vorname. Die Wahrheit war ein Geheimnis, das er soweit wie möglich für sich behielt, und als er jetzt den Scheck ausstellte, unterschrieb er ihn wie immer mit »C. Martin«.

Hinter ihren Glasscheiben zahlten zwei Kassierer

Bargeld aus und nahmen Einzahlungen entgegen: Sharon Fraser und Ram Gopal. Beide hatten an der Scheibe ein Schildchen mit ihren Namen und oben eine Leuchte, die aufblinkte, wenn sie frei waren. In dem Bereich, der seit kurzem mit verchromten Pfosten und türkisblauen Schnüren für wartende Kunden abgetrennt worden war, hatte sich eine Schlange gebildet.

»Als wären wir Vieh auf einem Markt«, sagte ärgerlich eine Frau vor ihm.

»Es ist aber fairer so«, sagte Martin, der viel auf Gerechtigkeit und Ordnung hielt. »Auf diese Weise kann sich niemand vordrängen.«

Kaum hatte er diese Worte gesprochen, spürte er, daß irgendeine Störung eingetreten war. Das Innere einer Bank zeichnet sich durch eine gleichsam sakrale Atmosphäre aus. Geld ist etwas Ernstes, etwas Stilles. Leichtfertigkeit, Heiterkeit, rasche Bewegungen haben an diesem heiligen Ort des Geldhandels nichts zu suchen. So macht sich die leiseste Stimmungsänderung sofort bemerkbar. Eine erhobene Stimme erregt Aufsehen, das Fallen einer Nadel wird zu einem Klappern. Jede Störung, und sei sie noch so gering, läßt die wartenden Kunden zusammenfahren. Martin spürte einen Luftzug, als die Glastür ungewöhnlich jäh geöffnet wurde. Er bemerkte, wie ein Schatten herabsank, während irgend jemand die Eingangstür, die während der Öffnungszeiten immer an der Wand eingehängt war, sorgfältig und beinahe lautlos schloß.

Er drehte sich um.

Nun ging alles sehr rasch. Der Mann, der die Eingangstür geschlossen und die Riegel vorgeschoben hatte, sagte im Befehlston: »Alle zurück an die Wand! Und schnell, wenn ich bitten darf!«

Martin registrierte den Akzent, unverkennbar aus Birmingham. Als der Mann zu sprechen begann, schrie jemand auf.

Der Mann, der die Waffe in der Hand hielt, sagte in seinem ausdruckslosen, nasalen Ton: »Es passiert Ihnen nichts, wenn Sie tun, was ich sage.«

Sein Komplize, eigentlich noch ein Junge, der gleichfalls bewaffnet war, ging zwischen den türkisfarbenen Schnüren und den verchromten Pfosten auf die beiden Kassenschalter zu. Hinter dem linken Schalter saß Sharon Fraser und hinter dem rechten Ram Gopal. Martin trat, vom Revolver des Mannes in Schach gehalten, zusammen mit allen anderen, die angestanden hatten, zurück an die Wand zur Linken.

Martin war sich ziemlich sicher, daß die Waffe in der Hand des Jungen, der einen Handschuh übergestreift hatte, eine Spielzeugwaffe war. Keine Nachbildung wie die in seiner eigenen Manteltasche, sondern ein Spielzeug. Der Typ wirkte sehr jung, wie siebzehn oder achtzehn, aber Martin wußte, daß er, obwohl selbst noch nicht alt, bereits so alt war, daß er nicht mehr unterscheiden konnte, ob jemand achtzehn war oder vierundzwanzig.

Er prägte sich jedes Detail an dem jungen Burschen ein, aber er konnte nicht ahnen, daß alles, was er sich in diesen Augenblicken merken würde, umsonst war. Mit gleicher Sorgfalt registrierte er die Details an dem anderen. Der Junge hatte einen seltsamen Ausschlag im Gesicht, möglicherweise Akne. Martin hatte noch nie etwas Derartiges gesehen. Der Ältere war dunkelhaarig und hatte tätowierte Hände. Er trug keine Handschuhe.

Die Waffe in der Hand des Mannes war vielleicht auch nicht echt. Es ließ sich unmöglich sagen. Während Martin den jungen Typen beobachtete, dachte er an seinen eigenen Sohn. Hatte Kevin etwas Derartiges im Sinn gehabt? Martin tastete nach dem Revolver in seiner Tasche und begegnete den Augen des Mannes, die ihn fixierten. Er zog die Hand heraus, hob sie und umklammerte die andere.

Der Junge hatte etwas zu der Kassiererin, Sharon Fraser, gesagt, aber was, das hatte Martin nicht mitbekommen. Sie mußten hier doch eine Alarmanlage haben. Er mußte sich eingestehen, daß er nicht wußte, wie sie beschaffen sein könnte. Ein Knopf, der auf Fußdruck reagierte? Wurde vielleicht jetzt, just in diesem Augenblick, im Polizeirevier Alarm ausgelöst?

Er kam nicht auf die Idee, sich irgendwelche äußeren Merkmale an seinen Schicksalsgenossen einzuprägen, den Leuten, die sich da zusammen mit ihm geduckt an die Wand preßten. Wie die Sache dann ausging, hätte es auch nichts genützt. Er hätte lediglich sagen können, daß keiner von ihnen alt, aber alle bis auf eine einzige Ausnahme erwachsen waren. Die Ausnahme war das Baby in einer Schlinge an der Brust seiner Mutter. Die Leute waren Schatten für ihn, ein namen- und gesichtsloses Publikum.

In seinem Innern stieg der Drang auf, irgend etwas zu unternehmen, zu *handeln.* Eine gewaltige Empörung hatte sich seiner bemächtigt, wie er sie, angesichts eines Verbrechens, immer empfand. Wie konnten sie es wagen? Was erdreisteten sie sich? Mit welchem Recht kamen sie hier herein, um sich zu nehmen, was ihnen nicht gehörte? Es war der gleiche Zorn, der ihn ergriff, wenn irgendein Land ein anderes überfiel. Wie konnten sie es wagen, etwas so Empörendes zu tun?

Die Kassiererin gab Geldscheine heraus. Martin glaubte nicht, daß Ram Gopal Alarm ausgelöst hatte. Gopal sah dem ganzen Geschehen starr zu, vor Schreck versteinert oder auch nur mit einer unergründlichen Gelassenheit. Er beobachtete Sharon Fraser, wie sie auf die Tasten des automatischen Kassentresors neben sich tippte, aus dem dann Geldscheine, bereits zu Fünfzigern und Hunderten gebündelt, herausfielen. Mit unverwandtem Blick verfolgte er, wie Bündel um Bündel unter der gläsernen Trennscheibe durch die metallene

Furche in die gierige handschuhbekleidete Hand geschoben wurde.

Der junge Typ nahm das Geld mit der Linken, schob es zu einem Häufchen zusammen und verstaute es in einer Leinentasche, die er um die Taille hängen hatte. Dabei zielte er mit der Waffe, dem Spielzeugrevolver, auf Sharon Fraser. Der Ältere hielt währenddessen die anderen Anwesenden, einschließlich Ram Gopals, in Schach. Von der Stelle aus, wo er stand, war dies ein leichtes, da der Schalterraum klein war und die Bankkunden dicht nebeneinander standen. Martin hörte das Weinen einer Frau, leise Schluchzer, ein unterdrücktes Wimmern.

Seine Empörung drohte ihn zu übermannen. Aber noch war es nicht soweit, nicht ganz. Wenn die Polizei ermächtigt worden wäre, Waffen zu tragen, wäre er inzwischen vielleicht schon so daran gewöhnt, daß er einen echten Revolver von einem unechten unterscheiden könnte. Der Bursche stand jetzt vor Ram Gopal. Sharon Fraser, eine pummelige junge Frau, deren Familie Martin flüchtig kannte, da ihre Mutter mit seiner Frau zur Schule gegangen war, saß mit geballten Fäusten da, und die langen, roten Fingernägel gruben sich ihr in die Handflächen. Ram Gopal hatte unterdessen seinerseits begonnen, unter der gläsernen Trennscheibe Bündel von Geldscheinen durchzuschieben. Im nächsten Augenblick würde alles vorbei sein, und er, Martin, hatte nichts unternommen.

Er beobachtete, wie der dunkelhaarige, untersetzte Mann sich in Richtung Tür zurückzog. Das besagte nicht viel, denn seine Waffe hielt alle nach wie vor in Schach. Martin schob vorsichtig die Hand hinab zur Manteltasche und spürte dort Kevins riesige Knarre. Der Mann sah die Bewegung, reagierte aber nicht. Er mußte die Eingangstür öffnen, damit sie das Weite suchen konnten.

Martin hatte angenommen, daß Kevins Waffe nicht echt war. Genauso kam er durch Beobachtung nun zu dem Schluß, daß das Schießeisen dieses Burschen ebenfalls eine Imitation war. Die Uhr an der Wand über den Kassenschaltern, hinter dem Kopf des Jungen, zeigte 9.42 Uhr an. Wie rasch das alles gegangen war! Erst eine halbe Stunde vorher war er in der Autowerkstatt gewesen. Erst vierzig Minuten vorher hatte er den nachgemachten Revolver in Kevins Schultasche entdeckt und konfisziert.

Er fuhr mit der Hand in die Tasche, packte Kevins Revolver und brüllte: »Laßt eure Knarren fallen!«

Der Mann hatte sich für einen Sekundenbruchteil umgedreht, um die Eingangstür zu entriegeln. Er stellte sich rasch mit dem Rücken dagegegen und packte seine Waffe mit beiden Händen wie ein Filmgangster. Der Junge nahm den letzten Packen Geldscheine und fegte ihn in seine Tasche.

Martin wiederholte: »Laßt eure Knarren fallen!«

Der junge Bursche drehte langsam den Kopf zu ihm hin und sah ihn an. Eine Frau gab einen erstickten, wimmernden Laut von sich. Die lächerliche, kleine Waffe in der Hand des Jungen schien zu zittern. Martin hörte, wie die Eingangstür krachend gegen die Wand schlug. Er hörte den Mann zwar nicht hinausgehen, den mit dem echten Revolver, aber er wußte, daß er fort war. Ein Windstoß fuhr durch die Schalterhalle. Die Glastür fiel laut ins Schloß. Der junge Typ stand da und starrte Martin mit einem merkwürdig unergründlichen Blick an. Vielleicht stand er unter Drogeneinfluß. Er hielt seine Waffe so, als könnte er sie jeden Augenblick fallen lassen, als wollte er testen, wie weit er den Griff lockern konnte, ehe sie zu Boden fiel.

Jemand betrat die Bank. Die Glastüre schwenkte nach innen. Martin brüllte: »Zurück! Rufen Sie die Polizei! Sofort! Hier findet ein Bankraub statt.«

Er machte einen Schritt nach vorne, auf den Jungen zu. Es ist bestimmt einfach, sagte er sich, es *ist* einfach, die wirkliche Gefahr ist vorüber. Seine »Waffe« war auf den Burschen gerichtet, und dieser zitterte. Martin dachte: Mein Gott, gleich hab ich's geschafft, ich ganz allein!

Da drückte der Junge ab und traf ihn mitten ins Herz.

Martin stürzte. Er kippte nicht nach vorne, sondern sank zu Boden, da seine Knie einknickten. Aus seinem Mund kam Blut. Außer einem schwachen Husten gab er keinen Ton von sich. Sein Körper krümmte sich wie in Zeitlupe zusammen, die Hände griffen in die Luft, aber mit schwachen, anmutigen Bewegungen. Langsam sackte er zusammen, bis er regungslos dalag, die Augen nach oben gerichtet, blicklos zu der gewölbten Decke der Bank hinaufstarrend.

Einen Augenblick lang war es ganz still gewesen, dann brach Lärm los – Rufe, schrille Schreie. Die Leute drängten sich um den Sterbenden. Brian Price, der Filialleiter, eilte aus dem Büro im Hintergrund, gefolgt von Mitarbeitern. Ram Gopal war bereits am Telefon. Das Baby begann herzzerreißend zu schreien, als seine Mutter aufkreischte, unverständliche Worte von sich gab und die Arme um das Tragetuch mit dem kleinen Körper schlang. Sharon Fraser, die Martin gekannt hatte, rannte in die Schalterhalle und kniete sich neben ihn auf den Boden. Händeringend schrie sie nach Gerechtigkeit und Vergeltung.

»Großer Gott im Himmel, was haben sie mit ihm gemacht? Was ist mit ihm passiert? Helfen Sie, irgend jemand, lassen Sie ihn doch nicht sterben ...«

Doch mittlerweile war Martin tot.

2

Martins Vorname erschien in den Zeitungen. Er wurde noch am selben Tag in den frühen Abendnachrichten der BBC und dann noch einmal um 21.00 Uhr laut erwähnt: Detective Sergeant Caleb Martin, neununddreißig Jahre alt, verheiratet und Vater eines Sohnes.

»Es ist sonderbar«, sagte Inspector Burden. »Sie werden es mir nicht abnehmen, aber ich höre zum erstenmal, daß er so geheißen hat. Dachte immer, John oder Bill oder weiß Gott was. Wir haben ihn immer Martin genannt, als wär's sein Vorname gewesen. Ich frag mich, warum er sich eingemischt hat. Was ist denn in ihn gefahren?«

»Es war Mut«, sagte Wexford. »Der arme Kerl.«

»Übermut.« Burden sagte es wehmütig, nicht unfreundlich.

»Mut hat wohl nie viel mit Intelligenz zu tun, oder? Nicht viel mit vernünftigem Überlegen oder mit Logik. Der Gedanke mit seiner Blässe hatte bei ihm keine Chance.«

Er war einer von ihnen, einer ihresgleichen gewesen. Außerdem ist für einen Polizeibeamten der Mord an einem Kollegen besonders grauenvoll.

Chief Inspector Wexford ging bei der Fahndung nach Martins Mörder mit derselben Routine wie bei der Jagd auf jeden anderen Killer, aber er spürte, daß er betroffener war als sonst. Dabei hatte er Martin nicht einmal besonders geschätzt, da ihn dessen beflissener, humorloser Diensteifer irritiert hatte. Doch all das zählte nicht mehr, nun da Martin tot war.

»Mir ist schon oft durch den Kopf gegangen«, sagte Wexford zu Burden, »was für ein schlechter Psychologe Shakespeare doch war, als er schrieb, daß das Üble, das Menschen anrichten, sie häufig überlebt, das Gute aber gewöhnlich zusammen mit ihren Gebeinen bestattet wird. Nicht, daß der arme Martin ein übler Kerl gewesen wäre, aber Sie wissen, was ich meine. Das Gute an Menschen, *das* behalten wir im Gedächtnis, nicht das Schlechte. Ich erinnere mich, wie peinlich genau er war und wie gründlich und – na schön, verbissen. Ich denke mit viel Empfindung an ihn, wenn mich nicht der Zorn packt. Aber, mein Gott, ich bin so voller Zorn, daß ich kaum aus den Augen schauen kann, wenn ich an dieses Bürschchen mit dem Ausschlag denke, das ihn kaltblütig abgeknallt hat.«

Sie hatten damit begonnen, Brian Prince, den Filialleiter, Sharon Fraser und Ram Gopal aufs sorgfältigste und eingehendste zu verhören. Als nächstes wurden die Kunden aufgesucht, die in der Bank gewesen waren – genauer gesagt, diejenigen, die sich gemeldet hatten oder ausfindig gemacht werden konnten. Niemand vermochte exakt anzugeben, wie viele Leute sich zu dem fraglichen Zeitpunkt in der Schalterhalle aufgehalten hatten.

»Der arme, alte Martin hätte es uns sagen können«, sagte Burden. »Da bin ich mir sicher. Er wußte, wie viele es waren, aber er ist ja tot, und wenn er nicht tot wäre, hätte das alles keinerlei Bedeutung.«

Brian Prince hatte nichts gesehen. Er hatte von dem Überfall überhaupt erst erfahren, als er den jungen Burschen den Schuß abfeuern hörte, der Martin tötete. Ram Gopal, Mitglied der winzigen Gemeinschaft indischer Einwanderer in Kingsmarkham und Angehöriger der pandschabischen Brahmanenkaste, gab Wexford die beste und umfassendste Beschreibung der beiden Männer. Angesichts solcher Täterbeschreibungen, sagte

Wexford hinterher, wäre es ein Verbrechen, die beiden nicht aufzuspüren.

»Ich habe sie sehr genau beobachtet. Ich saß ganz ruhig da und konzentrierte mich darauf, wie sie aussahen. Es war mir klar, wissen Sie, daß ich nichts machen konnte, *das* aber konnte ich tun, und das habe ich getan.«

Michelle Weaver, zu der fraglichen Zeit auf dem Weg zu ihrem Arbeitsplatz im Reisebüro zwei Häuser weiter, gab an, der Jüngere der beiden sei zwischen zweiundzwanzig und fünfundzwanzig Jahre alt, blond, nicht sehr groß und mit einer schlimmen Akne geschlagen gewesen. Die Mutter des Babys, Mrs. Wendy Gould, erklärte ebenfalls, der junge Typ sei blond gewesen, meinte aber auch, daß es sich um einen hochgewachsenen Burschen gehandelt habe, mindestens 1,85 Meter groß. Sharon Fraser glaubte sich zu erinnern, daß er blond und groß gewesen sei; besonders aber seien ihr seine hellblauen Augen aufgefallen. Alle drei Männer gaben an, der Junge sei klein oder allenfalls mittelgroß, mager und vielleicht zweiundzwanzig oder dreiundzwanzig gewesen. Wendy Gould erklärte, er habe krank gewirkt. Die andere Frau, Mrs. Margaret Watkin, sagte, der Bursche sei dunkelhaarig und klein gewesen und habe dunkle Augen gehabt. Alle waren sich darin einig, daß er einen Ausschlag im Gesicht gehabt habe, aber Margaret Watkin bezweifelte, daß es sich um Akne handelte. Mehr wie eine Menge kleiner Muttermale, meinte sie.

Der Komplize des jungen Mannes wurde einhellig als zehn oder, so Mrs. Watkin, zwanzig Jahre älter als der Bursche beschrieben. Er sei dunkelhaarig, ein paar sagten, dunkelhäutig gewesen und habe behaarte Hände gehabt. Als einzige gab Michelle Weaver an, daß er an der linken Wange einen Leberfleck gehabt habe. Sharon Fraser meinte, er sei sehr groß gewesen, während einer der Männer ihn als »Zwerg« bezeichnete und ein anderer erklärte, er sei »nicht größer als ein Jugendlicher« gewesen.

Ram Gopals Konzentration und die Bestimmtheit seiner Aussage flößten Wexford Vertrauen ein. Der Inder beschrieb den jungen Burschen als knapp 1,75 Meter groß, sehr mager, blauäugig, blond und mit Aknepusteln im Gesicht. Er habe Blue Jeans, ein dunkles T-Shirt beziehungsweise einen dunklen Pullover und eine schwarze Lederjacke getragen. Die Hände hätten in Handschuhen gesteckt, was keinem der anderen Zeugen zu erwähnen einfiel.

Der Mann habe keine Handschuhe getragen. Seine Hände seien von dunklen Haaren bedeckt gewesen. Sein Kopfhaar sei dunkel, beinahe schwarz gewesen, der Ansatz schon weit zurückgetreten, er habe sozusagen eine »Denkerstirn« gehabt. Er sei mindestens fünfunddreißig Jahre alt und ähnlich wie der Bursche angezogen gewesen, abgesehen davon, daß seine Jeans dunkel gewesen sei, dunkelgrau oder dunkelbraun. Dazu habe er einen braunen Pullover angehabt.

Der junge Typ habe nur ein einziges Mal gesprochen: Als er Sharon Fraser anwies, ihm das Geld auszuhändigen. Sharon Fraser war nicht imstande, seine Stimme zu beschreiben. Nach Ram Gopals Meinung sprach der Junge weder Cockney noch ein gehobenes Englisch, sondern vermutlich einen Südlondoner Akzent. Er kannte sich allerdings mit englischen Akzenten nicht genau aus, wie Wexford entdeckte, als er ihn auf die Probe stellte und feststellte, daß der Inder einen Devonshire-Akzent mit einem aus Yorkshire verwechselte.

Und wie viele Leute waren in der Bank gewesen? Ram Gopal sagte, die Angestellten eingeschlossen, seien es fünfzehn gewesen. Sharon Fraser sprach von sechzehn Personen. Von den Bankkunden nannte einer die Zahl zwölf, ein anderer achtzehn.

Gleichgültig, wie viele oder wie wenige Personen sich in der Bank aufgehalten hatten, klar war, daß sich nicht alle auf die Appelle der Polizei hin gemeldet hatten. Von dem Moment an, als die Bankräuber den Tatort verließen, bis zum Eintreffen der Polizei hatten vielleicht nicht weniger als fünf Personen unauffällig die Bank verlassen, während sich die übrigen um den toten Martin drängten.

Sie hatten sich bei der erstbesten Gelegenheit verdrückt, und wer konnte es ihnen verdenken, zumal wenn sie nichts Taterhellendes beobachtet hatten? Wer wollte schon unnötig in polizeiliche Ermittlungen hineingezogen werden?

Die Polizei in Kingsmarkham mußte sich also damit abfinden, daß sich vier oder fünf Personen nicht gemeldet hatten, Leute, die vielleicht etwas wußten oder auch nicht, jedenfalls aber schwiegen und sich abseits hielten. Bei der Polizei wußte man lediglich, daß das Bankpersonal keinen der Betreffenden, vier oder fünf oder vielleicht auch nur drei, vom Sehen kannte. Soweit die Angestellten sich erinnern konnten. Weder Brian Price noch Ram Gopal oder Sharon Fraser konnten sich entsinnen, in der Schlange vor dem Schalter ein bekanntes Gesicht gesehen zu haben, abgesehen von den Stammkunden, die nach Martins Tod alle in der Bank geblieben waren.

Martin selbst hatten sie natürlich gekannt. Ebenso, unter anderen, Michelle Weaver und Wendy Gould. Sharon Fraser konnte nur eines sagen: Sie habe den Eindruck, daß die Bankkunden, die sich nicht gemeldet hatten, sämtlich Männer gewesen seien. Die sensationellste Aussage von einem der Zeugen kam von Michelle Weaver. Sie erklärte, gesehen zu haben, wie der Junge mit dem von Akne entstellten Gesicht im letzten Augenblick, ehe er türmte, seine Waffe fallen ließ. Er habe sie auf den Boden geworfen und sei davongerannt.

Burden konnte zunächst kaum glauben, daß sie von ihm erwartete, diese Aussage ernst zu nehmen. Sie erschien ihm bizarr. Von dem Vorgang, den Michelle Weaver beschrieb, hatte er irgendwo gelesen oder während seiner Ausbildung gehört. Es war eine klassische Mafia-Technik. Er meinte sogar, daß sie beide das gleiche Buch gelesen haben müßten.

Doch Michelle Weaver blieb dabei. Sie habe gesehen, wie die Waffe über den Fußboden geschliddert sei. Die anderen seien alle zu Martin hingestürzt, aber als letzte in der Reihe der Personen, die sich auf Geheiß des Gangsters hatten an die Wand stellen müssen, sei sie am weitesten von Martin entfernt gewesen, der ganz vorne gestanden habe.

Caleb Martin hatte die »Waffe« fallen lassen, mit der er seinen tapferen Versuch unternommen hatte. Sein Sohn Kevin identifizierte sie später als sein Eigentum; sein Vater habe sie ihm am Morgen im Auto weggenommen. Es war ein Spielzeug, die unpräzise, mehrere äußerliche Ungenauigkeiten aufweisende Nachbildung eines Militär- und Polizeirevolvers, Smith & Wesson Modell 10, mit einem neun Zentimeter langen Lauf.

Mehrere Zeugen hatten gesehen, wie Martins Waffe auf den Boden fiel. Ein Bauunternehmer namens Peter Kemp hatte neben ihm gestanden und sagte aus, Martin habe das Schießeisen im selben Augenblick fallen lassen, in dem ihn die Kugel traf.

»Könnte es Detective Sergeant Martins Waffe gewesen sein, die Sie gesehen haben, Mrs. Weaver?«

»Wie bitte?«

»Detective Sergeant Martin ließ die Waffe fallen, die er in der Hand hatte. Sie schlidderte zwischen den Füßen der Leute über den Fußboden. Könnten Sie sich getäuscht haben? Könnte das die Waffe gewesen sein, die Sie sahen?«

»Ich habe gesehen, wie der Junge sie auf den Boden warf.«

»Sie sagten, Sie hätten sie über den Boden schliddern sehen. Martins Revolver ist über den Boden geschliddert. Sind also zwei Revolver über den Boden geschliddert?«

»Das weiß ich nicht. Ich habe nur einen gesehen.«

»In der Hand des Burschen? Und dann haben Sie gesehen, wie er über den Boden geglitten ist? Haben Sie tatsächlich beobachtet, wie der Revolver aus der Hand des Jungen fiel?«

Sie war sich ihrer Sache nicht mehr sicher. Sie glaubte, es gesehen zu haben. Sie habe bestimmt den Revolver in der Hand des jungen Burschen und dann einen auf dem Fußboden gesehen, wie er zwischen den Füßen der Leute über den glänzenden Marmor glitt. Dann kam ihr ein Gedanke, der sie einen Augenblick lang verstummen ließ. Sie sah Burden mit einem festen Blick an.

»Vor Gericht würde ich nicht beschwören, daß ich es gesehen habe«, sagte sie.

In den folgenden Monaten wurde die Jagd auf die beiden Bankräuber auf das ganze Land ausgedehnt. Nach und nach tauchten sämtliche geraubten Geldscheine auf. Einer der beiden Männer kaufte einen Wagen, ehe die Nummern der betreffenden Banknoten öffentlich bekanntgegeben wurden, und zahlte einem ahnungslosen Gebrauchtwagenhändler sechstausend Pfund bar auf die Hand. Dies war der ältere, dunklere Typ. Der Autohändler gab eine detaillierte Beschreibung von ihm und nannte den Namen des Mannes. Beziehungsweise den Namen, den der Mann ihm angegeben hatte – George Brown. Fortan war er für die Polizei in Kingsmarkham George Brown.

Vom übrigen Geld kamen knapp zweitausend Pfund, eingewickelt in Zeitungspapier, auf einer städtischen

Müllkippe zum Vorschein. Die anderen sechstausend Pfund wurden nie gefunden. Vermutlich waren sie in Kleckerbeträgen ausgegeben worden. Damit war kein großes Risiko verbunden. Wenn man dem Mädchen an der Supermarktkasse zwei Zehner gibt, meinte Wexford, macht sie keine Stichprobe. Man muß sich nur davor hüten, ein zweites Mal reinzugehen.

Kurz vor Weihnachten fuhr Wexford nach Lancashire, um dort einen Mann zu vernehmen, der in Untersuchungshaft saß. Es war das Übliche. Wenn er sich kooperativ zeigte und nützliche Hinweise gab, könnte sich das bei seinem Prozeß durchaus positiv für ihn auswirken. Wie die Dinge lagen, mußte er damit rechnen, zu sieben Jahren Knast verdonnert zu werden.

Der Mann hieß James Walley, und er erzählte Wexford, daß er mit einem Typen, der George Brown hieß – sein richtiger Name –, ein Ding gedreht habe. Es war eine seiner früheren Straftaten, die er zu gestehen gedachte, um vor Gericht glimpflicher davonzukommen. Wexford suchte den richtigen George Brown in dessen Heim in Warrington auf. Er war schon vorgerückten Alters, wenn auch vermutlich jünger, als er wirkte, und er hinkte, da er einige Jahre zuvor bei einem Einbruchsversuch in einem mehrstöckigen Mietshaus von einem Gerüst gestürzt war.

Danach begann man bei der Polizei in Kingsmarkham von dem gesuchten Mann als dem a. (alias) George Brown zu sprechen. Von dem jungen Burschen mit der Akne gab es kein Zeichen, nicht einmal einen gemurmelten Hinweis. Er hätte so gut wie tot sein können, so wenig war über ihn zu erfahren.

A. George Brown tauchte im Januar wieder auf. Er war in Wirklichkeit ein gewisser George Thomas Lee und wurde im Verlauf eines Raubüberfalls in Leeds verhaftet. Diesmal übernahm es Burden, den Mann im Untersuchungsgefängnis aufzusuchen. Es war ein kleiner Mann, der schielte und einen karottenroten Bürstenhaarschnitt trug. Bei der Geschichte, die er Burden auftischte, ging es um einen pickeligen jungen Mann, den er in einem Pub kennengelernt und der sich dort gebrüstet habe, irgendwo in Südengland einen Polizisten umgebracht zu haben. Er nannte ein bestimmtes Pub, vergaß es dann wieder und gab ein anderes an, aber er kannte den vollen Namen und die Adresse des Burschen. Burden, bereits überzeugt, daß sich als Motiv hinter alledem nur Rachegelüste wegen irgendeiner läppischen Kränkung verbargen, fand den jungen Mann. Er war dunkelhaarig und hochgewachsen, ein arbeitsloser Laborant mit einem Leumund, der ebenso fleckenlos war wie sein Gesicht. Der junge Mann konnte sich nicht daran erinnern, a. George Brown in einem Pub kennengelernt zu haben, entsann sich aber, daß er die Polizei benachrichtigt hatte, als er an seiner letzten Arbeitsstätte einen Einbrecher entdeckte.

Martin war durch einen Schuß aus einem 357er oder 38er Kaliber getötet worden. Mit welchem der beiden Typen ließ sich nicht sagen, weil die Patrone zwar eine 38er war, für den 357er Colt Magnum aber Patronen beider Kaliber benützt werden können. Manchmal grübelte Wexford über diesen Revolver nach, und einmal träumte er, er sei in einer Bank und beobachte zwei Revolver, die über den Marmorboden glitten, während die Bankkunden wie Zuschauer im Eisstadion irgendeiner Darbietung zuschauten. *Magnums on Ice.*

Er suchte selbst Michelle Weaver auf, um sich mit ihr zu unterhalten. Sie war sehr entgegenkommend, nur zu willig, Auskunft zu geben, und ließ sich keinerlei Ungeduld anmerken. Doch inzwischen waren fünf Monate ins Land gegangen, und die Erinnerung an das, was sie an jenem Morgen, als Caleb Martin starb, gesehen hatte, war unvermeidlich verblaßt.

»Ich kann nicht gesehen haben, wie er die Waffe wegwarf, oder? Ich muß mir das wohl eingebildet haben. Wenn er sie auf den Boden geworfen hätte, wäre sie dort gelegen, und das war sie nicht, nur die, die der Polizeibeamte fallen ließ.«

»Es war zweifellos nur ein einziger Revolver da, als die Polizei eintraf.« Wexford sprach zu ihr im Plauderton, als verfügten sie beide über das gleiche Wissen, die gleichen Insider-Informationen. Sie taute auf und wurde selbstsicher. »Wir haben nichts außer dem Spielzeugrevolver gefunden, den Detective Sergeant Martin an diesem Morgen seinem Sohn weggenommen hatte. Keine Kopie, keine Nachbildung, ein Kinderspielzeug.«

»Dann war das wirklich ein Spielzeug, was ich gesehen habe?« sagte sie verwundert. »Sie machen sie täuschend echt nach.«

Eine andere Vernehmung im Plauderton, diesmal mit Barbara Watkin, förderte nicht viel mehr als ihren Eigensinn zutage. Halsstarrig hielt sie an ihrer Beschreibung des jungen Burschen fest.

»Ich erkenne Akne auf den ersten Blick. Mein ältester Sohn hatte schreckliche Akne. Das, was der Junge hatte, war was anderes. Ich hab Ihnen ja gesagt, es sah mehr aus wie Muttermale.«

»Vielleicht vernarbte Akneknötchen?«

»Ganz und gar nicht. Sie müssen sich diese erdbeerfarbenen Flecken vorstellen, die Leute so haben, nur daß sie bei ihm dunkelrot und alle klecksig waren, Dutzende davon.«

Wexford fragte daraufhin bei Dr. Crocker nach, und dieser sagte, niemand habe Muttermale, auf die diese Beschreibung paßten. Damit war der Fall erledigt.

Es gab nicht viel mehr zu sagen, nichts mehr zu fragen. Es war Ende Februar, als er sich mit Michelle Weaver unterhielt, und Anfang März, als Sharon Fraser mit etwas daherkam, was ihr an einem der Männer unter den Bankkunden, die sich nicht gemeldet hatten, aufgefallen war. Er habe in der Hand einen Packen Geldscheine gehalten, grüne Scheine. Es gab keine grünen britischen Banknoten, seit die Pfundnote mehrere Jahre zuvor durch eine Münze ersetzt worden war. Sonst sei ihr an dem Mann nichts aufgefallen, woran sie sich erinnere. »Hilft Ihnen das weiter?«

Wexford konnte nicht sagen, ob es ihm viel weiterhelfen werde. Aber Leute, die solchen Gemeinsinn an den Tag legen, soll man nicht entmutigen.

Sonst passierte nicht viel bis zum 11. März, als der Notruf kam.

3

»Sie sind alle tot.« Es war eine weibliche Stimme, und sie war jung, sehr jung. Sie sagte es noch einmal: »Sie sind alle tot.« Und dann: »Ich verblute.«

Die Telefonistin in der Notrufzentrale, obwohl kein Neuling in ihrem Job, sagte hinterher, es sei ihr bei diesen Worten kalt über den Rücken gelaufen. Sie hatte bereits routinemäßig die Frage gestellt, ob die Anrufende die Polizei, die Feuerwehr oder einen Krankenwagen wolle.

»Wo sind Sie?« fragte sie.

»Helfen Sie mir. Ich verblute.«

»Sagen Sie mir, wo Sie sind, die Adresse...«

Die Stimme begann eine Telefonnummer anzugeben.

»Die Adresse bitte...«

»Tancred House, Cheriton. Helfen Sie mir, bitte helfen Sie mir... Sorgen Sie dafür, daß sie rasch kommen...«

Es war 20.22 Uhr.

Der Forst, überwiegend mit Nadelbaumbestand, erstreckt sich über ein ungefähr hundertfünfzig Quadratkilometer großes Gebiet. Doch südlich davon hat sich ein Überrest des uralten Waldes von Cheriton erhalten, einer von sechs, die es im Mittelalter in der Grafschaft Sussex gab – außerdem die Wälder von Arundel, St Leonard's, Worth, Ashdown, Waterdown und Dallington. Von Arundel abgesehen, bildeten sie alle ein geschlossenes Waldgebiet von neuntausend Quadratkilometern, das sich der Angelsächsischen Chronik zufolge von Kent bis Hampshire erstreckte. Hier war Rotwild zu Hause, und im Herzen des Waldes lebten sogar Wildschweine.

Das kleine Gebiet, das sich davon erhalten hat, ist Mischwald mit Eichen, Eschen, Roß- und Edelkastanien, Birken und erlenblättrigem Schneebaum, das an den südlichen Hängen und der Umgrenzung eines privaten Landgutes steht. Hier, wo bis Anfang der dreißiger Jahre eine Parklandschaft gewesen war, in der Douglasien, Zedern und der seltenere Mammutbaum wuchsen und hin und wieder ein Wäldchen zu sehen war, war vom neuen Eigentümer des Guts ein neuer Wald angepflanzt worden. Die Straßen zum Herrenhaus, eine davon nicht mehr als ein breiter Pfad, winden sich durch den Forst, an manchen Stellen zwischen steile Böschungen gezwängt, an anderen durch Rhododendron-Gehölze, vorüber an hohem und gesundem Baumbestand.

Manchmal kann man zwischen den Bäumen Wild erblicken, hin und wieder auch rote Eichhörnchen. Der Birkhahn und im Winter die Kornweihen sind eine Seltenheit, die Dartford-Grasmücke dagegen kommt häufig vor. Im Spätfrühling, wenn der Rhododendron zu blühen beginnt, zeigen sich die langen Baumreihen in einem leuchtenden Hellrosa unter dem lichten Grün der ausschlagenden Birken. Die Nachtigall singt. Im März dagegen sind die Wälder noch dunkel, doch beginnt das junge Leben schon zu sprießen, und der Boden unter den Füßen ist von einem üppigen Ingwergold der Bucheckern verfärbt. Die Stämme der Buchen schimmern, als wäre die Rinde von Silber durchzogen. Doch nachts herrschen hier Dunkel und Schweigen. Eine tiefe abweisende Stille erfüllt den Wald.

Der Grund ist nicht von einem Zaun begrenzt, sondern von einer Hecke mit Toren aus rotem Zedernholz. Die meisten führen nur zu einfachen Pfaden, die nicht befahrbar sind, doch das Haupttor steht an einer Straße, die in nördlicher Richtung von der B 2428 abbiegt und Kingsmarkham mit Cambery Ashes verbindet. An einem Pfosten links vom Tor ist ein Wegweiser befestigt, eine einfache Holztafel mit der Aufschrift TANCRED HOUSE, PRIVATSTRASSE, BITTE DAS TOR SCHLIESSEN.

An diesem Dienstagabend, dem Abend des 11. März, 20.51 Uhr, war das Tor geschlossen. Detective Sergeant Vine stieg aus dem ersten Wagen und öffnete es, obwohl er einen höheren Rang bekleidete als die meisten anderen Beamten in den beiden Autos. Er war als Ersatzmann für Caleb Martin nach Kingsmarkham gekommen. Der Konvoi bestand aus drei Fahrzeugen – das letzte war der Krankenwagen. Vine ließ alle die Einfahrt passieren und schloß dann das Tor. Man konnte hier nicht sehr schnell fahren, doch Pemberton tat sein möglichstes.

Später erfuhren sie, daß diese Straße, die sie von da an täglich benutzten, immer schon als Hauptzufahrt diente.

Es war dunkel, zwei Stunden nach Sonnenuntergang. Die letzte Straßenlaterne war achtzig Meter vom Tor entfernt an der B 2428. Schwaden grünlichen Nebels zogen umher. Die Baumstämme bildeten graue Pfeilerkolonnaden, die von dem Dunst eingehüllt wurden.

Niemand sprach ein Wort. Der letzte, der etwas geäußert hatte, war Barry Vine gewesen, als er erklärte, daß er aussteigen und das Tor öffnen werde. Detective Inspector Burden schwieg. Er überlegte, was sie in Tancred House vorfinden mochten, dachte sich dann aber, daß es sinnlos sei, Spekulationen anzustellen. Pemberton hatte nichts zu sagen und fand auch, daß es nicht ihm zuständе, eine Unterhaltung zu beginnen.

In dem Transporter hinter ihnen saßen der Fahrer,

Gerry Hinde, ein Mann von der Spurensicherung namens Archbold, ein Fotograf, Milson mit Namen, und eine Polizeibeamtin, Detective Constable Karen Malahyde. In dem Rettungswagen folgten eine Frau und ein Mann, die Frau saß am Steuer.

Der Konvoi fuhr, abgesehen von dem Motorengeräusch der drei Fahrzeuge, lautlos dahin. Er wand sich zwischen hohen baumbestandenen Böschungen dahin und dann wieder über ebene, sandbedeckte Flächen. Warum die Straße diese Windungen beschrieb, war ein Geheimnis, denn der Hügel stieg nur flach an, ohne jedes Hindernis, außer vielleicht vereinzelten Baumriesen, von denen in der Dunkelheit freilich nichts zu sehen war.

Die Marotte eines »Waldbegründers«, dachte Burden. Er versuchte sich zu erinnern, ob er schon einmal in diesen Wäldern gewesen war, aber er kannte die Gegend nicht sehr gut. Natürlich wußte er, wer der derzeitige Eigentümer war, jeder in Kingsmarkham wußte das. Dann beschäftigte ihn der Gedanke, ob Wexford die Nachricht bereits erhalten hatte, die sie ihm hinterlassen hatten; ob der Chief Inspector ihnen vielleicht schon folgte.

Vine blickte angestrengt zum Seitenfenster hinaus. Er drückte die Nase an die Scheibe, als gäbe es draußen etwas zu sehen außer der Dunkelheit, dem Dunst und den Straßenrändern vor ihnen, die gelblich glänzten und im Scheinwerferlicht naß wirkten. Keine Augen schauten aus der Tiefe des Waldes, keine Zwillingspunkte, grün oder golden, und kein Vogel, kein anderes Tier regte sich. Selbst der Himmel war hier nicht zu erkennen. Die Baumkronen schienen eine geschlossene Decke zu bilden.

Burden hatte gehört, daß es auf dem Gut Cottages gab, Häuschen, in denen das Personal von Davina Flory untergebracht war. Sie befanden sich inzwischen sicher in der Nähe von Tancred House, nicht weiter als fünf Minuten Fußmarsch davon entfernt, aber sie kamen an keinem Tor vorüber, kein Pfad zweigte ab, und nirgends war ein Licht zu sehen. London lag nur achtzig Kilometer entfernt, und trotzdem hatte man den Eindruck, im Norden Kanadas oder in Sibirien zu sein. Der Wald schien kein Ende zu nehmen. Baumreihe folgte auf Baumreihe, manche Bäume an die fünfzehn Meter hoch, andere erst bis zur Hälfte ausgewachsen. Nach jeder Biegung meinte man, daß hinter der nächsten Tancred House auftauchen mußte, und sah sich dann doch getäuscht.

Burden beugte sich nach vorne und sagte zu Pemberton mit einer Stimme, die in der Stille laut klang: »Wie weit liegt das Tor jetzt schon hinter uns?«

Pemberton schaute nach. »Fast vier Kilometer, Sir.«

»Verdammt weit, nicht?«

»Fünf Kilometer nach der Karte«, sagte Vine. Er hatte eine weißliche Druckstelle an der Nase, dort, wo er sie gegen die Scheibe gepreßt hatte.

»Es kommt mir vor wie Stunden«, knurrte Burden vor sich hin und spähte hinaus, auf die Bäume, die kein Ende nehmen wollten, als das Herrenhaus in Sicht kam. Der Anblick ließ es den Männern kalt den Rücken hinunterlaufen.

Der Wald trat plötzlich zurück, als würde ein Vorhang geöffnet, und da stand Tancred House, beleuchtet wie ein Bühnenbild, im grünlichen, kalten Mondlicht. Das Ganze hatte eine dramatische Wirkung. Das Haus schien in einem strahlenden Licht aus einem dunklen Abgrund aufzusteigen. Die Fassade selbst war mit orangefarbenen Lichtflecken gesprenkelt: den Quadraten und Rechtecken erleuchteter Fenster.

Nicht Licht hatte Burden erwartet, sondern trostloses Dunkel. Die Szene vor seinen Augen war wie die einleitende Aufnahme von einem Märchen, das auf einem abgelegenen Schloß spielte, einem Film über Dornröschen. Musik hätte dazu gehört, eine sanfte, aber unheimliche Melodie mit Hörnern und Pauken. Die Stille gab einem das Gefühl, daß etwas ganz Wesentliches fehlte, daß irgend etwas schrecklich fehlgeschlagen war. Der Ton war weg, ohne daß die Lampensicherungen durchbrannten. Burden sah, wie der Wald wieder näher herantrat, als die Straße noch eine weitere Kurve beschrieb. Ungeduld ergriff ihn. Am liebsten wäre er hinausgesprungen und auf das Haus zugerannt, um sich gewaltsam Zugang zu verschaffen und das Grauen vor sich zu sehen, um zu sehen, was dieses Grauenvolle war, doch er blieb verdrossen auf seinem Platz sitzen.

Dieser erste kurze Blick war aber nur ein Vorgeschmack gewesen. Die Straße führte jetzt über ein grasbewachsenes Stück flachen Geländes, auf dem ein paar große Bäume standen. Die Insassen der Fahrzeuge fühlten sich sehr exponiert, als wären sie die Vorhut einer Invasionsstreitmacht, die einem Hinterhalt entgegenfährt. Das Haus vor ihnen war nun in aller Klarheit zu sehen, ein ländliches Herrenhaus, anscheinend georgianisch, abgesehen von dem steil aufsteigenden Dach und den Kaminen, die wie Kerzenleuchter wirkten. Alles in allem machte Tancred House einen weitläufigen und imposanten, aber auch bedrohlichen Eindruck.

Eine niedrige Mauer trennte den Vorhof des Hauses vom übrigen Gutsgelände. Die Straße, auf der sie kamen, führte direkt auf die Mauer zu. Kurz bevor sie diese passierten, zweigte links noch ein Sträßchen ab, das wahrscheinlich zu einem der Seitenflügel oder an die Rückseite von Tancred House führte. Die Mauer selbst verbarg die Flutlichter.

»Fahren Sie geradeaus weiter«, sagte Burden.

Hinter zwei steinernen Mauerpfosten mit Glockenkapitellen öffnete sich eine weite Fläche, die mit Portlandsteinen gepflastert war. Die goldbraunen Steine waren so dicht gefügt, daß nicht einmal Moos zwischen ihnen hätte sprießen können. Genau in der Mitte dieses Vorhofs befand sich ein großes, rundes Becken, in dessen Mitte sich ein Inselchen mit einer Statuengruppe erhob – ein Mann, ein Baum, ein Mädchen in grauem Marmor –, die von Blumen und großblättrigen Pflanzen aus verschiedenfarbigem Marmor umrankt war. Vielleicht diente das Ganze als Springbrunnen. Im Augenblick war die Wasserfläche jedoch glatt und unbewegt.

Geformt wie ein »E« ohne Querbalken oder wie ein Rechteck, dem eine Langseite fehlt, stand das Haus ohne jeden Zierat am Ende dieser weiten Steinfläche. Keine Kletterpflanze rankte sich an der verputzten Fassade hoch, kein Strauch wuchs so nahe, daß er das Rustika-Mauerwerk beeinträchtigen konnte. Die Bogenlampen auf dieser Seite der Mauer tauchten jede zarte Linie und jede winzige Vertiefung in der Oberfläche in helles Licht.

Überall brannten die Lampen, in den beiden Seitenflügeln, im Haupttrakt und in der Galerie darüber. Sie glühten hinter zugezogenen Vorhängen, rosig, orangefarben oder grün, entsprechend der Vorhangfarbe. Das Licht der Bogenlampen konkurrierte mit diesen weicheren, wärmeren Farben, konnte sie aber nicht ganz überstrahlen. Alles war absolut regungslos, kein Windhauch wehte, so daß man glaubte, nicht nur die Luft, sondern auch die Zeit selbst wäre zum Stillstand gekommen.

Der Konvoi fuhr links an dem Becken vorbei auf den Eingang zu. Burden und Vine stießen die Wagentüren auf. Vine war als erster am Eingang, den man über zwei breite, flache Stufen erreichte. Sollte es jemals einen Vorbau gegeben haben, war er inzwischen verschwunden, und zu beiden Seiten der Türe waren nur ein paar nicht kannellierte, in die Mauer eingelassene

Säulen geblieben. Die Flügel der Haustüre selbst waren schimmernd weiß und glänzten im grellen Licht der Bogenlampen so stark, als wäre die Farbe noch feucht. Um die Klingel zu betätigen, mußte man an einem schmiedeeisernen Stab ziehen, der an eine Zuckerstange erinnerte. Der Ton, der darauf entstand, mußte durch das Haus gehallt haben, denn er war selbst für die Sanitäter, die beinahe zwanzig Meter weiter weg aus ihrem Rettungswagen stiegen, deutlich zu vernehmen.

Vine zog ein zweites und drittes Mal und griff dann nach dem schweren Türklopfer aus Messing. In Gedanken bei der Stimme, die so dringend um Hilfe gefleht hatte, warteten sie auf ein Geräusch. Aber es tat sich nichts. Kein Wimmern, kein Flüstern. Stille. Burden ließ den Türklopfer auf die Platte knallen und drückte mehrmals die Klappe des Briefeinwurfs nach innen, so daß sie laut zurückschlug.

»Wir werden uns mit Gewalt Zugang verschaffen müssen«, sagte Burden.

Niemand kam im Augenblick auf die Idee, daß es einen Hintereingang oder vielleicht sogar mehrere unverschlossene Türen auf der Rückseite des Hauses geben mochte.

Aber wo? Vier breite Fenster flankierten den Vordereingang, zwei auf jeder Seite. Wenn man durchspähte, sah man eine Art Vorhalle mit Lorbeerbäumen und Lilien in Kübeln auf einem gesprenkelten weißen Marmorboden. Die Blumen schimmerten im Licht zweier Kandelaber. Was sich hinter einem gemauerten Bogen verbarg, war nicht zu erkennen. Es sah warm und friedlich aus da drinnen, es wirkte kultiviert, ein wohl ausgestatteter, vornehmer Wohnsitz, das Zuhause reicher, luxusliebender Menschen. In der Vorhalle stand an einer Wand eine zum Teil vergoldete Mahagonikonsole, daneben nachlässig hingestellt ein zerbrechlich wirkender Stuhl mit einem roten Samtpolster. Aus einem chinesischen Topf auf dem Tisch quollen lange Triebe einer kriechenden Pflanze.

Burden entfernte sich vom Hauseingang und trat auf den weiten Vorhof. Die Beleuchtung war so grell, als hätte sich der Mond in einem Spiegel am Himmel verdoppelt. Hinterher meinte Burden zu Wexford, die Helligkeit habe alles noch schlimmer gemacht. Dunkelheit wäre passender gewesen, damit wäre er besser zurechtgekommen.

Er näherte sich dem Westflügel, wo ein schwach gerundetes Erkerfenster nur ein paar Fuß über dem Boden begann. Von innen drang gedämpftes grünes Licht ins Freie. Die Vorhänge waren zugezogen, ihr blasses Futter der Fensterscheibe zugekehrt, doch Burden vermutete, daß sie auf der Sichtseite aus grünem Samt waren. Später sollte er sich fragen, welcher Instinkt ihn zu diesem Fenster geführt und veranlaßt hatte, es nicht mit einem der Fenster neben dem Eingang zu probieren.

Ein dunkles Vorgefühl hatte ihm gesagt, daß er hier richtig sei. Dort drinnen war, was es zu entdecken galt. Er versuchte durch den messerrückenschmalen, vom Licht erhellten Spalt zwischen den Vorhängen zu schauen, erkannte aber nichts, weil ihn die Helligkeit blendete. Die anderen standen stumm dicht hinter ihm.

»Schlagen Sie das Fenster ein!« wies er Pemberton an. Pemberton machte sich gelassen ans Werk und schlug mit einem Schraubenschlüssel aus dem Wagen eine der ziemlich großen, rechteckigen Scheiben in der Mitte des Erkerfensters ein. Mit der Hand fuhr er durch die Öffnung, schob den Vorhang beiseite, öffnete den Verschluß am unteren Teil des Schiebefensters und schob ihn nach oben. Burden zog den Kopf ein und kletterte als erster hinein, gefolgt von Vine. Schwerer, dicker Stoff umgab ihre Köpfe. Entschlossen schoben sie den Vorhang zur Seite, so daß die Ringe mit einem schwachen Klingeln über die Stange glitten.

Sie standen vielleicht einen Meter von dem Fenster entfernt, auf einem dicken Teppich, und sahen, was zu sehen sie gekommen waren. Vine sog mit einem scharfen Geräusch die Luft ein. Niemand sonst gab einen Ton von sich. Pemberton stieg durch das Fenster und nach ihm Karen Malahyde. Burden trat beiseite, um ihnen Platz zu machen. Er stieß keinen Schrei aus. Er schaute geradeaus. Fünfzehn Sekunden vergingen. Seine Augen begegneten Vines starrem, leerem Blick. Er drehte sogar den Kopf um und registrierte – als wäre er in einer anderen Welt –, daß die Vorhänge tatsächlich aus grünem Samt waren. Dann blickte er wieder zu dem Eßtisch hin.

Es war ein großer Tisch, beinahe drei Meter lang, bedeckt mit einem Tischtuch und darauf Gläser und Silber. Speisen waren aufgetragen, und das Tischtuch war rot. Es sah aus, als wäre es rot gedacht, aus scharlachfarbenem Damast, nur war das dem Fenster nächstgelegene Stück weiß. Die rote Flut war nicht so weit vorgedrungen.

Auf der Stelle mit dem tiefsten Scharlachrot lag jemand vornüber zusammengebrochen, eine Frau, die an dem Tisch gesessen oder gestanden hatte. Gegenüber der Körper einer anderen Frau, gegen die Stuhllehne zurückgeworfen. Der Kopf hing ihr im Genick, das lange schwarze Haar floß herab, und ihr Kleid hatte die gleiche rote Farbe wie die Tischdecke, als hätte sie es passend dazu gewählt.

Diese beiden Frauen hatten exakt in der Tischmitte einander gegenübergesessen. Die Gedecke zeigten, daß zwei weitere Personen am Kopf- und am Fußende gesessen hatten. Doch nur die beiden Frauenkörper waren zu sehen und die scharlachrote Fläche zwischen ihnen.

Es stand außer Frage, daß die beiden Frauen tot waren. Die ältere, deren Blut das Tischtuch rot gefärbt hatte, hatte eine Schußwunde an einer Schläfe. Man konnte es feststellen, ohne sie zu berühren. Die Hälfte des Kopfes und des Gesichts waren grausig zugerichtet.

Die andere war in den Hals geschossen worden. Ihr seltsamerweise unversehrtes Gesicht war weiß wie Wachs. Die Augen standen weit offen und starrten zur Decke, wo ein paar dunkle Spritzer, vielleicht Blut, zu sehen waren. Blut war an den dunkelgrün tapezierten Wänden, den goldgrünen Lampenschirmen zu erkennen, hatte auf dem dunkelgrünen Teppich schwarze Flecke hinterlassen. Ein roter Tropfen hatte ein Bild an der Wand getroffen, war über die grob aufgetragene fahle Ölfarbe gelaufen und getrocknet.

Auf dem Tisch standen drei Teller mit Speisen. Auf zweien davon war das Essen, wenn auch kalt geworden und etwas eingetrocknet, als Essen erkennbar. Der dritte war mit Blut überschwemmt, als hätte jemand eine ganze Flasche Soße für irgendeine Horrormahlzeit darüber entleert.

Zweifellos stand auf dem Tisch noch ein vierter Teller. Der zerschossene Kopf der Frau, deren Körper nach vorne gesackt war, war darauf gesunken. Ihr dunkles, von grauen Strähnen durchzogenes Haar hatte sich aus dem Knoten im Nacken gelöst und lag zwischen einem Salzstreuer, einem umgestürzten Glas und einer zerknüllten Serviette ausgebreitet. Eine zweite blutgetränke Serviette lag auf dem Teppich.

Ein Servierwagen mit Speisen war dicht zu dem Platz gezogen worden, den die jüngere Frau einnahm, die, deren Haar über die Stuhllehne hing. Auch hier war alles mit Blut besudelt.

Es war eine Ewigkeit her, daß es Burden bei einem derartigen Bild übel geworden war. Andererseits: Hatte er jemals schon einmal eine solche Szene gesehen? Er empfand ein Gefühl der Leere im Kopf, als hätte es ihm die Sprache verschlagen, als wären angesichts dessen alle Worte sinnlos. Und obwohl es in dem Haus warm war, empfand er plötzlich eine eisige Kälte. Er legte die Finger der linken Hand in die rechte und spürte, daß sie kalt waren wie Eis.

Burden stellte sich den Krach, das Getöse vor, mit dem sich der Lauf der Waffe entleert haben mußte – einer Flinte, eines Jagdgewehrs oder eines noch schwereren Kalibers? Den Lärm, der die Ruhe in diesem friedlichen, warmen Raum brutal unterbrach. Und diese Menschen, wie sie plaudernd dasaßen, das Essen halb verzehrt, und auf schreckliche Weise aus der Ruhe gerissen wurden... Er drehte sich um und tauschte mit Barry Vine einen kurzen Blick. Beiden war bewußt, daß aus ihren Augen Bestürzung, Übelkeit am Rande des Erbrechens sprachen. Sie starrten fassungslos auf das Bild, das sich ihnen darbot.

Burden merkte, daß er sich steif bewegte, als hätte er bleierne Gewichte an Füßen und Händen. Seine Kehle war wie zugeschnürt, während er durch die offenstehende Speisezimmertür langsam in das Innere des Hauses ging. Hinterher, mehrere Stunden später, fiel ihm ein, daß er währenddessen den Anruf der Frau ganz vergessen hatte. Der Anblick der Toten hatte bewirkt, daß er die Lebenden vergaß, die möglicherweise noch Lebenden...

Er trat in eine imposante Halle, deren Decke den Blick auf die Lichtkuppel hoch oben in der Mitte des Daches freigab und die gleichfalls von mehreren Lampen, allerdings weniger hell, erleuchtet war. In diesem Raum standen Lampen mit silbernen Sockeln und Lampen mit Sockeln aus Glas und Keramik, die Schirme aprikosen- oder elfenbeinfarben. Der Boden bestand aus blankpoliertem Holz, auf dem kleine Teppiche verteilt waren, die Burden orientalisch vorkamen, Läufer und Brücken mit fliederfarbenen, roten, braunen und goldenen Mustern. Aus dieser Halle führte eine Treppe nach oben, die sich im ersten Stock zweiteilte und von einer Galerie mit ionischen Geländersäulen weiter nach oben führte. Am Fuß der Treppe lag quer über den untersten Stufen die Leiche eines Mannes.

Auch er war erschossen worden – in die Brust getroffen. Der Treppenläufer war rot, und das Blut, das ihn befleckt hatte, erinnerte an dunkle Weinflecken. Burden holte tief Luft, merkte, daß er sich die Hand vor den Mund hielt, und senkte sie energisch. Er blickte langsam und konzentriert um sich und bemerkte, daß sich in einer Ecke am anderen Ende der Halle etwas regte.

Das scheppernde, klappernde Geräusch, das plötzlich zu hören war, bewirkte, daß sich seine Stimme löste. Diesmal stieß er doch einen Schrei aus.

»Großer Gott!« Seine Stimme kam gequält heraus, als umklammere eine Hand seine Kehle.

Er hatte einen Telefonapparat entdeckt, der durch irgendeine unfreiwillige, heftige Bewegung auf den Boden gerissen worden war. Aus der dunkelsten Ecke der Halle, wo keine Lampe stand, kroch etwas auf ihn zu. Es gab ein Stöhnen von sich. Es hatte sich in der Telefonschnur verheddert, und dahinter rutschte und tanzte der Apparat über das polierte Eichenholz. Er tanzte und hüpfte wie ein Spielzeug, das von einem Kind an einer Schnur gezogen wird.

Sie war kein Kind mehr, allerdings, wie sich zeigte, nicht viel älter – ein Mädchen, das auf allen vieren auf ihn zukroch und mit den bestürzten, unartikulierten Jammerlauten eines verwundeten Tieres zu seinen Füßen zusammenbrach. Sie war über und über mit Blut bedeckt, das ihr langes Haar verklebt, ihre Kleider durchtränkt, an ihren Armen rote Streifen hinterlassen hatte. Sie hob das Gesicht, das mit Blut verschmiert war, als hätte sie die Finger hineingetaucht und sich die Haut damit bemalt.

Zu seinem Entsetzen bemerkte Burden, daß aus einer Wunde links oben an ihrer Brust noch immer Blut quoll. Er ließ sich vor dem Mädchen auf die Knie fallen.

Sie begann zu sprechen. Die Worte kamen in einem halb erstickten Flüsterton. »Helfen Sie mir, helfen Sie mir…«

4

Bereits zwei Minuten später war der Rettungswagen unterwegs zum Krankenhaus in Stowerton. Diesmal war das Blaulicht eingeschaltet, und die Sirene kreischte durch die dunklen stillen Wälder.

Der Wagen fuhr so schnell, daß der Fahrer scharf bremsen und ausweichen mußte, um nicht mit Wexford zusammenzustoßen, der fünf Minuten nach neun Uhr von der B 2428 Richtung Tancred House abbog.

Die Nachricht hatte ihn erreicht, als er mit seiner Frau, seiner Tochter und deren Freund in einem neuen italienischen Restaurant in Kingsmarkham, das den Namen *La Primavera* trug, beim Abendessen saß. Sie waren mitten im Hauptgang gewesen, als sein Portable zu wimmern begann und ihn, wie er hinterher dachte, auf eine seltsam abrupte Art davor bewahrte, etwas zu tun, was er vielleicht bereut hätte. Ein rasches Wort zu Dora und ein recht beiläufiger Abschied von den anderen, und schon war er zur Tür hinaus. Sein Marsala-Schnitzel blieb ungegessen auf dem Teller zurück.

Dreimal hatte er versucht, Tancred House zu erreichen, aber jedesmal war besetzt gewesen. Als der von Donaldson gesteuerte Wagen die erste Biegung der schmalen Straße durch den Wald passiert hatte, versuchte er es noch einmal. Diesmal war der Anschluß frei, und am Apparat meldete sich Burden.

»Der Hörer war nicht auf der Gabel. Er war auf den Boden gefallen. Drei Tote. Erschossen. Sie müssen dem Rettungswagen mit dem Mädchen begegnet sein.«

»In welcher Verfassung ist sie?«

»Kann ich nicht sagen. Sie war bei Bewußtsein, aber ziemlich schlimm zugerichtet.«

»Haben Sie mit ihr gesprochen?«

»Natürlich«, sagte Burden. »Es ging nicht anders. Sie sind zu zweit ins Haus gekommen, aber sie hat nur einen gesehen. Sie sagt, es war acht Uhr, als es passiert ist, oder kurz danach, ein, zwei Minuten nach acht. Mehr brachte sie nicht heraus.«

Wexford schob das Telefon wieder in die Tasche. Die Uhr am Armaturenbrett zeigte ihm, daß es zwölf Minuten nach neun war. Als ihn der Anruf erreichte, war er nicht so sehr mißgelaunt als irritiert gewesen und in einer niedergeschlagenen Stimmung, die immer ärger wurde. An dem Tisch im *La Primavera* hatte er gegen Antipathie, ja, richtiggehenden Abscheu anzukämpfen begonnen. Und dann, als er zum dritten- oder viertenmal eine scharfe Bemerkung zurückhielt, die ihm auf der Zunge lag, und sich um Sheilas willen zusammenriß, hatte sein Telefon geklingelt. Dann schob er die Erinnerung an den quälenden Abend beiseite; jetzt mußte alles vor dem Massaker in Tancred House zurücktreten.

Das beleuchtete Herrenhaus tauchte zwischen den Bäumen auf, wurde von der Dunkelheit verschluckt und erschien wieder, als Donaldson den Wagen auf den Vorhof steuerte und zwischen den anderen Fahrzeugen zum Stehen brachte.

Der Eingang stand offen. Wenn man das Haus durch die Vorhalle betrat, gelangte man von dort direkt in die große Halle, wo Blut auf dem Boden und auf den Teppichbrücken zu sehen war. Blut bildete einen Archipel von Inseln auf dem blassen Eichenboden. Als Barry Vine zu ihm herauskam, erblickte Wexford die Leiche eines Mannes auf den unteren Treppenstufen.

Wexford trat näher und sah sie sich an. Es war ein etwa sechzigjähriger, großer, schlanker Mann. Er hatte ein einnehmendes Gesicht mit feinen Zügen, des Typus', der gewöhnlich sensibel genannt wird. Das Gesicht war jetzt wächsern und gelblich. Der Unterkiefer hing herab. Die blauen Augen standen offen und blickten starr. Blut hatte sein weißes Hemd scharlachrot gefärbt und auf seiner dunklen Jacke noch dunklere Flecke hinterlassen. Er war für den Abend gekleidet, in Anzug und Krawatte, und der Killer hatte ihn von vorne aus kurzem Abstand in Brust und Kopf geschossen. Der Kopf war eine blutige Masse, das dichte, weiße Haar bräunlich verklebt.

»Wissen Sie, wer das ist?«

Vine schüttelte den Kopf. »Müßte ich es wissen, Sir? Ich nehme an, der Typ, dem das Haus hier gehört.«

»Es ist Harvey Copeland, ehemaliger Abgeordneter für die Southern Boroughs und Ehemann von Davina Flory. Sie sind ja noch nicht lange hier, aber von Davina Flory haben Sie wohl schon gehört, nicht?«

»Ja, Sir, natürlich.«

Bei Vine wußte man nie, wie man dran war. Hatte er schon von ihr gehört oder nicht? Dieses völlig ausdruckslose Gesicht, die ruhige Art, die unerschütterliche Gelassenheit.

Wexford trat in das Speisezimmer und versuchte sich dabei auf das gefaßt zu machen, was ihn erwarten mochte. Trotzdem hielt er die Luft an, als er die Szene vor sich sah. Niemand wird jemals völlig abgehärtet. Es würde nie so weit mit ihm kommen, daß er solche Bilder mit Gleichgültigkeit betrachten konnte.

Burden war mit dem Fotografen in dem Zimmer. Archbold von der Spurensicherung maß kniend Entfernungen ab und machte sich Notizen. Aus dem Polizeilabor waren zwei Techniker eingetroffen. Archbold stand auf, als Wexford hereinkam, aber dieser bedeutete ihm mit einer Handbewegung, daß er weitermachen solle.

Als er sich dazu überwunden hatte, seinen Blick ein paar Sekunden auf den Leichen der beiden Frauen verweilen zu lassen, sagte er zu Burden: »Das Mädchen – erzählen Sie mir alles, was sie gesagt hat.«

»Daß sie zu zweit waren. Es war gegen acht. Sie sind in einem Wagen gekommen.«

»Wie käme man sonst hier heraus?«

»Von oben hätten sie Geräusche gehört. Der Mann, der draußen tot auf der Treppe liegt, sei hinausgegangen, um nachzusehen.«

Wexford ging um den Tisch herum und blieb neben der toten Frau stehen, deren Kopf und aufgelöstes Haar über der Stuhllehne hingen. Von dort aus sah er die Frau gegenüber aus einem anderen Blickwinkel. Er betrachtete die Überreste des Gesichts, das mit der linken Wange auf einen blutgefüllten Teller gesunken war, der auf dem geröteten Tischtuch stand.

»Das ist Davina Flory?«

»Ich dachte mir, daß sie es sein muß«, sagte Burden leise. »Und der Tote draußen auf der Treppe ist zweifellos ihr Ehemann.«

Wexford nickte. Ein ungewohntes Gefühl überkam ihn, gewissermaßen Ehrfurcht. »Und wer ist das? Hatte sie nicht eine Tochter?«

Die andere Frau war vielleicht Mitte vierzig gewesen. Ihre Augen und ihr Haar waren schwarz. Ihre Haut, weiß und blutleer, ließ einen fast glauben, daß sie noch lebte. Vermutlich war sie sehr blaß gewesen. Sie war mager, und ihre Kleidung erinnerte an eine Zigeunerin in weit geschnittenen, gemusterten Baumwollsachen mit Perlen und Ketten. Alles war überwiegend in Rottönen gewesen, aber nicht so rot, wie es jetzt aussah.

»Es muß sicher einen Höllenlärm gemacht haben, diese Geschichte.«

»Vielleicht hat jemand was gehört«, sagte Wexford. »Auf dem Gut müssen noch mehr Leute leben. Irgend jemand muß schließlich für Davina Flory und ihren Mann und ihre Tochter die Hausarbeit gemacht haben. Ich bin sicher, gehört zu haben, daß eine Haushälterin und wohl auch ein Gärtner hier wohnen, in gutseigenen Cottages.«

»Darum hab ich mich schon gekümmert. Karen und Gerry sind losgezogen und versuchen gerade, sie ausfindig zu machen. Sie werden ja bemerkt haben, daß man bei der Anfahrt an keinem Gebäude vorbeikommt.«

Wexford wanderte um den Tisch herum, zögerte und kam dann der toten Davina Flory näher als zuvor. Ihr üppiges schwarzes Haar, von weißen Strähnen durchzogen, lag ausgebreitet wie blutbespritzte Blumenranken. Die Schulter ihres Kleides aus roter Seide, das sich eng an ihre magere Figur schmiegte, zeigte einen riesigen schwärzlichen Fleck. Ihre Hände lagen auf dem rotgefärbten Tischtuch, als gehörten sie einer Frau, die an einer Seance teilnimmt. Es waren außergewöhnlich lange, schmale Hände, wie man sie, außer an orientalischen Frauen, nur selten zu sehen bekommt. Das Alter hatte sie kaum gezeichnet, oder aber der Tod hatte die Adern bereits schrumpfen lassen. Die Hände trugen keinen Schmuck bis auf einen schlichten goldenen Ehering an der linken. Die andere hatte sich im Sterben halb geschlossen, als die Finger ein Stück blutigen Damast umklammerten.

Wexfords Gefühl der Ehrfurcht verstärkte sich noch. Er war zurückgetreten, um dieses Schreckensbild insgesamt in sich aufzunehmen, als die Tür krachend aufflog und der Pathologe hereinkam. Kurz zuvor hatte Wexford draußen einen Wagen vorfahren hören, aber angenommen, es handle sich nur um Gerry Hinde und Karen Malahyde, die zurückkamen. Statt dessen war Dr. Basil Sumner-Quist eingetroffen, ein Mann, den Wexford nicht ausstehen konnte. Sir Hilary Tremlett wäre ihm viel lieber gewesen.

»O je, o je!« sagte Sumner-Quist, »weit ist es mit den Großen gekommen!«

Schlechter Geschmack, nein, schlimmer als das, ein empörender, abstoßender Mangel an Geschmack war typisch für den Pathologen. Einmal hatte er einen Erdrosselten einen »saftigen kleinen Leckerbissen« genannt.

»Ich nehme an, das ist sie, ja?« Er stupste in die blutbeflecke Seide über dem Rücken der Toten. Das Verbot, Leichen zu berühren, mochte für alle anderen gelten, er war davon ausgenommen. »Wir nehmen es an«, sagte Wexford und zügelte den mißbilligenden Ton in seiner Stimme, so gut es ging. Er hatte an diesem Abend schon genug Mißbilligung zum Ausdruck gebracht. »Das ist höchstwahrscheinlich Davina Flory. Der Mann draußen auf der Treppe ist ihr Ehemann Harvey Copeland, und wir vermuten, daß dies hier ihre Tochter ist. Wie sie heißt, weiß ich nicht.«

»Sind Sie fertig?« sagte Sumner-Quist zu Archbold.

»Ich kann ja noch mal kommen, Sir.«

Der Fotograf machte eine letzte Aufnahme und verließ hinter Archbold und den Männern vom Labor den Raum. Sumner-Quist machte sich unverzüglich an die Arbeit. Er packte den Schopf von Davina Flory und hob den Kopf in die Höhe. Die zerstörte Hälfte des Gesichts war jetzt abgewandt, und ein edles Profil kam zum Vorschein: eine majestätisch hohe Stirn, eine gerade Nase, ein breit geschwungener Mund, alles von tausend feinen Linien und tieferen Falten umgeben.

»Das war Kindsraub, als sie sich ihn geschnappt hat, oder nicht? Sie muß doch mindestens fünfzehn Jahre älter gewesen sein.«

Wexford senkte leicht den Kopf.

»Ich habe gerade ihr Buch gelesen, Teil eins der Autobiographie. Ein ereignisreiches Leben, könnte man sagen. Teil zwei muß für immer ungeschrieben bleiben.

Aber nach meiner bescheidenen Meinung gibt es ohnehin zu viele Bücher auf der Welt.« Der Pathologe stieß ein schrilles, wieherndes Lachen aus. »Ich habe sagen hören, daß sich die Frauen im Alter alle in Ziegen oder Äffinnen verwandeln. Die hier war eine Äffin, würde ich sagen, finden Sie nicht auch? Kein schlaffer Muskel zu sehen.«

Wexford ging aus dem Zimmer. Er merkte, daß ihm Burden folgte, blickte sich aber nicht um. Der Zorn, der sich in dem italienischen Restaurant in ihm zusammengebraut hatte und nun aus einem anderen Grund aufwallte, drohte sich in einer Explosion Luft zu machen.

Er sagte in einem kalten, dumpfen Ton: »Wenn ich ihn umbringe, übernimmt wenigstens der alte Tremlett die Obduktion.«

»Jenny bewundert ihre Bücher sehr«, sagte Burden, »die anthropologischen, oder wie man dazu sagt. Ja, politisch sind sie wohl auch. Eine bemerkenswerte Frau war sie. Ich hab Jenny letzte Woche die Autobiographie zum Geburtstag geschenkt.«

Karen Malahyde kam in die Halle. »Ich war mir nicht sicher, was ich tun sollte, Sir. Ich wußte, daß Sie mit den Harrisons und mit Gabbitas sprechen wollen, ehe es zu spät ist, also hab ich ihnen nur die nackten Tatsachen berichtet. Sie waren anscheinend wie vom Donner gerührt.«

»Vollkommen richtig, was Sie getan haben«, sagte Wexford.

»Ich habe gesagt, Sie würden wahrscheinlich in der nächsten halben Stunde rüberkommen, Sir. Die Häuser, zwei aneinandergebaute Cottages, sind ungefähr zwei Minuten von hier entfernt, an dem Sträßchen, das vom hinteren Garten wegführt.«

»Zeigen Sie es mir bitte.«

Sie führte ihn zum Westflügel, an dem eingeschlagenen Erkerfenster vorbei, und deutete dorthin, wo das Sträßchen am Garten vorbeiführte und sich im Dunkeln verlor.

»Zwei Minuten mit dem Auto oder zwei Minuten zu Fuß?«

»Ich schätze, zehn Minuten zu Fuß, aber ich werde Donaldson erklären, wo es entlanggeht.«

»Sie können es mir sagen, ich geh zu Fuß.

Donaldson sollte mit Barry Vine nachkommen. Wexford machte sich auf den Weg. Der Mond war inzwischen aufgegangen, und außerhalb der Reichweite der Bogenlampen überzog sein Licht den Weg mit einem grünlichen, phosphoreszierenden Schein, auf den die Nadelbäume federnartige schwarze Schatten warfen. Scharf hoben sie sich gegen den klaren, leuchtenden Himmel ab, prachtvolle Laub- und Nadelbäume, die sechzig Jahre zuvor gepflanzt worden waren.

Gedanken über den Tod und das Phänomen der Gegensätze erfüllten Wexford. Er sann darüber nach, daß in dieser wunderbaren Umgebung die gräßlichste aller Taten begangen worden war, dachte an Shakespeares »rühmliche Vollkomenheit, so schändlich entehrt«. Die Erinnerung an all das Blut, das durch das Zimmer und über den Tisch wie verschüttete Malerfarbe gespritzt war, jagte ihm einen Schauder über den Rücken.

Hier, in unmittelbarer Nähe, war eine andere Welt. Der Weg hatte etwas Magisches an sich. Der Wald war wie verzaubert, eine Kulise für die *Zauberflöte* vielleicht oder das Bühnenbild für ein Märchen. Es war völlig still. Sein Schritt auf dem von Nadeln bedeckten Waldgrund war lautlos. Das Licht des Mondes, das an Stärke zunahm, drang zwischen die Baumreihen und wurde nur hier und da von einigen besonders dichten Ästen oder Baumstämmen aufgehalten, dic aussahen wie verdrehte Seilstränge.

Die Natur, die sich hätte erheben und aufheulen sollen, einen brüllenden Sturm durch diese Wälder schikken, die die wilden Tiere zum Protest aufrufen, die Äste hätte schütteln sollen, daß sie in Klagen ausbrachen, sie blieb stumm, ruhig, unberührt. Die Stille hier war beinahe unnatürlich. Kein Zweig regte sich. Wexford nahm die nächste Biegung und trat auf eine Lichtung, von der ein schmalerer Weg durch eine Wand gewöhnlicher Nadelholzbäume wegführte.

Am Ende des Weges schimmerten die Fenster von Häusern.

Barry Vine und Karen Malahyde waren in der ersten und zweiten Etage gewesen, um sich zu vergewissern, daß es keine weiteren Toten im Haus gab. Burden hätte zwar gern gewußt, was dort oben zu sehen sein mochte, scheute sich aber, an Harvey Copeland vorbei die Treppe hinaufzugehen, bevor Archbold die Position der Leiche festgehalten, der Fotograf sie aus sämtlichen Winkeln aufgenommen und der Pathologe sie einer ersten, vorläufigen Untersuchung unterzogen hatte. Burden hätte, um daran vorbeizukommen, über den ausgestreckten rechten Arm des Toten steigen müssen. Eine innere Barriere, sein Sinn für das Schickliche, hielt ihn zurück. Statt dessen ging er durch die Halle und blickte in einen Raum, der, wie sich herausstellte, der Salon war.

Wunderbar eingerichtet, von vorbildlicher Ordnung, ein Museum hübscher Dinge und *objets d'art.* Irgendwie hätte er nicht gedacht, daß Davina Flory so lebte. Er hätte etwas Schlampigeres, Unkonventionelleres erwartet. Er hätte sie sich in einem langen Gewand oder in Hosen vorgestellt, zusammen mit Gleichgesinnten an einem altehrwürdigen, abgenutzten Refektoriumstisch in einem großen, warmen, unaufgeräumten Raum, wo man Wein trank und bis tief in die Nacht hinein plauderte. Eine Art Festsaal, so etwas hatte seine

Phantasie ihm ausgemalt: Davina Flory, gekleidet wie die Stammutter in einer griechischen Tragödie. Er lächelte beschämt und ließ den Blick nochmals über die festonierten Fenster wandern, die Porträts in Goldrahmen, die mit Krassulazeen und Farnkräutern gefüllten Blumenschalen und die storchbeinigen Möbel aus dem achtzehnten Jahrhundert. Dann schloß er die Türe.

Im hinteren Teil des Ostflügels und hinter der Eingangshalle befanden sich zwei weitere Räume, anscheinend die Arbeitszimmer des Paares, und ein anderer, der zu einem großen Wintergarten führte. Mindestens einer der Toten mußte leidenschaftlicher Gärtner gewesen sein. Der Raum duftete süß nach Zwiebelgewächsen, blühenden Narzissen und Hyazinthen, und hatte jene feuchte, grüne Atmosphäre, wie sie Gewächshäusern zu eigen ist.

Hinter dem Speisezimmer entdeckte er eine Bibliothek. Alle diese Räume waren ebenso aufgeräumt, elegant und gepflegt wie der erste, in den er hineingeschaut hatte. Sie hätten sich in irgendeinem beliebigen Herrensitz in Verwaltung des National Trust befinden können, in dem mehrere Räumlichkeiten dem Publikum zugänglich gemacht sind. In der Bibliothek standen sämtliche Bücher hinter edel verglasten Gittertüren aus dunkelrotem Holz. Ein einziges Buch nur lag aufgeschlagen auf einem Lesepult. Ein Korridor führte von hier zu den Wirtschaftsräumen.

Die Küche war zwar geräumig, hatte aber nichts von einem düsteren Gewölbe, wie man es vielleicht erwartet hatte. Sie war neu eingerichtet, in der Art einer rustikalen Bauernküche. Nach Burdens Eindruck waren die Schranktüren aus Eiche, nicht aus Kiefer. Hier stand der Refektoriumstisch, den er in seiner Phantasie gesehen hatte, glänzend poliert, und darauf in der Mitte ein polierter Holzteller mit Obst.

Ein Hüsteln hinter ihm veranlaßte ihn, sich umzudrehen. Archbold war hereingekommen, zusammen mit Chepstow, dem Experten von der Spurensicherung.

»Entschuldigung, Sir. Fingerabdrücke.«

Burden hob die rechte Hand, um zu zeigen, daß sie in einem Handschuh steckte. Chepstow nickte und nahm sich den Türknauf auf der Küchenseite vor. Da es sich um ein Herrschaftshaus handelte, hatte es keinen Küchenausgang, den man als »Hintertür« bezeichnen könnte. Burden näherte sich vorsichtig den offenstehenden Türen, von denen die eine zu einem Wäscheraum mit Waschmaschine, Trockner und Geräten zum Bügeln, die andere zu einer Art Vorraum mit Regalen, Schränken und einem Kleiderständer führte, an dem Mäntel hingen. Erst durch einen weiteren Raum gelangte man ins Freie.

Er blickte sich um, als Archbold durchkam. Archbold deutete ein Nicken an. Die Tür hatte zwar Riegel, aber sie waren nicht vorgeschoben. Im Schloß steckte ein Schlüssel. Burden achtete darauf, den Türknauf nicht zu berühren, Handschuh hin, Handschuh her.

»Sie glauben, daß sie auf diesem Weg hereingekommen sind?«

»Schon möglich, nicht, Sir? Wie sonst? Alle anderen Außentüren sind abgeschlossen.«

»Es sei denn, jemand hat sie hereingelassen. Es sei denn, sie sind zum Hauseingang gekommen, und jemand hat geöffnet und sie aufgefordert einzutreten.«

Chepstow untersuchte den Türknauf, den Türschoner, den Türpfosten. Mit einem Baumwollhandschuh über der rechten Hand drehte er vorsichtig den Knauf. Er gab nach, und die Tür ging auf. Burden konnte eine hohe Hecke erkennen, die einen gepflasterten Hof umgab.

»Irgend jemand hat die Tür unverschlossen gelassen.

Vielleicht die Haushälterin, als sie heimging. Vielleicht ließ sie sie immer unverschlossen, und die Tür wurde erst vor dem Schlafengehen abgesperrt.«

»Denkbar«, sagte Burden.

»Schrecklich, daß man sich einschließen muß, wenn man so abgelegen wohnt.«

»Offensichtlich haben sie es nicht getan«, sagte Burden irritiert.

Er ging durch den Wäscheraum, der durch eine offenstehende Tür in eine Art rückwärtiger Halle führte, deren Wände von Schränken eingenommen wurden. Von hier führte eine zweite schmale Treppe nach oben. Das also war die »Hintertreppe«, eine Eigenheit alter Herrenhäuser, von der Burden schon oft gehört, der er aber nur selten begegnet war. Er stieg hinauf und gelangte auf einen Flur mit offenen Türen auf beiden Seiten.

Die Schlafzimmer schienen kein Ende zu nehmen. Wenn man in einem Haus von diesen Ausmaßen wohnte, mußte man die Übersicht verlieren, wie viele Schlafzimmer man hatte. Er schaltete während seines Rundgangs Licht an und wieder aus. Der Korridor bog nach links ab, und Burden wußte, daß er sich jetzt im Westflügel über dem Eßzimmer befand. Die einzige Tür hier war geschlossen. Er öffnete sie und drückte auf den Lichtschalter, den seine Finger an der Wand links ertasteten.

Licht flutete über die Art von Chaos, in dem in seiner Vorstellung Davina Flory gelebt hatte. Schon im nächsten Augenblick wurde ihm klar, daß der oder die Killer hier gewesen waren. Das Durcheinander hatten *sie* angerichtet. Was hatte Karen Malahyde gleich wieder gesagt?

»Sie haben ihr Schlafzimmer auseinandergenommen, weil sie nach irgendwas suchten.«

Die Überdecken waren nur zurückgeschlagen, nicht

heruntergerissen und die Kissen beiseite geworfen worden. Die Schubladen in den beiden Nachtkästchen waren herausgezogen und ebenso zwei von denen in der Frisierkommode. Eine der Kleiderschranktüren stand offen, und auf dem Teppich lag ein einzelner Schuh. Die Sitzfläche des Bettsofas zu Füßen des Bettes war hochgestellt, und über der Seite hing ein langes Stück Seidenstoff mit rosa-goldenem Blumenmuster.

Sonderbar war dieses Gefühl, das Burden überkam. Immer wieder kehrte die Vorstellung von dem Leben zurück, das in seiner Phantasie Davina Flory geführt hatte, von der Art Mensch, der sie gewesen war. Ja, so hätte er sich ihr Schlafzimmer vorgestellt: wunderbar eingerichtet, täglich gesäubert und aufgeräumt, doch von seiner Besitzerin immer wieder aufs neue in Unordnung gebracht. Nicht aus mutwilliger Mißachtung der Mühen, die sich ein dienstbarer Geist damit machte, sondern weil sie es einfach nicht merkte, weil sie gleichgültig für die gepflegte Ordnung ihrer Umgebung war. Doch so war es nicht gewesen. Dies hatte ein Eindringling angerichtet.

Warum dann schien ihm irgend etwas nicht ins Bild zu passen? Die Schmuckschatulle, ein mit rotem Leder bezogenes Kästchen, das leer und umgedreht auf dem Teppich lag, sprach doch die Wahrheit deutlich genug.

Burden schüttelte enttäuscht den Kopf, denn er hätte nicht erwartet, daß Davina Flory Schmuck besessen hatte, geschweige denn eine Schatulle, in der sie ihn aufbewahrte.

Die fünf Menschen im kleinen Vorderzimmer der Harrisons sorgten dafür, daß es eng wurde. John Gabbitas, der Förster, war von nebenan geholt worden. Da nicht genug Stühle vorhanden waren, hatte man einen zusätzlichen von oben heruntergebracht. Brenda Harrison hatte es sich nicht nehmen lassen, Tee aufzubrühen, den zwar anscheinend niemand wollte, aber den sie alle, wie Wexford jetzt fand, zur Beruhigung und Entspannung brauchten.

Sie nahm die Sache gelassen. Natürlich hatte sie, ehe er hier eintraf, eine halbe Stunde Zeit gehabt, den Schock zu verarbeiten. Trotzdem aber fand er ihre Munterkeit fehl am Platz. Es war ganz so, als hätten Vine und Malahyde ihr von einem Malheur berichtet, das ihren, Brenda Harrisons, Arbeitgebern zugestoßen war, beispielsweise daß ein Stück vom Dach abgedeckt worden oder Wasser durch eine Zimmerdecke gedrungen war. Sie hantierte geschäftig mit den Teetassen und einer Dose Kekse, während ihr Mann wie betäubt mit starrem Blick dasaß und immer wieder den Kopf hin und her bewegte.

Bevor sie hinausgelaufen war, um Wasser aufzusetzen und ein Tablett herzurichten – sie war anscheinend eine hyperaktive Frau, die nie zur Ruhe kam –, hatte sie seine eigene Identifizierung der Mordopfer bestätigt. Der Tote auf der Treppe war Harvey Copeland, die ältere der toten Frauen am Eßtisch Davina Flory. Die andere, gab sie an, sei ganz sicher Davina Florys Tochter Naomi. Trotz der in aller Augen gesellschaftlich hohen Stellung ihrer Arbeitgeber hatten sich in Tancred House anscheinend alle mit dem Vornamen angeredet, Davina und Harvey und Naomi und Brenda. Sie mußte sogar einen Augenblick nachdenken, bis ihr Naomis Nachname einfiel. Ach ja, Jones, sie heiße Mrs. Jones, aber das Mädchen nenne sich Flory.

»Das Mädchen?«

»Daisy war Naomis Tochter und Davinas Enkelin. Sie hat ebenfalls Davina geheißen, sie war sozusagen Davina Flory die Jüngere, verstehen Sie? Aber sie haben sie Daisy gerufen.«

»Nicht ›sie war‹«, sagte Wexford. »Sie ist nicht tot.«

Sie zog die Schultern ein wenig hoch. Ihr Ton kam ihm ungehalten vor; vielleicht hatte es seinen Grund nur darin, daß sie bei einem Irrtum ertappt worden war. »So. Ich dachte, die Polizistin hätte gesagt, sie sind alle tot.«

Und nach dieser Bemerkung goß sie den Tee auf.

Für Wexford stand jetzt schon fest, daß von den drei Menschen hier sie seine Hauptinformationsquelle sein würde. Die offensichtliche Gefühllosigkeit, die sie an den Tag legte, eine Gleichgültigkeit, die geradezu abstoßend war, fielen nicht weiter ins Gewicht. Vielleicht gab sie gerade deswegen die ergiebigste Zeugin ab. John Gabbitas, ein junger Mann in den Zwanzigern, wohnte zwar in einem der Tancred-Wood-Häuser und kümmerte sich um den Gutsforst, arbeitete aber auch auf eigene Rechnung als Holzfäller und Baumexperte. Er gab an, daß er erst eine Stunde zuvor von einer Arbeit am anderen Ende der Grafschaft zurückgekommen sei. Ken Harrison hatte seit dem Eintreffen von Wexford und Vine kaum ein Wort herausgebracht.

»Wann haben Sie sie zum letztenmal gesehen?« fragte Wexford.

Sie antwortete auf der Stelle. Sie war nicht die Art Frau, die lange überlegt. »Um halb acht. Wie immer, Punkt halb acht. Außer sie haben eine Abendeinladung gegeben. Wenn sie unter sich waren, nur die vier, hab ich gekocht, was es halt gab, es auf dem vorgewärmten Servierwagen angerichtet und den ins Eßzimmer geschoben. Naomi hat immer das Essen ausgeteilt, jedenfalls nehm ich das an. Ich hab's nie gesehen, weil ich nie dabei war. Davina saß gern Punkt dreiviertel acht am Tisch, jeden Abend, wenn sie zu Hause war. Es war immer das gleiche.«

»Und heute abend war es genauso?«

»Es war immer das gleiche. Ich hab um halb acht den Servierwagen hineingeschoben. Es gab Suppe und Seezunge und Aprikosen mit Joghurt. Ich hab den Kopf um die Gartentür gesteckt, sie waren alle da...«

»Um die was?«

»Die Gartentür. So haben sie dazu gesagt. Die zum Wintergarten. Ich hab gesagt, daß ich mich jetzt auf den Weg mache, und bin zur hinteren Tür hinaus wie jeden Abend.«

»Haben Sie die abgeschlossen?«

»Nein, natürlich nicht. Das tu ich nie. Außerdem war ja Bib noch da.«

»Bib?«

»Sie hilft aus. Kommt auf ihrem Fahrrad her. An manchen Vormittagen hat sie einen Halbtagsjob, also kommt sie meistens nachmittags. Ich hab mich von ihr verabschiedet. Sie hat gerade die Tiefkühltruhe saubergemacht und gesagt, sie würde in fünf Minuten weggehen.« Plötzlich kam ihr ein Gedanke. Ihre Gesichtsfarbe wechselte – zum erstenmal. »Die Katze«, sagte sie, »ist die Katze wohlauf? Sie haben sie doch hoffentlich nicht umgebracht!«

»Soviel ich weiß, nein«, sagte Wexford. »Oder vielmehr: bestimmt nicht.«

Ehe er, einen ironischen Ton unterdrückend, hinzufügen konnte: »Nur die Menschen«, rief sie: »Gott sei Dank!«

Wexford ließ ihr einen Augenblick Zeit. »Haben Sie gegen acht Uhr irgend etwas gehört? Ein Auto? Schüsse?«

Er wußte, daß man von hier aus die Schüsse wahrscheinlich nicht gehört hatte. Sie schüttelte den Kopf.

»Hier würde kein Auto vorbeikommen. Die Straße endet ja hier. Es gibt nur die Hauptzufahrt und die Nebenstraße.«

»Die Nebenstraße?«

Sie antwortete ihm ungeduldig. Sie war einer von den Menschen, für die es ganz selbstverständlich ist, daß alle anderen so wie sie selbst mit den Regeln und der Geographie ihrer kleinen, persönlichen Welt vertraut sind und wissen, wie es in ihr zugeht. »Es ist die, auf der man von Pomfret Monachorum kommt, klar?«

»Auf dem Weg bin ich nach Hause gekommen«, sagte Gabbitas.

»Um welche Zeit war das?«

»Zwanzig nach acht, halb neun. Ich habe niemanden gesehen, falls Sie das wissen wollen. Ich bin keinem Auto begegnet und an keinem vorbeigekommen oder sonst was Ähnliches.«

Das war nach Wexfords Geschmack etwas zu prompt, zu glatt herausgekommen. Dann begann Ken Harrison zu sprechen. Er brachte die Worte langsam heraus, als hätte er eine Halsverletzung erlitten und übte noch, seine Stimme zum Tragen zu bringen. »Wir haben nicht das geringste gehört. Es war kein Geräusch zu hören.« Unerklärlicherweise setzte er verwundert hinzu: »Das war es nie.« Dann erläuterte er: »Hier bekommt man nie mit, was oben im Haus vor sich geht.«

Die anderen schienen schon längst das Geschehene erfaßt und akzeptiert zu haben. Mrs. Harrison hatte sich beinahe sofort darauf eingestellt. Ihre Welt hatte sich zwar verändert, aber damit würde sie schon fertigwerden. Ihr Mann reagierte, als wäre ihm die schreckliche Nachricht erst in diesem Augenblick beigebracht worden.

»Alle tot? Haben Sie gesagt, sie sind alle tot?«

Für Wexford hörte es sich an wie eine Zeile aus *Macbeth,* allerdings war er sich nicht sicher. An diesem Abend kam einem vieles wie aus *Macbeth* vor.

»Das Mädchen, Miss Flory, Daisy, sie ist am Leben geblieben.«

Aber, dachte Wexford, stimmt das denn? Lebt sie noch?

Dann sagte Ken Harrison etwas, was Wexford schokkierte. Er wollte seinen Ohren nicht trauen, aber Harrison sagte es.

»Komisch, daß sie sie nicht fertiggemacht haben, nicht?«

Barry Vine hüstelte.

»Trinken Sie doch noch eine Tasse Tee«, sagte Brenda Harrison.

»Nein, danke. Es wird allmählich spät, und wir müssen uns auf den Weg machen. Sie werden zu Bett gehen wollen.«

»Dann sind Sie also mit uns fertig, ja?«

Vielleicht war »fertig« einer seiner Lieblingsausdrücke. Ken Harrison blickte Wexford mit einem fast glasig-wehmütigen Blick an.

»Fertig? Nein, davon kann keine Rede sein. Wir werden mit Ihnen allen noch einmal sprechen müssen. Vielleicht geben Sie mir Bibs Adresse. Wie heißt sie denn mit Nachnamen?«

Den schien niemand zu kennen. Sie wußten die Adresse, nicht aber den Familiennamen. Für sie war Bib einfach Bib, nicht mehr.

»Danke für den Tee«, sagte Vine.

Wexford fuhr mit dem Wagen zurück, Sumner-Quist hatte Tancred House verlassen. Archbold und Milsom waren oben, intensiv beschäftigt.

»Ich hab es zu erwähnen vergessen – aber als die Nachricht eintraf, habe ich veranlaßt, daß alle Straßen, die von hier wegführen, abgeriegelt werden«, informierte Burden den Chief Inspector.

»Was, bevor Sie wußten, worum es sich handelte?«

»Na ja, ich wußte, es war etwas in der Kategorie eines – eines Massakers. Als sie über den Notruf anrief, sagte sie: ›Sie sind alle tot.‹ Finden Sie, daß ich überreagiert habe?«

»Nein«, sagte Wexford langsam, »nein, ganz und gar nicht. Ich finde, Sie haben richtig gehandelt, sofern es überhaupt möglich ist, alle Straßen abzuriegeln. Es gibt doch sicher Dutzende von Möglichkeiten, von hier wegzukommen.«

»Eigentlich nicht. Die Nebenstraße, wie das hier heißt, führt nach Pomfret Monachorum und Cheriton. Die Hauptzufahrt mündet in die B 2428 nach Kingsmarkham, und auf der war, ungefähr eine halbe Meile weiter, zufällig ein Streifenwagen. In der Gegenrichtung führt die Straße, wie Sie ja wissen, nach Cambery Ashes. Es war ein Glücksfall für uns, jedenfalls sah es so aus. Die zwei Kollegen in dem Streifenwagen wußten schon drei Minuten nach dem Anruf des Mädchens Bescheid. Aber die Killer müssen über die Nebenstraße gefahren sein, und in diesem Fall waren die Chancen nicht groß. Keine Beschreibung des Fahrzeugs, kein Kennzeichen, nicht einmal ein ungefähres, keine Ahnung, wonach man Ausschau halten soll. Wir haben nichts. Ich konnte sie doch nicht weiter ausfragen, Reg, stimmt's nicht? Ich dachte, es geht mir ihr zu Ende.«

»Selbstverständlich konnten Sie das nicht.«

»Ich bete zu Gott, daß sie nicht stirbt.«

»Ich auch«, sagte Wexford. »Sie ist ja erst siebzehn.«

»Sicher. Natürlich hofft man auch ihretwegen, daß sie durchkommt, aber ich dachte an das, was sie uns erzählen kann. So ziemlich alles, meinen Sie nicht auch?«

Wexford sah ihn nur an.

5

Das Mädchen könnte ihnen alles berichten. Davina Jones, Daisy Flory genannt, würde ihnen sagen können, wann und wie die Männer gekommen waren, wie sie ausgesehen hatten und vielleicht sogar, worauf sie es abgesehen und was sie mitgenommen hatten. Sie hatte sie gesehen und vielleicht auch mit ihnen gesprochen. Es war möglich, daß sie ihren Wagen gesehen hatte. Wexford glaubte, daß sie eine aufgeweckte Person war, und hoffte, daß sie die Augen offengehalten hatte. Er hoffte sehr, daß sie durchkommen werde.

Als er um Mitternacht nach Hause kam, überlegte er, ob er im Krankenhaus anrufen und sich nach ihrem Zustand erkundigen solle. Aber was würde es nützen, wenn er wüßte, ob sie durchkommen würde oder nicht?

Wenn man ihm sagte, sie sei gestorben, würde er nicht einschlafen können, weil sie noch so jung gewesen war und ihr ganzes Leben vor sich gehabt hatte. Und auch aus dem Grund, den Burden genannt hatte, da durfte er sich nichts vormachen. Denn wenn sie gestorben war, würde es viel schwieriger werden, den Fall aufzuklären. Sollte er aber die Auskunft erhalten, es gehe ihr schon besser, würde ihn die Aussicht, sie verhören zu können, in eine solch euphorische Stimmung versetzen, daß er gleichfalls keinen Schlaf fand.

Auf jeden Fall war Police Constable Rosemary Mountjoy bei ihr und würde die Nacht hindurch vor der Stationstür sitzen, bis am nächsten Morgen um acht Police Constable Anne Lennox sie ablöste.

Er ging leise nach oben, um nachzusehen, ob Dora noch wach war. Die Tür stand offen, und das Licht, das noch brannte, fiel nicht auf ihr Gesicht, sondern als ein breites Band quer über den Arm, der außerhalb der Bettdecke lag, den Ärmel ihres Nachthemds, die ziemlich kleine, hübsche Hand mit den runden, rosigen Fingernägeln. Sie atmete langsam und gleichmäßig. Also schlief sie unbeschwert, trotz der Dinge, die an diesem Abend vorgefallen waren, trotz Sheilas und des vierten Mitglieds ihres Quartetts, Casey, den er bereits »diesen entsetzlichen Menschen« nannte. Er war unvernünftig verärgert über sie. Dann trat er zurück, zog hinter sich die Tür zu, ging wieder nach unten und durchstöberte im Wohnzimmer den Zeitungsständer nach dem *Independent on Sunday* vom vorletzten Tag.

Der Kulturteil war noch da, steckte zwischen der *Radio Times* und irgendeinem kostenlos verteilten Lokalanzeiger. Es war das Win-Carver-Interview, wonach er suchte, und das große Porträtfoto, das nach seiner Erinnerung volle zwei Seiten einnahm. Seite elf. Er setzte sich in einen Sessel und suchte. Das Gesicht war vor ihm, das Gesicht, das er eine Stunde zuvor gesehen hatte, als Sumner-Quist den Kopf der Toten an einer Handvoll Haar vom Tisch hochzog, wie ein Henker, der einen abgetrennten Kopf hochhält.

Der Text begann als eine einzelne Kolumne auf der linken Seite. Wexford sah sich das Bild an. Das Porträt war von der Art, die eine Frau von sich nur dann akzeptieren konnte, wenn sie, fern vom Triumph der Jugend und der Schönheit, über die Maßen erfolgreich gewesen war. Die Linien auf dem Gesicht waren die Spuren der Zeit, die tiefen Falten des Alters. Aus einem Vogelnest von Runzeln erhob sich die Nase wie ein Schnabel, und die Lippen formten ein angedeutetes Lächeln, das zugleich ironisch und gütig war. Die Augen waren noch jung, dunkel, mit einer leuchtenden Iris und einem klaren, ungeäderten Weiß, umgeben vom dichten Gewirr der Krähenfüßchen.

Die Bildunterschrift lautete: Davina Flory, deren erster Band ihrer Autobiographie, *Der jüngste von neun Zeisigen,* bei St. Giles Press erschienen ist. Preis: sechzehn Pfund. Wexford blätterte um und blickte wieder auf die Fotos aus ihrer Kindheit und Jugend: ein kleines Mädchen in einem Samtkleid mit Spitzenkragen, zehn Jahre später als ausgewachsenes Mädchen mit einem Schwanenhals, einem geheimnisvollen Lächeln, Herrenschnitt und in einem jener Kleider ohne Taille, mit einem Gürtel um die Hüften.

Der Text verschwamm vor seinen Augen, und Wexford gähnte. Da er zu müde war, um jetzt noch das Interview zu lesen, ließ er die Zeitung aufgeschlagen auf dem Tisch liegen und ging wieder nach oben. Der Abend, der hinter ihm lag, kam ihm unendlich lang vor, eine Flut von Ereignissen und fern am Horizont, doch sehr gegenwärtig Sheila und »dieser entsetzliche Mensch«.

Während der Vielleser ein Magazin konsultierte, suchte der Wenigleser Hilfe bei einem Buch.

Als Burden die Haustür aufschloß, empfing ihn das Schreien seines Sohns. Bis er im Obergeschoß angekommen war, hatte der Lärm aufgehört, und Mark lag in den Armen seiner Mutter, die ihm tröstend zusprach. Burden hörte, wie sie in ihrer lehrhaften und selbstsicheren Art, die ungemein beruhigend wirkte, zu ihm sagte, daß dieser Diplodocus, das Reptil mit dem Doppelrücken, schon seit zwei Millionen Jahren nicht mehr auf der Erde herumkrieche, und auf jeden Fall sei nicht bekannt, daß es jemals in Spielzeugschränken gehaust habe.

Als sie dann ins Schlafzimmer kam, saß Burden im Bett mit ihrem Geburtstagsexemplar von *Der jüngste von neun Zeisigen* auf den Knien.

Sie gab ihm einen Begrüßungskuß und begann mit

einer detaillierten Beschreibung von Marks Traum, die ihn ein Weilchen von der biographischen Notiz auf der hinteren Klappe des Bucheinbands ablenkte. In diesem Augenblick nahm er sich vor, ihr von dem Geschehenen nichts zu erzählen. Nicht vor dem nächsten Morgen. Sie hatte die Ermordete sehr bewundert, ihre Reisen verfolgt und ihre Werke gesammelt. In der vorhergehenden Nacht hatten sie sich vor dem Einschlafen über dieses Buch unterhalten, hatten über Davina Florys Kindheit und die frühen Einflüsse gesprochen, die den Charakter der angesehenen Anthropologin und »Geosoziologin« mitgeformt hatten.

»Du kannst mein Buch erst haben, wenn ich es ausgelesen habe«, sagte sie schläfrig, drehte sich zur Seite und vergrub den Kopf in den Kissen. »Könnten wir übrigens nicht das Licht ausmachen?«

»Nur noch zwei Minuten. Nur, damit ich abschalten kann. Gute Nacht, Liebling.«

Davina Flory war achtundsiebzig gewesen, geboren in Oxford als jüngstes von neun Kindern eines Professors für Griechisch. Im vornehmen College Lady Margaret Hall ausgebildet, hatte sie später in London zum Dr. phil. promoviert und 1935 einen Kommilitonen aus Oxford, Desmond Cathcart Flory, geheiratet. Gemeinsam waren sie daran gegangen, die Gärten seines Besitzes, Tancred House, aufzuforsten und auch die berühmten Wälder anzulegen.

Burden schaltete das Licht aus und dachte, während er so dalag und in die Dunkelheit blickte, über das Gelesene nach. Desmond Flory war 1944 in Frankreich gefallen, acht Monate vor der Geburt seiner Tochter Naomi. Zwei Jahre später hatte Davina Flory mit ihren Reisen durch Europa und den Nahen Osten begonnen. 1951 hatte sie zum zweitenmal geheiratet. Das übrige, den Namen des neuen Ehemannes, die Titel all ihrer Bücher, hatte er vergessen.

All dies war ohne Belang. Daß Davina Flory die Frau gewesen war, die sie gewesen war, würde letzten Endes nicht mehr zählen, als wenn sie ein, wie Burden es nannte, »gewöhnlicher Mensch« gewesen wäre. Es war denkbar, daß die Männer, die sie umgebracht hatten, sie gar nicht gekannt hatten. Nicht wenige von den Menschen, denen Burden bei seiner Arbeit begegnete, konnten sowieso nicht lesen. Für den beziehungsweise die Killer in Tancred House war sie vielleicht nur eine Frau gewesen, die Schmuck besaß und in einem abgelegenen Haus lebte. Sie, ihr Ehemann, ihre Tochter und Enkelin waren verwundbar und schutzlos gewesen, und das hatte den Tätern genügt.

Das erste, was Wexford beim Erwachen sah, war das Telefon. Normalerweise sah er als erstes den kleinen, schwarzen, billigen Wecker, der entweder schrill lärmte oder drauf und dran war zu klingeln. Er konnte sich nicht an die Telefonnummer des Krankenhauses in Stowerton erinnern. Doch Police Constable Mountjoy hätte sicher angerufen, wenn irgend etwas vorgefallen wäre.

Unter der Post, die auf dem Türvorleger lag, war auch eine Ansichtskarte von Sheila. Sie war vier Tage zuvor in Venedig aufgegeben worden, wo sie sich zu der Zeit mit diesem Menschen aufhielt. Die Karte zeigte ein düsteres Barock-Interieur, eine reich verzierte Kanzel, vermutlich aus Marmor, aber so geschickt gestaltet, daß es wie aus Stoff wirkte. Sie schrieb: »Wir haben gerade die Santa Maria dei Gesuiti besichtigt, Gus' liebste Witzkirche in der ganzen Welt und, sagt er, nicht zu verwechseln mit der Gesuati. Alles Liebe, S.«

Er würde sie zu einem Snob machen, wie er selbst einer war. Wexford fragte sich, was die Karte um Himmels willen zu bedeuten hatte. Was war denn eine »Witzkirche«?

Mit dem Kulturteil des *Independent on Sunday* in der Tasche fuhr er zum Revier. Dort hatte man bereits begonnen, Mobiliar und Gerät zusammenzustellen, mit denen in Tancred eine Tatortzentrale eingerichtet werden sollte. Die Ermittlungen sollten von dort aus betrieben werden. Als Wexford eintraf, berichtete ihm Detective Constable Hinde, ein Computerproduzent im Industriepark von Kingsmarkham habe angeboten, ihnen Recorder, PCs samt Laserdrucker und notwendige Zusatzgeräte sowie ein Telefax unentgeltlich zur Verfügung zu stellen.

»Der Geschäftsführer ist hier Vorsitzender der Torys«, sagte Hinde. »Ein Typ namens Pagett, Graham Pagett. Er hat angerufen. Er sagt, auf diese Weise wolle er die Regierung in ihrer Überzeugung unterstützen, daß der Kampf gegen die Kriminalität Sache jedes einzelnen ist.«

Wexford knurrte.

»Wir können solche Unterstützung gebrauchen, Sir.«

»Ja, das ist sehr anständig von ihm«, sagte Wexford mit den Gedanken anderswo. Er beschloß, noch nicht nach Tancred hinauszufahren, sondern statt dessen keine Zeit zu verlieren und zusammen mit Barry Vine nach dieser Frau zu suchen, die Bib hieß.

Das Ganze war sicher ein unkomplizierter Fall. Es mußte sich um Mord in Raubabsicht handeln. Zwei Kriminelle in einem gestohlenen Wagen, die es auf Davina Florys Schmuck abgesehen hatten. Vielleicht hatten sie den *Independent on Sunday* gelesen. Allerdings war in dieser Nummer nicht von Schmuck die Rede gewesen, und außerdem war ohnehin anzunehmen, daß die Typen eher das Massenblatt *People* lasen. Vorausgesetzt, sie konnten lesen. Zwei Kriminelle ohne Zweifel, aber sie hatten sich dort ausgekannt. Einer, der Bescheid wußte, der andere sein Kumpel. Vielleicht hatte er ihn im Knast kennengelernt.

Jemand, der irgendwie in Beziehung zu dem Gutsangestellten, den Harrisons stand? Oder zu dieser Bib? Sie wohnte in Pomfret Monachorum, so daß sie vermutlich auf der Nebenstraße nach Hause gefahren war. Diese Nebenstraße war aber auch wohl der Fluchtweg für den Killer und seinen Kumpan gewesen. Es war die nächstliegende Route, um sich abzusetzen, zumal einer von ihnen die Örtlichkeiten gekannt haben mußte. Er konnte geradezu hören, wie der eine zum andern sagte, daß dies die einzige Möglichkeit sei, der anrückenden Polizei aus dem Weg zu gehen.

Der Wald trennte Pomfret Monachorum von Tancred und Kingsmarkham und beinahe auch vom Rest der Welt. Dahinter führte die Straße nach Cheriton und nach Pomfret. Von der Klosterruine standen nur noch die Außenmauern der Kirche, das Innere war unter Heinrich VIII. und Cromwell zerstört worden. Im übrigen bestand der Weiler aus dem Pfarrhaus, ein paar zusammengedrängten Cottages und einer kleinen Gemeindesiedlung mit Sozialwohnungen. Am Ortsrand standen an der Straße nach Pomfret drei mit Schindeln und Dachschiefer gedeckte Häuschen. Und in einem davon wohnte Bib, allerdings wußten Wexford und Vine nicht, in welchem. Die Harrisons und Gabbitas hatten nur angeben können, daß sie in einem der *Edith Cottages* zu Hause war.

Eine Tafel mit dieser Bezeichnung und der Jahreszahl 1882 war in den Schindeln über den oberen Fenstern des mittleren Häuschens eingelassen. Alle drei Cottages hätten einen neuen Anstrich vertragen können, keines zeugte von Wohlstand. Alle hatten Fernsehantennen auf dem Dach, am linken ragte zusätzlich eine Parabolantenne aus einem Schlafzimmerfenster. Neben dem Eingang des Häuschens rechter Hand lehnte ein Fahrrad an der Wand, ein Ford Transit war halb auf der

Grasnarbe vor der Gartentür abgestellt. Im Garten des mittleren Häuschens stand eine Abfalltonne auf Rädern auf einer betonierten Stelle mit einem Schachtdeckel in der Mitte. In diesem Garten blühten Narzissen, in den beiden Nachbargärten hingegen waren keine Blumen zu entdecken, ja, der rechte war geradezu von Unkraut überwuchert.

Weil Wexford von Brenda Harrison erfahren hatte, Bib fahre mit dem Fahrrad, beschloß er, es mit dem Haus zur Rechten zu versuchen. Ein junger Mann kam an die Tür. Er war ziemlich groß und sehr mager, trug Blue Jeans und ein amerikanisches College-Sweatshirt, so oft gewaschen, daß nur noch das »U« von University sowie ein »S« und ein »T« auf dem grauen Untergrund zu erkennen waren. Er hatte ein mädchenhaftes Gesicht, das Gesicht eines hübschen burschikosen Mädchens. Die jungen Burschen, die im sechzehnten Jahrhundert auf den englischen Bühnen Heroinen gespielt hatten, mußten ausgesehen haben wie er.

Er begrüßte Wexford mit einem zögernden »Hi«. Einigermaßen konsterniert schaute er an Wexford vorbei auf den Wagen draußen auf der Straße, dann mit mißtrauischem Ausdruck Wexford wieder ins Gesicht.

»Kriminalpolizei Kingsmarkham. Wir suchen eine Frau namens Bib. Wohnt sie hier?«

Der junge Mann betrachtete Wexfords Dienstausweis mit großem Interesse. Oder vielleicht sogar mit unguten Gefühlen. Langsam verwandelte ein Lächeln sein Gesicht und ließ ihn plötzlich maskuliner erscheinen. Er warf die lange, schwarze Locke zurück, die ihm in die Stirn fiel.

»Bib? Nein, nicht hier. Nebenan, in dem mittleren Cottage.« Er zögerte und sagte dann: »Geht es um die Sache in Tancred House?«

»Woher wissen Sie davon?«

»Frühstücksfernsehen«, sagte er und fügte hinzu, als

wäre anzunehmen, daß das Wexford interessierte: »Wir haben im College eines ihrer Bücher behandelt. Ich hatte englische Literatur im Nebenfach.«

»Aha. Also vielen Dank, Sir.« Die Polizeibeamten in Kingsmarkham redeten alle Leute so lange mit »Sir« oder »Madam« beziehungsweise mit ihrem Namen und Titel an, bis tatsächlich Anklage gegen sie erhoben wurde. Eine von Wexfords Höflichkeitsregeln. »Wir werden Sie nicht weiter behelligen«, sagte er.

Wenn der junge Amerikaner aussah wie ein als Mann verkleidetes Mädchen, hätte Bib ein Mann sein können. Ihr Alter war ein Rätsel. Sie konnte fünfunddreißig sein, aber ebensogut fünfundfünfzig. Ihr dunkles Haar war ganz kurz geschnitten, das Gesicht glänzte rötlich, wie mit Seife gescheuert. Die Fingernägel hatte sie kurz und eckig geschnitten. In einem Ohrläppchen trug sie einen kleinen Goldring.

Nachdem Vine erläutert hatte, weswegen sie gekommen waren, nickte sie und sagte: »Ich hab's im Fernsehen gesehen. Konnte es nicht glauben.« Ihre Stimme war rauh und sonderbar ausdruckslos.

»Dürfen wir eintreten?«

Nach dem Ausdruck in den Augen der Frau zu schließen, war die Frage keine bloße Formalität. Sie schien sie von allen Seiten abzuwägen, ehe sie langsam nickte.

Sie hatte ihr Fahrrad in der Diele abgestellt, wo es an einer Wand lehnte, die mit einem verblaßten Gartenwickenmuster tapeziert war. Das Wohnzimmer war eingerichtet, als lebte hier eine hochbetagte Dame, und es roch auch genauso, nach einer Mischung aus Kampfer und sorgfältig geschonten, aber nicht sehr sauberen Kleidungsstücken, geschlossenen Fenstern und Drops. Wexford war darauf gefaßt, eine Greisin im Lehnsessel anzutreffen, aber in dem Zimmer war niemand.

»Könnten wir zunächst bitte Ihren Namen erfahren?« sagte Barry Vine.

Wenn Bib wegen Mordes vor Gericht gestanden hätte, wenn sie trotz ihrer Proteste und ohne Verteidiger dorthin gebracht worden wäre, hätte sie sich nicht mit größerer Umsicht benehmen können. Sie schien jedes Wort sorgfältig abzuwägen. Langsam und widerstrebend brachte sie ihren Namen heraus. Vor jedem Wort ein Zögern.

»Äh, Beryl ... äh, Agnes ... äh, Mew.«

»Beryl Agnes Mew. Soviel mir bekannt ist, haben Sie als Teilzeitkraft in Tancred House gearbeitet und waren gestern nachmittag dort, Miss Mew?«

»Missus.« Sie sah erst Vine und dann Wexford an und wiederholte, sehr betont: »Mrs. Mew.«

»Verzeihung. Sie waren gestern nachmittag dort?«

»Ja.«

»Und womit waren Sie beschäftigt?«

Vielleicht stand sie unter Schock. Oder sie hegte ein allgemeines Mißtrauen, einen grundsätzlichen Argwohn gegenüber der Menschheit. Vines Frage schien sie zu verblüffen, und sie blickte ihn versteinert an, bevor sie ihre starken Schultern hochzog.

»Was sind Ihre Aufgaben dort, Mrs. Mew?«

Wieder überlegte sie. Sie rührte sich nicht, aber ihre Augen bewegten sich mehr als die der meisten Menschen, bewegten sich jetzt besonders heftig.

Vine begriff ihre Antwort nicht, als sie sagte: »Sie nennen es das Grobe.«

»Sie machen die groben Arbeiten, Mrs. Mew«, sagte Wexford. »Böden putzen, Wände reinigen und so weiter, oder?« Ein gewichtiges Nicken war die Antwort. »Soviel ich weiß, haben Sie die Tiefkühltruhe saubergemacht.«

»Die *Truhen.* Sie haben nämlich drei.« Ihr Kopf schwankte langsam von einer Seite auf die andere. »Ich hab's im Fernsehen gesehen. Konnt es nicht glauben. Gestern waren sie alle noch wohlauf.«

Als wären die Bewohner von Tancred House der Pest zum Opfer gefallen, dachte Wexford. »Um welche Zeit haben Sie die Heimfahrt angetreten?«

Wenn sie schon ihren eigenen Namen nur so zögerlich preisgegeben hatte, hätte man eigentlich erwarten können, daß eine solche Frage minutenlanges Grübeln auslösen werde, doch Bib Mew antwortete einigermaßen rasch: »Sie hatten gerade mit dem Essen begonnen.«

»Mr. und Mrs. Copeland und Mrs. Jones und Miss Jones waren ins Eßzimmer gegangen, wollen Sie das damit sagen?«

»Ich hörte sie plaudern, und dann ist die Tür zugegangen. Ich habe die Sachen wieder in der Truhe verstaut. Weil meine Hände eiskalt waren, hab ich sie ein bißchen unter den Warmwasserhahn gehalten.« Die Anstrengung dieser langen Ausführungen ließ sie für den Augenblick verstummen. Sie schien ihre inneren Kräfte neu sammeln zu müssen. »Ich hab meinen Mantel genommen und bin dann mein Rad holen gegangen, wo in dem Dingsda nach hinten raus war, mit den Hecken drumherum.«

Wexford fragte sich, ob sie sich wohl jemals mit dem jungen Mann von nebenan unterhalte, und ob dieser ein Wort verstände, wenn sie so redete. »Haben Sie die Tür auf der Rückseite des Hauses hinter sich abgeschlossen?«

»Ich? Nö. Das geht mich nichts an – Türen abschließen.«

»Das wäre also wann gewesen – zehn vor acht?«

Ein langes Zögern, dann: »Ungefähr.«

»Und wie sind Sie nach Hause gekommen?« fragte Vine.

»Mit dem Rad.« Seine alberne Frage brachte sie auf. Das hätte er doch wissen müssen. Alle Leute wußten es.

»Welchen Weg sind Sie gefahren, Mrs. Mew?«
»Die Nebenstraße.«
»Bitte, überlegen Sie jetzt sehr genau, ehe Sie antworten.« Aber das tat sie doch immer. Darum dauerte diese Befragung ja so lange. »Haben Sie auf der Fahrt nach Hause einen Wagen gesehen? Sind Sie einem Auto begegnet, oder hat Sie eines überholt? Auf der Nebenstraße.« Zweifellos war eine präzisere Erläuterung nötig. »Ein Pkw oder ein Lieferwagen oder ein ... ein Fahrzeug wie das da draußen.«
Einen Augenblick lang befürchtete Wexford, er habe sie auf die Idee gebracht, ihr amerikanischer Nachbar könnte an dem Verbrechen beteiligt gewesen sein. Sie stand auf und blickte zum Fenster hinaus auf den Ford Transit. Ihre Miene drückte Verwirrung aus, und sie biß sich auf die Lippen.
Schließlich sagte sie: »Das dort?«
»Nein, nein. Irgendeins, egal was für ein Fahrzeug. Sind Sie gestern abend auf dem Heimweg irgendeinem Fahrzeug begegnet?«
Sie dachte nach, nickte, schüttelte den Kopf und sagte schließlich: »Nein.«
»Sind Sie sich ganz sicher?«
»Ja.«
»Wie lange brauchen Sie nach Hause?«
»Auf dem Heimweg geht's bergab.«
»So. Wie lange haben Sie also gestern abend gebraucht?«
»Ungefähr zwanzig Minuten.«
»Und Sie sind wirklich niemandem begegnet? Nicht einmal John Gabbitas in seinem Landrover?«
Zum erstenmal zuckte ein Funke Leben in ihren unsteten Augen auf. »Hat er das gesagt?«
»Nein, nein. Es ist unwahrscheinlich, daß Sie ihm begegnet sind, wenn Sie, sagen wir, um Viertel nach acht hier waren. Vielen Dank, Mrs. Mew. Wären Sie so

freundlich, uns den Weg zu zeigen, auf dem Sie von hier zur Nebenstraße fahren?«

Es entstand eine lange Pause, dann sagte sie: »Ich hab nichts dagegen.«

Die Straße, an der die Cottages standen, führte am Rand des kleinen Flußtals steil bergab. Bib Mew zeigte mit der Hand auf diese Straße und gab ihnen ein paar vage Hinweise. Während sie die Straße hinabfuhren, sah man, wie sie sich über die Gartentür lehnte und ihnen mit ihren unsteten Augen nachblickte.

In der Senke führte nur eine schmale Holzbrücke für Fußgänger und Radfahrer über den Bach. Vine mußte direkt durch das etwa fünfzehn Zentimeter tiefe Wasser fahren, das sehr rasch über flache, braune Steine floß. Auf der anderen Seite kamen sie zu einer T-Kreuzung. Vine bestand darauf, sie so zu bezeichnen, obwohl der überaus ländliche Charakter der Umgebung – steile, dicht bewachsene Böschungen, Bäume, deren Äste über die Straße ragten, in der Ferne weite Wiesen mit Vieh – dieser Bezeichnung völlig zuwiderlief.

Bib Mew hatte ihnen erklärt, daß sie hier nach links und dann bei der ersten Gelegenheit nach rechts abbiegen müßten. Dies war die Verbindung von Pomfret Monachorum mit der Nebenstraße nach Tancred House. Unvermittelt kam Wald in Sicht. Die Hecken traten auseinander und machten den Bäumen Platz. Nach einem Kilometer schloß der Wald sie bereits ein. Das Sträßchen verlief jetzt zwischen hohen Böschungen, wo es nach einer Weile auf die Nebenstraße stieß. Dort hieß es auf einem Schild: NUR ZUFAHRT ZU TANCRED HOUSE, 3 KILOMETER, KEIN DURCHGANGSVERKEHR.

»Ich möchte auf halbem Weg aussteigen und den Rest zu Fuß gehen«, verkündete Wexford.

»In Ordnung. Die müssen sich ausgekannt haben, wenn sie auf diesem Weg kamen, Sir.«

»Sie haben sich ausgekannt. Beziehungsweise einer der beiden.«

Wexford stieg aus, als gerade die Sonne herauskam. Noch ein Monat würde ins Land gehen, bis die Wälder zu grünen begannen. Alles war noch hellbraun, doch im Licht wirkten die Zweige golden, und die Knospen nahmen einen glühenden Kupferton an. Es war kalt und trocken. Da es in der vergangenen Nacht aufgeklart hatte, hatte sich Reif gebildet. Nun war er zwar verschwunden, ohne auch nur einen silbernen Streifen zurückzulassen, doch im Schatten war die klare, unbewegte Luft noch kalt. Zwischen den Baumwipfeln schimmerte der Himmel in einem zarten Hellblau, ja, beinahe schon weiß hindurch.

Aus dem Win-Carver-Interview hatte er einiges über diese Wälder erfahren, wann sie gepflanzt worden waren, welche Teile aus den dreißiger Jahren stammten und welche älteren Datums, aber damals durch Neuanpflanzungen ergänzt worden waren. Ehrwürdige Eichen und hie und da eine Roßkastanie mit klebrigen Knospen überragten Reihen kleinerer Bäume. Wexford meinte, daß es sich um Hainbuchen handeln könnte. Dann bemerkte er ein metallenes Schildchen, das an einem der Stämme befestigt war. Ja, Hainbuche, *Carpinus betulus.* Die höheren, anmutigen Bäume, ein kleines Stück weiter am Weg, waren, wie er las, Ebereschen, *Sorbus aucuparia.* Bäume zu bestimmen, wenn sie noch keine Blätter trugen, mußte für einen Experten eine echte Probe seines Könnens sein.

Die Pflanzungen wurden abgelöst von einer Spitzahorn-Schonung, *Acer plataonides,* die Bäume mit Stämmen wie aus Krokodilhaut. Kein einziger Nadelbaum stand zwischen den glänzenden, blattlosen Ästen. Dies war der schönste Teil des Laubwaldes, zwar von Menschenhand angelegt, doch der Natur nachgebildet. Umgestürzte Baumstämme hatte man liegen lassen. Sie waren überwuchert von hellen Pilzen wie Rüschenkragen und knotigen Stengeln in Gelb oder Bronze. Abgestorbene Bäume standen noch aufrecht da, die faulenden Stämme silbrig verwittert, und boten Wohnstätten für Eulen sowie Futterplätze für Spechte.

Wexford ging weiter. Erst viel später als erwartet tauchte der Ostflügel von Tancred House vor ihm auf. Im Näherkommen konnte er die Terrasse und die Beete hinter dem Herrenhaus ins Auge fassen. Anstatt Narzissen, wie sie in Kingsmarkham in den öffentlichen Anlagen sprossen, drängten sich hier winzige Blausterne unter den Bäumen zusammen. Doch die Pflanzenwelt um Tancred House war noch nicht aus dem Winterschlaf erwacht. Die Rabatten, Rosenbeete, Wege, Hecken, die verschlungenen Pfade, der Rasen, alles wirkte noch wie gestutzt und in einigen Fällen wie fürs Überwintern verpackt.

Wexford blieb ein paar Augenblicke versunken stehen. Dann ging er auf die abgestellten Polizeifahrzeuge zu. Die Tatortzentrale war in einem alten Stallgebäude eingerichtet worden, das allerdings seit einem halben Jahrhundert keine Pferde mehr beherbergt hatte. Dafür war es auch eigentlich zu elegant. Die Fenster hatten Rolläden, und unter dem Giebel war eine Uhr mit blauem Zifferblatt und vergoldeten Zeigern angebracht: Es war zwanzig Minuten vor elf.

Sein Wagen war ebenso auf dem Vorhof abgestellt wie der von Burden und die beiden Transporter. In dem Gebäude schloß ein Techniker gerade die Computer an, und Karen Malahyde war damit beschäftigt, für Wexfords Pressekonferenz ein Podium, ein Pult mit Mikrophon und einige Stühle im Halbkreis aufzustellen. Man hatte sie für elf Uhr angesetzt.

Wexford setzte sich hinter das Pult, das für ihn beschafft worden war. Er war etwas gerührt, als er sah, wieviel Mühe sich Karen gegeben hatte – sicher war das alles Karens Werk. Auf dem Pult befanden sich drei neue Kugelschreiber, ein Brieföffner aus Messing, mit dem er ganz und gar nichts anzufangen wußte, zwei Telefonapparate, als hätte er nicht sein Portable, ein PC und ein Drucker, von deren Bedienung er keinen Schimmer hatte, und ein Kaktus in einem blau und braun glasierten Übertopf. Der Kaktus, groß, kugelförmig, grau und pelzig, kam ihm eher wie ein Tier als wie eine Pflanze vor, ein Kuscheltier. Doch als er ihn knuffen wollte, bohrte sich ihm ein scharfer Dorn in den Finger.

Wexford schüttelte ihn leise fluchend. Er stellte fest, daß man ihm Ehre erwies. Diese Dinge waren anscheinend auf die Hierarchie abgestimmt, denn auf dem Schreibtisch, der offensichtlich für Burden gedacht war, stand zwar ein zweiter Kaktus, aber er hatte keineswegs die Ausmaße seines eigenen und war auch nicht so stachelig. Und Barry Vine hatte man nur ein Usambara-Veilchen ohne jede Blüte hingestellt.

Police Constable Anne Lennox hatte sich bald nach ihrem Dienstantritt im Krankenhaus telefonisch gemeldet. Es gebe nichts zu berichten, sagte sie, alles sei in Ordnung. Was sollte das heißen? Aber was ging es ihn persönlich an, ob das Mädchen durchkam oder starb? Überall in der Welt starben in diesem Augenblick junge Mädchen, an Hunger, in Kriegen und Aufständen, an Grausamkeiten, oder weil sie nicht ausreichend medizinisch versorgt waren. Warum sollte dies eine Mädchen wichtig sein?

Er wählte Anne Lennox' Nummer.

»Es geht ihr anscheinend gut, Sir.«

Er mußte sich verhört haben. »Es geht ihr *wie*?«

»Es geht ihr anscheinend gut – jedenfalls sehr viel besser. Möchten Sie Dr. Leigh sprechen, Sir?«

Am anderen Ende der Leitung trat Stille ein. Genauer gesagt, es war keine Stimme zu hören. Er hörte

Krankenhausgeräusche, Schritte, ein metallisches Klappern und zischende Geräusche. Eine Frau meldete sich.

»Ich nehme an, Sie sind vom Polizeirevier Kingsmarkham, ja?«

»Chief Inspector Wexford.«

»Dr. Leigh. Was kann ich für Sie tun?«

Die Stimme hörte sich für ihn bekümmert an. Er bemerkte den gemessen-ernsten Ton, den diese Leute nach einer Tragödie für einige Zeit anzunehmen gelernt haben. An einem solchen Todesfall würde das ganze Krankenhaus Anteil nehmen. Er nannte einfach den Namen, sicher, daß sich weitere Fragen erübrigten.

»Miss Flory, Daisy Flory.«

Plötzlich war die Stimme der Ärztin wie verwandelt. Vielleicht hatte er es sich auch nur eingebildet. »Daisy, ja, es geht ihr gut, es geht ihr sehr gut.«

»Was? Was haben Sie da gesagt?«

»Ich habe gesagt, es geht ihr gut, sie macht erstaunliche Fortschritte.«

»Es geht ihr *gut?* Sprechen wir von derselben Person? Die junge Frau, die in der letzten Nacht mit Schußverletzungen eingeliefert wurde?«

»Ihr Zustand ist durchaus zufriedenstellend, Chief Inspector. Sie kann im Laufe des Tages die Intensivstation verlassen. Ich nehme an, Sie möchten sie sehen, ja? Es spricht nichts dagegen, daß Sie sich heute nachmittag mit ihr unterhalten. Natürlich nur kurz. Sagen wir, zehn Minuten.«

»Würde vier Uhr passen?«

»Vier Uhr, ja. Verlangen Sie doch bitte zuerst mich, Dr. Leigh.«

Die Presse stellte sich vorzeitig ein. Wexford sagte sich, daß er eigentlich von den »Medien« sprechen sollte, als er auf dem Weg zum Podium durchs Fenster sah, wie ein Fernsehwagen mit Kamera-Team eintraf.

6

»Estate«, das hörte sich heutzutage an wie eine Siedlung aus hundert Doppelhaushälften, zusammengedrängt auf ein paar Morgen Grund. Burden fand, ungewöhnlich phantasievoll für ihn, daß das einzige passende Wort vielleicht Landsitz wäre. Dies war Tancreds Landsitz, eine kleine Welt für sich oder, realistischer gesehen, eine Art Dörfchen: das große Herrenhaus, die Ställe, Remisen, Schuppen, Unterkünfte für ehemaliges und heutiges Gutspersonal. Die Gärten, die dazugehörten, Rasenflächen, Hecken, das Pinetum, die Schonungen, die Wälder insgesamt.

Und all dies – die Wälder selbst vielleicht nicht – mußte abgesucht werden. Sie mußten wissen, womit sie es zu tun hatten, was es mit Tancred auf sich hatte. Die Ställe, in denen die Tatortzentrale eingerichtet worden war, bildeten nur einen kleinen Teil des Gesamtkomplexes. Von seinem Standort aus, auf der Terrasse, die sich die ganze Rückseite des Herrenhauses entlangzog, war von diesen Nebengebäuden kaum etwas zu sehen. Geschickt angepflanzte Hecken und Bäume, die das Schlichte und Zweckmäßige verstecken sollten, entzogen alles bis auf den First eines Schieferdachs mit Wetterfahne dem Blick. Dabei war noch Frühjahr. Das Laub des Sommers würde dann alles endgültig abschirmen. Der Garten war so angelegt, daß er bruchlos in den Hintergrund überging: die Parklandschaft mit ein paar Baumriesen, die sich bis zu den bläulichen Wäldern dehnte.

Burden ging die Steinstufen hinunter, den Weg entlang und durch ein Gatter in der Hecke zu den Ställen und Remisen, wo mittlerweile die Suchaktion begonnen hatte. Er stieß auf eine Reihe von Cottages, schäbig und heruntergekommen, aber nicht baufällig, die früher ohne Zweifel mehrere der vielen Dienstboten beherbergt hatten.

An einem der Cottages stand die Haustür offen. Zwei Constables von der uniformierten Polizei waren drinnen, öffneten Schränke und untersuchten ein Loch in der Spülküche. Burden mußte daran denken, daß es angeblich viel zu wenige Häuser und Wohnungen gab. Selbst in Kingsmarkham begegnete man seit einiger Zeit Menschen ohne ein Dach über dem Kopf. Seine Frau, die sehr sozial eingestellt war, hatte ihm beigebracht, auf solche Dinge zu achten. Vor ihrer Heirat wäre er nie darauf gekommen. Doch so, wie die Dinge lagen, sah er ein, daß ungenutzter Wohnraum in Tancred und auf den Hunderten und Aberhunderten solcher Landsitze, die es in England geben mußte, keine Probleme löste. Er sah keine Möglichkeit, wie man die Florys und Copelands dieser Welt dazu bringen könnte, ihr ungenutztes Cottage einer Pennerin zur Verfügung zu stellen, die unter dem Vordach von St. Peter schlief. Burden wanderte noch einmal hintenherum ums Haus zum Wirtschaftsbereich, wo er mit Brenda Harrison zu einem Rundgang verabredet war.

Archbold und Milsom untersuchten gerade die mit Steinplatten belegten Flächen, zweifellos nach Reifenabdrücken. Sie hatten auf dem weiten Vorhof gearbeitet, als er an diesem Morgen angekommen war. Es war ein trockenes Frühjahr gewesen und hatte vor Wochen zum letztenmal stark geregnet, so daß ein Fahrzeug keine Spuren hinterließ.

Über den Beckenrand gebeugt, hatte er in dem unbewegten Wasser ein Paar großer Goldfische beobachtet, die langsam und in friedvoller Gelassenheit im Kreis herumschwammen.

Weiß und scharlachrot ... Noch immer war das Blut zu sehen, obwohl das Tischtuch, zusammen mit zahlreichen weiteren Gegenständen, in Plastiksäcken in das forensische Labor in Myringham gebracht worden war. Später in derselben Nacht war das Zimmer mit versiegelten Kunststoffsäcken angefüllt gewesen, in denen die Lampen und Schmuckgegenstände, Kissen und Servietten, Teller und Bestecke verstaut worden waren.

Ohne Bedenken, was Brenda in der Halle zu sehen bekommen könnte – denn dort bedeckten Tücher die unteren Treppenstufen und die Ecke, wo der Telefonapparat war –, hatte er sie am Speisesaal vorbeisteuern wollen, als sie einen Schritt zur Seite machte und die Tür öffnete. Sie bewegte sich so flink, daß es riskant war, sie auch nur einen Augenblick lang aus den Augen zu lassen.

Sie war eine kleine, schmächtige Frau mit einer Jungmädchenfigur. Ihre Hose ließ kaum die Formen von Po und Oberschenkeln erkennen. Aber ihr Gesicht war von tiefen Furchen durchzogen. Sie hatte den nervösen Tick, ihre Mundwinkel einzuziehen, so daß ihre Lippen wie ständig gespitzt aussahen. Das trockene, rötliche Haar war bereits so dünn, daß Mrs. Harrison wahrscheinlich spätestens in zehn Jahren eine Perücke brauchen würde. Sie hielt nie still. Vermutlich zappelte sie die ganze Nacht unruhig im Schlaf.

Draußen stand ihr Ehemann und stierte durch das Erkerfenster herein. In der Nacht vorher hatten sie die eingeschlagene Scheibe mit Packpapier abgedichtet, aber nicht die Vorhänge zugezogen. Brenda Harrison warf einen Blick zu ihm hinaus und drehte dann den Kopf in alle Richtungen, damit ihr ja nichts entging. Sie blickte kurz auf den Teil der Wand, der am schlimmsten mit Blut bespritzt war, und dann länger auf eine Stelle des Teppichs neben dem Stuhl, auf dem Naomi Jones gesessen hatte. Archbold hatte dort ein blutbeflecktes Stück vom Flor abgekratzt, das zusammen mit den anderen Corpora delicti und den vier sichergestellten Kugeln ins Labor gebracht worden war. Burden war fast sicher, daß sie gleich einen bissigen Kommentar von sich geben werde, eine spitze Bemerkung über Polizisten, die einen schönen Teppich ruinierten, den man durch Reinigen in seinen früheren Zustand zurückverwandeln hätte können, aber sie sagte nichts.

Ken Harrison war es dann, der den erwarteten Tadel aussprach – oder vielmehr mit den Lippen formte, denn im Zimmer selbst war er fast unhörbar. Burden öffnete das Fenster.

»Ich hab Sie nicht recht verstanden, Mr. Harrison.«

»Ich habe gesagt, das war aber teures Glas, teures Glas war das.«

»Die Scheibe läßt sich doch sicher ersetzen.«

»Für viel Geld schon.«

Burden zuckte die Achseln.

»Und die hintere Tür war nicht einmal abgeschlossen!« erregte sich Harrison in einem Ton, in dem ein biederer Hausbesitzer Vandalismus anprangert.

Brenda Harrison, die das Zimmer zum erstenmal ungestört inspizieren konnte, war sehr blaß geworden. Vielleicht waren dieser starre Blick, diese immer stärker werdende Blässe Vorboten einer Ohnmacht. Ihre glasigen Augen begegneten Burdens Blick.

»Kommen Sie, Mrs. Harrison, es hat keinen Sinn hierzubleiben. Ist Ihnen nicht gut?«

»Ich werd nicht umkippen, wenn Sie das meinen.«

In der Halle setzte sich Mrs. Harrison dann aber doch auf einen Stuhl und ließ zitternd den Kopf hängen. Burden merkte den Blutgeruch. Er hoffte, daß sie den Gestank, eine unangenehme Mischung von verdorbenem Fisch und Eisenspänen, nicht erkannte. Da sprang sie auf, erklärte, daß ihr nichts fehle, und schlug vor, nach oben zu gehen. Ganz unbeschwert sprang sie über die Plastikplane auf der Stelle, wo Harry Copeland gelegen hatte.

Oben angekommen, zeigte sie ihm das Dachgeschoß mit Mansarden, die vielleicht nie benutzt worden waren. Im ersten Stock waren die Zimmer von Daisy und ihrer Mutter, die er bereits gesehen hatte. Im Korridor, der zum Westflügel führte, öffnete sie nach drei Vierteln des Weges eine Tür und erklärte, hier habe Copeland geschlafen.

Burden war überrascht, denn er hatte angenommen, Davina Flory und ihr Mann hätten ein gemeinsames Schlafzimmer gehabt. Er sprach es zwar nicht aus, aber Brenda Harrison las seine Gedanken. Sie sah ihn mit einem Blick an, in dem Prüderie und Lüsternheit sonderbar gemischt waren.

»Wissen Sie, sie war sechzehn Jahre älter als er. Sie war eine sehr alte Frau. Natürlich hätte man das nicht von ihr gesagt, wenn Sie verstehen, was ich damit meine. Man brachte sie nicht mit einem bestimmten Alter in Verbindung. Sie war einfach sie selbst.«

Burden wußte, was sie meinte. Ihre Sensibilität kam unerwartet. Er warf einen raschen Blick in das Zimmer. Niemand war hier gewesen, nichts war in Unordnung gebracht worden. Copeland hatte in einem Einzelbett geschlafen. Die Möbel waren aus dunklem Mahagoni. Doch trotz ihrer warmen, kräftigen Farbe wirkte der Raum mit den einfachen, cremefarbenen Vorhängen, dem cremefarbenen Teppich und den Drucken mit alten Landkarten an den Wänden karg und nüchtern.

Der Zustand, in dem sich Davina Florys Schlafzimmer befand, schien Brenda Harrison mehr aufzuregen als der Speisesaal.

»Was für ein Chaos! Schauen Sie sich das Bett an! Schauen Sie sich all die Sachen aus den Schubfächern an!«

Sie lief umher und hob dabei einige Gegenstände vom Boden auf. Burden unternahm keinen Versuch, sie daran zu hindern. Der Fotograf hatte ja festgehalten, wie das Zimmer ausgesehen hatte.

»Sagen Sie mir doch bitte, was alles fehlt, Mrs. Harrison.«

»Sehn Sie sich ihre Schmuckschatulle an!«

»Können Sie sich erinnern, was für Stücke sie besessen hat?«

Brenda Harrison setzte sich gelenkig wie ein Teenager auf den Boden und griff ringsum nach verstreut daliegenden Gegenständen, einer Brosche, einer Augenbrauenpinzette, einem Kofferschlüssel, einer leeren Parfumflasche.

»Diese Brosche da, zum Beispiel, warum haben sie die dagelassen?«

Ihr Auflachen war wie ein Schnauben. »Die ist doch nichts wert. Ich selber hab sie ihr geschenkt.«

»Sie?«

»Ja, zu Weihnachten. Wir haben uns alle gegenseitig beschenkt, also mußte was her. Was schenkt man einer Frau, die schon alles hat? Sie hat sie oft getragen, vielleicht hat sie ihr gefallen, aber sie hat nur drei Pfund gekostet.«

»Was fehlt denn, Mrs. Harrison?«

»Ach, sie hatte ja nicht viel. Ich habe gerade gesagt: ›Eine Frau, die schon alles hat.‹ Dabei gibt es Dinge, die man sich leisten könnte, aber nicht unbedingt haben möchte, nicht wahr? Ich meine, Pelze, selbst wenn man das Geld dafür hätte. Ist ja was Grausames, stimmt's? Sie hätte sich Diamanten in rauhen Mengen leisten können, aber das war nicht ihr Stil.« Sie war aufgestanden und durchstöberte Schubfächer. »Ich würde sagen, was so da war, das ist alles fort. Sie hatte ein paar anständige Perlen. Sie hatte so Ringe, wo ihr ihr erster Mann geschenkt hat; sie hat sie nie getragen, aber sie waren da. Ihr goldenes Armband ist verschwunden. In einem der Ringe waren riesige Brillanten, weiß Gott, was er wert war. Man hätte denken sollen, daß sie ihn auf der Bank hinterlegt, hab ich nicht recht? Sie hat sich überlegt, ob sie ihn Daisy nicht zu ihrem achtzehnten Geburtstag schenken sollte.«

»Wann ist der?«

»Schon bald. Nächste oder übernächste Woche.«

»Nur *überlegt*?«

»Ich erzähl Ihnen, was sie gesagt hat, und genau das hat sie gesagt.«

»Glauben Sie, Sie könnten mir eine Liste der Schmuckstücke aufstellen, die Ihrer Ansicht nach fehlen, Mrs. Harrison?«

Sie nickte und schob krachend die Schublade zu. »Wenn man denkt, gestern um die Zeit war ich hier und hab saubergemacht – ich habe die Schlafzimmer immer dienstags geputzt –, und sie ist reingekommen, ich rede von Davina, und hat ganz fröhlich davon geplaudert, daß sie zusammen mit Harvey nach Frankreich fahren will, um irgend so eine Sendung im französischen Fernsehen zu machen, irgendeine sehr wichtige Büchersendung über ihr neues Buch. Natürlich hat sie französisch gesprochen, als wär sie dort geboren.«

»Was ist Ihrer Meinung nach letzte Nacht hier passiert?«

Sie ging vor ihm die hintere Treppe hinunter. »Meiner Meinung nach? Woher sollte ich das wissen?«

»Sie müssen sich doch Gedanken gemacht haben. Sie kennen das Haus, und Sie kannten die Menschen hier. Es würde mich interessieren, was Sie denken.«

Am Fuß der Treppe begegneten sie einer großen Katze von einer Farbe, die Burden unter dem Namen »Air Force blue« kannte. Das Tier war durch die Tür gegenüber gekommen und durchquerte gerade die hintere Halle. Als es die beiden Menschen sah, blieb es abrupt stehen, machte ganz große Augen, legte die Ohren nach hinten und blies sich auf, bis das dichte, flaumige, rauchblaue Fell hochstand. Die Haltung der Katze war die einer Kreatur, die von Jägern oder einem gefährlichen Raubtier bedroht wird.

»Stell dich nicht so an, Queenie«, sagte Brenda Harrison zärtlich. »Sei kein so dummes, altes Ding. Du weißt doch, daß er dir nichts tut, wenn ich dabei bin.« Burden war ein bißchen gekränkt. »Hinten liegt ein bißchen Hühnerleber für dich auf der Stufe.«

Die Katze drehte sich um und suchte auf demselben Weg, den sie gekommen war, das Weite. Brenda Harrison folgte ihr durch eine Tür, die Burden am Abend vorher nicht geöffnet hatte, und durch einen Korridor, der zum »Damenzimmer« führte. Im Wintergarten, vom Sonnenlicht durchflutet, war es warm wie im Sommer. Er war am Abend vorher kurz hier gewesen, aber bei Tageslicht wirkte der Raum anders.

Der Hyazinthenduft war schwer und süß, und die Sonne hatte die Narzissen aufgehen lassen. Die Atmosphäre war feuchtwarm und duftgeschwängert, wie man sich vielleicht einen Regenwald vorstellt.

»Sie wollte nicht erlauben, daß ich mir ein Tier zulege«, sagte Brenda Harrison unvermittelt.

»Wie bitte?«

»Davina. Wie ich sage, sie war nicht von oben herab, wir waren für sie alle gleich – so hat sie jedenfalls *geredet* –, aber ich durfte mir keinen Hund zulegen. Ich hätt so gern einen gehabt. ›Schaffen Sie sich einen Hamster an, Brenda‹, hat sie gesagt, ›oder einen Wellensittich.‹ Aber die Vorstellung hat mir nie gefallen. Es ist grausam, Vögel in Käfigen zu halten, finden Sie nicht auch?«

»Ich wäre auch nicht drauf versessen.«

»Weiß Gott, was jetzt aus uns werden soll, aus mir und Ken. Wir haben ja kein anderes Zuhause. Bei den heutigen Häuserpreisen haben wir keine Chance – das ist doch ein Witz, nicht? Davina hat gesagt, das wäre unser Zuhause für immer, aber wenn's drauf ankommt, ist es doch ein Cottage fürs Gutspersonal, nicht?« Sie bückte sich und hob ein welkes Blatt vom Boden auf. Ihr Gesichtsausdruck wurde kokett-wehmütig. »Es ist nicht einfach, noch mal von vorne anzufangen. Ich weiß, man sieht mir mein Alter nicht an, das sagen alle, aber letzten Endes werden wir auch nicht jünger, keiner von uns beiden.«

»Sie wollten mir erzählen, was sich Ihrer Meinung nach gestern abend hier abgespielt hat.«

Sie seufzte. »Was hat sich meiner Meinung nach hier abgespielt? Nun ja, was halt bei solchen schrecklichen Geschichten passiert, es ist ja nicht die erste, oder? Sie haben sich Zugang verschafft und sind nach oben, sie hatten von den Perlen und vielleicht auch von den Ringen erfahren. In den Zeitungen stehen ja immer wieder Sachen über Davina. Ich will damit sagen, alle Leute konnten sich denken, daß hier was zu holen ist. Harvey hat sie gehört, ist nach oben gegangen, um nachzusehen, und sie sind heruntergekommen und haben ihn erschossen. Dann mußten sie auch die anderen erschießen, damit die nicht auspacken konnten – nicht erzählen konnten, wie die Typen aussahen, meine ich damit.«

»Das ist eine Möglichkeit.«

»Was denn sonst?« sagte sie, als wäre ein Zweifel überhaupt nicht denkbar. Dann sagte sie zu seinem Erstaunen in einem munteren Ton: »Jetzt kann ich mir einen Hund anschaffen. Egal, was aus uns wird, jetzt kann mich niemand daran hindern, mir einen Hund zuzulegen, nicht?«

Burden ging in die Halle zurück und betrachtete nachdenklich die Treppe. Je mehr er darüber nachdachte, desto weniger konnte er sich den Tathergang nach dem, was er mit eigenen Augen gesehen hatte, zusammenreimen. Es fehlten Schmuckstücke. Pretiosen im Gegenwert von mindestens hunderttausend Pfund, aber deswegen drei Menschen, beinahe vier, umbringen? Burden zuckte die Achseln. Schließlich wußte er, daß Männer und Frauen schon für fünfzig Pence, für den Preis eines Drinks, ermordet worden waren.

Die Erinnerung an seinen Fernsehauftritt machte Wexford noch etwas zu schaffen, aber er konnte sich immerhin zu der Diskretion beglückwünschen, die er im Fall von Davina Flory gewahrt hatte. Das Fernsehen war für ihn kein geheimnisvolles und furchteinflößendes Medium mehr. Er gewöhnte sich allmählich daran. Dies war sein dritter oder vierter Auftritt vor der Kamera gewesen, und wenn er auch nicht abgestumpft war, so war er doch wenigstens selbstsicher.

Nur eine einzige Frage hatte ihn etwas aus dem Gleichgewicht gebracht. Sie hatte mit den Morden in Tancred House anscheinend nichts zu tun. Ob in diesem Fall eine größere Wahrscheinlichkeit bestehe, die Täter zu ermitteln, als bei dem Mord in der Bank, war er gefragt worden. Er hatte geantwortet, er sei überzeugt, daß beide Verbrechen aufgeklärt und Sergeant Martins Killer ebenso gefaßt werden würde wie die Mörder von Tancred House. Auf das Gesicht des Fragenden trat ein leichtes Lächeln, das Wexford, um Gelassenheit bemüht, zu ignorieren versuchte.

Die Frage hatte weder einer der freien Mitarbeiter der großen Zeitungen noch einer der anwesenden Repräsentanten der überregionalen Blätter gestellt, sondern ein Reporter des *Kingsmarkham Courier*, ein sehr junger Mann, dunkelhaarig, ziemlich gutaussehend und mit einem vorwitzigen Gesichtsausdruck. Seine Public-School-Stimme hatte keine Spur vom Londoner Akzent oder der lokalen, gutturalen Sprechweise.

»Seit dem Mord in der Bank ist schon fast ein Jahr vergangen, Chief Inspector.«

»Zehn Monate«, sagte Wexford.

»Zeigen die Statistiken nicht eindeutig: Je mehr Zeit vergeht, desto weniger wahrscheinlich ist es ...«

Wexford deutete auf eine Frau, die die Hand gehoben hatte, und ihre Frage übertönte die weiteren Worte des *Courier*-Reporters. Wie es der jungen Miss Flory gehe? Davina oder Daisy, so werde sie doch genannt, ja?

Wexford wollte in diesem Punkt vorläufig Diskretion wahren. Er antwortete, daß sie sich auf der Intensivstation befinde – was zu dieser Stunde vermutlich noch zutraf –, daß ihr Zustand stabil, aber ernst sei. Sie habe viel Blut verloren. Das hatte ihm zwar niemand berichtet, aber es verhielt sich bestimmt so.

Er wollte allein hinfahren, um sie zu besuchen. Detective Constable Gerry Hinde fütterte, ganz in seinem Element, seinen Computer gerade mit Unmengen von Informationsmaterial, aus dem er, so hatte er geheimnisvoll erklärt, eine Datenbank erstellen werde, auf die alle anderen Computer hier Zugriff haben sollten. Belegte Brote waren eingetroffen, besorgt aus dem Supermarkt in der Cheriton High Road. Als Wexford sein eigenes Päckchen mit dem Brieföffner öffnete, der sich nun doch als nützlich erwies, überlegte er, wie die Welt wohl zurechtgekommen war, bevor die Sandwich-Verpackung aus keilförmigem Kunststoff ihren ersten Auftritt gehabt hatte. Sie verdient es, auf eine Stufe mit anderen genialen Erfindungen gestellt zu werden, dachte er und warf dabei Gerry Hinde einen angewiderten Blick zu, zumindest auf eine Ebene mit Faxgeräten.

Als er gerade gehen wollte, erschien Brenda Harrison mit einer Liste der fehlenden Schmuckstücke Davina Florys. Er hatte nur noch Zeit, sie rasch zu überfliegen, und gab sie dann an Hinde weiter. Das war gefundenes Fressen für Hindes Datenbank.

Als er aus dem Stallgebäude trat, stellte er verärgert fest, daß der *Courier*-Reporter auf ihn wartete. Der junge Mann saß mit baumelnden Beinen auf einer niedrigen Mauer. Wexford hatte es sich zur Regel gemacht, mit Vertretern der Medien außerhalb von eigens anberaumten Pressekonferenzen niemals über »Fälle« zu sprechen. Dieser Typ mußte eine geschlagene Stunde darauf gewartet haben, daß er, Wexford, irgendwann herauskam.

»Nein. Für heute hab ich nichts mehr zu sagen.«

»Das ist aber sehr unfair. Sie sollten uns bevorzugt behandeln. Die Polizei, dein Freund und Helfer!«

»Das ist ja wohl ein bißchen anders gemeint«, sagte Wexford, nun doch belustigt. »Wie heißen Sie?«

»Jason Sherwin Coram Sebright.«

»Schöner Bandwurmname, was? Zu lang für eine Autorenzeile.«

»Ich hab mich noch nicht entschieden, wie ich mich als Journalist nennen soll. Beim *Courier* bin ich erst seit letzter Woche. Aber ich habe gegenüber den anderen einen eindeutigen Vorteil. Ich kenne nämlich Daisy. Sie geht auf meine Schule, beziehungsweise auf meine ehemalige Schule. Ich kenne sie sehr gut.«

All dies trug er mit einer frechen Selbstsicherheit vor, die selbst heutzutage ungewöhnlich war. Jason Sebright schien keinerlei Befangenheit zu kennen.

»Sie nehmen mich hoffentlich mit, wenn Sie sie besuchen«, sagte er. »Ich mache mir Hoffnungen auf ein Exklusivinterview.«

»Solche Hoffnungen, Mr. Sebright, sind zum Scheitern verurteilt.«

Er bugsierte Sebright vom Grundstück und behielt ihn im Auge, bis er in seinen eigenen Wagen gestiegen war. Donaldson fuhr Wexford über die Hauptzufahrt, die Route, auf der sie am Abend zuvor gekommen waren. Sebrights winziger Fiat folgte ihnen dichtauf. Nach einer Viertelmeile kamen sie an einer Stelle vorbei, wo viele umgestürzte Bäume lagen und Gabbitas offensichtlich mit einer Gattersäge die Stämme zerkleinerte. Der Orkan, der drei Jahre vorher England heimgesucht hatte, hatte hier viel Schaden angerichtet. Wexford fielen größere abgeholzte Flächen auf, wo kürzlich halbmetergroße Pflanzen gesetzt, an Stangen festgebunden und gegen Wildverbiß gesichert worden waren. Für die verarbeiteten Stämme waren Schuppen errichtet worden, in denen unter Planen Eichen-, Platanen- und Eschenbretter gestapelt waren.

Sie gelangten zum Tor der Hauptzufahrt, und Donaldson stieg aus, um es zu öffnen. Am linken Torpfosten hing ein Blumenstrauß. Wexford kurbelte das Fenster herunter. Es handelte sich nicht um ein gewöhnliches Gebinde aus einem Blumenladen, sondern um einen mit Blumen gefüllten Korb, dessen eine Seite tief herabgezogen war, um möglichst viel vom Inhalt zur Schau zu stellen. Goldene Fresien, himmelblaue Scillas und wachsweiße Kranzschlingen quollen über den vergoldeten Rand des Korbes. Am Griff war eine Karte befestigt.

»Was steht darauf?«

Donaldson verhedderte sich, räusperte sich und begann noch einmal. »Nun triumphiere, Tod! Du führest heim das schönste Frauenbild.«

Er ließ das Tor für Jason Sebright offen, der, wie Wexford sah, gleichfalls ausgestiegen war, um zu lesen, was auf der Karte stand. Donaldson fuhr auf die B 2428 Richtung Cambery Ashes und Stowerton. Zehn Minuten später waren sie dort.

Dr. Leigh, Mitte zwanzig, wirkte müde, als sie in dem Korridor vor der MacAllister-Station auf Wexford zuging.

»Ich kann verstehen, daß Sie dringend mit ihr sprechen müssen, aber könnten Sie es heute auf zehn Minuten beschränken? Sie können ja von mir aus – und wenn es ihr nichts ausmacht – morgen wiederkommen. Aber beim erstenmal, finde ich, sollte man nicht über zehn Minuten hinausgehen. Das wird doch für das Wesentliche genügen, oder?«

»Wenn Sie meinen«, sagte Wexford.

»Sie hat viel Blut verloren«, sagte die Ärztin und bestätigte damit, was er zu den Reportern gesagt hatte. »Aber die Kugel hat das Schlüsselbein gottlob nicht durchschlagen und noch wichtiger, die Lunge nicht verletzt. Ein kleines Wunder. Bedenklich ist nicht so sehr ihr körperlicher Zustand, sondern ihre seelische Verfassung.«

»Das überrascht mich nicht.«

»Würden Sie einen Augenblick in das Schwesternzimmer mitkommen?«

Wexford folgte ihr in einen kleinen Raum, der, obwohl niemand da war, völlig verqualmt war. Warum, fragte sich Wexford, rauchen Menschen, die in Krankenhäusern arbeiten und bestimmt mehr als jeder andere über die Gefahren des Nikotins zu hören bekommen? Es war ihm ein Rätsel. Dr. Leigh schnalzte mit der Zunge und riß das Fenster auf.

»Aus Daisys Brust wurde eine Kugel entfernt. Das Schulterblatt hinderte sie am Austreten. Möchten Sie sie haben?«

»Allerdings möchten wir sie haben. Sie wurde nur einmal angeschossen?«

»Nur ein einziges Mal. Der Schuß hat sie oben in der Brust getroffen, auf der linken Seite.«

»So.« Er wickelte den Bleizylinder in sein Taschentuch und steckte es ein. Daß die Kugel im Körper des Mädchens gesteckt hatte, verursachte ihm ein unerwartetes flaues Gefühl im Magen.

»Sie können jetzt hineingehen.«

Dr. Leigh führte ihn in die MacAllister-Station. Die Korridorwände der einzelnen Zimmer bestanden aus Mattglasscheiben, und in jeder Tür war ein kleines klares Fensterchen eingelassen. Vor dem Zimmer Nummer 2 saß Anne Lennox auf einem unbequem wirkenden Hocker und las ein Taschenbuch von Danielle Steel. Als Wexford erschien, sprang sie auf.

»Brauchen Sie mich, Sir?«

»Nein, danke, Anne. Bleiben Sie nur sitzen.«

Aus dem Zimmer kam eine Schwester, die ihm die Tür aufhielt. Dr. Leigh sagte, sie erwarte ihn, wenn er fertig sei, und wiederholte ihre Bitte, es kurz zu machen. Wexford ging hinein. Hinter ihm wurde die Tür geschlossen.

7

Sie saß aufrecht in einem hohen, weißen Bett, von einer Menge Kissen im Rücken gestützt. Ihr linker Arm lag in einer Schlinge, die linke Schulter war fest bandagiert. Es war so warm in der Station, daß sie nur ein weißes, ärmelloses, gerade geschnittenes Kittelchen anhatte, das ihre rechte Schulter samt dem Oberarm freigab. An ihrem nackten rechten Arm war ein Infusionsschlauch befestigt.

Wexford mußte an die Fotografie aus dem *Independent on Sunday* denken. Das war noch einmal Davina Flory, das war Davina Flory, wie sie mit siebzehn ausgesehen hatte.

Daisy trug das Haar nicht kurz geschnitten, sondern lang. Die üppige Mähne aus glattem, sehr feinem, sehr dunklem braunen Haar verdeckte die verletzte und die entblößte gesunde Schulter zur Hälfte. Die Stirn war hoch wie bei ihrer Großmutter, aber die großen, tief in den Höhlen liegenden Augen waren nicht dunkelbraun, sondern von cinem hellen, klaren Haselnußton, mit je einem schwarzen Ring um die Pupillen. Die Haut war hell für eine so dunkelhaarige Person, und die ziemlich schmalen Lippen waren sehr blaß. Sie hatte glücklicherweise nicht die Adlernase ihrer Großmutter geerbt, sondern eine hübsche Stupsnase. Wexford erinnerte sich an die Hände der toten Davina Flory und sah, daß Daisy die gleichen hatte, nur daß die Haut noch geschmeidig und jung war. Sie trug keine Ringe. An den blaß-rosigen Ohrläppchen zeigten sich die Löcher für Ohrringe wie winzige rosafarbene Wunden.

Als sie ihn erblickte, sagte sie kein Wort, sondern begann zu weinen. Die Tränen liefen ihr übers Gesicht.

Er zog eine Handvoll Kleenex aus der Packung auf ihrem Nachtkästchen und reichte sie ihr. Sie wischte sich das Gesicht ab, ließ dann den Kopf sinken und verdrehte die Augen nach oben. Ihr Körper hob und senkte sich bei der Anstrengung, die Schluchzer zu unterdrücken.

»Es tut mir sehr leid für Sie«, sagte er. »Sehr, sehr leid.«

Sie nickte und umklammerte die feuchten Kleenex mit der linken Hand. Er hatte nicht viel darüber nachgedacht, daß sie am Abend zuvor ja ihre Mutter verloren hatte. Und eine Großmutter, an der sie vielleicht ebensosehr gehangen hatte, sowie einen Mann, der seit ihrem fünften Lebensjahr wie ein Großvater für sie gewesen war.

»Miss Flory...«

Ihre Stimme klang gedämpft aus den Kleenex, die sie sich ans Gesicht drückte. »Sagen Sie Daisy zu mir.« Er merkte, wie sie sich anstrengte, als sie schluckte und den Kopf hob. »Sagen Sie bitte Daisy zu mir. Ich kann es nicht leiden, wenn man mich Miss Flory nennt, und außerdem heiße ich ja eigentlich Jones. Oh, ich muß mit dem Weinen aufhören.«

Wexford ließ ein paar Augenblicke vergehen, obwohl er sich bewußt war, wie wenig Zeit er hatte. Er merkte ihr an, daß sie versuchte, Bilder, die sie im Geist vor sich sah, zu vertreiben, sie wegzuwischen und sich in die Gegenwart zurückzuholen. Sie holte tief Luft.

Er wartete noch ein Weilchen, doch allzu langes Warten konnte er sich nicht erlauben. Nur eine Minute, bis sie gleichmäßig atmete und mit den Fingern die Tränen weggewischt hatte. »Daisy«, begann er dann, »Sie wissen, wer ich bin, ja? Ich bin Polizeibeamter – Chief Inspector Wexford.«

Sie nickte mehrmals rasch.
»Ich darf heute nur zehn Minuten bei Ihnen bleiben, aber ich komme morgen wieder, wenn Ihnen das recht ist. Ich hätte gern, daß Sie mir jetzt ein, zwei Fragen beantworten, und ich werde mir Mühe geben, Sie nichts zu fragen, was weh tun könnte. Wären Sie damit einverstanden?«
Langsames Nicken und noch ein keuchender Laut.
»Wir müssen zum vergangenen Abend zurückkehren. Ich will Sie nicht danach fragen, was sich genau abgespielt hat, noch nicht, nur wann Sie die Täter zum erstenmal im Haus gehört haben und wo.«
Sie zögerte so lange, daß er nicht anders konnte, als einen Blick auf seine Uhr zu werfen.
»Wenn Sie mir nur sagen könnten, wann Sie sie gehört haben und wo das war...«
Plötzlich sprudelte es aus ihr heraus. »Sie waren oben. Wir saßen beim Abendessen, waren schon beim Hauptgang. Meine Mutter hat sie als erste gehört. Sie hat gesagt: ›Was ist das? Das hört sich an, als wäre oben jemand.‹«
»Ja. Und dann?«
»Davina, meine Großmutter, hat gesagt, es sei die Katze.«
»Die *Katze*?«
»Es ist eine große Katze, eine blaue Perserkatze, und sie heißt Queenie. Manchmal tobt sie abends im Haus herum. Es ist erstaunlich, was für einen Radau sie veranstalten kann.«
Daisy Flory lächelte. Es war ein wunderbar offenes Lächeln, ein Jungmädchenlächeln, und es hielt sich einen Augenblick, ehe es auf den Lippen verzitterte. Wexford hätte gerne ihre Hand genommen, aber das wäre fehl am Platz gewesen.
»Haben Sie ein Auto gehört?«
Sie schüttelte den Kopf. »Ich habe außer dem Lärm

über uns nichts gehört. Gerumpel und Schritte. Harvey, der Mann meiner Großmutter, ging aus dem Zimmer. Wir haben den Schuß gehört und dann noch einen. Es war ein furchtbares Krachen, wirklich furchtbar. Meine Mutter hat aufgeschrien. Wir sind alle aufgesprungen. Nein, ich bin hochgesprungen, und meine Mutter auch, und ich ... ich wollte wohl hinaus, aber meine Mutter hat geschrien: ›Nein, tu's nicht!‹ und dann ist er reingekommen. Er ist ins Zimmer gekommen.«

»*Er?* War es nur einer?«

»Ich hab nur einen gesehen. Den andern hab ich gehört, aber nicht gesehen.«

Die Erinnerung an das Geschehene ließ sie erneut verstummen. Er sah, wie ihr wieder die Tränen in die Augen traten. Sie rieb sie sich mit der rechten Hand.

»Ich hab nur *einen* gesehen«, sagte sie mit halb erstickter Stimme. »Er hatte einen Revolver. Er kam herein.«

»Beruhigen Sie sich«, sagte Wexford. »Ich muß Ihnen die paar Fragen stellen. Es ist bald vorbei. Bitte verstehen Sie, daß es einfach sein muß.«

»Einverstanden. Er kam herein ...« Aus ihrer Stimme wich das Leben. Sie klang monoton. »Davina saß noch. Sie stand überhaupt nicht auf, sondern saß nur da, hatte aber den Kopf zur Tür hingedreht. Ich glaube, er hat sie in den Kopf geschossen. Dann hat er meine Mutter erschossen. Was ich getan habe, weiß ich nicht mehr. Es war so furchtbar, so unvorstellbar, Wahnsinn, ein Horror, es war völlig irreal, es war nur ... nein, ich weiß nicht ... Ich habe versucht, auf den Boden zu kommen. Ich habe gehört, wie der andere draußen einen Motor angelassen hat. Derjenige, der im Haus war, der mit dem Revolver, er hat auf mich geschossen, und ich weiß nicht, ich kann mich nicht mehr erinnern ...«

»Daisy, das ist schon sehr gut, was Sie alles behalten

haben. Wirklich sehr gut. Sie wissen vermutlich nicht mehr, was passiert ist, nachdem Sie angeschossen worden waren? Aber können Sie sich erinnern, wie er aussah? Können Sie ihn beschreiben?«

Sie schüttelte den Kopf, hob die rechte Hand und legte sie ans Gesicht. Wexford hatte nicht den Eindruck, daß sie den Mann mit dem Revolver nicht beschreiben könnte, sie schien sich nur vorläufig nicht dazu durchringen zu können. Sie murmelte: »Ich habe ihn nicht sprechen hören. Er hat nichts gesagt.« Obwohl Wexford nicht danach gefragt hatte, murmelte sie: »Es war kurz nach acht, als wir sie gehört haben, und zehn nach acht, als sie wegfuhren. Zehn Minuten, das war alles...«

Die Tür ging auf, und eine Krankenschwester kam herein. »Ihre zehn Minuten sind um. Das muß für heute leider reichen.«

Wexford stand auf. Selbst wenn sie nicht unterbrochen worden wären, hätte er kaum gewagt, noch weitere Fragen zu stellen. Ihre Kräfte, ihm zu antworten, waren beinahe erschöpft.

Ganz leise, fast flüsternd, sagte sie: »Ich habe nichts dagegen, wenn Sie morgen wiederkommen. Ich weiß, daß ich darüber sprechen muß. Morgen werd ich ein bißchen mehr sagen.«

Sie wandte den Blick von ihm, starrte zum Fenster, wobei sie die Schultern langsam hochzog, die verletzte wie die unverletzte, hob die rechte Hand und legte sie sich auf den Mund.

Der Artikel im *Independent on Sunday* war von raffinierter Gehässigkeit bestimmt. Wo immer es möglich war, eine Stichelei anzubringen, stichelte Win Carver. Keine Gelegenheit für eine scharfe Bemerkung wurde ausgelassen. Trotzdem war es ein guter Artikel. So ist der Mensch eben, gestand sich Wexford ein, daß er einen Text in ironischem und leicht boshaften Ton *besser* findet als einen zurückhaltenden.

Ein Journalist vom *Kingsmarkham Courier* hätte einen devoteren Ton angeschlagen, um von Davina Florys Aufforstungsplänen zu berichten oder von ihren baumkundlichen Studien, ihrer Begeisterung fürs Gärtnern und ihrer Sammelleidenschaft für seltene Bäume zu erzählen. Miss Carver aber behandelte das ganze Thema, als wäre es eher komisch und beweise eine gewisse Heuchelei. Einen Wald zu »pflanzen«, gab sie zu verstehen, sei wohl nicht ganz die richtige Umschreibung einer Tätigkeit, die andere verrichteten, während man selbst dafür nur das Geld herschaufelte. Gärtnern aus Liebhaberei mochte ja ein angenehmer Zeitvertreib sein, falls man sich ihm nur sonntags, wenn man nichts anderes zu tun hatte, hinzugeben brauchte, und auch dann nur bei schönem Wetter. Das Umgraben besorgten kräftige junge Männer.

Davina Flory, so fuhr sie in einem ganz ähnlichen Ton fort, sei zwar eine höchst erfolgreiche, ja, umjubelte Frau gewesen, aber schwer habe sie es wohl nicht unbedingt gehabt. Angesichts ihrer Intelligenz und dank des Umstands, daß sie einen Professor als Vater hatte und es auch nicht an Geld fehlte, habe es nahegelegen, sie auf die Universität Oxford zu schicken. Sie mochte ja eine bedeutende Landschaftsgärtnerin sein, doch das Land und das notwendige Kleingeld dafür seien ihr in den Schoß gefallen, als sie Desmond Flory heiratete. Daß sie in der letzten Kriegsphase Witwe wurde, sei zwar traurig gewesen, der Schmerz aber gewiß dadurch gemildert worden, daß sie mit dem Tod ihres ersten Ehemannes ein Herrenhaus von gewaltigen Ausmaßen und ein riesiges Vermögen geerbt habe.

Ein wenig sardonisch äußerte sich Win Carver auch über die kurze zweite Ehe. Doch als sie dann zu den Reisen und den Büchern kam, zu Davina Florys verdienstvollen Streifzügen durch Osteuropa und zu ihren politischen und soziologischen Untersuchungen dieser Region – obendrein in höchst schwierigen und gefährlichen Zeiten –, war sie voll des Lobs. Sie erwähnte die »anthropologischen« Bücher, in die die Erkenntnisse dieser Reisen eingeflossen waren. Sie erinnerte sich in schwärmerischen Tönen an ihre eigene Studienzeit, zwanzig Jahre zurückliegend, als sie Davina Florys zwei Romane, *Midians Gastfreunde* und *Ein Privatmann in Athen*, gelesen hatte. Ihre Wertschätzung dieser beiden Bücher verglich sie mit der Wirkung von Chapmans Homer-Übersetzung auf Keats, die diesem »die Sprache verschlagen« habe.

Schließlich kam sie ausführlich auf den ersten Band der Autobiographie, *Der jüngste von neun Zeisigen*, zu sprechen. Wexford, der vermutet hatte, daß dieser Titel Shakespeares *Was ihr wollt* entlehnt war, sah sich mit Genugtuung bestätigt. Als nächstes folgte ein Kurzbericht von Davina Florys Kindheit und Jugend, wie sie in diesen Erinnerungen geschildert wurden; anschließend wurde erwähnt, wie sie Harvey Copeland kennengelernt hatte, und dann schloß Miss Carver mit ein paar – wenigen – Worten über Davina Florys Tochter Naomi Jones, Teilhaberin einer Galerie für Kunsthandwerk in Kingsmarkham, und Miss Florys gleichnamige Enkelin.

Am Ende ihres Artikels spekulierte Win Carver über die Möglichkeit, daß Davina Flory von der Königin mit der Ernennung zur »Dame Commander of the British Empire« geehrt werden könnte, und schätzte sie ziemlich groß ein. Nur ein, zwei Jahre müßten vergehen, meinte sie, bis aus Miss Flory Dame Davina wurde. Zumeist, so schrieb Miss Carver, »warten sie, bis man seinen achtzigsten Geburtstag hinter sich hat, damit man nicht mehr zu lange lebt«.

Davina Florys Leben hatte dafür nicht lange genug

gedauert. Sie war eines unnatürlichen und äußerst gewaltsamen Todes gestorben. Wexford, der noch immer in der Tatortzentrale war, legte die Zeitungen beiseite und las die Auflistung der fehlenden Schmuckstücke durch, die Gerry Hinde für ihn ausgedruckt hatte. Es waren nicht viele, aber sie erschienen ihm wertvoll. Dann ging er über den Hof zum Herrenhaus.

Die Halle war gesäubert worden. Es duftete penetrant nach jener Sorte Desinfektionsmittel, die wie eine Mischung aus Lysol und Limonensaft riecht. Brenda Harrison war gerade damit beschäftigt, schmückende Gegenstände, die falsch plaziert worden waren, dorthin zu stellen, wohin sie gehörten. Auf ihrem vorzeitig gealterten Gesicht lag ein Ausdruck angespannter Konzentration, zweifellos die Ursache, warum das Gesicht so zerfurcht war. Auf der dritten Treppenstufe, dort, wo der Teppich – vielleicht durch Flecke verdorben, die sich nicht mehr entfernen ließen – mit einem Leintuch bedeckt war, saß Queenie, die blaue Perserkatze.

»Es wird Sie freuen zu hören, daß Daisy auf dem Weg der Genesung ist«, sagte Wexford.

Sie wußte es bereits. »Einer der Polizisten hat es mir gesagt«, sagte sie ziemlich gleichgültig.

»Wie lange haben Sie und Ihr Mann hier gearbeitet, Mrs. Harrison?«

»Fast zehn Jahre.«

Das überraschte ihn. Zehn Jahre sind eine ansehnliche Zeitspanne. Nach einer so langen Verbindung hätte er mehr Anteilnahme am Schicksal der Eigentümer erwartet, mehr *Gefühl.*

»Mr. und Mrs. Copeland waren also gute Arbeitgeber?«

Ein Achselzucken. Sie war gerade dabei, eine rotblaue Porzellaneule abzustauben, und stellte sie auf die polierte Fläche zurück, ehe sie antwortete. Dann sagte sie nachdenklich, als hätte sie eine Menge Gedankenarbeit geleistet, bevor sie es aussprach: »Sie waren nicht von oben herab.« Sie zögerte und setzte dann stolz hinzu: »Jedenfalls nicht uns gegenüber.«

Die Katze stand auf, streckte sich und spazierte langsam in Wexfords Richtung. Sie blieb vor ihm stehen, stellte die Haare auf, blickte ihn finster an und rannte plötzlich fluchtartig die Treppe hinauf. Wenig später war Lärm zu vernehmen. Es war, als galoppierte ein Miniaturpferd den Korridor entlang. Stoßen und Krachen drangen durch die Decke nach unten.

Brenda Harrison knipste eine Lampe an, dann eine zweite. »Um diese Zeit führt sich Queenie immer so auf«, sagte sie.

»Richtet sie denn keinen Schaden an?«

Ein schwaches Lächeln belebte ihr Gesicht, ließ die Wangen ein, zwei Zentimeter breiter werden. Wexford erkannte, daß sie zu den Menschen gehörte, denen die Possen von Tieren Spaß machen. Der Humor solcher Leute beschränkt sich beinahe ausschließlich auf dressierte Schimpansen am Teetisch, Hunde in menschlichen Posen, junge Kätzchen, die Hauben tragen. An ihresgleichen verdient die Zirkusbranche ihr Geld.

»Wenn Sie in einer halben Stunde hinaufgingen«, sagte sie, »würden Sie nicht merken, daß sie überhaupt dort oben war.«

»Und das ist immer so um diese Zeit?« Er blickte auf seine Uhr: zehn vor sechs.

»Etwas früher oder später, ja.« Sie warf ihm einen Blick von der Seite zu und grinste dabei ganz schwach. »Sie ist zwar ein helles Köpfchen, aber die Uhr kennt sie doch nicht.«

»Ich möchte Sie nur noch eines fragen, Mrs. Harrison. Haben Sie in den letzten Tagen oder auch Wochen irgendwelche fremden Leute hier in der Gegend gesehen? Unbekannte Gesichter? Irgend jemanden, den Sie in der Nähe des Hauses oder auch auf dem Gut nicht erwartet hätten?«

Sie dachte nach. Dann schüttelte sie den Kopf. »Sie sollten das Johnny fragen, Johnny Gabbitas. Er kommt in den Wäldern rum, er ist immer draußen.«

»Wie lange ist er schon hier?«

Ihre Antwort überraschte ihn etwas. »Ein Jahr vielleicht. Nicht länger. Warten Sie – ich schätze, im Mai wird es ein Jahr.«

»Wenn Ihnen irgendwas einfällt, irgend etwas Merkwürdiges oder Ungewöhnliches, das Ihnen vielleicht aufgefallen ist, denken Sie daran, uns Bescheid zu sagen, ja?«

Mittlerweile wurde es dunkel. Als er um den Westflügel herumging, flammten die in die Mauer eingelassenen Lampen, gesteuert von einem Zeitschalter, auf. Er blieb stehen und blickte zurück zum Wald und zu der Straße, die aus diesem herausführte. Die beiden Männer mußten in der vergangenen Nacht auf diesem Weg gekommen sein, oder aber sie hatten die Nebenstraße genommen; einen dritten Weg gab es nicht.

Warum hatte niemand im Haus ein Auto gehört? Vielleicht aber war es doch so gewesen? Drei von ihnen konnten es ihm nicht sagen, weil sie nicht mehr lebten. Daisy hatte es nicht gehört; das war alles, was er hierzu jemals erfahren würde.

Die beiden Männer waren sicher auf das hell erleuchtete Haus zugefahren. Um acht Uhr hatte die Außenbeleuchtung schon seit zwei Stunden und das Licht im Haus schon viel länger gebrannt. Aber angenommen, sie waren nicht bis zum Haus gefahren, sondern *vor* dem Erreichen der Mauer nach links abgebogen auf die Straße, auf der er sich jetzt befand. Auf die Straße, die in fünfzehn Metern Entfernung am Westflügel vorbei in einer weiten Kurve um den Wirtschaftsbereich und die hintere Tür führte, am Garten mit seiner hohen Hecke entlanglief und dann zu den Cottages der Harrisons und von John Gabbitas führte.

Wer diesen Weg wählte, mußte sich in der Umgebung von Tancred House gut auskennen. Er mußte wohl auch wissen, daß die hintere Tür abends nicht abgeschlossen wurde. Wenn die Täter diesen Weg gekommen waren und in der Nähe der Hintertür geparkt hatten, dann war es möglich, sogar wahrscheinlich, daß im Eßzimmer niemand etwas gehört hatte.

Doch Daisy hatte gehört, wie der Mann, den sie nicht gesehen hatte, den Motor eines Wagens anließ, nachdem der Mann, den sie gesehen *hatte,* auf sie und ihre Familie geschossen hatte.

Vermutlich hatte er das Haus durch den Hintereingang verlassen und das Auto zur Vorderseite gebracht. Als er im Obergeschoß Geräusche hörte, hatte er wohl die Flucht ergriffen. Der Mann, der auf Daisy geschossen hatte, hatte gleichfalls oben Geräusche gehört und deswegen keinen weiteren Schuß abgefeuert, den Schuß, der sie getötet hätte. Die Geräusche kamen natürlich von Queenie, der Katze, aber das konnten die beiden Männer nicht ahnen. Höchstwahrscheinlich war keiner von ihnen in der obersten Etage gewesen. Sie mußten sich gesagt haben, daß vielleicht jemand dort oben war.

Dies war eine Erklärung, die bis auf einen Punkt völlig befriedigte. Wexford stand am Rand der Straße und schaute grübelnd hinter sich, als aus dem Wald, auf der Hauptzufahrt, Scheinwerfer auftauchten. Das Fahrzeug bog kurz vor der Mauer nach links ab, und Wexford sah im Licht von Tancred House, daß es sich um John Gabbitas' Landrover handelte.

Gabbitas hielt an, als er den Chief Inspector erkannte. Er kurbelte das Fenster nach unten. »Haben Sie nach mir gesucht?«

»Ich möchte mich ein bißchen mit Ihnen unterhalten, Mr. Gabbitas. Hätten Sie eine halbe Stunde Zeit?«

Statt einer Antwort lehnte sich Gabbitas hinüber und öffnete die Beifahrertür. Wexford lehnte sich ans Fenster. »Würden Sie bitte in die Ställe hinüberkommen?«

»Dafür ist's ein bißchen spät, nicht?«

»Spät wofür, Mr. Gabbitas? Für Ermittlungen in einer Mordsache? Wir haben drei Tote und eine Schwerverletzte. Aber wenn ich's mir recht überlege – Ihr Haus wäre vielleicht der geeignetere Ort.«

»Na schön, in Gottes Namen, wenn es sein muß.«

Diese kurze Unterhaltung hatte Wexford Dinge klargemacht, die er bei ihrer ersten Begegnung nicht bemerkt hatte. Seine Sprache und sein Verhalten zeigten, daß der Förster den Harrisons einiges voraushatte. Außerdem sah er ungewöhnlich gut aus. Er erinnerte an einen Schauspieler, mit dem man vielleicht die männliche Hauptrolle einer Literaturverfilmung besetzen würde. Er hatte schwarze Haare und dunkle Augen. Die auf dem Lenkrad ruhenden Hände waren gebräunt, und auf den Handrücken und den langen Fingern wuchsen schwarze Haare. Das angedeutete Grinsen, mit dem er Wexford angesehen hatte, als dieser ihn bat, die Nebenstraße entlangzufahren, hatte sehr weiße, gleichmäßige Zähne enthüllt. Er war ein Draufgängertyp, ein Mannsbild von jener Sorte, von der es heißt, daß Frauen von ihnen angezogen werden wie Motten vom Licht.

Wexford nahm auf dem Beifahrersitz Platz. »Wann, sagten Sie, sind Sie gestern abend nach Hause gekommen?«

»Zwanzig, fünfundzwanzig Minuten nach acht, genauer kann ich's nicht sagen. Ich hatte nicht angenommen, daß es irgendeinen Grund geben könnte, sich die genaue Zeit zu merken.« In seiner Stimme schwang Ungeduld mit. »Ich weiß, ich war zu Hause, als meine Uhr halb neun schlug.«

»Kennen Sie Mrs. Bib Mew, die in Tancred House arbeitet?«

Gabbitas wirkte erheitert. »Ich weiß, wen Sie meinen. Lustiger Name. Ich wußte nicht, daß sie so heißt.«

»Mrs. Mew ist gestern abend zehn vor acht mit dem Fahrrad losgefahren und bei sich zu Hause gegen zehn nach acht angekommen. Sie wohnt in Pomfret Monachorum. Wenn Sie um zwanzig nach acht zu Hause angekommen sind, spricht viel dafür, daß Sie ihr unterwegs begegnet sein könnten. Sie ist ebenfalls auf der Nebenstraße gefahren.«

»Ich bin ihr nicht begegnet«, sagte Gabbitas knapp. »Wie ich Ihnen schon gesagt habe, ich bin niemandem begegnet und an niemandem vorbeigekommen.«

Sie waren vor seinem Cottage angelangt. Gabbitas' Verhalten war ein bißchen freundlicher, als er Wexford ins Haus bat. Der Chief Inspector fragte ihn, wo er am Vortag gewesen sei.

»Ich hab in einem Wald bei Midhurst Unterholz geschlagen. Warum fragen Sie?«

Gabbitas' Wohnung ließ auf Anhieb die Lebensweise eines Junggesellens erkennen, funktional und ein wenig heruntergewohnt. Das Wohnzimmer, in das er Wexford führte, dominierten Büro-Einrichtungsgegenstände: ein Schreibtisch mit einem Laptop, ein grauer, metallener Aktenschrank, übereinandergestellte Karteikästen. Bücherregale mit Enzyklopädien nahmen eine halbe Wand ein. Um für Wexford Platz zu schaffen, nahm Gabbitas von der Sitzfläche eines Sessels einen Armvoll Aktendeckel und Lehrbücher.

Wexford fragte hartnäckig noch einmal: »Und Sie sind auf der Nebenstraße nach Hause gefahren?«

»Das hab ich Ihnen doch gesagt.«

»Mr. Gabbitas«, sagte Wexford etwas ärgerlich. »Sie wissen doch sicher aus dem Fernsehen, falls Sie es nicht aus einer anderen Quelle erfahren haben, daß ein Kriminalbeamter, wenn er Ihnen dieselbe Frage zweimal stellt, offen gesagt, darauf aus ist, Sie zu überführen.«

»Entschuldigung«, sagte Gabbitas. »Okay, das ist mir schon klar. Aber ein Bürger ... nun ja, ein Bürger, der sich an die Gesetze hält, hat es nicht so gerne, wenn man von ihm denkt, er hätte etwas verbrochen. Ich erwarte, daß man mir glaubt.«

»Ja, das kann ich mir denken. Aber in der Welt, in der wir leben, ist das sehr idealistisch gedacht. Ich frage mich, ob Sie heute dazu gekommen sind, über diese Geschichte nachzudenken. Zum Beispiel, während Sie in Ihrer Waldeinsamkeit bei Midhurst waren? Es wäre nur natürlich, daß man sich darüber Gedanken macht.«

Gabbitas sagte knapp: »Ja, habe ich. Wem würde das nicht im Kopf herumgehen?«

»Beispielsweise über das Fahrzeug, mit dem die gekommen sind, die dieses ... Massaker angerichtet haben. Wo war es abgestellt, während die Verbrecher im Haus waren? Wo war es, als Sie nach Hause kamen? Daß sie sich nicht über die Nebenstraße abgesetzt haben, sonst wären sie an Ihnen vorbeigekommen. Daisy Flory rief um 20.22 Uhr per Telefon um Hilfe, ein paar Minuten, nachdem die Täter abgehauen waren. Sie muß, so schnell sie konnte, zum Telefon gekrochen sein, weil sie zu verbluten fürchtete.« Wexford beobachtete Gabbitas' Gesicht, während er dies sagte. Es blieb unbewegt, nur die Lippen kniff er ein wenig zusammen. »Also kann das Fahrzeug nicht die Nebenstraße benützt haben, sonst hätten Sie es gesehen.«

»Offensichtlich haben sie die Hauptzufahrt genommen.«

»Zufällig befand sich zu dieser Zeit ein Streifenwagen auf der B 2428, der um 20.25 Uhr angewiesen wurde, die Straße abzuriegeln und sämtliche Fahrzeuge zu kontrollieren. Nach Aussage der Beamten kam die ganze Zeit über kein einziges Fahrzeug vorbei, bis unser eigener Konvoi mit dem Rettungswagen um 20.48 Uhr auftauchte. Auch auf der B 2428 in Richtung Cambery

Ashes wurde eine Straßensperre errichtet. Vielleicht waren wir dort zu spät dran. Über *einen* Punkt können Sie mich vielleicht aufklären: Gibt es noch irgendeine andere Möglichkeit, von Tancred House wegzukommen?«

»Durch die Wälder, meinen Sie das? Ein Jeep könnte es vielleicht schaffen, wenn der Fahrer sich im Wald auskennt. Und zwar wie in seiner Westentasche.« Aus Gabbitas' Ton sprach äußerster Zweifel. »Ich bin mir nicht sicher, ob ich es schaffen würde.«

»Aber Sie sind ja noch nicht allzulange hier, nicht?«

Als dächte Gabbitas, daß weniger eine Antwort als eine Erklärung nötig sei, sagte er: »Ich unterrichte einen Tag in der Woche am Sewingbury Agricultural College. Ich nehme Privataufträge an. Ich bin unter anderem auch Baumchirurg.«

»Wann sind Sie hierhergezogen?«

»Im vergangenen Mai.« Gabbitas hob eine Hand und rieb sich die Lippen. »Wie geht es Daisy?«

»Es geht ihr gut«, sagte Wexford. »Es geht aufwärts mit ihr – körperlich. Ihr psychisches Befinden, das steht auf einem anderen Blatt. Wer hat hier gewohnt, ehe Sie Ihre Stelle antraten?«

»Leute namens Griffin.« Gabbitas buchstabierte den Namen. »Ein Ehepaar mit einem Sohn.«

»Haben die nur auf dem Gut gearbeitet oder auch nebenher, so wie Sie?«

»Der Sohn war schon erwachsen. Er hatte einen Job. Was es war, weiß ich nicht. In Pomfret oder in Kingsmarkham, soviel ich weiß. Griffin, ich glaube mit Vornamen hieß er Gerry oder Terry, ja, Terry. Er hat sich um die Wälder gekümmert. Seine Frau hat, soviel ich weiß, manchmal oben in Tancred House gearbeitet.«

»Warum sind sie weggezogen? Er hat ja nicht nur eine Anstellung aufgegeben, sondern auch eine Unterkunft.«

»Er kam allmählich in die Jahre. Noch nicht fünfundsechzig, aber er wurde langsam klapprig. Ich glaube, die Arbeit wurde ihm zuviel, und so ist er in den Vorruhestand gegangen. Sie hatten sich ein Haus gekauft. Das ist so ungefähr alles, was ich über die Griffins weiß. Ich bin ihnen nur ein einziges Mal begegnet – als ich den Job hier und das Haus gezeigt bekam.«

»Ich könnte mir vorstellen, daß die Harrisons mehr wissen.«

Zum erstenmal lächelte Gabbitas richtig. Sein Gesicht wurde anziehend und freundlich, wenn er lächelte, und seine Zähne waren wirklich prachtvoll. »Die haben kein Wort miteinander gewechselt.«

»Was, die Harrisons und die Griffins?«

»Brenda Harrison hat mir erzählt, sie hätten seit Monaten nicht miteinander gesprochen, seit Griffin sie beleidigt habe. Ich weiß nicht, was er zu ihr gesagt oder was er getan hat. Das ist alles, mehr hat sie mir nicht gesagt.«

»War das der wahre Grund dafür, daß sie wegzogen?«

»Was weiß ich?«

»Haben sie eine Adresse hinterlassen?«

»Nicht bei mir. Ich glaube, sie sind Richtung Myringham gezogen. Gar nicht so weit weg. Ja, ich erinnere mich deutlich, daß es Myringham war. Möchten Sie Kaffee? Oder Tee oder sonstwas?«

Wexford lehnte dankend ab. Er lehnte auch Gabbitas' Angebot ab, ihn zu seinem eigenen Wagen zu fahren, der vor der Tatortzentrale stand.

»Es ist dunkel. Nehmen Sie mal lieber eine Taschenlampe mit.«

»Sie waren Daisys eigenes Reich!« rief er Wexford nach. »Die Ställe waren eine Art Zuflucht, wo sie für sich sein konnte. Ihre Großmutter hat sie für sie herrichten lassen.« Er hatte eine gewisse Begabung, kleine Bomben hochgehen zu lassen, mit kleinen Offenbarungen aufzuwarten. »Sie hat dort Stunden allein zugebracht, mit den Dingen beschäftigt, die ihr wichtig waren. Weiß Gott, was das war.«

Sie hatten sich ihr Allerheiligstes angeeignet, ohne um Erlaubnis zu bitten! Mit Hilfe der geliehenen Taschenlampe folgte Wexford dem gewundenen Weg durch das Pinetum. Als die dunkle Rückseite von Tancred House in sein Blickfeld trat, kam ihm der Gedanke, daß all dies nun wohl Daisy Flory gehörte, es sei denn, es gab noch andere Erben. Doch falls es solche gab, waren sie in den Zeitungsartikeln und Nachrufen jedenfalls nicht erwähnt worden.

All dies war ihr durch schieres Glück zugefallen. Wäre sie von der Kugel zwei Zentimeter tiefer getroffen worden, hätte der Tod sie um ihr Erbe gebracht. Wexford fragte sich, warum er so sicher war, daß das Erbe für sie eine Belastung sein werde, vor der sie zurückschaudern werde. Manch anderer würde es als ein Geschenk des Himmels bezeichnen.

Hinde hatte die Gegenständc auf der von Brenda Harrison zusammengestellten Liste mit den Angaben von Davina Florys Versicherung verglichen. Gar nicht versichern lassen hatte sie eine Kette aus schwarzen Bernsteinperlen, cine Perlenkette, die, was Brenda Harrison auch sagen mochte, wahrscheinlich nicht echt war, ein paar silberne Ringe, ein Silberarmband, eine Silber- und Onyxbrosche.

Beide Listen enthielten ein goldenes Armband, das auf dreitausendfünfhundert Pfund geschätzt wurde, einen Ring mit einem in Brillanten ausgefaßten Rubin, auf fünftausend Pfund taxiert, einen zweiten, besetzt mit Perlen und Saphiren im Schätzwert von zweitausend Pfund sowie ein brillantenbeladener Ring, ein beeindruckendcs Stück Juwelierskunst, taxiert auf einen Wert von neunzehntausend Pfund.

Das Ganze war anscheinend weit über dreißigtausend Pfund wert. Die Täter hatten, aus Unwissenheit natürlich, auch die minder wertvollen Stücke mitgehen lassen. Vielleicht waren sie sogar noch unwissender und hatten ihre Beute für viel wertvoller gehalten, als sie es tatsächlich war.

Wexford stupste den grauen, pelzigen Kaktus mit dem Zeigefinger an. Seine Farbe erinnerten ihn an die Katze Queenie. Zweifellos hatte auch sie ihre Stacheln, die der seidige Flaum verbarg. Er schloß die Tür ab und ging zu seinem Wagen.

8

Fünf Schüsse waren bei den Morden in Tancred House abgefeuert worden. Die Kugeln gehörten nach den Erkenntnissen der Ballistikexperten, die sie untersucht hatten, zu einem 38er Colt Magnum. In den Lauf jedes Revolvers sind Linien und Rillen, sogenannte »Züge«, eingegraben, die ihrerseits ihre Spuren an dem Geschoß hinterlassen, während es den Lauf verläßt. Die Züge in einem Lauf sind ebenso individuell wie ein Fingerabdruck. Die Spuren an den in Tancred House gefundenen Kugeln ließen darauf schließen, daß sie aus ein und derselben Waffe stammten.

»Wenigstens wissen wir jetzt, daß nur eine einzige Waffe verwendet wurde«, meinte Wexford. »Und wir wissen, es war ein 38er Colt Magnum. Der Mann, den Daisy gesehen hat, hat sämtliche Schüsse abgefeuert. Sie haben es nicht unter sich aufgeteilt, er selber hat alle Schüsse abgegeben. Ist das nicht eigenartig?«

»Sie hatten eben nur eine Waffe«, sagte Burden. »Gottlob kommt man bei uns noch immer schwer an Schußwaffen heran.«

»Erinnern Sie sich, daß wir das auch gesagt haben, als der arme Martin erschossen wurde?«

»Das war auch ein Colt, Kaliber 38 oder 35.«

»Das war mir nicht entgangen«, sagte Wexford spitz. »Aber es dürfte sich hier wohl kaum um dieselbe Waffe handeln.«

»Leider Gottes. Wär es anders, kämen wir wirklich ein Stück voran. Ein Schuß abgefeuert und fünf noch drin? Michelle Weavers Aussage würde sich nicht ganz so phantastisch anhören.«

»Ist Ihnen *überhaupt* der Gedanke gekommen, daß es eigenartig war, einen Revolver zu verwenden?«

»Der Gedanke gekommen? Ich war sofort frappiert. Die meisten von diesen Typen schießen ja mit abgesägten Schrotflinten.«

»Ja. Ich will Ihnen noch was erzählen, was merkwürdig ist. Nehmen wir an, in der Trommel waren sechs Patronen, sie war voll. Im Haus waren vier Leute, aber der Killer hat nicht vier-, sondern fünfmal geschossen. Harvey Copeland war sein erstes Ziel, doch obwohl er wußte, daß er nur sechs Patronen hatte, hat er *auf Copeland zweimal* geschossen. Warum das? Vielleicht wußte er nicht, daß im Eßzimmer noch drei Leute waren, vielleicht ist er durchgedreht. Er geht ins Eßzimmer und erschießt Davina Flory, dann Naomi Jones und feuert schließlich auf Daisy, für jede eine Patrone. In der Trommel steckt noch eine, aber er schießt nicht zweimal auf Daisy, um sie ›fertigzumachen‹, wie Ken Harrison es ausdrücken würde. Warum nicht?«

»Das Toben der Katze im Obergeschoß hat ihn erschreckt. Er hat den Lärm gehört und ist abgehauen, meinen Sie nicht?«

»Ja. Möglicherweise. Oder es waren keine sechs Patronen in der Trommel, sondern nur fünf. Ein Schuß war bereits abgefeuert worden, ehe er nach Tancred kam.«

»Hat Sumner-Quist schon was von sich hören lassen?« fragte Burden.

Wexford schüttelte den Kopf. »Wir müssen uns wohl in Geduld üben. Ich habe Barry beauftragt nachzuprüfen, wo John Gabbitas am Dienstag war, wann er wegfuhr und so weiter. Und dann hätte ich gern, daß Sie ihn mitnehmen und nach zwei Leuten namens Griffin, einem Terry Griffin und seiner Frau, suchen, die in der Gegend um Myringham wohnen. Sie waren Gabbitas' Vorgänger auf dem Gut. Wir suchen jemanden, der die

Gegend und die hier lebenden Leute kannte. Möglichst sogar jemanden, der einen Pik auf die ›Herrschaft‹ hatte.«

»Also einen ehemaligen Angestellten?«

»Vielleicht. Jemanden, der alles über sie wußte, was sie besaßen, welche Gewohnheiten sie hatten. Eine Fundgrube.«

Als Burden gegangen war, setzte sich Wexford hin und sah sich die Aufnahmen vom Tatort an. Standfotos aus einem »snuff movie« dachte er. Aufnahmen von der Sorte, die niemand außer ihm selbst jemals zu sehen bekommen würde. Die Folgen eines Akts *echter* Gewalt, eines *echten* Verbrechens. Diese großen dunklen Spritzer und Flecke waren *echtes* Blut. War es ein Privileg für ihn, sie betrachten zu dürfen, oder war er zu bedauern? Würde es jemals so weit kommen, daß Zeitungen solche Aufnahmen veröffentlichten? Schon möglich.

Er schaltete um, von dem sensiblen Mann mit menschlichen Gefühlen, der er war, zu einer reibungslos funktionierenden Maschine, einem analytischen Auge, einem Drucker, der Fragezeichen produziert. Mit diesem Blick mußte er die Fotografien betrachten. So tragisch, entsetzlich, so ungeheuerlich die Szene im Eßzimmer von Tancred House auch sein mochte, nichts daran war unstimmig. So mußten die Frauen hingestürzt sein, wenn eine mit dem Gesicht zur Tür am Tisch gesessen hatte, die andere, ihr gegenüber, aufgestanden war und an ihr vorbeigestarrt hatte. Das Blut in der Ecke auf dem Boden, gleich am unteren Ende des Tisches, war Daisys Blut.

Er hatte wieder vor Augen, was er an jenem Abend gesehen hatte. Die blutige Serviette auf dem Boden und die mit Blut bespritzte Serviette in Davina Florys sich einkrümmenden Fingern. Ihr Gesicht, das in einem Teller voll Blut lag, und der schrecklich zugerichtete

Kopf. Naomi war wie ohnmächtig auf ihrem Stuhl nach hinten gesackt, ihr langes Haar war über die Lehne gefallen und hing beinahe bis zum Boden hinab. Blutflecke an den Lampenschirmen und an den Wänden, schwarze Flecke auf dem Teppich, dunkle Spritzer auf dem Brot im Brotkorb, und das Tischtuch an den Stellen dunkel gefärbt, wo das Blut es mit einer dichten Flut gleichmäßig getränkt hatte.

Zum zweitenmal bei diesem Fall – und auch später sollte er es immer wieder erleben – sah er im Geiste die Zerstörung einer herrschenden Ordnung, geschändete Schönheit, die Wiederkehr des Chaos. Ohne einen Anhaltspunkt dafür zu haben, glaubte er in der Tat dieses Verbrechers eine hämische Lust am Zerstören zu erkennen. Doch auf diesen Fotografien war nichts unstimmig. Dagegen gaben die Aufnahmen von Harvey Copeland, wie er mit ausgebreiteten Armen und Beinen auf dem Rücken am Fuß der Treppe lag, die Füße der vorderen Halle und dem Eingang zugekehrt, Rätsel auf. Vielleicht würde Daisys Aussage dieses Problem lösen.

Wenn die Männer die Treppe hinuntergegangen und ihm begegnet waren, wie er auf der Suche nach ihnen nach oben ging, warum war er dann, als der Killer ihn erschoß, nicht *rückwärts,* mit dem Kopf voran, über diese Stufen herabgestürzt?

Es herrschte nicht besonders viel Verkehr, und so erreichte Wexford das Krankenhaus ziemlich schnell. Es war zehn vor vier, als er aus dem Lift trat und durch den Korridor auf die MacAllister-Station zuging.

Diesmal wurde er nicht von Dr. Leigh erwartet. Er hatte Anne Lennox von ihrem Wachdienst entbunden. Auf den Gängen herrschte Ruhe. Wahrscheinlich machte das Personal gerade im Schwesternzimmer eine kurze Atem- beziehungsweise Erstickungspause. Er ging leise auf Daisys Zimmer zu. Durch die Milchglasscheibe konnte er erkennen, daß sie nicht allein war: Links von ihrem Bett saß ein Mann auf einem Stuhl.

Ein Besucher. Wenigstens war es nicht Jason Sebright. Durch das in die Tür eingelassene klare Glas konnte er den Mann in Ruhe beobachten.

Er war jung, Mitte zwanzig, ziemlich groß und stämmig, und sein Äußeres erlaubte es Wexford sofort, ihn ziemlich genau einzuordnen. Der Besucher gehörte der oberen Mittelschicht an, war auf einem angesehenen Internat, vermutlich aber nicht auf der Universität gewesen. Ein typischer Vertreter der Bankenwelt. Sein Job würde ihn – wie Ken Harrison gerne sagte – fertigmachen, noch ehe er dreißig war, und deswegen wollte er bis dahin finanziell herausholen, was sich nur herausholen ließ. Seine Kleidung hätte zu einem doppelt so alten Mann gepaßt: marineblauer Blazer, dunkelgraue Flanellhose, weißes Hemd und eine alte Schulkrawatte. Die einzige Konzession, die er der herrschenden Mode und seinem Alter machte, bestand darin, daß sein blondes Haar um etliches länger war, als es Hemd und Blazer entsprach. Die Locken um die Ohrläppchen und die Art, wie es gekämmt war, verrieten eine gewisse Eitelkeit.

Daisy hatte sich im Bett aufgesetzt, die Augen auf den Besucher gerichtet, doch ihr Gesichtsausdruck war unergründlich. Sie lächelte nicht, aber sie wirkte auch nicht besonders traurig. Er konnte unmöglich beurteilen, ob sie sich von dem Schlag, den sie erhalten hatte, schon etwas erholte. Der junge Mann hatte Blumen mitgebracht, ein Dutzend rote Rosen, noch nicht aufgeblüht, die auf der Bettdecke zwischen ihr und ihm lagen. Ihre rechte Hand ruhte auf den Stengeln der Blumen und auf dem rosa und golden gemusterten Papier, in das sie eingewickelt waren.

Wexford wartete ein paar Sekunden, klopfte dann vorsichtig, öffnete die Tür und trat ein.

Der junge Mann drehte sich um und bedachte ihn mit jenem herablassenden Blick, den der Chief Inspector erwartet hatte. An bestimmten Schulen, so hatte er oft gedacht, bringen sie ihnen genau das bei: eine Mischung aus Selbstsicherheit, einer gewissen Ungehaltenheit und Verachtung. Genauso wie sie ihnen beibringen, mit einer Pflaume im Mund zu sprechen.

Daisy verzog keine Miene. Sie schaffte es, höflich, ja, herzlich zu sein, ohne zu lächeln – ein seltenes Kunststück. »Oh, hallo«, sagte sie. »Hi.« Ihre Stimme war heute gedämpft, aber beherrscht, der hysterische Unterton war verschwunden. »Nicholas, das ist Inspector... nein, *Chief* Inspector Wexford. Mr. Wexford, das ist Nicholas Virson, ein Freund meiner Familie.«

Sie sagte es gelassen, ohne jedes Zögern, obwohl sie doch keine Familie mehr hatte.

Die beiden Männer nickten einander zu. Wexford sagte: »Freut mich.« Virson antwortete nur mit einem zweiten Nicken. In seiner Vorstellung von einer wohlgeregelten Weltordnung nahmen Polizeibeamte einen gebührend niedrigen Platz ein.

»Ich hoffe, es geht Ihnen heute besser.«

Daisy senkte den Blick. »Mir geht's ganz gut.«

»Fühlen Sie sich kräftig genug für ein Gespräch? Dafür, etwas tiefer in das Vorgefallene einzudringen?«

»Ich muß einfach«, sagte sie, reckte den Hals und hob das Kinn. »Sie haben doch schon gestern gesagt, daß uns nichts anderes übrigbleibt.«

Er bemerkte, wie sie die Finger fester um das Rosenpapier schloß, sah, wie sie die Stengel umklammerte. Dabei kam ihm die sonderbare Vorstellung, sie tue es, damit ihre Hände bluteten. Aber vielleicht waren es Rosen ohne Dornen.

»Du wirst gehen müssen, Nicholas.« Männer mit diesem Vornamen werden eigentlich immer mit Nick oder Nicky angeredet, aber sie sagte »Nicholas« zu ihm. »Es war lieb von dir, daß du gekommen bist. Die Blumen sind wunderschön«, fügte sie an und drückte die Stengel, ohne sie anzusehen.

Wexford hatte schon im voraus gewußt, was Virson zu ihm sagen werde; es war nur eine Frage der Zeit. »Ich hoffe aber sehr, daß Sie Daisy nicht irgendeiner Art Verhör unterziehen. Ich will damit sagen, was kann sie letztendlich schon erzählen? Was kann sie behalten haben? Sie ist sehr verwirrt, ist's nicht so, mein Kleines?«

»Nein, ich bin nicht verwirrt.« Sie sagte es gelassen, leise, monoton, gab jedem einzelnen Wort das gleiche Gewicht. »Ich bin ganz und gar nicht verwirrt.«

»Das sagst du mir jetzt erst.« Virson brachte ein herzhaftes Lachen zustande. Er stand auf und blieb unschlüssig stehen. Plötzlich wirkte er nicht mehr ganz so selbstsicher. Über die Schulter meinte er zu Wexford: »Sie kann vielleicht eine Beschreibung des Verbrechers geben. Den hat sie immerhin gesehen, aber von dem Fahrzeug nicht das geringste.«

Warum hatte er das eigentlich gesagt? Mußte er einfach irgend etwas von sich geben, während er überlegte, ob er versuchen sollte, sie zu küssen? Wexford hätte es nicht erwartet, aber Daisy hob den Kopf und hielt Virson die Wange hin. Darauf beugte sich dieser rasch hinab und berührte mit den Lippen ihre Wange. Der Kuß stimulierte ihn zu einem Kosewort.

»Gibt es irgendwas, was ich für dich tun kann, Liebling?«

»Ja«, antwortete sie. »Könntest du auf dem Weg hinaus eine Vase suchen und die Blumen hineinstellen?«

Das war offensichtlich ganz und gar nicht das, was Virson gemeint hatte, aber es blieb ihm nichts anderes übrig, als zuzustimmen.

»Du findest sicher eine in der ›Schleuse‹, wie sie das

nennen. Ich weiß nicht, wo sie ist, irgendwo nach links. Die armen Schwestern haben immer alle Hände voll zu tun.«

Virson ging und trug die Rosen hinaus, die er hineingetragen hatte.

Diesmal hatte Daisy einen Krankenhauskittel an, der mit Kletten den Rücken entlang verschlossen wurde. Er bedeckte ihren linken, bandagierten Arm in der Schlinge. Der Infusionsschlauch war noch da. Sie folgte seinem Blick.

»So geht es einfacher, Medikamente in einen reinzupumpen. Er wird heute abgenommen. Ich bin nicht mehr *krank*.«

»Und Sie sind nicht mehr verwirrt?« Er zitierte sie.

»Nicht im geringsten.« Einen Augenblick lang hörte sie sich an wie jemand, der viel älter war. »Ich hab darüber nachgedacht«, sagte sie. »Alle sagen, ich soll nicht daran denken, aber ich muß. An was sonst? Ich wußte, daß ich Ihnen alles erzählen muß, und möglichst genau, und deshalb hab ich darüber nachgedacht, um Ordnung hineinzubringen. Hat nicht irgendein Schriftsteller geschrieben, ein gewaltsamer Tod konzentriert den Geist ganz wunderbar?«

Er ließ sich seine Überraschung nicht anmerken. »Das war Samuel Johnson, aber es ging um das Wissen, daß man am nächsten Tag aufgehängt wird.«

Sie lächelte ein bißchen, ganz schwach, schmallippig. »Sie sind gar nicht der Typ, den ich mir unter einem Polizeibeamten vorstelle.«

»Vermutlich sind Sie noch nicht vielen begegnet.« Plötzlich kam ihm der Gedanke: Sie sieht aus wie Sheila. Sie sieht wie meine eigene Tochter aus. Zugegeben, sie hat dunkles Haar, und Sheila ist blond, doch was die Leute auch sagen mögen, nicht diese Dinge sind es, die einen Menschen einem anderen im Aussehen ähnlich machen. Es ist die Ähnlichkeit der Züge, die

Form des Gesichts. Es ärgerte ihn ein bißchen, wenn er zu hören bekam, Sheila sehe ihm ähnlich, nur weil sie das gleiche Haar hatten. Beziehungsweise gehabt hatten, ehe seines grau wurde und zur Hälfte ausfiel. Sheila war *schön*. Daisy war schön. Ihre Gesichtszüge ähnelten denen Sheilas. Sie sah ihn jetzt mit einer Traurigkeit an, die an Verzweiflung grenzte.

»Sie sagen, Sie hätten darüber nachgedacht, Daisy. Erzählen Sie mir, was Ihnen durch den Kopf gegangen ist.«

Sie nickte, ohne daß sich ihr Ausdruck veränderte. Sie griff nach dem Glas auf dem Nachttischchen, das irgendein Getränk enthielt – Zitronenlimonade, Barley water –, und nippte daran. »Ich werde Ihnen sagen, was sich abgespielt hat, woran ich mich erinnern kann. Das möchten Sie doch, nicht?«

»Ja. Ja, bitte.«

»Sie müssen mich unbedingt unterbrechen, wenn ich mich nicht klar ausdrücke.«

Sie sprach plötzlich im Ton einer Frau, die gewohnt ist, Dienstboten – und nicht nur Dienstboten – zu kommandieren. Sie hatte es sich wohl zur Gewohnheit gemacht, dem einen zu sagen: »Gehe hin, so geht er; und zum andern: Komm her, so kommt er; und zu einem Dritten: Tu das, so tut er's.« Er unterdrückte ein Lächeln. »Natürlich.«

»Es ist schwer zu sagen, wie weit man in die Vergangenheit zurückgehen soll. Davina hat das immer gesagt, wenn sie ein Buch angefangen hat. Wie weit zurückgehen, um anzufangen. Man könnte anfangen, wo man glaubt, daß dort alles angefangen hätte, aber dann würde man feststellen, daß alles lange zuvor angefangen hat. Aber hier, in diesem Fall... soll ich mit dem Nachmittag beginnen?«

Er nickte.

»Ich war in der Schule gewesen. Ich bin externe Schülerin in Crelands. Nebenbei bemerkt, wäre ich dort gern ins Internat gegangen, aber Davina hat es nicht erlaubt.« Sie schien sich etwas in die Erinnerung zurückzurufen; vielleicht nur, daß ihre Großmutter tot war. *De mortuis* ... »Na ja, eigentlich wäre es dumm gewesen. Crelands ist ja gleich hinter Myfleet, wie Sie vermutlich wissen.«

Er wußte es. Crelands war ja auch Jason Sebrights Schule gewesen. Es war zwar eine der weniger bedeutenden Privatschulen, aber trotzdem, wie Eton und Harrow, in der »Direktorenkonferenz der Public Schools« vertreten. Die Schulgelder waren vergleichbar. Sie war 1856 von Albert »dem Guten« gegründet worden und eine reine Jungenschule gewesen, bis sie vor sieben oder acht Jahren ihre Pforten auch Mädchen geöffnet hatte.

»Der Nachmittagsunterricht endet um vier. Um halb fünf war ich zu Hause.«

»Wurden Sie mit dem Wagen abgeholt?«

Sie warf ihm einen verdutzten Blick zu. »Ich bin selber gefahren.«

Die große Revolution des Automobils in England war zwar nicht an ihm vorübergegangen, aber er konnte sich noch sehr deutlich an jene Zeiten erinnern, als eine Familie mit drei oder vier Wagen in seinen Augen eine amerikanische Anomalie war, als sehr viele Frauen nicht Auto fahren konnten und nur wenige schon einen Wagen besaßen, ehe sie heirateten. Seine eigene Mutter wäre baß erstaunt gewesen und hätte geargwöhnt, auf den Arm genommen zu werden, wäre sie von jemandem gefragt worden, ob sie Auto fahren könne. Es entging Daisy nicht, daß er leicht überrascht war.

»Davina hat mir den Wagen zu meinem siebzehnten Geburtstag geschenkt. Ich hab am nächsten Tag den Führerschein gemacht. Ich kann Ihnen sagen, es war eine große Erleichterung, daß ich nicht mehr auf meine

Angehörigen angewiesen war oder mich von Ken fahren lassen mußte. Also gut, wie ich gesagt habe, ich kam um halb fünf nach Hause und ging in meine Bude. Sie haben sie ja vermutlich gesehen. Ich nenne sie so. Früher waren dort Pferdeställe. Ich stelle dort meinen Wagen ab und habe ein Zimmer, wo ich für mich sein kann.«

»Daisy, ich muß Ihnen etwas gestehen. Wir benutzen Ihr Zimmer dort als Tatortzentrale. Es schien uns am praktischsten für diesen Zweck. Wir müssen nämlich unbedingt vor Ort sein. Jemand hätte Sie fragen sollen. Es tut mir sehr leid, daß wir das übersehen haben.«

»Meinen Sie damit, es sind eine Menge Polizeibeamter dort, mit Computern und Schreibtischen und einer... einer Tafel?« Sie mußte etwas Ähnliches im Fernsehen gesehen haben. »Sie leiten gewissermaßen von dort aus die Ermittlungen?«

»Ja, tut mir leid.«

»Ach, das braucht Ihnen nicht leid zu tun. Warum sollte ich was dagegen haben? Betrachten Sie sich als meine Gäste. Mir macht jetzt *nichts* mehr was aus.« Sie blickte weg, legte das Gesicht etwas in Falten und sagte im gleichen kühlen Ton: »Warum sollte ich mir aus einer solchen Lappalie etwas machen, wo ich doch nichts mehr habe, wofür sich zu leben lohnt?«

»Daisy...«, setzte er an.

»Nein, sagen Sie es bitte nicht! Sagen Sie nicht, ich bin noch jung und hab noch mein ganzes Leben vor mir, und das hier wird vorübergehn. Sagen Sie nicht, die Zeit heilt Wunden und in einem Jahr wird das alles für mich Vergangenheit sein. Sagen Sie's nicht.«

Irgend jemand hatte so etwas zu ihr gesagt. Ein Arzt? Ein Psychologe, der hier im Krankenhaus arbeitete? Nicholas Virson?

»Schon gut, ich sag's nicht. Erzählen Sie mir, was

passiert ist, nachdem Sie zu Hause angekommen waren.«

Sie wartete ein bißchen und holte dann tief Luft. »Ich habe mein eigenes Telefon, wie Sie vermutlich bemerkt haben. Ich nehme an, daß Sie es benützen. Brenda hat angerufen und gefragt, ob ich Tee möchte, und hat ihn dann gebracht. Tee und Gebäck. Ich war beim Lesen. Ich muß zur Zeit viel lernen. Ich mache im Mai Abitur – beziehungsweise ich hätte es machen sollen.«

Er sagte nichts dazu.

»Ich habe keine intellektuelle Ader. Davina hoffte darauf, weil ich ... nun ja, weil ich ganz helle bin. Sie konnte die Vorstellung nicht ertragen, ich könnte nach meiner Mutter schlagen. Entschuldigung, aber das interessiert Sie ja nicht. Es ist ja jetzt auch nicht mehr wichtig.

Davina erwartete von uns, daß wir uns zum Abendessen umzogen, nicht eigentlich herausputzten, aber umzogen. Meine ... meine Mutter kam in ihrem Wagen nach Hause. Sie arbeitet in einer Kunstgewerbegalerie ... richtiger, sie ist Teilhaberin einer solchen Galerie ... zusammen mit einer Frau namens Joanne Garland. Die Galerie heißt ›Garlands‹. Sie finden das vermutlich abgeschmackt, aber es ist immerhin der Name dieser Frau. Sie kam also in ihrem Wagen nach Hause. Ich glaube, Davina und Harvey waren den ganzen Nachmittag im Haus. Das kann ich aber nicht sicher sagen. Brenda müßte es wissen.

Ich bin auf mein Zimmer gegangen und habe ein Kleid angezogen. Davina hat immer gesagt, eine Jeans ist eine Uniform und sollte als das benutzt werden, zum Arbeiten. Die anderen waren alle im *serre* und tranken etwas.«

»Im was waren sie?«

»Im *serre*. Das französische Wort für Gewächshaus.

Es hört sich besser an als Treibhaus, finden Sie nicht auch?«

Wexford fand, es höre sich prätentiös an, schwieg aber.

»Wir haben immer im *serre* oder im Salon unsere Drinks genommen. Nichts Besonderes, nur Sherry oder Orangensaft oder Mineralwasser. Ich habe immer Mineralwasser getrunken, und meine Mutter genauso. Davina hat davon gesprochen, daß sie nach Glyndebourne fahren will; sie ist – war – Mitglied oder mit den Leuten dort befreundet oder weiß Gott was, und sie ist jedes Jahr dreimal hingefahren. Zu allen solchen Festspielen ist sie gefahren, nach Aldeburgh, zum Edinburgh Festival, nach Salzburg. Jedenfalls, die Opernkarten waren eingetroffen. Sie hat Harvey gefragt, was sie zu essen bestellen solle. Man muß das Monate im voraus tun, wenn man nicht im Park picknicken will. Aber wir haben dort nie Picknick gemacht, es wäre scheußlich, wenn es regnet.

Sie waren noch bei diesem Thema, als Brenda den Kopf zur Tür hereinsteckte und sagte, es sei aufgetragen und sie gehe jetzt nach Hause. Ich hab mit Davina über ihre Reise nach Frankreich, in vierzehn Tagen, zu sprechen begonnen. Sie wollte nach Paris, um an einer Büchersendung im Fernsehen teilzunehmen, und sie hätte sich gewünscht, daß ich sie und Harvey begleite. Das wäre in meine Osterferien gefallen, aber ich hatte keine große Lust mitzufahren und sagte ihr das jetzt und ... aber das ist ja alles für Sie uninteressant.«

Daisy hob die Hand und berührte die Lippen. Sie sah ihn an, sah durch ihn hindurch. Er sagte: »Es ist sehr schwer, es sich bewußt zu machen, obwohl Sie dabei waren, obwohl Sie es mitangesehen haben. Sie werden lange brauchen, bis Sie sich mit allem abgefunden haben.«

»Nein«, sagte sie leicht abwesend, »das ist nicht

schwer. Als ich heute morgen aufwachte, hatte ich sofort alles wieder vor Augen. Sie wissen ja«, setzte sie mit einem Achselzucken hinzu, »es gibt immer einen bestimmten Augenblick, wo alles zurückkommt. So ist es bei mir nicht. Alles ist da, die ganze Zeit, es wird immer da sein. Nicholas hat nicht recht, wenn er glaubt, daß ich verwirrt wäre. Okay, entschuldigen Sie, ich werde weiter berichten. Ich schweife zu sehr ab.

Normalerweise hat meine Mutter das Essen ausgeteilt, Brenda ließ das Essen für uns auf dem Servierwagen stehen. Wein haben wir nicht getrunken, nur am Wochenende. Eine Flasche Badoit war da und ein Krug mit Apfelsaft. Es gab – Moment – Suppe aus Kartoffeln und Lauch, eine Art Vichyssoise, aber sie war heiß. Und dazu natürlich Brot. Dann hat meine Mutter die Teller zusammengestellt und das Hauptgericht ausgeteilt; Fisch, Seezunge in irgendeiner Form. Heißt es Seezunge *bonne femme,* wenn sie in einer Soße ist, mit Sahnekartoffeln darum herum?«

»Ich weiß es nicht«, sagte Wexford, trotz allem ein wenig erheitert. »Es ist nicht wichtig. Ich kann mir die Szene vorstellen.«

»Dazu Karotten und grüne Bohnen. Sie hatte uns allen gegeben, und wir hatten zu essen angefangen. Meine Mutter hatte noch nicht einmal die Gabel in die Hand genommen, als sie sagte: ›Was ist das für ein Geräusch? Es hört sich an, als wäre oben jemand.‹«

»Und Sie hatten kein Auto gehört? Niemand hatte ein Auto gehört?«

»Das hätten sie gesagt. Wir erwarteten nämlich jemanden. Genauer gesagt, noch nicht um diese Zeit, erst um Viertel nach acht, nur kommt sie immer zu früh. Sie gehört zu diesen Menschen, die genauso schlimm sind wie die Unpünktlichen. Immer mindestens fünf Minuten zu früh dran.«

»Wen meinen Sie? Von wem sprechen Sie, Daisy?«

»Von Joanne Garland. Sie wollte Mom besuchen kommen. Es war Dienstag, und Joanne und Mom haben dienstags immer die Buchführung für die Galerie gemacht. Joanne war dazu allein nicht imstande. Sie ist im Rechnen hoffnungslos, sogar mit Taschenrechner. Sie hat immer die Bücher mitgebracht, und dann haben sie und Mom daran gearbeitet. Mehrwertsteuer und all dieser Kram.«

»Aha. Ich verstehe. Fahren Sie doch fort, ja?«

»Mom hat gesagt, sie hätte über uns ein Geräusch gehört, und Davina meinte, es müßte die Katze sein. Dann war ein ziemlicher Krach zu hören, mehr als Queenie gewöhnlich veranstaltet. Es war, wie wenn etwas zu Boden gefallen wäre. Ich hab inzwischen darüber nachgedacht und bin zu dem Schluß gekommen, es könnte eine Schublade gewesen sein, die aus Davinas Frisierkommode herausgezogen wurde. Harvey ist aufgestanden und hat gesagt, daß er mal nachsehn wolle.

Wir haben uns nichts dabei gedacht und weitergegessen. Wir ahnten nichts – noch nicht. Ich weiß noch, daß meine Mutter auf die Uhr sah und sagte, wie schön sie es fände, wenn Joanne es so einrichten könnte, dienstags eine halbe Stunde später zu kommen, weil sie sonst immer das Essen hinunterschlingen müsse. Dann haben wir den Schuß gehört und dann noch einen, einen zweiten. Es war ein entsetzlicher Lärm.

Wir sind aufgesprungen, meine Mutter und ich. Davina ist auf ihrem Stuhl sitzengeblieben. Meine Mutter hat irgendwas geschrien, gekreischt. Davina hat nichts gesagt und sich nicht gerührt... ach ja, sie hat ihre Serviette gepackt. Mom stand da und starrte zur Tür, und ich schob meinen Stuhl weg und begann auf die Tür zuzugehen... beziehungsweise ich glaube, ich hab es getan oder wollte es tun... vielleicht bin ich auch einfach nur dagestanden. Mom hat gesagt: ›Nein, nein‹ oder: ›Nein, bleib!‹ oder so was. Ich bin stehengeblieben, einfach dagestanden, ich war irgendwie angewurzelt. Davina hat den Kopf zur Tür umgedreht. Und dann kam er herein.

Harvey hatte die Tür halb offengelassen, nein, genauer, einen Spalt weit offen. Der Mann stieß sie mit einem Fuß auf und kam herein. Ich habe mich zu erinnern versucht, ob irgend jemand von uns aufgeschrien hat, aber ich weiß es nicht mehr. Wir müssen geschrien haben. Er ... er schoß Davina in den Kopf. Er hat den Revolver mit beiden Händen gehalten, wie sie es machen. Im Fernsehen, meine ich. Dann hat er Mom erschossen.

Ich kann mich nicht mehr deutlich erinnern, was als nächstes geschah. Ich habe mir große Mühe gegeben, aber irgend etwas blockt es ab. Ich nehme an, das ist normal, wenn man so etwas mitmacht. Aber ich wollte, ich könnte mich daran erinnern.

Ich habe irgendwie die Vorstellung, daß ich auf dem Boden kauerte, mich duckte. Ich weiß, daß ich gehört habe, wie ein Motor ansprang. Dieser Typ, der andere, war, glaube ich, oben gewesen, er war derjenige, den wir gehört hatten. Der, der auf mich geschossen hat, der war die ganze Zeit im Erdgeschoß, und als er auf uns schoß, ist der andere schnell hinaus und hat den Wagen angelassen. So stelle ich es mir vor.«

»Der Mann, der auf Sie geschossen hat, können Sie ihn beschreiben?«

Er hielt den Atem an, war schon darauf gefaßt, fürchtete, daß sie sagen werde, daran könne sie sich nicht mehr erinnern, auch das habe der Schock verschluckt und ausgelöscht. Ihr Gesicht war verkniffen, beinahe verzerrt von der Anstrengung, sich zu konzentrieren, sich beinahe unerträglich schmerzliche Geschehnisse in die Erinnerung zurückzurufen. Es schien sich jetzt etwas aufzuhellen, als ob sie ein wenig Ruhe gefunden hätte. Voll Erleichterung schien sie innerlich aufzuseufzen.

»Ich kann ihn beschreiben. Ja, das kann ich. Ich habe mich dazu *gezwungen.* Was ich von ihm sehen konnte. Er war... ja, nicht allzu groß, aber stämmig, kräftig gebaut, sehr hell. Ich meine, sein Haar war hell, blond. Sein Gesicht konnte ich nicht sehen. Er hatte eine Maske vor dem Gesicht.«

»Eine Maske? Meinen Sie eine Kapuze? Oder einen über den Kopf gezogenen Strumpf?«

»Ich weiß es nicht. Ich *weiß* es einfach nicht. Ich habe versucht, mich daran zu erinnern, weil ich wußte, daß Sie mich danach fragen würden, aber ich weiß es nicht. Ich habe sein Haar gesehen. Ich weiß, er hatte blondes Haar, ziemlich kurz geschnitten und dicht, ganz dichtes, blondes Haar. Aber ich hätte doch sein Haar nicht sehen können, wenn er eine Kapuze darüber hatte, oder? Wissen Sie, was für ein Bild ich immer wieder vor mir sehe?«

Wexford schüttelte den Kopf.

»Daß es eine Schutzmaske war, wie man sie bei Smog trägt, bei starker Luftverschmutzung. Oder sogar eine der Masken, wie sie die Holzfäller aufsetzen, wenn sie mit einer Kettensäge arbeiten. Ich habe sein Haar und sein Kinn gesehen. Ich habe seine Ohren gesehen, aber es waren keine auffallenden Ohren, weder besonders groß noch abstehend oder sonstwas. Und auch das Kinn hatte nichts Auffälliges... nun ja, vielleicht hatte es eine Spalte, irgendeine schwache Spalte.«

»Daisy, das ist ausgezeichnet, daß Sie das alles registriert haben, ehe er auf Sie geschossen hat.«

Bei diesen Worten schloß sie die Augen und verzog das Gesicht. Der auf sie selbst abgefeuerte Schuß, der Angriff auf ihre eigene Person, erkannte er, war noch immer zuviel für sie, als daß sie darüber hätte sprechen können. Er verstand, welches Grauen die Vorstellung wecken mußte, daß sie so leicht in diesem Zimmer des Todes hätte umkommen können.

Eine Krankenschwester steckte den Kopf zur Tür herein.

»Schon gut«, sagte Daisy. »Ich bin nicht müde. Ich mute mir nicht zuviel zu. Wirklich nicht.«

Der Kopf verschwand. Daisy nippte wieder an dem Glas auf dem Nachttischchen. »Wir werden eine Zeichnung von ihm anfertigen lassen, gestützt auf das, was Sie mir berichten konnten«, sagte Wexford. »Und wenn es Ihnen besser geht und Sie aus dem Krankenhaus entlassen sind, werde ich Sie bitten, das alles in Form einer Aussage zu wiederholen. Außerdem werden wir mit Ihrer Erlaubnis eine Tonbandaufnahme davon machen. Ich weiß, es wird schwer für Sie werden, aber sagen Sie jetzt nicht nein, lassen Sie es sich durch den Kopf gehen.«

»Ich muß es mir nicht durch den Kopf gehen lassen«, sagte Daisy. »Ich werde aussagen, aber selbstverständlich.«

»Dann möchte ich morgen noch einmal kommen und mich mit Ihnen unterhalten. Aber jetzt noch eine einzige weitere Frage: Ist Joanne Garland denn noch gekommen?«

Sie schien sich die Frage zu überlegen und saß ganz regungslos da. »Ich weiß es nicht«, sagte sie schließlich. »Das soll heißen, ich hab sie nicht klingeln hören oder sonstwas. Aber nachdem ... nachdem er auf mich geschossen hatte, können alle möglichen Dinge passiert sein, die ich nicht gehört habe. Ich habe geblutet, ich dachte nur daran, ans Telefon zu kommen. Ich habe mich ganz darauf konzentriert, zum Telefon zu kriechen und euch, die Polizei zu erreichen, damit ein Rettungswagen geschickt wird, bevor ich verblute. Ich dachte wirklich, ich würde verbluten.«

»Ja«, sagte er, »ja.«

»Sie könnte gekommen sein, nachdem sie, diese Männer, nachdem sie weg waren. Ich weiß es nicht. Es hat keinen Sinn, mich zu fragen, ich weiß es schlicht und einfach nicht.« Nach einem kurzen Zögern sagte sie sehr leise: »Mr. Wexford?«

»Ja?«

Dann schwieg sie einen Augenblick. Sie ließ den Kopf sinken, und das üppige, dunkelbraune Haar fiel nach vorne und bedeckte Gesicht, Hals und Schultern mit seinem Schleier. Sie hob die rechte Hand, ihre schmale, weiße Hand, und fuhr mit langen Fingern durch die Mähne, griff eine Handvoll Haare und warf sie nach hinten. Dann blickte sie mit einem angespannt-konzentrierten Ausdruck auf. Ihre Oberlippe war vor Schmerz oder einem Nicht-fassen-Können geschürzt, als sie ihn ansah.

»Was soll jetzt aus mir werden?« fragte sie ihn. »Wo soll ich hin? Was soll ich tun? Ich habe alles verloren, alles, was mir wichtig war, verloren.«

Es war nicht der richtige Moment, sie daran zu erinnern, daß sie reich sein werde, daß nicht alles verloren war. Was für viele Menschen das Leben lebenswert macht, war ihr in reicher Fülle geblieben. Er hatte nie zu jenen Leuten gehört, die blindlings an den Spruch glauben, daß Geld nicht glücklich mache. Aber er schwieg.

»Ich hätte sterben sollen. Es wäre besser für mich gewesen, wenn ich gestorben wäre. Ich hatte schreckliche Angst, ich könnte sterben. Als ich so entsetzlich blutete, dachte ich, jetzt mußt du sterben, und ich hatte schreckliche Angst... o Gott, furchtbare Angst. Das Sonderbare war, daß es nicht weh getan hat. Die Wunde schmerzt jetzt mehr als gleich danach. Man sollte doch denken, was sich einem ins Fleisch bohrt, würde furchtbar weh tun, aber ich hatte keine Schmerzen.

Aber es wäre am besten gewesen, wenn ich gestorben wäre, das weiß ich jetzt.«

Er sagte: »Ich gehe jetzt das Risiko ein, daß Sie mich für einen von denen halten, die die alten Placebos verabreichen. Aber Sie werden nicht immer so fühlen. Es *wird* vergehen.«

Sie blickte ihn fest an und sagte recht bestimmt: »Ich sehe Sie also morgen wieder.«

»Ja.«

Sie streckte ihm die Hand hin, und er schüttelte sie. Die Finger waren kalt und sehr trocken.

9

Wexford fuhr früh nach Hause. Er hatte das Gefühl, dies werde auf lange Zeit vielleicht das letzte Mal sein, daß er bereits um sechs Uhr nach Hause kam.

Dora war in der Diele, als er aufschloß, und legte gerade den Telefonhörer auf. »Das war Sheila. Wenn du eine Sekunde früher gekommen wärst, hättest du mit ihr sprechen können.«

Er unterdrückte den sarkastischen Kommentar, der ihm auf der Zunge lag. Er hatte keinen Grund, zu seiner Frau unfreundlich zu sein. Nichts war ihre Schuld. Ja, sie hatte sich bei dem Essen am Dienstag redliche Mühe gegeben, ausgleichend zu wirken, seinem Groll die Schärfe zu nehmen und seinen Sarkasmus zu dämpfen.

»Sie *kommen*«, sagte Dora. Ihr Ton war neutral.

»Wer kommt?«

»Sheila und... und Gus. Übers Wochenende. Du erinnerst dich doch, daß Sheila am Dienstag ihren Besuch in Aussicht gestellt hat.«

»Seit Dienstag ist allerhand passiert.«

Aber am kommenden Wochenende würde er ohnedies wohl nicht viel zu Hause sein. Allerdings fing das Wochenende morgen, Freitag, an, und sie würden am Abend eintreffen. Er goß sich ein Glas Bier ein, *Adnam's*, das ihr Weinhändler um die Ecke seit kurzem vorrätig hielt. Dora bekam einen trockenen Sherry. Sie legte ihm die Hand auf den Arm, fuhr darüber und umschloß sein Handgelenk. Es erinnerte ihn an Daisys eiskalte Berührung. Doch Doras Hand war warm.

Es brach aus ihm heraus: »Ein ganzes Wochenende muß ich diesen elenden Kerl um mich haben!«

»Reg, laß gut sein. *Fang* nicht so an. Wir haben ihn doch erst zweimal erlebt.«

»Als sie ihn das erste Mal hier angeschleppt hat«, sagte Wexford, »hat er sich hier in diesem Zimmer vor meinen Bücherschrank gestellt und ein Buch nach dem andern herausgenommen. Jedes hat er mit einem leicht verächtlichen Lächeln angesehn, den Trollope, die Short stories von M. R. James. Ich sehe ihn noch vor mir, wie er mit dem James-Band dastand und langsam den Kopf schüttelte, ganz langsam von links nach rechts und zurück. Ich war schon darauf gefaßt, daß er mit dem Daumen nach unten deutet. Ich habe schon die Geste der obersten Vestalin erwartet, wenn der Gladiator in der Arena den Mann mit dem Netz bezwungen hatte. Töten! So lautet das Urteil des höchsten Richters: töten!«

»Er hat das Recht auf eine eigene Meinung.«

»Er hat kein Recht, auf meinen Geschmack mit Verachtung herabzublicken und das auch noch zu zeigen. Außerdem, Dora, ist das nicht das einzige, das weißt du auch. Ist dir schon einmal ein Mann mit einem solch arroganten Auftreten begegnet? Bist du jemals in deinem Familien- oder Bekanntenkreis mit einem Menschen zusammengetroffen, der dich so ungeniert spüren läßt, daß er dich verachtet? Dich und mich. Jedes Wort aus seinem Mund zielte darauf ab, seine Bedeutung, seine Klugheit, seine geistreiche Art, seinen Witz herauszustellen. Was findet sie eigentlich an ihm? *Sag, was findet sie an ihm?* Er ist klein und dürr, er ist häßlich, er ist kurzsichtig, er sieht nicht weiter als bis zur Spitze seiner Karnickelnase ...«

»Weißt du was, Liebling? Frauen *mögen* kleine Männer. Sie finden sie attraktiv. Ich weiß, große Mannsbilder wie du glauben das nicht, aber es stimmt.«

»Burke hat geschrieben ...«

»Ich weiß, was Burke geschrieben hat. Du hast es mir

schon mal erzählt. Schmuckes Aussehen bei einem Mann liege einzig in seiner Größe oder so was Ähnliches. Burke war keine Frau. Und außerdem nehme ich an, daß Sheila an ihm schätzt, was er im Kopf hat. Weißt du, Reg, er ist schon ein sehr kluger Mann. Vielleicht sogar ein Genie.«

»Gott steh uns bei, wenn du jeden, der in die engere Wahl für den Booker-Preis kommt, gleich als ein Genie bezeichnen willst.«

»Ich finde, wir sollten nachsichtig sein, wenn ein junger Mann auf seine Leistungen stolz ist. Augustine Casey ist erst dreißig und gilt schon heute als einer der wichtigsten englischen Schriftsteller. Jedenfalls habe ich das in der Presse gelesen. Seine Bücher bekommen in der *Times* halbseitige Besprechungen. Mit seinem ersten Roman hat er den Somerset-Maugham-Preis errungen.«

»Der Erfolg sollte die Leute demütig, bescheiden und gütig machen, wie der Stifter dieses Preises irgendwo geschrieben hat.«

»Das kommt nur selten vor. Versuche, nachsichtig zu ihm zu sein, Reg. Versuche, ihm zuzuhören mit... mit der Klugheit des Älteren.«

»Was, du bist imstande, das zu sagen, nach dem, was er über die Perlen zu dir gesagt hat? Du bist wirklich eine großmütige Frau, Dora.« Wexford grummelte vor sich hin. »Wenn sie sich nur nicht wirklich etwas aus ihm macht! Wenn ihr nur die Augen aufgehen und sie sieht, was ich sehe!« Er trank sein Bier und schnitt ein Gesicht, als wäre der Geschmack doch nicht sein Fall. »Du glaubst doch nicht...« Er wandte sich mit entsetzter Miene seiner Frau zu. »... du nimmst doch nicht an, sie würde ihn *heiraten,* oder?«

»Ich nehme an, sie wird vielleicht mit ihm zusammenziehen, eine – wie soll ich es nennen? – langfristige Beziehung mit ihm eingehen. Ja, das glaube ich, Reg, wirklich. Du mußt dich darauf einstellen. Sie hat es mir gesagt ... o Reg, mach kein solches Gesicht. Ich muß es dir doch sagen.«

»Mir was sagen?«

»Sie sagt, daß sie in ihn verliebt ist und daß sie nicht glaubt, schon einmal so verliebt gewesen zu sein.«

»O Gott!«

»Daß sie so was mir sagt, sie sagt mir doch nie was ... nun, da muß was dran sein.«

Wexford wurde melodramatisch. Er wußte es, noch ehe die Worte ausgesprochen waren, aber er konnte sich nicht zurückhalten. Der theatralische Erguß bescherte ihm ein wenig Trost.

»Er wird mir meine Tochter wegnehmen. Wenn er und sie beisammen sind, ist es mit Sheila und mir vorbei. Dann ist sie meine Tochter *gewesen.* Es ist wahr. Ich sehe es kommen. Es hat überhaupt keinen Sinn, sich etwas vorzumachen.«

Er hatte das Abendessen vom vergangenen Dienstag verdrängt. Beziehungsweise, die Geschehnisse in Tancred House und deren Folgen hatten es bewirkt. Aber nun erwachte seine Erinnerung daran. Schon beim zweiten Glas Bier, das er sich eingoß, sah er vor sich, wie dieser Mensch das etwas spießige Restaurant betrat, die Umgebung beäugte und Sheila etwas zuflüsterte. Sie hatte ihren Vater, der die Runde einladen wollte, gefragt, wer an dem Abend neben wem sitzen solle, doch noch ehe Wexford den Mund auftun konnte, hatte Augustine Casey sich auf dem Stuhl niedergelassen, der mit dem Rücken zu einer Ecke des Lokals stand.

»Ich werde mich hier hersetzen, so daß ich den Zirkus sehen kann«, hatte er mit einem Lächeln gesagt, einem Lächeln, das nur ihm selbst galt und sogar Sheila ausschloß.

Wexford hatte dem entnommen, daß Casey beobachten wollte, wie sich die anderen Gäste benahmen. Das war vielleicht das Privileg eines Schriftstellers, wenn auch kaum das eines abgehobenen Post-Postmodernisten, wie Casey einer war. Er hatte bereits mindestens ein Werk ohne Figuren verfaßt. Damals hatte Wexford sich noch bemüht, mit ihm ins Gespräch zu kommen, ihn dazu zu bringen, daß er über irgend etwas redete, und wäre er selbst das Thema. In Wexfords Haus hatte er noch gesprochen, hatte er ein paar dunkelsinnige Äußerungen über osteuropäische Lyrik von sich gegeben, jeder Satz superklug, doch kaum saßen sie in dem Restaurant, verstummte er, als langweilte er sich. Das wenige, was er sprach, beschränkte sich darauf, irgendwelche Fragen kurz zu beantworten.

Seine strikte Weigerung, einen normalen Satz von sich zu geben oder anständige Manieren an den Tag zu legen, war eine der Marotten, die Wexford ganz besonders an ihm geärgert hatten. Als er nach seinem Befinden gefragt wurde, versetzte er taktlos, er fühle sich ausgesprochen unwohl; aber die Frage war ohnehin sinnlos, weil er sich nur selten wohl fühlte. Auf die Frage, was er trinken wolle, nannte er ein kaum bekanntes walisisches Mineralwasser, das in dunkelblauen Flaschen abgefüllt war. Da es nicht vorrätig war, trank er statt dessen Brandy.

Den ersten Gang ließ er nach einem einzigen Bissen stehen. Als sie die Mahlzeit zur Hälfte hinter sich hatten, brach er sein Schweigen und begann über Perlen zu sprechen. Von seinem Platz aus bot sich ihm der Blick auf nicht weniger als acht Frauen, die Perlen um den Hals oder in den Ohren trugen. Er sprach das Wort »Perlen« nur ein einziges Mal aus und erging sich anschließend in Ausdrücken wie »Konkretionen« oder »Chitingebilde«. Er zitierte Plinius den Älteren, der die Perlen als »das höchste Gut auf der ganzen Welt« bezeichnet hatte, er zitierte aus wedischen Schriften der

Inder und beschrieb etruskischen Schmuck, er ließ sich in ungefähr tausend Wörtern über die Perlen aus Oman und Katar aus, aus Gewässern geholt, die vierzig Meter tief waren. Sheila hing an seinen Lippen. Wozu sich etwas vormachen? Schmachtend lauschte sie Caseys Ausführungen.

Er verbreitete sich über das Thema von Hopes Barockperle, die elf Unzen schwer gewesen sei, und über »La Reine des Perles« aus dem französischen Kronschatz, der 1792 gestohlen wurde. Dann sprach er über die abergläubischen Vorstellungen, die sich mit den »Konkretionen« verbanden, und – die Augen auf die bescheidene Kette um Doras Hals gerichtet – von der Torheit älterer Frauen, die früher und zweifellos auch noch heute glaubten, solche Halsketten würden ihnen die verronnene Jugend zurückgeben.

An diesem Punkt hatte Wexford beschlossen, den Mund aufzutun und ihn zurechtzuweisen, aber sein Telefon hatte zu wimmern begonnen, und er hatte wortlos das Lokal verlassen. Beziehungsweise ohne ein Wort der Warnung. Natürlich hatte er sich verabschiedet. Sheila hatte ihn geküßt, und Casey hatte gesagt, als wäre das eine gängige Abschiedsformel: »Wir werden uns wiederbegegnen.«

Der Zorn hatte ihn übermannt, schäumend vor Wut war er durch die dunklen, kalten Wälder gefahren. Die ungeheuerliche Tragödie hatte dann seine Empörung neutralisiert. Aber die Tragödie in Tancred House betraf nicht ihn persönlich. Diese Angelegenheit hingegen konnte ihn durchaus persönlich betreffen. Immer wieder kamen ihm Bilder des künftigen Szenarios vor Augen, die Vorstellung ihres *gemeinsamen* Heims. Er stellte sich vor, wie es sein würde, wenn er Sheila anrief und dann die Stimme dieses Menschen am Apparat hatte. Geistreiches Gerede, nur Eingeweihten verständlich, hatte er vermutlich auf seinen und Sheilas

Anrufbeantworter gesprochen. Wie würde es sein, wenn Sheilas Vater auf einer Dienstreise nach London den Wunsch hatte, bei seiner Tochter vorbeizuschauen, und dann auf diesen Menschen traf?

Er dachte an nichts anderes, und als er schlafen ging, legte er sich mit der Befürchtung zu Bett, daß er – eine ganz natürliche Folge – von Casey träumen werde. Doch der Alptraum, der ihn kurz vor der Morgendämmerung heimsuchte, handelte von dem Massaker in Tancred House. Er war in jenem Zimmer, an jenem Tisch, zusammen mit Daisy und Naomi Jones sowie Davina Flory. Copeland war hinausgegangen, um der Ursache dieser Geräusche im Obergeschoß nachzuspüren. Aber kein Geräusch war zu vernehmen. Er war damit beschäftigt, das scharlachrote Tischtuch zu untersuchen, und fragte gerade Davina Flory, warum es so leuchtend gefärbt sei, warum gerade rot. Davina gab ihm lachend zur Antwort, daß er sich täusche, vielleicht sei er farbenblind wie viele Männer. Das Tischtuch sei weiß, so weiß wie frisch gefallener Schnee.

Ob sie nichts dabei finde, einen so abgedroschenen Vergleich heranzuziehen, fragte er sie. Nein, nein, sagte sie lächelnd und berührte mit ihrer Hand die seine, mit solchen Stereotypen ließen sich Dinge oft am besten beschreiben. Man könne auch zu klug daherreden.

Der Schuß fiel, und der Killer kam herein. Wexford verdrückte sich ungesehen, entkam durch das Fenster mit den teuren Glasscheiben, die zerschmolzen, um ihm den Weg nach draußen freizugeben. So sah er gerade noch, wie das Fluchtauto, gesteuert von einem Mann, auf den Vorhof rollte. Dieser Mann war Ken Harrison.

In den Ställen – er war von der Bezeichnung »Tatortzentrale« abgekommen – zeigten sie ihm am Morgen das Phantombild, das nach Daisys Beschreibung angefertigt worden war. Es sollte noch am selben Abend in den Nachrichten aller Fernsehprogramme erscheinen.

Aber wie wenig sie ihm hatte sagen können! Das gezeichnete Gesicht war glatter und ausdrucksloser, als das Gesicht eines lebenden Menschen es jemals sein könnte. Jene Details, die sie hatte schildern können, hatte der Zeichner anscheinend unbewußt hervorgehoben. Schließlich waren sie alles, woran er sich hatte halten können. Also hatte der Mann, der Wexford von dem Papier entgegenblickte, ausdruckslose, weit auseinander stehende Augen und eine gerade Nase, Lippen, die weder voll noch schmal waren, aber ein kräftiges Kinn mit einer tiefen Kerbe, große, auffallende Ohren und einen blassen Haarschopf.

Er sah sich flüchtig Sumner-Quists Obduktionsberichte an und ließ sich anschließend nach Kingsmarkham fahren, um sich beim »Inquest«, der gerichtlichen Untersuchung der Todesursache der drei Opfer, sehen zu lassen. Sie wurde eröffnet. Dann trug der Pathologe sein Gutachten vor. Anschließend wurde das Verfahren vertagt. Wexford überquerte die High Street, ging die York Street hinunter und ins Kingsbrook Centre, um die Kunsthandwerksgalerie »Garlands« zu suchen.

Ein an der Innenseite der Tür hängendes Schild teilte zwar interessierten Kunden mit, daß die Galerie an fünf Tagen der Woche von 10.00 bis 17.30 Uhr, mittwochs von 10.00 bis 13.00 Uhr, sonntags hingegen nicht geöffnet hatte, doch die Tür war abgeschlossen. Die Schaufenster rechts und links von der Tür zeigten ein vertrautes Sammelsurium von Keramik, Gebinden getrockneter Blumen, Korbwaren, Fotorahmen aus Marmor, Muschelbildern, Häuschen aus Keramik, Silberschmuck, intarsierten Holzkästchen, Kinkerlitzchen aus Glas, geschnitzt, gewebt, mundgeblasen, und zusammengenähte Tiere wie auch eine Menge Haushaltswäsche, bedruckt mit Vögeln und Fischen, Blumen und Bäumen.

Doch keine Lampen beleuchteten diese Ansammlung nutzloser Dinge. Das Halbdunkel, das weiter hinten in dem Geschäft zunahm, erlaubte es Wexford gerade noch, größere Gegenstände zu erkennen, die von pseudomittelalterlichen Balken hingen, irgendwelche Kleider, Umschlagtücher und Abendkleider, ein Kassentisch, der zwischen einer Pyramide aus – wie es schien – grotesken Felltieren und einer Vitrine stand, die hinter mattem Glas Terrakotta-Masken und Wandvasen aus Porzellan zeigte.

Es war Freitag, und »Garlands« hatte geschlossen. Er nahm an, daß Mrs. Garland ihre Galerie wohl zum ehrenden Gedenken an ihre Partnerin Naomi Jones, die auf so schreckliche Weise umgekommen war, den Rest der Woche geschlossen hielt. Oder vielleicht war sie einfach zu verstört. Er hatte keine Ahnung, wie eng sie mit Daisys Mutter befreundet gewesen war. Aber Wexford war mit der Absicht hierhergekommen, Nachforschungen über den Besuch anzustellen, den sie am Dienstagabend in Tancred House gemacht beziehungsweise nicht gemacht hatte.

Wenn sie dort gewesen war, warum war sie nicht bei der Polizei erschienen, um darüber zu berichten? Die Berichterstattung in den Medien war nicht zu übersehen gewesen. Jeder, der auch nur die kleinste Information zu den Geschehnissen liefern konnte oder der auch nur ganz lose mit Tancred House in Verbindung gestanden hatte, war um Mithilfe ersucht worden. Wenn Mrs. Garland nicht dort gewesen war, warum hatte sie der Polizei den Grund ihres Fernbleibens nicht mitgeteilt?

Wo wohnte sie? Daisy hatte es nicht erwähnt, aber es ließ sich leicht feststellen. Jedenfalls nicht über der Galerie. In den drei Etagen des Einkaufszentrums waren nur Läden, Frisiersalons, ein riesiger Supermarkt, ein Geschäft für Bastler, zwei Schnellimbisse, ein Gartencenter und ein Fitneßstudio untergebracht. Er könnte draußen in der Tatortzentrale anrufen, dann hätte er die Adresse binnen weniger Minuten, aber das Hauptpostamt von Kingsmarkham war gleich gegenüber auf der anderen Straßenseite. Wexford betrat es, umging die Schlange der Wartenden und verlangte das Wählerverzeichnis. So war er schon vor langer Zeit vorgegangen, bevor all dieser technische Krimskrams aufgekommen war. Manchmal machte es ihm, aus Trotz, richtig Spaß, sich so altmodisch zu benehmen.

Das Wählerverzeichnis war nach Straßen, nicht nach Familiennamen gegliedert. Was er hier tat, wäre eigentlich eine Arbeit für einen Untergebenen gewesen, aber er wollte nun einmal – und zwar dringend und möglichst rasch – wissen, warum Joanne Garland ihren Laden geschlossen hatte, und das vermutlich für nicht weniger als drei Tage.

Schließlich fand er ihre Adresse. Sie wohnte nur ein paar Straßen von ihm selbst entfernt, in Broom Vale, einem der etwas besseren Viertel. Sie lebte allein. Das entnahm er dem Verzeichnis. Natürlich gab es keine Auskunft darüber, ob jemand unter achtzehn bei ihr wohnte, doch das war unwahrscheinlich. Er ging zurück zu dem Innenhof, wo sein Wagen stand. Im Ort zu parken war heutzutage kein Kinderspiel. Er konnte sich leicht die Meldung im *Kingsmarkham Courier* vorstellen, wenn irgendein aufgeweckter junger Reporter – vielleicht sogar Jason Sebright? – den Wagen von Chief Inspector Wexford auf der gelben Doppellinie entdeckt hatte, gefangen in einer Radkralle.

Niemand war zu Hause. Auch nebenan, links wie rechts, war niemand daheim.

In früheren Jahren hatte man eine Frau normalerweise zu Hause angetroffen. Die Zeiten hatten sich geändert. Aus irgendeinem Grund brachte ihn das auf

Sheila, aber er zwang sich, nicht an sie zu denken. Er musterte das Haus, das er noch nie genauer betrachtet hatte, obwohl er ungezählte Male daran vorbeigekommen war. Es fiel durchaus nicht aus dem Rahmen, ein einzelnes Haus in einem Garten, gepflegt, vor kurzem neu gestrichen, vermutlich mit vier Schlafzimmern und zwei Bädern. Aus einem der oberen Fenster ragte eine Parabolantenne. Im Garten vor dem Haus begann gerade ein Mandelbaum zu blühen.

Er überlegte einen Augenblick und spazierte dann hintenherum. Das Haus wirkte verlassen. Doch zu dieser Jahreszeit, im Vorfrühling, war es nur natürlich, daß es so wirkte, daß die Fenster nicht geöffnet waren. Er schaute durchs Küchenfenster. Die Küche war ordentlich aufgeräumt, nur auf dem Abtropfbrett standen abgespülte Teller zum Trocknen.

Zurück zur Vorderseite des Hauses, wo er durchs Schlüsselloch in die Garage spähte. Drinnen stand ein Wagen. Das Fabrikat konnte er nicht erkennen. Als er kurz durch das Fensterchen rechts von der Haustür schaute, sah er Zeitungen und ein paar Briefe auf dem Boden liegen. War es vielleicht nur die heutige Morgenzeitung? Aber nein, er sah eine *Daily Mail* am Rand der Matte und eine zweite Ausgabe dieser Zeitung, von einem braunen Briefumschlag halb verdeckt. Er verdrehte den Kopf, um den Namen der dritten Zeitung zu erkennen, von der er nur eine Ecke und ein Stück von einem Foto sehen konnte. Das Foto zeigte die Princess of Wales.

Auf der Rückfahrt nach Tancred House hielt er an einem Zeitungskiosk an. Wie er erwartet hatte, war die Aufnahme der Princess of Wales in der heutigen Ausgabe der *Daily Mail.* Somit waren drei Zeitungen für Joanne Garland eingeworfen worden, seit sie das Haus verlassen hatte. Also war sie *seit Dienstagabend* nicht zu Hause gewesen.

Barry Vine sagte auf seine langsame, coole Art: »Kann sein, daß Gabbitas am Dienstagnachmittag in diesem Wald war, Sir, kann aber auch nicht sein. Dort draußen, wo er war, sind Zeugen, wie man sagen könnte, dünn gesät. Jedenfalls behauptet er, daß er dort war. Der Eigentümer des Waldes besitzt zweihundert Hektar. Auf einem Teil seines Grundes betreibt er sogenannte natürliche Landwirtschaft. Das heißt, daß das Vieh frei umherstreift, wenn Sie wissen, was ich meine. Er hat ein neues Stück Wald angepflanzt, und er bekommt eine Stillegungsprämie, die die Regierung zahlt, wenn man nichts anbaut.

Die Sache ist die, daß der Wald, in dem Gabbitas gewesen sein will, meilenweit vom nächsten Ort entfernt ist. Man fährt zwei Meilen auf diesem Sträßchen und kommt sich wirklich vor wie am Ende der Welt. Kein Dach zu sehen, nicht einmal ein Schuppen. Ich hab mein ganzes Leben auf dem Land verbracht, aber ich hätte nicht gedacht, daß es um London herum so was gibt.

Was er machte, nennt man Ausputzen. Wenn es nicht um Bäume, sondern um Rosen ginge, würde man sagen: beschneiden. Man kann sehen, daß er dort war – wir haben die Fahrzeugspuren verglichen. Aber ich kann genausowenig wie Sie, Sir, mit Sicherheit sagen, ob er am Dienstag dort war.«

Wexford nickte. »Barry, ich möchte, daß Sie nach Kingsmarkham fahren und nach einer Mrs. Garland, Joanne Garland, suchen. Falls Sie sie nicht finden – und ich glaube nicht, daß Ihnen das gelingen wird –, versuchen Sie rauszubringen, wo sie sich zur Zeit aufhält und wo sie seit Dienstagnachmittag überall gewesen ist. Nehmen Sie jemanden mit, nehmen Sie Karen mit. Die Frau wohnt in Broom Vale, in Nummer fünfzehn, und sie hat so einen Kitschladen im Einkaufszentrum. Schaun Sie, ob ihr Wagen fort ist, quetschen Sie die Nachbarn aus.«

»Sir?«

Wexford zog die Augenbrauen hoch.

»Was ist ein Kitschladen? Ich sollte das Wort ja kennen, aber die Bedeutung ist mir entfallen.«

Irgendwie erinnerte das Wexford an alte Zeiten und an seinen Großvater, der in Stowerton ein Eisenwarengeschäft geführt hatte. Eines Tages hatte er einen faulen Lehrling mit dem Auftrag losgeschickt, ein Pfund Armschmalz zu kaufen, und der Lehrjunge war tatsächlich gehorsam losgezogen. Vine aber war weder faul noch dumm. Vine war – trotz *de mortuis* – dem armen Martin haushoch überlegen. Doch statt diese Geschichte zu erzählen, erklärte er Vine das aus dem Deutschen übernommene Wort »Kitsch«, das er gebraucht hatte.

Wexford überraschte Burden beim Lunch an seinem Schreibtisch. Das Möbel stand hinter Stellwänden in der Ecke, wo Daisys Bücherregale, Stühle und Sitzkissen sorgfältig mit Staubdecken bedeckt worden waren. Burden aß eine Pizza und dazu Kohlsalat, beides nicht Wexfords Lieblingsgerichte, weder für sich noch in dieser Kombination, aber er erkundigte sich trotzdem, woher das Essen stammte.

»Von unserem Essenslieferanten. Der Imbißwagen steht draußen, ab jetzt jeden Tag von halb eins bis zwei. Haben Sie das nicht arrangiert?«

»Ich höre zum erstenmal davon«, sagte Wexford.

»Lassen Sie sich doch von Karen etwas holen. Die haben eine ansehnliche Auswahl.«

Wexford erklärte ihm, daß Karen Malahyde mit Barry Vine nach Kingsmarkham gefahren sei. Aber er werde Davidson bitten, ihm was zu essen zu holen. Davidson kenne seinen Geschmack. Dann nahm er mit einem schlammfarbenen Kaffee aus der Maschine Burden gegenüber Platz.

»Wie steht's also mit diesen Griffins?«

»Der Sohn ist arbeitslos und geht stempeln – Moment, nein, er lebt von der Arbeitslosenhilfe. Er ist schon so lange ohne Job. Er heißt Andrew beziehungsweise Andy. Die Eltern heißen Terry und Margaret, schon ziemlich alte Leute.«

»Wie ich«, sagte Wexford. »Was für treffende Ausdrücke Sie auf Lager haben, Mike.«

Burden überging die Bemerkung. »Es ist ein Pensionistenpaar, das nicht genug zu tun hat. Ich hatte den Eindruck, daß sie nichts miteinander anzufangen wissen. Und irre Paranoiker sind sie außerdem. Nichts ist in Ordnung, und die ganze Welt ist gegen sie. Als wir dort ankamen, haben sie auf Leute von der Post gewartet, die ihr Telefon reparieren sollten. Mit denen haben sie uns verwechselt. Sie sind beide über uns hergefallen, bevor wir überhaupt erklären konnten, wer wir sind. Dann, kaum war der Name Tancred gefallen, haben sie zu quengeln angefangen, daß sie die besten Jahre ihres Lebens dafür geopfert hätten, und wie ungerecht sie von Davina Flory behandelt worden seien. Sie können es sich ja vorstellen. Seltsamerweise haben sie, obwohl sie Bescheid gewußt haben müssen – es lag sogar die Abendzeitung von gestern herum mit all den Fotos –, die Sache mit keinem Wort erwähnt, bis wir das getan haben. Nicht einmal eine Bemerkung, wie furchtbar das war. Sie haben sich nur schnell angesehen, als ich sagte, meines Wissens hätten sie dort gearbeitet. Griffin hat recht verbissen geantwortet, o ja, sie hätten dort gearbeitet, sie würden es nie vergessen. Und dann haben sie losgelegt, die zwei, bis wir ihnen ... nun ja, das Wort abschneiden mußten.«

Wexford zitierte Edmund Burke: »Ein Ereignis hat stattgehabt, über das schwer zu sprechen und unmöglich zu schweigen ist.« Dafür erntete er einen mißtrauischen Blick. »Und ist der Mann von der Post erschienen?«

»Ja, schließlich doch. Ich wäre beinahe die Wand

hochgegangen, wie sie alle fünf Minuten zur Haustür gewackelt ist und nach rechts und links die Straße lang nach ihm Ausschau gehalten hat. Übrigens, Andy Griffin war nicht da, er kam erst später. Seine Mutter hat gesagt, er wäre beim Joggen.«

Sie wurden von Davidson unterbrochen, der mit einer Tüte erschien, die ein Tandoori-Hühnchen, Pilawreis und Mango chutney für Wexford enthielt.

»*Das* hätt ich mir holen sollen«, sagte Burden.

»Dafür ist's jetzt zu spät. Getauscht wird nicht. Bei einer Pizza dreht sich mir der Magen um. Sind Sie dahinter gekommen, weswegen sie sich mit den Harrisons verzankt haben?«

Burden sah überrascht aus. »Ich habe nicht danach gefragt.«

»Nein, aber wenn sie so paranoid sind, hätte es ja sein können, daß sie von sich aus mit der Geschichte rausrückten.«

»Sie haben die Harrisons nicht erwähnt. Vielleicht hat das was zu besagen. Margaret Griffin ließ sich darüber aus, daß sie das Cottage in einem tadellosen Zustand verlassen hätte und daß Gabbitas, bei dem einzigen Mal, als sie mit ihm zusammentrafen, Teer an den Schuhen gehabt und damit ihren schönen Teppich beschmutzt hätte. Er würde das Häuschen schon bald in eine Müllhalde verwandelt haben, das sei ihr klar.

Andy Griffin kam nach Hause. Na ja, vielleicht war er joggen. Er ist übergewichtig, um nicht zu sagen fett. Er hatte einen Trainingsanzug an, aber nicht jeder, der einen anhat, geht darin trainieren. Er sieht aus, als könnte er nicht hinter einem Bus herlaufen, der mit Schrittgeschwindigkeit dahinzockelt. Er ist eher klein und blond, aber man kann Daisys Beschreibung beim besten Willen nicht so interpretieren, daß sie auf ihn paßt.«

»Sie müßte ihn nicht beschreiben. Sie hätte ihn erkannt«, sagte Wexford. »Sie hätte ihn sogar hinter einer Maske erkannt.«

»Sicher. Er behauptet, daß er am Dienstagabend mit Kumpeln aus war, und seine Eltern bestätigen, daß er gegen sechs weggegangen ist. Ich werd das bei seinen Kumpeln nachprüfen. Angeblich sind sie in Myringham von einem Pub zum anderen gezogen, und dann sollen sie chinesisch essen gewesen sein, in einem Lokal, das *Panda Cottage* heißt.«

»Dieser Name! Hört sich an wie eine Stammkneipe für gefährdete Arten. Er geht *stempeln*?«

»Er kriegt Arbeitslosenhilfe, wie gesagt. Er hat was Merkwürdiges an sich, Reg. Ich kann Ihnen allerdings nicht sagen, was es ist. Ich weiß, das bringt nicht viel, aber eigentlich möchte ich damit nur sagen: Wir müssen Andrew Griffin im Auge behalten. Bei seinen Eltern hat man den Eindruck, daß sie grundsätzlich keine Menschen mögen, und aus irgendeinem – oder auch gar keinem – Grund hat sich bei ihnen ein starker Groll gegen Harvey Copeland und Davina Flory angestaut. Andy aber, der hat einen richtigen Haß auf sie. Seine ganze Art und seine Stimme verändern sich, wenn er über sie spricht. Er hat sogar gesagt, er sei froh, daß sie tot sind. ›Gesindel‹ und ›Scheiße‹, so redet er über sie.«

»Reizend.«

»Wir werden ein bißchen mehr wissen, sobald wir festgestellt haben, ob er am Dienstag tatsächlich die Kneipenrunde gemacht hat und in diesem *Panda Cottage* war.«

Wexford warf einen Blick auf seine Uhr. »Es wird Zeit, daß ich zum Krankenhaus fahre. Haben Sie Lust mitzukommen? Sie könnten Daisy ein paar Fragen über die Griffins stellen.«

Kaum hatte er den Vorschlag gemacht, bereute er ihn schon. Daisy war inzwischen an ihn gewöhnt; er war sich fast sicher, daß sie etwas dagegen hätte, wenn ein zweiter Beamter mit ihm käme, und ohne Vorwarnung obendrein. Aber er hätte sich keine Gedanken zu machen brauchen. Burden hatte nicht die Absicht, ihn zu begleiten. Er hatte ein zweites Gespräch mit Brenda Harrison vereinbart.

»Die gibt's ja noch länger«, sagte Burden, womit Daisy gemeint war. »Das Sprechen wird ihr leichter fallen, wenn sie erst mal aus dem Krankenhaus raus ist. Übrigens, wo will die denn hin, wenn sie dort raus *ist*?«

»Ich weiß es nicht«, sagte Wexford langsam. »Ich habe keine Ahnung und noch gar nicht drüber nachgedacht.«

»Nun ja, zu sich nach Hause kann sie nicht, oder? Falls es ihr gehört, was ich aber annehme. Sie kann nicht gleich dorthin zurück.«

Schon im Gehen sagte Wexford: »Ich bin rechtzeitig zurück, um zu sehen, was die Fernsehfritzen für uns tun. Ich bin rechtzeitig zu den ITN-Nachrichten um zwanzig vor sechs zurück.«

Auch diesmal meldete er sich im Krankenhaus nicht an, sondern ging unauffällig, beinahe verstohlen hinauf zur Station. Weder Dr. Leigh noch Krankenschwestern ließen sich blicken. Er klopfte an die Tür von Daisys Zimmer; durch das Milchglas konnte er nicht viel erkennen, nur die Umrisse des Bettes, doch das genügte – an ihrem Krankenlager saß kein Besucher.

Niemand sagte: »Herein!« Sicher, er war etwas früher dran als bei seinen vergangenen Besuchen. Allein, ohne Aufforderung, mochte er die Tür nicht öffnen. Er klopfte noch einmal, mittlerweile sicher – ohne einen Beweis dafür zu haben –, daß das Zimmer leer war. Sie mußten hier einen Aufenthaltsraum haben; vielleicht war sie dort. Er drehte sich um und sah sich Auge in Auge mit einem Mann in einer kurzen, weißen Jacke. Der diensthabende Pfleger?

»Ich suche Miss Flory.«

»Daisy ist heute nach Hause gegangen.«

»Nach *Hause*?«

»Sind Sie Chief Inspector Wexford? Sie hat hinterlassen, daß sie Sie anrufen würde. Ihre Freunde haben sie abgeholt. Ich kann Ihnen sagen, wie die Leute heißen. Ich hab's mir irgendwo aufgeschrieben.«

Daisy hatte sich bei Nicholas Virson und seiner Mutter in Myfleet einquartiert. Das also war die Antwort auf Burdens Frage. Sie war bei ihren Freunden, vielleicht ihren besten Freunden, untergekommen. Einen Moment lang fragte er sich, warum sie ihm am Tag zuvor nichts davon gesagt hatte. Aber vielleicht hatte sie es noch nicht gewußt. Zweifellos hatten sie Verbindung aufgenommen, sie zu sich eingeladen, und sie hatte angenommen, um Zuflucht zu finden. Beinahe jeder Patient sehnt sich danach, dem Krankenhaus den Rücken kehren zu können.

»Wir werden sie im Auge behalten«, sagte der Pfleger. »Sie hat am Montag hier einen Termin für eine Nachuntersuchung.«

Als Wexford wieder in den Ställen war, schaltete er den Fernsehapparat an und sah sich eine Nachrichtensendung nach der anderen an. Das Phantombild des Killers von Tancred House erschien auf der Mattscheibe. Als Wexford es nun sah, vergrößert, wirkte es überzeugender, als es eine Zeichnung auf Papier sein konnte. Er wußte gleich, an wen es ihn erinnerte.

Nicholas Virson.

Das Gesicht auf dem Bildschirm glich Virsons Gesicht an Daisys Krankenbett. Hatte irgendeine Zufallsfügung die Hand des Zeichners geführt? Oder hatte bei Daisy eine unbewußte Verschiebung stattgefunden? Machte das die Zeichnung wertlos? Wenn der beschriebene Killer aussah wie der Freund der Zeugin, dann hatte die Maske, die er getragen hatte, ihren Zweck erfüllt.

Wexford saß vor dem Fernseher, ohne irgend etwas aufzunehmen. Es ging auf halb sieben zu, die Zeit, um die Sheila und Augustine Casey eintreffen würden. Es drängte ihn nicht, nach Hause zu fahren.

Er ging zurück zu seinem Schreibtisch, auf dem ein Dutzend Mitteilungen über Anrufe für ihn lagen. Auf dem ersten Zettel stand, was er bereits wußte: daß Daisy Flory sich bei Mrs. Joyce Virson im *The Thatched House,* Castle Lane, in Myfleet, aufhalte. Es war aber auch eine Telefonnummer notiert. Wexford zog sein Telefon aus der Tasche und wählte.

Eine Frauenstimme meldete sich, gebieterisch, von oben herab, mit einem »Hallo?«

Wexford sagte, wer er war und daß er morgen nachmittag um vier gerne Miss Flory sehen würde.

»Aber morgen ist Sonnabend!«

Das lasse sich nicht bestreiten.

»Na ja, meinetwegen. Wenn es unbedingt sein muß. Finden Sie unser Cottage? Wie wollen Sie hierherkommen? Die Busverbindung ist keineswegs zuverlässig...«

Er sagte, daß er um vier Uhr dort sein werde, und beendete das Gespräch. Kurz darauf ging die Tür auf. Ein kalter, starker Luftzug fegte herein, und Barry Vine erschien.

»Wo kommen Sie denn her?« sagte Wexford recht mürrisch.

»Es hört sich lächerlich an, aber sie ist verschwunden. Mrs. Garland. Joanne Garland. Sie ist abgängig.«

»Was soll das heißen: abgängig? Sie wollen sagen, sie ist nicht dort. Das ist ja nicht das gleiche.«

»Sie ist abgängig. Sie hat niemandem was davon gesagt, daß sie wegfährt, sie hat keine Nachrichten oder Instruktionen für irgend jemanden hinterlassen. Niemand weiß, wo sie sich aufhält. Seit Dienstagabend ist sie nicht mehr gesehen worden.«

10

Die alten Leute saßen vor dem Fernsehgerät. Sie hatten die letzte Mahlzeit des Tages hinter sich, die ihnen um 17.00 Uhr serviert worden war, und jetzt war für sie Abend, nicht mehr allzu lange bis zur Schlafenszeit, die auf 20.30 Uhr festgelegt war.

Lehnsessel und Rollstühle waren im Halbkreis vor dem Fernsehgerät gruppiert worden. Die betagten Zuschauer und Zuschauerinnen sahen vor sich ein brutales Gesicht, das Phantombild des Killers in Tancred House. Es war ein Gesicht von der Art, die früher mit dem Ausdruck »blondes Untier« gekennzeichnet worden war. Und genauso bezeichnete ihn eine der alten Frauen, als sie mit einem weithin hörbaren Flüstern zu dem Mann neben ihr sagte: »Sehn Sie sich den an, ein richtiges blondes Untier!«

Sie schien eine der lebhafteren Bewohnerinnen des Caenbrook Retirement Home zu sein, und Burden war erleichtert, als die magere, von Sorgen gezeichnete junge Frau, die sie empfangen hatte, ihn und Sergeant Vine zum Stuhl dieser Frau führte. Sie blickte sich um, lächelte, und ihre Überraschung wich rasch einem ganz echten Entzücken, als sie begriff, daß diese Besucher, wer sie auch sein mochten, ihretwegen gekommen waren.

»Edie, Sie werden gewünscht. Diese beiden Männer sind von der Polizei.«

Das Lächeln blieb. Es verstärkte sich sogar noch.

»Nanu, Edie«, sagte der alte Mann, dem sie ins Ohr geflüstert hatte, »was haben Sie denn angestellt?«

»Ich? Schön wär's.«

»Mrs. Chowney, ich bin Inspector Burden, und das ist Detective Sergeant Vine. Wir würden uns gerne ein wenig mit Ihnen unterhalten. Uns liegt sehr daran herauszufinden, wo Ihre Tochter sich aufhält.«

»Welche denn? Ich habe sechs Töchter.«

Wie Burden später Wexford gestand, war er einfach baff gewesen. Es machte ihn sprachlos, wenn auch nur vorübergehend. Edie Chowney erklärte zu allem Überfluß auch noch stolz – vor einem Publikum, das diese Enthüllung sicher schon viele Male zu hören bekommen hatte –, daß sie auch fünf Söhne habe. Alle noch am Leben, alle in guten Verhältnissen, alle in England lebend. Dann kam Burden der Gedanke, wie schrecklich es war – und in vielen Ländern undenkbar –, daß von diesen elf Kindern kein einziges auf die Idee gekommen war, die alte Mutter zu sich zu nehmen. Lieber hatten sie das Geld zusammengelegt, höchstwahrscheinlich zu gleichen Teilen, um ihren Aufenthalt in dieser zweifellos teuren Endstation für die abgeschobenen Alten zu finanzieren.

Während sie, einem Vorschlag der mageren Pflegerin folgend, der dem alten Mann weitere Anzüglichkeiten entlockte, durch den Korridor zu Mrs. Chowneys Zimmer gingen, fragte Burden sich, ob nicht eines von diesen zehn Geschwistern Joanne Garlands ihm möglicherweise bessere Informationen geben könnte. Doch er täuschte sich. Denn Edie Chowney, die ohne Beistand zu ihrem Zimmer ging, die beiden Männer hineinbat und sich dabei bei der Pflegerin beklagte, daß nicht ausreichend geheizt werde, war ebenso klar im Kopf und eloquent wie ein dreißig Jahre jüngerer Mensch.

So, wie sie aussah, war sie Ende siebzig, eine kleine, lebhafte Frau, mager, deren Figur man aber ansah, daß sie viele Kinder zur Welt gebracht hatte. Ihr dünnes Haar war dunkelbraun gefärbt. Nur ihre Hände, anzusehen wie Baumwurzeln und mit knorrigen Knöcheln, verrieten, daß sie an Arthritis litt.

Das Zimmer war mit dem Notwendigsten eingerichtet, ergänzt durch Edie Chowneys persönliche Dinge. Zumeist gerahmte Fotografien. Sie drängten sich bis aufs Fensterbrett, auf den Tischchen, dem Nachttischchen und dem kleinen Bücherregal. Menschen mit ihrer Sippe, ihren Ehepartnern, ihren Hunden, allesamt zwischen vierzig und fünfundfünfzig. Eine der Frauen war höchstwahrscheinlich Joanne Garland.

»Ich habe einundzwanzig Enkel«, sagte Mrs. Chowney, als sie Burdens Blick bemerkte. »Und vier Urenkel. Wenn Maureens Ältester nichts dazwischenkommt, werde ich in nicht zu ferner Zukunft einen Ururenkel haben. Was möchten Sie denn über Joanne wissen?«

»Wohin sie verreist ist, Mrs. Chowney«, sagte Barry Vine. »Wir hätten gern die Adresse, wo sie sich aufhält. Ihre Nachbarn haben keine Ahnung.«

»Joanne hat nie Kinder bekommen. Zweimal verheiratet, aber keine Kinder. Die Frauen in unserer Familie sind nicht unfruchtbar, und darum nehme ich an, sie hat es so gewollt. Ich konnte es mir zu meiner Zeit nicht aussuchen, aber die Zeiten haben sich geändert. Joanne wäre zu egoistisch für Kinder, sie würde das Geschrei und das Chaos, das sie anrichten, nicht in Kauf nehmen. Mit Kindern hat man eine Menge Unordnung im Haus, da kann man machen, was man will. Ich muß es ja wissen, ich hatte elf. Und dann war sie die Älteste von den Mädchen, also hat sie es *mitbekommen.*«

»Sie ist weg, Mrs. Chowney. Können Sie uns sagen, wohin?«

»Ihr erster Mann war ein fleißiger Mann, aber er hat es nie zu was gebracht. Sie hat sich von ihm scheiden lassen. Mir hat das nicht gepaßt. Ich hab zu ihr gesagt: Du bist die erste aus unserer Familie, die jemals vor einem Scheidungsrichter gestanden hat. Pam hat sich später scheiden lassen, und dann auch Trev, aber Joanne war die erste. Jedenfalls, sie hat einen steinreichen Mann kennengelernt. Wissen Sie, was der immer gesagt hat? Er hat immer gesagt: Ich bin nur ein armer Millionär, Edie. Oh, sie haben auf den Putz gehauen, das kann ich Ihnen sagen, Geld noch und noch rausgeworfen, aber dann ist die Ehe genauso den Bach runtergegangen wie die erste. Er mußte bluten – mein Gott, hat sie ihn abgekocht! Auf diese Weise hat sie das Haus bekommen und das Geschäft gegründet, das sie führt, und einen großen Wagen und weiß Gott noch was. Sie bezahlt meinen Aufenthalt hier, wissen Sie. Wenn man hier lebt, das kostet soviel wie in einem Nobelhotel in London, obwohl man nichts davon merkt, wenn man sich hier umsieht. Aber sie zahlt, die anderen könnten es sich nicht leisten.«

Burden mußte ihren Redefluß stoppen. Edie Chowney hatte nur eine Pause eingelegt, um Luft zu holen. Er hatte davon gehört, daß Menschen, die sich einsam fühlen, wie ein Sturzbach reden, wenn sie endlich Gesellschaft haben. Aber das (dachte er, ohne es zu sagen) geht denn doch zu weit.

»Mrs. Chowney ...«

Sie sagte in einem spitzen Ton: »Jaja, ich bin schon fertig. Ich weiß, ich rede zuviel. Es kommt nicht vom Alter, ich bin einfach so. Ich bin schon immer eine Plaudertasche gewesen, darüber hat mein Mann immer gemeckert. Was wollten Sie gleich wieder über Joanne wissen?«

»Wo sie ist.«

»Zu Hause natürlich oder im Geschäft. Wo sonst sollte sie denn sein?«

»Wann, Mrs. Chowney, haben Sie sie zum letztenmal gesehen?«

Ihre Reaktion war sonderbar. Es war, als wollte sie

sich klarmachen, nach welchem ihrer Kinder sie gefragt wurde. Sie musterte die Fotosammlung neben dem Bett, legte eine Pause ein, um abzuzählen, wählte dann ein Farbfoto in einem Silberrahmen und sah es nickend an.

»Das dürfte Dienstagabend gewesen sein. Ja, richtig, weil an diesem Tag die Fußpflegerin kommt, und sie kommt immer dienstags. Joanne schaute rein, als wir beim Tee saßen. So gegen fünf. Vielleicht war's Viertel nach fünf. Ich hab zu ihr gesagt: ›Du bist aber früh dran. Was ist denn mit dem Laden?‹ Sie hat geantwortet: ›Galerie, Mutter, immer sagst du das, mit der Galerie ist alles in Ordnung. Naomi ist bis halb sechs dort.‹ Sie wissen, wen sie mit Naomi gemeint hat? Naomi ist eine von denen, die ermordet wurden... nein, massakriert, wie sie im Fernsehen sagen, in Tancred House massakriert. War das nicht eine furchtbare Sache? Ich nehme an, Sie haben davon gehört... na ja, sicher, Sie sind ja von der Polizei.«

»Während Ihre Tochter hier war, hat sie da etwas davon gesagt, daß sie am Abend hinaus nach Tancred wollte?«

Mrs. Chowney reichte Burden die Fotografie. »Sie ist immer dienstagabends hinausgefahren. Mit der armen Naomi, die sie massakriert haben, hat sie die Buchführung gemacht. Das ist sie, das ist Joanne. Es wurde vor fünf Jahren aufgenommen, aber sie hat sich nicht sehr verändert.«

Die Frau wirkte herausgeputzt. Eine Menge Modeschmuck hing um ihren Hals und baumelte von den Ohren. Sie war groß und hatte eine gute Figur. Ihr blondes Haar war mit viel Aufwand und Haarspray frisiert, und sie wirkte stark geschminkt, obwohl dieser Eindruck täuschen konnte.

»Sie hat nicht gesagt, daß sie in Urlaub fahren will?«

»Sie wollte nicht in Urlaub fahren«, wies Edie Chowney ihn zurecht. »Sie wollte nirgendwohin fahren. Das hätte sie mir erzählt. Wie kommen Sie denn darauf, daß sie verreist ist?«

Diese Frage hätte Burden nur ungern beantwortet. »Wann rechnen Sie mit ihrem nächsten Besuch hier?«

Die Stimme nahm einen bitteren Ton an. »In drei Wochen. Frühestens. In guten drei Wochen. Keinesfalls früher. Joanne kommt immer nur alle drei Wochen, und manchmal vergeht ein ganzer Monat. Sie zahlt die Rechnung hier und glaubt, damit hätte sie ihre Schuldigkeit getan. Einmal in drei Wochen kommt sie hierher, bleibt zehn Minuten und hält sich für die brave Tochter.«

»Und Ihre anderen Kinder?« erkundigte sich Vine. Burden hatte beschlossen, diese Frage zu vermeiden.

»Pam kommt. Aber sie wohnt ja auch nur zwei Straßen von hier. Es würde sie nicht umbringen, wenn sie jeden Tag käme. Aber sie kommt nicht jeden Tag. Pauline lebt in Bristol, folglich kann man es nicht von ihr erwarten, und Trev arbeitet auf so einer Bohrinsel. Doug wohnt in Telford, weiß Gott, wo das ist. Shirley redet sich darauf hinaus, daß sie vier Kinder hat, obwohl sie weiß Gott schon ziemlich groß sind. John schaut vorbei, wenn es ihm gerade paßt, was nicht oft der Fall ist, und die übrigen tauchen zu Weihnachten auf. Oh, sie kommen alle zusammen an Weihnachten daher, alle auf einen Haufen. Was hab ich *da*von? Letzte Weihnachten hab ich zu ihnen gesagt, was hat es für einen Sinn, wenn ihr alle auf einmal kommt? Sieben von ihnen am Heiligen Abend auf einen Schlag, Trev und Doug und Janet und Audrey und ...«

»Mrs. Chowney«, sagte Burden, »können Sie mir die Adressen von ...« Er zögerte, weil er nicht recht wußte, wie er es ausdrücken sollte. »... einem oder zwei Ihrer Kinder geben, die hier in der Gegend wohnen und vielleicht wissen, wohin Ihre Tochter Joanne gefahren ist?«

Es war acht Uhr, als Wexford schließlich nach Hause fuhr. Als der Wagen die Haupteinfahrt erreichte und Donaldson ausstieg, um das Tor zu öffnen, bemerkte der Chief Inspector, daß an beiden Torpfosten etwas befestigt war. Unter den dicht stehenden Bäumen war es so dunkel, daß nur formlose Bündel zu erkennen waren.

Er schaltete die Scheinwerfer ein, stieg aus und ging hin, um sich anzusehen, was das war. Wieder Blumensträuße, wieder Gedenkgaben für die Toten. Zwei diesmal, an jedem Torpfosten einer. Es waren einfache Sträuße, aber wunderbar zusammengestellt, der eine ein viktorianisches Sträußchen aus Veilchen und Primeln, der andere ein kleines Bündel aus schneeweißen Narzissen und dunkelgrünem Efeu. Wexford las auf der einen Karte: *In tiefem Kummer über die große Tragödie vom 11. März.* Auf der anderen stand: *So wilde Freude nimmt ein wildes Ende und stirbt im höchsten Sieg...*

Er ging zum Wagen zurück, und Donaldson fuhr ihn durchs Tor. Die Worte an dem einen Blumenstrauß, der an das Tor gehängt worden war, waren ihm harmlos erschienen, ein ziemlich treffendes Zitat aus *Antonius und Kleopatra* – nun ja, treffend, wenn man Davina Flory über die Maßen bewunderte. Dem anderen haftete ein leicht sinistrer Beiklang an. Vermutlich stammte es ebenfalls von Shakespeare, aber er konnte nicht sagen, aus welchem Stück.

Er hatte über Wichtigeres nachzudenken. Anrufe bei John Chowney und Pamela Burns, geborener Chowney, hatten nur die Auskunft erbracht, daß sie keine Ahnung hätten, wo ihre Schwester sich aufhielt, ja, nicht einmal gewußt hätten, daß sie verreisen wollte. Sie hatte keinem ihrer Nachbarn gesagt, daß sie wegfahren werde. Ihr Zeitungshändler, der die Zeitungen brachte, war nicht informiert worden. Joanne Garland bekam die Milch nicht in Flaschen an die Haustür geliefert. Der Geschäftsführer des Schreibwarenladens neben der Galerie im Kingsbrook Centre hatte angenommen, daß sie am Donnerstagvormittag, nachdem sie zu Ehren der Toten einen Tag lang geschlossen gewesen war, die Galerie wieder öffnen werde.

John Chowney gab die Namen von zwei Frauen an, die er als enge Freundinnen seiner Schwester bezeichnete. Beide konnten Burden nicht sagen, wo sich Joanne Garland aufhielt. Beide waren überrascht, als sie von ihrer Abwesenheit erfuhren. Sie war seit 17.40 Uhr am Dienstagnachmittag nicht mehr gesehen worden, als sie das Caenbrook Retirement Home verließ und die Pflegerin sie in ihren Wagen steigen sah, den sie im Vorhof geparkt hatte. Joanne Garland war verschwunden.

Unter anders gearteten Umständen hätte die Polizei kaum davon Notiz genommen. Eine Frau, die auf ein paar Tage wegfährt, ohne ihren Freunden oder Verwandten Bescheid zu sagen, ist keine vermißte Person. Da sie aber am Dienstagabend um Viertel nach acht draußen in Tancred House verabredet gewesen war, sah die Sache ganz anders aus. Wenn für Wexford überhaupt etwas feststand, dann, daß sie dort gewesen war, daß sie ihr Versprechen gehalten hatte. Hatte ihr Verschwinden seinen Grund in dem, was sie in Tancred House gesehen, oder in etwas, was sie getan hatte?

Er schloß die Haustür auf und hörte sofort ein Lachen aus dem Eßzimmer. Sheilas Lachen. Ihr Mantel hing in der Diele, es mußte ihr Mantel sein – wer sonst würde einen künstlichen Schneeleopardenmantel mit einem petrolblauen, falschen Fuchspelzkragen tragen?

Sie saßen im Eßzimmer, hatten ihre Suppe gegessen und waren zum Hauptgang übergegangen. Brathähnchen, keine Seezunge *bonne femme.* Warum war ihm das eingefallen? Es war doch ein völlig anderes Haus, im

Vergleich so klein, daß es in Tancred House verschwunden wäre, und es waren auch ganz andere Menschen. Er entschuldigte sich bei Dora, weil er so spät kam, küßte sie, küßte Sheila und streckte Augustin Casey die Hand hin, die dieser prompt ignorierte.

»Gus hat uns von Davina Flory erzählt, Papi«, sagte Sheila.

»Sie haben sie gekannt?«

»Mein Verleger«, sagte Casey, »gehört nicht zu jenen Leuten, die es sich zum Grundsatz gemacht haben, einem Autor vorzuschwindeln, sie hätten keine anderen Schriftsteller in ihrem Programm.«

Wexford hatte nicht gewußt, daß Casey und die Ermordete im selben Verlag publizierten. Er sagte nichts, sondern ging in die Diele zurück, um abzulegen. Er wusch sich die Hände und nahm sich vor, Nachsicht zu üben, freundlich, tolerant, großmütig zu sein. Als er wieder im Eßzimmer war und Platz genommen hatte, wiederholte Casey auf Sheilas Drängen alles, was er bis dahin über Davina Florys Bücher gesagt hatte. Vieles davon war wenig erbaulich, wie Wexford fand. Er wiederholte auch die unglaubwürdige Behauptung, daß Davina Florys Lektor ihm das Manuskript ihrer Autobiographie zur Begutachtung zugeschickt habe, bevor der Verlag ihr ein Angebot gemacht hätte.

»Ich bin sonst eigentlich nicht auf den Kopf gefallen«, sagte Casey. »Stimmt das, Schatz, oder?«

Wexford, der überlegte, was jetzt wohl kommen werde, zuckte bei diesem »Schatz« zusammen. Er hätte sich beinahe zusammengekrümmt, als er Sheilas Reaktion hörte. Sie schien ihn völlig kritiklos zu bewundern, und schon die Vorstellung, irgend jemand, und sei es auch Casey selbst, könnte an seinem Genie zweifeln, fand sie entsetzlich.

»Ich bin sonst eigentlich nicht auf den Kopf gefallen«, wiederholte Casey und erwartete vermutlich Zustimmung aus allen Kehlen, »aber ich hatte wirklich keine Ahnung, daß all das dort draußen passiert ist und daß Sie ...« Er richtete die kleinen, blassen Augen auf Wexford. »Ich will damit sagen, daß Sie, Sheilas Vater, für die Aufklärung des Falles ... wie heißt das, es muß doch einen Ausdruck dafür geben ... zuständig sind. Ich verstehe ja nichts von solchen Dingen, weniger als nichts, aber Scotland Yard existiert noch, oder? Gibt es nicht so etwas wie eine Mordkommission? Warum Sie?«

»Schildern Sie mir doch Ihren Eindruck von Davina Flory«, meinte Wexford milde und schluckte seinen Grimm hinunter, der ihm sauer aufstieß. »Es würde mich interessieren, von jemandem, der beruflichen Umgang mit ihr hatte, etwas über sie zu erfahren.«

»*Beruflich?* Ich bin kein Anthropologe. Ich habe sie auf einer Verlagsveranstaltung kennengelernt. Aber nein, vielen Dank, ich werde meine *Eindrücke* lieber für mich behalten, darüber zu sprechen, wäre sicher gar nicht klug. Ich werde den Mund halten. Es würde mich nur daran erinnern, wie ich mal erwischt wurde, als ich zu schnell und verkehrsgefährdend gefahren bin und der komische kleine Bulle, der mich auf seinem Motorrad verfolgte, alles, was ich gesagt hatte, dem Richter vorlas, das Ganze durch den Filterungsprozeß der Halbbildung unvermeidlich entstellt.«

»Trink ein Glas Wein, Liebling«, sagte Dora sanft. »Er wird dir schmecken. Sheila hat ihn eigens für dich mitgebracht.«

»Du hast die beiden doch nicht im selben Zimmer untergebracht, oder?«

»Reg, eine solche Bemerkung steht eigentlich mir noch eher zu als dir. Du giltst doch als der Liberale von uns beiden. Natürlich habe ich sie im selben Zimmer untergebracht. Ich führe ja kein viktorianisches Armenhaus.«

Wexford mußte wider Willen lächeln. »Das ist wieder mal meine typische Unvernunft, nicht? Ich habe nichts dagegen, wenn meine Tochter unter meinem Dach mit einem Mann schläft, den ich sympathisch finde, aber wenn es ein Scheißkerl ist wie der, ist mir schon die Vorstellung zuwider.«

»Dieses Wort habe ich noch nie aus deinem Mund gehört!«

»Für alles muß es ein erstes Mal geben. Zum Beispiel, daß ich jemanden vor die Tür setze.«

»Aber das wirst du nicht.«

»Nein, ganz sicher nicht.«

Am nächsten Morgen sagte Sheila, sie und Gus würden ihre Eltern am Abend gern zum Essen ins *Cheriton Forest Hotel* ausführen. Es habe kurz zuvor den Besitzer gewechselt und genieße neuerdings den Ruf, eine hervorragende, wenn auch teure Küche zu bieten. Sie habe einen Tisch für vier Personen bestellt. Augustine Casey bemerkte, es wäre amüsant, dergleichen mit eigenen Augen zu sehen. Ein Freund von ihm schreibe für ein Sonntagsblatt über solche Lokale, über Manifestationen des Geschmacks in den neunziger Jahren. Die Kolumne trage den Titel *Mehr Geld als Verstand,* und der sei auf seinem, Caseys, Mist gewachsen. Nicht nur das Essen und das Ambiente würden ihn interessieren, sondern auch die Leute, die ein solches Etablissement frequentierten.

Wexford konnte der Versuchung nicht widerstehen und sagte: »Haben Sie nicht gestern abend gesagt, Sie seien kein Anthropologe?«

Casey lächelte geheimnisvoll, wie er es oft tat. »Was haben Sie in Ihrem Paß stehen? Polizeibeamter, nehme ich an. Ich habe als Berufsbezeichnung immer *Student* beibehalten. Es ist jetzt zehn Jahre her, daß ich die Alma mater verlassen habe, aber in meinem Paß steht noch immer *Student,* und dabei soll es bleiben.«

Wexford war im Begriff, aus dem Haus zu gehen. Er hatte sich mit Burden zu einem Drink im *Olive and Dove* verabredet. Zwar galt die Regel, daß der Sonnabend von diesen Treffen ausgenommen war, doch jede Regel mußte einmal gebrochen werden. Er mußte von Zeit zu Zeit kurz aus dem Haus, obwohl er wußte, daß es nicht richtig von ihm war. Sheila erwischte ihn in der Diele.

»Daddy, ist alles in Ordnung?«

»Alles bestens. Diese Flory-Geschichte belastet mich ein wenig. Was habt ihr beiden heute vor?«

»Wir dachten, wir fahren nach Brighton. Gus hat dort Freunde. Zum Abendessen sind wir locker zurück. Das mit dem gemeinsamen Dinner klappt doch, oder?«

Er nickte. »Ich werde mir Mühe geben.«

Sie wirkte ein wenig niedergeschlagen. »Gus ist großartig, nicht? Ich habe noch nie jemanden wie ihn gekannt.« Ihr Gesicht hellte sich wieder auf, ihr reizendes Gesicht, so vollkommen wie das der Garbo, so lieb wie das der Monroe, von einer so unirdischen Schönheit wie das von Hedy Lamarr. Zumindest in seinen Augen war es das alles. Woher kamen die Gene, die das zustande gebracht hatten? Sie sagte: »Er ist so unglaublich klug. Ich komme oft gar nicht mit. Das Neueste ist, daß er als *writer-in-residence* an eine Universität in Nevada gehen wird. Sie legen dort eine Sammlung seiner Manuskripte an, ein Augustine-Casey-Archiv. Sie halten wirklich große Stücke auf ihn.«

Wexford hatte ihr nicht zu Ende zugehört.

»Er wird nach *Nevada* gehen?«

»Ja – nun, ein Jahr. Nach Heights.«

»In den *Vereinigten Staaten*?«

»Er hat vor, dort seinen nächsten Roman zu schreiben«, sagte Sheila. »Er wird sein Meisterwerk werden.«

Wexford gab ihr einen Kuß. Sie warf ihm die Arme um den Hals. Während er die Straße entlangging, hätte er am liebsten ein Lied angestimmt. Alles war wieder gut, besser als gut, sie würden den Tag in Brighton verbringen, und *Augustine Casey ging für ein Jahr nach Amerika.* Er emigrierte praktisch. Oh, warum hatte sie ihm das nicht schon am Abend zuvor erzählt? Dann, dachte er, hätte ich gut geschlafen. Aber es war sinnlos, dem jetzt nachzujammern. Nur gut, daß er beschlossen hatte, zu Fuß zum *Olive* zu gehen, denn jetzt konnte er sich einen richtigen Drink genehmigen, zur Feier des Tages.

Burden war bereits dort. Er war vorher in Broom Vale gewesen, wo sie mit einem Durchsuchungsbefehl Joanne Garlands Haus filzten. Ihr Wagen, ein dunkelgrauer BMW, stehe in der Garage. Sie habe keine Tiere im Haus, die gefüttert oder spazierengeführt werden müßten. Es gebe keine Pflanzen, die gegossen werden müßten, keine in Vasen dahinwelkenden Blumen. Das Kabel des Fernsehgeräts sei aus der Steckdose gezogen gewesen, aber das täten ja manche Leute jeden Abend vor dem Schlafengehen. Es sehe so aus, als habe sie das Haus aus eigenem Entschluß verlassen.

Einem Schreibtischkalender, in den Termine penibel eingetragen waren, hatte Burden nur entnehmen können, daß Joanne Garland am vergangenen Samstag auf einer Cocktailparty und am Sonntag bei ihrer Schwester Pamela zum Lunch gewesen war. Der Besuch bei ihrer Mutter war für Dienstag, den 11. März, eingetragen – und damit hatte es sich. Die folgenden Seiten waren leer. Ihre Handschrift war klein und sehr präzise, und sie hatte es fertiggebracht, in den winzigen Kästchen, die für jede Eintragung zur Verfügung standen, eine Menge Informationen unterzubringen.

»Das haben wir schon öfter erlebt«, sagte Wexford. »Jemand verschwindet scheinbar, und dann stellt sich heraus, daß er in Urlaub war. Aber in keinem dieser Fälle hatte die fragliche Person einen Rattenschwanz von Verwandten und Freunden – Leute außerdem, die es gewohnt waren, daß sie Bescheid bekamen, wenn der Betreffende auf längere Zeit wegfuhr. Tatsache ist, daß Joanne Garland am Dienstagabend um Viertel nach acht in Tancred House sein wollte. Sie war immer überpünktlich, wie wir von Davina Flory wissen, oder anders ausgedrückt, sie kam in der Regel früher als verabredet, so daß wir annehmen können, sie war bereits kurz nach acht dort.«

»Sofern sie nach Tancred gefahren ist. Was nehmen Sie?«

Wexford hatte nicht die Absicht zu verraten, daß er Anlaß zum Feiern hatte. »Ich dachte an einen Scotch, will mir das aber lieber noch mal überlegen. Nein. Das übliche halbe Pint Bitter.«

Als Burden mit den Gläsern zurückkam, sagte er: »Wir haben keinen Grund zu der Annahme, daß sie hingefahren ist.«

»Nur die Tatsache, daß sie es dienstags immer getan hat«, antwortete Wexford. »Und die Tatsache, daß sie erwartet wurde. Wenn sie nicht hinfahren wollte, hätte sie dann nicht telefonisch Bescheid gegeben?«

»Aber schaun Sie mal, Reg, was reden wir da. Das paßt doch nicht zusammen. Wir haben es mit ganz gewöhnlichen Verbrechern zu tun, oder? Schießfreudige Kriminelle, die hinter Schmuck her waren? Der eine ein Ortsfremder, der andere möglicherweise jemand, der das Haus und seine Bewohner gut kannte. Das ist vermutlich der Grund, warum das ›blonde Untier‹, wie Mrs. Chowney ihn nennt, warum dieser Kerl sich nichts dabei dachte, daß die drei Menschen, die er tötete, und die vierte Person, die er zu töten versuchte, ihn zu sehen bekamen. Der andere, der mit dem vertrauten Gesicht, hat sich abseits gehalten.

Aber dies sind typische Verbrecher, keine von der Sorte, die eine Zeugin, die möglicherweise etwas gesehen hat, mitnehmen und woanders erledigen, oder? Verstehen Sie, was ich meine, wenn ich sage, es paßt nicht zusammen? Wenn sie an die Haustür gekommen ist, warum sie nicht auch erschießen?«

»Weil die Trommel des Colts leer war«, sagte Wexford rasch.

»Schön. Falls es so war. Es gibt andere Möglichkeiten, jemanden umzubringen. Er hatte drei Menschen getötet und hätte sich nicht gescheut, einen vierten umzubringen. Aber nein, er und sein Kumpan schleppen sie weg. Nicht als eine Art Geisel, nicht weil sie vielleicht etwas weiß, was wichtig ist, nur um sie woanders aus dem Weg zu räumen. Warum? Es paßt nicht zusammen.«

»Okay, das haben Sie jetzt dreimal gesagt. Aber wenn sie Joanne Garland in Tancred House umgebracht haben, was ist dann aus ihrem Wagen geworden? Sie haben ihn zu ihr nach Hause gefahren und in die Garage gestellt, wie es sich gehört, ja?«

»Stellen wir uns mal vor, sie wäre beteiligt gewesen. Sie könnte die zweite Person gewesen sein. Wir nehmen ja nur an, daß es ein Mann war. Aber, Reg, lohnt es sich denn überhaupt, das in Betracht zu ziehen? Joanne Garland, eine Frau Mitte fünfzig, eine wohlhabende, erfolgreiche Geschäftsfrau? Außerdem ist sie finanziell so gut gestellt, daß sie nicht darauf angewiesen ist. Sie fährt einen funkelnagelneuen BMW. Sie hat Schränke voller Klamotten. Davon verstehe ich nichts, aber Karen sagt, sie stammen von Spitzendesignern, von Valentino und Krizia und Donna Karan. Haben Sie von denen schon mal gehört?«

Wexford nickte. »Ich lese ja Zeitung.«

»Sie hat einen hochmodernen Haushalt, mit allem, was man sich nur vorstellen kann. Eines der Zimmer ist ein Fitneßstudio mit Trainingsgeräten. Sie ist offenkundig eine reiche Frau. Was hätte sie mit den paar

Kröten anfangen wollen, die ihr ein Hehler für Davina Florys Ringe gegeben hätte?«

»Mike, mir ist was eingefallen. Hat sie einen Anrufbeantworter? Was hat sie für eine Telefonnummer? Vielleicht ist eine Nachricht darauf.«

»Ich weiß die Nummer nicht«, sagte Burden. »Können Sie mit Ihrem Ding da die Auskunft anrufen?«

»Klar.« Wexford bat um die Nummer und bekam sie rasch. An ihrem Tisch in einer düsteren Ecke des *Olive* wählte er Joanne Garlands Nummer. Es klingelte dreimal, dann klickte es leise, und es meldete sich eine Stimme, die ganz und gar nicht so war, wie sie erwartet hatten. Keine kräftige Stimme, nicht von oben herab und selbstbewußt, sondern leise, sogar schüchtern.

»Hier spricht Joanne Garland. Im Augenblick ist es mir nicht möglich, mit Ihnen zu sprechen, aber wenn Sie eine Nachricht hinterlassen möchten, werde ich Sie so bald wie möglich zurückrufen. Bitte sprechen Sie nach dem Pfeifton.«

Die übliche Angabe von Identität und Erreichbarkeit, wie sie in der Anrufbeantworter-Literatur gern empfohlen wird.

»Wir werden überprüfen, ob und was für Nachrichten hinterlassen wurden. Ich werde jetzt noch mal anrufen, und hoffentlich kapieren die anderen es diesmal und heben ab. Ist Gerry dort?«

»Detective Constable Hinde«, sagte Burden, ohne das Gesicht zu verziehen, »ist anderweitig beschäftigt. Er hat, sagt er, eine riesige Datenbank von sämtlichen Verbrechen angelegt, die im vergangenen Jahr in dieser Gegend begangen wurden, und er maust sich gerade durch – wahrscheinlich hab ich die Terminologie überhaupt nicht drauf –, um Koinzidenzen aufzuspüren. Karen, Archbold und Davidson sind im Haus der Garland. Man sollte doch meinen, einer von ihnen wäre gescheit genug, den Hörer abzunehmen.

Wexford wählte noch einmal. Es klingelte dreimal, und der Text auf dem Anrufbeantworter begann wieder von vorne. Beim nächstenmal hob Karen Malahyde nach dem zweiten Klingeln ab.

»Wird ja langsam Zeit«, sagte Wexford in die Muschel. »Wissen Sie, wer am Apparat ist? Ja? Gut. Spielen Sie die gespeicherten Nachrichten ab, ja? Wenn Sie nicht wissen, wie man mit diesen Dingern umgeht, suchen Sie nach einer Taste, auf der ›PLAY‹ steht. Lassen Sie die Kassette nur einmal laufen, notieren Sie, was drauf ist, und nehmen Sie sie heraus. Haben Sie verstanden? Rufen Sie mich zurück, unter meiner persönlichen Nummer.« Dann sagte er zu Burden: »Ich glaube nicht, daß sie in die Morde am Dienstagabend verwickelt war, natürlich nicht, dagegen nehme ich an, daß sie die Männer gesehen hat. Mike, ich frage mich, ob wir nicht, statt ihr Haus zu filzen, lieber draußen in Tancred nach ihrer Leiche suchen sollten.«

»Ihre Leiche ist nicht in der Umgebung des Hauses. Sie wissen doch, daß wir das alles abgesucht haben.«

»Nicht die Wälder.«

Burden gab ein leises Stöhnen von sich. »Möchten Sie noch ein halbes Pint?«

»Bleiben Sie sitzen, diesmal bin ich dran.«

Wexford ging mit den leeren Gläsern zur Theke. Sheila und Augustin Casey waren jetzt sicher auf dem Weg nach Brighton. Er stellte sich die Unterhaltung im Wagen oder vielmehr den Monolog vor, wenn Caseys Mund Witz und Esprit, Esoterika, boshafte Anekdoten und Erzählungen entströmten, mit denen er sich selbst verherrlichte, während Sheila danebensaß und ihm hingerissen lauschte. Er stellte sich den Monolog mit Befriedigung vor, weil Sheila ihn bald nicht mehr hören und er in der Einsamkeit der Sierra Nevada verhallen würde. Burden blickte auf. »Sie könnten sie mitgenommen haben, weil sie sie gesehen hat und Zeugin der

Morde geworden war. Aber wohin sie schleppen und wie sie abmurksen? Und wie kam ihr Wagen zurück in die Garage?«

Wexfords Telefon wimmerte. »Karen?«

»Ich habe das Band rausgenommen, wie Sie gesagt haben, Sir. Was soll ich jetzt damit machen?«

»Lassen Sie es kopieren, dann rufen Sie mich an und spielen mir die Kopie vor. Dann bringen Sie sie zu mir, zu mir nach Hause. Die Kassette und die Kopie. Was waren für Nachrichten drauf?«

»Es sind drei. Die erste stammt von einer Frau, die sich Pam nannte und wohl eine Schwester von Joanne Garland ist. Ich habe es aufgeschrieben. Sie soll sie um den Sonntag herum anrufen. Weiß der Himmel, was das bedeuten soll. Der zweite Anrufer war ein Mann, der sich anhört wie ein Vertreter. Er nennt sich Steve, kein Familienname. Er sagt, er hätte es im Laden probiert, aber da dort niemand rangegangen sei, habe er sich gedacht, er ruft sie zu Hause an. Es geht um die Dekorationen für Ostern, sagt er, und sie soll ihn doch zu Hause anrufen. Der dritte Anruf kam von Naomi Jones.«

»Ja.«

»Was jetzt kommt, ist wortwörtlich, Sir. ›Jo, hier spricht Naomi. Es wäre schön, ich würde dich manchmal selber erwischen und nicht immer diese Maschine. Könntest du es so einrichten, daß du heute abend erst um halb neun kommst und nicht früher? Mutter findet es gräßlich, wenn man beim Essen gestört wird. Tut mir leid, aber du verstehst es sicher. Bis nachher.‹«

Lunch zu Hause, nur zu zweit.

»Er wird *writer-in-residence* im Wilden Westen«, sagte Wexford zu seiner Frau.

»Du solltest nicht jubeln, wenn es sie so unglücklich macht.«

»Ja? Ich sehe keine Anzeichen dafür, daß sie unglücklich ist. Wahrscheinlicher ist, daß ihr allmählich die Schuppen von den Augen fallen und sie sieht, wie leicht sein Verlust zu verschmerzen sein wird.«

Was Dora auf diese Bemerkungen vielleicht geantwortet hätte, ging im Klingeln des Telefons unter. Karen sagte: »Ich hab's hier, Sir. Sie wollten, daß ich es Ihnen vorspiele.«

Die Stimme der Toten sprach zu ihm wie ein raunendes Gespenst. ». . . Mutter findet es gräßlich, wenn man beim Essen gestört wird. Tut mir leid, aber du verstehst es sicher. Bis nachher.«

Es fröstelte ihn. Mutters Abendessen war gestört worden. Ungefähr eine Stunde nachdem dies auf den Anrufbeantworter gesprochen worden war, war sie nicht nur gestört, sondern ihr Leben zerstört worden. Wieder sah er das rote Tischtuch vor sich, den Fleck, der sich im Stoff ausgebreitet hatte, den Kopf der Toten, der auf dem Tisch lag, den nach hinten geworfenen Kopf, der über einer Stuhllehne hing. Er sah Harvey Copeland mit ausgestreckten Armen und Beinen daliegen, sah, wie Daisy an den Leichen ihrer Angehörigen vorbeikroch, wie sie zum Telefon kroch, um ihr eigenes Leben zu retten.

»Sie brauchen es mir nicht zu bringen, danke, Karen. Es hat Zeit.«

Um halb vier machte er sich auf den Weg nach Myfleet, wo Daisy Flory Unterschlupf gefunden hatte.

11

Als erstes fiel ihm auf, daß sie in der Haltung ihrer erschossenen Großmutter dalag. Daisy hatte ihn nicht hereinkommen hören, sie hatte nichts gehört, und sie lag mit dem Oberkörper, einem ausgestreckten Arm und dem Kopf daneben quer über dem Tisch. So war Davina Flory über dem Eßtisch zusammengebrochen.

Daisy war ganz ihrem Kummer hingegeben, ihren Körper schüttelte es, obwohl sie keinen Laut von sich gab. Wexford stand da und betrachtete sie. Er hatte von Nicholas Virsons Mutter erfahren, wo sie war, aber Mrs. Virson hatte ihn nicht zur Tür begleitet. Er schloß sie hinter sich und trat in »das kleine Reich«, wie Joyce Virson es genannt hatte. Was für Namen sich diese Leute für Räume ihrer Häuser ausdachten, die andere als »Wintergarten« oder »Wohnzimmer« bezeichnet hätten.

Es war, wie schon der Name sagte, ein Haus mit Reetdach, eine Seltenheit in dieser Gegend. Eine gewisse snobistische Untertreibung mochte seine Besitzer veranlassen, von einem Cottage zu sprechen, doch in Wirklichkeit handelte es sich um ein Haus von ansehnlicher Größe, mit einer malerisch asymmetrischen Fassade und einem Gipsbewurf zwischen dem Fachwerk der Wände, in den Muster eingekerbt waren. Die Fenster waren ganz unterschiedlich groß, und manche lugten unter gerundeten Giebeln, wie Augenlider, hervor. Das Reetdach war eine imposante Konstruktion. An den Stellen, wo die Schornsteine mit ihrem geriffelten Verputz emporragten, war das Reet zu kunstvollen Flechtmustern gestaltet.

Daß reetgedeckte Häuser so oft in Kalendern abgebildet wurden, hatte ihnen einen Anflug von Lächerlichkeit eingebracht und sie zur Zielscheibe eines gewissen Spotts gemacht. Doch wenn man sich von diesen Vorstellungen freimachte, sah man ein Haus vor sich, das man als eine schöne englische »Antiquität« bezeichnen konnte. Der Garten mit den vom Wind zerzausten Frühlingsblumen und grünen Rasenflächen verdankte seine satten Farben dem feuchten Klima.

Als Wexford eingetreten war, ließ ihn eine gewisse Schäbigkeit an seiner eigenen früheren Einschätzung Nicholas Virsons als eines Erfolgsmenschen aus der City zweifeln. Das »kleine Reich«, in der Daisy über den Tisch hingestreckt lag, hatte einen abgetretenen Teppich und billige Stretch-Nylon-Schonbezüge über den Sesseln. Eine matte Zimmerpflanze auf dem Fensterbrett war von Plastikblumen umgeben, die einfach in die Erde gesteckt worden waren.

Sie gab einen schwachen Laut von sich, ein Wimmern, mit dem sie vielleicht zeigen wollte, daß sie sein Kommen wahrgenommen hatte.

»Daisy«, sagte er.

Die gesunde Schulter bewegte sich ein bißchen, sonst war ihr nicht anzumerken, ob sie ihn gehört hatte.

»Daisy, bitte hören Sie auf zu weinen.«

Sie hob langsam den Kopf. Diesmal kam keine Entschuldigung, keine Erklärung. Ihr Gesicht war wie das eines Kindes, vom Weinen angeschwollen. Er setzte sich auf den Stuhl ihr gegenüber. Der Tisch zwischen ihnen war klein, aber ausreichend für ein Zimmer dieser Art, um etwas zu schreiben, zum Kartenspielen oder für einen Imbiß zu zweit. Sie blickte ihn mit einem Ausdruck der Verzweiflung an.

»Soll ich morgen wiederkommen? Ich muß zwar mit Ihnen sprechen, aber nicht unbedingt jetzt.«

Das Weinen hatte sie heiser gemacht. Mit einer

Stimme, die er kaum wiedererkannte, sagte sie: »Es kann genausogut jetzt sein...«

»Wie geht's Ihrer Schulter?«

»Ach, ganz gut. Sie tut nicht mehr weh, sie ist nur wund.« Und dann sagte sie etwas, was er aus dem Mund eines älteren, eines *anderen* Menschen lächerlich gefunden hätte. »Der Schmerz sitzt im Herzen.«

Es war, als hätte sie ihre eigenen Worte gehört und sich bewußt gemacht, wie sie sich anhörten, denn sie brach in ein schallendes, unnatürliches Gelächter aus. »Wie dumm das klingt! Aber es ist wahr – wie kann es sein, daß etwas Wahres, das man ausspricht, falsch klingt?«

»Vielleicht«, sagte Wexford sanft, »weil es nicht ganz real ist. Sie haben es irgendwo gelesen. Man empfindet in Wirklichkeit im Herzen keinen Schmerz, außer bei einer Herzattacke, und den spürt man, soviel ich weiß, im Oberarm.«

»Ich wollte, ich wäre alt. Ich gäbe was drum, wenn ich so alt wäre wie Sie und so klug.«

Das war nicht ernst zu nehmen. »Werden Sie eine Zeitlang hier bleiben, Daisy?« fragte er.

»Ich weiß nicht. Ich nehme es an. Ich bin jetzt hier, und hier ist es genausogut wie anderswo. Ich habe erreicht, entlassen zu werden. Oh, es war furchtbar im Krankenhaus. Es war furchtbar, allein zu sein, und noch furchtbarer, mit fremden Leuten zusammenzusein.« Sie zuckte mit den Achseln. »Die Virsons sind sehr freundlich zu mir. Ich wäre gern allein, aber ich habe auch Angst davor – verstehen Sie, was ich meine?«

»Ich denke schon. Es ist am besten für Sie, wenn Sie bei Freunden sind, bei Leuten, die Sie in Ruhe lassen, wenn Sie allein sein wollen.«

»Ja.«

»Könnten Sie mir ein paar Fragen über Mrs. Garland beantworten?«

»Joanne?«

Das jedenfalls hatte sie nicht erwartet. Sie wischte sich mit den bloßen Fingern die Tränen aus den Augen und blinzelte ihn an.

Er hatte sich vorgenommen, ihr von den Befürchtungen der Polizei nichts zu erzählen. Sie konnte erfahren, daß Joanne Garland mit unbekanntem Ziel verreist, nicht aber, daß sie »abgängig« war, daß die Polizei bereits mit ihrem Tod rechnete. Die Worte sorgfältig abwägend, erklärte er, daß sie nicht zu finden sei.

»Ich kenne sie nicht sehr gut«, sagte Daisy. »Davina hatte nicht viel für sie übrig. Sie fand, daß sie nicht gut genug für uns sei.«

Wexford, der sich an einiges von dem erinnerte, was Brenda Harrison gesagt hatte, war überrascht, und das Erstaunen mußte ihm anzumerken sein, denn Daisy sagte: »Oh, ich meine nicht, auf eine versnobte Art. Bei Davina hatte das nichts mit der sozialen Herkunft zu tun. Sehen Sie...« Sie senkte die Stimme. »... sie hatte auch für die...«, sie deutete mit dem Daumen zur Tür, »... nicht viel übrig. Sie hatte nichts übrig für Leute, die in ihren Augen langweilig oder gewöhnlich waren. Die Leute mußten Charakter haben, Vitalität, irgend etwas Individuelles. Sie kannte ja auch gar keine gewöhnlichen Leute – gut, bis auf diejenigen, die für sie gearbeitet haben –, und sie wollte auch nicht, daß ich welche kennenlernte. Sie hat großen Wert darauf gelegt, daß ich die Besten um mich habe. Bei Mom hatte sie es aufgegeben, aber sie mochte Joanne sowieso nicht, hatte sie nie gemocht. Ich erinnere mich an einen Ausspruch von ihr. Sie hat gesagt, Joanne ziehe Mom ›in einen Morast des Gewöhnlichen‹.«

»Aber Ihre Mutter hat nicht darauf geachtet, oder?« Wexford hatte konstatiert, daß Daisy mittlerweile über ihre Mutter und ihre Großmutter sprechen konnte, ohne daß ihr die Stimme brach, ohne daß sie in Verzweiflung versank. Ihr Kummer war vorübergehend vergessen, während sie von der Vergangenheit sprach. »Sie hat sich nichts daraus gemacht?«

»Sie müssen verstehen, meine Mutter war eigentlich einer von diesen gewöhnlichen Menschen, die Davina nicht mochte. Warum das so war, weiß ich nicht, vermutlich hat es was mit den Genen zu tun, nehme ich an.« Daisys Stimme wurde beim Sprechen kräftiger, das Interesse, das sie für dieses Thema noch aufzubringen vermochte, bezwang die Heiserkeit. Indem sie über diese Menschen sprach, konnte sie sich vom Schmerz um ihren Tod ablenken. »Es kam einem einfach so vor, als wäre sie die Tochter gewöhnlicher Leute, nicht das Kind einer Frau wie Davina. Aber komischerweise war auch Harvey ein bißchen so. Davina hat oft über ihre ehemaligen Ehemänner, Nummer eins und Nummer zwei, gesprochen und erzählt, wie amüsant und interessant sie waren, aber ich hatte da meine Zweifel. Harvey sagte nicht viel, er war ein sehr ruhiger Mann. Nein, ruhig ist nicht das richtige Wort. Er war mehr passiv. Gelassen, hat er es genannt. Er hat getan, was Davina von ihm wollte.« Wexford glaubte, einen Funken in ihren Augen aufglimmen zu sehen. »Beziehungsweise er hat es versucht. Er war fad, ich glaube, das war mir schon immer klar.«

»Ihre Mutter blieb mit Joanne Garland befreundet, obwohl Ihre Großmutter nichts von ihr hielt?«

»Wissen Sie, Mom hat ihr ganzes Leben lang immer wieder erlebt, daß irgend etwas an ihr Davina nicht paßte und daß sie von Davina sozusagen ausgelacht wurde... Sie hat gewußt: Egal, was ich tue, es ist ja doch verkehrt. Darum hat sie sich angewöhnt, zu tun, was ihr gefiel. Sie hat sich nicht einmal mehr aufgeregt, wenn Davina sich über sie lustig machte. Die Arbeit in diesem Laden hat ihr zugesagt. Sie wissen vermutlich nichts davon – wie sollten Sie auch? –, aber Mom hat sich jahrelang bemüht, Malerin zu werden. Ich weiß noch, als ich klein war und sie vor der Staffelei saß und Davina in das Atelier kam, das sie ihr eingerichtet hatten, und... na ja, herumkritisierte. Ich erinnere mich noch an einen Ausspruch von ihr, den ich damals nicht verstanden habe. Sie hat gesagt: ›Na ja, Naomi, ich weiß ja nicht, zu welcher Malerschule du dich rechnest, aber ich finde, wir könnten dich als eine präraffaelitische Kubistin bezeichnen.‹ Davina wollte aus mir all das machen, was Mom nicht war. Vielleicht auch alles, was *sie selber* nicht war. Aber das ist ja nicht interessant für Sie. Also, Mom hatte die Arbeit in der Galerie sehr gern, und sie war glücklich, ihr eigenes Geld zu verdienen und... nun ja, auf eigenen Füßen zu stehen.«

Die Tränen waren vorerst gebannt. Das Sprechen tat ihr gut. Wexford zweifelte, ob sie recht gehabt hatte, als sie sagte, das beste wäre für sie, allein zu sein. »Wie lange hatten sie gemeinsam gearbeitet?«

»Mom und Joanne? Ungefähr vier Jahre. Aber sie waren schon immer befreundet gewesen, schon bevor ich auf die Welt kam. Joanne hatte einen Laden in der Queen Street, wo Mom bei ihr angefangen hat. Dann, als das Einkaufszentrum gebaut wurde, hat sie die Räume für die Galerie gemietet. Haben Sie gesagt, daß sie verreist ist? Das hatte sie nicht vor. Ich erinnere mich, daß Mom gesagt hat... also an *dem* Tag – das ist er für mich, *der* Tag –, sie wollte den Freitag für irgend etwas freinehmen, aber Joanne war nicht einverstanden, weil sie die Umsatzsteuerprüfung erwartete und sie mit dem Steuerinspektor die Bücher durchgehen mußte, Joanne meine ich jetzt. Das nahm Stunden in Anspruch, und Mom müßte sich um die Klienten bemühen – so haben sie die Kunden genannt.«

»Ihre Mutter hat bei Mrs. Garland angerufen und auf dem Anrufbeantworter die Nachricht hinterlassen, sie solle nicht vor halb neun kommen.«

Daisy sagte gleichgültig: »Kann gut sein. Sie hat das oft getan, aber anscheinend hat es nie viel bewirkt.«

»Joanne Garland hat im Laufe des Abends nicht angerufen?«

»Niemand hat angerufen. Joanne hätte nicht angerufen, um zu sagen, daß sie später kommt. Ich glaube nicht, daß es ihr *möglich* gewesen wäre, später zu kommen, selbst wenn sie es versucht hätte. Diese überpünktlichen Leute sind dazu außerstande, sie können nicht aus ihrer Haut.«

Er betrachtete sie. Auf ihrem Gesicht zeigte sich etwas Farbe. Sie hatte einen scharfen Blick, sie war an Menschen interessiert, an ihren Zwängen, an der Art, wie sie sich verhielten. Er überlegte, worüber sie sich unterhalten mochten, sie und die Virsons, wenn sie zusammen waren, beim Essen, am Abend. Was hatte sie mit ihnen denn gemeinsam? Als hätte sie seine Gedanken gelesen, sagte sie: »Joyce – Mrs. Virson – hat die Sache mit dem Begräbnis in die Hand genommen. Heute waren Leute von einem Beerdigungsinstitut hier. Ich nehme an, sie wird mit Ihnen darüber sprechen. Wir können doch ein Begräbnis abhalten, oder?«

»Ja, doch. Natürlich.«

»Ich war mir nicht sicher. Ich dachte, es ist vielleicht anders, wenn Leute ermordet worden sind. Ich hatte überhaupt nicht darüber nachgedacht, bis Joyce darauf zu sprechen kam. So hatten wir wenigstens etwas zu reden. Es ist ja nicht einfach, sich zu unterhalten, wenn es wirklich nur *ein* Thema gibt und man gerade das nicht berühren darf.«

»Es ist gut, daß Sie mit mir darüber sprechen können.«

»Ja.«

Sie versuchte zu lächeln. »Sehen Sie, ich habe keine Angehörigen mehr. Harvey hatte keine Verwandten bis auf einen Bruder, und der ist vor vier Jahren gestorben.

Davina war ›der jüngste Zeisig von neun‹, und die übrigen sind beinahe alle tot. Irgend jemand muß ja die Dinge in die Hand nehmen, und ich allein könnte mir nicht helfen. Aber ich werde sagen, wie ich den Gottesdienst haben möchte, und ich werde zu der Beerdigung gehen, das werde ich.«

»Das würde niemand von Ihnen erwarten.«

»Ich glaube, da könnten Sie sich täuschen«, sagte sie nachdenklich. Und dann: »Haben Sie schon jemanden gefunden? Ich meine, haben Sie irgendwelche Hinweise, wer es war, der es, der es... getan hat?«

»Ich wüßte gern, ob Sie sich mit der Beschreibung, die Sie mir gegeben haben, ganz sicher sind. Der Beschreibung des Mannes, den Sie gesehen haben?«

Verärgert runzelte sie die Stirn. Die dunklen Augenbrauen zogen sich zusammen. »Wie kommen Sie denn darauf? Natürlich bin ich mir sicher. Ich erzähle es Ihnen noch einmal, wenn Sie möchten.«

»Nein, das ist nicht nötig, Daisy. Ich werde Sie jetzt allein lassen, fürchte aber, daß ich mich noch ein anderes Mal mit Ihnen werde unterhalten müssen.«

Sie wandte sich von ihm ab und verrenkte dabei den Körper wie ein Kind, das sich aus Schüchternheit wegdreht. »Wenn es nur«, sagte sie, »wenn es nur irgend jemanden gäbe, dem ich mein Herz ausschütten könnte! Ich bin so allein. Oh, wenn ich nur jemandem mein Herz ausschütten...«

Er widerstand der Versuchung zu sagen: »Schütten Sie es mir aus.« Er hütete sich, so etwas zu tun. Sie hatte ihn alt genannt und daraus abgeleitet, daß er klug sei. Er sagte, vielleicht zu leichthin: »Sie sprechen heute viel über Herzen, Daisy.«

Sie wandte ihm das Gesicht zu. »Weil er versucht hat, mein Herz zu treffen. Er hat auf mein Herz gezielt, nicht?«

»Sie dürfen nicht daran denken. Sie brauchen jemanden, der Sie dabei unterstützt«, sagte er. »Ich habe Ihnen keine Ratschläge zu erteilen, und ich bin auch nicht dafür qualifiziert, aber finden Sie nicht, eine psychologische Beratung wäre gut für Sie? Würden Sie sich das durch den Kopf gehen lassen?«

»Das brauche ich nicht!« Die Ablehnung kam prompt und voll Empörung. Es erinnerte ihn an einen Psychotherapeuten, dem er einmal bei seinen Ermittlungen begegnet war und der zu ihm gesagt hatte, die Erklärung, man brauche keine psychologische Beratung, sei ein sicherer Fingerzeig, daß man sie doch brauche. »Ich brauche einen Menschen, der ... der mich lieb hat, aber es ist niemand da.«

»Auf Wiedersehen, Daisy.« Er streckte die Hand aus. Diese Aufgabe sollte Nicholas Virson übernehmen. Wexford war überzeugt, daß Virson diese Rolle nur zu gerne übernehmen würde. Die Vorstellung war recht betrüblich. Sie nahm seine Hand, mit festem Griff, wie dem Griff eines kräftigen Mannes. Er spürte darin ihr Bedürfnis, ihren Schrei nach Hilfe. »Auf Wiedersehen für heute.«

»Entschuldigung, daß ich mich so blöd angestellt habe«, sagte sie leise.

Joyce Virson lag nicht gerade im Flur auf der Lauer, aber er nahm an, daß sie es vorher getan hatte. Sie tauchte aus einem Raum auf, der vermutlich ein Salon war, in den er aber nicht gebeten wurde. Sie war eine große, stattliche Frau, vielleicht sechzig oder ein bißchen darunter. Das Bemerkenswerte an ihr bestand darin, daß sie im Vergleich zu den meisten Frauen überdimensioniert wirkte. Sie war größer, breiter, hatte ein größeres Gesicht, eine größere Nase, einen größeren Mund, eine dichte Masse grauer Locken, Männerhände und war sicher über einsachtzig groß. Zu alledem kam noch die schrille, affektierte Stimme einer Frau aus besseren Kreisen.

»Ich wollte Sie nur fragen, tut mir leid, aber es ist eine ziemlich delikate Frage. Können wir ... nun ja, Sie wissen schon, die Beerdigung in die Wege leiten?«

»Aber sicher. Dem steht nichts im Wege.«

»Gut so. Diese Dinge müssen sein, nicht? ›Mitten im Leben sind wir im Tod‹«, zitierte sie aus dem Gebetbuch der Anglikanischen Kirche. »Daisy, das arme Kind, hat ein paar verrückte Ideen, aber sie kann ja nichts machen, natürlich nicht, und man würde es auch nicht erwarten. Ich habe mich schon mit dieser Mrs. Harrison, so eine Art Haushälterin in Tancred House, wegen des Themas in Verbindung gesetzt. Es erschien mir richtig, sie mit einzubeziehen, finden Sie nicht auch? Ich dachte an kommenden Mittwoch oder Donnerstag.«

Wexford stimmte dieser vernünftigen Lösung zu. Dabei kam ihm der Gedanke, wie Daisys juristische Situation sein werde. Würde sie einen Vormund brauchen, bis sie achtzehn war? Und wann wurde sie achtzehn? Mrs. Virson schloß die Haustür ziemlich energisch hinter ihm, wie es einem Mann gebührte, der in besseren Zeiten das Haus selbstverständlich durch den Lieferanteneingang betreten und verlassen hätte. Während er zu seinem Wagen ging, rauschte ein alter, aber schnittiger MG durch das offene Tor. Aus dem Wagen stieg Nicholas Virson.

»Guten Abend«, grüßte er. Wexford blickte beunruhigt auf seine Uhr, aber es war erst zwanzig vor sechs. Nicholas Virson schloß die Haustür auf, ohne einen Blick zurückzuwerfen.

Augustine Casey kam im Smoking die Treppe herunter.

Hätte sich Wexford darüber den Kopf zerbrochen, was Sheilas Freund zum Dinner im *Cheriton Forest Hotel* anziehen mochte, dann hätte er auf Jeans und

Sweatshirt getippt. Nicht, daß es ihm viel ausgemacht hätte. Es wäre Caseys Angelegenheit gewesen, die dargereichte Krawatte, die das Hotel bereithielt, umzubinden oder dies abzulehnen und zusammen mit den anderen nach Hause zu gehen. Wexford hätte sich so oder so nichts daraus gemacht. Doch der Smoking schien zu einer Bemerkung aufzufordern, und wenn er, Wexford, ihn nur mit seinem eigenen, nicht sehr eleganten grauen Anzug verglich. Doch es fiel ihm nichts anderes ein, als Casey einen Drink anzubieten.

Sheila erschien in einem pfauenblauen Minirock und einem blaugrünen Oberteil, das mit Pailletten bestickt war. Wexford war nicht sehr davon angetan, wie Casey sie von oben bis unten beäugte, während sie *ihm* sagte, wie toll er aussehe.

Das Beunruhigende war, daß die erste Hälfte des Abends völlig problemlos ablief – die erste Hälfte. Casey redete. Wexford merkte, daß in der Regel alles gut ging, solange Casey sprach, das heißt, solange er über ein selbstgewähltes Thema sprach und dabei Pausen einlegte, um intelligente und passende Fragen seiner Zuhörerschaft entgegenzunehmen. Sheila, bemerkte ihr Vater, war hierin Expertin und schien immer genau zu wissen, wo sich etwas dazwischenschieben ließ. Sie hatte versucht, ihnen von einer neuen Rolle zu berichten, die ihr angeboten worden war, der Titelrolle in Strindbergs *Fräulein Julie* – eine großartige Chance für sie –, aber Casey wollte davon nicht viel hören.

In der Lounge sprach er über die Postmoderne. Sheila, die sich bescheiden damit abfand, daß ihrer Karriere nicht mehr Aufmerksamkeit zuteil wurde, sagte: »Könntest du uns bitte ein paar Beispiele nennen, Gus?« Und Casey nannte eine ganze Fülle von Beispielen. Sie gingen in einen von mehreren Speisesälen, die das Hotel inzwischen eingerichtet hatte. Er war voll besetzt, aber kein einziger der Gäste trug einen Smoking. Casey, der sich bereits zwei große Brandys genehmigt hatte, bestellte noch einen und ging sofort auf die Toilette.

Sheila hatte auf ihren Vater immer den Eindruck einer intelligenten jungen Frau gemacht. Es verdroß ihn sehr, diese Meinung revidieren zu müsen, aber was blieb ihm angesichts dieser Äußerungen übrig.

»Gus ist so brillant, daß ich mich frage, was er an jemandem wie mir nur finden kann«, plapperte Sheila drauflos. »Wenn ich mit ihm zusammen bin, komme ich mir richtig inferior vor.«

»Eine unmögliche Basis für eine Beziehung«, sagte ihr Vater, worauf ihm Dora unter dem Tisch einen Tritt versetzte und Sheila ein gekränktes Gesicht machte.

Casey kam lachend zurück, etwas, was Wexford bei ihm noch nicht oft erlebt hatte. Ein Gast hatte ihn für einen Kellner gehalten und zwei trockene Martinis bestellt, und Casey hatte mit einem italienischen Akzent gesagt, der Herr werde sie »pronto« bekommen. Sheila brach in ein unkontrolliertes Lachen aus. Casey trank seinen Brandy und machte ein großes Getue um die Bestellung irgendeines ganz besonderen Weines. Er war höchst vergnügt und begann über Davina Flory zu sprechen.

All sein Gerede von »Mund halten« und »komischer kleiner Bulle« war anscheinend vergessen. Casey war mehrmals mit Davina Flory zusammengetroffen, zum erstenmal bei einer Party anläßlich der Präsentation eines Buches von einem anderen Autor und dann, als sie in seinen Verlag gekommen war und sie einander im »Atrium« begegneten. Dieser Ausdruck für Eingangshalle löste bei Casey eine längere Darlegung über Modewörter und müßige Entlehnungen aus toten Sprachen aus. Die Frage, mit der Wexford ihn unterbrach, wurde, weil zur rechten Zeit gestellt, huldvoll aufgenommen.

»Sie wußten nicht, daß ich von St. Giles Press verlegt werde? Wir sind jetzt alle unter demselben Dach – oder

Baldachin trifft es vielleicht besser. Carlyon, St. Giles Press, Sheridan und Quick, wir sind jetzt alle bei Carlyon Quick.«

Wexford dachte an den mit ihm befreundeten Schwager Burdens, Amyas Ireland, Redakteur bei Carlyon-Brent. Soviel er wußte, war Ireland noch dort. Die Übernahme seines Verlages hatte ihn nicht um den Job gebracht. Wexford fragte ihn, ob es Sinn hätte, Amyas anzurufen und von ihm Informationen über Davina Flory zu erbitten.

Caseys Gedächtnis schien nicht viel herzugeben. Seine dritte Begegnung mit Davina Flory war bei einem Empfang gewesen, den das Haus Carlyon Quick in seinen neuen Räumlichkeiten im Londoner Stadtteil Battersea gab – in »boondocks«, wie Casey sich ausdrückte, der finstersten Provinz. Sie war in Begleitung ihres Ehemannes gewesen, der einst den Wahlkreis von Caseys Eltern im Unterhaus vertreten hatte und den er einen vielleicht zu lieben alten »Schatz« nannte. Ein Freund Caseys hatte vor etwa fünfzehn Jahren an der London School of Economics Vorlesungen Copelands besucht. Casey nannte ihn einen »hohlen Charmeur«. Ein Teil dieses Charmes sei den Scharen junger Frauen aus der Werbebranche und Sekretärinnen zugute gekommen, denen man auf solchen Empfängen immer begegne, während sich die arme Davina mit langweiligen Chefredakteuren und Marketing-Direktoren habe unterhalten müssen. Allerdings habe sie ihr Licht keineswegs unter den Scheffel gestellt, sondern in ihrem Oxford-Englisch der zwanziger Jahre ihre Meinungen verkündet und die Anwesenden mit osteuropäischer Politik und Details von irgendwelchen Reisen genervt, die sie in den fünfziger Jahren mit einem ihrer Ehemänner nach Mekka unternommen hatte. Insgeheim erheiterte Wexford dieses Beispiel von Projektion.

Ihm, Casey, habe keines von ihren Büchern gefallen,

ausgenommen vielleicht *Midians Gastfreunde* (diesen Roman hatte Win Carver das Buch mit der geringsten Resonanz, auch bei der Kritik, genannt). Er selbst definiere sie als die Rebecca West für den unkritischen Leser. Er frage sich, wie sie auf die verschrobene Idee gekommen sei, sie könne Romane schreiben. Sie sei zu belehrend und von oben herab. Sie besitze keine künstlerische Phantasie. Er sei ziemlich sicher, daß sie die einzige Person auf diesem Empfang gewesen sei, die seinen für den Booker-Preis in die engere Wahl gezogenen Roman nicht gelesen hatte beziehungsweise sich nicht einmal die Mühe gab, das Gegenteil vorzugeben.

Casey lachte mit gespielter Mißbilligung über diese seine letzte Bemerkung. Er probierte den Wein. Und damit begann der Abend danebenzugehen. Er probierte den Wein, zuckte zusammen und benutzte sein zweites Weinglas als Spucknapf. Dann reichte er beide Gläser dem Kellner.

»Das ist ja ein widerliches Gesöff. Fort damit, und bringen Sie mir eine andere Flasche.«

Als Wexford hinterher mit Dora darüber sprach, sagte er, es sei seltsam, daß am vergangenen Dienstag in *La Primavera* nichts Ähnliches passiert war. Dort, sagte Dora, sei Casey ja nicht der Einladende gewesen. Und außerdem, wenn man einen Wein probiere und er sei wirklich ungenießbar, wohin mit dem Schluck, den man im Mund hat? Aufs Tischtuch? Immer nahm sie Casey in Schutz, wenn es ihr diesmal auch schwerfiel. Zum Beispiel konnte sie nicht viel zu Caseys Verteidigung anführen, als er, nachdem der erste Gang zurückgeschickt worden war und sich drei Kellner sowie der Chef des Restaurants um den Tisch versammelt hatten, dem Oberkellner erklärte, er habe von *nouvelle cuisine* soviel Ahnung wie eine Internatsköchin mit Menstruationsbeschwerden.

Wexford und seine Frau hatten zwar nicht eingeladen, aber da sich das Restaurant in ihrer Gegend befand, fühlten sie sich gewissermaßen dafür verantwortlich. Wexford merkte, daß Casey nur auf Wirkung aus war und sich aus »Jux und Tollerei«, wie das in seiner Jugend die alten Leute genannt hatten, so unangenehm aufführte. Man aß schweigend in sich hinein, unterbrochen nur von Casey, der den Hauptgang beiseite geschoben hatte und laut erklärte, daß er für sein Teil sich von diesen Widerlingen nicht die Laune verderben lassen werde. Er griff das Thema Davina Flory wieder auf und begann schlüpfrige Bemerkungen über ihr Liebesleben zum besten zu geben.

Darunter war die Behauptung, daß sie noch acht Jahre nach ihrer ersten Heirat Jungfrau gewesen sei. Desmond Flory, sagte er mit lauter, rauher Stimme, habe »ihn noch nie hoch bekommen«, jedenfalls nicht bei ihr, und wen könnte das auch wundern? Naomi sei natürlich nicht von ihm gewesen. Er wage zwar nicht, Vermutungen darüber anzustellen, wer ihr Vater gewesen sein könnte, aber gab anschließend doch verschiedene Spekulationen zum besten. Er hatte an einem weit entfernten Tisch einen älteren Herrn entdeckt, einen Mann, der trotz starker Ähnlichkeit nicht ein gewisser angesehener Wissenschaftler und Leiter eines College in Oxford sei. Casey begann Mutmaßungen darüber anzustellen, ob der Doppelgänger dieses Mannes Davina Florys erster Liebhaber gewesen sei.

Wexford erhob sich und erklärte, daß er jetzt gehen werde. Er bat Dora, mitzukommen. Sheila flehte: »Bitte, Daddy!« Und Casey fragte, was denn, um Himmels willen, los sei. Zu Wexfords Ärger gelang es Sheila, ihn zum Bleiben zu überreden. Er bereute es später, nicht hart geblieben zu sein, denn als es daran ging, die Rechnung zu begleichen, weigerte sich Casey, dies zu tun.

Daran schloß sich eine gräßliche Szene an. Casey

hatte eine Menge Brandy gekippt und war zwar noch nicht betrunken, aber völlig enthemmt. Er brüllte herum und beschimpfte das Personal des Restaurants. Wexford hatte sich vorgenommen, daß er, komme, was da wolle, die Rechnung nicht bezahlen werde, selbst dann nicht, wenn die Polizei geholt würde. Schließlich zahlte Sheila. Mit steinernem Gesicht saß Wexford daneben und ließ sie gewähren. Hinterher sagte er zu Dora, es müsse in seinem Leben Situationen gegeben haben, die ihm peinlicher gewesen seien, aber er könne sich nicht daran erinnern.

In dieser Nacht fand er keinen Schlaf.

Anstelle der fehlenden Scheibe im Speisezimmerfenster war eine Sperrholzplatte eingesetzt worden. Sie erfüllte ihren Zweck, die Kälte fernzuhalten.

»Ich habe es auf mich genommen, eine Scheibe von dem teuren Glas zu bestellen«, sagte Ken Harrison mit düsterer Miene zu Burden. »Keine Ahnung, wann sie geliefert werden wird. Es würde mich nicht überraschen, wenn es Monate dauert. Diese Kriminellen, diese Verbrecher, die so was machen, die denken doch gar nicht daran, wieviel Scherereien sie den kleinen Leuten wie Ihnen und mir damit bereiten.«

Burden war nicht besonders erfreut, daß er zu den »kleinen Leuten« gerechnet wurde, er kam sich dabei (wie er zu Wexford sagte) wie ein Zwerg vor, aber er sagte nichts. Sie gingen gemächlich auf die Gärten auf der Rückseite von Tancred House zu, und dann Richtung Pinetum. Es war ein schöner, sonniger Morgen, kalt und frisch. Rauhreif lag silbern auf dem Gras und den Buchsbaumhecken. In den Wäldern kam zwischen den dunklen, unbelaubten Bäumen der Schwarzdorn heraus. Seine weißen Blüten wirkten in dem Gewirr der Zweige wie frischer Schnee. Harrison hatte übers Wochenende die Rosenbüsche radikal gestutzt.

»Es kann gut sein, daß wir hier zusammenpacken müssen«, sagte Harrison, »aber man muß weitermachen, nicht? Man muß weitermachen, als wäre alles normal. So ist's nun mal im Leben.«

»Sagen Sie mal, diese Griffins, Mr. Harrison, was können Sie mir von denen erzählen?«

»Ich will Ihnen eine Sache erzählen. Terry Griffin hat hier eine Zeder als Weihnachtsbaum mitgehen lassen. Ein paar Jahre ist das jetzt her. Ich hab ihn dabei erwischt, wie er sie ausgrub. ›Die fehlt doch keinem‹, hat er gesagt. Ich hab es auf mich genommen, es Harvey zu melden – Mr. Copeland, meine ich.«

»War das also der Grund, warum Sie sich mit den Griffins in die Haare geraten sind?«

Harrison musterte ihn mit einem Seitenblick, gehässig und argwöhnisch. »Sie haben nie erfahren, daß ich es war, der sie verpfiffen hat. Harvey hat gesagt, er hätte es selbst entdeckt, er hat darauf geachtet, daß ich nicht hineingezogen wurde.«

Sie kamen ins Pinetum, in das nur schmale Lichtstreifen zwischen den Ästen der niedrigen Nadelbäume vordrangen. Es war kalt hier. Der Boden unter ihren Füßen war trocken und ziemlich glatt, ein Teppich aus Fichtennadeln.

Burden hob einen sonderbar geformten Zapfen auf, so glänzend-braun und ananasförmig, als hätte ihn eine Meisterhand aus Holz geschnitzt. »Wissen Sie, ob John Gabbitas zu Hause oder ob er irgendwo in den Wäldern ist?«

»Er geht jeden Tag um acht aus dem Haus, aber er ist ein paar hundert Meter weiter vorne, wo er gerade eine abgestorbene Lärche fällt. Hören Sie nicht die Säge?«

Erst jetzt hörte Burden das heulende Geräusch. Aus den Bäumen vor ihnen kam der rauhe Schrei eines Eichelhähers. »Worüber haben Sie sich denn gestritten, Mr. Harrison, Sie und die Griffins?«

»Das ist was Persönliches«, sagte Harrison barsch. »Eine Privatangelegenheit zwischen Brenda und mir. Sie wäre erledigt, wenn es rauskäme, deswegen will ich nicht mehr sagen.«

»Wie ich schon zu Ihrer Frau gesagt habe«, sagte Burden in dem täuschend milden, verbindlichen Ton, den er von Wexford gelernt hatte, »gibt es in einem Mordfall für die von den Ermittlungen Betroffenen so etwas wie Privatangelegenheiten nicht.«

»Wir sind aber von keinen Ermittlungen betroffen!«

»Leider doch. Ich hätte gerne, daß Sie sich diese Sache durch den Kopf gehen lassen, Mr. Harrison, und sich entscheiden, ob Sie uns darüber etwas sagen wollen, Sie oder Ihre Frau oder Sie beide zusammen. Ob Sie es mir oder Detective Sergeant Vine erzählen möchten, und ob Sie es lieber hier oder auf dem Revier tun würden. Es führt kein Weg daran vorbei, daß Sie es uns erzählen werden. Bis bald, Mr. Harrison.«

Er ging auf dem Pfad durch das Pinetum. Harrison stand da und starrte ihm nach. Was Harrison hinter ihm herrief, konnte Burden nicht mehr verstehen. Er rollte den Tannenzapfen wie einen Handschmeichler zwischen den Handflächen hin und her und fand das Gefühl angenehm. Als er weiter vorne den Landrover und Gabbitas mit der Kettensäge hantieren sah, steckte er den Zapfen in die Tasche.

John Gabbitas hatte Schutzkleidung an, eine Hose, die notfalls das Sägeblatt abgleiten ließ, Handschuhe, Stiefel, Schutzmaske und -brille, Dinge, mit denen sich die vernünftigen jüngeren Holzfäller ausstaffierten, ehe sie mit der Kettensäge zu arbeiten begannen. Nach dem Orkan im Jahr 1987 waren, wie Burden sich erinnerte, die chirurgischen Stationen der Krankenhäuser in der Gegend mit Amateurholzfällern überfüllt gewesen, die sich selbst Füße und Hände amputiert hatten. Daisys Beschreibung des Killers, mittlerweile auf Tonband, fiel ihm wieder ein. Sie hatte angegeben, daß die Maske die eines Holzfällers hätte sein können. Als Gabbitas den Kriminalbeamten sah, stellte er die Säge ab und kam Burden entgegen. Er zog den Augenschirm herunter und schob Schutzmaske und -brille hoch.

»Wir sind immer noch daran interessiert zu erfahren, ob Sie vielleicht irgend jemanden gesehen haben, als Sie vergangenen Dienstag nach Hause fuhren.«

»Ich habe Ihnen doch gesagt, daß ich niemanden gesehen habe.«

Burden setzte sich auf einen gefällten Baumstamm und klopfte leicht auf die glatte, trockene Rinde. Gabbitas zögerte erst und setzte sich dann ebenfalls. Er hörte mit leicht ungehaltenem Gesichtsausdruck zu, während Burden ihm von Joanne Garlands Besuch erzählte.

»Ich hab sie nicht gesehen. Ich kenne sie nicht. Das heißt, ich bin an keinem Auto vorbeigekommen und hab auch keines gesehen. Warum fragen Sie sie nicht selber?«

»Wir können sie nicht finden. Sie ist abgängig.« Obwohl er normalerweise potentiellen Verdächtigen keine Auskünfte über polizeiliche Pläne gab, fuhr er fort: »Fest steht, daß wir heute damit anfangen, diese Wälder abzusuchen.« Er blickte Gabbitas scharf an. »Nach ihrer Leiche.«

Gabbitas blieb bei seiner Aussage. »Ich bin um zwanzig nach acht nach Hause gekommen. Ich kann es nur nicht beweisen, weil ich allein war. Ich habe niemanden gesehen. Ich bin auf der Straße von Pomfret Monachorum gefahren und weder einem Wagen begegnet, noch habe ich einen überholt. Vor Tancred House standen keine Autos, und an der Seite oder vor der Küche waren auch keine. Ich *weiß* es, es ist die Wahrheit.«

Es fällt mir schon schwer zu glauben, daß du, wenn du um diese Zeit gekommen bist, die beiden Autos nicht gesehen hast, dachte Burden. Daß du nicht wenigstens eines davon gesehen hast, das nehme ich dir nicht ab. Du lügst, und das Motiv dafür muß ein sehr schwerwiegendes sein. Joanne Garlands Wagen stand in ihrer Garage. War sie vielleicht mit einem anderen Fahrzeug gekommen, und wenn ja, wo war das? Könnte sie in einem Taxi gekommen sein?

»Was haben Sie getan, bevor Sie hierherkamen?«

Die Frage schien Gabbitas zu überraschen.

»Warum wollen Sie das wissen?«

»Solche Fragen«, sagte Burden geduldig, »werden bei Ermittlungen in Mordfällen eben gestellt. Zum Beispiel auch: Wie sind Sie zu diesem Job gekommen?«

Gabbitas ging auf Burdens erste Frage ein, nachdem er einen Moment lang stumm nachgedacht hatte. »Ich habe ein Diplom in Forstwissenschaft. Ich unterrichte ein bißchen, wie ich Ihnen schon gesagt habe. Der Hurrikan, wie die Leute sagen, der Orkan von 1987, der brachte für mich den Durchbruch. Er hatte zur Folge, daß es mehr Arbeit gab, als sämtliche Förster und Waldarbeiter im Land bewältigen konnten. Zur Abwechslung habe ich mal ein bißchen Geld verdient. Ich habe in der Nähe von Midhurst gearbeitet.« Er blickte auf, mit einem verschlagenen Ausdruck, so kam es Burden jedenfalls vor. »Dort, wo ich übrigens an dem Abend war, als diese Sache passierte.«

»Wo Sie Unterholz ausgeräumt haben und niemand Sie gesehen hat.«

Gabbitas machte eine ungeduldige Geste. Er benutzte oft die Hände, um seine Gefühle auszudrücken. »Ich habe Ihnen gesagt, meine Arbeit ist ein einsamer Job. Es ist ja nicht so, daß einen die ganze Zeit irgendwelche Leute im Auge haben. Im vergangenen Winter, ich meine den vorletzten, war die Arbeit im wesentlichen getan, und ich sah, daß jemand für diese Stelle gesucht wurde.«

»Wo, in einer Zeitschrift? Im lokalen Käseblättchen?«

»In der *Times*«, sagte Gabbitas und lächelte ein wenig. »Davina Flory hat selbst mit mir das Einstellungsgespräch geführt. Sie gab mir ein Exemplar ihres Buches über Bäume, aber ich kann nicht behaupten, daß ich es auch gelesen hätte.« Wieder sprach er mit den Händen. »Das Haus, das war's, was mich angezogen hat.«

Er sagte es rasch, als wollte er, so schien es Burden, unbedingt der Frage zuvorkommen, ob das Anziehende Daisy gewesen sei.

»Und jetzt, wenn Sie mich bitte entschuldigen, möchte ich diesen Baum fällen, bevor er umstürzt und eine Menge unnötigen Schaden anrichtet.«

Burden spazierte durch den Wald und durchs Pinetum zurück, durchquerte diesmal den Garten und ging auf die große, kiesbedeckte Fläche zu, hinter der sich die ehemaligen Ställe befanden. Dort standen Wexfords Wagen, zwei Polizeitransporter, Detective Sergeant Vines Vauxhall und sein eigenes Gefährt.

Drinnen traf er Wexford in einer ungewohnten Haltung an. Der Chief Inspector saß vor einem Computer-Bildschirm. Als Wexford aufblickte, war Burden betroffen von seinem müden, grauen Blick, den neuen Falten, die ihn älter aussehen ließen, und dem unglücklichen Ausdruck in den Augen. Es war, als hätte Wexford kurz die Kontrolle über sein Gesicht verloren, doch dann schien er sich zusammenzureißen, und sein Ausdruck wurde wieder normal, beziehungsweise fast normal. Hinde saß vor der Tastatur des Computers, auf dessen Schirm er eine lange, für Burden unergründliche Liste geholt hatte.

Wexford, der sich an Daisy Florys Gefühlsausbruch erinnerte, hätte gern einen Menschen gehabt, dem er sich vorbehaltlos anvertrauen konnte. Bei Dora durfte er in dieser Angelegenheit nicht auf Verständnis hoffen.

Er hätte zu gerne jemanden gehabt, mit dem er über Sheilas Erklärung sprechen konnte, daß er, ihr Vater, gegen Augustine Casey voreingenommen und entschlossen sei, ihn zu hassen. Daß sie derart in Casey verliebt sei, daß sie, so seltsam es auch klingen möge, sagen könne, sie entdeckte zum erstenmal, was Liebe bedeutet. Daß sie, wenn sie sich entscheiden müßte – und das war das schlimmste –, ihre Eltern verlassen und an Casey »hangen« (dieses merkwürdige Wort aus der Bibel) werde.

All dies, ausgesprochen auf einem traurigen Spaziergang mit ihr – während Casey im Bett lag und sich von dem Brandy erholte –, hatte sich ihm wie ein Dolch ins Herz gebohrt (wie Daisy es vielleicht ausdrücken würde). Wenn an der Geschichte überhaupt noch etwas Tröstliches war, dann der Umstand, daß man Sheila eine Rolle angeboten hatte, die sie nicht ausschlagen konnte, und daß Casey demnächst nach Nevada entschwinden würde.

Wie unglücklich er sich fühlte, war seinem Gesicht anzusehen. Er war sich dessen bewußt und versuchte es wegzuwischen. Burden sah ihm an, welche Anstrengung es ihn kostete.

»Sie haben angefangen, die Wälder abzusuchen, Reg.«

Wexford trat einen Schritt beiseite. »Es ist ein riesiges Gebiet. Können wir ein paar Leute aus der Gegend hier zum Mithelfen einspannen?«

»Sie interessieren sich nur für Kinder, die vermißt werden. Wegen toter Erwachsener machen die sich nicht auf die Socken, nicht für Geld und gute Worte.«

»Und beides haben wir nicht zu bieten«, sagte der Chief Inspector.

12

»Er ist weg«, sagte Margaret Griffin.

»Weg wohin?«

»Hören Sie mal, er ist ein erwachsener Mensch. Ich frag nicht, wohin er geht und wann er heimkommt. Er lebt zwar zu Hause, aber er ist ein erwachsener Mann und kann tun und lassen, was er will.«

Es war am Nachmittag, und die Griffins hatten Kaffee getrunken und ferngesehen. Burden und Barry Vine wurde kein Kaffee angeboten. Barry sagte hinterher zu Burden, Terry und Margaret Griffin sähen viel älter aus, als sie waren, schon ziemlich betagt, in einem Alltagstrott festgefahren, der offensichtlich – wenn sie es auch nicht sagten – aus Fernsehen, Einkaufen, kleinen, regelmäßigen Mahlzeiten, einsamer Zweisamkeit und frühem Schlafengehen bestand. Sie beantworteten Burdens Fragen in einer resigniert-streitsüchtigen Art, die jeden Augenblick in Paranoia umzukippen drohte.

»Geht Andy oft weg?«

Sie war eine kleine, rundliche, weißhaarige Frau mit blauen Glupschaugen. »Er hat doch nichts, was ihn hier festhält. Ich meine, er kriegt ja doch keine Arbeit. Grad jetzt, wo sie letzte Woche bei Myringham Electrics wieder zweihundert auf die Straße gesetzt haben.«

»Ist er Elektriker?«

»Der packt alles an, unser Andy, wenn er die Möglichkeit dafür bekommt«, sagte Terry Griffin. »Er ist keiner von diesen Hilfsarbeitern, wissen Sie. Er war die rechte Hand von einem sehr bedeutenden Geschäftsmann, unser Andy.«

»Ein Gentleman aus Amerika. Er hat Andy blind

vertraut. Ist viel im Ausland herumgereist und hat alles Andy überlassen.«

»Andy ist in seinem Haus ein und aus gegangen, hatte seine Schlüssel, durfte mit seinem Wagen fahren, all so was.«

Burden, der all dies mit mehr als einem kleinen Vorbehalt aufnahm, sagte: »Dann geht er also weg, um sich Arbeit zu suchen.«

»Ich sag Ihnen doch, ich weiß es nicht und ich frag nicht.«

Barry Vine sagte: »Ich denke, Mr. Griffin, es dürfte Sie interessieren, daß Andy – obwohl Sie uns erzählt haben, er sei am vergangenen Dienstag um sechs weggegangen – an diesem Abend von keinem seiner Freunde, mit denen er nach seinen Angaben zusammen war, gesehen wurde. Er hat nicht mit ihnen zusammen die Pubs abgeklappert, und er hat sich auch nicht mit ihnen in dem chinesischen Restaurant getroffen.«

»Mit welchen Freunden soll er zusammen gewesen sein? Er hat uns nie was von Freunden erzählt. Dann war er eben in anderen Pubs, oder?«

»Das bleibt festzustellen, Mr. Griffin«, sagte Burden. »Andy muß Tancred House sehr gut kennen. Hat ja seine Kindheit dort verbracht, nicht?«

»Aber das ist doch klar. Er war noch klein, vier Jahre alt, als wir dort hingezogen sind, und dieses Mädchen, die Enkelin, war noch ein Baby. Man sollte meinen, es wäre normal gewesen, wenn die miteinander gespielt hätten, nicht? Andy hätte es schön gefunden. Er hat oft gesagt: ›Warum kann ich kein Schwesterchen bekommen, Mom?‹ Und ich mußte ihm sagen: ›Gott wird uns keine weiteren Babys mehr schicken, mein Süßer.‹ Aber haben sie sie mit ihm spielen lassen? Kein Drandenken, er war ihnen nicht fein genug, nicht für ihr Prinzeßchen. Nur zwei Kinder waren dort, aber sie haben nicht miteinander spielen dürfen.«

»Und dabei hat er sich Labour-Abgeordneter geschimpft«, sagte Terry Griffin und stieß ein tiefes, höhnisches Lachen aus. »Na, kein Wunder, daß sie ihm bei der letzten Wahl einen Tritt verpaßt haben.«

»Also hat Andy nie das Haus betreten?«

»Das würde ich nicht sagen.« Mrs. Griffin war plötzlich pikiert. »Das würde ich keineswegs sagen. Wie kommen Sie darauf? Er ist manchmal mitgekommen, wenn ich hingegangen bin, um auszuhelfen. Sie hatten eine Haushälterin, die nebenan allein wohnte, bevor diese Harrisons kamen, aber die konnte nicht alles schaffen, besonders dann nicht, wenn sie Gäste hatten. Dann hat Andy mich immer begleitet, ist überall im Haus mit mir herumgegangen, egal, was sie gesagt haben. Allerdings glaube ich, daß er es nicht mehr getan hat, seit er... nun ja, so um die zehn war.«

Sie hatte zum erstenmal Ken und Brenda Harrison erwähnt, das erste Mal, daß einer der beiden sich über die Existenz ihrer ehemaligen Nachbarn äußerte.

»Wenn er weggeht, Mr. Griffin«, schob Barry Vine dazwischen, »wie lange ist er dann gewöhnlich fort?«

»Manchmal ein paar Tage, manchmal auch eine Woche.«

»Soviel mir bekannt ist, haben Sie mit Mr. und Mrs. Harrison kein Wort mehr gewechselt, als Sie dort weggezogen...«

Burden wurde von dem Gekreische unterbrochen, das Margaret Griffin ausstieß. Es hörte sich ganz so an wie die wortlose Unmutsbekundung eines Zwischenrufers auf einer Versammlung. Oder, wie Karen hinterher sagte, wie das Hohngeschrei eines Kindes über einen Spielkameraden, der falsch geraten hat – ein mehrmaliges »Ääh, ääh, ääh!«

»Ich hab's ja gewußt. Du hast es ja gesagt, Terry, daß sie das zur Sprache bringen werden. Jetzt wird alles rauskommen, trotz allem, was Mr. Harvey, der saubere

Sozialist, versprochen hat. Sie werden es ans Licht zerren, um dem armen Andy nach so langer Zeit noch was anzuhängen.«

Burden, klug, wie er war, ließ sich durch keine Muskelbewegung, durch kein Zucken seines Lids anmerken, daß er keinen Schimmer hatte, wovon sie sprach. Während sie erzählten, veränderte es seinen strengen, allwissenden Blick nicht.

Die Wertbestimmung von Davina Florys Schmuck kam zu den übrigen Daten, die Gerry Hinde im Computer gespeichert hatte.

Barry Vine unterhielt sich darüber mit Wexford. »Eine Menge Halunken fänden, daß es sich lohnt, drei Leute umzubringen, wenn man dadurch zu dreißigtausend Pfund kommt.«

»Wobei den Typen bewußt ist, daß sie auf dem Markt, auf dem sie ihn losschlagen, vielleicht die Hälfte dafür bekommen. Höchstenfalls. Wir sehen kein anderes Motiv.«

»Rache wäre ein Motiv. Wegen irgendeiner wirklichen oder eingebildeten Kränkung, die Davina Flory oder Harvey Copeland jemandem zugefügt hat. Daisy Flory hatte ein Motiv. Soviel wir wissen, ist sie Alleinerbin. Sie ist die einzige Überlebende. Ich weiß, daß das ein bißchen weit hergeholt ist, Sir, aber wenn wir schon von Motiven sprechen...«

»Sie hat ihre sämtlichen Angehörigen erschossen und sich selbst angeschossen? Oder ein Komplize hat das getan. Vielleicht ihr Liebhaber Andy Griffin?«

»Schon gut.«

»Ich glaube nicht, daß Tancred sie sehr interessiert, Barry. Es ist ihr noch gar nicht klar, welches Vermögen und wieviel Haus- und Grundbesitz sie geerbt hat.«

Vine wandte den Blick von seinem Bildschirm ab. »Ich habe mich mit Brenda Harrison unterhalten, Sir.

Sie sagt, sie hätten sich mit den Griffins gestritten, weil sie es nicht richtig fand, daß Mrs. Griffin an einem Sonntag im Garten Wäsche aufgehängt hat.«

»Und das glauben Sie?«

»Es zeigt zumindest, daß Brenda Harrison mehr Erfindungsgabe besitzt, als ich ihr zugetraut hätte.«

Wexford lachte, wurde dann aber sofort wieder ernst. »In einem Punkt können wir sicher sein, Barry. Dieses Verbrechen wurde von jemandem begangen, der dieses Haus und diese Menschen überhaupt nicht kannte, und einem zweiten, der beide wirklich sehr gut kannte.«

»Einer, der Bescheid wußte, und einer, der sich von ihm dirigieren ließ?«

»Besser könnte ich es selbst nicht ausdrücken«, sagte Wexford.

Er war mit Burdens Sergeant zufrieden. Wenn jemand einen heroischen Tod gestorben oder überhaupt gestorben ist, darf man nicht sagen, daß sein Nachfolger eine entschiedene Verbesserung sei oder daß diese Tragödie schließlich auch ihr Gutes gehabt habe. Doch das Gefühl oder einfach die unvermeidliche Erleichterung, daß Martins Nachfolger vielversprechend war, ließ sich nicht leugnen.

Barry Vine war ein kräftiger, muskulöser Mann von mittlerer Statur. Hätte er sich weniger gut gehalten, hätte man ihn als klein bezeichnen können. Er hütete es zwar nicht gerade wie ein Geheimnis, machte aber keinerlei Aufhebens davon, daß er regelmäßig ins Fitneß-Studio ging. Er hatte dichtes rötliches Haar, das er kurzgeschoren trug, und an seinem Haaransatz war bereits zu erkennen, daß es später zwar aus der Stirn zurückweichen, aber nie ganz ausfallen würde. Sein kleiner Schnauzer war dunkel, nicht rot. Manche Leute sehen immer gleich aus und sind auf der Stelle zu erkennen. Das Gedächtnis kann ihre Gesichter mühelos vors innere Auge rufen. Bei Barry Vine war das nicht so. Er hatte etwa Proteushaftes, so daß man ihn, in einer bestimmten Beleuchtung und aus einem bestimmten Blickwinkel betrachtet, als einen Mann mit scharfen Zügen und einer kantigen Kinnpartie bezeichnet hätte, während in anderen Momenten Nase und Mund geradezu weiblich wirkten. Seine Augen aber veränderten sich nie. Sie waren ziemlich klein, von einem ungetrübten, sehr dunklen Blau, und sie fixierten Freunde wie Verdächtige mit einem gleichbleibend festen Blick.

Wexford, den seine Frau einen Liberalen nannte, bemühte sich, tolerant und nachsichtig zu sein, und war bei aller Mühe (jedenfalls glaubte er das) dennoch oft reizbar.

Burden wäre vor seiner zweiten Heirat nie auf die Idee gekommen – oder er hatte nicht zugehört, wenn er auf solche Dinge hingewiesen wurde –, daß es irgendeinen Sinn haben oder einen Vorteil bringen könnte, andere Ansichten als die des starren Konservativen zu vertreten. Er hätte auch keinen Grund dafür gesehen, an der Vorstellung von der britischen Polizei als Torypartei mit Helm und Gummiknüppel zu rütteln.

Barry Vine dachte kaum über Politik nach. Er war ein waschechter Engländer, auf eine sonderbare Art mehr englisch als seine beiden Vorgesetzten. Er wählte diejenige Partei, die in der jüngsten Vergangenheit für ihn und für die Menschen, die ihm nahestanden, das meiste getan hatte. Es war ziemlich gleichgültig, ob sie sich als rechts oder links bezeichnete. »Das meiste getan«, bedeutete für ihn, das für ihn vorteilhafteste in Finanzdingen, indem die Partei ihm Geld spare, Steuern und Preise senkte und ihm das Leben angenehmer machte.

Während Burden glaubte, in der Welt ginge es besser zu, wenn sich andere öfter so wie er verhielten, und Wexford meinte, die Dinge würden besser werden, wenn die Menschen das Denken lernten, hielt Vine sich sogar von solch primitiver Metaphysik fern. Für ihn gab es einen großen (allerdings nicht ausreichend großen) Bevölkerungsanteil gesetzestreuer Bürger, die brav ihrer Arbeit nachgingen, ein eigenes Haus besaßen und mit ihrer Familie in mehr oder minder wohlhabenden Verhältnissen lebten, und einen Haufen anderer, für ihn auf den ersten Blick durchschaubar, selbst wenn sie sich vorläufig noch nichts hatten zuschulden kommen lassen. Das Interessante war, daß er nicht nach Klassenzugehörigkeit einteilte, wozu Burden vielleicht neigte. Er könne, erklärte er, einen potentiellen Verbrecher selbst dann wittern, wenn der Betreffende adelig war, einen Porsche und mehrere Millionen auf der Bank, die Ausdrucksweise eines Kunstgeschichtsprofessors in Cambridge oder den Tonfall eines Straßenarbeiters hatte. Vine war kein Snob und oft zunächst für den Straßenarbeiter voreingenommen. Daß er Verbrecher so rasch witterte, beruhte auf etwas ganz anderem, vielleicht so etwas wie Intuition, obwohl Vine selbst es gesunden Menschenverstand nannte.

Als er nun in Myringham in einem Pub namens *Slug and Lettuce* stand, wo sich, wie er herausgefunden hatte, Andy Griffins Freunde abends trafen, fuhr er rasch seine Antennen aus, um das kriminelle Potential der Männer abzuschätzen, denen er je ein Glas *Abbot* spendiert hatte.

Zwei von ihnen waren arbeitslos. Das hatte sie bisher nicht an regelmäßigen Besuchen im *Slug and Lettuce* gehindert, Wexford hätte es damit entschuldigt, daß Menschen nicht nur Brot, sondern auch Spiele brauchten; für Burden war es Willensschwäche, während Vine es als charakteristisch für Männer betrachtete, die die Augen für einträgliche Möglichkeiten offenhielten, gesetzesbrüchig zu werden. Einer der anderen war Elektriker und murmelte irgend etwas davon, daß er wegen der Rezession weniger zu arbeiten habe. Der vierte in der Runde war Ausfahrer bei einem Expreßkurier-Service. Er bezeichnete sich selbst als »mobilen Kurier«.

Ein Ausdruck, den Vines Ohren gar nicht gerne hörten, waren die sooft vor Gericht – von Angeklagten oder sogar von Zeugen – geäußerten Worte: »Es *könnte* sein, daß ich ...« Was sollte das bedeuten? Nichts. Weniger als nichts. Schließlich traf es auf jeden Menschen zu, daß er beinahe überall gewesen sein oder beinahe alles getan haben könnte.

Vine schenkte daher der Aussage eines der Arbeitslosen – Tony Smith –, daß Andy Griffin am 11. März abends im *Slug and Lettuce* gewesen sein könnte, keinerlei Beachtung. Die anderen hatten ihm bereits Tage vorher erklärt, daß sie Andy Griffin an diesem Abend nicht gesehen hätten. Kevin Lewis, Roy Walker und Leslie Sedar behaupteten steif und fest, daß Andy nicht mit ihnen zusammen gewesen sei, auch nicht hinterher im *Panda Cottage*. Wo er sich derzeit aufhielt, darüber äußerten sie sich weniger entschieden.

Tony Smith meinte, daß Andy am Sonntagabend »im alten *Slug* gewesen sein könnte«. Die anderen wollten dies weder bejahen noch verneinen. Am Sonntagabend ließen sie den Pub-Besuch immer ausfallen.

»Er fährt rauf in den Norden«, steuerte Leslie Sedar bei.

»Hat er Ihnen das erzählt, oder wissen Sie es sicher?«

Das war eine Unterscheidung, die jedem von ihnen schwerfiel. Aber Tony Smith bestand darauf, daß er es wisse.

»Er fährt mit dem Laster rauf in den Norden. Er fährt regelmäßig rauf.«

»Er hat keine Arbeit mehr«, sagte Vince. »Er hat schon seit einem Jahr keinen Job.«

»Als er noch seinen Job als Fahrer hatte, ist er regelmäßig raufgefahren.«

»Und heute?«

Er hatte gesagt, daß er in den Norden fahre, also fuhr er dorthin. Sie glaubten ihm. Tatsächlich war es so, daß es sie nicht sehr interessierte, wohin Andy Griffin fuhr. Warum auch? Vine fragte Kevin Lewis, den er als den vernünftigsten und vermutlich gesetzestreuesten der vier Männer eingestuft hatte, wo Andy seiner Meinung nach jetzt sei.

»Auf seinem Rad weggefahren«, sagte Lewis.

»Und wohin? Manchester? Liverpool?«

Sie schienen kaum zu wissen, wo diese Städte lagen. Für Kevin Lewis rief Liverpool Erinnerungen an seinen »Alten« herauf, der gerne vom *Mersey Sound* erzählte, einem Song, der zu seiner Jugend der letzte Schrei gewesen war.

»Er fährt also in den Norden. Angenommen, ich sage, das stimmt nicht, er treibt sich hier in der Gegend herum.«

Roy Walker schüttelte den Kopf. »Tut er nicht. Nicht Andy. Andy käm ins alte *Slug*.«

Vine wußte, wann er sich geschlagen geben mußte. »Woher hat er sein Geld?«

»Er geht stempeln, vermute ich«, sagte Lewis.

»Und das ist alles? Damit hat es sich?« Einfache Fragen stellen. Sinnlos, nach »zusätzlichen Einkommensquellen« zu fragen. »Und sonst kriegt er kein Geld?«

Diesmal antwortete Tony Smith. »Könnte sein.«

Sie verstummten. Mehr hatten sie nicht zu bieten. Ihre Phantasie war enorm strapaziert worden, und das hatte Erschöpfung zur Folge. Noch ein Glas *Abbot* hätte vielleicht etwas gebracht, aber Vine fand, daß es die Mühe nicht lohne.

Mrs. Virsons Stimme war laut, raumfüllend, das Produkt eines teuren Mädchenpensionats, das sie rund fünfundvierzig Jahre zuvor besucht hatte. Sie öffnete die Haustür des *Thatched House*, begrüßte ihn und bat ihn mit der Geste einer Fürstin einzutreten. Ihr großblumiges Kleid ließ sie unförmig wirken, als steckte sie in einem voluminösen Sesselüberzug. Sie hatte sich am Vormittag frisieren lassen. Die Löckchen und Wellen waren mit derart viel Spray fixiert, daß sie wie geschnitzt wirkten. Es war nicht anzunehmen, daß all dieser Aufwand ihm galt, aber irgend etwas hatte ihre Haltung ihm gegenüber seit seinem letzten Besuch verändert – vielleicht hatte Daisy energisch erklärt, daß sie bereit sei, ihn zu sehen und mit ihm zu sprechen?

»Daisy schläft, Mr. Wexford. Sie müssen wissen, daß sie noch immer sehr mitgenommen ist, und ich bestehe darauf, daß sie viel Ruhe bekommt.«

Er nickte, da er nichts zu sagen hatte.

»Sie wird rechtzeitig zum Tee aufwachen. Diese jungen Dinger haben, wie ich feststelle, einen sehr gesunden Appetit, auch wenn sie noch soviel durchgemacht haben. Gehen wir doch hier hinein und warten auf sie. Ich nehme an, daß es ein paar Dinge gibt, über die Sie mit mir plaudern möchten, habe ich nicht recht?«

Er war nicht der Mann, sich eine solche Chance entgehen zu lassen Wenn Joyce Virson ihm etwas sagen wollte – denn das mußte »plaudern« bedeuten –, würde er zuhören und abwarten, was dabei herauskam. Doch als sie dann in Mrs. Virsons Salon auf Sesseln, die mit ausgeblichenem Chintz bezogen waren, einander gegenübersaßen, zwischen ihnen ein zierlicher Teetisch, schien sie keine Neigung zu verspüren, ein Gespräch anzufangen. Sie war nicht verlegen oder befangen oder auch nur schüchtern. Sie war einfach nachdenklich und vielleicht unsicher, womit sie beginnen sollte. Er hütete sich, ihr entgegenzukommen. Angesichts seiner Position würde jede Hilfe wie ein Verhör wirken.

Plötzlich sagte sie: »Natürlich war das, was draußen

in Tancred House passiert ist, ganz furchtbar. Nachdem ich es erfahren hatte, habe ich zwei Nächte kein Auge zugetan. Es war schlechterdings das Entsetzlichste, was ich in meinem ganzen Leben gehört habe.«

Er wartete auf das »aber«. Leute, die so beginnen, mit der Beteuerung, daß sie ein tragisches Geschehnis oder großes Unglück ermessen könnten, schränken diese Feststellung zumeist anschließend ein. Die einleitende Bekundung von Einfühlungsvermögen soll eine Rechtfertigung für darauf folgende herabsetzende Bemerkungen abgeben.

Doch es kam kein »aber«. Sie überraschte ihn mit ihrer Direktheit. »Mein Sohn möchte, daß Daisy sich mit ihm verlobt.«

»Was Sie nicht sagen!«

»Mrs. Copeland war nicht dafür. Ich sollte wohl per Davina Flory oder Miss Flory oder sonstwas von ihr sprechen, aber alte Gewohnheiten sind schwer abzulegen, nicht? Tut mir leid, ich vermute, ich bin altmodisch, aber eine verheiratete Frau wird für mich immer ›Mrs.‹ sein, und dahinter der Name ihres Mannes.« Sie wartete, daß Wexford darauf etwas sagte, doch als er schwieg, fuhr sie fort: »Nein. Sie hat nichts davon gehalten. Damit will ich natürlich nicht sagen, daß sie etwas gegen Nicholas gehabt hätte. Es war nur so eine alberne Vorstellung – tut mir leid, aber ich fand sie albern –, daß Daisy etwas vom Leben haben sollte, bevor sie einen Hausstand gründet. Ich hätte ihr entgegenhalten können, daß zu ihrer Zeit, als sie in Daisys Alter war, die Mädchen möglichst früh geheiratet haben.«

»Haben Sie es getan?«

»Was getan?«

»Sie haben gesagt, Sie hätten ihr das entgegenhalten können. Haben Sie es getan?«

Mißtrauen huschte über ihr Gesicht und verschwand

wieder. Dann lächelte sie. »Es stand mir ja nicht zu, mich einzumischen.«

»Wie hat Daisys Mutter darüber gedacht?«

»Ach, wissen Sie, es hätte eigentlich keine Rolle gespielt, was Naomi dachte. Naomi hatte keine eigene Meinung. Sie müssen wissen, daß Mrs. Copeland für Daisy viel mehr Mutter als Großmutter war. *Sie* hat sämtliche Entscheidungen für das Mädchen getroffen. Wo sie zur Schule gehen sollte etc. Oh, sie hatte Großes vor mit Daisy beziehungsweise Davina. Sie bestand darauf, daß das Mädchen so genannt wurde, und richtete damit nur Verwirrung an. Ihre Zukunft war fest vorausgeplant, zuerst die Universität, Oxford *natürlich*, und dann sollte die arme, kleine Daisy ein Jahr lang auf Reisen gehen. Nicht dorthin, wo es ein junges Mädchen ziehen würde, Sie verstehen schon, nicht auf die Bermudas oder nach Südfrankreich oder in sonst eine verlockende Gegend, sondern in europäische Kunst- und Kulturzentren, nach Rom und Florenz zum Beispiel. Und danach sollte sie noch auf eine andere Universität, man muß sich das vorstellen, einen zweiten Abschluß machen oder was auch immer. Es tut mir leid, aber ich verstehe nicht, was all dieses Bildungszeug für ein hübsches, junges Mädchen bezwecken soll. Mrs. Copeland wollte, daß Daisy sich an irgendeiner Universität vergräbt. Daisy sollte eine ... wie heißt das gleich wieder?«

»Eine akademische Laufbahn einschlagen?«

»Ja, ganz recht. Die arme, kleine Daisy sollte es mit fünfundzwanzig Jahren zu etwas gebracht haben und dann ihr erstes Buch schreiben. Es tut mir leid, aber mir kommt das einfach lächerlich vor.«

»Und Daisy selbst? Wie dachte sie darüber?«

»Was weiß denn ein Mädchen dieses Alters schon? Sie weiß doch nichts vom Leben. O ja, wenn man immerfort von Oxford spricht und verkündet, wunder wie großartig es dort wäre, und dann wieder und wieder erzählt, wie wunderbar Italien ist, wie herrlich es wäre, vor diesem Bild oder jener Statue zu stehen, und wieviel besser man Dinge würdigen kann, wenn man einen solchen Bildungsweg hinter sich gebracht hat, und daß ... aber natürlich hat das eine gewisse Wirkung. In diesem Alter ist man ja so empfänglich für Eindrücke, einfach noch ein Baby.«

»Und eine Heirat«, sagte Wexford, »würde unter all das natürlich einen Schlußstrich ziehen.«

»Obwohl Mrs. Copeland dreimal verheiratet war, glaube ich trotzdem nicht, daß sie viel von der Ehe gehalten hat.« Sie beugte sich ihm vertraulich entgegen, senkte die Stimme und schaute kurz über die Schulter, als befände sich jemand am anderen Ende des Zimmers. »Was ich jetzt sage, weiß ich nicht sicher, es ist reine Vermutung, aber ich finde, es spricht viel dafür ... Ich bin überzeugt, Mrs. Copeland hätte nicht mit der Wimper gezuckt, wenn Nicholas und Daisy den Wunsch gehabt hätten, unverheiratet zusammenzuleben. Sie war nämlich vom Sex besessen! In ihrem Alter! Vermutlich hätte sie ein Verhältnis sogar begrüßt. Sie war ganz dafür, daß Daisy Erfahrungen sammelt.«

»Erfahrungen welcher Art?« fragte Wexford neugierig.

»Ach, Sie dürfen nicht bei jeder Kleinigkeit einhaken, die ich von mir gebe, Mr. Wexford. Sie hatte einfach den Wunsch, daß Daisy *was vom Leben hat*. Sie selber, hat sie oft gesagt, hätte wirklich *was vom Leben gehabt*, und das glaube ich ihr aufs Wort, mit all diesen Ehemännern und ihrer Herumreiserei. Aber Heiraten, nein, diese Vorstellung war gar nicht nach ihrem Geschmack.«

»Möchten Sie, daß Ihr Sohn Daisy heiratet?«

»O *ja*, das möchte ich. Sie ist so ein reizendes Kind. Und aufgeweckt natürlich, und so hübsch. Tut mir leid, aber ich möchte nicht, daß mein Sohn ein reizloses Mädchen heiratet. Sie finden das vermutlich nicht sehr nett gedacht, aber es wäre doch ein Jammer – ein gutaussehender Mann mit einer reizlosen Ehefrau.« Joyce Virson spreizte ganz leicht das Gefieder. Es gab kein anderes Wort dafür, wie sie den Hals länger machte, indem sie den Kopf etwas mehr hob und sich mit einem pummeligen Finger am Kiefer entlangfuhr. »Wir kommen aus zwei gutaussehenden Familien.« Sie sah Wexford mit einem schelmischen Lächeln, beinahe flirtend an. »Natürlich ist die arme Kleine bis über beide Ohren in ihn verliebt. Wie sie ihm nachschaut, das sagt schon alles. Sie betet ihn an.«

Wexford dachte schon, sie würde ihre nächsten Bemerkungen mit der üblichen Bekundung des Bedauerns für eine Ansicht einleiten, die sie nicht im mindesten bedauerte, aber sie erging sich nur über Daisys Qualifikationen, die für ein Einheiraten in die Familie Virson sprachen. Daisy habe *sie* so gern, sei so wohlerzogen, so ausgeglichen und so gutmütig.

»Und so reich«, sagte Wexford.

Mrs. Virson riß es richtig. Sie fuhr so heftig zusammen wie jemand, der gleich einen Anfall bekommen wird. Ihre Stimme stieg um zwanzig oder dreißig Dezibel.

»Das hat nicht das geringste damit zu tun. Wenn Sie die Größe unseres Hauses und unseren gesellschaftlichen Ruf hier bedenken, werden Sie kaum auf den Gedanken verfallen, daß es hier an Geld fehle. Mein Sohn bezieht ein sehr gutes Gehalt, er ist durchaus imstande, für eine Frau zu sorgen, und zwar...«

Er erwartete, daß sie jetzt etwas über den Lebensstil sagen würde, den Daisy gewohnt war, aber sie beherrschte sich und sah ihn nur finster an. Angewidert von ihrer Heuchelei hatte er gefunden, daß der Zeitpunkt für einen Hieb unter die Gürtellinie gekommen war. Und der Schlag hatte gesessen, noch besser als erhofft. Er lächelte in sich hinein.

»Sie haben keine Bedenken, daß sie vielleicht noch zu jung ist?« sagte er. Das Lächeln wurde nun auch ihr zuteil, breit und entwaffnend. »Sie haben sie ja gerade ein Baby genannt.«

Die Antwort darauf blieb Joyce Virson erspart, weil Daisy ins Zimmer trat. Er hatte ihre Schritte draußen in der Diele gehört. Sie lächelte ihn matt an. Der Arm war zwar noch bandagiert, der Verband aber nicht mehr so dick und die Schlinge schmäler. Er sah sie, wie ihm jetzt klar wurde, zum erstenmal aufrecht und in Bewegung. Sie war magerer und zerbrechlicher, als er erwartet hatte.

»Wofür bin ich zu jung?« fragte sie. »Ich bin heute achtzehn geworden, ich habe heute Geburtstag.«

Mrs. Virson kreischte auf: »Daisy, Sie schlimmes Kind, warum haben Sie uns nichts gesagt? Ich hatte keinen Schimmer. Sie haben ja kein Wort davon gesagt.«

Sie versuchte, ein erstauntes Lachen zustande zu bringen, aber Wexford merkte ihr an, daß sie sich ärgerte. Sie war höchst verärgert. Daisys Enthüllung strafte ihre Behauptung Lügen, sie stehe auf vertrautem Fuß mit dem Mädchen, das in ihrem Haus zu Gast war.

»Ich nehme doch an, Sie haben bei Nicholas eine Andeutung fallenlassen, damit er eine Überraschung organisieren konnte.«

»Soviel ich weiß, hat er keine Ahnung. Er hat sich das Datum sicher nicht gemerkt. Ich habe jetzt auf der ganzen Welt keinen Menschen mehr, der noch weiß, wann ich Geburtstag habe.« Sie sah Wexford an und sagte leichthin und trotzdem theatralisch: »Mein Gott, wie traurig!«

Er entschied sich für eine altmodische Formel: »Herzlichen Glückwunsch zum Wiegenfest.«

»Aha, Sie sind taktvoll, Sie sind vorsichtig. Sie würden nicht ›*Happy* birthday‹ sagen. Nicht zu mir. Es wäre furchtbar, eine Kränkung. Glauben Sie, daß Sie nächstes Jahr noch an meinen Geburtstag denken? Werden Sie sich am Tag vorher sagen: ›Morgen ist Daisys Geburtstag?‹ Vielleicht sind Sie der einzige, der das tun wird?«

»Was für ein Unsinn, mein Kind. Nicholas wird ihn sich bestimmt merken. Es liegt an Ihnen, dafür zu sorgen, daß er darauf kommt. Es tut mir leid, aber Männer brauchen eine zarte Andeutung, wissen Sie, um nicht zu sagen, einen kleinen Rippenstoß.« Joyce Virsons Ausdruck war aggressiv und kokett zugleich. Daisy erlaubte sich nur einen kurzen Blick zu Wexford. »Sollen wir jetzt in das andere Zimmer gehn?«

»Ach, warum nicht hier bleiben, mein Kind? Hier ist es gemütlich und warm, und ich werde auch nicht hinhören. Ich vertiefe mich in mein Buch. Ich werde nichts mitbekommen.«

Wexford war entschlossen, nicht in Mrs. Virsons Gegenwart mit Daisy zu sprechen. Doch ehe er dies aussprach, wollte er Daisys Antwort abwarten. Sie wirkte so weit weg, so entrückt in ihrer Trauer, daß er eine apathische Zustimmung erwartete, statt dessen aber sagte sie bestimmt: »Nein, es ist besser, wir sprechen unter vier Augen. Wir wollen Sie nicht aus Ihrem Zimmer vertreiben, Joyce.«

Er folgte ihr in das »kleine Reich«. Dort angekommen, sagte sie: »Sie meint es ja gut.« Es erstaunte ihn, wie jung sie sein konnte – und wie alt. »Ja, ich bin heute achtzehn geworden. Ich denke, nach dem Begräbnis fahre ich nach Hause. Möglichst bald danach. Jetzt, da ich achtzehn bin, kann ich doch tun, was ich will. Alles, was ich will, ohne jede Einschränkung?«

»Soweit jeder von uns das kann, ja. Innerhalb der Gesetze können Sie tun, was Sie wollen.«

Sie stieß einen tiefen Seufzer aus. »Ich will die Gesetze nicht übertreten. Ich weiß nicht, was ich möchte, aber ich glaube, es ist besser, wenn ich nach Hause fahre.«

»Vielleicht machen Sie sich nicht ganz klar, was Sie empfinden werden, wenn Sie Ihr Zuhause wieder vor sich sehen«, warnte Wexford. »Nach dem, was dort geschehen ist. Es wird Sie schmerzvoll an jenen Abend erinnern.«

»Jener Abend wird mich immer begleiten«, sagte sie. »Er kann nicht präsenter sein, als wenn ich die Augen schließe. Dann sehe ich wieder alles vor mir, wissen Sie. Sobald ich die Augen zumache. Ich seh den Tisch – davor und danach. Ich frage mich, ob ich es überhaupt wieder fertigbringen werde, mich an einen Eßtisch zu setzen. Hier bekomme ich mein Essen auf einem Tablett. Ich habe darum gebeten.« Sie verstummte, lächelte plötzlich und blickte ihn an. Er bemerkte ein seltsames Glühen in ihren dunklen Augen. »Wir sprechen immer nur über mich. Erzählen Sie mir doch von sich. Wo wohnen Sie? Sind Sie verheiratet? Haben Sie Kinder? Haben Sie Menschen, die an Ihren Geburtstag denken?«

Er erzählte ihr, wo er wohnte, daß er verheiratet war, zwei Töchter und drei Enkel hatte. Ja, sie hätten seinen Geburtstag im Kopf, mehr oder weniger.

»Ich wollte, ich hätte einen Vater.«

Warum, fragte sich Wexford, hab ich versäumt, danach zu fragen? »Aber Sie haben doch einen, oder nicht? Sehen Sie ihn manchmal?«

»Ich hab ihn noch nie gesehen. Jedenfalls kann ich mich nicht erinnern, ihn gesehen zu haben. Mom und er wurden geschieden, als ich noch ein Baby war. Er lebt in London, aber er hat nie signalisiert, daß er mich sehen möchte. Was nicht heißen soll, daß ich den Wunsch hätte, ihn bei mir zu haben. Ich wollte, ich hätte überhaupt einen Vater.«

»Aber ich nehme doch an, Ihr ... äh, der Mann Ihrer Großmutter hat in Ihrem Leben die Vaterrolle übernommen.«

Der ungläubige Blick, den sie ihm zuwarf, war vielsagend. Aus der Tiefe kam ein Geräusch, halb verächtliches Schnauben, halb Husten. »Ist Joanne aufgetaucht?«

»Nein, Daisy. Wir machen uns Sorgen um sie.«

»Ach, der ist schon nichts passiert. Was könnte denn schon passiert sein?«

Ihre heitere Sorglosigkeit verschärfte seine Besorgnis nur noch. »Wenn sie dienstags Ihre Mutter besucht hat«, sagte er, »kam sie dann immer mit dem Wagen?«

»Natürlich.« Sie wirkte überrascht. »Ach so, Sie meinen, ob sie zu Fuß gekommen ist? Da hätte sie gute fünf Meilen marschieren müssen. Außerdem geht Joanne nie zu Fuß wohin. Ich weiß nicht, warum sie hier auf dem Land wohnt. Sie haßt alles, was mit dem Land zu tun hat. Ich nehme an, es hängt mit ihrer alten Mutter zusammen. Jetzt fällt mir was ein – ja, manchmal kam sie mit einem Taxi. Aber nicht, weil ihr Wagen kaputt war. Joanne trank ja gern ein Gläschen, und dann hatte sie einen Bammel vor dem Fahren.«

»Was können Sie mir über gewisse Leute namens Griffin sagen?«

»Die haben früher bei uns gearbeitet.«

»Und ihr Sohn, Andy, haben Sie den gesehen, seit sie weggezogen sind?«

Sie warf ihm einen eigenartigen Blick zu. Es war, als wunderte sie sich, daß er auf etwas so Unerwartetes oder Geheimes gestoßen war. »Ja, einmal. Wie komisch, daß Sie danach fragen. Es war im Wald. Ich bin im Wald spazierengegangen und habe ihn gesehen. Sie kennen unsere Wälder vermutlich überhaupt nicht, aber es war in der Nähe der Nebenstraße, der kleinen Straße, die nach Osten führt. Gleich bei den Walnußbäumen. Kann sein, daß er mich gesehen hat, ich weiß es nicht. Ich hätte etwas zu ihm sagen, hätte ihn fragen sollen, was er da zu suchen hat, aber ich hab's nicht getan, warum, das weiß ich nicht. Es hat mir *angst* gemacht, als ich ihn so plötzlich sah. Ich hab niemandem was davon erzählt. Er hat sich ohne Erlaubnis dort herumgetrieben. Davina hätte sich darüber furchtbar aufgeregt, aber ich hab ihr nichts davon erzählt.«

»Und wann war das?«

»Ach, irgendwann im vergangenen Herbst. Im Oktober, wenn ich mich recht erinnere.«

»Wie ist er wohl da hingekommen?«

»Er hatte früher ein Motorrad. Ich nehme an, er hat es noch immer.«

»Sein Vater sagt, er habe einen Job bei einem Amerikaner gehabt. Kann es sein – es schien mir so –, daß der Kontakt durch Ihre Familie zustande kam?«

Sie überlegte. »Davina hätte ihn nie empfohlen. Es könnte sich um Preston Littlebury handeln. Aber wenn Andy Griffin für ihn gearbeitet hat, dann höchstens als – na ja . . .«

»Als Chauffeur vielleicht?«

»Nicht mal das. Vielleicht hat er Littleburys Wagen gewaschen.«

»Schön. Es ist vermutlich nicht wichtig. Eine letzte Frage: Könnte der andere, der Mann, den Sie nicht gesehen haben, der das Haus verlassen und den Motor angelassen hat – könnte das Andy Griffin gewesen sein? Überlegen Sie bitte, ehe Sie antworten. Betrachten Sie es nur als eine Möglichkeit und lassen Sie sich durch den Kopf gehen, ob es irgend etwas gab, irgend etwas, was darauf hindeuten könnte, daß es Andy Griffin war.«

Sie schwieg. Sie wirkte weder betroffen noch irgendwie überrascht. Es war klar, daß sie seiner Bitte folgte und sich die Sache überlegte. Endlich sagte sie: »Es *könnte* so gewesen sein. Ich möchte es so formulieren: Es gab nichts, was mich sicher sein läßt, daß es nicht so war. Mehr kann ich nicht sagen.«

Wexford verabschiedete sich, nicht ohne ihr zu versichern, daß er zu der Beerdigung am Donnerstag kommen werde.

»Wenn Sie wollen, erzähle ich Ihnen, wie sich nach meiner Vorstellung das Ganze abgespielt hat«, sagte Burden. Sie waren in seinem Haus. Mark, sein Sohn, saß im Schlafanzug auf seinem Schoß. Jenny war in ihrem Abendkurs, Deutsch für Fortgeschrittene. »Ich hole Ihnen ein Bier, und dann erzähl ich's Ihnen. Nein, holen Sie doch das Bier, dann muß ich ihn nicht absetzen.«

Wexford kam mit zwei Dosen und zwei Bierkrügen zurück.

»Diese beiden Humpen sind identisch, wie Sie sehen. Dort im Regal steht ein dritter. Sie liefern ein anschauliches Beispiel über das Funktionieren unseres Wirtschaftssystems. Der, den Sie haben – halten Sie ihn mal bitte näher her –, ja, der, den haben Jean und ich auf unserer Hochzeitsreise in Innsbruck für fünf Schillinge gekauft. Allerdings lange vor der Einführung des Dezimalsystems. Der, den ich hier habe – er ist, genaugenommen, eine Winzigkeit kleiner –, den habe ich vor zehn Jahren erworben, als wir mit den Kindern dort waren. An sich der gleiche Krug, und er hat vier Pfund gekostet. Der dort im Regal ist viel kleiner und, wenn Sie mich fragen, kein besonders schönes Stück. Jenny und ich haben ihn letztes Jahr im Urlaub in Kitzbühel erstanden. Zehn Pfund fünfzig. Was sagt Ihnen das?«

»Daß die Lebenshaltungskosten gestiegen sind. Das hätte ich auch ohne drei Bierkrüge gewußt. Wie wär's jetzt mit Ihrem Tancred-Szenario anstatt dieser Ausführungen über vergleichende Keramik?«

Burden feixte. Er sagte ziemlich belehrend zu seinem Sohn: »Nein, Mark, du kannst Dads Bier nicht haben, genausowenig wie Dad deinen Saft bekommt.«

»Armer alter Dad. Das ist bestimmt ein großes Opfer. Also, was ist am Dienstagabend passiert?«

»Der Killer in der Bank, der mit der Akne im Gesicht, ich nenne ihn jetzt mal X.«

»Das ist aber originell, Mike!«

Burden ignorierte die Unterbrechung. »Der andere war Andy Griffin. Er war der, der sich auskannte, X hatte den Revolver.«

»Revolver«, sagte Mark.

Burden setzte ihn auf den Boden. Der kleine Junge nahm aus dem Haufen seiner Spielsachen eine Trillerpfeife aus Kunststoff, richtete sie auf Wexford und sagte: »Päng, päng!«

»Oh je, Jenny hat was dagegen, daß er mit Schußwaffen spielt. Eigentlich hat er ja keine.«

»Doch, jetzt schon.«

»Finden Sie, es wäre falsch, wenn er eine halbe Stunde vor dem Fernseher sitzt, bevor ich ihn ins Bett bringe?«

»Ich bitte Sie, Mike, Sie haben mehr Kinder als ich, Sie müßten das selbst wissen.« Als Burden noch immer zweifelnd dreinschaute, sagte Wexford ungeduldig: »Solange dabei nicht mehr Blut fließt als bei dem, was Sie mir erzählen wollen, und das ist ja unwahrscheinlich.«

Burden schaltete das Fernsehgerät an. »X und Andy machten sich auf den Weg nach Tancred House, im Jeep von X.«

»In *was*?«

»Es muß ein geländegängiges Fahrzeug sein.«

»Wo haben sie sich kennengelernt, diese zwei, X und Andy Griffin?«

»In einem Pub. Vielleicht im *Slug and Lettuce*.

Andy erzählt X von Davina Florys Schmuck, und dann schmieden sie ihren Plan. Andy kennt Brenda Harrisons Gewohnheiten. Er weiß, daß sie jeden Abend meldet, daß das Essen fertig ist, dann nach Hause geht und dabei die hintere Tür unabgeschlossen läßt.«

Wexford nickte. »Ein Punkt für Griffins Beteiligung, gut, ja.«

Burden, der erfreut wirkte, fuhr fort: »Sie biegen von der B 2428 ab und erreichen durch das Tor die Hauptzufahrt, nehmen aber die linke Abzweigung kurz vor der Mauer und dem Vorhof. Brenda Harrison ist nach Hause gegangen. Davina Flory, Harvey Copeland, Naomi Jones und Daisy Flory halten sich alle im Wintergarten auf. Deshalb hörte niemand, daß ein Fahrzeug auf das Haus zukommt, keiner sieht die Scheinwerfer, ganz, wie Andy Griffin kalkuliert hat. Es ist fünf nach halb acht.«

»Knapp bemessen. Angenommen, Brenda Harrison hätte sich fünf Minuten später auf den Heimweg gemacht oder die anderen wären fünf Minuten früher ins Eßzimmer gegangen?«

»Haben sie nicht getan«, sagte Burden schlicht. Dann fuhr er fort: »X und Andy betreten von der Rückseite das Haus und gehen über die hintere Treppe nach oben.«

»Das können sie nicht getan haben. Bib war doch noch da.«

»Um zur hinteren Treppe zu kommen, muß man nicht durch die Hauptküche. Und dort war sie, mit der Kühltruhe beschäftigt. In Davina Florys Zimmer suchen sie nach ihrem Schmuck und finden ihn. Dann durchsuchen sie auch die Schlafzimmer der anderen Frauen.«

»Das mußten sie, wenn sie fünfundzwanzig Minuten dafür gebraucht haben. Übrigens, warum haben sie in den Zimmern der beiden anderen Frauen keine Unordnung gemacht, in Davina Florys Zimmer aber ein Chaos veranstaltet, wenn sie alle durchsucht haben?«

»Dazu komme ich noch. Sie sind noch einmal in Davina Florys Zimmer gegangen, weil Andy Griffin dachte, dort sei ein noch wertvolleres Schmuckstück, das sie übersehen hätten. Und während sie dort die Sachen durcheinandergeworfen haben, hat man sie unten gehört, und Harvey Copeland verläßt das Eßzimmer, um nachzusehen, was los ist. Sie müssen angenommen haben, daß er über die vordere Treppe nach oben käme, also sind sie über die hintere nach unten...«

»Und mit ihrer Beute zur hinteren Tür raus, um abzuhauen. Sie haben nicht viel Schaden angerichtet, außer daß Davina Flory ein paar hoch versicherte Schmuckstücke abhanden kamen, an denen ihr ohnehin nicht viel lag.«

»Wir wissen, daß es nicht so war«, sagte Burden tiefernst. »Sie kamen durchs Haus in die Halle. Warum, weiß ich nicht. Vielleicht hatten sie aus irgendeinem Grund befürchtet, Brenda Harrison könnte zurückkommen. Oder sie dachten, Harvey Copeland sei oben und habe vor, durch die ganze Galerie und über die hintere Treppe wieder nach unten zu gehen. Aber wie dem auch sei, sie kamen in die Halle und trafen dort Copeland an, der auf halber Höhe der Treppe war. Er dreht sich um, sieht sie und erkennt auf der Stelle Andy Griffin. Er steigt ein paar Stufen hinunter, ruft Andy eine Drohung zu oder den Frauen im Eßzimmer, daß sie die Polizei anrufen sollen...«

»Wenn es so war, hat Daisy ihn nicht gehört.«

»Sie hat es vergessen. Sie hat ja selbst zugegeben, daß sie sich an Einzelheiten des Geschehens nicht mehr erinnern kann. Sie sagt auf diesem Band, das wir gemacht haben: ›Ich habe mich sehr angestrengt, aber irgend etwas blockiert die Erinnerung.‹ Harvey bedrohte also Andy Griffin und wurde von X erschossen. Er fiel nach hinten, quer über die unteren Stufen. Andy bekam es jetzt noch mehr als vorher mit der Angst zu tun. Er fürchtete, erkannt zu werden. Er hörte aus dem Eßzimmer eine Frau schreien. Während X die Tür zum Eßzimmer aufstieß, rannte Griffin zur Haustür und hinaus ins Freie.

X erschoß die beiden Frauen und schoß auf Daisy. Dann hörte er, daß oben irgend jemand viel Lärm veranstaltete. Es war die Katze, aber das konnte er nicht wissen. Daisy war auf dem Boden zusammengebrochen, er hielt sie für tot und folgte Andy durch den Hauseingang ins Freie, wo der Jeep auf ihn wartete. Andy hatte das Fahrzeug von der Rückseite des Hauses, wo sie es stehengelassen hatten, nach vorne geholt...«

»Es haut nicht hin, Mike. Um diese Zeit verließ Bib Mew das Haus. Sie ist zur hinteren Tür hinausgegangen und auf ihrem Rad weggefahren. Daisy hat gehört, wie ein Motor ansprang, nicht, wie ein Fahrzeug ›nach vorne geholt‹ wurde.«

»Das ist nicht weiter von Belang. Würde sie es beschwören, Reg? Ihre Mutter und ihre Großmutter waren vor ihren Augen erschossen worden, sie selbst war angeschossen, sie liegt verletzt und blutend auf dem Boden. Und stellen Sie sich das Krachen vor, das dieser Colt veranstaltet haben muß – und da soll sie unterscheiden können zwischen einem Wagen, der anspringt, und einem, der fährt?«

Mark, der eine Sendung über Löwen ansah, die Gnus töteten und ausweideten, wandte die Augen vom Schirm ab und sagte fröhlich: »Verletzt und blutend.« Er nickte und richtete die Trillerpfeife auf seinen Vater.

»Mein Gott, ich muß ihn ins Bett schaffen. Laß mich das nur noch zu Ende bringen, Mark. Also, während Andy Griffin hinter dem Haus ist, um den Jeep zu holen und X im Eßzimmer sein blutiges Chaos anrichtet, trifft Joanne Garland *in einem Taxi* ein. Wieder einmal hat sie Angst gehabt, selbst zu fahren, weil sie ein, zwei Gläschen gekippt hat...«

»Wo? Bei wem?«

»Das bleibt abzuwarten. Das wird sich noch herausstellen. Sie hat den Wagen bezahlt, und er ist weggefahren. Sie hatte sich überlegt, telefonisch ein zweites Taxi zu bestellen, wenn sie mit Naomi Jones durch die Bücher war. Es ist jetzt zehn nach acht. Sie soll zwar erst um halb neun kommen, aber wir wissen ja, daß sie zu den Überpünktlichen gehört und immer zu früh erscheint.

Die Haustür ist offen. Sie tritt ein, vielleicht ruft sie etwas. Sie sieht Harvey Copelands Leiche mit ausgestreckten Armen und Beinen quer auf der Treppe liegen, vielleicht hört sie auch den letzten Schuß. Macht sie kehrt und rennt davon? Vielleicht. Inzwischen ist Andy Griffin mit dem Jeep erschienen. Er springt heraus und packt sie. X kommt aus dem Haus, tötet Joanne Garland *mit der sechsten und letzten Kugel in der Trommel*, und dann verstauen sie die Leiche auf dem Rücksitz.

Aus Furcht, sie könnten jemandem auf der Straße begegnen, Gabbitas, uns, irgendeinem Besucher, fahren sie *durch* den Wald, wobei sie Wege benutzen, die ein Jeep schafft, nicht aber eine durchschnittliche Limousine.« Burden hob seinen Sohn vom Boden auf und schaltete den Fernsehapparat ab. Der kleine Junge hielt noch immer seine Trillerpfeife umklammert. »Vorbehaltlich einiger kleiner Ergänzungen, finde ich, daß es sich nur so abgespielt haben kann.«

Wexford fragte: »Weswegen sind sich denn die Harrisons und die Griffins in die Haare geraten?«

Burdens Gesicht hatte sich kurz vor Ärger verzogen. War das alles? War das die ganze Reaktion auf seine Analyse, und sonst nichts? Er zuckte die Achseln. »Andy Griffin hat sie zu vergewaltigen versucht.«

»*Was?*«

»Das ist *ihre* Darstellung. Die Griffins behaupten, sie sei ihm gegenüber zudringlich geworden. Anscheinend hat er auf dieser Basis Geld erpressen wollen, und Brenda Harrison hat es Davina Flory erzählt. Deshalb mußten die Griffins wegziehen, wenn sie aus der Sache draußen gehalten werden sollten.«

»Den wollen wir uns mal vorknöpfen, Mike.«

»Das werden wir«, sagte Burden und trug seinen Sohn ins Bett. Mark feuerte mit seiner Trillerpfeife über die väterliche Schulter und brüllte auf dem Weg nach oben immer wieder: »Verletzt und blutend, verletzt und blutend.«

13

Hatten diese Menschen denn außer den Virsons und Joanne Garland keine Freunde – diese reiche und angesehene Familie, deren Mittelpunkt eine Schriftstellerin und ein Wirtschaftsprofessor und ehemaliger Abgeordneter bildeten? Wo waren Daisys Schulfreunde? Die Bekannten aus der Umgebung?

Diese Fragen hatten Wexford von Anfang an beschäftigt. Doch die Art des Verbrechens schloß eine Beteiligung von bislang unbescholtenen Bürgern aus, und seine übliche Ermittlungsmethode in einem Mordfall, die sich auf sämtliche Bekannten der Opfer erstreckte, war diesmal nicht zum Zug gekommen. Im Verlauf seiner Gespräche mit Daisy und, in geringerem Maß, mit den Harrisons und Gabbitas war ihm einfach der Gedanke gekommen, daß die Familie um Davina Flory anscheinend nicht allzu viele Freunde hatte.

Das Begräbnis zeigte ihm, daß er recht gehabt hatte – und unrecht. Trotz der Bekanntheit einer der Toten und des gesellschaftlichen Ansehens, das die anderen dadurch genossen, hatte Wexford angenommen, daß die Leute, die um Davina Flory und ihre Angehörigen trauerten, erst am Gedenkgottesdienst teilnehmen würden. Daisy hatte gesagt, daß ein solcher stattfinden werde. Man dachte an St. James an der Picadilly in London, wollte aber zwei Monate vergehen lassen. Zu dem Trauergottesdienst in der Pfarrkirche von Kingsmarkham würden sicher nur wenige kommen, nur ein paar Menschen würden wohl die Särge zu dem weit entfernten Friedhof begleiten. Wie sich dann herausstellte, standen die Leute vor dem Gotteshaus Schlange.

Jason Sebright vom *Kingsmarkham Courier* stand im Eingang vor der Kirche und war damit beschäftigt, sich Namen zu notieren, als der Chief Inspector eintraf. Wexford wurde rasch klar, daß die Schlange aus Reportern bestand, und versuchte sich mit Hilfe seines Dienstausweises an ihnen vorbeizudrängen. St. Peter war ein stattlicher Bau, eine jener englischen Kirchen, die in anderen Ländern Kathedralen genannt würden, mit einem riesigen Schiff, zehn Seitenkapellen und einer Kanzel, so groß wie eine Dorfkirche. Das Gotteshaus war beinahe voll.

Nur die vorderen Bänke auf der rechten Seite und hier und da ein Sitzplatz waren noch nicht besetzt. Wexford ging zu einem dieser freien Plätze am linken Seitenchor. Das letzte Mal war er hier gewesen, als er Sheila bei ihrer Hochzeit zum Altar führte. Eine Ehe, die in die Brüche gegangen war, dann ein paar Liebesaffären und jetzt Augustine Casey... Er schob es weg, dachte nicht mehr daran und betrachtete die Versammelten. Die Orgel begann mit einem Choralvorspiel, Bach vermutlich.

Das erste bekannte Gesicht war ein Mann, den er auf einem Empfang anläßlich einer Buchpräsentation kennengelernt hatte. Amyas Ireland hatte ihn dorthin mitgenommen. Bei dem Buch, fiel ihm wieder ein, hatte es sich um die Geschichte einer Familie gehandelt, in der seit den Tagen Königin Viktorias in jeder Generation einer Polizist gewesen war, und der Lektor, der den Autor damals betreute, saß jetzt drei Reihen vor Wexford im Kirchenschiff. Alle anderen in seiner Bank wirkten auf ihn wie Verlagsleute, obwohl er nicht hätte sagen können, warum. Eine füllige Frau mit gelbem Haar unter einem breiten, schwarzen Hut erkor er, ebenfalls ohne nähere Anhaltspunkte, zu Davina Florys Agentin.

Die Trauergemeinde setzte sich überwiegend aus

Frauen vorgerückten Alters zuammen. Manche von ihnen wirkten professoral, so daß der Eindruck entstand, es handle sich um alte Freundinnen Davina Florys, vielleicht noch aus ihrer Zeit in Oxford. Anhand von Fotos, die er in den Zeitungen gesehen hatte, erkannte er eine angesehene Romanautorin, die jetzt in den Siebzigern war. Und der Mann neben ihr, war das nicht der Minister für die Künste? Sein Name wollte Wexford im Augenblick nicht einfallen, aber er war es bestimmt. Dann bemerkte er einen Mann mit einer roten Rose im Knopfloch – an diesem Ort ein fragwürdiger Geschmack –, den er im Fernsehen auf den Bänken der Opposition im Unterhaus gesehen hatte. Ein alter Freund von Harvey Copeland aus dessen Zeit als Abgeordneter? Joyce Virson hatte sich einen Platz ganz weit vorne gesichert. Von ihrem Sohn war nichts zu sehen. Und auch nichts von einem Mädchen.

Gerade als er überlegte, wer wohl den noch freien Platz neben ihm einnehmen werde, kam Jason Sebright herbeigeeilt und setzte sich.

»Ganze Horden von Kulturschickeria hier«, sagte er fröhlich, kaum imstande, seine Freude trotz des ernsten Anlasses zu verbergen. »Ich werde einen Artikel schreiben, mit der Überschrift ›Die Freunde einer bedeutenden Frau‹. Selbst wenn ich bei neun von zehn Leuten abblitze, müßte ich mindestens vier Exklusivinterviews bekommen.«

»Da wär mir mein Job lieber als Ihrer«, sagte Wexford.

»Ich habe meine Methode vom amerikanischen Fernsehen abgeschaut. Ich bin Halbamerikaner. Ich verbringe meinen Urlaub immer bei meiner Mutter«, vertraute er ihm in einem schauerlich übertriebenen Middle-West-Akzent an. »Wir haben hier in England noch allerhand zu lernen. Beim *Courier* haben sie immer eine Heidenangst davor, Leuten auf die Zehen zu treten, alle müssen mit Samthandschuhen angefaßt werden, und was ich ...«

»Pst, still jetzt, ja? Es fängt gleich an.«

Das Orgelspiel war verstummt. Schweigen trat ein. Kein Flüstern war zu hören. Es war, als hätten die Versammelten sogar aufgehört zu atmen. Sebright zuckte die Achseln und legte einen Finger auf die Lippen. Die sich ausbreitende Stille gab es einzig und allein in Kirchen: bedrückend, kalt, doch für manche Leute erhaben. Alle warteten und wurden allmählich von der Ehrfurcht vor dem Tod ergriffen.

Die ersten Orgelakkorde durchbrachen dröhnend die Stille. Wexford wollte seinen Ohren kaum trauen. Nicht mehr Händels Trauermarsch aus *Saul*, der wurde seit einiger Zeit überhaupt nicht mehr gespielt. Die drei Särge wurden unbeschreiblich langsam im Rhythmus dieser wunder- und furchtbaren Musik durch das Kirchenschiff getragen. Die Männer, die sie auf den Schultern trugen, bewegten sich mit den Schritten einer gemessenen Pavane voran. Jemand mit viel Sinn für Dramatik hatte sich diese Szene ausgedacht, ein junger Mensch, gefühlsbetont und von Tragik umgeben.

Daisy.

Sie ging hinter den drei Särgen, völlig allein. Vielmehr, Wexford dachte, sie sei allein, bis er sah, wie Nicholas Virson, der sie in die Kirche geleitet haben mußte, nach einem Platz suchte. Sie war ganz in Schwarz gehüllt, aber vielleicht trug sie auch nur die Sachen, die jedes Mädchen ihres Alters haufenweise im Kleiderschrank hatte, Trauerkleidung, die man gewohnheitsmäßig in der Disco oder auf einer Party trug. Das Kleid war eine enge, schwarze Röhre und reichte bis zu den Knöcheln hinab, die in schwarzen Stiefeln steckten. Sie hatte sich in schwer definierbares, schwarzes Tuch gehüllt, darunter etwas, was sich ausnahm wie ein Mantel und beinahe Mantelform hatte.

Ihr Gesicht war kreidebleich, der Mund scharlachrot bemalt. Blicklos starrte sie vor sich hin. Schließlich nahm sie in der vordersten Kirchenbank Platz.

»Ich bin die Auferstehung und das Leben, spricht der Herr...«

Mit ihrem Sinn für das Dramatische – und auch für das Passende? – hatte sie dafür gesorgt, daß Texte aus dem anglikanischen Gebetsbuch von 1662 verwendet wurden. Aber, sagte sich Wexford, traue ich ihr nicht vielleicht zuviel zu? War es vielleicht Joyce Virsons Idee oder der gute Geschmack des Geistlichen? Sie war ein bemerkenswertes Mädchen. Ein beunruhigendes Warnsignal stieg in ihm auf, dessen Ursprung er nicht erkennen konnte.

»Herr, laß mich mein Ende und die Zahl meiner Erdentage wissen, auf daß ich gewiß sein kann, wie lange ich zu leben habe...«

Von dem Wind war im Ort nichts zu bemerken gewesen. Vielleicht aber war er auch erst in der vergangenen halben Stunde aufgekommen. Wexford erinnerte sich an eine Sturmwarnung in der Wettervorhersage vom vergangenen Abend. Der Wind, scharf wie eine Messerschneide, pfiff über dieses Gräberfeld, das noch vor ein paar Jahren ein grüner Hügel gewesen war.

Warum eine Erd- und keine Feuerbestattung? Vielleicht ebenfalls einer von Daisys dramatischen Einfällen oder aber eine testamentarische Verfügung. Danach, so hatte ihm der Anwalt gesagt, werde keine Testamentsverlesung folgen, überhaupt nichts, auch nicht das übliche gesellige Beisammensein mit Sherry und Kuchen. »Unter den gegebenen Umständen«, hatte der Anwalt gesagt, »wäre das ganz und gar unangebracht.«

Keine Blumen. Daisy, so stellte sich heraus, hatte statt dessen um Spenden für verschiedene Zwecke gebeten.

Ein Großteil der Anwesenden würde davon wahrscheinlich nicht begeistert sein. Gaben für Bangladesh, für einen Fonds zur Linderung des Hungers in Äthiopien, für die Labour Party und den Verein zum Schutz von Katzen.

Für das Ehepaar war ein gemeinsames Grab ausgehoben worden. Die Ruhestätte daneben war für Naomi Jones bestimmt. Beide Gräber waren mit künstlichem Rasen eingesäumt, dessen Grün matter war als die Friedhofswiese. Die Särge wurden in die Gräber gesenkt, und eine der betagten professoralen Damen trat nach vorn, um eine Handvoll Erdreich auf Davina Florys sterbliche Überreste zu werfen.

»Kommt, ihr gesegneten Kinder meines Vaters, und empfangt das Königreich, das von Anbeginn der Welt für euch bereitet wurde...«

Es war zu Ende, der letzte Akt des Dramas vorüber. Nun ging es hinaus in den beißend kalten Wind. Mantelkragen wurden hochgeschlagen, Arme schmiegten sich an fröstelnde Körper in unzureichender Kleidung. Jason Sebright ließ sich dadurch nicht abschrecken, von einem Trauergast zum anderen zu gehen und keck seine Bitte vorzutragen. Statt des früher gebräuchlichen Notizbuches hatte er ein Aufnahmegerät dabei. Es überraschte Wexford keineswegs, wie viele Leute positiv reagierten. Manche dachten wahrscheinlich, ihre Antworten würden live übertragen.

Er hatte nicht mit Daisy gesprochen. Er beobachtete, wie ein Trauergast nach dem anderen auf sie zutrat, und wie ihre Lippen sich bewegten, während sie knappe Antworten gab. Eine der alten Damen drückte ihr einen Kuß auf die weiße Wange.

»Ach, mein liebes Kind, und dabei war die arme Davina ja nicht mal religiös, nicht?«

Eine andere sagte: »Dieser entzückende Gottesdienst. Es läuft einem doch eiskalt über den Rücken.«

Ein schon älterer Herr mit gepflegtem Boston-Akzent umarmte sie und drückte in einer impulsiven Geste – in der anscheinend zum Ausdruck kam, daß ihn die Gefühle übermannten – ihr Gesicht an seinen Hals. Als sie den Kopf hob, sah Wexford, daß ihre Lippen einen scharlachroten Abdruck an seinem weißen Kragen hinterlassen hatten. Er war hochgewachsen und spindeldürr, trug einen kleinen, grauen Schnurrbart und eine Fliege. Preston Littlebury, Andy Griffins früherer Arbeitgeber?

»Sie haben mein tiefstes Mitgefühl, meine Liebe, das wissen Sie.«

Wexford sah, daß er sich getäuscht hatte, was die jungen Mädchen betraf. Eines jedenfalls hatte dem trauererfüllten Tag und dem unwirtlichen Wetter getrotzt, ein magerer, blasser Teenager in einer schwarzen Hose und Regenmantel. Die ältliche Frau neben ihr sagte: »Ich bin Ishbel Macsamphire, meine Liebe. Letztes Jahr in Edinburgh – erinnern Sie sich? Mit der armen Davina. Und dann bin ich Ihnen mit Ihrem Freund begegnet. Das ist meine Enkelin . . .«

Daisy benahm sich gegenüber allen Leuten tadellos. Der Kummer verlieh ihr eine enorme Würde. Sie brachte, wie er schon einmal beobachtet hatte, das schwierige Kunststück zustande, die Beileidsbekundungen mit Haltung, doch ohne ein Lächeln zu beantworten. Einer nach dem anderen zog sich zurück, und dann war sie einen Augenblick allein. Sie stand da und blickte den Leuten nach, die auf ihre Autos zugingen, als hielte sie nach irgend jemandem Ausschau. Mit großen Augen, die Lippen ein wenig geöffnet. Es war, als suchte sie nach einem Trauergast, dessen Kommen sie erwartet hatte. Der Wind packte ihren langen, schwarzen Schal und zog ihn wie ein flatterndes Band von ihr weg. Sie fröstelte und zog kurz den Kopf ein, bevor sie auf Wexford zuging.

»Gott sei Dank, das wäre ausgestanden! Ich dachte, ich würde vielleicht in Tränen ausbrechen oder ohnmächtig werden, aber das ist nicht passiert.«

»Ihnen passiert so was doch nicht. Haben Sie nach jemandem gesucht, der nicht gekommen ist?«

»O nein. Wie kommen Sie denn darauf?«

Nicholas Virson kam auf sie zu. Obwohl sie es bestritten hatte, mußte er der Gesuchte sein, ihr »junger Freund«, denn sie senkte den Kopf ein wenig, als beugte sie sich irgendeiner Notwendigkeit, als fügte sie sich in etwas. Sie nahm seinen Arm und ließ sich von ihm zu seinem Wagen führen. Seine Mutter saß bereits darin und spähte durch die beschlagene Scheibe des Seitenfensters.

Wexford hatte vor Jahren gelegentlich – und mit präziser Voraussicht – von seiner Tochter Sheila gedacht, was für eine gute Schauspielerin sie abgeben würde, und das gleiche dachte er jetzt. Nun ja, Sheila war Schauspielerin geworden, Daisy aber schauspielerte nicht. Daisy war aufrichtig. Sie war schlicht und einfach einer jener Menschen, die nicht anders können, als persönlichen Tragödien etwas Dramatisches abzugewinnen. Hatte nicht Graham Greene irgendwo geschrieben, daß jeder Romanautor in seinem Herzen einen Eissplitter habe? Vielleicht würde sie auch in diesem Punkt in die Fußstapfen ihrer Großmutter treten.

Die Fußstapfen der Großmutter. Er lächelte in sich hinein, in Gedanken bei dem Spiel, wenn Kinder einem auf Zehenspitzen folgen, um zu sehen, wie dicht sie an den Vordermann herankommen, bis der sich umdreht und sie kreischend davonrennen.

»Wir haben zwei Schlüsselbunde bei ihr gefunden«, sagte Karen. »Außerdem ihr Scheckbuch, aber kein Bargeld und keine Kreditkarten.«

Das Haus war luxuriös eingerichtet, die Küche aufwendig ausgestattet. Im Bad, das an Mrs. Garlands Schlafzimmer angrenzte, waren ein Bidet und eine Dusche mit Jet-Strahl, an der Wand ein Fön befestigt.

»Wie in einem Luxushotel«, sagte Karen kichernd.

»Ja, und ich dachte, das wird so gemacht, daß die Gäste ihn nicht mitgehen lassen können. Aber das ist ja ein Privathaus.«

Karen wirkte unsicher. »Schon, aber auf diese Weise kann man ihn nicht verlegen, oder? Man muß sich nicht lang überlegen, wo man ihn beim letztenmal hingelegt hat.«

Wexford hatte mehr den Eindruck, daß Joanne Garland Geld ausgegeben hatte, um eben Geld auszugeben. Sie hatte wohl nicht gewußt, was sie mit ihrem Einkommen anfangen sollte. Eine elektrische Hosenbügelmaschine? Warum nicht? Obwohl im Kleiderschrank, wie sich zeigte, nur eine einzige Hose hing. Ein Zweittelefon im Bad? Damit man nicht mehr tropfnaß, in ein Handtuch gewickelt, ins Schlafzimmer laufen mußte. Der »Fitness-Raum« enthielt ein Trimmrad, ein Rudergerät, eine Apparatur, die Wexford an nichts stärker erinnerte als an die Bilder, die er von der Eisernen Jungfrau in Nürnberg gesehen hatte, sowie etwas, das möglicherweise eine Tretmühle war.

»Auf denen mußten die armen Teufel in den Arbeitshäusern früher auf und nieder trampeln«, sagte Wexford. »Und sie hat so was zum *Vergnügen*.«

»Na ja, um fit zu bleiben, Sir.«

»Und das da, das ist alles für die Kondition?«

Sie waren wieder im Schlafzimmer, wo er die umfassendste Sammlung von Kosmetika und Schönheitspräparaten sah, die er jemals außerhalb eines Warenhauses erschaut hatte. Diese Dinge waren nicht in den Schubfächern einer Frisierkommode oder auf einer Glasplatte über dem Waschbecken, sondern in einer extra dafür aufgestellten großen Vitrine.

»Im Bad ist noch mehr davon«, sagte Karen.

»Das hier sieht mehr aus wie etwas, das man sich in die Nase steckt«, sagte Wexford und hielt eine braune Flasche mit einem goldenen Verschluß und einem Tropfenzähler hoch. Er schraubte den Verschluß einer Dose auf und schnüffelte an dem Inhalt, einer dickflüssigen, süß duftenden gelben Creme. »Das Zeug könnte man essen. Die Sachen wirken doch nicht, oder?«

»Ich vermute, sie geben den armen, alten Leutchen Hoffnung«, sagte Karen mit der ganzen arroganten Gleichgültigkeit ihrer dreiundzwanzig Jahre. »Man glaubt, was man liest, meinen Sie nicht auch, Sir? Die Leute glauben, was auf den Etiketten steht. Jedenfalls die meisten.«

»Ja, so ist es wohl.«

Was ihn am meisten frappierte, war die Ordnung, die hier herrschte. Es sah aus, als hätte die Eigentümerin schon ziemlich lange vorher gewußt, daß sie verreisen werde. Aber niemand verreist auf längere Zeit, ohne irgend jemandem ein Wort davon zu sagen. Eine Frau mit einer so großen Familie wie Joanne Garland verreist nicht, ohne Mutter und Geschwistern Bescheid zu sagen. Seine Gedanken kehrten zu jenem Abend und zu Burdens Szenario zurück. Es war kein sehr überzeugendes Szenario gewesen, hatte aber gleichwohl manches für sich.

»Wie geht es mit der Überprüfung der Taxiunternehmen im Bezirk voran?«

»Es gibt eine Menge, Sir, aber wir haben sie bald durch.«

Er versuchte sich mögliche Motive für eine wohlhabende, alleinstehende Frau mittleren Alters auszudenken, die im März plötzlich verreist, ohne ihren Angehörigen, den Nachbarn oder ihrer Geschäftspartnerin etwas davon zu sagen. Ein Liebhaber aus früheren Zeiten, der wieder aufgetaucht war und sie im Sturm erobert hatte? Unwahrscheinlich im Fall einer nüchtern denkenden Geschäftsfrau von vierundfünfzig Jahren. Ein Anruf von weither, daß jemand, der ihr nahestand, im Sterben lag? In diesem Fall hätte sie ihre Angehörigen informiert.

»War ihr Paß im Haus, Karen?«

»Nein, Sir. Aber vielleicht hatte sie keinen. Wir könnten ihre Schwestern fragen, ob sie überhaupt irgendwann mal im Ausland war.«

»Wir könnten? Wir werden.«

Als Wexford wieder im Stallgebäude von Tancred war, wurde ein Anruf zu ihm durchgestellt. Er kannte den Anrufer nicht, hatte auch nie von ihm gehört. Es war der stellvertretende Direktor der Strafanstalt Royal Oak Prison außerhalb von Crewe in der Grafschaft Cheshire. Natürlich wußte Wexford Bescheid über das Royal Oak, das berühmte Hochsicherheitsgefängnis der Kategorie B, das als therapeutische Einrichtung geführt wurde und wo man noch immer – Jahre nachdem solche Theorien aus der Mode gekommen waren – an dem Grundsatz festhielt, Kriminelle könnten therapeutisch »geheilt« werden. Obwohl das Royal Oak die gleiche Rückfallquote verzeichnete wie alle anderen englischen Gefängnisse, schien es die Insassen wenigstens nicht zu noch übleren Gesellen zu machen.

Der stellvertretende Direktor sagte, sie hätten einen Häftling, der Wexford sehen möchte, der um Wexfords Besuch gebeten und seinen Namen genannt habe. Der Gefangene sitze eine lange Strafe wegen eines Mordversuchs und gewalttätigen Raubs ab und befinde sich derzeit im Gefängniskrankenhaus.

»Er glaubt, daß es mit ihm zu Ende geht.«

»Und stimmt das?«

»Ich weiß es nicht. Er heißt Hocking, James Hokking. Wird Jem Hocking genannt.«

»Noch nie was von ihm gehört.«

»Er hat von Ihnen gehört, Kingsmarkham, ist das richtig? Er kennt Kingsmarkham. Wurde nicht einer Ihrer Beamten dort vor fast einem Jahr erschossen?«

»O ja«, sagte Wexford. »Das war einer von unseren Leuten.«

A. George Brown. War Jem Hocking der Mann, der unter dem Namen George Brown ein Auto gekauft hatte?

Mrs. Griffin sagte ihnen, Andy sei noch nicht zurückgekommen. »Aber wir haben einen Anruf von ihm bekommen, nicht wahr, Terry? Er hat gestern abend aus dem Norden angerufen. Wo, hat er gesagt, war er gleich wieder, Terry? In Manchester, ja?«

»Er hat aus Manchester angerufen«, sagte Terry Griffin. »Er wollte, daß wir uns keine Sorgen um ihn machen. Wir sollten wissen, daß es ihm gut geht.«

»Haben Sie sich denn Sorgen gemacht?«

»Es geht nicht darum, ob wir uns Sorgen gemacht haben oder nicht. Es geht darum, daß Andy gedacht hatte, wir könnten uns Sorgen um ihn machen. Wir haben es sehr rücksichtsvoll von ihm gefunden. Es ruft ja nicht jeder Sohn Mom und Dad an, um sie zu beruhigen, wenn er erst seit zwei Tagen fort ist. Ja, man macht sich schon Sorgen, wenn er auf seinem Fahrrad unterwegs ist. Ein Rad wäre nicht mein Fall, aber was soll ein junger Kerl machen, bei den Preisen, die sie heute für Autos verlangen. Nein, es war sehr rücksichtsvoll und aufmerksam von ihm, daß er angerufen hat.«

»Ganz unser Andy«, sagte seine Mutter stolz. »Er war schon immer ein sehr rücksichtsvoller Junge.«

»Hat er gesagt, wann er zurückkommt?«

»Danach wollte ich nicht fragen. Ich erwarte nicht von ihm, daß er uns jeden Schritt erzählt, den er tut.«

»Und seine Adresse in Manchester haben Sie nicht?«

Mrs. Griffin war wieder einmal zu rücksichtsvoll gewesen, um sich danach zu erkundigen.

Die Frau mit dem Namen Bib ließ Wexford ins Haus. Sie trug einen roten Trainingsanzug und darüber eine Schürze. Als Wexford sagte, daß Mrs. Harrison ihn erwartete, gab sie eine Art Grunzen von sich und nickte, sagte aber kein Wort. Sie ging mit einem wiegenden Gang voraus wie jemand, der zu lange auf einem Schiff gewesen ist.

Brenda Harrison war im Wintergarten. Es war sehr warm hier, etwas feucht, und ein süßer Duft erfüllte den Raum. Der Duft kam von zwei Zitronenbäumchen in blauweißen Fayencekübeln. Sie blühten und trugen zugleich Früchte. Die Blüten waren weich und wächsern anzusehen. Brenda Harrison hatte mit einer Gießkanne, Pflanzendünger und Papiertaschentüchern hantiert, mit denen sie die Blätter glänzend rieb.

»Obwohl ich wirklich keine Ahnung habe, für wen ich das alles tue.«

Die blau und weiß bedruckten Sonnenblenden waren dicht unter das Glasdach hochgezogen. Queenie, die Perserkatze, saß auf einem der Fenstersimse und fixierte mit ihren hyazinthenfarbenen Augen einen Vogel, der draußen auf einem Ast saß. Der Vogel zwitscherte im Regen, und seine Koloraturen ließen die Zähne der Katze klappern.

Brenda Harrison, die auf dem Boden gekniet hatte, stand auf, wischte sich die Hände an ihrer Kittelschürze ab und sank in einen Korbsessel.

»Ich würde gern mal hören, wie diese Griffins die Sache darstellen. Ich würde wirklich gern hören, was die Ihnen erzählt haben.«

Darauf ging Wexford nicht ein. Er sagte nichts.

»Natürlich hatte ich mir vorgenommen, kein Wort zu sagen. Nicht zu euch Brüdern, mein ich damit. Es wäre gegenüber Ken nicht fair gewesen. So hab ich es jedenfalls gesehen. Nicht schön für Ken, hab ich mir gesagt. Und wenn man sich das überlegt, was das, daß Andy Griffin aus irgendeinem Grund auf mich scharf wird und all diese blöden Sachen probiert, was das mit Kriminellen zu tun haben soll, die Davina und Harvey und Naomi erschießen? Doch gar nichts, oder?«

»Erzählen Sie mir's doch mal, Mrs. Harrison.«

»Ich werd wohl müssen. Es ist sehr unangenehm. Ich weiß ja, ich sehe viel jünger aus, als ich bin – jedenfalls bekomme ich das immer wieder zu hören –, und so hätte es mich vielleicht nicht überraschen sollen, daß Andy frech geworden ist.«

Wexford wunderte sich über Mrs. Harrisons Eitelkeit, die Wahnvorstellungen, die dieser faltigen, verschrumpelten Person eingaben, sie sehe jünger aus als ihre fünfzig und weiß Gott wie viele Jährchen. Und was überhaupt konnte einen daran freuen oder stolz machen, wenn man jünger wirkte, als man war? Es war ihm immer ein Rätsel gewesen. Als ob sich ein bestimmtes Verdienst damit verbände, wenn man wie fünfundvierzig aussah, aber fünfzig war. Und wie, übrigens, sah man mit fünfzig aus?

Sie starrte ihm ins Gesicht, suchte nach den richtigen Worten, um damit das Geschehene zu enthüllen oder möglicherweise zu verdunkeln. »Er hat mich angefaßt. Ich wär beinahe tot umgefallen.« Wie in Vorwegnahme der Frage legte sie eine Hand auf die linke Brust und schaute weg. »Es ist in meinem eigenen Haus passiert. Er war in die Küche gekommen, während ich eine Tasse Tee trank. Natürlich gab ich ihm auch eine. Aber glauben Sie nur nicht, daß ich was für ihn übrig hatte.

Er ist ein übler Kerl. O ja. Ich übertreibe nicht. Er ist nicht einfach sonderbar, er ist ein mieser Charakter. Man braucht sich ja nur seine Augen anzusehen. Als wir hierher zogen, war er noch ein kleiner Bengel, aber nicht wie andere Kinder, er war nicht normal. Seine Mutter, die hätte gern gehabt, daß man ihn mit Daisy spielen läßt – na, man kann sich gut vorstellen, daß das passiert wär, oder? Sogar Naomi hat nein gesagt, nicht nur Davina. Er bekam oft Tobsuchtsanfälle, man hat sein Geschrei durch die Wände gehört, stundenlang hat er geplärrt. Sie konnten ihn einfach nicht bändigen.

Er kann keinen Tag älter als vierzehn gewesen sein, als ich ihn erwischt hab, wie er mich durchs Badezimmerfenster angepeilt hat. Gott sei Dank hatte ich alle meine Sachen an, aber das konnte er ja nicht wissen, als er zu gaffen angefangen hat, nicht? Darauf hatte er's abgesehen: mich zu erwischen, wenn ich nichts anhatte.«

»Im *Badezimmer*?« sagte Wexford. »Wie hat er das geschafft? Ist er auf einen Baum geklettert?«

»In diesen Häusern sind die Bäder im Erdgeschoß. Fragen Sie mich nicht, warum das so ist. Sie wurden so gebaut. Er mußte aus ihrem Haus nur durch die Hecke und draußen warten. Nicht lange danach hat mir seine Mutter erzählt, daß sich eine Dame in Pomfret wegen der gleichen Geschichte über ihn beschwert hätte. Hätte ihn einen Spanner genannt. Natürlich hat *sie* gesagt, daß es eine gräßliche Verleumdung wäre und die Frau ihm was hätte anhängen wollen, ihrem armen Andy, aber ich wußte Bescheid.«

»Und was ist in Ihrer Küche passiert?«

»Als er mich angefaßt hat, meinen Sie das? Ach, ich möchte nicht ins Detail gehen und werd es auch nicht tun. Danach, als er fort war, dachte ich bei mir, es ist ja nur dazu gekommen, weil er verrückt nach dir war und sich nicht beherrschen konnte. Aber er hätte sich beherrschen können, als er am Tag darauf wiederkam und Geld von mir wollte, hab ich nicht recht?«

Queenie schlug mit einer Pfote leicht gegen die Scheibe. Der Vogel flog weg. Plötzlich regnete es in

Strömen, das Wasser peitschte gegen die Scheiben. Die Katze sprang vom Sims und lief steif auf die Tür zu. Statt aufzustehen, um ihr zu helfen, wie Wexford es von einer so engagierten Tierfreundin erwartet hätte, blieb Brenda Harrison sitzen und schaute gespannt zu Queenie hin. Gleich darauf wurde klar, worauf sie wartete. Die Katze stellte sich auf die Hinterbeine, packte mit der rechten Pfote den Türgriff und zog ihn nach unten. Die Tür ging auf, und das Tier schritt mit hochgerecktem Schwanz hinaus.

»Mir erzählen sie nicht, daß die nicht intelligenter sind als jeder Mensch«, sagte Brenda Harrison zärtlich.

»Ich würde gern mehr über diesen Notzuchtsversuch hören, Mrs. Harrison.«

Das Wort gefiel ihr nicht. Ihr faltiges Gesicht überzog sich mit einem tiefen Rot. »Ich weiß wirklich nicht, warum Sie derart auf Details versessen sind.« Sie wollte wohl andeuten, daß sein Interesse in Wahrheit Lüsternheit sei. Mit gesenkten Augen begann sie verlegen einen Zipfel ihrer Kittelschürze zu kneten. »Wie gesagt, er hat mich angefaßt. Ich habe gesagt: ›Laß das.‹ Er hat gesagt: ›Warum denn nicht? Mögen Sie mich denn nicht?‹ ›Es geht nicht darum, ob ich dich mag oder nicht‹, hab ich gesagt, ›ich bin eine verheiratete Frau.‹ Dann hat er mich an den Schultern gepackt und gegen das Abwaschbecken gedrückt und angefangen, sich an mir zu reiben. Bitte, Sie wollten ja Einzelheiten hören. Es macht mir gar keinen Spaß, darüber zu sprechen.

Ich hab mich gewehrt, aber er war viel stärker als ich, das ist doch klar, daß er das war. Ich hab zu ihm gesagt, er soll mich loslassen, sonst würde ich auf der Stelle zu seinem Vater gehen und es ihm sagen. Er hat gefragt, ob ich unter dem Rock was anhätte, und wollte ihn mir runterziehen. Da hab ich ihm einen Fußtritt versetzt. Auf dem Abtropfbrett lag ein Messer, so ein Messerchen, das ich fürs Gemüse benutze, aber ich hab es gepackt und gesagt, ich ramme es in ihn hinein, wenn er mich nicht losläßt. Na ja, dann hat er mich losgelassen und mich beschimpft. Er hat mich eine N. U. T. E. genannt und gesagt, ich bin selber schuld, weil ich so enge Röcke trage.«

»Haben Sie es seinem Vater gesagt? Haben Sie irgend jemandem davon erzählt?«

»Ich dachte, wenn ich's für mich behalte, beruhigt er sich wieder. Ken ist ein sehr eifersüchtiger Mann. Das ist wohl nur zu verständlich. Ich hab einmal erlebt, daß er eine Szene gemacht hat, nur weil mich so ein Kerl im Bus angeschaut hat. Jedenfalls, am nächsten Tag ist Andy wiedergekommen. Er hat an die Haustür geklopft, und ich habe den Mann erwartet, der den Wäschetrockner warten sollte, und deshalb hab ich natürlich aufgemacht. Er hat sich ins Haus gedrängt. Ich hab zu ihm gesagt: ›Jetzt reicht's, diesmal bist du zu weit gegangen, Andy Griffin, ich werd mich bei deinem Vater *und* bei Mr. Copeland beschweren.‹

Er hat mich nicht angefaßt, hat nur gelacht. Er hat gesagt, wenn ich ihm nicht fünf Pfund gebe, erzählt er Ken, ich hätte ihn aufgefordert ... nun ja, mit mir was anzufangen. Er würde es seinen Eltern erzählen und auch Ken. Und die Leute würden *ihm* glauben, weil ich älter bin als er. ›Viel älter‹, hat er gesagt, wenn Sie es unbedingt wissen wollen.«

»Haben Sie ihm Geld gegeben?«

»Ich doch nicht. Denken Sie, ich bin bescheuert? Ich bin doch nicht von gestern.« Das Ironische an dieser letzten Bemerkung ging Brenda Harrison gar nicht auf, denn sie fuhr unbefangen fort: »Ich hab zu ihm gesagt, *publish and be damned*. Das hatte ich in einem Buch gelesen, und es ist mir immer wieder eingefallen, warum, das kann ich nicht sagen. ›*Publish and be damned*‹, hab ich gesagt, ›nur zu, tu dein Schlechtestes.‹ Er wollte fünf Pfund auf die Hand und bis auf weiteres fünf Pfund die Woche. Ja, das hat er gesagt, ›bis auf weiteres‹.

Als Ken nach Hause kam, hab ich ihm sofort alles erzählt. Er hat gesagt: ›Komm, Mädchen, wir gehn jetzt nach nebenan und knöpfen uns die Griffins vor. Das‹, hat er gesagt, ›wird ihnen bei Davina den Rest geben. Ich weiß, es ist unangenehm für dich‹, hat er gesagt, ›aber die Sache ist bald vorbei, und danach wirst du dich besser fühlen, weil du weißt, daß du dich richtig verhalten hast.‹ Also sind wir nach nebenan, und ich hab ihnen alles erzählt. In einem ruhigen Ton, ohne mich aufzuregen, hab ich ihnen einfach in aller Ruhe gesagt, was er getan hatte und auch, wie er heimlich geguckt hat. Natürlich hat Mrs. Griffin einen hysterischen Anfall bekommen und gezetert, ihr Herzensjunge würde so was niemals tun, er, der so sauber und unschuldig ist und nicht weiß, wofür die Mädchen da sind, und all dieses Zeug. Ken hat gesagt: ›Ich gehe jetzt zu Mr. und Mrs. Copeland‹ – wir haben sie gegenüber den Griffins natürlich niemals beim Vornamen genannt, das hätte sich nicht gehört –, ›ich gehe jetzt zu Mr. und Mrs. Copeland‹, und das hat er getan, und ich bin mit.

Also, die Sache ist dann so ausgegangen, daß Davina gesagt hat, Andy muß weg. Sie könnten bleiben, aber Andy muß fort. Die Alternative – das hat sie gesagt, die Alternative – bestünde darin, die Polizei zu holen, aber das wollte sie nicht, wenn es sich vermeiden ließ. Mrs. Griffin wollte nichts davon wissen, sie wollte sich von ihrem Andy nicht trennen lassen, und so haben sie gesagt, sie würden alle weggehen, Mr. Griffin würde vorzeitig in Pension gehen, obwohl mir unklar ist, was sie mit ›vorzeitig‹ gemeint hat. Für mich sieht er aus wie fast siebzig.

Natürlich mußten wir es mit ihnen danach noch wochenlang aushalten, monatelang. Immerhin hatte Andy damals einen Job, irgendeinen Hilfsarbeiterjob für einen amerikanischen Freund von Harvey. Bei dem hat Harvey in der Güte seines Herzens ein gutes Wort für diesen Andy eingelegt. Also haben wir wenigstens von *ihm* nicht mehr viel gesehen. Ich hatte zu Ken gesagt: ›Komme, was da wolle, ich werd mit keinem von denen mehr ein Wort wechseln.‹ Ich hab gesagt: ›Ich werd durch sie hindurchsehen, wenn wir ihnen zufällig draußen begegnen‹, und das hab ich auch getan, und schließlich sind sie ausgezogen, blieb ihnen ja nichts anderes übrig, und John Gabbitas ist gekommen.«

Wexford schwieg einen Moment lang. Er schaute hinaus in den Regen. Auf dem grünen Gras bildeten Krokusse wie hingewehte purpurrote Flecke. Die Forsythien waren aufgegangen und leuchteten strahlend gelb an diesem öden, nassen Tag.

»Wann haben Sie Mrs. Garland zum letztenmal gesehen?«

Der Themenwechsel schien sie zu überraschen. Wexford hatte den Verdacht, daß sie nun, da die Sache heraus war, keineswegs abgeneigt wäre, sich über die Eifersucht ihres Ehemannes und ihre eigenen unwiderstehlichen Reize auszulassen. Sie antwortete ihm recht mürrisch.

»Das ist Monate her, Jahre. Ich weiß, daß sie meistens am Dienstagabend hier rauskam, aber gesehen habe ich sie nie. Ich war immer schon vorher nach Hause gegangen.«

»Also hat Mrs. Jones Ihnen gesagt, daß sie kommen würde?«

»Ich weiß nicht, ob sie was davon erwähnt hat«, sagte Brenda Harrison gleichgültig. »Warum hätte sie es tun sollen?«

»Dann also...«

»Woher ich's gewußt habe? Ah, jetzt wird mir klar, was Sie meinen. Daß sie die Autos von Kens Bruder benutzt hat, oder?« Wexfords offensichtliche Verblüffung entlockte ihr eine Erklärung. »Unter uns gesagt, sie hat gern ein Gläschen gekippt, ja, das hat sie. Und manchmal auch zwei oder drei. Man versteht es ja, nicht? Nach einem ganzen Tag in diesem Laden. Ich frag mich, wie sie es geschafft haben, überhaupt was zu verkaufen. Es ist mir wirklich schleierhaft, wie sich diese Geschäfte halten können. Jedenfalls, manchmal, wenn sie zuviel geschluckt hatte, das heißt, wenn sie glaubte, daß sie über der Promille-Grenze war, wollte sie sich nicht selber ans Steuer setzen. Dann hat sie Kens Bruder angerufen, damit er ihr einen von seinen Wagen schickt. Um sie hier rauszubringen oder sie hinzufahren, wohin sie gerade wollte. Sie schwimmt ja im Geld, hat sich nie was dabei gedacht, ein Taxi zu nehmen.«

»Ihr Schwager hat ein Taxiunternehmen?«

Mrs. Harrison nahm einen besonderen, vornehmen, leicht hochmütigen Ausdruck an. »So würde ich es nicht ausdrücken. Er macht keine Reklame für sich, er hat Privatkundschaft, ein paar exklusiv ausgewählte Kunden.« Dann erfaßte sie plötzlich Unruhe. »Es hat alles seine Richtigkeit. Sie brauchen kein solches Gesicht zu machen. Ich gebe Ihnen seinen Namen, wir haben nichts zu verbergen, ich gebe Ihnen sämtliche Auskünfte, die Sie wünschen. Können Sie gerne haben.«

Wenn Amyas Ireland früher ein Buch herausgebracht hatte, von dem er annahm, es könnte seinen Freund interessieren, schenkte er Wexford ein Exemplar. Es freute den Chief Inspector immer, wenn er abends nach Hause kam und das an ihn adressierte Päckchen vorfand, den wattierten Umschlag mit dem Namen und dem Signet des Verlags darauf. Doch seit Carlyon-Brent geschluckt worden war, hatte er nichts mehr bekommen, und so war er überrascht, als er sah, daß ihn ein

Päckchen erwartete, das größer war als gewöhnlich. Diesmal war das Signet der Löwe von St. Giles Press mit einer blühenden Kaiserkrone im Maul, doch innen steckte zwischen den Büchern ein Blatt mit dem vertrauten Briefkopf und einer Erklärung von Amyas.

Angesichts der besonderen Umstände, schrieb er, habe er gedacht, Wexford könnte an drei von Davina Florys Büchern interessiert sein, die sie derzeit in einer neuen Aufmachung herausbrächten: *Die heilige Stadt, Die andere Seite der Mauer* und *Midians Gastfreunde*. Wenn Reg ein Exemplar des ersten – und nun leider einzigen – Bandes der Autobiographie haben möchte, brauche er nur darum zu bitten. Reg wisse vermutlich davon, daß sie geschluckt worden waren, aber vielleicht nichts von den anschließenden personellen Veränderungen und seiner, Amyas' Sorge um das Schicksal des alten Verlages. Es sei eine sorgenvolle Zeit gewesen. Jetzt aber scheine alles in Ordnung gekommen zu sein, und Carlyon Quick, wie sie fortan hießen, habe eine wunderbares Herbstprogramm in Planung. Besonders entzückt seien sie, daß sie sich die Rechte an Augustine Caseys neuem Roman, *The Lash*, hätten sichern können.

Das genügte beinahe, um Wexford die Freude an den Davina-Flory-Büchern zu vergällen. Während er den ersten der drei Bände flüchtig durchblätterte, klingelte das Telefon. Es war Sheila. Sie rief immer Donnerstag abends an. Er lauschte, während Dora mit ihr sprach, und gab sich seinem Lieblingszeitvertreib hin: anhand der erstaunten, erfreuten oder auch nur interessierten Reaktionen seiner Frau zu erraten, was ihre Tochter sagte.

An diesem Abend ließen sich Doras Worte nicht wie üblich einordnen. Er hörte ein enttäuschtes »Aber nein« und ein noch stärkeres Bedauern, als sie sagte: »Findest du das gut? Hast du dir denn auch genau die möglichen Konsequenzen überlegt?« Wexford fühlte, wie ihm das Herz schwer wurde und er sich innerlich anspannte. Er erhob sich aus seinem Sessel, setzte sich dann wieder hin und lauschte.

Dora sagte in jenem kalten, steifen Ton, den er haßte, wenn er selbst damit angesprochen wurde: »Ich nehme an, du willst mit deinem Vater sprechen.«

Er nahm den Hörer aus ihrer Hand. Bevor er zu sprechen begann, dachte er unwillkürlich: Sie hat die wunderbarste Stimme, die ich jemals von einer Frau vernommen habe.

Die wunderbare Stimme sagte: »Mutter ist sauer auf mich. Ich nehme an, du wirst auch böse sein. Ich habe die Rolle abgelehnt.«

Eine herrliche Beschwingtheit erfaßte ihn, eine köstliche Erleichterung. Wenn das *alles* war! »In *Fräulein Julie*? Ich hoffe, du weißt, was du da tust.«

»Das weiß nur Gott allein. Ich begleite nämlich Gus nach Nevada. Ich hab die Rolle abgelehnt, um Gus zu begleiten.«

14

Auf dem Bahnhof Kingsmarkham informierten beleuchtete Digitalbuchstaben das Publikum, daß ein neuartiges Abfertigungssystem in Betrieb genommen worden sei. Mit anderen Worten: Statt mit zwei oder drei Leuten gemütlich vor einem Fahrkartenschalter zu warten, mußte man sich zwischen Absperrschnüren in einer Reihe aufstellen. Es war so schlimm wie im Londoner Bahnhof Euston. Oben in der Nähe des Bahnsteigs, von dem der Zug nach Manchester abfahren sollte, stand ein Schild, auf dem die Reisenden aufgefordert wurden: »Hier anstellen.«

Nichts über den Zug, keinerlei Höflichkeiten, keine Angaben, wann er abfahren werde, nur die selbstverständliche Annahme, daß die Menschen eine Schlange bilden würden. Es war schlimmer als seinerzeit im Krieg. Wexford konnte sich – gerade noch – an den Krieg erinnern, und wenn man damals das Anstellen vielleicht für selbstverständlich gehalten hatte, so war es doch wenigstens nicht amtlich vorgeschrieben worden.

Vielleicht hätte er sich von Donaldson fahren lassen sollen. Er hatte es nicht getan, weil er der Autobahnen und des dichten Verkehrs überdrüssig war. Die Züge fuhren heutzutage schnell, Züge gerieten nicht in den Stau anderer Züge, und zumindest unter der Woche wurden nicht ständig Reparaturen in Angriff genommen wie auf den Überlandstraßen. Die Züge *fuhren*, es sei denn, sie wurden von Schneefällen oder Orkanen behindert. Er hatte in Kingsmarkham eine Zeitung erstanden und las sie auf der Fahrt zur Victoria Station in London. Dort konnte er sich ja eine zweite kaufen oder sonst etwas, was seine Gedanken von Sheila und dem ablenkte, was am Abend vorher geschehen war. Andererseits hatte ihn die *Times* nicht hindern können, daran zu denken, warum sollte es also der *Independent* schaffen?

Die Menschenschlange wand sich recht elegant durch die breite Bahnhofshalle. Niemand protestierte, alle stellten sich klaglos hinten an. Die Schlange hatte beinahe einen Kreis gebildet, als wären diese Reisenden drauf und dran, einander die Hände zu reichen und *Auld Lang Syne*, das Lied auf die gute, alte Zeit anzustimmen. Dann öffnete sich die Schranke, und alle strömten hinein, nicht gerade drängelnd, aber ein bißchen schiebend, voll Ungeduld, den Zug zu erreichen.

Ein ziemlich neuer, eleganter und moderner Zug. Wexford hatte einen Platz reserviert. Er setzte sich, blickte auf die Titelseite seiner Zeitung und dachte an Sheila, hörte Sheilas Stimme. Ihr Klang in seinem Kopf ließ ihn zusammenzucken.

»Du hast ihn noch gar nicht gekannt, da warst du schon entschlossen, ihn zu hassen!«

Wie sie schimpfen konnte! Wie Shakespeares »Widerspenstige«, eine Rolle übrigens, in der sie seltsamerweise nicht erfolgreich gewesen war.

»Sei nicht albern, Sheila. Ich habe mir noch nie vorgenommen, irgendeinen Menschen zu hassen, ehe ich ihn kennengelernt hatte.«

»Es gibt immer ein erstes Mal. Oh, ich weiß den Grund. Du warst eifersüchtig, du wußtest, daß du wirklich Anlaß dazu hattest. Du hast gewußt, daß mir keiner von den anderen etwas bedeutet hat, nicht einmal Andrew. Ich war zum erstenmal in meinem Leben wirklich verliebt, und du hast die Gefahr gesehen, du warst entschlossen, jeden zu hassen, den ich liebte. Und warum? Weil du Angst hattest, ich würde ihn mehr lieben als dich.«

Sie hatten schon oft vorher gestritten. Sie waren

Menschen, die hitzig miteinander zanken, die Beherrschung verlieren, den Grund dafür binnen Minuten erfinden und wieder vergessen. Diesmal war es anders.

»Wir sprechen nicht über Liebe«, hatte er gesagt. »Wir sprechen über gesunden Menschenverstand und vernünftiges Verhalten. Du würdest vielleicht sogar die beste Rolle hinwerfen, die dir jemals angeboten wurde, um mitzutrotten in dieses Nest, nur damit du mit ihm beisammen sein kannst, mit diesem...«

»Sag es nicht! Beleidige ihn nicht!«

»Ich könnte ihn gar nicht beleidigen. Was wäre eine Beleidigung für einen solchen Schuft? Für diesen betrunkenen Clown mit seinen Unflätigkeiten? Die größten Beschimpfungen, die ich mir ausdenken könnte, würden ihm noch schmeicheln.«

»Mein Gott, ich hab ja viel von dir geerbt, aber deine Zunge nicht. Dafür bin ich dankbar. Hör mir zu, Vater...«

Er lachte laut hinaus. »Vater – seit wann nennst du mich denn Vater?«

»In Ordnung. Ich werde dir keinen Namen geben. Hör mir zu, ja? Ich liebe ihn mit meinem ganzen Herzen. Ich werde ihn nie mehr verlassen.«

»Du stehst jetzt nicht im *Olivier* auf der Bühne«, sagte Wexford gehässig. Er hörte, wie sie Luft holte. »Und wenn du so weitermachst, zweifle ich, ehrlich gesagt, ob du noch mal dort stehen wirst.«

»Ich frage mich«, sagte sie kühl – o ja, sie hatte viel von ihm geerbt! –, »ich frage mich, ob du dir schon einmal überlegt hast, wie ungewöhnlich es für eine Tochter ist, daß sie ein so enges Verhältnis zu ihren Eltern hat wie ich zu dir und Mutter, daß ich euch jede Woche ein paarmal anrufe, daß ich euch immer wieder besuche. Hast du dir schon mal überlegt, warum?«

»Nein. Aber ich weiß, warum. Der Grund ist, daß wir immer nett und fürsorglich und liebevoll zu dir waren, daß wir dich bis zum Exzeß verwöhnt haben, daß wir zugelassen haben, daß du mit uns Schlitten fährst. Und jetzt, da ich den Mumm aufgebracht habe, dir ein paar unangenehme Wahrheiten ins Gesicht zu sagen, über dich und diesen häßlichen, kleinen Angeber...«

Er hatte den Satz nicht vollenden können, war nicht mehr dazu gekommen zu sagen, was sein »Mumm« zur Folge haben werde, und inzwischen hatte er vergessen, was es war. Noch ehe er ein weiteres Wort heraus bekam, hatte sie den Hörer auf die Gabel geknallt.

Er wußte, daß er all das nicht zu ihr hätte sagen sollen. Seine Mutter hatte einmal vor langer Zeit einen Satz der Reue gesagt, der vielleicht in ihrer Jugend gebräuchlich gewesen war: »Komm zurück, alles, was ich gesagt habe!« Wenn es nur möglich wäre, alles zurückzurufen, was man unüberlegt gesagt hat! Mit Hilfe dieser Worte seiner Mutter Beschimpfungen und Sarkasmen zurückzunehmen, fünf Minuten aus der Welt zu schaffen. Aber es war nicht möglich, und niemand wußte es besser als er, daß kein einmal ausgesprochenes Wort sich ungesagt machen läßt, daß es nur eines Tages, wie alles, was sich im Menschenleben ereignet hat, in Vergessenheit geraten kann.

Das Portable steckte in seiner Jackentasche. Diese Apparate waren inzwischen keine Besonderheit mehr. Der Zug war vollbesetzt, zumeist Männer, die unterwegs per Telefon ihre Geschäfte abwickelten. Ich könnte sie anrufen, überlegte Wexford, vielleicht ist sie zu Hause. Aber es war möglich, daß sie auflegte, wenn sie seine Stimme vernahm. Wexford, der sich sonst kaum um die Meinung anderer Leute scherte, mißfiel im höchsten Maß die Vorstellung, seine Mitreisenden könnten beobachten, welche Wirkung dies auf ihn hätte.

Ein Servierwagen kam angefahren, mit Kaffee und den dreieckigen Allerwelts-Sandwiches in Plastik, die er so liebte. Hienieden gab es zwei Kategorien von Menschen – beziehungsweise unter jenen, die genug zu essen haben. Die einen, die sich über einen Kummer hinwegtrösten, indem sie essen, und die anderen, denen er den Appetit verdirbt. Wexford gehörte zur ersten Sorte. Er hatte gefrühstückt und würde vermutlich mittags etwas essen, aber er erstand trotzdem ein Sandwich mit Speck und Eiern. Während er es mit Genuß verzehrte, spürte er, wie in ihm die Hoffnung aufstieg, daß das, was ihn im Royal Oak erwartete, bis zu einem gewissen Grad Sheila aus seinen Gedanken vertreiben werde.

In Crewe nahm er ein Taxi. Der Fahrer wußte Bescheid über das Gefängnis, wo und was für eine Art Strafanstalt es war. Wexford fragte sich, welche Fahrgäste der Mann in der Regel wohl dorthin brachte. Besucher vielleicht, Freundinnen und Ehefrauen. Ein oder zwei Jahre vorher hatte die Leitung beantragt, »eheliche Begegnungen unter vier Augen« zu gestatten, doch das war prompt abgelehnt worden. Offensichtlich nahm die Sexualität unter den Vergünstigungen, die amtlicherseits keine Unterstützung erfuhren, einen der ersten Plätze ein.

Die Haftanstalt befand sich, wie sich herausstellte, ziemlich weit draußen auf dem Land. Sie stand, wie der Fahrer erläuterte, im Tal der Wheelock. Der Name Royal Oak, königliche Eiche, klärte er Wexford in der Art eines geübten Fremdenführers auf, stamme von einem Baum ehrwürdigen Alters, auf dem sich König Karl vor seinen Feinden verborgen habe. Welcher König Karl, das sagte er nicht, und Wexford ging der Gedanke durch den Kopf, wie viele solcher Bäume es in England geben mochte, zweifellos ebenso viele wie Betten, in denen Elisabeth I. geschlafen hatte. Einer, fiel ihm ein, stand im Cheriton Forest, an einem beliebten Picknick-Platz. Der Monarch mußte Jahre seines Lebens damit verbracht haben, sie alle zu besteigen.

Gewaltig, raumgreifend, häßlich. Die Mauer war sicher die höchste und längste in den Midlands. Kein Baum weit und breit. Ja, so kahl war die Ebene, auf der die Gruppe roter Backsteinbauten stand, daß sich der Name absurd ausnahm. *Her Majesty's Prison: Royal Oak*. Er war angekommen.

Wexford bat den Taxifahrer, ob er ihn wieder abholen könne. Er bekam eine Karte mit dem Namen der Firma. Er könne anrufen. Das Taxi verschwand ziemlich rasch, als könnte es problematisch werden, überhaupt von hier wegzukommen.

Einer der Gefängnisdirektoren, ein Mann namens David Cairns, servierte ihm in einem recht hübschen Raum mit Teppich und gerahmten Plakaten an den Wänden eine Tasse Kaffee. Im übrigen wirkte die Strafanstalt wie alle solche Einrichtungen, nur daß es hier besser roch. Während Wexford seinen Kaffee trank, sagte Cairns, daß er annehme, Wexford wisse Bescheid über das Royal Oak und auch darüber, daß es sich trotz des Mißtrauens der Behörden und zum Mißfallen des Innenministeriums habe halten können.

Trotzdem ließ es sich Cairns nicht nehmen, ihm das System zu erläutern. Offensichtlich war er stolz auf die Institution, ein Idealist mit leuchtenden Augen.

Paradoxerweise würden gerade die gewalttätigen und widerspenstigsten Delinquenten nach Royal Oak geschickt. Natürlich müßten sie den Wunsch äußern, hierhergebracht zu werden. Royal Oak sei so begehrt, daß sie im Augenblick eine Warteliste von über hundert Aspiranten hätten. Das Personal und die Insassen redeten einander mit Vornamen an. Gruppentherapie und Selbsthilfe unter den Häftlingen seien etwas Alltägliches. Die Häftlinge verkehrten ungehindert miteinander, da es hier, ein einzigartiger Fall, keine Trennung gemäß Vorschrift 43 und keine Hierarchie gebe: Mörder und Gewaltverbrecher ganz obenan, und Sittlichkeitsverbrecher waren die allerletzten.

Alle Insassen würden nach Royal Oak überwiesen, in der Regel aufgrund einer Empfehlung durch einen Gefängnisarzt. Was ihn daran erinnere, daß ihr eigener Erster Gefängnisarzt, Sam Rosenberg, Wexford gern sprechen würde, bevor er mit Jem Hocking zusammentraf. Wie gesagt, hier rede man sich ausnahmslos mit dem Vornamen an. Nichts vom üblichen »Sir Soundso« und »Dr. Soundso«.

Ein Wärter führte Wexford zum Krankenhaus, das in einem anderen Flügel untergebracht war. Sie kamen an Männern vorbei, die frei – frei in gewissen Grenzen – umhergingen, in Trainingsanzügen oder in Jeans und Sweatshirt. Er ließ es sich nicht nehmen, einen raschen Blick durch ein Fenster in einer Innenwand zu werfen, hinter dem gerade eine gruppentherapeutische Sitzung stattfand. Die Männer bildeten im Sitzen einen Kreis. Sie, so erklärte der Mann, der Wexford führte, öffneten dabei ihre Herzen und entblößten ihre Seelen, um auf diese Weise alle inneren Nöte an die Oberfläche zu bringen. Wexford fand, sie sähen ebenso jämmerlich und unglücklich aus wie die meisten Häftlinge.

Ein Geruch, der ihn an das Krankenhaus von Stowerton erinnerte, hing in der Luft: eine Mischung aus Limonensaft, Lysol und Schweiß. In allen Krankenhäusern riecht es gleich, ausgenommen Privatkliniken, dort riecht es nach Geld. Dr. Rosenberg war in seinem Zimmer, das aussah wie das Schwesternzimmer in Stowerton. Nur der Zigarettengeruch fehlte. Durchs Fenster waren die verlassene grüne Ebene und eine Reihe Strommasten zu sehen.

Soeben war Dr. Rosenbergs Lunch gebracht worden. Es reichte für zwei, wenig anregende, schleimige Häufchen auf kleinen Kissen aus gekochtem Reis, Hühnchen mit Curry vermutlich. Danach gab es in Folie abgepackten Obstkuchen mit Sahneersatz. Doch da Wexford aß, wenn er Probleme hatte, akzeptierte er sofort Dr. Rosenbergs Aufforderung, das Lunch zu teilen, während sie sich über Jem Hocking unterhielten.

Der Gefängnisarzt war ein kleiner, stämmiger Mann von vierzig Jahren mit einem runden Gesicht und einem Schopf vorzeitig ergrauter Haare. Er war angezogen wie die Häftlinge: Trainingsanzug und Turnschuhe.

»Was sagen Sie dazu?« fragte er und deutete mit einer Handbewegung auf Tür und Zimmerdecke. »Unsere Anstalt, meine ich. Bißchen anders als das ›System‹, nicht?«

Wexford verstand, daß sich das »System« auf das übrige Gefängniswesen bezog, und stimmte zu.

»Natürlich funktioniert es dem Anschein nach nicht. Wenn man mit ›funktionieren‹ meint, daß sie damit abgehalten werden, es noch mal zu tun. Andererseits ist das ziemlich schwer zu beweisen, weil die meisten kaum die Chance bekommen, überhaupt etwas noch mal zu machen. Alle lebenslänglich.« Sam Rosenberg schob die Reste seines Curry-Gerichtes mit einem Stückchen Brot zusammen. Anscheinend schmeckte ihm sein Lunch. »Jem Hocking hat darum ersucht, hierhergebracht zu werden. Er wurde im September verurteilt, wurde in die Wormwood Scrubs geschickt – es könnte auch Wandsworth gewesen sein –, und hat dort angefangen, den Laden auseinanderzunehmen. Er wurde kurz vor Weihnachten zu uns verlegt, und wir haben mit ihm hier begonnen, was wir, grob gesagt, ein ›Durchsprechen der Tat‹ nennen. Er hat sich eingewöhnt... nun ja, wie eine Ente ans Wasser.«

»Was hat er denn getan?«

»Weswegen er verurteilt wurde? Er ist in ein Haus eingedrungen, wo die Besitzerin, wie es hieß, die Einnahmen aus ihrem Geschäft übers Wochenende aufbewahrte, fand ungefähr fünfhundert Pfund in ihrer Handtasche und schlug die Frau halbtot. Sie war zweiundsiebzig. Er hat dazu einen sechs Pfund schweren Hammer benutzt.«

»Ein Revolver war nicht im Spiel?«

»Soviel mir bekannt ist, nein. Nehmen Sie doch ein Stück von dem Obstkuchen! Es sind Himbeeren und Johannisbeeren drauf, nicht schlecht. Ich habe mir Sahneersatz kommen lassen, weil ich ein bißchen cholesterinscheu bin. Genauer gesagt, ich habe einen Riesenbammel davor, ich finde, man muß dagegen ankämpfen. Jem ist im Augenblick krank. Er glaubt, es geht mit ihm zu Ende, aber das stimmt nicht. Vorläufig jedenfalls nicht.«

Wexford zog eine Augenbraue hoch. »Doch sicher nicht wegen Cholesterin.«

»Nein, das nicht. Ich habe übrigens seinen Cholesterin-Spiegel noch nicht untersucht.« Rosenberg zögerte. Dann fuhr er fort: »Viele Bullen – entschuldigen Sie, ich wollte Sie nicht beleidigen –, viele Polizeibeamte haben noch immer ein Vorurteil gegen Schwule. Man hört doch Polizisten Witze über Tunten und Schwule reißen, und dann tölen sie herum. Gehören Sie zu denen? Nein, ich sehe, Sie sind anders. Aber es könnte trotzdem sein, daß Sie der Meinung sind, alle Homosexuellen seien Friseure oder Ballettänzer. Keine *richtigen Männer*. Schon mal was von Genet gelesen?«

»Ein paar Seiten, aber das ist lange her.« Wexford versuchte sich an Titel zu erinnern, und einer fiel ihm auch ein. »*Notre Dame des fleurs*.«

»Ich habe an *Querelle* gedacht. Genet öffnet einem mehr als sonst jemand die Augen dafür, daß schwule Männer ebenso brutal und grausam sein können wie die heterosexuellen Exemplare. Brutaler, grausamer. Unter ihnen gibt es ebenso Killer und Diebe und brutale Verbrecher wie Modeschöpfer.«

»Wollen Sie damit sagen, daß Jem Hocking so einer ist?«

»Jem weiß nichts von getarntem Schwulsein oder vom ›Coming out‹, aber daß er hierher verlegt werden wollte, hatte unter anderem seinen Grund darin, daß er mit anderen Männern offen über seine Homosexualität sprechen wollte. Tag für Tag darüber sprechen, ohne Hemmungen, in Gruppengesprächen. Die Welt, in der er gelebt hat, ist vielleicht die mit den ärgsten Vorurteilen. Und dann ist er krank geworden.«

»Sie wollen sagen, er bekam Aids, ja?«

Sam Rosenberg sah ihn mit zusammengekniffenen Augen an. »Sehen Sie, Sie assoziieren Aids *doch* mit Schwulen. Ich sage Ihnen, in ein paar Jahren wird Aids unter den Heterosexuellen genauso verbreitet sein. Es ist keine Schwulenkrankheit. Verstehen Sie?«

»Aber Jem Hocking hat es?«

»Jem Hocking ist HIV-positiv. Er hat eine schwere Grippe hinter sich. Wir haben hier im Royal Oak eine Grippeepidemie gehabt, und ihn hat es zufällig schlimmer erwischt als die anderen, so schlimm, daß er eine Woche liegen mußte. Mit Glück ist er am Wochenende wieder bei den anderen. Aber er läßt sich nicht davon abbringen, daß er eine Aids-bedingte Lungenentzündung habe, und meint, ich scheue mich, ihm die Wahrheit zu sagen. Deshalb glaubt er, daß es mit ihm zu Ende gehe, und möchte Sie sehen.«

»Warum das?«

»Das weiß ich nicht. Ich habe ihn nicht gefragt, und wenn ich ihn fragte, würde er's mir nicht sagen. Kaffee?«

Er war ungefähr so alt wie der Arzt, hatte aber dunkles Haar und eine dunkle Gesichtsfarbe, und auf Kinn und Wangen stand der Bartwuchs einer Woche. Wexford, der die modischen Neuerungen in Krankenhäusern kannte, hatte erwartet, Hocking werde mit einem Bademantel bekleidet in einem Sessel sitzen, traf ihn aber im Bett an. Er wirkte viel kränker, als Daisy jemals ausgesehen hatte. Die Hände, die auf dem roten Bettüberzug ruhten, waren dunkelblau tätowiert.

»Wie geht es Ihnen?« sagte Wexford.

Hocking antwortete nicht sofort. Er rieb sich mit einem seiner blau tätowierten Finger die Unterlippe. Dann sagte er: »Nicht gut.«

»Wollen Sie mir erzählen, wann Sie in Kingsmarkham waren? Geht es darum?«

»Vergangenen Mai. Jetzt klingelt's bei Ihnen, was? Allerdings nehme ich an, es hat schon längst bei Ihnen geklingelt.«

Wexford nickte. »Teilweise ja.«

»Mit mir geht's zu Ende. Wußten Sie das schon?«

»Nicht nach Auskunft des Gefängnisarztes.«

Ein höhnischer Ausdruck erschien auf Hockings Gesicht. »Sie sagen einem nicht die Wahrheit. Nicht mal hier im Knast. Niemand sagt die Wahrheit, niemals, nicht hier und nicht woanders. Sie können es nicht, sind unfähig dazu. Man müßte zu sehr ins einzelne gehen, man müßte sein Innerstes prüfen. Man würde alle Leute beleidigen, und jedes Wort würde einen als das entlarven, was man ist: ein Schwein. Haben Sie sich das schon mal überlegt?«

»Ja«, sagte Wexford.

Was Hocking auch erwartet haben mochte, unverblümte Zustimmung bestimmt nicht. Er legte eine Pause ein und fuhr dann fort: »Meistens würde man nur sagen: ›Ich hasse dich wie die Pest. Ich hasse dich wie die Pest.‹ Immer wieder. Das wäre die Wahrheit. Oder: ›Ich möchte sterben, aber ich hab eine beschissene Angst davor.‹« Er holte tief Luft. »Ich weiß, daß es mit mir zu Ende geht. Ich werd noch einen Schub von dem bekommen, was ich schon gehabt habe, nur ein bißchen schlimmer, und danach einen dritten, und der gibt mir dann den Rest. Es könnt auch schneller gehen. Bei Dane ist es viel schneller gegangen.«

»Wer ist Dane?«

»Ich hab mir vorgenommen, daß ich's Ihnen erzähle, ehe ich abkratze. Warum denn nicht? Was kann ich dabei schon verlieren? Ich hab alles verloren bis auf mein Leben, und mit dem geht's auch zu Ende.« Hokkings Gesicht wurde schmäler, und die Augen schienen zusammenzurücken. Plötzlich sah er aus wie einer der übelsten Typen, denen Wexford je begegnet war. »Soll ich Ihnen was sagen? Mir ist nur noch *ein* Vergnügen geblieben: mit andern Leuten über meinen Tod zu reden. Das macht sie nämlich furchtbar verlegen, und ich genieße es, wenn sie nicht wissen, was sie sagen sollen.«

»Mich macht es nicht verlegen.«

»Na ja, Scheißpolyp, was kann man auch von euch auch erwarten?«

Eine Pflegekraft kam herein, ein Mann in Jeans und einem kurzen, weißen Kittel. In Wexfords Jugend hätte man *male nurse*, Pfleger, gesagt. So hatte man damals gesagt: *male nurse* und *lady doctor*, Pfleger und Ärztin. Es war nicht unbedingt sexistisch gedacht, aber es sagte viel über die Rollenerwartungen der Leute aus.

Der Pfleger, der Hockings letzte Worte gehört hatte, sagte, er solle nicht grob werden. »Das ist hier nicht angebracht, Jem. Beschimpfungen bringen nichts, und es ist Zeit für Ihre Antibiotika.«

»Nutzloses Scheißzeug«, sagte Hocking. »Lungenentzündung ist ein Virus, was? Ihr seid alle total bescheuert hier.«

Wexford wartete geduldig, während Hocking unter schwachen Protesten seine Tabletten schluckte. Er sah wirklich sehr krank aus. Man konnte ihm abnehmen, daß er an der Schwelle des Todes stand. Er wartete, bis der Pfleger gegangen war, und betrachtete mit gesenktem Kopf die Muster auf seinen blau tätowierten Händen.

»Sie haben mich gefragt, wer Dane ist. Ich will's Ihnen erzählen. Dane war mein Kumpel. Dane Bishop. Dane Gavin David Bishop, wenn Sie den vollen Namen wissen wollen. Er war erst vierundzwanzig.« *Ich habe ihn geliebt* schwebte unausgesprochen im Raum. Wexford sah es Hockings Gesicht an. *Ich habe ihn geliebt.* Aber Wexford war kein Mann für Sentimentalitäten, besonders nicht, wenn es sich um Killer von jener Sorte handelte, die alten Frauen mit einem Hammer den Schädel einschlagen. Na und? Entlastet Liebe einen Mann von seiner Schuld? Macht es einen zu einem besseren Menschen, wenn man jemanden liebt? »Wir haben die Sache in Kingsmarkham zusammen gedreht. Aber das haben Sie ja schon gewußt. Sie haben es gewußt, bevor Sie hier ankamen, sonst wären Sie nicht gekommen.«

»Mehr oder weniger stimmt das«, sagte Wexford.

»Dane brauchte Geld, für Stoff. Das Zeug kommt aus Amerika, aber man kriegt es hier. Läuft unter den Anfangsbuchstaben.«

»AZT.«

»Nein, zufällig nicht, schlauer Bulle. Es heißt DDI. Didesoxyinosin, die Kurzform davon. Von der Scheißkrankenkasse bekommt man es nicht, das ist ja klar.«

Bleib mir mit deinen Entschuldigungen vom Leib, sagte Wexford stumm. Du müßtest dich auskennen. Er dachte an Sergeant Martin, unbesonnen und draufgängerisch, aber dann wieder ganz helle, ein braver Mann, ein ernsthafter, wohlmeinender Mann, ein Weltverbesserer.

»Dieser Dane Bishop, er ist tot, oder?«

Jem Hocking sah ihn nur an. Es war ein Blick voller Haß und Schmerz. Wexford dachte, der Haß erkläre sich daraus, daß Hocking ihn nicht verlegen machen konnte. Vielleicht war es der einzige Zweck der Übung, dieses »Geständnisses«, gewesen, ihn in eine peinliche

Verlegenheit zu stürzen, an der Hocking sich zu weiden gehofft hatte.

»An Aids gestorben, nehme ich an«, sagte Wexford. »Nicht lange danach.«

»Gestorben, bevor wir an den Stoff herankamen. Am Ende ist es ganz schnell gegangen mit ihm. Wir haben die Täterbeschreibung gesehen, die Sie ausgehängt haben, Flecken auf seinem Gesicht und so weiter. Das war aber keine Scheißakne, das war ein Karposi-Sarkom.«

Wexford sagte: »Er hat einen Revolver benützt. Woher hatte er den?«

Ein gleichgültiges Achselzucken Hockings. »Was fragen Sie mich? Sie wissen doch genausogut wie ich, daß es einfach ist, an ein Schießeisen ranzukommen. Er hat nie darüber gesprochen. Er hatte es eben. Ein Colt Magnum war's.« Wieder der verschlagene Seitenblick. »Er hat ihn weggeschmissen, auf den Boden geworfen, als er aus der Bank hinausrannte.«

»Aha«, sagte Wexford ganz leise, beinahe wie für sich selber.

»Er hatte Schiß, damit erwischt zu werden. Er war damals schon krank, es macht einen schwach, schwach wie einen alten Mann. Er war erst vierundzwanzig, aber total geschwächt. Das war der Grund, warum er diesen Blödmann erschossen hat, zu schwach, um die Nerven zu behalten. Ich hab uns in Sicherheit gebracht, ich war nicht mal drinnen, als er ihn erschossen hat.«

»Sie steckten mit ihm unter einer Decke. Sie wußten, daß er eine Waffe hatte.«

»Bestreite ich es denn?«

»Sie haben unter dem Namen George Brown ein Auto gekauft?«

Hocking nickte. »Wir haben ein Fahrzeug gekauft, wir haben eine Menge Sachen gekauft und bar bezahlt. Wir haben uns gedacht, daß wir das Auto wieder verkaufen könnten, weil wir uns nicht getraut haben, von den Scheinen welche zu behalten. Ich habe sie in Zeitungspapier eingewickelt und in einen Schutthaufen gestopft. Den Wagen haben wir verkauft – gar keine schlechte Lösung, was sagen Sie?«

»Geldwäsche nennt man das«, sagte Wexford kalt. »Jedenfalls wenn es in größerem Umfang geschieht.«

»Er ist gestorben, bevor er an das Zeug herankam.«

»Das haben Sie schon erzählt.«

Jem Hocking zog sich mühsam in seinem Bett hoch. »Sie sind ein eiskaltes Aas, ja, das sind Sie. Wenn ich in irgendeinem anderen Knast hocken würde, wären Sie nie mit mir allein gelassen worden.«

Wexford stand auf. »Was könnten Sie schon tun, Hocking? Ich bin dreimal so kräftig wie Sie. Sie haben mich nicht in Verlegenheit gebracht, und Sie imponieren mir nicht.«

»Bloß beschissen ratlos sind Sie«, sagte Hocking. »Die Welt ist ratlos bei einem Mann, der im Sterben liegt.«

»Das würde ich nicht sagen. Das Gesetz verbietet nicht, gegen einen sterbenden Mann Anklage wegen Mordes und Raubes zu erheben.«

»Das würde doch nicht passieren!«

»Und ob es passieren wird«, sagte Wexford und verließ das Zimmer.

Durch strömenden Regen brachte ihn der Zug nach London, zur Euston Station zurück. Von Victoria Station bis Kingsmarkham regnete es ununterbrochen. Kaum war er zu Hause, versuchte er Sheila zu erreichen und bekam ihre Lady-Macbeth-Stimme zu hören, jene, die sagte: »Gib mir die Dolche.« In diesem Ton ersuchte sie die Anrufenden, eine Nachricht zu hinterlassen.

15

Es war eine Sache, die Barry Vine oder sogar Karen Malahyde genausogut hätten erledigen können, aber er machte es selbst. Sein Rang schien Fred Harrison einzuschüchtern, einen nervösen Mann, der wie eine ältere und kleinere Version seines Bruders wirkte. Wexford fragte ihn, wann er Joanne Garland zum letztenmal nach Tancred House gefahren habe, und Harrison nannte, in seinem Notizbuch blätternd, den Dienstag vier Wochen vorher.

»Ich hätte die Finger davon gelassen, wenn ich gewußt hätte, daß es mir Scherereien eintragen wird«, sagte Fred Harrison.

Wider Willen und trotz seiner elenden Gemütsverfassung war Wexford erheitert. »Ich kann mir kaum vorstellen, daß es Sie in Schwierigkeiten bringen wird, Mr. Harrison. Haben Sie am Dienstag, dem 11. März, Mrs. Garland gesehen oder von ihr gehört?«

»Kein Wort, kein Sterbenswörtchen seit dem, wann war's gleich wieder? seit dem 26. Februar.«

»Und was hat sich an diesem Abend abgespielt? Sie hat bei Ihnen angerufen und Sie gebeten, sie hinaus nach Tancred zu fahren um ... welche Zeit? Um acht? Viertel nach acht?«

»Ich hätte sie nirgendwohin gefahren, hätte ich gewußt, daß es mir Scherereien einbringen würde. Das müssen Sie mir glauben. Sie hat wie immer gegen sieben Uhr angerufen und gesagt, sie müßte bis halb neun in Tancred House sein. Ich habe wie immer gesagt, ich würde sie ein paar Minuten nach acht abholen, früh genug für die Strecke, aber sie hat gemeint, nein, sie wollte nicht zu spät dort ankommen, und ich soll um zehn vor acht bei ihr sein. Schön, ich kam dann um zehn nacht acht, Viertel nach acht in Tancred an. Wenn ich den kürzesten Weg nehme, muß ich ja so früh dort sein, aber sie wollte ja nie auf mich hören. Sie hatte einen Riesenbammel, zu spät dort anzukommen. Jedesmal war das so. Manchmal bat sie mich zu warten, sie wäre in einer Stunde wieder da, und ich hab dann die Gelegenheit genutzt, schnell mal bei meinem Bruder vorbeizuschauen.«

Das interessierte Wexford nicht. Er fragte hartnäckig weiter. »Sie sind sicher, daß sie am 11. März nicht bei Ihnen angerufen hat?«

»Glauben Sie mir, ich würde es doch offen zugeben. Scherereien sind das letzte, was ich haben möchte.«

»Glauben Sie, daß sie sich irgendwann eines anderen Taxiunternehmens bedient hat?«

»Was hätte sie für einen Grund haben sollen? Sie hatte sich bei mir über nichts zu beklagen. Immer wieder hat sie gesagt: ›Ich wüßte nicht, was ich ohne Sie tun sollte, Fred, Sie sind mein Retter.‹ Und dann hat sie auch oft gesagt, daß ich der einzige hier in der Gegend bin, dem sie sich als Fahrer anvertraut.«

Wie es schien, war aus dem nervösen Fred Harrison nichts weiter herauszubekommen. Wexford verließ ihn, um nach Tancred zurückzukehren. Er fuhr diesmal selbst und nahm den Weg über Pomfret Monachorum. Es war erst das zweite Mal, daß er diese Route wählte. Auf den Regen vom Vortag war ein schöner, milder Tag gefolgt, und in den Wäldern regte sich vorsichtig der erwachende Frühling.

Wexford fuhr gemächlich dahin. Kaum war Fred Harrison aus seinen Gedanken verschwunden, trat Sheila an seine Stelle. Er hätte beinahe laut aufgestöhnt. Jedes Zorneswort, das während dieses gräßlichen Wortwechsels gefallen war, hatte sich frisch in seiner Erinnerung erhalten, wiederholte sich hartnäkkig immer wieder.

»... du warst entschlossen, jeden zu hassen, den ich liebte. Und warum? Weil du Angst hattest, ich würde ihn mehr lieben als dich.«

Während er durch den Wald fuhr, kurbelte er das Seitenfenster herab, um die Luft des ersten oder vielleicht zweiten Frühlingstages zu genießen. Am Abend vorher war er, während der Regen gegen die Fensterscheiben peitschte, ans Telefon gegangen und hatte sie anzurufen versucht. Auch Dora hatte es probiert. Er hatte sich entschuldigen und sie um Verzeihung bitten wollen. Doch das Telefon klingelte und klingelte, ohne daß jemand abhob. Ganz verzweifelt versuchte er es noch einmal um neun, dann um halb zehn, und schließlich meldete sich ihre Stimme auf dem Anrufbeantworter, aber nicht wie es für sie charakteristisch wäre, etwa: »Sollten Sie anrufen, um mir die weibliche Hauptrolle in Shakespeares schottischer Tragödie anzubieten oder um mich zum Essen ins *La Caprice* auszuführen...« Oder: »Darling« – das ewige *Darling* der Schauspielerin, gut genug für ihn oder Casey oder auch für die Frau, die zum Putzen kam – »Darling, Sheila mußte weg...« Nichts Derartiges, sondern: »Hier spricht Sheila Wexford. Im Augenblick kann niemand Ihren Anruf entgegennehmen. Hinterlassen Sie eine Nachricht.« Er hatte nichts aufs Band gesprochen, sondern war schließlich ins Bett gegangen, todunglücklich.

Ich habe sie verloren, ging ihm durch den Kopf. Es hatte nicht viel damit zu tun, daß sechstausend Meilen zwischen ihnen liegen würden. Casey hätte sie ihm ebenso weggenommen, wenn die beiden beschlossen hätten, in Pomfret Monachorum ein Haus zu kaufen und sich dort niederzulassen. Er hatte sie verloren, und es würde zwischen ihnen nie mehr so werden, wie es einmal gewesen war.

Das Sträßchen machte seine letzte Biegung, und er erreichte das gerade, flache Stück. Er bemerkte, daß sich in der Ferne etwas bewegte. Jemand kam ihm entgegen, noch weit voraus, ein junger Mensch, ein Mädchen. Immer deutlicher wurde die junge Person erkennbar, während sie einander näherkamen. Es war Daisy. So unwahrscheinlich es auch war, daß sie hier und um diese Zeit daherkam – es war zweifellos Daisy.

Sie blieb stehen, als sie den Wagen sah. Natürlich konnte sie aus dieser Entfernung nicht erkennen, wer am Steuer saß. Sie hatte Jeans und eine Barbour-Jacke an, ein in Adelskreisen beliebtes Kleidungsstück. Der linke Jackenärmel war leer, und um den Hals hatte sie sich zweimal einen hellroten Schal geschlungen. Als sie die Augen aufriß, wußte er, daß sie ihn erkannt hatte. Sie zeigte jedoch kein Lächeln.

Wexford hielt an und kurbelte das Fenster herunter. Sie wartete seine Frage nicht ab.

»Ich bin nach Hause zurückgekehrt. Es war mir klar, daß sie versuchen würden, mich davon abzuhalten. Also hab ich gewartet, bis Nicholas in die Arbeit gefahren war, und dann gesagt: ›Ich fahr jetzt nach Hause, Joyce, vielen Dank, daß Sie mich bei sich aufgenommen haben.‹ Damit hatte es sich. Sie hat gemeint, das könnte ich doch nicht, ganz allein, ohne Begleitung. Sie wissen ja, wie sie redet. ›Es tut mir leid, liebes Kind, aber das können Sie doch nicht tun. Was wird aus Ihrem Gepäck? Wer kümmert sich um Sie?‹ Ich hab gesagt, ich hätte bereits telefonisch ein Taxi bestellt und käme schon selber zurecht.«

Wexford ging der Gedanke durch den Kopf, daß sie das noch kaum je getan hatte und daß sich, wie früher, Brenda Harrison um sie kümmern werde. Aber wie alle jungen Menschen traute sie sich zuviel zu. »Und jetzt inspizieren Sie wohl Ihren Besitz?«

»Ich bin lange genug draußen gewesen. Ich gehe jetzt

zurück. Ich ermüde rasch.« Wieder erschien der trostlose Ausdruck auf ihrem Gesicht, in den Augen stand der Kummer. »Nehmen Sie mich mit?«

Er griff zur Beifahrertür und öffnete. »Jetzt, da ich achtzehn bin«, sagte sie, allerdings ohne Überschwang, »kann ich tun, was ich will. Wie macht man diesen Gurt fest? Mein Verband und die Schlinge sind im Weg.«

»Sie müssen sich nicht angurten, wenn Sie nicht wollen. Nicht auf Privatgrund.«

»Wirklich? Das ist mir neu. Aber Sie haben sich angeschnallt.«

»Die Macht der Gewohnheit. Daisy, haben Sie vor, hier ganz alleine zu bleiben. Hier zu *leben*?«

»Es gehört mir.« Ihre Stimme war so düster, wie sie nur sein konnte. »Es gehört alles mir. Warum sollte ich nicht auf meinem Besitz leben?«

Er gab keine Antwort. Es war sinnlos, ihr Dinge zu sagen, die sie schon wußte: daß sie jung und eine Frau und wehrlos war. Sinnlos, ihr anderes zu bedenken zu geben; daß ihr vielleicht noch nicht bewußt geworden war, zum Beispiel, daß es durchaus im Interesse eines bestimmten Menschen liegen könnte, die Untat, die er zwei Wochen vorher begonnen hatte, zu Ende zu führen. Wenn er das ernst nähme, müßte er Tancred House Tag und Nacht bewachen lassen.

Statt dessen kehrte er zu dem Thema zurück, über das sie während seines Besuches im Hause der Virsons gesprochen hatten. »Sie haben vermutlich nichts von Ihrem Vater gehört, ja?«

»Von meinem *Vater*?«

»Er *ist* Ihr Vater, Daisy. Er muß doch von der ganzen Sache erfahren haben. Das Fernsehen, die Presse hat darüber berichtet – das kann doch niemandem in unserem Land entgangen sein. Und wenn ich mich nicht sehr irre, wird das Thema mit der Beerdigung heute in den Tageszeitungen wieder ganz nach vorne rücken. Sie müßten doch eigentlich von ihm erwarten, daß er sich rührt.«

»Wenn er das wollte, hätte er es dann nicht schon getan?«

»Er hat vermutlich nicht gewußt, wo Sie waren. Es könnte ja sein, daß er jeden Tag in Tancred House angerufen hat.«

Plötzlich kam ihm der Gedanke, ob sie vielleicht nach ihm auf der Beerdigung vergeblich Ausschau gehalten hatte, nach diesem schattenhaften Vater, über den niemand sprach, der aber existieren mußte. Wexford stellte den Wagen neben dem Bassin ab. Daisy stieg aus und starrte ins Wasser. Vielleicht weil die Sonne schien, waren mehrere Fische dicht an die Oberfläche gekommen, weiß oder eigentlich farblos, mit scharlachroten Köpfen. Sie hob den Kopf und blickte zu der Figurengruppe auf, zu dem in einen Baum verwandelten Mädchen, dessen Glieder von Rinde umhüllt waren, und zu dem Mann, der sie mit sehnsuchtsvoll erhobenem Gesicht und ausgestreckten Armen bedrängte.

»Daphne und Apollo«, sagte sie. »Es ist eine Kopie der Skulptur von Bernini. Angeblich eine gute. Ich kann's nicht beurteilen, ich mache mir eigentlich nichts aus solchen Sachen.« Sie verzog das Gesicht. »Davina hat sie geliebt. Na *klar*. Ich nehme an, der Gott ist drauf und dran, sie zu vergewaltigen, meinen Sie nicht auch? Es gibt ja schöne Umschreibungen dafür, daß es sich romantisch anhört, aber das ist in Wahrheit seine Absicht.«

Wexford, der dazu schwieg, überlegte, welches Ereignis in ihrer eigenen Vergangenheit diesen jähen Gefühlsausbruch ausgelöst haben mochte.

»Er hatte nicht die Absicht, um sie zu *werben*, oder? Sie zum Essen auszuführen und ihr einen Verlobungsring zu kaufen. Wie bescheuert die Leute sind!« Sie warf energisch den Kopf zurück und wandte sich vom Becken ab. Dann wechselte sie das Thema. »Als ich jünger war, hab ich Mom oft nach meinem Vater gefragt. Sie wissen ja, wie Kinder sind, sie wollen alles wissen. Wenn sie über etwas nicht sprechen wollte, hatte meine Mutter die Angewohnheit, mich mit der Frage zu Davina zu schicken. Immer hat es geheißen: ›Frag deine Großmutter, sie wird es dir sagen.‹ Also hab ich Davina gefragt, und sie hat gesagt – Sie werden es nicht glauben, aber sie hat es gesagt –: ›Deine Mutter war ein Fußball-Groupie, Liebling, und sie ist oft hin und hat ihm beim Spielen zugeschaut. So haben sie sich kennengelernt.‹ Und dann hat sie noch gesagt: ›Um es geradeheraus zu sagen, er kam aus dem *low life*, von ganz unten.‹ Sie liebte solche Ausdrücke, eine Art schicker Slang oder was sie für schicken Slang gehalten hat. ›Fußball-Groupie‹ und ›low life‹. ›Vergiß ihn, Liebling‹, hat sie gesagt. ›Stell dir vor, du wärst per Parthenogenese geboren und wie die Algen.‹ Und dann hat sie mir erklärt, was Parthenogenese ist. Das war typisch für sie, aus allem eine Belehrung zu machen. Aber es hat nicht gerade dazu geführt, daß ich für meinen Vater viel Liebe oder Achtung empfand.«

»Wissen Sie, wo er lebt?«

»Irgendwo im Norden Londons. Er hat wieder geheiratet. Kommen Sie mit ins Haus, wenn Sie wollen, dann können wir feststellen, wo er lebt.«

Der Hauseingang und die innere Tür waren nicht verschlossen. Wexford folgte ihr ins Haus. Als die Tür hinter ihnen zufiel, begannen die Lüster zu zittern und zu klirren. Von den Lilien in der »Orangerie« ging ein künstlich anmutender Geruch aus, als befände man sich in der Parfümerie-Abteilung eines Warenhauses. Hier in der Halle war sie zum Telefon gekrochen und hatte auf dem glänzenden Boden eine Blutspur hinterlassen, war an Harvey Copelands Leiche vorbeigerobbt.

Er bemerkte, wie sie einen Blick auf die Stufen warf, wo ein großes Stück aus dem Läufer herausgeschnitten war, so daß das nackte Holz zum Vorschein kam. Sie ging zu der hinteren Tür, die zu Davina Florys Arbeitszimmer führte.

Diesen Raum hatte er bis dahin noch nicht betreten. Bücherregale nahmen die Wände ein. Das einzige Fenster ging auf die Terrasse, deren eine Mauer vom *serre* gebildet wurde. Das hatte er so erwartet, aber weder den schönen Globus aus dunkelgrünem Glas auf dem Tisch, den »Bonsai-Garten« in einem Terrakotta-Topf unter dem Fenster noch das Fehlen von PC, Schreibmaschine und irgendwelchen elektronischen Geräten. Auf dem Schreibtisch lag neben einer ledernen Schreibmappe ein goldener Montblanc-Füllfederhalter. In einem Gefäß, vielleicht aus Malachit, steckten Kugelschreiber, Bleistifte und ein Brieföffner mit einem beinernen Griff.

»Sie hat alles mit der Hand geschrieben«, sagte Daisy. »Sie konnte nicht tippen und wollte es auch nicht lernen.« Sie suchte in einer der oberen Schubladen des Schreibtischs. »Hier. Da ist es. Sie hat es ihr ›schwarzes‹ Adreßbuch genannt. Darin hat sie Leute eingetragen, die sie nicht mochte ... oder deren Bekanntschaft ihr keinen Nutzen brachte.«

Das Adreßbuch enthielt eine beunruhigend große Zahl von Namen. Wexford schlug bei jenen auf, die mit einem »J« begannen. Der einzige Jones hatte die Initialen »G. G.«. Eine Telefonnummer war nicht verzeichnet, nur eine Adresse in London, N 5.

»Das verstehe ich nicht ganz, Daisy. Warum hatte denn Ihre Großmutter die Adresse Ihres Vaters und nicht Ihre Mutter? Oder hatte sie sie ebenfalls? Und warum ›G. G.‹? Warum nicht sein Vorname? Schließlich war er ja mal ihr Schwiegersohn gewesen.«

»Ja, das können Sie wirklich nicht verstehen.« Sie

brachte ein flüchtiges Lächeln zustande. »Davina hat Leute gern im Auge behalten. Sie wollte immer Bescheid wissen, wo der Betreffende wohnte und was er tat, selbst wenn sie ihn zeit ihres Lebens nicht mehr sehen würde.« Dabei biß sie sich auf die Unterlippe, fuhr dann aber fort: »Sie liebte es zu manipulieren, müssen Sie wissen. Sie wollte immer die Übersicht über alles behalten, wußte immer genau, wo der Betreffende lebt, egal, wie oft er umgezogen war. Sie können sich darauf verlassen, daß das die richtige Anschrift ist. Vermutlich dachte sie, daß er irgendwann wieder auftauchen wird und ... ach ja, Geld verlangen. Sie hat oft gesagt, daß die meisten Leute aus ihrer Vergangenheit früher oder später wieder auftauchen würden, ›aus dem Speicher herunterkommen‹, wie sie es genannt hat. Bei Mom zweifle ich, ob sie überhaupt ein Adreßbuch hatte.«

»Daisy, ich möchte Ihnen jetzt eine Frage stellen, ohne Sie damit verletzen zu wollen. Ob es mir gelingt, weiß ich allerdings nicht. Es geht um Ihre Mutter.« Er zögerte. »Um die Freunde Ihrer Mutter.«

»Sie meinen, ob es Männer in ihrem Leben gab? Ob sie Liebhaber hatte?«

Wieder einmal erstaunte ihn ihre Intuition. Er nickte. »Sie kann auf Sie nicht jung gewirkt haben, aber sie war erst fünfundvierzig. Außerdem glaube ich nicht, daß in diesen Dingen das Alter so wichtig ist, egal, was die Leute sagen. In jedem Alter ist man mit Menschen des anderen Geschlechts befreundet, im erotischen Sinn befreundet.«

»So wie es wohl bei Davina gewesen wäre.« Daisy grinste plötzlich. »Wenn Harvey abgekratzt wäre.« Dann wurde ihr bewußt, was sie da gesagt hatte. Sie schlug sich die Hand vor den Mund und stöhnte: »O Gott. Vergessen Sie, daß ich das gesagt habe. Ich habe es nicht gesagt. Warum sagen wir solche Sachen?«

Statt darauf zu antworten, denn er konnte keine Antwort darauf geben (Komm zurück, alles, was ich gesagt habe!), erinnerte er sie sanft daran, daß sie ihm von ihrer Mutter hatte erzählen wollen.

Sie seufzte. »Ich habe nie erlebt, daß sie mit irgend jemandem ausgegangen ist. Ich habe nie gehört, daß sie einen Mann erwähnte. Ich glaube, es hat sie einfach nicht interessiert. Davina hat oft zu ihr gesagt, sie soll sich einen Mann angeln, das würde sie ›aus sich herausziehen‹, und sogar Harvey hat sich einmal bemüht. Ich erinnere mich, daß Harvey irgendeinen Typen mitbrachte, der irgendein politisches Tier war, und daß Davina meinte, er könnte was für Mom sein. Sie haben nämlich nicht angenommen, daß ich verstand, was sie da redeten, aber ich hab es verstanden.

Als wir letztes Jahr alle in Edinburgh waren – wir sind wegen der Festspiele hingefahren, Davina hatte irgendwas auf dem Bücherfestival zu tun –, hat Mom Grippe bekommen und die vollen zwei Wochen im Bett verbracht. Und Davina hat gejammert, weil sie dort den Sohn einer Freundin kennengelernt hatte, und der wär genau der richtige für Mom gewesen. Das hat sie jedenfalls zu Harvey gesagt.

Mom war mit allem zufrieden, so wie es war. Sie hatte Freude an ihrem Leben, sie hat gern in der Galerie herumgewerkelt und gern ferngesehen, frei von jeder Verantwortung, sie hatte ihren Spaß daran, ein bißchen zu malen und ihre eigenen Kleider zu nähen und all das. *Männer* waren ihr egal.« Ein Ausdruck höchster Verzweiflung trat plötzlich auf Daisys Gesicht, ein untröstlicher kindlicher Kummer. Sie beugte sich über den Tisch, auf dem der grüne Glasglobus stand, und preßte eine Faust gegen die Stirn. Wexford war schon auf einen Zornesausbruch gegen das Leben und wie es eingerichtet ist, gefaßt, auf einen Protestschrei gegen das, was ihrer schlichten, harmlosen, genügsamen

Mutter widerfahren war, doch statt dessen hob sie den Kopf und sagte ganz kühl: »Joanne ist genauso, soviel ich weiß. Joanne gibt Tausende dafür aus, sich Klamotten zu kaufen und sich das Gesicht und das Haar richten zu lassen und für Massagen und weiß Gott was noch, aber nicht einem Mann zuliebe. Wofür, das weiß ich nicht. Vielleicht für sich selber. Davina hatte es immerzu mit der Liebe und den Männern, das Leben in vollen Zügen genießen, hat sie es genannt, sie hat sich ja für so *modern* gehalten, das war ihr Wort, aber eigentlich ist das den Frauen heute nicht mehr so wichtig, oder? Es macht ihnen genausoviel Spaß, mit Freundinnen gesehen zu werden. Man muß keinen Mann haben, um eine richtige Frau zu sein. Die Zeiten sind vorbei.«

Es war, als wollte sie irgend etwas in ihrem eigenen Leben rechtfertigen, es im richtigen Licht erscheinen lassen. Er sagte: »Von Mrs. Virson habe ich gehört, daß Ihre Großmutter aus Ihnen ihr eigenes Ebenbild machen wollte.«

»Ohne ihre Fehler, ja. Ich habe Ihnen vorhin gesagt, sie hat die Leute gern manipuliert. Ich wurde nie gefragt, ob ich auf die Uni gehen oder auf Reisen gehen, ob ich Bücher schreiben und ... mit vielen verschiedenen Männern ins Bett gehen wollte.« Sie blickte von ihm weg. »Es wurde einfach für selbstverständlich gehalten, daß ich das wollte. Aber das trifft nicht zu. Ich möchte nicht mal nach Oxford und ... wenn ich das Abitur nicht schaffe, *kann* ich gar nicht. Ich will ich selber sein, nicht das Geschöpf eines anderen Menschen.«

Also begann die Zeit, ihr wohlbekanntes Werk zu tun, dachte er ... Sie ist bereits ein Werk. Dann aber änderte das, was sie als nächstes sagte, wieder seinen Eindruck.

»Soweit ich überhaupt was tun will. Sofern es mir nicht total egal ist, was passiert.«

Er äußerte sich nicht dazu. »Eines würden Sie vielleicht doch gern tun wollen. Möchten Sie nicht mitkommen und sich ansehen, wie wir Ihr Retiro in ein Polizeirevier verwandelt haben?«

»Nicht jetzt. Ich wäre jetzt gern allein. Allein mit Queenie. Sie hat sich so gefreut, als sie mich sah, ganz so wie früher ist sie mir vom Treppengeländer auf die Schulter gesprungen und hat geschnurrt wie ein brüllender Löwe. Ich werd durchs ganze Haus gehen und mich einfach umsehn, mich damit wieder vertraut machen. Wissen Sie, es hat sich für mich verändert. Es ist zwar noch dasselbe, aber doch ganz anders. Ins Eßzimmer werde ich nicht gehen. Ich habe Ken bereits gebeten, die Tür abzuschließen, so daß man sie nicht öffnen kann. Nur für einige Zeit. Er wird sie so verschließen, daß ich sie nicht aufmachen kann, wenn... wenn ich vergesse...«

Es kommt selten vor, daß man sieht, wie es Leute fröstelt. Wexford, der sie beobachtete, sah nichts von dieser galvanischen Bewegung des Körpers, nur die äußeren Zeichen des inneren Erschauerns, das Entweichen der Farbe aus dem Gesicht, die Gänsehaut, die sich an ihrem Hals bildete. Er erwog, ihr zu erklären, was er zu ihrem Schutz zu tun gedachte, überlegte es sich dann aber anders. Es wäre entschieden klüger, sie vor vollendete Tatsachen zu stellen.

Sie hatte die Augen geschlossen. Als sie sie wieder aufschlug, erkannte er, daß sie mit den Tränen gekämpft hatte. Die Lider waren angeschwollen. Sobald ich zur Tür hinaus bin, wird sie sich ihrem Kummer hingeben, dachte er. Doch als er gehen wollte, klingelte das Telefon.

Sie zögerte kurz, hob dann ab, und er hörte sie sagen: »Oh, Joyce. Nett von Ihnen, daß Sie anrufen, aber mir geht es ganz gut. Bald wird alles wieder in Ordnung sein...«

Karen Malahyde sollte die Nacht bei Daisy in Tancred House verbringen, Anne Lennox die folgende, Rosemary Mountjoy die übernächste und so fort. Wexford erwog, eine weitere Wache im Stallgebäude zu stationieren, aber es wurde ihm mulmig bei der Vorstellung, wie der Deputy Chief Constable darauf reagieren werde. Sie waren ohnedies schon knapp an Leuten – der Normalfall. Das Mädchen habe kein Recht, sich dort allein aufzuhalten, sie habe Freunde, bei denen sie unterkommen könnte. Er hörte Freeborn schon so reden. Sie hätten nicht das Recht, öffentliche Mittel für den Schutz einer jungen Person auszugeben, die aus einer puren Laune heraus beschlossen habe, in dieses riesige, abgelegene Haus zurückzukehren.

Doch Karen, Anne und Rosemary waren begeistert. Keine von ihnen hatte jemals im Leben unter einem Dach geschlafen, das mehr als eine Doppelhaushälfte mit drei Schlafzimmern oder ein Mietshaus deckte. Seine Entscheidung, Daisy von Karen darüber ins Bild setzen zu lassen, war die Frucht einer Augenblickseingebung. Er wollte sie zwar beschützen, doch dieser Entschluß galt seinem eigenen Schutz. Er mußte es nach Möglichkeit vermeiden, sie zu sehen. Plötzlich glaubte er die Bedeutung dieser warnenden und beunruhigenden Regung zu verstehen, die er in der Kirche von Kingsmarkham empfunden hatte.

Der Gedanke jagte ihm einen Schrecken ein. Während er an seinem Schreibtisch in den Ställen saß und an dem pelzigen Kaktus vorbeistierte, kam ihm der Gedanke, daß er in Daisy verliebt sei. Es war, als hätte ihm Dr. Cocker eröffnet, daß er an irgendeiner tödlichen Krankheit litt, irgendeinem furchtbaren Leiden. Es war ihm, als sähe er wie Jem Hocking das Verderben vor sich, das ihn schon bald in den Abgrund reißen werde.

Natürlich war ihm so etwas schon früher passiert. Er

war inzwischen mehr als dreißig Jahre mit Dora verheiratet, also hatte es begreiflicherweise solche Vorkommnisse gegeben. Eine junge Holländerin, die hübsche Nancy Lake und andere abseits eines beruflichen Alltags. Aber er liebte Dora, seine Ehe war glücklich. Und das hier war so lächerlich, er und dieses *Kind*. Doch wie alles um ihn heller, lichter wurde, wenn er sie sah, wenn er ihr kummervolles Gesicht sah! Wie glücklich es ihn machte, wenn sie mit ihm sprach, wenn sie beisammen saßen und sich unterhielten! Wie schön sie war und wie intelligent und gut!

Er machte die Probe darauf, die unfehlbare Probe. Er versuchte sich einen Liebesakt mit ihr vorzustellen, ihren nackten Körper und sein Verlangen, mit ihr zu schlafen, und nun erschien ihm das ganze grotesk. Es war nicht so, daß er *Verlangen* nach ihr empfand, ganz und gar nicht. Ein richtiggehender Widerwille schüttelte ihn. Undenkbar, sie auch nur mit der Fingerspitze zu berühren, nicht einmal in einem geheimen Wunschtraum. Nein, er wußte jetzt, was für ein Gefühl es war, das er empfand. Statt aufzustöhnen, wonach ihm noch zehn Minuten vorher zumute gewesen war, brach er plötzlich in schallendes Gelächter aus.

Barry Vine, wie gebannt in einen Bericht vertieft, drehte sich um und starrte ihn an. Wexford hörte sofort zu lachen auf und machte ein finsteres Gesicht. Er fürchtete, Vine werde jetzt etwas sagen, irgendeine blöde Frage stellen, wie der arme Martin es vielleicht getan hätte, aber wieder einmal unterschätzte er Detective Sergeant Vine. Vine wandte sich wieder dem Bericht zu.

Während er darüber nachdachte, wurde ihm ganz klar, daß genau dies passiert war: Er sah in Daisy eine Tochter, denn er war ein Mann, der Töchter brauchte. Ein gewisses Schuldgefühl erfaßte ihn, weil er über Daisy fast seine ältere Tochter, Sylvia, vergessen hatte.

Warum in die Ferne schweifen und um fremde Göttinnen buhlen, wenn er seine eigene ganz in der Nähe hatte? Weil, dachte er, die Bedürfnisse wehen, wo sie wollen, ohne Rücksicht darauf, was schicklich und angemessen ist. Aber er nahm sich vor, Sylvia zu besuchen und ihr vielleicht etwas mitzubringen. Sie zog gerade um, in ein altes Pfarrhaus auf dem Land. Er beschloß, zu ihr zu fahren und seine Hilfe anzubieten. Doch vorläufig war es vielleicht besser, bei dem Vorsatz zu bleiben, weniger von Daisy zu sehen.

Er seufzte, und diesmal drehte sich Barry Vine nicht um. Als sie diesen Raum bezogen hatten, waren die Londoner Telefonbücher hierhergebracht worden, Wexford griff nach dem Band E–K. Natürlich gab es Hunderte von Anschlüssen unter dem Namen Jones, aber nicht allzu viele unter G. G. Jones. Daisy hatte recht gehabt, als sie meinte, daß Davina sicher die richtige Anschrift notiert habe. Hier stand sie: Jones, G. G., 11 Niniveh Road, N5, und eine Telefonnummer des Fernmeldeamts 832. Zweifellos mit der Vorwahl 071 für Zentral-London. Aber Wexford nahm den Hörer nicht von der Gabel. Er saß da, überlegte, für welche Namen diese Initialen wohl standen, und sann auch darüber nach, warum zwischen Jones und seiner Tochter noch nie der geringste Kontakt bestanden hatte.

Ihn beschäftigte auch die Frage des Erbes und was die Folgen hätten sein können, wenn beispielsweise Davina als einzige nicht gestorben wäre, oder auch Naomi. Und was, wenn überhaupt etwas, hatte es zu bedeuten, daß weder Naomi noch ihre Freundin Joanne an Männern interessiert gewesen war und offensichtlich jede die Gesellschaft der jeweils anderen vorgezogen hatte?

Ein Bericht auf seinem Tisch enthielt das Gutachten eines Experten für Faustfeuerwaffen. Nun, da er innerlich wieder unbeschwert war, las er ihn noch einmal und diesmal sorgfältiger durch. Beim erstenmal hatte er ihn nicht richtig aufgenommen, weil seine Gedanken zu sehr von der Furcht erfüllt gewesen waren, er könnte von der gefährlichsten aller Obsessionen ergriffen worden sein. Der Experte schrieb, cs sehe zwar so aus, als ob das Geschoß von dem Mord an Sergeant Martin nicht mit den Kugeln, die in Tancred House sichergestellt worden waren, zusammenpaßte, möglicherweise aber verhalte es sich doch nicht so. Wenn man etwas davon verstehe, sei es möglich, den Lauf eines Revolvers zu frisieren, »Züge an der Innenseite gleichsam einzugravieren«, die sich dann auf einem Geschoß abzeichneten, das ihn passiert. Nach Meinung des Gutachters sprach viel dafür, daß dies im vorliegenden Fall geschehen sei.

Wexford sagte: »Barry, es stimmt, was Michelle Weaver ausgesagt hat. Dieser Bishop hat die Waffe weggeschmissen. Sie ist über den Boden im Schalterraum der Bank geschliddert. So eigenartig es sich auch anhört, aber es waren zwei Schießeisen, die über den Boden geglitten sind, nachdem Martin erschossen worden war.«

Vine kam zu Wexford und setzte sich auf den Schreibtischrand.

»Hocking hat mir erzählt, daß Bishop das Schießeisen, den Colt Magnum, weggeworfen hat. Es war ein 357er oder 38er Colt, welcher Typ, das läßt sich nicht sagen. Irgend jemand in der Bank hat ihn vom Boden aufgehoben. Einer von den Leuten, die nicht abgewartet haben, bis wir kamen. Einer von den Männern. Sharon Fraser hatte den Eindruck, daß alle, die den Schalterraum verließen, Männer waren.«

»Wenn einer eine Waffe vom Boden aufhebt, dann geschieht es mit Vorsatz«, sagte Vine.

»Ja, aber vielleicht ohne einen bestimmten Tatvorsatz. Aus einer allgemeinen kriminellen Neigung.«

»Für den Fall, daß das Ding eines Tages nützlich werden könnte, Sir?«

»Ja, irgend so was. So wie mein alter Herr aus Gewohnheit jeden Nagel aufhob, den er im Rinnstein liegen sah. Er hätte ja irgendwann nützlich werden können.«

Sein Telefon surrte. Dora oder das Revier. Wenn jemand die Polizei wegen der Morde in Tancred House anrufen wollte, wußte er vermutlich die Nummer für den kostenlosen Anruf, die täglich übers Fernsehen ausgestrahlt worden war. Aber es meldete sich Burden, der an diesem Tag nicht nach Tancred House hinausgefahren war.

»Reg, gerade ist ein Anruf gekommen. Nicht über 999. Ein Mann mit einem amerikanischen Akzent. Er hat für Bib Mew angerufen. Sie wohnt im Haus neben ihm, hat aber kein Telefon. Sie will im Wald eine Leiche entdeckt haben.«

»Ich weiß, von wem Sie sprechen. Ich hab mich mal mit ihm unterhalten.«

»Sie hat eine Leiche entdeckt«, sagte Burden, »die an einem Baum hängt.«

16

Sie ließ sie ins Haus, sagte aber kein Wort. Sie sah Wexford mit dem gleichen leeren, hoffnungslosen starren Blick an, mit dem sie vielleicht einen Gerichtsvollzieher angesehen hätte, der erschienen war, um eine Bestandsaufnahme ihrer Habseligkeiten zu machen. Von Anfang an war dies ihre typische Haltung. Sie war wie betäubt, der Verzweiflung nahe, außerstande, sich gegen diese Flut zu wehren, in der sie untergegangen war.

In ihrer Kordsamthose, dem karierten Hemd und dem Pullover mit V-Ausschnitt wirkte sie sonderbarerweise männlicher denn je. Ihren Ohrring trug sie heute nicht. Ich wäre imstande, meinen Mannskleidern eine Schande anzutun und wie ein Weib zu weinen, dachte Wexford. Aber Bib Mew weinte nicht, und war das nicht ohnehin ein Irrtum, daß Frauen weinten, Männer hingegen nicht?

»Erzählen Sie uns bitte, was vorgefallen ist, Mrs. Mew«, fragte Burden gerade.

Sie hatte sie in die schlecht gelüftete Stube geführt, dem an romantischer Authentizität nur eine alte, in ein Schultertuch gehüllte Frau in einem Lehnsessel fehlte. Dort sank sie wortlos auf das alte Roßhaarsofa. Sie ließ Wexford keinen Augenblick aus den Augen. Ich hätte eine Polizeibeamtin mitbringen sollen, ging es ihm durch den Sinn, denn an dieser Frau ist etwas, was ich bis jetzt nicht verstanden habe. Bib Mew ist nicht nur einfach schrullig, begriffsstutzig, dumm – wenn das nicht zu hart gesagt ist. Sie ist zurückgeblieben, geistig behindert. Er spürte, wie Mitleid in ihm aufstieg. Solche Menschen traf ein Schock immer schlimmer als andere, er bohrte sich ihnen ins Herz und zerstörte irgendwie ihre Arglosigkeit.

Burden hatte seine Frage wiederholt. Wexford sagte: »Mrs. Mew, ich finde, Sie sollten etwas Heißes trinken. Können wir Ihnen etwas Heißes machen?«

Ach, wenn doch Karen oder Anne da wären! Aber sein Angebot hatte Bib Mews Zunge gelöst. »Er hat mir was Heißes gegeben. Der nebenan.«

Es hatte keinen Sinn zu erwarten, was Burden erwartete. Diese Frau war außerstande, ihnen in irgendeiner Weise sachlich zu berichten, was sie entdeckt hatte. »Sie waren im Wald«, begann Wexford. Er sah auf die Uhr. »Auf dem Weg zu Ihrer Arbeit?«

Ihr Nicken war mehr als verängstigt. Es war die eingeschüchterte Bewegung eines in die Enge getriebenen Tieres. Burden ging schweigend aus dem Zimmer, wohl auf der Suche nach der Küche, wie Wexford annahm. Und jetzt zum schwierigen Teil, bei dem sie vielleicht in Schreie ausbrechen würde.

»Sie haben etwas gesehen, *einen Menschen*? Sie haben etwas an einem Baum hängen sehen?«

Wieder ein Nicken. Sie hatte begonnen, die Hände zu reiben, immer rascher, wie beim Waschen. Dann sagte sie zu seiner Überraschung etwas. Sehr vorsichtig sagte sie: »Einen toten Menschen.«

Mein Gott, dachte er, wenn sie sich das nicht eingebildet hat, die Ärmste, was ich nicht glaube, handelt es sich um Joanne Garland. »Mann oder Frau, Mrs. Mew?«

Sie wiederholte: »Ein toter Mensch.« Und dann: »Am Baum.«

»Ja. War er von der Nebenstraße aus zu sehen?«

Ein heftiges Kopfschütteln, und dann kam Burden mit einem Becher Tee herein, auf dem die Gesichter des Herzogs und der Herzogin von York abgebildet waren. Ein Löffelende ragte heraus, woraus Wexford schloß,

Burden habe so viel Zucker in den Becher geschüttet, daß der Löffel darin stand.

»Ich hab bei uns angerufen«, sagte er. »Habe Anne dazu gebracht, daß sie hierherkommt.« Er fügte hinzu: »Und Barry.«

Bib Mew drückte den Becher an die Brust und umfaßte ihn mit beiden Händen. Merkwürdigerweise fiel Wexford gerade jetzt ein, wie ihm einmal jemand erzählt hatte, daß die Menschen in Kaschmir Gefäße voll heißer Kohlen unter ihrer Kleidung tragen, um diese zu wärmen. Wenn ich und Burden nicht da wären, dachte er, hätte Bib Mew sich den Becher unter den Pullover gesteckt. Der Tee schien eher als beruhigender Wärmespender zu dienen denn als Getränk.

»Bin zwischen die Bäume«, sagte sie. »Weil ich mal mußte.«

Wexford brauchte ein paar Augenblicke, bis ihm aufging, was sie meinte. Vor Gericht hieß das noch immer »ein natürliches Bedürfnis«. Burden wollte anscheinend seinen Ohren nicht trauen. Sie konnte doch höchstens zehn Minuten von ihrem Häuschen entfernt gewesen sein, aber natürlich war es möglich, daß sie es nicht mehr ausgehalten hatte, daß sie in diesem Punkt Schwierigkeiten hatte. Oder sie hatte zu viel Scheu davor, eine Toilette in Tancred House zu benutzen.

»Sie haben Ihr Fahrrad abgestellt«, sagte er sanft, »sind zwischen die Bäume gegangen, und dann haben Sie es gesehen?«

Sie begann zu zittern.

Er mußte hartnäckig bleiben. »Sie sind nicht nach Tancred weitergefahren, sondern zurück nach Hause?«

»Zu Tode erschrocken, zu Tode erschrocken. Hatte eine Todesangst.« Sie deutete mit dem Finger zur Wand. »Hab's ihm gesagt.«

»Ja«, sagte Burden. »Könnten Sie ... Könnten Sie uns sagen, *wo*?«

Sie stieß keinen Schrei aus. Das Geräusch, das sie von sich gab, war eine Art Schnattern. Ihren Körper schüttelte es. Der Tee schwappte in dem Becher hin und her und spritzte über den Rand. Wexford nahm ihn ihr behutsam ab. Er sagte in dem gelassensten, beruhigendsten Ton, den er zustande brachte: »Es ist nicht wichtig. Machen Sie sich darüber keine Gedanken. Sie haben es Mr. Hogarth erzählt?« Sie sah ihn verständnislos an. Er hatte den Eindruck, daß ihre Zähne zu klappern begannen. »Dem Mann nebenan?«

Ein Nicken. Ihre Hände streckten sich wieder nach dem Becher aus und umklammerten ihn. Wexford hörte den Wagen und bedeutete Burden mit einem Nikken, sie ins Haus zu lassen. Barry Vine und Anne Lennox hatten exakt elf Minuten hierher gebraucht.

Wexford ließ sie mit Bib Mew allein und ging nach nebenan. Das Fahrrad des jungen Amerikaners lehnte an der Mauer. Da es weder Klingel noch Türklopfer gab, klapperte er mit dem Deckel des Briefeinwurfs. Der Mann im Haus ließ sich Zeit, und als er schließlich kam, wirkte er keineswegs erfreut, Wexford zu sehen. Zweifellos paßte es ihm nicht, in die Sache hineingezogen zu werden.

»Oh, hi«, sagte er ziemlich kühl. Und dann, resigniert: »Wir kennen uns. Kommen Sie nur rein.«

Er hatte eine angenehme Stimme. Die Stimme eines gebildeten Amerikaners, wenn er auch nicht ganz, wie Wexford annahm, das makellose Neuengland-Idiom, das Mr. Littleburys sprach. Der junge Mann führte ihn in einen schmuddeligen Wohnraum, genau das, was Wexford von jemandem seines Alters – drei- oder vierundzwanzig – erwartete, der allein lebte. Man sah eine Menge Bücher in Regalen, die nur aus Brettern und Ziegelsteinen bestanden, einen anständigen Fernsehapparat, ein kaputtes, altes, grünes Sofa und einen Klapptisch, auf dem ein wildes Durcheinander herrschte:

eine Schreibmaschine, undefinierbares Metallwerkzeug vom Typ Krampe und Schraubenschlüssel, Teller, Tassen und ein Glas mit einem roten Getränk, das zur Hälfte geleert war. Die einzige andere Sitzgelegenheit, ein Windsor-Stuhl mit gebogener Lehne, war von Zeitungen mit Beschlag belegt. Der junge Amerikaner fegte sie mit einer Handbewegung auf den Boden und entfernte von der Lehne ein schmutziges weißes T-Shirt und ein paar verdreckte Socken.

»Können Sie mir Ihren vollen Namen sagen?«

»Das schon.« Aber er nannte ihn nicht. »Darf ich erfahren, weswegen? Ich habe doch mit der ganzen Geschichte nichts zu tun.«

»Reine Routine, Sir. Sie brauchen sich keine Sorgen zu machen, was Sie selbst betrifft. Und jetzt bitte Ihren vollen Namen.«

»Okay, wenn Sie wollen. Jonathan Steel Hogarth.« Er veränderte seinen Ton und wurde mitteilsam. »Die Leute nennen mich Thanny. Vielmehr, ich nenne mich Thanny, und jetzt reden mich alle so an. Wir können uns nicht alle zu ›Jon‹ abkürzen. Ich hab mir gedacht, wenn sich ein Mädchen, das Patricia heißt, Tricia nennen kann, kann ich mich Thanny nennen.«

»Sie sind amerikanischer Staatsangehöriger?«

»Yeah. Sollte ich meinen Konsul anrufen?«

Wexford lächelte. »Ich glaube nicht, daß das nötig sein wird. Wohnen Sie schon lange hier?«

»Ich bin seit dem vergangenen Sommer in Europa. Seit Ende Mai. Ich mache das, was man so die Grand Tour nennt. *Hier* wohne ich seit einem Monat. Ich bin Student. Das heißt, ich war Student und hoffe, wieder angenommen zu werden. An der USM, im kommenden Herbst. Ich habe also das hier gefunden – wie würden Sie es nennen? Eine Hütte? Nein, ein Cottage –, mich häuslich eingerichtet, und als nächstes passiert dieses Massaker in dem Herrenhaus dort, und die Frau nebenan entdeckt einen armen Kerl, der an einem Ast baumelt.«

»Einen Kerl? Es war ein Mann?«

»Komische Geschichte, ich weiß es nicht. Ich hab es sozusagen als selbstverständlich angenommen.«

Er grinste Wexford entschuldigend an. Er hatte ein fein gezeichnetes Gesicht, nicht so sehr hübsch als vielmehr sensibel, die Züge zart wie die eines Mädchens, große, dunkelblaue Augen mit dichten, langen Wimpern, eine kurze, gerade Nase, eine rosige Haut und dazu die dichten Bartstoppeln eines dunkelhaarigen Mannes, der sich seit zwei Tagen nicht rasiert hat. Der Kontrast hatte etwas eigenartig Fesselndes. »Sie wollen von mir wissen, was passiert ist? Es war vermutlich ein glücklicher Zufall, daß ich hier war. Ich war gerade von der USM zurückgekommen...«

Wexford unterbrach ihn. »USM, das haben Sie schon mal erwähnt. Was ist USM?«

Hogarth sah ihn an, als hätte er nicht alle Tassen im Schrank, und Wexford erkannte rasch, warum. »Ich werde dort an einem Kurs teilnehmen, verstehen Sie? An der University of the South in Myringham, USM. Wie sagen *Sie* dazu? Die geben so ein Oberseminar für kreatives Schreiben. Darum habe ich mich beworben. Im College hatte ich englische Literatur nur im Nebenfach, mein Hauptfach war Militärgeschichte, und darum dachte ich, ich brauche noch eine Zusatzausbildung, wenn ich Romane schreiben will. Ich habe den Antrag ausgefüllt und ihn selbst hingebracht.«

Er grinste. »Es ist nicht so, daß ich kein Vertrauen in die englische Post hätte, ich wollte mir nur den Campus ein bißchen anschauen. Also, wie gesagt, ich habe meinen Antrag abgegeben und bin wieder hierher zurückgekommen – wann? Ich schätze, gegen zwei, zehn nach zwei. Dann plötzlich dieses Hämmern gegen meine Tür, und den Rest wissen Sie ja wohl schon.«

»Nicht ganz, Mr. Hogarth.«

Thanny Hogarth zog die feinen, dunklen Augenbrauen hoch. Er hatte sich wieder ganz in der Hand und legte eine Selbstbeherrschung an den Tag, die für einen so jungen Menschen erstaunlich war. »Sie kann es Ihnen nicht selber erzählen?«

»Nein«, sagte Wexford nachdenklich. »Nein, wie die Sache aussieht, ist sie nicht dazu in der Lage. Was hat sie eigentlich zu Ihnen *gesagt*?« Der gar nicht so abwegige Gedanke war ihm gekommen, daß Bib Mew Gespenster gesehen haben könnte, Wahngebilde, wie möglicherweise schon früher. Vielleicht gab es gar keine Leiche, oder das, was an diesem Baum hing, war ein Stück Plastikplane oder ein Sack, der im Wind flatterte. Nach Wind und Regen war das flache Land in England manchmal mit Fetzen von Polyäthylen geschmückt... »Was genau hat sie zu Ihnen gesagt?«

»Wortwörtlich? Schwierig, sich daran zu erinnern. Sie hat gesagt, eine Leiche hänge an einem Baum... Sie hat mir gesagt, *wo*, und dann hat sie irgendwie zu lachen und zu weinen angefangen.« Dann kam ihm anscheinend eine Idee, die ihm sehr gefiel. Plötzlich zeigte er sich hilfsbereit. »Ich könnte Sie hinführen. Ich denke, ich könnte die Stelle finden, von der sie gesprochen hat, und sie Ihnen zeigen.«

Der Wind hatte sich gelegt, und im Wald war es sehr still und friedvoll. Gedämpfter Vogelsang war zu hören, aber nur wenige Singvögel lebten im Wald, und häufiger ließ sich das Schreien eines Eichelhähers und das ferne Pochen eines Spechts vernehmen. Sie stiegen an der Stelle aus dem Auto, wo die Nebenstraße nach Süden abbog. Es war ein Teil der Tancred-Wälder, mit altem Bestand, der teilweise umgestürzt war.

Gabbitas oder sein Vorgänger hatten hier etwas aufgeräumt, aber ein paar Stämme, die inzwischen von

Brombeergestrüpp überwuchert waren, für die Tiere liegen lassen. Die Bäume standen hier so licht, daß aus dem Boden schon helles Frühjahrsgras kam, doch weiter innen, wo der Bestand dichter war, war der Boden mit faulendem Laub bedeckt.

Hier also war Bib, Thanny Hogarth zufolge, gewesen. Er zeigte ihnen, wo sie nach seiner Berechnung ihr Fahrrad abgestellt hatte. Die brave, gehemmte Bib Mew mußte ein großes Stück zwischen die Bäume gegangen sein, bis sie sich ganz ungestört fühlte. Ja, man war hier so weit von der Straße entfernt, daß Wexford, wie schon vorher, dachte: Wir werden nichts finden, außer einer flatternden Plastikfolie an einem Ast.

Das düstere Schweigen, das jetzt herrschte, würde ihnen völlig lächerlich vorkommen, wenn der an einem Baum hängende Gegenstand sich als ein flatternder Fetzen oder leerer Sack entpuppen sollte. Seine Gedanken gingen in diese Richtung, als wäre schon alles vorbei und Bib Mews Schreckgespenst als das erkannt, was es war: eine falsche Fährte, die man nur mit einem ärgerlichen Ausruf abtun konnte... da sah er es. Sie sahen es alle.

Hier wuchsen Eibischsträucher dicht nebeneinander und schirmten eine Lichtung ab. Auf der Lichtung hing es, an einem der unteren Äste eines großen Baumes, einer Esche oder einer Linde, am Hals aufgeknüpft. Ein Bündel, oben zusammengeschnürt, und mitnichten ein Fetzen oder ein Sack. Es war etwas Schweres, das Gewicht von Fleisch und Knochen zog es nach unten.

Die Polizeibeamten verursachten kein Geräusch. Thanny Hogarth sagte: »*Wow!*«

Die Lichtung lag in der Sonne. Die Sonne überzog die Leiche an dem Ast mit einem sanften goldenen Schimmer. Sie schwang nicht hin und her wie ein Pendel, sondern drehte sich langsam, beschrieb vielleicht einen Viertelkreis wie ein Senkblei. Es war eine schöne Stelle, eine kleine bewaldete Senke mit knospenden

Zweigen ringsum und den winzigen gelben und weißen Siebensternen als Boten des Frühlings im Gras. Die Leiche wirkte in diesem Rahmen geradezu obszön. Ein früherer Gedanke meldete sich wieder in Wexfords Kopf: Dem Mann oder den Männern, die so etwas getan hatten, mußte es Freude bereitet haben, zu zerstören, sie hatten in der Vernichtung eine finstere Genugtuung gefunden.

Nachdem sie kurz stehengeblieben waren, um das Bild in sich aufzunehmen, näherten sie sich dem hängenden Etwas. Die Polizeibeamten gingen dicht hin, während sich Thanny Hogarth ein Stück weit entfernt hielt. Sein Gesichtsausdruck hatte sich nicht verändert, aber er zögerte weiterzugehen und senkte den Blick. Ja, dachte Wexford, die aufregende Entdeckung, die sich der Junge, unbeschwert und eifrig, in seinem Cottage ausgemalt hatte, ist das nicht. Zumindest würde er sich nicht übergeben.

Jetzt waren sie nur noch einen knappen Meter davon entfernt. Der Tote trug einen Trainingsanzug. Der früher einmal dicke Hals wurde durch die Schlinge grauenvoll gedehnt, und Wexford erkannte, daß er sich getäuscht, ganz und gar getäuscht hatte.

»Das ist Andy Griffin«, sagte Burden.

»Das ist doch unmöglich. Er hat am Mittwochabend seine Eltern angerufen. Er war irgendwo in Nordengland und hat am Mittwochabend seine Eltern angerufen.«

Sumner-Quist schien nicht beeindruckt. »Dieser Mann ist mindestens seit Dienstagnachmittag tot, sehr wahrscheinlich sogar noch länger.«

Zur weiteren Klärung des Sachverhalts mußten sie seinen Bericht abwarten. Burden war entrüstet. Man kann den Hinterbliebenen nicht direkt Vorwürfe machen, weil sie einem Lügen über ihren toten Sohn aufgetischt haben. So groß sein Verlangen auch war, es ihnen ins Gesicht zu sagen, er mußte es sich versagen. Freeborn war sehr darauf bedacht, daß seine Beamten sich, wie er es ausdrückte, »zivilisiert und einfühlsam« verhielten.

Burden konnte sich allerdings gut vorstellen, was sich abgespielt hate. Terry und Margaret Griffin hatten eine Vernehmung Andys so lange wie möglich hinausschieben wollen. Wenn sie die Fiktion aufrechterhalten konnten, daß er weit weg war, wenn sie ihn, sobald er nach Hause kam, bereden konnten, wieder abzutauchen, konnte es sein, daß bei seinem irgendwann unvermeidlichen Wiederauftauchen der Fall abgeschlossen und über die ganze Sache Gras gewachsen war.

»Wo war er in diesen drei Tagen, Reg? Dieses Gerede von ›droben im Norden‹ ist doch nur ein Täuschungsmanöver. Wo war er zwischen Sonntagvormittag und Dienstagnachmittag? Ist er bei irgend jemandem untergeschlüpft?«

»Am besten, wir schicken Barry noch mal in sein Lieblingsetablissement, das *Slug and Lettuce,* damit er sich mal umhört, was Andys Kumpel meinen.« Wexford grübelte. »Es ist eine entsetzliche Art, einen Menschen umzubringen«, sagte er dann, »aber ›angenehme‹ Tötungsarten gibt es ja nicht. Ein Mord ist etwas Entsetzliches. Wenn wir es nüchtern betrachten, hat das Erhängen für den Täter eine Menge Vorteile. Schon mal kein Blut. Es ist billig. Es ist sicher. Es ist einfach, vorausgesetzt, der Killer kann sein Opfer bewegungsunfähig machen.«

»Wie wurde Andy Griffin bewegungsunfähig gemacht?«

»Das werden wir wissen, sobald wir von Sumner-Quist etwas Endgültiges haben. Es könnte sein, daß sein Mörder ihm K. o.-Tropfen verabreicht hat, aber das hätte seine eigenen Probleme mit sich gebracht. War

Andy der zweite Mann? Derjenige, den Daisy nicht gesehen hat?«

»O ja, glaub ich schon. Und Sie?«

Wexford gab keine Antwort. »Hogarth war deutlich verärgert, als ich bei ihm ankam. Das mag durchaus verständlich sein, wenn man in diese Sache nicht hineingezogen werden möchte. Allerdings ist er wieder munter geworden, als er sich zu unserem Führer ernannte. Vermutlich steht er einfach gern im Mittelpunkt. Er sieht aus wie siebzehn, obwohl er wahrscheinlich dreiundzwanzig ist. In den Vereinigten Staaten gehen sie vier Jahre auf die Universität. Er will Ende Mai hierhergekommen sein, das wäre also nach seinen Abschlußprüfungen gewesen, die sind drüben im Mai, und er wäre zweiundzwanzig gewesen. Er ist auf seiner Grand Tour, wie er es nennt. Muß einen wohlhabenden Vater haben.«

»Haben wir ihn überprüft?«

»Ich habe es für angebracht gehalten«, sagte Wexford ziemlich kühl. Er berichtete Burden von einem diskreten Anruf bei einem alten Bekannten, dem Vizekanzler der Myringham University, und von Dr. K. Perkins' ebenso diskreter Konsultation des Computers mit den gespeicherten Einschreibeanträgen.

»Ich frage mich, was Andy getrieben hat.«

»Das fragen wir uns beide«, sagte Wexford.

Er machte sich auf, um Sylvia zu besuchen. Er war zu beschäftigt, um sich wirklich Zeit für einen Besuch bei ihr zu nehmen, und gerade das war Grund genug. Unterwegs tat er etwas, was er für Sylvia noch nie getan hatte: Er erstand Blumen. Er hätte ihr am liebsten eines jener prachtvollen Gebinde gekauft, wie sie für die tote Davina geschickt worden waren, ein Kissen oder ein Herz aus Blüten, ein Korb voll Lilien. Doch da es in diesem Blumengeschäft nichts dergleichen gab, mußte er mit goldenen Fresien und Adonisröschen vorliebnehmen. Der Duft, den sie in seinem Wagen verströmten, stärker als jedes Parfum in einem großen Flakon, war beinahe betäubend.

Sie war seltsam gerührt. Er dachte schon, gleich würden ihr die Tränen kommen. Aber sie lächelte und vergrub das Gesicht in den Blumen.

»Sind die herrlich! Danke dir, Dad.«

Wußte sie von dem Streit? Hatte Dora ihr davon erzählt?

»Mit welchem Gefühl wirst du dieses Haus verlassen?« Es war ein hübsches Zuhause, gleich um die Ecke von der vornehmen Ploughman's Lane. Er wußte, warum sie immer wieder umzog, warum sie und Neil sich förmlich danach sehnten, die Adresse zu wechseln, und das machte ihn nicht gerade glücklich. »Kein Bedauern?«

»Warte ab, bis du das Pfarrhaus siehst.«

Er verschwieg ihr, daß er zusammen mit ihrer Mutter schon zweimal daran vorbeigefahren war. Er sagte ihr nichts davon, wie entsetzt sie über die Größe des Hauses und seinen Zustand gewesen waren. Sie machte ihm Tee, und er aß von ihrem Obstkuchen, obwohl er eigentlich nicht wollte und auch nicht sollte.

»Du und Mutter, ihr dürft auf keinen Fall unsere House-warming-Party versäumen.«

»Warum sollten wir die versäumen?«

»Das fragst du noch! Du bist doch berühmt dafür, daß du nie auf Party gehst.«

»Das wird die Ausnahme werden, die die Regel bestätigt.«

Drei Tage war es her, seit er Daisy zum letztenmal gesehen hatte. Er hatte sich nur einmal mit ihr in Verbindung gesetzt: um sich zu vergewissern, daß sie in Tancred House auch sorgfältig bewacht wurde. Deswegen rief er sie an. Sie war verstimmt, aber nicht zornig.

»Rosemary wollte an den Apparat gehen! Das ist doch beknackt. Ich habe ihr gesagt, daß ich mich nicht vor Telefonstöhnern fürchte. Außerdem haben gar keine angerufen. Es ist wirklich Blödsinn, daß Rosemary hier ist oder Anne. Sie sind ja sehr nett, aber warum darf ich hier nicht allein sein?«

»Sie wissen, warum, Daisy.«

»Ich glaube einfach nicht, daß einer von denen zurückkommen wird, um mir den Rest zu geben.«

»Ich auch nicht, aber ich gehe gern auf Nummer sicher.«

Er hatte mehrmals versucht, ihren Vater zu erreichen, aber G. G. Jones in der Niniveh Road – wo gleich wieder? In Highbury? In Holloway? – hatte nicht abgenommen. An diesem Abend nahm er sich, nachdem er Davina Florys Roman *Midians Gastfreunde* – der Casey gefiel – gelesen hatte, ihr erstes Buch über Osteuropa vor und stellte fest, daß es nicht sein Fall war. Sie war ein Snob mit hehren Prinzipien, sowohl in gesellschaftlichen Fragen wie auf dem Gebiet des Intellekts; sie war rechthaberisch und dünkte sich den meisten Menschen überlegen; sie war unfreundlich zu ihrer Tochter und zu ihrem Personal von oben herab gewesen. Obwohl sie sich für eine »Linke« hielt, sprach sie nicht von der »Arbeiterklasse«, sondern von der »Unterschicht«. Ihre Bücher entlarvten sie als jenes immer suspekte Wesen: die vermögende Sozialistin.

Eine Mischung aus Elitedenken und Marxismus durchzog diese Seiten. Menschlichkeit im Täglichen war nirgends zu spüren, und das galt auch für den Humor, von einem einzigen Bereich abgesehen. Sie hatte anscheinend zu jenen Leuten gehört, die von der Idee eines ungezügelten Sexuallebens für jedermann begeistert sind, sich allein schon beim Gedanken an

Sex lüstern die Lippen lecken und darin den einzigen wirklichen Freudenspender des Lebens sehen, den Alten (den intelligenten und attraktiven Alten) ebenso zugänglich wie den Jungen. Aber für die Jugend schien er ihr unentbehrlich, je häufiger desto besser, ebenso notwendig wie Nahrung und ebenso unbestritten stärkend.

Sein Anruf in Sachen Einschreibung an der USM hatte zur Folge, daß er und Dora zu den Perkins auf einen Drink eingeladen wurden. Perkins überraschte Wexford mit der Bemerkung, daß er Harvey Copeland früher gut gekannt habe. Copeland war damals, das lag Jahre zurück, an einer amerikanischen Universität Gastprofessor für Betriebswirtschaft gewesen, zur selben Zeit, als er, Stephen Perkins, dort ein historisches Seminar abhielt und an seiner Dissertation für den Dr. phil. arbeitete. Dr. Perkins zufolge war Copeland seinerzeit, in den sechziger Jahren, ein verblüffend gut aussehender Mann gewesen, ein »Bombenerfolg auf dem Campus«, wie er sich ausdrückte. Es habe einen kleineren Skandal um eine schwangere Studentin im dritten Jahr und einen ungleich größeren wegen seiner Affäre mit der Frau eines Fakultätschefs gegeben.

»Eine Schwangerschaft war damals nichts Alltägliches bei den Studentinnen, besonders nicht im Mittleren Westen. Er mußte zwar nicht den Hut nehmen, das nicht. Er blieb die vollen zwei Jahre, aber als er sich verabschiedete, wurde so mancher Seufzer der Erleichterung ausgestoßen.«

»Was war er sonst für ein Mann?«

»Freundlich, gewöhnlich, ziemlich fade. Er hat nur toll ausgesehen. Es heißt ja, ein Mann kann in diesem Punkt einen anderen Mann nicht beurteilen, aber an seinem attraktiven Aussehen gab es einfach keinen Zweifel. Ich will Ihnen sagen, wie er aussah. Wie Paul Newman. Aber er war ein ziemlicher Langweiler. Wir waren einmal zu einem Dinner dort, weißt du noch, Rosie? In Tancred, meine ich. Harvey war noch immer genau derselbe wie vor fünfundzwanzig Jahren, ein schrecklicher Langweiler. Und er hat noch immer wie Paul Newman ausgesehen. Das heißt, wie Paul Newman *heute* aussieht.«

»Er war hinreißend, der arme Harvey«, sagte Rosie Perkins.

»Und Davina Flory?«

»Erinnern Sie sich noch an die Graffiti, die vor ein paar Jahren Kinder an die Mauern gesprüht haben, ›Rambo Rules‹, ›Pistols Rule‹, diese Sprüche? Genau das hat auf Davina gepaßt. Man hätte sagen können: ›Davina Rules‹. Wenn sie da war, hat sie den Ton angegeben. Nicht so sehr, daß sie Schwung in eine Runde gebracht hätte, sie hat sie dirigiert, als Boß. Einigermaßen diskret natürlich.«

»Aus welchen Gründen hat sie ihn geheiratet?«

»Liebe, Sex.«

»Sie hat oft auf eine peinliche Art über ihn gesprochen. Oh, das sollte ich unserem Gast nicht erzählen, hab ich nicht recht, Liebling?«

»Wie soll ich das beurteilen, wenn ich nicht weiß, worum es sich handelt.«

»Na gut, sie hat oft erzählt, ganz im Vertrauen natürlich, was für ein wunderbarer Liebhaber er sei. Und dabei hat sie irgendwie schelmisch dreingesehen und den Kopf auf die Seite gelegt – es war wirklich peinlich. Sie hat es gesagt, wenn man allein mit ihr war, das heißt, wenn keine Männer in der Nähe waren. Ganz unbefangen hat sie dann erzählt, daß er ein phantastischer Liebhaber sei. Für mich ist es unvorstellbar, so etwas zu irgend jemandem über meinen Mann zu sagen.«

»Vielen Dank, Rosie«, sagte Perkins lachend. »Einmal hat sie es sogar in meiner Hörweite gesagt.«

»Aber sie war doch schon Mitte sechzig, als sie ihn heiratete.«

»Hat das Alter etwas mit der Liebe zu tun?« kommentierte der Vizekanzler überlegen, und der Satz kam Wexford wie ein Zitat vor, obwohl er die Quelle nicht hätte angeben können. »Aber glauben Sie mir, sonst hat sie ihm keine Komplimente gemacht. Beispielsweise hat sie von seiner Intelligenz nicht viel gehalten. Aber sie umgab sich ja gern mit Nullen. Das tun solche Leute. Menschen sind Anschaffungen, wie Harvey für Davina, oder sie sind Produkte, wie ihre Tochter, und dann verbringen sie den Rest ihres Lebens damit, über sie herzuziehen, weil sie nicht witzig sind oder vor Geist sprühen.«

»Hat Davina Flory das getan?«

»Ich weiß es nicht. Vermutlich. Die arme Frau ist tot und auf gräßliche Weise umgekommen.«

Vier Menschen um einen Tisch, zwei Nullen, wie Perkins sie nannte, und zwei funkelnde Geister, und dann betraten die Killer das Haus, und alles war zu Ende, der Witz, die Langeweile und die Liebe, die Vergangenheit und die Hoffnung. Er dachte oft daran, dachte über die *mise en scène* mehr nach, als er es jemals in einem Mordfall getan hatte. Das Tischtuch, rot und weiß wie die Fische draußen im Bassin, war ein Bild, das häufig wiederkehrte, obwohl man das einem abgehärteten Polizeibeamten wie ihm nicht zugetraut hätte. Während er Davina Florys Schilderungen ihrer Reisen durch Sachsen und Thüringen las, dachte er an dieses Tischtuch, gefärbt von ihrem Blut.

»Es ist eine entsetzliche Art, einen Menschen umzubringen«, hatte er zu Burden über Andy Griffins Tod gesagt. »Jeder Mord ist entsetzlich.« Aber war es ein schlau eingefädelter Mord gewesen? Oder ein Mord, der nur wegen einer Verkettung unvorhersehbarer Umstände rätselhaft war? Sollten sie glauben, daß der Killer so schlau gewesen war, den Lauf eines 38er oder 357er Colt Züge einzukerben? Hatte sich irgendein Kumpel von Andy Griffin darauf verstanden?

Rosemary blieb Montagnacht bei Daisy, Karen Malahyde am Dienstag und Anne Lennox Mittwochnacht. Dr. Sumner-Quist lieferte Wexford am Donnerstag einen umfassenden Obduktionsbericht, und ein landesweit erscheinendes Blatt der Regenbogenpresse stellte auf der Titelseite die Frage, warum die Polizei bei der Fahndung nach den Tätern, die das Massaker in Tancred House begangen hatten, überhaupt nicht vorangekommen sei. Der Deputy Chief Constable bestellte Wexford zu sich und wollte wissen, wie er es habe zulassen können, daß Andy Griffin umgebracht wurde. Wenn der Vorwurf auch in andere Worte gekleidet war, lief es jedenfalls darauf hinaus.

Die gerichtliche Untersuchung im Fall Andy Griffin wurde eröffnet und sofort vertagt. Wexford studierte eine detaillierte Analyse über den Zustand von Andy Griffins Kleidung, die das forensische Labor erstellt hatte. In den Säumen seines Trainingsanzugs und in den Taschen der Jacke waren Partikel von Sand, Lehm, Kreide und faserigem, vermoderten Laub gefunden worden. Ein winziges Quantum Jutefasern, wie sie bei der Herstellung von Stricken verwendet werden, haftete oben an dem Trainingsanzug.

Sumner-Quist hatte weder im Magen noch im Darmtrakt Spuren irgendwelcher sedierender oder narkotischer Substanzen gefunden. Vor seinem Tod hatte er einen Hieb gegen die eine Seite des Kopfes erhalten. Nach Sumner-Quists Meinung war dies mit einem schweren, vermutlich metallenen Gegenstand geschehen, der in ein Tuch gewickelt war. Der Schlag sei zwar nicht tödlich gewesen, habe Griffin aber ein paar Minuten lang außer Gefecht gesetzt. Ausreichend Zeit.

Wexford erschauerte nicht, obwohl ihm danach war.

Es war ein gräßliches Bild, das da heraufbeschworen wurde, irgendwie nicht der modernen vertrauten Welt zugehörig, sondern aus einer fernen Vergangenheit, geheimnisvoll, urtümlich-wild und von primitiver Rohheit. Im Geist sah er den Ahnungslosen, den dicken, dummen, töricht selbstsicheren Andy Griffin vor sich, der vielleicht geglaubt hatte, einen Komplizen in seiner Macht zu haben, während sich dieser mit seiner bereit gehaltenen, umwickelten Waffe von hinten anschlich. Ein Hieb gegen den Kopf, rasch und gekonnt geführt. Dann, ohne Zeit zu verlieren, die schon geknüpfte Schlinge, der Strick über den starken Ast einer Esche geworfen...

Woher war der Strick gekommen? Dahin waren die Tage der kleinen Haushaltswarengeschäfte, die in der Familie blieben und von einer Generation zur nächsten vererbt wurden. Jetzt kaufte man ein Seil oder einen Strick in einem Heimwerkermarkt oder in der Haushaltswarenabteilung eines großen Supermarkts. Das machte die Sache schwieriger, denn ein Verkäufer erinnert sich an einen Kunden mit bestimmten Wünschen, den er bedient hat, ungleich besser als das Mädchen oder der junge Mann an der Kasse. Sie achten mehr auf den Preis als auf die Art des Gegenstands, wenn er aus dem Einkaufswagen genommen wird, es kann sogar sein, daß sie ihn unter dem Scanner durchziehen, ohne einen Blick auf die Ware oder auf den Kunden zu werfen.

Es war ihm gelungen, früh ins Bett zu kommen. Dora, die sich erkältet hatte, schlief im Gästezimmer. Dies hatte nichts oder nicht viel mit dem hitzigen Wortwechsel zu tun, den sie am frühen Abend Sheilas wegen gehabt hatten. Dora hatte sich mehrmals mit Sheila am Telefon unterhalten, aber immer tagsüber, wenn Wexford nicht zu Hause war. Sie sei voller Groll gegen ihn, aber bereit, »die Sache durchzusprechen«. Die Formulierung entlockte Wexford ein Knurren. Eine solche Ausdrucksweise mochte im Royal Oak angebracht sein, aber aus dem Mund seiner Tochter war sie ganz und gar unpassend.

Dora hatte vorgeschlagen, daß Sheila noch einmal für ein Wochenende herauskommen sollte. Natürlich müßte man dann Casey in Kauf nehmen, denn sie waren ja jetzt ein Paar, eines dieser unverheirateten Paare, die auf Weihnachtskarten nebeneinander unterschreiben. Casey würde sie ebenso selbstverständlich begleiten, wie Neil mit Sylvia kommen würde. Nur über seine Leiche, war Wexfords Kommentar.

Darauf hatte Dora die Nase gerümpft und sich mit ihrer Erkältung ins Gästezimmer verzogen. Sie nahm den von Sheila speziell nur an ihre Mutter adressierten Packen Informationsmaterial über die kleine Stadt Heights in Nevada mit, wo die Universität ihren Sitz hatte. Darunter war auch ein Prospekt über die Heights University mit detaillierten Angaben über die angebotenen Studiengänge und Abbildungen der Baulichkeiten. Ein Stadtführer enthielt Aufnahmen von der Umgebung und seitenlang Werbung ortsansässiger Firmen, zweifellos zur Deckung der Kosten dieses Hochglanz-Erzeugnisses. Wexford hatte auf beides einen unglücklichen Blick geworfen, ehe er es Dora zurückgab.

Das Kopfkissen im Rücken, mit einem Stapel Bücher, die Amyas Ireland geschickt hatte, setzte er sich ins Bett. Er las den gesamten Klappentext des zuoberst liegenden. Anschließend las er in das Vorwort hinein, bis ihm klar wurde, daß *Schön wie ein Baum* von Davina Florys Bemühungen handelte, gemeinsam mit ihrem ersten Ehemann die alten Wälder von Tancred aufzuforsten. Dann senkte sich der Schlaf auf seine Lider. Er schaltete das Licht aus.

Sein Telefon meldete sich wimmernd. Als er danach griff, fiel das Buch auf den Boden.

Karen meldete sich: »Hier spricht Detective Constable Malahyde in Tancred House. Ich habe drinnen angerufen.« Das war der Ausdruck, den sie alle benutzten, wenn sie das Polizeirevier anriefen, um Hilfe anzufordern. »Sie sind schon unterwegs, aber ich dachte mir, Sie würden es sicher gern erfahren. Draußen vor dem Haus ist irgend jemand, ein Mann, glaube ich. Wir haben ihn gehört, und dann haben wir ... dann hat Daisy ihn *gesehen*.«

»Ich mach mich auch auf die Socken«, sagte Wexford.

17

Es war eine jener seltenen Nächte, in denen der Mond so hell scheint, daß man beinahe lesen könnte. Solange Wexfords Wagen durch den Wald fuhr, überdeckten die Scheinwerfer das Mondlicht, doch als er auf freies Feld kam und dann auf den Vorhof von Tancred House fuhr, zeigte sich in dem weißen Licht alles so klar wie am Tage. Kein Windhauch bewegte einen Zweig. Westlich des monumentalen Herrenhauses zeichneten sich die Wipfel der Fichten, Tannen und Zedern im Mondlicht ab. Ein einziger, grünlicher Stern stand hell am Firmament. Der Mond war eine weiße Kugel, glühte alabasterartig, und man konnte verstehen, daß die Alten geglaubt hatten, in seinem Innern brenne ein Licht.

Die Bogenlampen unter der Mauer brannten nicht, vielleicht von einem Zeitschalter abgestellt. Es war zwanzig vor eins. Barry Vines Vauxhall und ein weiteres Polizeifahrzeug waren auf den Steinplatten abgestellt. Im dunklen Wasser des Bassins spiegelte sich der Mond als eine weiße Scheibe. Der Hauseingang stand offen, die innere Glastür war zwar geschlossen, aber nicht abgesperrt. Karen Malahyde öffnete sie ihm, als er darauf zuging. Noch ehe er ein Wort sagen konnte, berichtete sie, daß vier Männer von der uniformierten Polizei dabei seien, den näheren Umkreis von Tancred House abzusuchen. Vine sei oben.

Er nickte und ging an ihr vorbei in den Salon. Daisy ging auf und ab und ballte immer wieder die Hände zu Fäusten. Im ersten Augenblick dachte er, sie werde sich ihm gleich in die Arme werfen. Aber sie trat nur dicht vor ihn hin, hob die Fäuste und drückte sie gegen den Mund, als wollte sie an den Fingerknöcheln nagen. Ihre Augen waren weit aufgerissen. Er begriff sofort, daß sie sich beinahe unerträglich gefürchtet hatte, daß sie vor Entsetzen einem hysterischen Anfall nahe war.

»Daisy«, sagte er sanft. Und dann: »Wollen Sie sich nicht hinsetzen? Kommen Sie, setzen Sie sich. Es wird Ihnen nichts zustoßen. Sie sind in Sicherheit.«

Sie schüttelte den Kopf. Karen ging zu ihr hin, riskierte es, sie am Arm zu berühren, doch als Daisy zurückwich, faßte sie das Mädchen fest am Arm und führte es zu einem Stuhl. Statt sich hinzusetzen, drehte sich Daisy frontal zu Karen um. Ihre Wunde mußte mittlerweile beinahe verheilt sein; nur eine leichte Auflage auf der Schulter zeichnete sich unter ihrem Pullover ab.

Sie sagte: »Halten Sie mich fest. Bitte, halten Sie mich nur eine Minute fest.«

Karen legte die Arme um sie und zog sie an sich. Wexford bemerkte, daß Karen zu jenen seltenen Menschen gehörte, die jemand anderen umarmen können, ohne ihm auf die Schulterblätter zu klopfen. Sie hielt Daisy fest wie eine Mutter, die ihr Kind, das in Gefahr war, soeben zurückbekommen hat, gab sie dann sanft frei und drückte sie auf den Stuhl, *setzte* sie darauf.

»So ist sie, seit sie ihn gesehen hat, hab ich recht, Daisy?« Im Ton einer Krankenschwester fuhr Karen fort: »Ich weiß nicht, wie oft ich sie schon geknuddelt habe, aber es scheint nicht viel zu helfen. Möchten Sie noch eine Tasse Tee?«

»Ich wollte schon die erste nicht!« Wexford hatte Daisy noch nie in einem solchen Ton sprechen hören. Ihre Stimme durchschnitt den Raum so scharf, daß man glauben konnte, sie werde gleich in ein Kreischen ausbrechen. »Warum muß ich Tee trinken? Ich möchte ctwas, was mich betäubt, ich möchte etwas zum Einschlafen – für immer!«

»Machen Sie bitte uns allen eine Tasse Tee, Karen.« Er sprach diese Bitte nicht gern gegenüber eine Polizeibeamtin aus, es war zu sehr der Stil vergangener Zeiten, aber im Augenblick beruhigte er sich mit dem Gedanken, daß er auch Archbold oder Davidson in dieser Situation gebeten hätte, Tee zu machen. »Für Sie und mich und Sergeant Vine und wer sonst noch da ist. Und würden Sie Daisy einen kleinen Brandy bringen? Vermutlich finden Sie ihn in dem Wandschränkchen im Wintergarten.« Er war nicht gewillt, unter keinen Umständen bereit, von *serre* zu sprechen.

Daisys Blicke schossen dahin und dorthin, zu den Fenstern, zur Tür. Als die Tür langsam und lautlos nach innen aufging, holte sie mit einem zittrigen Stöhnen tief Luft, aber es war nur die Katze, die große, würdevolle, blaue Katze, die in majestätischer Haltung hereinstolzierte. Das Tier musterte Wexford mit einem jener starren Blicke voll Verachtung, wie sie nur ein verhätscheltes Geschöpf zustande bringt, ging zu Daisy hin und sprang leichtfüßig auf den Schoß des Mädchens.

»O Queenie, o Queenie!« Daisy senkte den Kopf und vergrub das Gesicht in dem dichten, blauen Fell.

»Erzählen Sie mir, was passiert ist, Daisy.«

Sie fuhr fort, die Katze zu liebkosen, und murmelte dabei aufgeregt vor sich hin. Queenie schnurrte tief und laut.

»Kommen Sie«, sagte Wexford energischer. »Reißen Sie sich zusammen.« So sprach er zu Sheila, wenn sie seine Geduld auf die Probe stellte, so *hatte* er zu ihr gesprochen.

Daisy hob den Kopf und schluckte. Er sah die zarte Bewegung des Brustkorbs zwischen den Vorhängen aus glänzendem, schwarzem Haar.

»Sie müssen mir sagen, was vorgefallen ist.«

»Es war ganz schrecklich.« Noch immer derselbe Ton, spitz, heiser, schrill, gebrochen. »Es war *furchtbar*!«

Karen kam mit dem Brandy in einem Weinglas zurück. Sie hielt es Daisy an die Lippen, als enthielte es eine Medizin. Daisy trank etwas davon und verschluckte sich.

»Lassen Sie sie selbst trinken«, sagte Wexford. »Sie ist ja nicht krank. Mein Gott, sie ist doch kein Kind oder eine Greisin. Sie ist nur furchtbar erschrocken.«

Das rüttelte sie auf. Ihre Augen blitzten. Sie nahm Karen das Glas aus der Hand, im selben Augenblick, als Barry Vine mit vier Tassen Tee auf einem Tablett hereinkam, und kippte mit einer trotzigen Bewegung den Brandy hinunter. Darauf folgte ein heftiger Erstikkungsanfall. Karen klopfte sie kräftig auf den Rücken. Tränen traten Daisy in die Augen und rannen ihr übers Gesicht.

Nachdem Vine dieses Schauspiel ein paar Sekunden lang mit undurchdringlicher Miene beobachtet hatte, sagte er: »Guten Morgen, Sir.«

»Es ist also schon Morgen, Barry. Ja, doch, es muß schon Morgen sein. Jetzt, Daisy, trocknen Sie sich die Augen. Es geht Ihnen wieder besser. Sie haben sich gefangen.«

Sie rieb mit dem Papiertaschentuch, das Karen ihr gegeben hatte, an ihrem Gesicht herum. Sie blickte ihn ziemlich aufsässig an, aber dann sagte sie in ihrem gewohnten Ton: »Ich habe noch nie zuvor Brandy getrunken.«

Das erinnerte ihn an etwas. Vor Jahren hatte Sheila dieselben Worte gesprochen, und der junge Esel, der bei ihr war, hatte gesagt: »Wieder eine Jungfernschaft flöten, oje!« Es preßte ihm einen Seufzer ab. »Also, schön, wo waren Karen und Sie? Schlafen gegangen?«

»Es war erst kurz nach halb zwölf, Sir!«

Er hatte vergessen, daß für diese jungen Dinger halb zwölf noch früh am Abend war. »Ich habe Daisy gefragt«, wies er Karen zurecht.

»Ich war hier, vor dem Fernseher. Wo Karen war, weiß ich nicht. In der Küche vielleicht oder sonstwo, um sich was zu trinken zu machen. Wir wollten schlafen gehen, wenn die Sendung zu Ende war. Ich habe draußen jemanden gehört, dachte aber, daß es Karen sei...«

»Was wollen Sie damit sagen, Sie hätten jemanden gehört?«

»Schritte draußen vor dem Haus. Die Lampen draußen waren bereits ausgegangen. Sie sind so eingestellt, daß sie sich um halb elf abschalten. Die Schritte kamen aufs Haus zu, auf die Fenster dort, und ich bin aufgestanden, um nachzusehen. Das Mondlicht war sehr hell, so daß man keine Beleuchtung brauchte. Ich sah ihn. Ich sah ihn dort draußen im Mondschein, nur so weit entfernt wie Sie jetzt von mir.« Sie legte eine Pause ein und atmete schneller. »Ich habe einfach zu schreien angefangen, habe geschrien und geschrien, bis Karen kam.«

»Ich hatte ihn bereits gehört, Sir. Ich hatte ihn schon früher als Daisy gehört. Ich glaube, es waren Schritte draußen vor der Hintertür und dann an der Rückseite des Hauses, die Terrasse entlang. Ich lief durchs Haus und in den... den Wintergarten, und ich hörte ihn wieder, sah ihn aber auch diesmal nicht. Dann hab ich im Revier angerufen. Ich habe gewählt, bevor ich Daisy schreien hörte. Ich kam hier herein, und sie stand am Fenster, schrie und hämmerte gegen die Scheibe. Dann hab ich... hab ich Sie angerufen.«

Wexford wandte sich wieder Daisy zu. Sie hatte sich beruhigt, anscheinend hatte der Brandy die betäubende Wirkung, nach der sie sich sehnte. »Was genau haben Sie gesehen, Daisy?«

»Er hatte sich was über den Kopf gezogen, so eine Art

wollenen Helm mit Löchern für die Augen. Er sah aus wie auf einem der Fotos, wie man sie von Terroristen sieht. Was er anhatte, – ich weiß nicht, vielleicht einen Trainingsanzug, – war dunkel, vielleicht schwarz oder dunkelblau.«

»War es derselbe Mann wie der Killer, der am 11. März Ihre Famile erschossen hat und Sie umbringen wollte?«

Noch während er sprach, wurde ihm klar, was für eine schreckliche Frage er da einer Achtzehnjährigen stellen mußte, einem behütet aufgewachsenen Mädchen, einem zarten, verängstigten Mädchen. Natürlich konnte sie ihm keine Antwort darauf geben. Der Mann hatte eine Maske getragen. Sie erwiderte seinen Blick mit einem Ausdruck der Ratlosigkeit.

»Ich weiß es nicht. Ich weiß es nicht. Wie soll ich das wissen? Es könnte so gewesen sein. Ich kann überhaupt nichts über ihn sagen. Er könnte jung gewesen sein oder nicht so jung, *alt* war er nicht. Er hat groß und stark gewirkt. Er schien ... er schien sich hier auszukennen, obwohl ich nicht sagen kann, wie ich darauf kam, nur daß er genau zu wissen schien, was er tat und wohin er wollte. O Gott, was wird aus mir werden, was wird mir noch passieren!«

Der Versuch, darauf eine Antwort zu finden, blieb Wexford erspart – die Harrisons kamen ins Zimmer. Ken Harrison war voll angekleidet, während seine Frau ein Kleidungsstück trug, für das Wexford in ferner Vergangenheit die Bezeichnung »Hausmantel« gehört hatte, roter Velours mit weißlichem Flanell um den Hals, vorne von der Taille abwärts offen, wodurch blau getüpfelte Pyjamabeine zum Vorschein kamen. Nach althergebrachter Art hatte sie einen Schürhaken in der Hand.

»Was geht denn hier vor?« sagte Harrison. »Überall sind Männer. Hier wimmelt es ja von Bullen. Ich habe zu Brenda gesagt: ›Weißt du, was sein könnte? Es könnte sein, daß diese Verbrecher zurückgekommen sind, um Daisy fertigzumachen.‹«

»Also haben wir schnell irgendwas angezogen und sind sofort hierhergekommen. Ich wollte nicht zu Fuß gehen, ich hab von Ken verlangt, daß er den Wagen rausholt. Hier ist man nicht sicher, ich würd mich nicht mal drauf verlassen, daß ich *in* einem Wagen in Sicherheit bin.«

»Ich will Ihnen mal was sagen: *Wir* hätten hier sein sollen. Das hab ich gleich gesagt, als wir zum erstenmal gehört haben, daß so eine Polizistin im Haus einquartiert wird. Warum hat man nicht einfach uns geholt? Was soll denn schon ein Mädchen ausrichten, auch wenn sie sich Polizeibeamtin schimpft? Johnny und uns hätte man hierherholen sollen, es gibt ja weiß Gott genug Schlafzimmer, aber nein, niemand hat es vorgeschlagen, also haben wir auch kein Wort gesagt. Wenn Johnny und wir hier gewesen wären, glauben Sie, daß dann so was passiert wäre? Glauben Sie, dieser Killer hätte den Schneid gehabt, noch mal hier aufzutauchen, um sie fertigzumachen? Kein ...«

Daisy schnitt ihm das Wort ab. Was sie jetzt tat, erstaunte Wexford. Sie sprang auf und sagte mit kalter, klarer Stimme: »Ich kündige Ihnen hiermit. Sie müssen irgendeine Kündigungsfrist haben, und ich weiß nicht, wie lange die läuft. Aber ich will Sie nicht mehr sehen, und je früher Sie verschwinden, desto besser. Wenn es nach mir ginge, wären Sie morgen weg.«

Sie war jetzt ganz die Enkelin ihrer Großmutter. Sie stand mit zurückgeworfenem Kopf da und maß sie voll Verachtung. Und dann brach ihr jäh die Stimme, und sie begann zu nuscheln. Der Brandy hatte seine Wirkung an ihr getan.

»Haben Sie denn gar keine Spur von Takt? Kennen Sie keine Rücksicht? Davon zu reden, daß ich fertiggemacht werde? Ich hasse Sie! Ich hasse Sie beide! Ich möchte Sie nicht mehr in meinem Haus, auf meinem Grund sehen, ich werde Ihnen Ihr Cottage wegnehmen...«

Ihr Weinen ging in ein Flennen, ein hysterisches Schluchzen über. Die Harrisons standen entgeistert da. Brenda Harrison hing tatsächlich die Kinnlade herab. Karen trat auf Daisy zu, und einen Augenblick lang dachte Wexford schon, sie werde dem Mädchen ein paar Ohrfeigen verpassen, die Hysterie angeblich am besten kurieren. Doch statt dessen nahm sie Daisy in die Arme, legte ihr eine Hand auf das dunkle Haar und drückte mit der anderen den Kopf des Mädchens gegen ihre eigene Schulter.

»Kommen Sie, Daisy, ich bringe Sie hinauf in Ihr Bett. Sie brauchen sich jetzt nicht mehr zu fürchten.«

Stimmte das? Wexford wünschte, er hätte sie auch mit solcher Gewißheit beruhigen können. Vines Augen begegneten dem Blick des Chief Inspector, und der gesetzte Sergeant tat, was bei ihm einem Blick zum Himmel am nächsten kam: Er bewegte die Augäpfel ein paar Millimeter gen Norden.

»Sie ist überreizt, sie ist außer sich, das kann sie nicht ernst gemeint haben«, erregte sich Ken Harrison.

»Natürlich hat sie es nicht ernst gemeint, Ken, wir sind doch hier alle eine Familie, wir gehören zur Familie. Natürlich hat sie's nicht ernst gemeint – oder?«

»Es ist wohl besser, wenn Sie jetzt nach Hause gehen, Mrs. Harrison«, sagte Wexford. »Sie sollten jetzt beide nach Hause gehen.« Er versagte sich den Zusatz, daß am Morgen alles anders aussehen werde, obwohl dies sicher der Fall war. »Machen Sie sich jetzt auf den Heimweg und schlafen Sie noch ein bißchen.«

»Wo ist eigentlich Johnny?« sagte Brenda Harrison. »Das wüßte ich mal gern. Wenn wir diese Männer gehört haben, und sie hätten mit ihrem Radau die Toten wecken können, warum hat dann Johnny sie nicht gehört? Warum versteckt er sich? Das wüßte ich mal gern.« Giftig fuhr sie fort: »Vielleicht ist er sich zu gut, raufzukommen und nachzuschaun, was hier vor sich geht. Wenn man mich fragt: Wenn überhaupt jemand rausgesetzt werden soll, dann der, der faule Sack. Was hat der denn für einen Grund, sich zu verstecken?«

»Er hat das alles verschlafen.« Wexford konnte der Versuchung nicht widerstehen und fügte hinzu: »Er ist ja noch jung.«

Karen Malahyde, dreiundzwanzig Jahre alt, entsprach in keiner Weise Ken Harrisons Vorstellungen von einer Polizeibeamtin, denn sie hatte den schwarzen Gürtel und erteilte Judo-Unterricht. Wexford wußte, wenn sie in der Nacht vorher mit dem Eindringling zusammengestoßen und der Kerl entweder unbewaffnet oder mit seiner Waffe nicht schnell genug gewesen wäre, wäre ihr durchaus zuzutrauen gewesen, daß sie ihn im Handumdrehen unschädlich gemacht hätte. Sie hatte Wexford einmal erzählt, daß sie keine Angst habe, nachts allein durch die Straßen zu gehen, nachdem sie einmal einen Kerl, der sie überfallen und ausrauben wollte, auf die andere Straßenseite geschmissen hatte.

Aber war sie, auf sich allein gestellt, eine hinreichende Leibwächterin für Daisy? Waren Anne oder Rosemary hinreichend? Er mußte Daisy dazu bringen, daß sie Tancred House verließ. Nicht unbedingt, um sich zu verstecken, aber doch um in einer gewissen Distanz bei Freunden Unterschlupf zu suchen. Trotzdem, so gestand er sich und später auch Burden ein, hatte er mit einem solchen Vorfall nicht gerechnet. Er hatte Daisy rein prophylaktisch eine »Behüterin« zur Verfügung gestellt. Daß einer dieser beiden Männer – es mußte der Killer gewesen sein, wenn der andere, der, den Daisy nicht gesehen hatte, Andy Griffin gewesen war – tatsächlich wiederkommen würde, um sie »fertigzumachen«, das passierte nur in Träumen, Romanhandlungen, Phantastereien. *So etwas geschah doch nicht wirklich.*

»Es ist aber geschehen«, sagte Burden. »Sie ist hier nicht sicher und sollte weggehen. Ich sehe nicht, inwiefern es viel bringen würde, wenn wir die Harrisons und Gabbitas im Haus einquartierten. Damals waren ja schließlich vier Personen im Haus. Das hat ihn nicht abgeschreckt.«

Das weiße Tischtuch, darauf die Gläser und das Silber. Das Essen auf dem vorgeheizten Servierwagen. Die Vorhänge gemütlich zugezogen an jenem Märzabend, um die Kälte abzuhalten. Der erste Gang, die Suppe, gegessen. Naomi verteilt den Fisch, die Seezunge *bonne femme*, und als alle ihren gefüllten Teller vor sich haben und zu essen beginnen, die Geräusche von oben, der Lärm, den die herumtobende Katze veranstaltet, so glaubt jedenfalls Davina Flory.

Aber Harvey Copeland geht hinaus, um nachzusehen, Harvey, der so gut, der wie Paul Newman aussah, der ein »Bombenerfolg auf dem Campus« gewesen war, den seine schon in die Jahre gekommene Frau aus Liebe und als Bettgenossen geheiratet hatte. Stille draußen, kein Autogeräusch, keine Schritte, nur ein fernes Tohuwabohu über ihren Köpfen.

Harvey Copeland ist nach oben gegangen und wieder runter gekommen, oder er hat das Obergeschoß gar nicht erreicht, sondern sich am Fuß der Treppe umgewandt, als der Killer aus dem Korridor kommt...

Wie lange hatte all das gedauert? Dreißig Sekunden? Zwei Minuten? Und was hatte sich in diesen zwei Minuten im Eßzimmer abgespielt? Aßen sie in Harveys Abwesenheit seelenruhig ihren Fisch? Oder warteten sie auf ihn, unterhielten sie sich über die Katze, wie sie jeden Abend die hintere Treppe hinauf- und die vordere hinunterlief? Dann der Schuß, und Naomi stand vom Tisch auf, Daisy stand auf und wollte auf die Tür zugehen. Davina blieb, wo sie war, blieb am Tisch sitzen. Warum? Warum tat sie das? Aus Furcht? Hielt schlichte Angst sie dort fest, wo sie war?

Die Tür fliegt auf, der Killer kommt herein, die Schüsse werden abgefeuert, und das Tischtuch ist nicht mehr weiß, sondern scharlachrot, mit einem dicken Fleck, der sich dann ausbreitet...

»Ich werde gleich mit ihr sprechen«, sagte Wexford. »Natürlich kann ich sie nicht zwingen, von hier wegzugehen, wenn sie nicht will. Kommen Sie mit, ja? Versuchen wir beide unser Glück.«

»Vielleicht ist sie inzwischen selbst dafür. Am nächsten Morgen sieht alles schon wieder anders aus.«

Das schon, dachte Wexford, aber nicht so, wie du meinst. Das Licht des Tages macht einen nicht ängstlicher, sondern weniger ängstlich. Der morgendliche Sonnenschein läßt einen die Schrecken der vergangenen Nacht als übertrieben abtun. Licht ist real, das Dunkel dämonisch.

Sie gingen hinaus, über den Hof und langsam um den Westflügel von Tancred House herum.

»Er kam also nach hinten, hierher«, sagte Burden. »Was wollte er? Suchte er einen Weg ins Haus? Ein offenes Fenster im Erdgeschoß? Es war keine kalte Nacht.«

»Unten war kein Fenster offen. Alle Türen waren abgeschlossen. Im Gegensatz zum erstenmal.«

»Doch ein bißchen sonderbar, nicht? Um das Haus herumzutrampeln, so daß ihn zwei Leute drinnen eindeutig hören konnten? Und das, obwohl sämtliche Fenster geschlossen waren? Er zieht sich eine Maske übers Gesicht, denkt sich aber nichts dabei, einen Mordsradau zu veranstalten, während er nach einer Möglichkeit sucht, ins Haus zu kommen.«

Wexford sagte nachdenklich: »Vielleicht war es ihm in Wirklichkeit egal, ob er gehört oder gesehen wurde? Wenn er annahm, daß Daisy allein sei, und er sie umbringen wollte – spielte es dann eine Rolle, ob sie ihn sah?«

»Warum dann aber eine Maske?«

»Richtig.«

Ein Wagen, den Wexford nicht kannte, stand ein paar Meter vom Hauseingang entfernt. Während sie sich ihm näherten, ging die Tür auf, und Joyce Virson kam heraus, gefolgt von Daisy. Mrs. Virson trug einen Pelzmantel, ein Kleidungsstück, das weder begehrt noch in Mode war, das die Oxfam-Läden für die Dritte Welt nicht annahmen und das auf den kirchlichen Basaren unverkäuflich war, unverkennbar aus den Fellen vieler Füchse zusammengesetzt.

Wexford hatte Daisy noch nie in einem solchen Punk-Aufzug erlebt. An ihrem Outfit war etwas Herausforderndes: schwarze Strumpfhose und Schnürstiefel, schwarzes bedrucktes Sweatshirt, abgewetzte Motorradlederjacke. Ihr Gesicht war eine starre Maske des Unglücks, aber das Haar, stark mit Gel präpariert, stand nach allen Richtungen wie Stacheln vom Kopf weg, wie ein Wald, von dem nur Baumstümpfe geblieben sind. Sie schien damit etwas ausdrücken zu wollen – vielleicht auch nur ihren Protest: Daisy gegen den Rest der Welt.

Schweigend blickte sie erst ihn, dann Burden an. Joyce Virson brauchte einen Moment, bis sie sich erinnerte, wer die beiden Männer waren. Ein breites, zähnebleckendes Lächeln verwandelte ihr Gesicht vollkommen, während sie mit ausgestreckten Händen auf Wexford zukam.

»Oh, Mr. Wexford, wie geht's? Was für eine Freude, Sie zu sehen. Sie sind genau der Richtige, der dieses Kind bewegen kann, mit uns nach Hause zu kommen.

Sie kann doch unmöglich alleine hierbleiben! Ich war derart entsetzt, als ich erfuhr, was vergangene Nacht hier geschehen ist, daß ich sofort herausgekommen bin. Man hätte nie zulassen dürfen, daß sie uns verläßt.«

Wexford fragte sich, wie sie davon erfahren hatte. Von Daisy sicher nicht.

»Es tut mir leid, aber ich verstehe nicht, was heutzutage alles erlaubt ist. Als ich achtzehn war, wäre es undenkbar gewesen, daß ich mich irgendwo allein aufhielt, schon gar nicht in einem so riesigen, abgelegenen Haus wie dem hier. Sie können mir nicht erzählen, daß sich die Dinge zum Besseren verändert haben. Es tut mir leid, aber wenn Sie mich fragen, waren die alten Zeiten doch die besseren.«

Unbeeindruckt folgte Daisy dieser Ansprache, wandte sich dann in der Mitte der Suada ab und richtete den Blick auf die Katze, die vielleicht nur selten durch den vorderen Hauseingang hinausdurfte, und nun auf dem steinernen Beckenrand saß und die weiß-roten Fische beobachtete. Die Fische schwammen in konzentrischen Kreisen, und die Katze beäugte sie.

»Sagen Sie doch etwas zu ihr, Mr. Wexford. Reden Sie ihr zu, machen Sie von Ihrer Autorität Gebrauch. Sie werden mir doch nicht sagen wollen, daß es keine Möglichkeit gibt, auf ein *Kind* Druck auszuüben.« Mrs. Virson vergaß zusehends, daß ein Überredungsversuch notwendigerweise nur mit Freundlichkeit und vielleicht auch Schmeichelei zum Ziel führen kann. Ihre Stimme wurde lauter. »Es ist so dumm und richtig hirnverbrannt! Was soll denn das?«

Die Katze streckte eine Pfote in das Becken, traf auf ein anderes Element, als sie erwartet hatte, und schüttelte sich Wassertropfen von den kleinen Ballen. Daisy beugte sich vor, und nahm sie in die Arme. Mit einem ironischen Unterton, der Wexford nicht entging, sagte sie: »Auf Wiedersehen, Joyce, vielen Dank für Ihren

Besuch.« Dann ging sie mit dem flaumigen Bündel in den Armen ins Haus, ließ aber die Tür offen.

Burden ging ihr nach. Wexford, der nicht wußte, was er sagen sollte, murmelte etwas davon, daß er alles im Griff, daß die Polizei die Sache unter Kontrolle habe. Joyce Virson maß ihn, gar nicht unbegründet, mit einem vernichtenden Blick.

»Es tut mir leid, aber damit ist es nicht getan. Ich werde mal sehen müssen, was mein Sohn dazu sagt.«

Aus ihrem Mund hörte sich das wie eine Drohung an. Er sah zu, wie sie mit großer Mühe den kleinen Wagen wendete und ihn beim Wegfahren gerade noch so an einem der Torpfosten vorbeisteuerte, daß der linke vordere Kotflügel keinen Kratzer abbekam. Daisy war mit Burden in der Halle. Sie saß in einem Sessel mit hoher Lehne auf einem Samtkissen und hatte Queenie auf dem Schoß.

»Warum macht es mir überhaupt was aus, wenn er mich doch noch umbringt«, sagte sie gerade. »Ich versteh mich selbst nicht. Schließlich möchte ich ja sterben. Ich habe nichts mehr, was meinem Leben einen Sinn gibt. Warum hab ich gestern abend geschrien und dieses ganze Theater aufgeführt? Ich hätte hinausgehen, auf ihn zumarschieren und sagen sollen: ›Bring mich um, los, bring mich doch um! Mach mich fertig, wie dieser gräßliche Ken gesagt hat.‹«

Wexford zuckte die Achseln. »Nur keine Rücksicht auf mich, oder?« sagte er mit leiser Ironie. »Wenn man Sie um die Ecke bringt, muß ich meinen Hut nehmen.«

Sie lächelte nicht, sondern schnitt eine Art Grimasse. »A propos Hut nehmen. Was sagen Sie dazu? *Brenda* hat Joyce angerufen. Sie hat gleich morgens mit ihr telefoniert und gesagt, daß ich sie rausgesetzt habe, und sie solle dafür sorgen, daß ich sie doch hier behalte. Wie finden Sie das? Als wäre ich ein Kind oder ein Fall für den Psychiater. Auf diese Weise hat Joyce von heute nacht erfahren. Von dieser alten Kuh, die sich in alles einmischen muß. Ich hätte es ihr bestimmt nicht erzählt.«

»Sie haben doch sicher noch andere Freunde, Daisy. Gibt es denn sonst niemanden, bei dem Sie eine Weile unterkommen könnten? Auf ein paar Wochen?«

»Werden Sie ihn binnen zwei Wochen erwischt haben?«

»Das ist mehr als wahrscheinlich«, sagte Burden beherzt.

»Für mich ist es sowieso unwichtig. Ich bleibe hier. Wenn sie wollen, können Karen oder Anne kommen. Oder vielmehr, wenn *Sie* wollen, nehme ich an. Aber es ist reine Zeitverschwendung, sie brauchen sich nicht die Mühe zu machen. Ich habe keine Angst mehr. *Ich will, daß er mich umbringt.* Das ist die beste Lösung: sterben.«

Sie senkte den Kopf und vergrub das Gesicht im Fell der Katze.

Es erwies sich als unmöglich, herauszubekommen, was Andy Griffin unternommen hatte, nachdem er von zu Hause weggegangen war. Seine Trinkkumpane aus dem *Slug and Lettuce* wußten nichts von einer zweiten Adresse, die er möglicherweise hatte, wenn auch Tony Smith von einer Freundin Andys »droben im Norden« sprach. Dieser vage Hinweis tauchte im Gespräch immer dann auf, wenn es um Andy Griffin ging. Er hatte also eine Freundin in diesem fiktiven Land zwischen hier und nirgendwo.

»Kylie hat sie geheißen«, sagte Tony.

»Wenn Sie mich fragen«, sagte Leslie Sedar mit einem verschlagenen Grinsen, »hat er sie erfunden. Sie sich von der Glotze geborgt.«

Bis er ein Jahr vorher auf die Straße gesetzt wurde,

hatte Andy Griffin für eine Brauerei als Fernfahrer gearbeitet. Seine normale Route ging von Myringham aus zu verschiedenen Londoner Verkaufsstellen sowie nach Carlisle und Whitehaven.

Die Leute in der Brauerei hatten über ihn nicht viel Gutes zu sagen. In den vergangenen zwei, drei Jahren waren ihnen die Augen aufgegangen, daß sexuelle Belästigungen am Arbeitsplatz durchaus vorkamen. Andy Griffin war zwar nur selten in die Geschäftsstelle gekommen, aber bei seinen wenigen Besuchen dort hatte er gegenüber einer Marketingdirektorin anzügliche Bemerkungen gemacht und einmal sogar ihre Sekretärin von hinten in den Armschlüssel genommen. Die Position der Betroffenen konnte Andy Griffin kaum abschrecken, offenbar genügte es, daß seine Beute weiblich war.

Die Freundin war anscheinend ein Phantasieprodukt. Es gab keinen Beweis für ihre Existenz, und die Eltern bestritten rundweg, daß es sie gegeben habe. Terry Griffin gab widerstrebend sein Einverständnis zu einer Durchsuchung von Andys Zimmer in Myringham. Er und seine Frau wirkten tief betroffen über den Tod ihres Sohnes und sahen beide aus, als wären sie um zehn Jahre gealtert. So wie andere Leute in ihrer Lage vielleicht nach Beruhigungsmitteln oder nach der Flasche gegriffen hätten, hatten sie sich der Droge Fernsehen verschrieben, Farben und Bewegungen, Gesichter und Gewalttaten zogen über den Bildschirm und lieferten einen fragwürdigen Trost.

Den Ruf ihres Sohnes weißzuwaschen, war nunmehr Mrs. Griffins wichtigstes Anliegen. Man hätte meinen können, daß dies das einzige war, das sie noch für ihn tun konnte. Dementsprechend bestritt sie, den Blick noch immer auf die vorüberziehenden Bilder gerichtet, irgend etwas über eine Freundin gewußt zu haben. In Andys Leben habe es nie ein Mädchen gegeben. Sie nahm die Hand ihres Mannes, drückte sie und wiederholte diesen letzten Satz. In dem Ton, mit dem sie Burdens Andeutung zurückwies, brachte sie es fertig, das Wort »Freundin« wie eine Geschlechtskrankheit klingen zu lassen. In den Augen einer Mutter war das eine so verwerflich und potentiell schädlich wie das andere.

»Und Sie haben ihn Sonntagvormittag zum letztenmal gesehen, Mr. Griffin?«

»Sonntagfrüh. Andy ist immer mit den Hühnern aufgestanden. Gegen acht war es. Er hat mir eine Tasse Tee gemacht.« Der Mann war tot, und er war ein Schläger, ein Unhold gewesen, ein Faulpelz und Dummkopf, aber sein Vater würde nicht davon ablassen, sein Loblied zu singen. Noch lange nach seinem Tod würde die Mutter seinen reinen Lebenswandel und sein Vater Andys Pünktlichkeit, sein rücksichtsvolles Wesen und seine Uneigennützigkeit preisen. »Er hat gesagt, daß er in den Norden fährt« sagte Terry Griffin.

Burden unterdrückte einen Seufzer.

»Mit seinem Fahrrad«, sagte die Mutter des Toten. »Ich habe dieses Rad immer gehaßt, und ich hatte recht. Schaut, was passiert ist.«

Einem sonderbaren Bedürfnis folgend, begann sie den Mord an ihrem Sohn in einen tödlichen Verkehrsunfall zu verwandeln.

»Er hat gesagt, er würde uns anrufen. Das hat er jedesmal gesagt, wir brauchten ihn nicht darum zu bitten.«

»Wir brauchten nie darum zu bitten«, sagte seine Frau matt.

Burden schob in sanftem Ton ein: »Aber er hat doch nicht angerufen, oder?«

»Nein, er hat nicht angerufen. Und das hat mir Sorgen gemacht, weil ich wußte, daß er mit dem Fahrrad unterwegs war.«

Mrs. Griffin hielt die Hand ihres Mannes umklammert und zog sie jetzt in ihren Schoß. Burden ging den Korridor entlang zu dem Zimmer, das Davidson und Rosemary Mountjoy gerade filzten. Der Stapel von Pornofotos, die die Durchsuchung von Andy Griffins Kleiderschrank zutage gefördert hatte, überraschte ihn nicht. Andy dürfte gewußt haben, daß die Diskretion seiner Mutter gegenüber dem Sohn sie mit dem Staubsauger vor seinem Schrank haltmachen ließ.

Andy Griffin war kein Briefeschreiber gewesen, und ebensowenig hatte ihn das gedruckte Wort angezogen. Die Pornomagazine waren einzig auf die Wirkung der Fotos ausgerichtet, nur manche waren durch knappe, ordinär aufreizende Bildunterschriften ergänzt. Seine Freundin, wenn es sie denn gegeben hatte, hatte ihm nie geschrieben, und sollte sie ihm ein Foto von sich geschenkt haben, hatte er es jedenfalls nicht aufgehoben.

Die einzig wirklich interessante Entdeckung, die sie machten, war eine Papiertüte in der untersten Schublade einer Kommode. Sie enthielt 96 US-Dollar-Scheine unterschiedlichen Nennwerts, Zehn-, Fünf- und Ein-Dollar-Noten.

Die Griffins behaupteten steif und fest, daß sie von diesem Geld nichts wüßten. Margaret Griffin sah die Geldscheine an, als wären sie nicht von dieser Welt, vielleicht Geld aus irgendeinem fernen Kulturkreis oder ein Ausgrabungsfund. Sie wendete die Scheine und begutachtete sie erstaunt – ihr Kummer war für eine Weile vergessen.

Terry Griffin stellte schließlich die Frage, die sie vielleicht nicht hatte stellen wollen, um nicht dumm dazustehen. »Ist das Geld? Könnte man damit was kaufen?«

»In den Vereinigten Staaten könnten Sie damit einkaufen, ja«, sagte Burden. Dann korrigierte er sich. »Sie können beinahe überall damit bezahlen, nehme ich an.

Und außerdem könnten Sie die Scheine auf eine Bank tragen und sie in Sterling umwechseln lassen.« Er formulierte es vorsichtshalber schlichter. »In ... nun ja, in Pfund.«

»Aber warum hat Andy sie dann nicht ausgegeben?«

Burden scheute davor zurück, sie nach dem Strick zu fragen, tat es dann aber doch, weil es sich nicht umgehen ließ. Wie sich dann zu seiner Erleichterung zeigte, schien den beiden der schreckliche Zusammenhang nicht bewußt zu werden. Sie wußten zwar, auf welche Weise ihr Sohn ums Leben gekommen war, doch das Wort »Strick« beschwor für sie nicht auf der Stelle den Gedanken an Erhängen herauf. Nein, erklärten sie, sie besäßen keinen Strick, und sie seien sich sicher, daß auch Andy keinen gehabt hatte. Terry Griffin kam wieder auf das Geld, die unverhoffte Dollarbeute zu sprechen. Kaum hatte die Idee sich in seinen Gedanken festgesetzt, schien sie Vorrang vor allen anderen zu gewinnen.

»Diese Scheine, von denen Sie sagen, daß man sie in Pfund umtauschen kann, haben sie Andy gehört?«

»Sie waren in seinem Zimmer.«

»Dann kriegen wir sie, oder? Wie eine Entschädigung.«

»O Terry!« sagte seine Frau.

Er ignorierte sie. »Wieviel sind sie nach Ihrer Schätzung wert?«

»Vierzig bis fünfzig Pfund.«

Terry Griffin überlegte. »Und wann bekommen wir sie?« fragte er.

18

Er kam selbst ans Telefon.

»Gunner Jones.«

Jedenfalls glaubte Burden, das gehört zu haben. Er hatte vielleicht »Gun*nar* Jones« gesagt. Gunnar war ein schwedischer Name, aber einer, den unter Umständen auch ein Engländer haben konnte, wenn etwa seine Mutter eine Schwedin gewesen war.

Ein Schulkamerad Burdens, ebenso englisch wie er selbst, hatte Lars geheißen, warum also nicht Gunnar? Oder aber er hatte doch »Gunner« gesagt, und es handelte sich um einen Spitznamen, der ihm während seiner Zeit bei der Royal Artillery verpaßt worden war.

»Ich würde Sie gern besuchen, Mr. Jones. Wäre es Ihnen heute am späten Nachmittag recht? Sagen wir um sechs?«

»Kommen Sie, wann Sie wollen. Ich bin die ganze Zeit da.«

Er fragte nicht nach dem Grund und erwähnte weder Tancred noch seine Tochter. Etwas beunruhigend. Burden wollte sich den Weg nicht umsonst machen.

»Sie *sind* Miss Davina Jones' Vater?«

»Ihre Mutter hat es jedenfalls behauptet. Wir müssen in diesen Dingen den Damen ja Glauben schenken.«

Auf so etwas wollte Burden sich nicht einlassen. Er sagte, er werde G. G. Jones um sechs Uhr besuchen kommen. »Gunner« – einer Eingebung folgend, schlug er das Wort in dem Wörterbuch nach, von dem Wexford sich nie lange trennte, und stellte fest, daß es nicht nur Kanonier bedeutete, sondern auch eine andere Form für »gunsmith«, Büchsenmacher, war. Ein *Büchsenmacher*?

Wexfords Anruf ging nach Edinburgh.

Wenn auch unverkennbar schottisch, war Macsamphire doch ein sonderbarer Name. So war er sich einigermaßen sicher, daß der einzige im Edinburgher Telefonbuch verzeichnete Anschluß unter Macsamphire Davina Florys Freundin gehörte, und darin täuschte er sich auch nicht.

»Die *Polizei* in Kingsmarkham? Ich kann mir nicht vorstellen, wie ich Ihnen behilflich sein könnte.«

»Mrs. Macsamphire, soviel ich weiß, haben im vergangenen August Miss Flory und Mr. Copeland, Mrs. Jones und Daisy bei Ihnen logiert, als sie beim Edinburgh Festival waren?«

»O nein, wie kommen Sie denn auf die Idee? Davina war es höchst unangenehm, sich privat einzuquartieren. Sie sind alle im Hotel abgestiegen, und als Naomi dann krank wurde – sie hatte eine wirklich schwere Grippe –, schlug ich ihr vor hierherzukommen. Schlimm, nicht, wenn man in einem Hotel krank wird, auch wenn es ein Nobelhotel wie das *Caledonian* ist? Aber Naomi wollte nicht, sie hatte wohl Angst, mich anzustecken. Davina und Harvey sind natürlich oft hier gewesen, und wir haben gemeinsam etliche der Veranstaltungen besucht. Ich glaube nicht, daß ich die arme Naomi überhaupt zu Gesicht bekommen habe.«

»Soviel ich weiß, hat Miss Flory selbst an der Buchmesse teilgenommen, ja?«

»Ganz recht. Sie hat einen Vortrag über die Schwierigkeiten beim Schreiben von Autobiographien gehalten, und sie hat auch an einem Schriftsteller-Forum teilgenommen. Dabei ging es um die Nutzung vielseitiger schriftstellerischer Begabungen – das heißt, Autoren, die Belletristik ebenso schreiben wie Reiseliteratur und so weiter. Ich habe mir den Vortrag und die Podiumsdiskussion angehört, und beides war wirklich hochinteressant...«

Es gelang Wexford, sie zu unterbrechen. »War Daisy auch dabei?«

Ihr Lachen war wohlklingend und ziemlich mädchenhaft. »Ach, ich glaube nicht, daß das alles Daisy sehr interessiert hat. Sie hatte zwar ihrer Großmutter versprochen, sich den Vortrag anzuhören, aber ich glaube nicht, daß sie erschienen ist. Aber sie ist ja so ein liebes, ungekünsteltes Geschöpf, daß man ihr alles verzeihen würde. Sie hatte natürlich ihren jungen Freund dabei. Ich habe ihn nur ein einziges Mal gesehen, und das war an ihrem letzten Tag in Edinburgh, dem Sonnabend. Ich habe ihnen über die Straße zugewinkt.«

»Nicholas Virson«, sagte Wexford.

»Ganz recht. Davina hat den Namen Nicholas erwähnt.«

»Er war auf der Beerdigung.«

»So, war er das? Ich war ziemlich mitgenommen auf der Beerdigung. Ich kann mich nicht daran erinnern. War das alles, was Sie mich fragen wollten?«

»Ich bin noch gar nicht dazu gekommen, Ihnen zu sagen, was ich auf dem Herzen habe, Mrs. Macsamphire. Ich möchte Sie um einen Gefallen bitten.« Einen Gefallen, ja? Oder wollte er sich nicht vielleicht ein Opfer abringen. »Daisy sollte aus verschiedenen Gründen, die ich nicht näher zu beschreiben brauche, von hier weg. Ich möchte Sie fragen, ob Sie sie nicht zu sich einladen könnten. Nur auf eine Woche...« Er zögerte. »...oder zwei. Würden Sie Daisy fragen?«

»Ja, gern, aber sie wird nicht kommen.«

»Warum nicht? Ich bin überzeugt, daß sie gern bei jemandem wäre, den sie nett findet und mit dem sie über ihre Großmutter sprechen kann. Edinburgh ist eine schöne und interessante Stadt. Und wie sieht es mit dem Wetter aus?«

Wieder dieses reizende Kichern. »Leider Gottes gießt es *in Strömen*. Aber selbstverständlich werde ich Daisy fragen. Ich hätte sie zu gerne hier, nur wäre ich nie auf die Idee gekommen, sie von mir aus zu fragen.«

Die Nachteile des Systems schienen manchmal schwerer zu wiegen als die Dinge, die dafür sprachen, eine Tatortzentrale am Schauplatz des Geschehens einzurichten. Zu den Vorteilen gehörte, daß man mit eigenen Augen sah, wer zu Besuch kam. An diesem Vormittag stand nicht ein Wagen der Virsons zwischen Becken und Hauseingang, sondern ein kleiner Fiat, den Wexford nicht sofort einordnen konnte. Er hatte ihn schon einmal gesehen, aber wem mochte er gehören?

Diesmal sollte ihm nicht beschieden sein, daß die Haustür gerade zur rechten Zeit aufging und der Besucher heraustrat. Natürlich konnte ihn nichts davon abhalten, an dem Klingelzug zu ziehen, sich Zugang zu verschaffen und sich als Dritter zu dem Tête-à-tête zu gesellen, das gerade stattfand. Doch die Idee mißfiel ihm. Er durfte sie nicht mit Beschlag belegen, ihr jegliche Privatsphäre, ihr das Recht nehmen, für sich und frei zu sein.

Queenie, die Perserkatze, saß auf dem Beckenrand und schaute auf die spiegelnde Wasserfläche. Die Katze begutachtete ihre grauen Ballen, als wollte sie sich über die Eignung der Pfote zum Fischfang schlüssig werden. Dann steckte sie beide Pfoten unter die Brust, nahm eine Sphinx-Haltung ein und setzte ihre Beobachtung des Wassers und der im Kreis schwimmenden Fische fort.

Wexford ging zurück, an den Ställen vorbei, um das Haus herum und auf die Terrasse. Er hatte das vage Gefühl, etwas Unerlaubtes zu tun, aber sie wußte, daß sie da waren, sie wollte sie hier haben. Solange er hier war, war sie geschützt, war sie in Sicherheit. Er blickte an der Rückseite des Hauses hinauf und sah zum erstenmal, daß die Umgestaltung im georgianischen Stil nicht bis hierher gediehen war. Hier erinnerte Tancred House noch sehr ans 17. Jahrhundert, freiliegendes Fachwerk und die oberen Fenster mit Mittelsprossen.

Hatte Davina Flory den Wintergarten bauen lassen? Bevor die Zustimmung der Denkmalschutzbehörde obligatorisch wurde? Er war nicht ganz damit einverstanden, obwohl er von Architektur nicht genug verstand, um sich eine eindeutige Meinung erlauben zu dürfen. Daisy war im Haus. Er sah sie von dem Platz aufstehen, wo sie gesessen hatte. Ihr Rücken war ihm zugewandt, und er verschwand rasch von der Terrasse, ehe sie ihn sehen konnte. Ihren Gesprächspartner hatte er nicht sehen können.

Der Zufall wollte es, daß Wexford eine Stunde später mit ihm zusammentraf. Er war selbst im Wegfahren und wies Donaldson an zu warten, als er jemanden in den Fiat einsteigen sah.

»Mr. Sebright.«

Jason Sebright blickte ihn mit einem breiten Lächeln an. »Haben Sie meinen Artikel über die Trauergäste gelesen? Der Redakteur hat ihn mir zerschnipselt und ihm eine andere Überschrift verpaßt. Sie haben ihn ›Abschied von einer bedeutenden Frau‹ genannt. Daß man über die Leute nur freundlich schreiben darf, mißfällt mir immer wieder in der Lokalredaktion. Man kann nicht gescheit und zugleich *scharf* schreiben. Der *Courier* hat zwar eine Klatschspalte, aber nie finden Sie darin eine abfällige Bemerkung. Was man lesen möchte, das sind doch Spekulationen, wer die Frau des Bürgermeisters bumst und wie sich der Chief Constable seinen Urlaub auf Tobago erschlichen hat. Aber so was ist in einem Lokalblatt tabu.«

»Denken Sie sich nichts«, sagte Wexford. »Ich bezweifle, daß Sie dort alt werden.«

»Das klingt ein bißchen zweideutig. Ich habe gerade ein tolles Interview mit Daisy gemacht. ›Der maskierte Eindringling.‹«

»Hat sie Ihnen davon erzählt?«

»Alles. Von vorne bis hinten.« Er sah Wexford von der Seite an, der Anflug eines Lächelns umspielte seine Lippen. »Mir kam sofort der Gedanke, daß das doch jeder könnte, oder? Maskiert hier ankommen und den Damen Angst einjagen?«

»Das ist Ihr Fall, was?«

»Nur als Story«, antwortete Jason Sebright. »So, jetzt fahr ich nach Hause.«

»Und wo ist Ihr Zuhause?«

»In Cheriton. Ich erzähl Ihnen schnell noch was Lustiges. Ich habe es erst gestern gelesen und finde es echt toll. Lord Halifax sagte zu John Wilkes: ›Bei meiner Treu, Sir, ich weiß nicht, woran Ihr zuerst enden werdet, am Galgen oder an den Pocken‹, und Wilkes antwortete darauf, wie aus der Pistole geschossen: ›Das, mein Lord, hängt davon ab, ob ich mir zuerst die Prinzipien Eurer Lordschaft oder die Mätresse Eurer Lordschaft zu eigen mache.‹«

»Ja, das hab ich schon mal gehört. Aber paßt es hierher?«

»Es erinnert mich irgendwie an *mich*!« sagte Jason Sebright. Er winkte Wexford zu, stieg in sein Auto und fuhr auf der Nebenstraße etwas zu schnell davon.

Am Steuer saß Barry Vine. Er gehörte zu den Männern, denen das Autofahren Spaß macht, die nie ihre Frau ans Steuer lassen, die imstande sind, riesige, unglaubliche Entfernungen zurückzulegen und trotzdem noch den Eindruck erwecken, daß es ihnen Freude macht. Barry Vine hatte Burden erzählt, daß er einmal aus dem

Westen Irlands die ganze Strecke ohne Ablösung bis nach Hause gefahren sei, und zwar ohne eine Pause einzulegen, abgesehen von der Überfahrt auf der Fähre nach Fishguard. Diesmal hatten sie nur achtzig Kilometer zu fahren.

»Kennen Sie diesen Ausdruck, Sir: *Kissing the gunner's daughter*?«

»Nein, kenne ich nicht«, gestand Burden.

»Es bedeutet etwas ganz anderes, als man denkt, nur fällt mir nicht ein, was.«

Das Haus von Daisys Vater befand sich in der Nähe des *Arsenal*-Fußballstadions, ein kleines, viktorianisches Haus aus grauen Ziegelsteinen. Da es keinerlei Parkvorschriften gab, konnte Vine den Wagen in der Niniveh Road am Randstein abstellen.

»Morgen um die Zeit ist es hell«, sagte Barry Vine und tastete nach dem Schnappriegel an der Gartentür. »Heute nacht werden die Uhren vorgestellt.«

»Sie werden vorgestellt, ja? Ich kann mir einfach nicht merken, wann sie vor- und wann sie zurückgestellt werden.«

»Frühling nach forn, Herbst nach hinten«, sagte Barry Vine.

Burden, der es haßte, belehrt zu werden, wollte schon einwenden, man könne ebensogut sagen: Herbst nach vorn, Frühling nach hinten, als sie plötzlich von einer grellen Lichtflut aus dem Hauseingang erfaßt wurden. Sie mußten blinzeln.

Ein Mann trat heraus auf die oberste Stufe. Er streckte beiden die Hand hin, als wären sie geladene Gäste oder sogar alte Freunde.

»Sie haben also hergefunden.«

Eine jener müßigen Fragen, die sich selbst beantwortet haben, ehe sie gestellt sind, aber es gibt Leute, die sie immer wieder stellen. G. G. Jones stellte sogar noch eine zweite.

»Sie haben den Wagen irgendwo abgestellt?«

Sein Ton war vergnügt. Er war jünger, als Burden erwartet hatte, oder er sah jedenfalls jünger aus. Im Innern des Hauses, als er das Licht nicht mehr im Rükken hatte, zeigte sich, daß er nicht viel älter als vierzig sein konnte. Burden hatte eine gewisse Ähnlichkeit mit Daisy erwartet, doch es war nichts davon zu bemerken, jedenfalls nicht auf den ersten Blick. Jones war blond und hatte eine gesunde Gesichtsfarbe. Die jugendliche Wirkung kam zum Teil daher, daß das Gesicht babyhaft gerundet und an den Wangenknochen breit war. Dazu hatte er eine Stupsnase. Daisy sah ihm nicht ähnlicher als ihrer Mutter. Sie war das Kind ihrer Großmutter.

Dazu war er übergewichtig, viel zu schwer, als daß sein Knochengerüst den Körper ohne Anstrengung hätte tragen können. Unter seinem Pullover trat bereits ein ansehnlicher Bauch hervor. Er wirkte vollkommen gelassen, wie ein Mann, der nichts zu verbergen hat, und der Eindruck, daß sie gewissermaßen geladene, ja, sogar geehrte Gäste seien, verstärkte sich noch, als er eine Flasche Whisky, drei Dosen Bier und drei Becher aus der Küche holte.

Die beiden Polizeibeamten lehnten dankend ab. Sie waren in ein Wohnzimmer geführt worden, das zwar recht behaglich wirkte, dem aber fehlte, was Burden als eine »weibliche Note« bezeichnet hätte. Es war ihm bewußt, daß es sich dabei (für ihn unbegreiflich, da er darin nur etwas für Frauen Schmeichelhaftes sehen konnte) um eine sexistische Theorie handelte. Seine Frau hätte ihm ein solches Denken streng verwiesen. Insgeheim aber hielt er daran fest, es war einfach nicht von der Hand zu weisen. Hier fiel sein Blick zum Beispiel auf ein behagliches, anständig möbliertes Zimmer mit Bildern und einem Kalender an den Wänden, einer Uhr auf dem Sims über dem viktorianischen Kamin, sogar einem Gummibaum, der in einer düsteren Ecke ums Überleben rang. Aber man spürte und sah nichts von einer fürsorglichen Hand, nichts von einem Interesse an der Wirkung des Raums, keine Symmetrie, keine Zuordnung der Möbelstücke, keinen Sinn für das Häusliche. In diesem Haus lebte keine Frau.

Er merkte, daß er zu lange geschwiegen hatte, wenn auch Jones die Pause damit ausfüllte, eine Cola light zu holen, die er Barry Vine aufgenötigt hatte, und sich selbst ein Bier eingoß. Burden räusperte sich.

»Würden Sie freundlicherweise Ihren Namen sagen, Mr. Jones. Was bedeuten die Initialen?«

»Ich heiße mit Vornamen eigentlich George, werde aber immer Gunner genannt.«

»Mit ›e‹ oder mit ›a‹?«

»Wie bitte?«

»Gunn*e*r oder Gunn*a*r?«

»Gunner. Weil ich früher mal bei *Arsenal* gespielt habe. Wußten Sie das nicht?«

Nein, sie wußten es nicht. Barry Vines Lippen zuckten leicht. Er nahm einen Schluck von seiner Cola. Jones hatte also früher, vor zwanzig Jahren, für *Arsenal*, die »Gunners«, gespielt, und Naomi, das »Fußball-Groupie«, hatte auf der Tribüne gesessen und ihren Helden angeschwärmt...

»George Godwin Jones heiße ich mit vollem Namen.« Auf Gunner Jones' Gesicht trat ein befriedigter Ausdruck. »Ich habe nach Naomi noch mal geheiratet«, sagte er unerwartet, »aber das war auch kein so wahnsinniger Erfolg. Sie hat vor fünf Jahren ihre Sachen gepackt, und ich habe nicht vor, es noch einmal zu riskieren. Nicht, wenn man, wie es im Lied so schön heißt, alles bekommen kann und trotzdem nicht im Netz zappelt.«

»Womit verdienen Sie Ihr Geld, Mr. Jones?« fragte Barry Vine.

»Mit dem Verkauf von Sportausrüstungen. Ich habe ein Geschäft in der Holloway Road, und erzählen Sie mir nichts von einer Wirtschaftsflaute. Bei mir gehen die Geschäfte glänzend, so gut wie noch nie.« Er entfernte das breite, selbstzufriedene Lächeln vom Gesicht, als betätige er einen inneren Schalter. »Das war eine schlimme Sache in Tancred«, sagte er, und seine Stimme sank dabei um eine volle Oktave. »Sind Sie deswegen hergekommen? Oder besser: Sie wären nicht hier, wenn es nicht passiert wäre?«

»Ich nehme an, Sie haben nicht viel Kontakt zu Ihrer Tochter gehabt, oder?«

»Keinerlei Kontakt, mein Freund. Seit mehr als siebzehn Jahren hab ich sie weder zu sehen noch zu hören bekommen. Wie alt ist sie jetzt? Achtzehn? Ich hab sie nicht mehr gesehen, seit sie ein halbes Jahr alt war. Und die Antwort auf Ihre nächste Frage lautet: Nein, nicht sehr. Es macht mir nichts aus, weder so noch so. Es kommt vielleicht vor, daß Väter ihre Kinder mögen, wenn sie älter sind, das schon, aber Babys? Die bedeuten einem doch nichts, oder? Ich hab mich von dem ganzen Verein abgeseilt und es nie, keinen Augenblick lang bereut.«

Es war erstaunlich, wie rasch sich bei ihm Gutmütigkeit in Aggressivität verwandeln konnte. Seine Stimme stieg und sank je nach dem Thema, über das er sprach: ein Crescendo, wenn er von persönlichen Dingen redete, ein leises Schnurren, wenn er ein Lippenbekenntnis zu den gesellschaftlichen Normen ablegte.

Barry Vine sagte: »Sie haben sich nicht überlegt, sich zu melden, als Sie erfuhren, daß Ihre Tochter verletzt worden war?«

»Nein, Kumpel, hab ich nicht.« Nur ein kurzes Zögern, und dann machte Gunner Jones eine zweite Bierdose auf. »Nein, hab ich mir nicht überlegt, und ich hab's auch nicht getan. Mich gemeldet, meine ich. Da

Sie danach fragen – ich war weg, als es passiert ist. Ich war beim Angeln, mach ich ziemlich häufig. Ja, ich würde es mein Hobby nennen, falls es irgend jemanden interessieren sollte, was für ein Hobby ich habe. Diesmal im West Country. Ich hab mich in einem Cottage am Dart einquartiert, in einem netten Häuschen. In dieser Jahreszeit fahr ich oft auch ein paar Tage hin.« Er sprach mit einer aggressiven Selbstsicherheit. Oder, überlegte Vine, ist diese Streitlust in Wirklichkeit überhaupt nicht selbstbewußt? »Ich fahre dorthin, um mal richtig Tapetenwechsel zu haben, und da wär es das letzte, worauf ich käme, mir die Nachrichten im Fernsehen anzuschauen. Ich hab überhaupt erst davon erfahren, als ich am 15. März zurückkam.« Sein Ton veränderte sich ein bißchen. »Das soll allerdings nicht heißen, daß es mich nicht geschmerzt hätte, wenn das Kind den gleichen Weg gegangen wäre wie die anderen drei, aber das würde man ja bei jedem Kind empfinden, es muß gar nicht das eigene sein.

Lassen Sie mich noch was anderes erzählen. Vielleicht finden Sie, daß ich mich damit belaste, aber ich sag's trotzdem. Naomi war eine Null, eine *Null*! Ich sage Ihnen, *sie hatte nichts da oben*. Ein ganz hübsches Gesicht und was Sie vielleicht ein zärtliches Wesen nennen würden. Eine Händchenhalterin und Kuschlerin. Nur hatte es mit dem Kuscheln pünktlich sein Ende, wenn es zum Schlafen ging. Und was die Hohlköpfigkeit betrifft, na ja, ich bin ja kein gebildeter Mensch und habe schätzungsweise nicht mehr als, sagen wir mal, sechs Bücher in meinem ganzen Leben gelesen, aber im Vergleich zu der war ich eine Geistesgröße. War ich die Persönlichkeit des Jahres...«

»Mr. Jones...«

»Moment, mein Freund, Sie sind in einer Minute dran. Unterbrechen Sie mich nicht in meinem eigenen Haus. Ich bin noch lange nicht fertig. Naomi war eine

Null, und ich hatte nie das Vergnügen, den Unterhausabgeordneten Mr. Copeland kennenzulernen, aber ich will Ihnen was sagen, ich werd Ihnen verraten, worauf ich hinaus will: Jeder Typ, der es mit Davina Flory aufnehmen wollte, *jeder* Typ, er müßte ein Kämpfer, eine Kämpfernatur sein, meine Herren. Er hätte so tapfer wie ein Löwe und stark wie ein Pferd sein müssen und mit einer Haut, so dick wie die eines verdammten Nilpferdes. Denn diese Frau war ein Miststück erster Güte, und sie ist *nie müde geworden.* Man konnte sie nicht müde kriegen, sie hat nur ungefähr vier Stunden Schlaf gebraucht, und dann war sie wieder voll da, voll Angriffslust, sollte ich sagen.

Ich mußte dort wohnen. Es hat zwar geheißen, ›wir logieren dort, bis wir was finden‹, aber es war ganz klar, daß Davina uns nicht loslassen würde, besonders nachdem das Baby gekommen war.« Er fragte unvermittelt: »Wissen Sie, was ein Gote ist?«

»Sagen Sie's mir«, meinte Burden.

»Ich hab es nachgeschlagen.« Gunner Jones hatte offenbar vor langer Zeit die Definition auswendig gelernt.»›Ein Mensch, der sich wie ein Barbar benimmt, grob, unzivilisiert oder ignorant.‹ So hat sie mich genannt: ›der Gote‹ oder einfach nur ›du, Gote‹. Sie hat es wie einen Vornamen benutzt. Ich hatte ja die Initialen, G. G. ›Was wird unser Gote heute wieder rauben und plündern?‹ sagte sie gern oder: ›Hast du wieder gegen die Stadttore gehämmert, Gote?‹

Sie hatte sich vorgenommen, unsere Ehe zu zerstören, sie hat mir sogar einmal gesagt, wie sie mich sah: als jemanden, der Naomi ein Kind machen würde, und sobald das geschehen war, hatte ich ausgedient. Ein Zuchthengst, mehr war ich nicht für sie. Ein Klasse-Hengst. Einmal besaß ich die Frechheit, mich zu beschweren. Ich sagte zu ihr, daß ich es satt hätte, dort zu leben, daß wir etwas Eigenes bräuchten, aber sie hat nur geantwortet: ›Warum ziehst du nicht los und suchst dir irgendwo was, Gote? In zwanzig Jahren kannst du wiederkommen und uns erzählen, wie es dir ergangen ist.‹

Also bin ich weg von dort, aber nie mehr zurückgekehrt. Ich habe früher die Anzeigen in den Zeitungen gelesen, in denen für ihre Bücher geworben wurde, und was darin stand: ›Klug und geistreich, Mitmenschlichkeit verbunden mit einem staatsmännischen Blick, humane Gesinnung und ein tiefes Einfühlungsvermögen für die einfachen Leute sowie die Unterdrückten ...‹ Mein Gott, hab ich da gelacht! Ich wollte an die Zeitung schreiben: Ihr kennt sie nicht, ihr seid völlig schief gewickelt. So, das bin ich jetzt losgeworden, und vielleicht habe ich Ihnen eine Vorstellung davon gegeben, warum keine zehn Pferde mich dazu gebracht hätten, Kontakt zu Davina Florys Tochter und Enkelin aufzunehmen.«

Burden fühlte sich von dieser Suada etwas erschöpft. Es war, als wäre eine Dampfwalze aus Haß und bitterem Groll durch das kleine Zimmer gerollt, und jetzt bliebe es ihm und Barry Vine überlassen, sich langsam davon zu erholen. Gunner Jones sah aus wie ein Mann, der eine Katharsis erlebt hat: befreit und mit sich selbst zufrieden.

»Möchten Sie noch eine Cola light?«

Vine schüttelte den Kopf.

»Zeit für einen letzten Schluck.« Jones goß sich reichlich zweifingerhoch Whisky in das dritte Glas. Dann schrieb er etwas auf die Rückseite eines Kuverts, das er hinter der Uhr auf dem Kaminsims hervorgezogen hatte. »Bitte sehr. Die Adresse des Häuschens am Dart, wo ich war, und der Name der Leute von dem Pub nebenan, *Rainbow Trout* heißt es.« Er war plötzlich bester Laune. »Die werden mir ein Alibi liefern. Sie können alles nachprüfen, wenn Sie wollen. Nur zu.

Ich lege gern ein freiwilliges Geständnis ab, meine Herren. Ich hätte Davina Flory mit Vergnügen umgebracht, wenn ich sicher gewesen wäre, daß mir nichts passiert. Aber das ist ja der entscheidende Punkt, oder? Ungestraft davonzukommen. Und ich spreche von einer Zeit, die achtzehn Jahre zurückliegt. Die Zeit heilt alle Wunden, so heißt es jedenfalls, und ich bin nicht mehr der verrückte, junge Draufgänger. Ich bin nicht mehr der Gote von damals, als ich ein paarmal überlegte, Davina den Hals umzudrehen, und auf die fünfzehn Jahre im Kittchen gepfiffen hätte.«

Davon merke ich nicht viel, dachte Burden, sagte aber nichts. Er fragte sich, ob Gunner Jones wirklich der Dummkopf war, für den Davina Flory ihn gehalten hatte, oder aber sehr, sehr schlau. Ob Jones Theater spielte oder ob all dies Wirklichkeit war. Burden war sich nicht schlüssig. Was hätte Daisy zu diesem Mann gesagt, wenn sie ihn jemals kennengelernt hätte?

»Übrigens, ich werd zwar Gunner genannt, aber mit einem Schießeisen kann ich nicht umgehen. Ich hab noch nicht mal ein Luftgewehr in der Hand gehabt. Ich frag mich sogar, ob ich heute noch dorthin finden würde, zu diesem Tancred House. Ich weiß es nicht, ehrlich, ich weiß es nicht. Ich nehme an, daß ein paar Bäume nachgewachsen und andere umgestürzt sind. Es gab ein paar Leute dort – Davina nannte sie ›Gehilfen‹, das fand sie wohl eine Spur demokratischer als ›Dienstboten‹ –, die in einem Cottage wohnten. Triffid, Griffith oder so ähnlich. Sie hatten einen Jungen, irgendwie zurückgeblieben, ein armer, kleiner Blödian. Was ist aus ihnen geworden? Der Besitz wird an meine Tochter gehen, nehme ich an. Glück hat das Mädchen, was? Ich glaube nicht, daß sie sich die Augen ausgeweint hat, da kann sie behaupten, was sie will. Sieht sie mir ähnlich?«

»Überhaupt nicht«, sagte Burden, obwohl er inzwischen in Jones' schrägstehenden Augen, in der Art, wie er den Kopf drehte und einen Mundwinkel hochzog, eine Ähnlichkeit mit Daisy sah.

»Um so besser für sie, was? Glauben Sie nicht, daß ich nicht sagen könnte, was hinter euren leeren Blicken vor sich geht. So, falls Sie jetzt fertig sind, wir haben ja Samstagabend, werd ich mich herzlich von Ihnen verabschieden und mich in meine Tankstelle hier im Ort verziehen.« Er öffnete die Haustür und komplimentierte sie hinaus. »Falls Sie vorhaben sollten, sich ein bißchen auf die Lauer zu legen und mich im Auge zu behalten – ich werde meinen Wagen draußen stehen lassen, wo er geparkt ist, und, wie die alten Leute sagen, auf Schusters Rappen zu meiner Kneipe reiten.« Als ob sie Verkehrspolizisten wären. »Ich würde Ihnen höchst ungern die Genugtuung verschaffen, mich mit zuviel Promille zu erwischen, die ich jetzt sicher schon intus habe.«

»Soll ich fahren?« fragte Burden beim Einsteigen, obwohl er wußte, daß sein Angebot abgelehnt werden würde.

»Nein, danke, mir macht das Fahren Spaß.«

Vine drehte den Zündschlüssel.

»Gibt es in diesem Wagen eine Kartenleseleuchte, Barry?«

»Unter dem Armaturenbrett. Man zieht sie an so einem flexiblen Ding heraus.«

Es war unmöglich, hier zu wenden. Barry Vine fuhr achtzig Meter die Straße entlang, bog in eine Seitenstraße ein, stieß zurück und fuhr denselben Weg zurück, den sie gekommen waren. Die Gegend war ihm zu wenig vertraut, als daß er das Experiment gewagt hätte, durch eine Runde um den Block herum zur Kreuzung zurück zu gelangen.

Gunner Jones überquerte vor ihnen die Straße auf einem Zebrastreifen. Sonst waren keine Fußgänger unterwegs, und ihr Wagen war das einzige Fahrzeug weit und breit. Jones hob mit einer gebieterischen Geste eine Hand, um sie zum Halten zu veranlassen, aber er schaute nicht in das Wageninnere und gab auch sonst nicht zu erkennen, daß er wußte, wer Fahrer und Beifahrer waren.

»Ein sonderbarer Kauz«, sagte Barry Vine.

»Das ist aber sehr merkwürdig, Barry.« Burden hielt die Leseleuchte auf den Umschlag gerichtet, den er von Gunner Jones bekommen und auf den dieser die Adresse geschrieben hatte. Aber Burden betrachtete die andere Seite, die ursprünglich beschriebene mit der Briefmarke. »Ich habe es bemerkt, als er das Kuvert vom Kaminsims nahm. Es ist an ihn adressiert, an Mr. Gunner Jones in der Niniveh Road, nichts Besonderes dran. Aber die Handschrift, es ist eine ganz eigene Schrift. Ich habe sie zuletzt in einem Terminkalender gesehen und würde sie überall wiedererkennen. Es ist die Handschrift von Joanne Garland.«

19

Es war jetzt, um sechs Uhr, noch heller Tag. Nichts hätte den Frühling mehr spüren lassen können: späte Sonnenuntergänge, länger werdende Abende. Weniger erfreulich fand Sir James Freeborn, der Deputy Chief Constable, wie lange Wexfords Team nun schon in Tancred einquartiert war, ohne irgend etwas erreicht zu haben. Und die Rechnungen, die sie auflaufen ließen! Die Kosten! Miss Daisy Jones Tag und Nacht bewacht? Was würde das kosten? Das Mädchen hatte dort nichts verloren. So etwas war ihm noch nie vorgekommen: eine Achtzehnjährige, die herrisch darauf bestand, allein in diesem riesigen Bau zu bleiben.

Wexford kam kurz vor sechs aus den Ställen. Die Sonne schien noch, und die Abendluft hatte keinen kalten Hauch. Er vernahm ein Geräusch, als regnete es stark, aber aus diesem wolkenlosen Himmel konnte kein Regen kommen. Kaum hatte er die Vorderseite von Tancred House erreicht, sah er, daß die Fontäne eingeschaltet war.

Bis dahin war ihm gar nicht richtig klar geworden, daß es tatsächlich ein Springbrunnen war. Das Wasser spritzte aus einer Leitung, die irgendwo zwischen Apollos Beinen und dem Baumstamm herauskam. Es sprang durch die schräg einfallenden Sonnenstrahlen, so daß kleine Regenbogen entstanden. In den leichten Wellen tummelten sich die Fische. Der Springbrunnen in Aktion ließ die Anlage völlig verändert erscheinen: Tancred House war nicht mehr nüchtern-schmucklos, der Vorhof nicht mehr leer und das Becken nicht mehr ein kleiner Teich mit stehendem Wasser. Die zuweilen bedrückende Stille war einem zarten, melodischen Plätschern gewichen.

Er zog an dem Klingelzug. Wem mochte der Wagen in der Auffahrt gehören? Ein Sportwagen, ein unbequem wirkender, keineswegs neuer MG. Daisy machte ihm auf. Ihr Äußeres hatte sich neuerlich verändert. Sie war wieder zu einem weiblichen Wesen geworden. Sie war in Schwarz, natürlich, aber in einem sich anschmiegenden, schmeichelhaften Schwarz, sie trug einen Rock, nicht eine Hose, Schuhe, nicht Stiefel. Vom Hinterkopf fiel das Haar locker hinab, an den Seiten war es hochgekämmt, wie bei einem Mädchen zur Zeit König Edwards VII.

Und noch etwas hatte sich an ihr verändert, wenn er auch zunächst nicht sagen konnte, was es war. Aber alles an ihr war davon erfaßt, ihr Schritt, ihre Haltung, ihre Augen, die Art, wie sie den Kopf hob. Aus den Augen leuchtete es. »Ihr ärmeren Schönen der Nacht, die unsren Augen schlecht gefallen ... was seid ihr, wenn der Mond erwacht?«

»Sie sind an die Tür gegangen«, sagte er vorwurfsvoll, »obwohl Sie nicht wußten, wer da kommt. Oder haben Sie mich vom Fenster aus gesehen?«

»Nein, wir sind im *serre.* Ich habe den Springbrunnen angestellt.«

»Das habe ich bemerkt.«

»Ist er nicht hübsch? Haben Sie die Regenbogen gesehen? Wenn Wasser darüberläuft, kann man dieses scheußliche, lüsterne Grinsen auf Apollos Gesicht nicht mehr erkennen. So könnte man glauben, daß er sie liebt, daß er sie nur küssen möchte ... Ach, machen Sie doch bitte kein solches Gesicht. Ich wußte, daß alles in Ordnung war. Ich hab es gespürt. Ich habe geahnt, daß da ein netter Mensch kommt.«

Sein Vertrauen in ihren Instinkt war allerdings geringer. Er folgte ihr durch die Halle und überlegte unterwegs, wer die andere Hälfte von diesem »wir« sein mochte. Der Zugang zum Eßzimmer war noch immer verschlossen, die Tür bis zum Architrav abgedichtet. Daisy ging mit beschwingten Schritten vor ihm her, anders als früher, verändert.

»Sie werden sich an Nicholas erinnern«, sagte sie zu ihm und blieb auf der Schwelle zum Wintergarten stehen. Und zu dem Mann in dem Raum: »Das ist Chief Inspector Wexford, Nicholas, den du im Krankenhaus kennengelernt hast.«

Nicholas Virson saß in einem der tiefen Korbsessel. Er stand nicht auf. Warum auch? Er streckte Wexford die Hand nicht hin, sondern nickte nur und sagte: »Ach, guten Abend.« Es hörte sich an wie aus dem Mund eines doppelt so alten Mannes.

Wexford blickte sich um. Er betrachtete die hübschen Dinge in dem Raum, die Grünpflanzen, eine früh blühende Azalee in einem Kübel, die Zitronenbäume in ihren blau-weißen Porzellantöpfen, ein üppig blühendes Alpenveilchen in einer Schale auf dem Glastisch. Dann sah er zu Daisy, die wohl wieder auf dem Platz, den sie einen Augenblick vorher geräumt hatte, dicht neben Virsons Sessel saß. Die Gläser mit ihren Drinks, Gin oder Wodka oder einfaches Wasser, standen Seite an Seite, nicht mehr als fünf Zentimeter voneinander entfernt, neben dem blühenden Alpenveilchen. Mit einemmal ging ihm auf, was die Veränderung an ihr bewirkt, ihre Wangen rosig gefärbt und den Schmerz aus ihren Augen getilgt hatte. Wenn es angesichts der Umstände, wenn es nach dem, was geschehen war und was sie durchgemacht hatte, nicht unmöglich gewesen wäre, hätte er sie glücklich genannt.

»Darf ich Ihnen einen Drink anbieten?« fragte sie.

»Lieber nicht. Wenn das Mineralwasser ist, ja bitte, dann trinke ich ein Glas.«

»Laß mich!«

Virson sprach, als handele es sich bei der Erfüllung von Wexfords Bitte um eine herkulische Arbeit, wenn beispielsweise das Wasser aus einem Brunnen geschöpft oder über eine gefährliche Leiter aus dem Keller geholt werden müßte. Daisy mußte eine Strapaze erspart bleiben, die von ihr zu fordern Wexford kein Recht hatte. Mit dem halb gefüllten Glas handelte er sich einen vorwurfsvollen Blick von Virson ein.

»Danke schön. Daisy, ich bin gekommen, um Sie zu fragen, ob Sie Ihren Entschluß hierzubleiben nicht vielleicht doch überdenken wollen.«

»Wie komisch. Genauso wie Nicholas. Er ist ebenfalls gekommen, um mich das zu fragen.« Sie schenkte dem jungen Mann ein Lächeln von großer Strahlkraft, nahm seine Hand und hielt sie fest. »Nicholas ist so gut zu mir. Aber das seid ihr alle. Alle sind so freundlich zu mir. Aber Nicholas würde alles für mich tun, hab ich nicht recht, Nicholas?«

Es war eine sonderbare Bemerkung. War sie ernst gemeint? Die Ironie bildete er sich doch nur ein?

Nicholas Virson wirkte ein wenig betroffen, wozu er ja auch Grund hatte. Ein unsicheres Lächeln zitterte auf seinen Lippen. »Alles, was in meinen Kräften steht, Liebling«, sagte er. Er wollte anscheinend mit Wexford nicht mehr zu tun haben, als unvermeidlich war, aber jetzt vergaß er seine Vorurteile und seine Art, aus der vielleicht Dünkel sprach, und sagte beinahe impulsiv: »Ich möchte, daß Daisy mit mir zurück nach Myfleet fährt. Sie hätte gar nicht erst wegfahren sollen. Aber sie ist so ein unglaublicher Dickkopf – können Sie ihr nicht irgendwie begreiflich machen, daß sie hier in Gefahr schwebt? Ich gebe zu, ich mache mir Tag und Nacht Sorgen um sie. Ich kann nicht schlafen. Ich würde ja selber hierbleiben, aber das würde sich wohl nicht gehören.«

Diese Bemerkung löste bei Daisy Lachen aus. Wexford erinnerte sich nicht, daß er sie schon einmal hatte lachen hören. Und er konnte sich auch nicht erinnern, aus dem Mund eines jungen Mannes jemals eine solche Bemerkung gehört zu haben, nicht einmal zu Zeiten, als er selbst noch jung gewesen war und es als unschicklich gegolten hatte, wenn ein unverheiratetes Paar unter ein und demselben Dach schlief.

»Nein, für dich würde es sich ganz und gar nicht gehören, Nicholas«, sagte sie. »Du hast ja deine ganzen Sachen zu Hause, und bis zum Bahnhof braucht man von hier aus eine Ewigkeit, du machst dir keinen Begriff.« Sie sprach in einem zärtlichen Ton und hielt noch immer seine Hand. Einen Augenblick lang strahlte ihr Gesicht, als sie ihn ansah. »Außerdem bist du kein Polizeibeamter.« Jetzt sprach sie neckend. »Glaubst du, du könntest mich verteidigen?«

»Ich bin ein verdammt guter Schütze«, sagte Virson wie ein pensionierter Oberst.

Wexford sagte trocken: »Ich finde, wir brauchen hier nicht noch mehr Schießeisen, Mr. Virson.«

Darauf erstarrte Daisy. Ihr Gesichtsausdruck wurde matt, wie wenn ein Schatten vor die Sonne zieht. »Eine alte Freundin meiner Großmutter hat am Wochenende angerufen und mich zu sich nach Edinburgh eingeladen. Ishbel Macsamphire. Erinnerst du dich, Nicholas, daß ich dich auf sie aufmerksam gemacht habe? Sie hat gesagt, sie würde auch ihre Enkelin einladen, als wäre das ein Anreiz! Mich hat's geschüttelt. Natürlich habe ich nein gesagt. Vielleicht später, aber nicht jetzt.«

»Das höre ich gar nicht gern«, sagte Wexford, »gar nicht gern.«

»Sie ist nicht die einzige. Preston Littlebury hat mich in sein Haus in Forby eingeladen. Zwei Mädchen aus der Schule wollten mich in ihren Elternhäusern aufnehmen. Ich bin wirklich populär, ich bin jetzt wohl eine Art Berühmtheit.«

»Und allen haben Sie einen Korb gegeben?«

»Mr. Wexford, ich gedenke, hier, in meinem eigenen Haus, zu bleiben. Ich weiß, daß mir hier nichts zustoßen wird. Wenn ich jetzt wegliefe, würde ich vielleicht nicht mehr zurückkommen – verstehn Sie das nicht?«

»Wir werden diese Männer fassen«, sagte er wacker. »Es ist nur eine Frage der Zeit.«

»Es zieht sich aber sehr lange hin.« Virson trank sein Wasser, oder was sonst in dem Glas war, mit langsamen Schlucken. »Schon beinahe ein Monat ist seitdem vergangen.«

»Ganze drei Wochen, Mr. Virson. Und noch was anderes ist mir durch den Kopf gegangen, Daisy: Wenn die Schule wieder anfängt, ich meine, wenn in Crelands das neue Trimester beginnt – in zwei oder drei Wochen –, könnten Sie sich vielleicht überlegen, ob Sie das Schlußtrimester nicht dort im Internat verbringen.«

Sie antwortete ihm, als wäre der Vorschlag höchst sonderbar, ja geradezu eine Zumutung. Der Unterschied in Temperament und Geschmack, den er zwischen ihr und Virson immer gespürt hatte, war auf einen Schlag überwunden. Sie wurden plötzlich zu zwei jungen Menschen, die ausgezeichnet zusammenpaßten, mit den gleichen Wertvorstellungen und in einer identischen Kultur groß geworden waren. »Oh, ich gehe nicht wieder in die Schule! Warum sollte ich auch? Nach allem, was passiert ist? Das Abitur gehört nicht zu den Dingen, die ich in meinem zukünftigen Leben wahrscheinlich brauchen werde.«

»Haben Sie keinen Studienplatz, bei dem es darauf ankommt, wie gut Sie im Abitur abschneiden?«

Virson warf Wexford einen Blick zu, in dem zu lesen stand, wie unverschämt er es fand, so etwas zu glauben. »Einen Studienplatz muß man nicht in Anspruch nehmen«, meinte Daisy. »Ich hab es nur versucht, um

Davina eine Freude zu machen, und jetzt kann man ihr ja keine Freude mehr machen.«

»Daisy hat die Schule verlassen«, sagte Virson. »Das ist jetzt alles vorbei.«

Wexford war sich plötzlich sicher, daß irgendeine Eröffnung oder Ankündigung bevorstand. *Daisy hat mir gerade ihre Hand versprochen* – oder sonst etwas Altmodisches und Gespreiztes, aber trotzdem etwas, was wie eine Bombe einschlagen werde. Doch es kam nichts, keine Eröffnung, keine Enthüllung. Virson trank sein Wasser. Dann sagte er: »Ich werde noch ein Weilchen bleiben, wenn es dir recht ist, Liebling. Könntest du mir eine Kleinigkeit zu essen bieten oder sollen wir ausgehen?«

»Ach, zu essen gibt's hier massenhaft«, sagte sie leichthin. »Das ist immer so. Brenda hat den ganzen Vormittag gekocht, und jetzt weiß sie nicht, was sie damit anfangen soll – jetzt bin ja nur noch ich da.«

»Sie fühlen sich besser.« Das war alles, was Wexford sagte, als sie ihn zur Tür brachte.

»Ich komme langsam darüber hinweg, ja.« Aber sie wirkte, als wären die Dinge schon weiter gediehen. Er hatte den Eindruck, daß sie sich von Zeit zu Zeit bemühte, anstandshalber zu ihrem Kummer zurückzukehren. Aber jene Gemütsverfassung war nicht mehr natürlich ungezwungen. Daisy sagte jedoch, als wäre sie von Schuldgefühlen eingeholt worden: »In gewisser Weise werde ich nie darüber hinwegkommen, ich werde es nie vergessen.«

»Jedenfalls eine Zeitlang nicht.«

»Woanders wäre es schlimmer.«

»Ich wollte, Sie würden es sich noch einmal überlegen. Sowohl, daß Sie hierbleiben wollen, als auch das mit der Universität. Natürlich, die Universität – das geht mich nichts an.«

Sie tat etwas Erstaunliches. Sie standen auf der

Schwelle, die Tür war offen und Wexford im Begriff, sich zu verabschieden. Sie warf die Arme um seinen Hals und küßte ihn. Die Küsse, warm und fest, landeten auf seinen beiden Wangen. Von oben bis unten spürte er einen Körper, der vor Freude, vor Wonne pulsierte.

Er machte sich energisch von ihr los. »Tun Sie es mir zuliebe«, sagte er, wie er manchmal zu seinen Töchtern gesprochen hatte, »tun Sie mir zuliebe, worum ich Sie bitte.«

Noch immer fiel das Wasser gleichmäßig in das Bekken, und die Fische hüpften in den Wellen.

»Nehmen wir mal an«, begann Burden, »daß sie mit ihrem Fahrzeug *mitten* durch den Wald weggefahren und vielleicht auch auf diesem Weg gekommen sind. Mit einem Jeep, einem Landrover oder sonst etwas Geländegängigem, und der Fahrer kannte die Gegend wie seine Westentasche.«

»Andy Griffin kannte sich selbstverständlich in den Wäldern aus«, sagte Wexford. »Und ebenso sein Vater, vielleicht besser als sonst jemand. Gabbitas kennt sich dort aus und ebenso, wenn auch nicht ganz so gut, Ken Harrison. Zweifellos trifft das auch auf die drei Toten zu und, soviel wir wissen, vielleicht auch auf Joanne Garland und sogar auf ihre Angehörigen.«

»Gunner Jones behauptet, er würde heute nicht mehr den Weg hierher finden. Warum sagt er das zu mir, wenn er sich ziemlich sicher war, daß er es doch könnte? Ich hab ihn nicht danach gefragt. Es war einfach eine kleine Gratisinformation. Und wir sprechen von jemandem, der durch den Wald *fuhr*, nicht lief, was einen, vorausgesetzt, man folgt seiner Nase oder einem Kompaß, früher oder später zu einer Straße führen müßte. Dieser Kerl müßte sich zugetraut haben, ein schwerfälliges Fahrzeug mit Vierradantrieb durch den nachtdunklen Wald zu steuern, und vermutlich wagte er nur Standlicht einzuschalten, vielleicht nicht einmal das.«

»Und der andere«, sagte Wexford trocken, »ist mit einer Laterne vor ihm hergegangen und hat ihm geleuchtet, wie zu den Anfängen des Automobils.«

»Ja, vielleicht war es so. Es fällt mir schwer, mir das vorzustellen, Reg, aber welche Alternative gibt es denn? Wenn sie auf der Straße von Pomfret Monachorum gefahren sind, müßten sie Bib Mew überholt haben oder Gabbitas begegnet sein – es sei denn, er steckte mit ihnen unter einer Decke, es sei denn, Gabbitas war der andere.«

»Wie sähe das Ganze mit einem Motorrad aus? Angenommen, sie sind im Dunkeln auf Andy Griffins Motorrad durch den Wald gefahren?«

»Könnte Daisy nicht unterscheiden, ob der Motor eines Motorrads oder der eines Autos angelassen wird? Irgendwie kann ich mir Gabbitas hinter Andy Griffin auf dem Sitz nicht vorstellen. Gabbitas, daran brauche ich Sie nicht zu erinnern, hat kein Alibi für den Nachmittag und den frühen Abend des 11. März.«

»Wissen Sie, Mike, das ist so eine Sache. In den letzten Jahren ist es immer schwieriger geworden, hieb- und stichfeste Alibis beizubringen. Das wirkt sich natürlich nachteilig für Kriminelle aus, aber andererseits auch zu ihrem Vorteil. Es hängt damit zusammen, daß die Menschen isolierter leben. Es gibt mehr Menschen als jemals zuvor, aber das Leben des einzelnen ist einsamer geworden.«

In Burdens Augen trat der glasige Ausdruck, der sich häufig einstellte, wenn, wie er es nannte, Wexford zu »philosophieren« begann. Wexford wurde allmählich hypersensibel für diesen Wechsel des Ausdrucks, und da er im vorliegenden Fall nichts Erhellendes mehr zu sagen hatte, beendete er seine Ansprache und wünschte

Burden eine gute Nacht. Doch auf der Heimfahrt ging ihm das Alibi-Problem weiterhin durch den Kopf.

In Zeiten der Rezession mit hoher Arbeitslosigkeit gingen die Männer seltener als früher ins Pub. Die Kinos blieben leer, da das Fernsehen die Besucher weglockte. Das Kino in Kingsmarkham war fünf Jahre zuvor geschlossen und in einen Heimwerkermarkt umgewandelt worden. Mehr Menschen als zuvor lebten als Singles. Herangewachsene Kinder wohnten seltener zu Hause bei ihren Eltern. Abends und nachts waren die Straßen in Kingsmarkham, Stowerton oder Pomfret leer. Kein Wagen geparkt, kein Fußgänger unterwegs, nur Güterverkehr wälzte sich durch die Ortschaften, jeder Lastwagen mit einem einsamen Fahrer.

Dies erklärte in einem gewissen Maß die Schwierigkeiten, bei fast allen in diesen Fall eventuell verwickelten Leuten zuverlässig festzustellen, wo sie sich an jenem Märztag aufgehalten hatten. Wer konnte die Angaben von John Gabbitas und Gunner Jones und übrigens auch die von Bib Mew untermauern? Wer konnte bezeugen, wo Ken Harrison gewesen war oder John Chowney oder Terry Griffin, außer bei zweien von ihnen die Ehefrauen, deren Aussagen wertlos waren? Sie waren alle zu Hause oder auf dem Nachhauseweg gewesen, allein oder zusammen mit ihren Ehefrauen.

Es wäre übertrieben gewesen zu sagen, daß Gunner Jones verschwunden war. Ein Anruf in dem Sportgeschäft in der Holloway Road ergab, daß Gunner Jones ein paar Tage Urlaub genommen habe und weggefahren sei; er habe nicht gesagt, wohin, er verreise häufig. Wexford wußte nicht, ob er an das Zusammentreffen mehrerer Zufälle glauben sollte. Joanne Garland führte ein Geschäft und war verreist. Gunner Jones, der sie kannte, der mit ihr Briefe wechselte, führte ein Geschäft und verreiste »häufig«. Noch etwas anderes war

Wexford aufgefallen, wenn er auch bereitwillig zugegeben hätte, daß man sagen könnte, es sei an den Haaren herbeigezogen. Gunner verkaufte Sportausrüstungen, Joanne Garland hatte in ihrem Haus ein Zimmer in einen Fitneß-Raum umgewandelt und mit Sportgeräten angefüllt.

Waren sie beisammen und wenn ja, warum?

Die Besitzer des *Rainbow Trout Inn* in Pluxam am Dart waren gerne bereit, Detective Sergeant Vine alles zu erzählen, was sie über Mr. G. G. Jones wußten. Er verkehre regelmäßig in ihrem Lokal, wenn er in der Gegend war. Sie vermieteten ein paar Zimmer an auswärtige Besucher, und er habe einmal bei ihnen übernachtet, aber nur ein einziges Mal. Seitdem habe er immer das Cottage nebenan gemietet. Es war, wie Vine die Sache sah, nicht genau nebenan, sondern gute vierzig Meter weiter unten an der Gasse, die zum Flußufer führte.

Der 11. März? Der Pächter des *Rainbow Trout Inn* wußte genau, wovon Vine redete, und brauchte keine Erklärung. Seine Augen funkelten vor Erregung. O ja, Mr. Jones sei vom 10. bis zum 15. März dagewesen. Das wisse er, weil Mr. Jones immer erst dann, wenn er abfuhr, seine Getränke bezahlte und die Liste seiner Ausgaben während dieser Tage vorliege. Vine erschien der Gesamtbetrag für einen einzelnen Mann unglaublich hoch. Was den 11. März betreffe, könne er nichts sagen, meinte der Kneipier. Ob Mr. Jones an diesem Abend ins Lokal gekommen sei, könne er nicht sagen, da er beim Anschreiben nie ein Datum notiere.

Seitdem habe er Mr. Jones nicht mehr gesehen, aber auch nicht damit gerechnet. In dem Cottage sei zur Zeit niemand. Der Vermieter erklärte Vine, er habe für das laufende Jahr keine weiteren Voranmeldungen von Mr. Jones. Jones habe das Häuschen viermal gemietet und sei immer allein gewesen. Genauer gesagt, er habe es nie zusammen mit jemand anderem bezogen. Der Vermieter hatte Jones einmal mit einer Frau im *Rainbow Trout* gesehen. Mit irgendeiner Frau. Nein, beschreiben könne er sie nicht, außer daß sie ihm nicht den Eindruck gemacht habe, als ob sie für Mr. Jones zu jung oder auch zu alt gewesen sei. Wahrscheinlich sei Mr. Jones irgendwoandershin zum Angeln gefahren.

Doch was war in dem Kuvert auf dem Kaminsims in dem Haus in der Niniveh Road gewesen? Ein Liebesbrief? Oder die Skizze irgendeines Plans? Und warum hatte Gunner Jones den Umschlag aufgehoben, während er den Brief offensichtlich weggeworfen hatte? Warum vor allem hatte er diese Adressen daraufgeschrieben und das Kuvert so unbekümmert Burden gegeben?

Wexford verzehrte sein Abendessen und unterhielt sich mit Dora über das kommende Wochenende. Sie könne wegfahren, wenn sie wolle. Für sich sehe er keine Chance, sich freizumachen. Dora las gerade irgend etwas in einer Zeitschrift, und als er sie fragte, was sie denn so hochinteressant finde, sagte sie, es handle sich um eine Kurzbiographie von Augustine Casey.

Wexford gab ein »Pah!« von sich.

»Wenn du mit *Midians Gastfreunde* fertig bist, Reg, kann ich es dann lesen?«

Er reichte ihr das Buch und schlug *Schön wie ein Baum* auf, in dem er noch nicht weit vorangekommen war. Ohne aufzublicken sagte er: »Sprichst du mit ihr?«

»Ach, Reg, wenn du Sheila meinst, warum sagst du es denn nicht, um Himmels willen? Ich spreche mit ihr genauso wie immer, nur daß du nicht da bist und mir nicht den Hörer aus der Hand reißen kannst.«

»Wann will sie nach Nevada fliegen?«

»In ungefähr drei Wochen.«

Preston Littlebury hatte ein kleines Haus in der Dorfmitte von Forby. Man hat Forby zum fünftschönsten Dorf in England ernannt, was er als Grund anführte, warum er dort ein Wochenenddomizil hatte. Wenn das angeblich schönste Dorf Englands auch so nahe bei London gelegen wäre, hätte er sich dort etwas gekauft, aber es lag zufällig in Wiltshire.

Genau genommen sei es natürlich kein Wochenendhaus, sonst wäre er nicht an einem Donnerstag dort gewesen. Er lächelte, während er diese pedantischen Bemerkungen von sich gab, und stützte dabei das Kinn mit den Händen, wobei sich nicht die Handgelenke, aber die Fingerspitzen berührten. Sein Lächeln war schmallippig, gepreßt und auf eine humorvolle Art gönnerhaft.

Anscheinend lebte er allein. Die Zimmer in seinem Haus erinnerten Barry Vine an die abgeteilten Bereiche in einem großen Antiquitätengeschäft. Alles wirkte wie wunderbar erhalten gebliebene, wohlgepflegte Antiquitäten, nicht zuletzt auch der silberhaarige Mr. Littlebury in seinem silbergrauen Anzug, seinem rosafarbenen Maßkonfektionshemd und mit seiner rosenrot und silbern getüpfelten Fliege. Er war älter, als er auf den ersten Blick wirkte, was ja auch für manche Antiquitäten gilt. Vielleicht schon hoch in den Siebzigern, dachte Barry Vine. Wenn Littlebury sprach, hörte er sich an wie der selige Henry Fonda in der Rolle eines Professors.

Seine weitschweifige Redeweise, mit der er seine berufliche Tätigkeit zu beschreiben begann, verschaffte Vine kaum Klarheit darüber, womit der Mann eigentlich sein Brot verdiente. Er sei, sagte der Amerikaner, in Philadelphia geboren, und habe in Cincinnati, im Bundesstaat Ohio, gelebt, als Harvey Copeland dort an einer Universität lehrte. Auf diese Weise hätten sie einander kennengelernt. Preston Littlebury kannte auch den Vizekanzler der University of the South. Er sei gewissermaßen selbst einmal in einem akademischen Beruf tätig gewesen, habe am Victoria and Albert Museum in London gearbeitet und früher für eine landesweit erscheinende Zeitung eine Kolumne über Antiquitäten geschrieben. Wie es schien, handelte er gegenwärtig mit altem Silber und Porzellan.

So viel Klarheit konnte sich Barry Vine aus Littleburys dunklen Reden und weitschweifigen Ausführungen immerhin verschaffen. Und während er redete, nickte er immerfort wie ein chinesischer Mandarin.

»Wissen Sie, ich reise recht viel herum. Ich verbringe ziemlich viel Zeit in Osteuropa, wo es seit dem Ende des Kalten Kriegs sehr ergiebige Einkaufsmöglichkeiten gibt. Da muß ich Ihnen eine recht amüsante Geschichte erzählen, die sich abspielte, als ich die Grenze zwischen Bulgarien und Jugoslawien passierte ...«

Wieder drohte eine Anekdote über das unerschöpfliche Thema bürokratischer Stümperei. Vine hatte bereits drei davon über sich ergehen lassen müssen und unterbrach ihn eilends.

»Es geht um Andy Griffin, Sir. Sie haben ihn früher einmal beschäftigt, ja? Es liegt uns sehr daran zu erfahren, wo er sich in den letzten Tagen vor seiner Ermordung aufgehalten hat.«

Wie die meisten talentierten Geschichtenerzähler war auch Littlebury nicht erfreut, wenn ihm das Wort abgeschnitten wurde. »Ja, doch, ich wollte gerade darauf zu sprechen kommen. Ich habe den Mann seit fast einem Jahr nicht mehr zu Gesicht bekommen. Ist Ihnen das bekannt?«

Vine nickte, obwohl es für ihn neu war. Er durfte keine Pause eintreten lassen, da er sonst Gefahr lief, Preston Littleburys weitere Abenteuer anhören zu müssen, die er in diesem Jahr auf dem Balkan erlebt hatte. »Sie haben ihn beschäftigt, nicht?«

»Sozusagen ja.« Littlebury sprach jetzt sehr überlegt, wog jedes Wort ab. »Es kommt darauf an, was Sie unter ›beschäftigen‹ verstehen. Wenn Sie meinen, ob ich ihn auf meiner, wie es im allgemeinen Sprachgebrauch wohl heißt, ›Gehaltsliste‹ geführt habe, ist die Antwort ein entschiedenes Nein. Ich zahlte beispielsweise keine Sozialversicherungsbeiträge für ihn und habe auch sein Gehalt nicht bei meiner Einkommensteuer geltend gemacht. Wenn Sie aber *Gelegenheitsarbeiten* meinen, daß er als *Mädchen für alles* für mich gearbeitet hat, liegen Sie richtig. Andrew Griffin erhielt von mir, was ich als besseres Taschengeld bezeichnen möchte.«

Littlebury legte die Fingerspitzen aneinander und zwinkerte darüber hinweg Vine zu. »Er hat einfache Arbeiten für mich erledigt, beispielsweise meinen Wagen gewaschen und den Hof gefegt. Er hat meinen kleinen Hund – inzwischen ist er leider ins Kaninchengehege im Jenseits eingegangen – spazierengeführt. Einmal, fällt mir jetzt ein, hat er ein Rad gewechselt, als ich eine Reifenpanne hatte.«

»Haben Sie ihn jemals in Dollar bezahlt?«

Wenn jemand zu Vine gesagt hätte, daß dieser Mann, diese Verkörperung von Kultiviertheit und Pedanterie oder, wie er selbst es ohne Zweifel ausdrücken würde, der Kultur, den Lieblingssatz jedes alten Knastbruders verwenden würde, hätte er es nicht geglaubt. Doch genau das tat nun Preston Littlebury.

»Es könnte so gewesen sein.«

Es kam in einem so verschlagenen Ton heraus, wie Vine ihn kaum jemals gehört hatte. Jetzt, dachte er, wird der Mann gleich mit weiteren verräterischen Floskeln daherkommen. Etwa: »Um Ihnen reinen Wein einzuschenken.« Oder: »Um Ihnen die reine Wahrheit zu sagen.« Littlebury würde zweifellos keinen Anlaß haben, mit der faustdicksten Lüge eines Delinquenten aufzuwarten: »Ich schwöre beim Leben meiner Frau und meiner Kinder, daß ich unschuldig bin.« Er schien ja weder Frau noch Kinder zu haben, und sein Hündchen war tot.

»Haben Sie es getan oder nicht, Sir? Oder wissen Sie es nicht mehr?«

»Es ist so lange her.«

Was hatte er zu befürchten? Nicht viel, dachte Vine. Höchstens, daß ihm das Finanzamt hinter seine Schwarzgeld-Geschäfte kommt. Wahrscheinlich zahlte er in Dollars. In den osteuropäischen Ländern waren sie begehrter als das britische Pfund und viel begehrter als die einheimischen Währungen.

»Wir haben einige Dollarscheine bei Griffins Sachen gefunden.«

»Es ist ja eine weltweit verbreitete Währung, Sergeant.«

»Ja. Sie haben ihn also gelegentlich mit Dollars bezahlt, Sir, können sich aber nicht mehr daran erinnern?«

»Es kann sein, daß ich es getan habe. Ein- oder zweimal.«

Littlebury zeigte keine Neigung mehr, jede Erwiderung mit einer lustigen Geschichte zu garnieren, sondern schien sich plötzlich nicht mehr wohl zu fühlen in seiner Haut. Er war um Worte verlegen, zwinkerte nicht mehr, und seine Hände zappelten nervös in seinem Schoß herum.

Vine hatte eine Eingebung und sagte rasch: »Haben Sie in Kingsmarkham ein Bankkonto, Sir?«

»Nein.« Die Antwort kam wie aus der Pistole geschossen. Da fiel Vine ein, daß Littlebury ja in London lebte und nur am Wochenende oder gelegentlich hier herauskam. Allerdings blieb er sicher manchmal bis zum Montag, und dann brauchte er Bargeld ... »Gibt es noch etwas, was Sie mich fragen wollen? Ich hatte den Eindruck, bei dieser Befragung ginge es um Andrew

Griffin und nicht um meine persönlichen finanziellen Verhältnisse.«

»Um die letzten Tage seines Lebens, Mr. Littlebury. Wir wissen, offen gesagt, nicht, wo er sie zugebracht hat.« Vine gab ihm die relevanten Daten. »Von einem Sonntagmorgen bis zum folgenden Dienstagnachmittag.«

»Bei mir hat er sie nicht verbracht. Ich war nämlich in Leipzig.«

Die Polizei von Greater Manchester bestätigte den Tod von Dane Bishop. Auf dem Totenschein stand als Ursache Herzversagen und dazu Lungenentzündung. Er war vierundzwanzig Jahre alt gewesen und hatte in Oldham gewohnt. Daß Wexford nicht schon vorher auf ihn aufmerksam geworden war, hatte seinen Grund darin, daß Bishop damals nicht vorbestraft gewesen war. Er hatte nur ein einziges Delikt begangen, ungefähr ein Vierteljahr nach Caleb Martins Tod: einen Ladeneinbruch in Manchester.

»Ich werde dafür sorgen, daß dieser Jem Hocking wegen Mordes angeklagt wird«, sagte Wexford.

»Er ist ja schon im Gefängnis«, gab Burden zu bedenken.

»Für mich ist das kein richtiges Gefängnis.«

»Das klingt aber ungewohnt aus Ihrem Mund«, sagte Burden.

20

»Wenn Miss Jones gestorben wäre, ich spreche von Miss Davina Jones«, sagte der Anwalt Wilson Barrowby, »hätte fraglos ihr Vater, Mr. George Godwin Jones, das Gut, ja, überhaupt alles geerbt.

Weitere Erben gibt es nicht. Miss Flory war das jüngste Kind ihrer Eltern.« Er lächelte traurig. »Wir wissen ja, daß sie ›der jüngste von neun Zeisigen‹, daß sie tatsächlich fünf Jahre jünger als ihr nächstältestes Geschwister und nicht weniger als zwanzig Jahre jünger als ihre älteste Schwester war.

Es gab keine Cousins und Cousinen ersten Grades. Professor Flory und seine Frau waren Einzelkinder. Es war keine sehr fruchtbare Familie. Es kann gut sein, daß Professor Flory mit achtzehn oder zwanzig Enkelkindern gerechnet hat. Es wurden dann aber nur sechs, und eines davon war Naomi Jones. Nur ein einziges von Miss Florys Geschwistern hatte mehr als nur ein Kind , und von diesen beiden starb das ältere im Säuglingsalter. Von Miss Florys vor zehn Jahren noch am Leben befindlichen vier Neffen und Nichten waren drei nicht viel jünger als sie selbst, und die Nummer vier war nur zwei Jahre jünger als sie. Diese Nichte, Mrs. Louise Merritt, ist im Februar in Südfrankreich gestorben.«

»Und deren Kinder?« fragte Wexford. »Die Großnichten und -neffen?«

»Großnichten und -neffen erben im Fall eines Todes ohne Hinterlassung eines Testamentes nichts oder, sofern ein Testament existiert, wie in diesem Fall, nur dann, wenn sie darin eigens erwähnt sind. Es sind nur vier, die beiden Kinder von Mrs. Merritt, beide in Frankreich lebend, und der Sohn und die Tochter eines älteren Neffen und einer älteren Nichte. Aber sie kommen, wie gesagt, als Erben nicht in Frage. Nach der letztwilligen Verfügung wurde, wie Sie wohl bereits wissen, alles Miss Davina Jones vermacht, mit der Klausel, daß Mr. Copeland einen lebenslangen Nießbrauch an Tancred House erhält und dort bis zu seinem Tod Wohnrecht genießt, und die gleiche Regelung galt für Mrs. Naomi Jones. Ich nehme an, Sie wissen auch, daß sich neben dem Haus und dem Grund, der äußerst wertvollen Einrichtung und dem Schmuck, der leider verloren ist, ein Vermögen von einer knappen Million Pfund angesammelt hat, heutzutage leider keine immense Summe. Dazu kommen noch die Tantiemen von Miss Florys Büchern, die sich auf rund fünfzehntausend Pfund jährlich belaufen.«

Das Erbe erschien Wexford durchaus ansehnlich. Er hatte, wie sich jetzt zeigte, Daisy gegenüber Joyce Virson durchaus mit Recht »reich« genannt. Diesen verspäteten Besuch stattete er Davina Florys Anwälten deswegen ab, weil er erst jetzt wirklich zu der Überzeugung gelangt war, daß es sich bei den Morden in Tancred House gewissermaßen um einen »inside job« gehandelt hatte. Schritt für Schritt war er zu der Erkenntnis gelangt, daß der Diebstahl von Schmuck oder erst recht ein Gelegenheitsdiebstahl mit diesen Morden nicht viel zu tun hatte. Das Motiv hatte mehr privaten Charakter. Es verbarg sich irgendwo in diesem Geflecht von Beziehungen – aber wo? Gab es vielleicht irgendwo irgendeinen Verwandten, der durch Barrowbys Netz geschlüpft war?

»Wenn schon kein Blutsverwandter von Davina Flory geerbt hätte«, sagte Wexford, »zum Beispiel eine Großnichte oder ein Großneffe, dann sehe ich nicht recht, wie George Jones an das Erbe hätte kommen können. Nach allem, was man weiß, hat Miss Flory ihn und er wiederum sie gehaßt, und in dem Testament wird er nicht erwähnt.«

»Man könnte sagen, es hatte nichts mit Miss Flory, aber sehr viel mit Miss Jones zu tun«, sagte der Anwalt. »Sie kennen sicher die Faustregel dafür, wie man das jeweilige Eintreten des Todes ansetzt, wenn mehrere miteinander verwandte Personen getötet werden. Wir gehen davon aus, daß die jüngste Person am längsten lebt.«

»Ja, das ist mir bekannt.«

»Daher würde man in diesem Fall, obwohl es nicht so gekommen ist, annehmen, als erste sei Davina Flory gestorben, dann ihr Ehemann und zuletzt Mrs. Jones. Tatsächlich wissen wir, aufgrund der Aussage von Miss Jones, daß Mr. Copeland als erster umgekommen ist. Aber nehmen wir einmal an, der Täter hätte auch Miss Jones getötet. Dann müßten Annahmen dieser Art gemacht werden, da es keinen überlebenden Zeugen gäbe, der uns helfen könnte. Angesichts nicht vorhandener medizinischer Belege für den jeweiligen Eintritt des Todes – die in diesem Fall naheliegenderweise nicht beizubringen sind –, würden wir davon ausgehen, daß zuerst Davina Flory starb und ihre Enkelin entsprechend dem Testament augenblicklich ihr Erbe antrat, mit der Bedingung, daß Mr. Copeland und Mrs. Jones ein lebenslanges Wohnrecht in Tancred House hatten.

Sodann nehmen wir, dem Alter entsprechend, an, daß Mr. Copeland und nach ihm Mrs. Jones stirbt und mit beider Tod ihr lebenslanges Wohnrecht hinfällig wird. Der gesamte Besitz gehört in diesen wenigen kritischen Augenblicken nur Miss Davina Jones. Daher würden, sofern und sobald sie sterben sollte, ihre natürlichen Erben per gesetzlicher Erbfolge in ihr Erbe eintreten, ungeachtet dessen, ob sie mit Miss Flory blutsverwandt waren oder nicht. Davina Jones' *einziger natürli-*

cher Erbe ist, nach dem Tod ihrer Mutter, ihr Vater, George Godwin Jones.

Wenn sie umgekommen wäre, was ja leicht hätte geschehen können, wäre der Besitz in seiner Gesamtheit an Mr. Jones gefallen. Ich wüßte nicht, wie sich daraus ein Streitfall ergeben könnte. Wer würde den Erbgang anfechten?«

»Er hat sie zum letztenmal gesehen, als sie ein Baby war«, sagte Wexford. »Er hat sie mehr als siebzehn Jahre weder gesehen noch mit ihr gesprochen.«

»Das zählt nicht. Er ist ihr Vater. Das heißt, er ist höchstwahrscheinlich, aber juristisch auf jeden Fall ihr Vater. Er war zur Zeit ihrer Geburt mit ihrer Mutter verheiratet, und seine Vaterschaft ist nie bestritten worden. Er ist ebenso ihr natürlicher Erbe, wie sie seine natürliche Erbin wäre, sollte er sterben, ohne testamentarische Verfügungen getroffen zu haben.«

Wexford vermutete, daß jeden Tag mit der Bekanntgabe der Verlobung zu rechnen sei. *Nicholas Virson, einziger Sohn von Mrs. Joyce Virson und dem verstorbenen soundso Virson, und Davina Jones, einzige Tochter von George Godwin Jones und der verstorbenen Mrs. Naomi Jones* ... Virsons Wagen stand am folgenden Tag noch früher vor Tancred House, bereits kurz nach 15.00 Uhr. Er hatte sich sicher frei genommen, um die Gelegenheit beim Schopf zu packen, oder einen Teil seines Jahresurlaubs genommen. Aber eigentlich hatte Wexford keinen Zweifel, daß weder schlauer Opportunismus noch Glück vonnöten waren. Daisy hatte sich überreden lassen. Sie würde Mrs. Virson werden.

Er stellte fest, daß ihm diese Vorstellung gar nicht behagte. Nicht nur war Virson ein aufgeblasener Esel mit absurden Vorstellungen von seiner eigenen Bedeutung und gesellschaftlichen Stellung, sondern Daisy war für eine Ehe einfach zu jung. Sie war ja gerade erst achtzehn. Seine eigene Tochter Sylvia hatte in diesem Alter geheiratet, was er und Dora nicht gerade gern gesehen hatten, aber sie hatte sich über die Eltern hinweggesetzt. Sie und Neil waren zwar noch immer zusammen, aber Wexford hatte manchmal den Verdacht, daß es nur der Kinder wegen so war. Es war eine wenig harmonische Ehe, voller Spannungen und charakterlicher Gegensätzlichkeiten. Natürlich hatte Daisy in ihrem Kummer bei Nicholas Virson Trost gesucht. Und er hatte sie getröstet. Eine erstaunliche Veränderung war mit ihr vor sich gegangen: Sie war beinahe so glücklich, wie es jemand in ihrer Situation überhaupt sein konnte. Die einzige Erklärung dafür war eine Liebeserklärung Virsons, die sie positiv aufgenommen hatte.

Anscheinend war er einer der wenigen jungen Menschen, die sie kannte, abgesehen von jenen Schulkameraden, die sie angeblich zu sich eingeladen hatten, in Tancred House allerdings durch Abwesenheit glänzten. Ja, und Jason Sebright, sofern er überhaupt zählte. Ihre Angehörigen waren mit Nicholas Virson einverstanden gewesen. Jedenfalls hatten sie erlaubt, daß er im vergangenen Jahr als Daisys offizieller Begleiter mit nach Edinburgh fuhr. Es mochte ja so gewesen sein, daß Davina Flory einen Plan der beiden, ohne Trauschein zusammenzuleben, mit einem wohlwollenderen Lächeln gutgeheißen hatte, aber auch das wäre eine Zustimmung gewesen. Nicholas Virson sah gut aus, war im richtigen Alter, hatte einen zufriedenstellenden Job und würde einen braven, langweiligen und sehr wahrscheinlich treuen Ehemann abgeben. Aber für Daisy, mit ihren achtzehn Jahren?

Er fand es jammerschade. Die Zukunft, die Davina Flory für Daisy entworfen hatte, wenn auch vielleicht mit allzu herrischer Geste, war sicher das Leben, das ihr genau entsprochen hätte: Abenteuer, Studium, Reisen, Menschen kennenlernen. Statt dessen würde sie heiraten, ihren Mann nach Tancred mitnehmen, um dort mit ihm zu leben, und – daran hatte Wexford nur geringe Zweifel – sich nach ein paar Jahren von ihm scheiden lassen, zu einer Zeit, in der es dann fast zu spät war für Persönlichkeitsentfaltung.

All dies ging ihm durch den Kopf, während er sich von der Anwaltskanzlei zum Altersheim Caenbrook Retirement Home chauffieren ließ. Er hatte Mrs. Chowney noch nicht kennengelernt, allerdings eine halbe Stunde, die nicht viel erbrachte, mit ihrer Tochter Shirley gesprochen. Mrs. Shirley Rogers war Mutter von vier halbwüchsigen Kindern, ihre Ausrede dafür, daß sie die eigene Mutter so selten besuchten. Sie besuchte auch ihre Schwester Joanne nur sehr selten und schien nicht viel über deren Lebensumstände zu wissen. »In *Ihrem* Alter?« kam es wie aus der Pistole geschossen, als Wexford sie fragte, ob ihre Schwester männliche Freunde habe. Aber er mußte an den vollen Kleiderschrank, die Kosmetika und Schönheitspräparate und an den Raum voller Fitneßgeräte denken.

Edith Chowney war in ihrem eigenen Zimmer, aber nicht allein. Eine Frau, die in dem Heim angestellt war, Empfangsdame oder Pflegeschwester, führte ihn nach oben und klopfte an die Zimmertür. Sie wurde einen Spaltbreit von einer Frau geöffnet, die Shirley Rogers' Zwillingsschwester hätte sein können. Sie ließ ihn eintreten, da er ja erwartet wurde, und Mrs. Chowney in einem hellroten Wollkleid, einer roten, gerippten Strumpfhose über O-Beinen und rosafarbenen Bettsokken lächelte ihn gewinnend an.

»Sind Sie der Oberste?«

Er fand, daß er das guten Gewissens bestätigen könne. »Ganz recht, Mrs. Chowney.«

»Diesmal haben sie den Obersten geschickt«, sagte sie zu der Frau, die sie anschließend als ihre Tochter Pamela vorstellte, die brave Tochter, die am häufigsten kam (was sie allerdings nicht sagte). »Meine Tochter Pamela. Mrs. Pamela Burns.«

»Es freut mich, Sie hier zu sehen, Mrs. Burns«, sagte er diplomatisch, »weil ich glaube, daß auch Sie uns vielleicht helfen können. Es ist jetzt mehr als drei Wochen her, seit Mrs. Garland verreist ist.« Er wandte sich beiden Frauen zu. »Haben Sie etwas von ihr gehört?«

»Sie ist nicht verreist. Ich habe doch schon zu den anderen gesagt – haben die es Ihnen nicht erzählt? –, daß sie nicht verreist ist. Sie würde nicht verreisen, ohne mir was davon zu sagen. So etwas hat sie noch nie gemacht.«

Wexford scheute davor zurück, der alten Frau zu eröffnen, daß sich die Polizei mittlerweile ernste Sorgen nicht nur um das Verbleiben von Mrs. Garland, sondern sogar um ihr Leben machte. Jeden Tag rechnete er mit einem dieser Anrufe, die eine grausige Entdeckung meldeten. Zugleich aber ging ihm der Gedanke durch den Kopf, daß dies alles vielleicht Mrs. Chowney nicht umwerfen würde. Was mußte sie in ihrem Leben alles durchgestanden haben? Die elf Kinder und all die Sorgen um sie, die Belastungen, ja, sogar Tragödien. Unerfreuliche Heiraten, noch weniger erfreuliche Scheidungen, Trennungen, Tod. Und dennoch zögerte er.

»Hätten Sie eigentlich nicht erwartet, daß sie inzwischen bei Ihnen vorbeigeschaut hat, Mrs. Chowney?«

»Was ich erwarte«, gab sie spitz zurück, »und was die tun, das sind zwei ganz verschiedene Paar Stiefel. Sie ist schon früher auf drei Wochen weggefahren, ohne sich hier sehen zu lassen. Pamela ist die einzige, auf die man sich verlassen kann. Die einzige von dem ganzen Verein, bei der es nicht von früh bis spät nur ich, ich, ich heißt.«

Pamela Burns blickte ein bißchen selbstgefällig drein. Ein schwaches, bescheidenes Lächeln erschien um ihre Lippen. Mrs. Chowney sagte schlau: »Es geht um diese Naomi, nicht wahr? Es hat was damit zu tun, was da draußen passiert ist. Joanne hat sich Sorgen um sie gemacht. Sie hat öfter mit mir darüber gesprochen, wenn sie mal nicht über sich selber geredet hat.«

»Sorgen, wie meinen Sie das, Mrs. Chowney?«

»Sie hat gesagt, Naomi hat nichts vom Leben, sie sollte sich einen Mann zulegen. Naomi hat ein unausgefülltes Leben, hat sie gesagt. Unausgefüllt, hab ich für mich gedacht, und dabei lebt sie in diesem Schloß, hat nie Geldsorgen gekannt, verkauft Porzellantiere aus reinem Vergnügen, hat nie für sich selber sorgen müssen. Das ist kein unausgefülltes Leben, hab ich gesagt, das ist ein behütetes Leben. Trotzdem, jetzt ist sie tot, und das alles ist Schnee von gestern.«

»Aber im Leben Ihrer Tochter hat es einen Mann gegeben, oder?«

»Joanne«, sagte Mrs. Chowney. Zu spät fiel ihm ein, daß er angesichts so vieler Töchter präziser hätte sein sollen. »Meine Tochter Joanne. Sie hat zwei gehabt, daß Sie es nur wissen, zwei Ehemänner.« Sie sprach, als gäbe es in diesem Lebensbereich eine Art Rationierungssystem und als hätte ihre Tochter Joanne bereits den besten Teil ihrer Zuteilung konsumiert. »Vielleicht gibt es wieder einen, aber sie würde mir nichts davon erzählen, außer er wäre steinreich. Sie würde mir die Sachen zeigen, die er ihr geschenkt hat. Aber davon war nichts zu sehen, nicht wahr, Pam?«

»Ich weiß nicht, Mutter. Mir hat sie nichts erzählt, und fragen würde ich nicht.«

Wexford kam zu der Frage, die der wahre Grund seines Besuchs war. Er wagte fast nicht, sie auszusprechen. So viel hing davon ab, ob er eine schuldbewußte oder abwehrende oder entrüstete Reaktion auslöste.

»Hat sie Naomi Jones' Exgatten gekannt, Mr. George Godwin Jones?«

Die beiden Frauen sahen ihn an, als verdiente eine so abgrundtiefe Unwissenheit nur Mitleid. Pamela Burns beugte sich sogar ein bißchen nach vorne in seine Richtung, als wollte sie ihn ermutigen, das Gesagte zu wiederholen, als traute sie ihren Ohren nicht, als müßte sie sich verhört haben.

»Gunner?« sagte Mrs. Chowney schließlich.

»Ja, richtig. Mr. Gunner Jones. Hat sie ihn gekannt?«

»Natürlich hat sie ihn gekannt«, sagte Pamela Burns. »Selbstverständlich.« Sie hakte ihre Zeigefinger ineinander. »So waren sie, ganz dicke Freunde, sie und Brian und Naomi und Gunner. Sie haben alles gemeinsam gemacht.«

»Joanne hatte gerade zum zweitenmal geheiratet«, schob Mrs. Chowney dazwischen. »Ach, das ist jetzt beinahe zwanzig Jahre her.«

Noch immer konnten sie nicht fassen, daß all das vielleicht nicht weithin bekannt sein könnte.

»Durch Brian hat Joanne ja Naomi kennengelernt. Er war ein Kumpel von Gunner. Ich erinnere mich noch, wie sie gesagt hat, was für ein Zufall, daß Gunner ein Mädchen aus der Gegend heiratet, und ich mir dachte: Jetzt komm, nicht einfach ein Mädchen aus der Gegend, sondern ein Mädchen aus diesen Kreisen! Trotzdem, auch Joanne war in der Welt aufgestiegen, durch ihre Heirat. Brian hat oft gesagt, er ist nur ein armer Millionär, aber so war er, wenn er witzig sein wollte.«

»Sie waren so eng befreundet«, sagte Mrs. Chowney, »daß ich zu Pam gesagt habe, es wundert mich, daß Gunner und Naomi die andern beiden nicht auf ihre Hochzeitsreise mitnehmen.«

»Und sie sind auch nach der Scheidung enge Freunde geblieben?«

»Wie bitte?«

»Ich meine, haben die vier den Kontakt aufrechterhalten, nachdem ihre Ehen gescheitert waren? Natürlich ist mir bekannt, daß Mrs. Garland und Mrs. Jones befreundet blieben.«

»Brian ist nach Australien gegangen, oder?« Mrs.

Chowney stellte die Frage in dem Ton, in dem sie Wexford gefragt haben könnte, ob die Sonne an diesem Morgen im Osten aufgegangen sei. »Sie konnten keine Kumpel mehr sein, selbst wenn sie es gewollt hätten. Außerdem hatten sich Gunner und Naomi schon lange vorher getrennt. Diese Ehe war von Anfang an dazu verurteilt, in die Brüche zu gehen.«

»Joanne hat Naomis Partei ergriffen«, sagte Pamela Burns eifrig. »Das versteht sich ja von selbst, oder? Bei einer so engen Freundin. Sie hat sich hinter Naomi gestellt. Sie und Brian waren damals noch zusammen, und sogar Brian hat gegen Gunner Partei ergriffen.« Salbungsvoll fügte sie hinzu: »Man läßt eine Ehe nicht in die Brüche gehen, nur weil man mit seiner Schwiegermutter nicht auskommt, und besonders dann nicht, wenn ein kleines Kind da ist. Das Baby war ja erst ein halbes Jahr alt.«

Der Schnellimbißwagen hatte wie täglich auf dem Hof zwischen Tancred House und den Ställen Position bezogen. Es duftete nach Curry und mexikanischen Gewürzen.

»Auch darüber würde sich der Alte aufregen, wenn er was davon wüßte«, sagte Wexford zu Burden.

»Aber wir müssen doch essen.«

»Ja, und es ist um einiges besser als die Kantine drinnen oder unsere billigeren Stammlokale in der Stadt.« Wexford saß vor einem Hühnchen-Pilaw, und Burden verdrückte eine kleine Quiche mit Schinken und Pilzen.

»Komisch, wenn man an das Mädchen denkt, das nur ein paar Meter von hier jemanden hat, der für sie kocht und sie bedient, als wär's ganz selbstverständlich.«

»Es ist eine Lebensform, Mike, und eine, die wir zufällig nicht gewohnt sind. Ich habe meine Zweifel, ob sie einen persönlich viel glücklicher macht oder nicht gerade das Gegenteil bewirkt. Wann wird Gunner Jones in seinem Laden zurückerwartet?«

»Nicht vor Montag. Aber das heißt nicht, daß er nicht früher nach Hause kommen wird. Es sei denn, er hat sich abgesetzt, das Land verlassen. Das würde ich ihm ohne weiteres zutrauen.«

»Ihr nachgefahren, nehmen Sie das an?«

»Ich weiß nicht, ich war überzeugt, daß sie nicht mehr am Leben ist, aber jetzt weiß ich einfach nicht mehr, was ich denken soll. Ich würde gerne für die beiden noch eines von meinen, wie Sie es nennen, Szenarien machen, aber wenn ich es versuche, klappt es nicht. Gunner Jones hätte von allen das schlüssigste Motiv für diese Morde – vorausgestzt, Daisy wäre umgekommen, und egal, wer auf sie geschossen hat, er hat angenommen, daß sie sterben wird. In diesem Fall wäre Jones der Alleinerbe gewesen. Aber wo paßt Joanne Garland in dieses Puzzle? War sie seine Freundin, die die Beute mit ihm teilen würde. Oder war sie eine arglose Besucherin, die ihn bei der Tat gestört hat – ihn und wen noch? Wir haben keinerlei Verbindung zwischen Jones und Andy Griffin herstellen können, davon abgesehen, daß Jones ihn ein paarmal als Kind gesehen hat. Dann die Sache mit dem Fahrzeug, in dem sie kamen. Es war nicht Joanne Garlands Wagen. Die Jungs von der Spurensicherung sind mit einem Staubkamm darüber gegangen. Der BMW war's nicht. Nichts deutet darauf, daß irgend jemand anders als Joanne Garland selbst seit Monaten darin gesessen ist.«

»Und wie paßt Andy Griffin in die Geschichte?«

Bib Mew war zu ihrer Arbeit in Tancred House zurückgekehrt, und dort hatten sowohl Wexford als auch Vine noch einmal einen Versuch gemacht, mit ihr zu sprechen. Selbst die leiseste Erwähnung der Leiche, die an dem Baum gehangen hatte, löste wieder ein heftiges

Zittern und einmal sogar eine Art Anfall aus, der sich in einer Reihe kurzer, schriller Schreie manifestierte.

»Sie weigert sich, an der Stelle vorbeizufahren, wo das war«, gab Brenda Harris unaufgefordert und mit einem makabren Behagen von sich. »Sie macht einen ganz weiten Umweg. Bis hinunter nach Pomfret, dann die Hauptstraße entlang und hinauf nach Cheriton. Das dauert Stunden und ist gar nicht lustig, wenn es regnet. Daisy...« Es folgte ein lautes Schnauben. »...hat Ken gebeten, sie mit dem Wagen abzuholen, das ist das mindeste was sie tun könnten, meint sie. Soll sie sie doch selber abholen, wenn sie so scharf drauf ist, hab ich gesagt. Uns ist gekündigt worden, hab ich gesagt, da sehe ich nicht ein, warum wir uns noch ein Bein ausreißen sollten. ›Ich hoffe, daß Sie trotzdem noch Brot für uns backen, Brenda‹, sagte sie, ›ich hab nämlich heute abend jemand zum Essen da, Brenda‹, und uns setzt man auf die Straße. Davina würde sich im Grab umdrehen, wenn sie das wüßte!«

Als Wexford noch einmal einen Versuch unternahm, schloß sich Bib Mew in dem Raum neben der Küche ein, wo die Tiefkühltruhen standen.

»Ich weiß nicht, womit Sie ihr solche Angst eingejagt haben«, sagte Brenda Harrison. »Sie ist ein bißchen unbedarft, wissen Sie. War Ihnen das noch nicht klar?« Sie klopfte sich mit zwei Fingern an die Stirn. Unhörbar formte sie mit den Lippen: »Gehirnschädigung bei der Geburt.«

Es gab eine Reihe von Dingen, die Wexford gerne geklärt hätte. Zum Beispiel, ob Bib Mew in der Nähe des Baums mit der daran hängenden Leiche irgend jemanden gesehen hatte. Ob sie an diesem Nachmittag überhaupt einen Menschen im Wald gesehen hatte. Thanny Hogarth war der einzige, der ihm Zugang zu den möglichen Geschehnissen verschaffen konnte; Thanny Hogarth mußte ihren Dolmetscher machen.

»Und zu diesem Zweck«, sagte Wexford, während er sein Pilaw zu Ende aß, »habe ich ihn ersucht, heute nachmittag herzukommen, um eine Aussage zu machen. Darüber, was passiert ist, als Bib Mew an seiner Tür erschien und ihm erzählte, daß sie Andy Griffins Leiche entdeckt hatte. Aber ich glaube nicht, daß sich dabei großartige Enthüllungen herausstellen werden.«

Thanny Hogarth erschien per Fahrrad. Wexford sah ihn durchs Fenster. Er kam quer über den Hof auf die Ställe zugefahren, freihändig drauflosstrampelnd, die Arme gefaltet, und sein Gesicht zeigte einen verzückten Ausdruck, während er sich von seinem Walkman mit Musik berieseln ließ.

Der Bügel mit den Kopfhörern hing um seinen Hals, als er gemütlich hereinschlenderte. Karen Malahyde fing ihn ab und führte ihn zu Wexford. Thannys Haar war heute nach hinten gekämmt und anscheinend mit einem Schnürsenkel zusammengebunden, eine Haartracht, die Wexford bei einem Mann nicht ausstehen konnte, obwohl ihm bewußt war, daß es sich dabei um ein Vorurteil handelte. Er war genauso unrasiert wie bei ihrem letzten Zusammentreffen, das heißt, er trug einen ungepflegten Dreitagebart. War das immer so? Wexford gönnte sich den Luxus, ein paar Gedanken darauf zu verschwenden, wie Thanny das schaffte. Stutzte er die Barthaare mit einer Schere? In seinen Western-Stiefeln, kastanienbraun, bestickt und mit Nägeln beschlagen, und dem um den Hals geschlungenen roten Schal sah er aus wie ein hübscher, junger Pirat.

»Bevor wir anfangen, Mr. Hogarth«, sagte Wexford, »hätte ich gern, daß Sie meine Neugier in einem bestimmten Punkt stillen. Wenn Ihr Seminar für kreatives Schreiben erst im Herbst beginnt, warum sind Sie dann schon ein halbes Jahr vorher hier?«

»Für einen Ferienkurs. Das ist ein vorbereitender Kurs für Studenten, die den Magister machen wollen.«

»Aha.«

Er nahm sich vor, das mit einem Anruf bei Dr. Perkins nachzuprüfen, zweifelte aber nicht daran, daß die Auskunft stimmte. Karen Malahyde stenografierte Hogarths Aussage in ein Notizbuch. Außerdem wurde sie auf Band aufgenommen.

»Sofern es was bringt«, sagte Hogarth fröhlich, und Wexford neigte dazu, ihm beizupflichten. Was konnte sie schon nützen, diese kurze Schilderung, wie eine Frau ein paar angsterfüllte Wörter ausstieß?

»Sie hat gesagt: ›Ein Toter. Hängt dort oben. Hängt oben an einem Baum.‹ Ich glaube, ich hab's ihr nicht abgenommen. Ich habe zu ihr gesagt: ›Aber was.‹ Oder so ähnlich. Vielleicht hab ich auch gesagt: ›Moment mal, sagen Sie das noch mal.‹ Ich hab dann Kaffee gemacht und ihr auch welchen aufgedrängt, obwohl ich glaube, sie mochte ihn gar nicht. Zu stark. Sie hat sich ganz damit vollgekleckert, so hat sie geschlottert.

Ich hab gesagt: ›Wie wär's, würden Sie mich hinführen und es mir zeigen?‹ Aber da hab ich das Verkehrte gesagt. Es ist wieder losgegangen. ›Also gut‹, hab ich gesagt, ›dann müssen Sie die Polizei anrufen.‹ Und da hat sie gesagt, daß sie kein Telefon hat. Ist das zu fassen? Ich habe zu ihr gesagt, sie soll meinen Apparat benutzen, aber sie wollte nicht. Ich verstehe ja, daß sie nicht wollte, also hab ich gesagt: ›Okay, dann tu's ich‹, und das hab ich dann getan.«

»Sie hat nichts davon gesagt, ob sie sonst noch jemanden im Wald gesehen hat. Damals oder früher in der Nähe der Stelle, wo die Leiche hing?«

»Nichts. Sie müssen sich klarmachen, daß sie nicht viel gesprochen hat, nicht richtig *gesprochen* hat. Sie hat allerhand Geräusche von sich gegeben, aber wirklich gesprochen, nein.«

Zusätzlich zur Mitschrift und Tonbandaufzeichnung dieser Aussage hatte sich Wexford einiges notiert, als plötzlich sein Kugelschreiber streikte. Die Spitze begann auf dem Blatt Kerben statt Striche zu hinterlassen. Wexford blickte auf, griff nach dem Glas neben dem pelzigen Kaktus, um einen anderen Kuli herauszunehmen, und stellte fest, daß Daisy in der Tür stand. Sie blickte etwas sehnsüchtig um sich.

Sie sah ihn einen Sekundenbruchteil später als er sie und ging sofort auf ihn zu, lächelnd und mit ausgestreckten Händen. Es sah fast so aus, als stattete sie jemandem einen seit langem versprochenen Höflichkeitsbesuch ab. Daß das hier praktisch ein Polizeirevier war, daß die Leute hier Polizeibeamte waren, die Ermittlungen in einem dreifachen Mordfall führten, hatte sie nicht im geringsten abgeschreckt. Sie war sich nicht bewußt, was das alles bedeutete, und da sie es nicht wußte, war sie auch nicht gehemmt, wie andere Leute es gewesen wären.

»Sie haben mir vor ein paar Tagen vorgeschlagen hierherzukommen, und ich habe nein gesagt, weil ich müde war oder allein sein wollte oder weiß Gott was, und seitdem hab ich mir schon ein paarmal gedacht, wie unhöflich das von mir war. Darum dachte ich, heute gehst du mal hin und schaust dir's an, und da bin ich!«

Karen wirkte schockiert, und Barry Vine nicht weniger. Daß der Raum nicht durch Zwischenwände aufgeteilt war, hatte seine Nachteile.

»Es wird mir ein Vergnügen sein, in zehn Minuten eine Führung mit Ihnen zu machen«, erwiderte Wexford. »Bis dahin wird Ihnen Sergeant Vine unsere EDV-Anlage zeigen und Ihnen erklären, wie sie funktioniert.«

Sie sah Thanny Hogarth an, warf ihm einen flüchtigen Blick zu, aber einen Blick voller Neugier und Spekulation. Barry Vine bat sie, an seinen Schreibtisch zu kommen, dann werde er ihr die computergesteuerte

Telefonverbindung zum Polizeirevier erläutern. Wexford hatte den Eindruck, daß sie das eigentlich nicht wollte, sich aber im klaren war, daß ihr nicht viel anderes übrigblieb.

»Wer war denn das?« fragte Thanny Hogarth.

»Davina Jones, genannt Daisy, die in Tancred House lebt.«

»Sie meinen das Mädchen, das angeschossen wurde?«

»Ja. Und jetzt hätte ich gern, daß Sie Ihre Aussage durchlesen und unterschreiben, wenn Sie mit allem zufrieden sind.«

Nachdem Thanny Hogarth die Seite zur Hälfte gelesen hatte, schaute er auf und blickte nochmals zu Daisy hinüber, die gerade von Vine über die Geheimnisse des PCs belehrt wurde. Wexford fiel die Zeile aus der Literatur ein: »Wer ist das Fräulein, welche dort den Ritter mit ihrer Hand beehrt?« Romeo und Julia... Nun, warum nicht?

»So, vielen Dank. Ich werde Sie nicht weiter behelligen.«

Thanny Hogarth schien gar nicht darauf versessen zu sein, seiner Wege zu gehen. Er fragte, ob man nicht auch ihm die EDV zeigen wolle. Sie interessiere ihn, weil er sich mit dem Gedanken trage, seine Schreibmaschine durch einen PC zu ersetzen. Wexford, der nicht geworden wäre, was er war, hätte er mit solchen Situationen nicht umgehen können, lehnte ab; sie seien viel zu sehr beschäftigt.

Mit einem Achselzucken schlenderte Hogarth auf die Tür zu und blieb dort noch einen Augenblick stehen, als wäre er tief in Gedanken versunken. Er wäre vielleicht noch dort gestanden, bis auch Daisy sich verabschiedete, hätte ihm nicht Detective Constable Pemberton die Tür geöffnet und ihn hinausbugsiert.

»Wer war denn das?« fragte Daisy.

»Ein amerikanischer Student. Er heißt Jonathan Hogarth.«

»Hübscher Name. Ich mag nämlich Namen mit einem ›th‹.« Einen Augenblick hörte sie sich genauso an wie ihre Großmutter. Beziehungsweise wie ihre Großmutter sich nach Wexfords Einschätzung angehört haben mußte. »Wo wohnt er?«

»In einem Cottage in Pomfret Monachorum. Er will an der University of the South seinen Magister im kreativen Schreiben machen.«

Wexford fand, daß sie versonnen dreinsah. Er hätte gern zu ihr gesagt: Wenn Ihnen sein Aussehen und seine Stimme gefallen, gehn Sie an die Universität; dort wimmelt es von solchen Typen. Er hätte es gern gesagt, behielt es aber für sich. Er war nicht ihr Vater, mochte er ihr auch väterliche Gefühle entgegenbringen. Und Gunner Jones wäre es völlig egal, ob sie nach Oxford ging oder auf den Strich.

»Ich glaube nicht, daß ich das hier wieder nutzen werde«, sagte sie. »Jedenfalls nicht als mein eigenes, privates Reich. Ich brauche es nicht mehr. Es wäre ja auch komisch, jetzt, wo ich das ganze Haus für mich habe. Aber ich werde immer schöne Erinnerungen damit verbinden.« Sie sprach wie eine Siebzigjährige – wieder wie die Großmama –, die auf ihre ferne Jugend zurückblickt. »Es war wirklich schön, wenn ich von der Schule zurückkam und das hier hatte. Ich konnte meine Freunde mitbringen, und niemand hat uns gestört. Ja, ich habe es damals sicher nicht richtig zu schätzen gewußt.« Sie blickte zum Fenster hinaus. »Ist der Typ mit dem Fahrrad gekommen? Ich habe ein Rad an der Mauer lehnen sehen.«

»Ja. Es ist gar nicht so furchtbar weit.«

»Nicht, wenn man den Weg durch den Wald kennt, aber das dürfte bei ihm kaum der Fall sein. Und mit dem Fahrrad schon zweimal nicht.«

Nachdem sie gegangen war, gestattete sich Wexford einen kleinen Wunschtraum. Angenommen, die beiden fühlten sich zueinander hingezogen. Thanny Hogarth würde sie vielleicht anrufen, sie würden sich vielleicht verabreden – wer weiß? Keine Heirat, nichts Ernstes, so etwas würde er Daisy in ihrem Alter nicht wünschen. Aber um Nicholas Virson eins auszuwischen und Daisys Nein zu einem Studium in ein begeistertes Ja zu verwandeln. Wie erstrebenswert all das erschien!

Gunner Jones kehrte um einiges früher zurück als erwartet. Er hatte sich bei Freunden in York aufgehalten. Burden fragte ihn am Telefon nach Namen und Adresse dieser Freunde, aber Jones weigerte sich, damit herauszurücken. In der Zwischenzeit war Burden von der Metropolitan Police mitgeteilt worden, daß Jones mitnichten außerstande war, mit einer Waffe umzugehen. Im Gegenteil, er war Mitglied beim North London Gun Club, hatte einen Waffenschein für eine Faustfeuerwaffe und ein Gewehr erhalten und wurde daher regelmäßig von der Polizei überprüft.

Die Faustfeuerwaffe war kein Colt, sondern ein Smith & Wesson Modell 31. Trotzdem sah sich Burden veranlaßt, ihn mit unmißverständlichen Worten zu einem Besuch im Polizeirevier Kingsmarkham aufzufordern. Jones lehnte auch dies zunächst ab, aber irgend etwas an Burdens Ton mußte ihm gesagt haben, daß ihm kaum etwas anderes übrigblieb.

Ins Polizeirevier, nicht hinaus nach Tancred. Wexford wollte sich mit Jones in der nüchternen Atmosphäre eines Vernehmungszimmers unterhalten, nicht hier auf dem Land und nur einen Steinwurf weit vom Zuhause seiner Tochter entfernt. Er konnte eigentlich nicht sagen, was ihn veranlaßt hatte, auf der Heimfahrt die Straße nach Pomfret Monachorum einzuschlagen.

Die Strecke war viel länger, ein beträchtlicher Umweg. Vielleicht der schöne Sonnenuntergang, vielleicht auch der weniger poetische Grund, lieber gen Osten zu fahren, um nicht direkt auf die flammende, rote Scheibe zuzuhalten, deren Licht blendete, wenn es mit seinen grellen Strahlen durch den Wald drang. Oder einfach nur, um den beginnenden Frühling zu genießen.

Nach einer halben Meile sah er sie. Nicht den Landrover. Der war entweder zwischen den Bäumen versteckt oder an diesem Tag nicht benutzt worden. John Gabbitas trug keine Schutzkleidung, und auch von der Motorsäge und anderem Arbeitsgerät war nichts zu sehen. Er hatte Jeans und eine Barbour-Jacke an, und Daisy trug gleichfalls Jeans und dazu einen dicken Pullover. Die beiden standen am Rand einer frisch angepflanzten Schonung, ein ganzes Stück weit von der Straße entfernt. Wexford hatte sie nur deswegen erspäht, weil zufällig hier eine Schneise geschlagen war. Sie unterhielten sich, sie standen dicht beieinander und hörten seinen Wagen offensichtlich nicht.

Die Sonne überflutete sie rot-golden, so daß sie sich wie gemalte Figuren ausnahmen, mit dem Pinsel in eine Landschaft eingefügt. Die Schatten, die sie warfen, waren dunkel und dehnten sich über das rot gefärbte Gras. Wexford sah, wie sie eine Hand auf Gabbitas Arm legte und ihr Schatten die Bewegung kopierte. Dann fuhr er weiter.

21

Ein Förster benutzt Seile und Stricke. Burden erinnerte sich, gesehen zu haben, wie an einem Baum im Nachbarsgarten eine »chirurgische« Operation vorgenommen wurde. Es war in der Zeit seiner ersten Ehe gewesen, als seine Kinder noch klein waren. Sie hatten alle aus einem Fenster im Obergeschoß zugesehen. Der Baumchirurg hatte sich an einem der Äste einer Weide angeseilt, ehe er sich daran machte, einen abgestorbenen Ast abzusägen.

Ob John Gabbitas die Gewohnheit hatte, an einem Sonnabend zu arbeiten, wußte Burden nicht. Aber für den Fall, daß es so war, bemühte er sich, frühzeitig vor dem Cottage zu erscheinen. Es war erst ein, zwei Minuten nach halb neun Uhr. Wiederholtes Klingeln brachte Gabbitas nicht an die Haustür. Er war entweder noch nicht aufgestanden, oder er war bereits fort.

Burden ging um das Cottage herum und betrachtete die verschiedenen »Nebengebäude«, einen Holzschuppen, einen Geräteschuppen und einen Verschlag, um Holz trocken zu überwintern. All dies war zu Beginn der Fahndung bereits durchsucht worden. Aber wonach hatten sie dabei gesucht?

Gabbitas erschien, als Burden gerade auf das Häuschen zukam. Er schien nicht auf dem Weg durch das Pinetum, sondern direkt aus dem Wald gekommen zu sein, aus jenem Bereich, der südlich der Gärten lag. An Stelle von Arbeitsstiefeln hatte er Turnschuhe an den Füßen, und statt Schutzkleidung oder Barbour-Jacke trug er Jeans und einen Pullover. Falls er darunter ein Hemd anhatte, war jedenfalls nichts davon zu sehen.

»Darf ich erfahren, woher Sie kommen, Mr. Gabbitas?«

»Von einem Spaziergang«, sagte Gabbitas knapp und scharf. Er wirkte verstimmt.

»Ein schöner Morgen für einen Spaziergang«, meinte Burden milde. »Ich möchte Sie etwas über Stricke fragen. Benützen Sie welche bei Ihrer Arbeit?«

»Manchmal.« Gabbitas sah ihn argwöhnisch an. Er sah aus, als wollte er den Grund für die Frage wissen, aber er mußte sich eines Besseren besonnen haben – oder es war ihm eingefallen, wie Andy Griffin umgekommen war. »Ich hab in der letzten Zeit nicht mit Stricken gearbeitet, aber immer einen zur Hand.« Wie Burden erwartet hatte, seilte sich Gabbitas gewöhnlich an, wenn die Arbeit an einem Baum in einer bestimmten Höhe ausgeführt worden mußte oder aus irgendeinem anderen Grund gefährlich war.

»Es ist im Geräteschuppen«, sagte er. »Ich weiß genau, wo. Ich würde es sogar im Dunkeln finden.«

Aber er fand es nicht. Weder im Dunkeln noch am hellichten Tag. Der Strick war verschwunden.

Wexford, der sich gefragt hatte, woher jene körperlichen Auffälligkeiten kamen, die kein direktes Erbe von Davina Flory waren, sah sie in geradezu unheimlicher Weise auch an dem Mann, den er vor sich hatte. Aber nein, vielleicht doch nicht unheimlich. Gunner Jones war ihr Vater, ein offenkundiges Faktum für alle bis auf diejenigen, die Ähnlichkeiten nur in der Körpergröße, in der Augen- und Haarfarbe finden. Er hatte ihre – oder vielmehr Daisy hatte seine – Art, zur Seite zu blicken und dabei Mundwinkel und Augenbrauen hochzuziehen, dieselbe Rundung der Nasenlöcher, die kurze Oberlippe, die geraden Augenbrauen, die nur an den Schläfen eine Kurve beschrieben.

Andere denkbare Ähnlichkeiten verbarg seine Beleibtheit. Er war ein großer, schwerer Mann mit einem aggressiven Gesichtsausdruck. Als er zu Wexford in den Vernehmungsraum geführt wurde, benahm er sich, als stattete er jemandem einen Höflichkeitsbesuch ab oder als wäre er mit einer Aufklärungsmission beauftragt. Er beäugte das Fenster (das auf einen Hinterhof führte, wo fahrbare Abfallbehälter aufgestellt waren) und bemerkte leichthin, das Lokal sei ja nicht wiederzuerkennen, seit er zum letztenmal hier gewesen sei.

Jones' Art zu sprechen hatte etwas unverschämt Herausforderndes, fand Wexford. Er übersah die Hand, die ihm mit falscher Herzlichkeit entgegengestreckt wurde, und tat so, als wäre er mit dem Inhalt einer Akte auf dem Tisch zwischen ihnen beschäftigt.

»Nehmen Sie bitte Platz, Mr. Jones.«

Der Raum war eine Stufe besser als die gewöhnlichen Vernehmungszimmer, das heißt, die Wände waren nicht mit weiß getünchtem Rauhputz beworfen, der Fußboden bestand nicht aus nacktem Beton, sondern war gefliest, das Fenster hatte eine Sonnenblende und war nicht vergittert, und die Stühle, auf denen die beiden Männer saßen, hatten gepolsterte Rückenlehnen und Sitzflächen. Aber nichts hob ihn auf »Büro«-Niveau, und neben der Tür saß ein uniformierter Polizeibeamter, Police Constable Waterman, der sich bemühte, munter dreinzusehen, als verbrächte er seine Samstagvormittage am liebsten damit, in einem öden Raum eines Polizeireviers herumzusitzen.

Wexford ergänzte die Notizen vor ihm, las, was er geschrieben hatte, blickte auf und begann über Joanne Garland zu sprechen. Er hatte angenommen, daß Jones überrascht, vielleicht sogar betroffen sein werde, doch was nun kam, hatte er nicht erwartet.

»Wir waren früher einmal befreundet, ja«, sagte Jones. »Sie war mit meinem Kumpel Brian verheiratet.

Wir sind oft zusammen ausgegangen, wir vier, meine ich. Ich und Naomi, Brian und sie. Übrigens hab ich für Brian gearbeitet, als ich hier wohnte, ich war bei seiner Firma als Vertreter angestellt. Ich hab mir das Bein kaputt gemacht, wie Sie vielleicht wissen, und damit war ich im zarten Alter von dreiundzwanzig Jahren aus der Welt des Sports ausgeschlossen. Echt Pech, finden Sie nicht auch?«

Wexford behandelte die Frage als rhetorisch und fragte: »Wann haben Sie Mrs. Garland zum letztenmal gesehen?«

Jones' Lachen war wie der Schrei einer Wildgans. »Sie gesehen? Ich hab sie seit vielleicht siebzehn oder achtzehn Jahren nicht mehr gesehen. Als Naomi und ich auseinandergingen, hat sie Naomis Partei ergriffen, was man vermutlich als loyal bezeichnen könnte. Brian hat sich auch auf ihre Seite geschlagen, und damit war es mit meinem Job vorbei. Wie Sie das nennen würden, mein Freund, das weiß ich nicht, aber ich nenne es Verrat. Was immer sich bot, haben die beiden mir angehängt – und was hatte ich verbrochen? Nicht viel, um Ihnen die Wahrheit zu sagen. Hatte ich sie verprügelt? Bin ich mit anderen Frauen herumgezogen? Hab ich getrunken? Keine Spur, nichts von alledem. Ich hab nichts anderes getan, als mich von dieser alten Hexe so auf die Palme bringen zu lassen, daß ich es einfach keinen weiteren Tag mehr aushielt.«

»Und seitdem haben Sie Mrs. Garland nicht mehr gesehen?«

»Ich sag Ihnen doch, ich hab sie nicht gesehen, und ich hab auch nicht mit ihr gesprochen. Warum auch? Was hat mir Joanne bedeutet? Ich hab mir nie was aus ihr gemacht, so geht's schon mal los. Vielleicht haben Sie inzwischen auch mitbekommen, daß Frauen, die einen herumkommandieren wollen und sich in alles einmischen, nicht gerade mein Fall sind, ganz davon abgesehen, daß sie gute zehn Jahre älter ist als ich. Ich habe Joanne nicht mehr gesehen, und ich bin seit diesem Tag nie mehr in der Nähe von Tancred gewesen.«

»Möglich, daß Sie sie weder gesehen noch mit ihr gesprochen haben, aber Sie hatten Kontakt mit ihr«, sagte Wexford. »Sie haben erst vor kurzem einen Brief von ihr bekommen.«

»Hat sie Ihnen das erzählt?«

Es wäre klüger gewesen, er hätte nicht gefragt. In Wexfords Augen waren diese aufbrausende Art und dieses prompte Protestieren kein gutes Theater. Aber vielleicht war es gar nicht gespielt.

»Joanne Garland ist abgängig, Mr. Jones. Wo sie sich aufhält, ist unbekannt.«

Nach seinem Gesichtsausdruck zu schließen, war er völlig baff. Er sah aus wie eine Figur in einem Horror-Comic, die eine Katastrophe vor Augen hat.

»Ach, *kommen* Sie.«

»Sie ist seit der Nacht des Massakers in Tancred House unauffindbar.«

Gunner Jones schob die Lippen vor. Er zog die Schultern sehr weit hoch. Überrascht wirkte er nicht mehr. Er wirkte schuldbewußt, was aber, wie Wexford wußte, nichts zu besagen hatte. Es war lediglich das Gehabe eines Mannes, der nicht von Haus aus ehrlich und freimütig ist. Er schaute Wexford in die Augen, aber sein Blick wurde schon bald unsicher, und er schlug die Augen nieder.

»Ich war in Devon«, sagte er. »Vielleicht haben Sie es noch nicht erfahren. Ich war zum Angeln in einem Ort, der Pluxum on the Dart heißt.«

»Wir haben niemanden gefunden, der Ihre Behauptung bestätigt, daß Sie am 11. und 12. März dort waren. Ich hätte gern, daß Sie irgend jemanden benennen, der das bestätigen könnte. Dann haben Sie uns erzählt, Sie hätten nie eine Waffe in der Hand gehabt, aber Sie sind

Mitglied beim North London Gun Club und haben einen Waffenschein für zwei Schießeisen.«

»Das war ein Witz«, sagte Gunner Jones. »Das muß Ihnen doch klar sein, oder? Das wär doch komisch, was, da nennen die Leute mich Gunner, und ich hatte nie eine Waffe in der Hand?«

»Ich denke, unsere Vorstellungen von Humor gehen etwas auseinander, Mr. Jones. Erzählen Sie mir von dem Brief, den Sie von Mrs. Garland bekommen haben.«

»Von welchem?« fragte Gunner Jones. Er sprach weiter, als hätte er die Frage gar nicht gestellt. »Es ist egal, weil sie beide von derselben Sache gehandelt haben. Sie hat mir vor drei Jahren geschrieben – damals, als ich mich von meiner zweiten Frau scheiden ließ –, Naomi und ich sollten es noch einmal miteinander probieren. Ich habe keine Ahnung, wie sie von der Scheidung erfahren hat. Irgend jemand muß es ihr gesagt haben; wir hatten ja noch ein paar gemeinsame Bekannte. Sie hat geschrieben, jetzt, da ich – das war ihr Ausdruck – ›frei‹ sei, könnte uns doch nichts davon abhalten, ›einen neuen Anfang zu machen‹. Ich will Ihnen was sagen. Ich glaube, heutzutage schreiben Leute nur dann Briefe, wenn sie vor dem Telefonieren Schiß haben. Sie hat gewußt, was ich zu ihr gesagt hätte, wenn sie mich angerufen hätte.«

»Und haben Sie geantwortet?«

»Nein, Mann, hab ich nicht. Ich habe den Brief in den Mülleimer geworfen.« Ein Ausdruck von unbeschreiblicher Verschlagenheit machte sich auf Jones' Gesicht breit. Es war wie eine Pantomime, und vermutlich auch unbewußt. Nein, er hatte wohl keine Ahnung, wie hinterhältig er aussah, wenn er log. »Ungefähr vor einem Monat, vielleicht auch noch etwas mehr, hab ich einen zweiten Brief dieser Sorte bekommen. Er ist dort gelandet, wo schon der erste gelandet ist.«

Wexford begann ihn über seinen Urlaub, den er fürs Angeln genommen hatte, und seine Schießkünste zu befragen. Er führte Gunner Jones über das gleiche Gelände wie vorher, als er ihn nach dem Brief gefragt hatte, und erhielt ähnlich ausweichende Antworten. Jones sträubte sich lange zu sagen, wo er sich in York aufgehalten hatte, wurde aber schließlich doch weich und gestand widerwillig, daß er dort eine Freundin habe. Er nannte Namen und Adresse.

»Allerdings werd ich mich nicht noch einmal unters Ehejoch begeben.«

»Sie sind jetzt fast achtzehn Jahre nicht in Kingsmarkham gewesen?«

»So ist es.«

»Auch nicht am 13. Mai vergangenen Jahres, einem Montag, zum Beispiel?«

»Nicht an diesem Tag, *zum Beispiel,* und auch sonst nicht.«

Zwei Stunden waren verflossen, seit sie mit einem Sandwich-Lunch aus der Kantine versorgt worden waren, und der Nachmittag war schon recht fortgeschritten. Der Chief Inspector ersuchte Jones, eine Aussage zu machen, und gelangte widerstrebend zu der Erkenntnis, daß er ihn ziehen lassen müsse. Er hatte keinen handfesten Beweis, um ihn festsetzen zu lassen. Jones sprach bereits davon, sich »hier einen Anwalt zu nehmen«, einen »lawyer«, wie er sagte, was nach Wexfords Eindruck dafür sprach, daß er über kriminelle Dinge mehr aus amerikanischen TV-Importen als aus tatsächlicher Erfahrung wußte, aber wieder war es möglich, daß er Theater spielte.

»Wenn ich schon mal da bin, könnte ich mich vielleicht mit einem Taxi hinausfahren lassen, um meine Tochter kennenzulernen. Was meinen Sie dazu?«

Wexford sagte in einem neutralen Ton, daß das natürlich ganz bei ihm liege. Die Vorstellung war zwar nicht angenehm, aber er hatte keinen Zweifel, daß Daisy nicht das geringste passieren würde. In Tancred House wimmelte es von Polizeibeamten, denn in den Ställen war noch immer die vollzählige Mannschaft. Bevor er selbst hinfuhr, rief er Vine an und teilte ihm Jones' Vorhaben mit.

Schließlich aber kehrte Gunner Jones, der mit dem Zug gekommen war, unverzüglich auf demselben Weg nach London zurück. Man bot ihm an, ihn mit einem Polizeifahrzeug zum Bahnhof zu bringen, was er nicht ausschlug. Wexford war sich unschlüssig, ob der Mann wirklich sehr schlau oder aber abgrundtief dumm war. Er gelangte zu dem Schluß, daß Gunner Jones zu jenen Menschen gehörte, für die die Lüge genauso ein Mittel zum Zweck ist wie die Wahrheit. Wofür sie sich entscheiden, hängt davon ab, was das Leben einfacher macht.

Es wurde immer später, und es war Samstag, aber er ließ sich trotzdem zurück nach Tancred fahren. Am rechten Torpfosten der Hauptzufahrt hing wieder eine Blumenspende. Er fragte sich, wer wohl der Spender dieser Blumen sein mochte – diesmal ein Herz aus dunkelroten Rosenknospen –, ob es verschiedene Leute waren oder jedesmal dieselbe Person. Während Donaldson das Tor öffnete, stieg er aus dem Wagen, um einen Blick darauf zu werfen. Auf der Karte standen nur die Worte »Gute Nacht, süße Dame«, kein Name, keine Unterschrift.

Auf halber Strecke durch den Wald lief ein Fuchs vor ihnen über die Straße. Allerdings war er so weit weg, daß Donaldson nicht bremsen mußte. Er verschwand im dichten, grünenden Unterholz. An den Straßenrändern kamen im Gras gerade die Primeln heraus. Das Seitenfenster war heruntergekurbelt, und Wexford sog die frische, milde Frühlingsluft ein. Seine Gedanken waren bei Daisy. Doch nach sorgfältiger

Selbstprüfung mußte er sich ehrlicherweise eingestehen, daß er weder von übermäßiger Sorge noch von leidenschafterfüllter Furcht oder grenzenloser Liebe geleitet war.

Er hatte kein großes Verlangen, Daisy zu sehen, bei ihr zu sein, sie in diese Tochterposition zu bringen, ihr Vater zu sein und in dieser Rolle von ihr akzeptiert zu werden. Die Augen waren ihm aufgegangen. Vielleicht dadurch, daß Gunner Jones' erklärte Absicht hierherzufahren ihn weder entsetzt noch Zorn geweckt hatte. Er war nur ärgerlich gewesen und auf der Hut. Denn er hatte Daisy gern, aber er liebte sie nicht.

Das Gefühlserlebnis hatte ihm die Augen über sich selbst geöffnet. Es hatte ihn den Unterschied, den gewaltigen Unterschied zwischen Lieben und Gernhaben gelehrt. Daisy war dagewesen, als Sheila zum erstenmal in ihrem Leben ihrem Vater abtrünnig geworden war. Kein Zweifel, jede liebenswerte hübsche junge Frau, die nett zu ihm gewesen wäre, hätte den Zweck erfüllt.

Sein Anteil an Liebe, zu seiner Frau, seinen Kindern und Enkeln, war festgelegt, und damit hatte es sich, mehr würde er nicht bekommen. Er wollte auch nicht mehr. Daisy erweckte in ihm einen zärtlichen Beschützerinstinkt, und er hoffte für sie, daß alles gut ausgehen möge.

Dieser abschließende Gedanke ging ihm gerade durch den Sinn, als er durch das Seitenfenster weit weg zwischen den Bäumen eine Gestalt rennen sah. Es war ein schöner Tag, und überall drang das flache Sonnenlicht in den teilweise dunstigen Wald. Die Beleuchtung verhinderte zu erkennen, wer diese Gestalt sein mochte. Sie lief, offenbar übermütig vor Freude, durch Licht und Schatten. Unmöglich zu sagen, ob es sich um einen Mann oder eine Frau handelte, ob sie jung oder schon älter war. Mit Sicherheit konnte Wexford nur sagen, daß es kein wirklich alter Mensch war. Er verschwand ungefähr in der Richtung des Baums, an dem die Leiche gehangen hatte.

Als das Telefon läutete, fragte Gerry Hinde gerade Burden, ob er die Blumen am Tor gesehen habe. In Blumengeschäften bekomme man nie so etwas Schönes zu sehen. Wenn man zum Beispiel seiner Frau Blumen kaufen wolle, seien sie lieblos zu einem Strauß zusammengezwirnt, und man mußte sie dann selbst arrangieren. Seine Frau habe es eigentlich nicht gern, wenn ihr jemand Blumen mitbrachte, denn als erstes müßte sie sie, einerlei, womit sie gerade beschäftigt war, ins Wasser stellen. Und das konnte eine Ewigkeit dauern, wenn sie eigentlich gerade Essen zubereitete oder eines der Kinder ins Bett brachte.

»Es wäre nützlich, wenn man das wüßte. Ich meine, wo der, egal, wer es ist, diese Blumen herhatte. Wirklich besonders schön.«

Burden mochte nicht sagen, sie würden wahrscheinlich zu teuer sein, als daß Detective Constable Hinde sie sich leisten könnte. Er nahm den Hörer ab.

Das puritanische Ethos spielte unter den Dingen, die sein Denken beherrschten, noch immer eine wichtige Rolle. Es schrieb ihm vor, keinen Wagen zu benutzen, wenn sich die Entfernung zu Fuß zurücklegen ließ; und Leute im Haus nebenan anzurufen, grenzte schon ans Sündhafte. Als sich daher Gabbitas meldete und sagte, er sei zu Hause in seinem Cottage, hätte Burden ihn beinahe in einem scharfen Ton gefragt, warum er nicht herübergekommen sei, wenn er etwas mitzuteilen habe. Der ernste, ja, vielleicht bestürzte Ton in der Stimme des Försters hielt ihn davon ab.

»Könnten Sie bitte hierherkommen? Könnten Sie kommen und jemanden mitbringen?«

Burden ließ ungesagt, was er hätte sagen können: daß

Gabbitas am Morgen offensichtlich auf seine, Burdens, Gegenwart gar keinen großen Wert gelegt habe. »Sagen Sie mir doch ungefähr, worum es geht.«

»Damit würde ich lieber warten, bis Sie hier sind. Es hat nichts mit dem Strick zu tun.« Die Stimme schwankte ein wenig. Verlegen sagte er: »Ich habe keine Leiche entdeckt oder sonstwas.«

»Mein Gott!« murmelte Burden, als er auflegte.

Er trat auf den Hof und ging auf die Vorderseite von Tancred House zu. Nicholas Virsons Wagen war im Vorhof abgestellt. Es war noch sehr hell, doch die Sonne stand inzwischen schon dicht über dem Horizont. Ihre flachen Strahlen verwandelten den auf der Hauptzufahrt auftauchenden Wagen in einen blendend weißen Feuerball. Burden konnte nicht richtig hinsehen, so daß er Wexford erst erkannte, als das Fahrzeug nicht weit entfernt von ihm stoppte und der Chief Inspector ausstieg.

»Ich begleite Sie.«

»Er hat gesagt, ich soll jemanden mitbringen. Ich fand das ganz schön frech von ihm.«

Sie gingen den schmalen Weg durchs Pinetum. Das milde Abendlicht ließ die verschiedenen Bäume in ihrer Eigenheit auffallend gut zur Geltung kommen. Intensiver Teergeruch lag in der Luft.

Der Boden war trocken und ziemlich schlüpfrig, denn überall bedeckten braun gewordene Nadeln den Weg. Über ihnen erstreckte sich das blendende Himmelsgewölbe. Was für ein Glück die Harrisons und John Gabbitas haben, hier leben zu dürfen, dachte Wexford, und wie sehr sie den Verlust dieser Umgebung fürchten müssen. Mit einem unbehaglichen Gefühl erinnerte er sich an seine Heimfahrt am Abend zuvor und an das Bild des Försters, wie er mit Daisy zwischen zwei Baumreihen in der Sonne gestanden hatte. Aber warum soll ein Mädchen nicht die Hand auf den Arm eines Mannes legen und ihm vertraulich ins Gesicht sehen, ohne daß das alles etwas zu bedeuten hat? Sie waren weit weg gewesen. Daisy suchte physischen Kontakt, sie liebte es, einen beim Plaudern zu berühren, einem einen Finger aufs Handgelenk zu legen, einem mit der Hand beinahe liebkosend leicht über den Arm zu fahren.

John Gabbitas wartete in seinem Vorgarten auf sie. Seine rechte Hand bearbeitete eine nicht existierende Trommel mit einer hektischen Ungeduld, als fände er es unerträglich, wie lange man ihn warten ließ.

Wieder einmal war Wexford frappiert von Gabbitas' Äußerem, von seinem auffallend guten Aussehen. Wäre er eine Frau gewesen, hätte man es für einen Jammer gehalten, daß sie sich hier auf dem Land vergrub. Ein Mann verlangte nie eine solche Bemerkung. Plötzlich fiel ihm ein, was Dr. Perkins über Harvey Copeland und dessen Aussehen gesagt hatte. Doch dann führte Gabbitas sie in sein Häuschen. Im Wohnzimmer deutete er mit zitterndem Finger auf einen Gegenstand, der in der Zimmermitte auf einem Hocker mit geflochtener Sitzfläche aus Raffiabast lag.

»Was ist das, Mr. Gabbitas?« fragte ihn Burden. »Was geht hier vor?«

»Ich habe es gefunden, *das* dort habe ich gefunden!«

»Wo? Wo es jetzt liegt?«

»In einer Schublade. In der Kommode.«

Es war eine große Faustfeuerwaffe, ein dunkler Revolver, wie Blei, das Metall des Laufs ein bißchen heller, mehr ins Braune gehend. Sie betrachteten ihn einen Augenblick lang stumm.

Dann sagte Wexford: »Sie haben ihn herausgenommen und dorthin gelegt?«

Gabbitas nickte.

»Sie wissen natürlich, daß Sie ihn nicht hätten anfassen sollen?«

»Okay, das ist mir *jetzt* klar. Es war der Schock. Ich

habe die Schublade aufgezogen, in der ich Papier und Kuverts aufbewahre, und das da war das erste, was ich sah. Er lag auf einem Stapel Druckerpapier. Ich weiß, ich hätte ihn nicht berühren sollen, aber es war ein Reflex.«

»Dürfen wir uns setzen, Mr. Gabbitas?«

Gabbitas hob die Augen zur Zimmerdecke und nickte dann heftig. Es waren die Bewegungen eines Mannes, der über eine so läppische Bitte in einer solchen Situation nur staunen konnte. »Es ist der Revolver, mit dem sie alle umgebracht worden sind, nicht?«

»Kann sein«, sagte Burden, »vielleicht aber auch nicht. Das muß erst untersucht werden.«

»Ich habe Sie sofort angerufen, nachdem ich ihn entdeckt hatte.«

»Sofort, nachdem Sie ihn von dort weggenommen hatten, wo er gelegen war, ja. Das dürfte um zehn vor sechs gewesen sein. Wann haben Sie davor zum letztenmal in diese Schublade geschaut?«

»Gestern«, sagte Gabbitas nach kurzem Zögern. »Gestern abend. Gegen neun. Ich wollte einen Brief schreiben. An meine Eltern in Norfolk.«

»Und da lag der Revolver nicht drinnen?«

»Natürlich nicht!« Gabbitas' Stimme war plötzlich rauh vor Wut. »Ich hätte mich doch sofort bei Ihnen gemeldet, wenn er da drinnen gelegen hätte. In der Schublade war nur das, was immer drin ist, Papier, Notizzettel, Karten, solche Sachen. Der Revolver war nicht drinnen. Verstehen Sie denn nicht? Ich hatte ihn nie zuvor gesehen.«

»Schön, Mr. Gabbitas. An Ihrer Stelle würde ich mich bemühen, ganz ruhig zu bleiben. Haben Sie denn Ihren Eltern geschrieben?«

Gabbitas antwortete ungeduldig: »Ich habe den Brief heute morgen in Pomfret aufgegeben. Den Tag habe ich damit zugebracht, in der Ortsmitte von Pomfret eine abgestorbene Platane zu fällen, wobei mir zwei Jungen geholfen haben, die von Gerichts wegen gemeinnützige Arbeiten verrichten müssen. Wir haben um halb fünf Schluß gemacht, und um fünf Uhr war ich wieder hier.«

»Und fünfzig Minuten später haben Sie die Schublade aufgezogen, weil Sie vorhatten, einen zweiten Brief zu schreiben. Sie scheinen ja ein eifriger Briefeschreiber zu sein.«

Mit kaum gezügelter Wut wandte sich Gabbitas gegen Burden. »Hören Sie zu. Ich hätte Ihnen nichts davon zu erzählen brauchen. Ich hätte das Schießeisen zusammen mit dem Abfall rausschmeißen können, und niemand hätte was davon bemerkt. Ich habe nichts damit zu tun, ich habe es nur gefunden, sonst nichts, in diesem Schubfach gefunden, *in das es jemand anders gelegt haben muß*. Ich habe die Schublade aufgezogen, wenn Sie es unbedingt wissen wollen, weil ich eine Rechnung schreiben wollte, für die Arbeit, die ich heute getan habe. Eine Rechnung für die Umweltabteilung der Gemeindeverwaltung. Ich muß solche Arbeiten machen. Ich bin dazu gezwungen. Ich kann nicht wochenlang herumsitzen, ohne was zu tun. Ich brauche das Geld.«

»Na schön, Mr. Gabbitas«, sagte Wexford. »Aber bedauerlicherweise haben Sie die Waffe angefaßt. Ich nehme an, mit bloßen Händen? Ja. Ich rufe jetzt Detective Constable Archbold an, damit er hierherkommt und das Ding in seine Obhut nimmt, ehe noch weitere unbefugte Personen es berühren.«

Gabbitas setzte sich, lehnte sich nach vorne und legte die Arme auf die Sessellehnen. Sein Gesichtsausdruck war trotzig und übellaunig zugleich. Er sah aus wie jemand, dessen Wunsch, für seine Verdienste den Dank der Obrigkeit zu ernten, unerfüllt geblieben ist. Wexford überlegte, daß man die Sache auf zweierlei Weise sehen konnte. Erstens, Gabbitas war schuldig, vielleicht nur wegen des unbefugten Besitzes dieser Waffe, doch schuldig in diesem Punkt, und fürchtete, dafür bezahlen zu müssen. Zweitens, er erkannte schlicht und einfach den Ernst der Situation nicht oder begriff nicht, was es bedeutete, wenn der Revolver auf dem Hocker tatsächlich die Mordwaffe war.

Er erledigte den Anruf und sagte dann zu Gabbitas: »Sie waren den ganzen Tag weg?«

»Ich hab's Ihnen doch gesagt, und ich kann Dutzende von Zeugen beibringen, um es zu beweisen.«

»Es ist schade, daß Sie uns nicht einen *einzigen* nennen können, der bestätigt, wo Sie am 11. März waren.« Wexford seufzte. »Na schön, ich nehme an, auf einen Einbruch deutet nichts. Wer außer Ihnen hat einen Schlüssel zu diesem Haus?«

»Soviel mir bekannt ist, niemand.« Gabbitas zögerte kurz und korrigierte sich dann rasch. »Das heißt, das Schloß wurde nicht ausgewechselt, als ich hier einzog. Vielleicht haben die Griffins noch einen Schlüssel. Es ist ja nicht mein Haus, es gehört mir nicht. Ich nehme an, Miss Flory oder Mr. Copeland hatten einen Schlüssel.« Immer mehr Namen schienen ihm einzufallen. »Die Harrisons hatten einen in der Zeit zwischen dem Auszug der Griffins und meinem Einzug. Was damit passiert ist, weiß ich nicht. Ich gehe nie aus dem Haus, ohne abzuschließen. Darauf achte ich sorgfältig.«

»Das können Sie ebensogut sein lassen, Mr. Gabbitas«, sagte Burden trocken. »Es sieht nicht so aus, als würde es viel nützen.«

Er hat einen Strick verloren und eine Waffe gefunden, sinnierte Wexford, als er mit Gabbitas allein war. Laut sagte er: »Ich nehme an, ganz ähnlich sieht es mit den Geräteschuppen aus. Haben viele Leute dafür einen Schlüssel?«

»An der Tür ist kein Schloß.«

»Dann wäre der Fall erledigt. Sie sind vergangenen Mai hierhergekommen, Mr. Gabbitas?«

»Anfang Mai, ja.«

»Sie haben doch sicher ein Bankkonto.«

Gabbitas sagte ihm, wo, sagte es, ohne zu zögern.

»Und als Sie hierherkamen, haben Sie Ihr Konto sofort auf die Filiale in Kingsmarkham übertragen? So. War das vor oder nach dem Mord an dem Polizeibeamten? Wissen Sie das noch? Ob es vor oder nach der Ermordung von Detective Sergeant Martin in jener Bankfiliale war?«

»Es war vorher.«

Wexford hatte den Eindruck, daß sich Gabbitas befangen anhöre, aber er war es gewohnt, daß seine Phantasie ihm solche Dinge vorgaukelte. »Der Revolver, den Sie vorhin entdeckt haben, war höchstwahrscheinlich die Waffe, die bei diesem Mord benutzt wurde.« Er beobachtete Gabbitas' Gesicht, entdeckte darauf aber nichts als eine gewisse abwartende Leere. »Von den Kunden, die am Vormittag jenes Tages – es war der 13. Mai – in der Bankfiliale waren, haben sich nicht alle bei der Polizei gemeldet und ausgesagt. Ein paar haben sich verdrückt, ehe die Polizei eintraf. Und einer von ihnen hat diese Waffe mitgehen lassen.«

»Darüber weiß ich überhaupt nichts. Ich war an jenem Tag nicht in der Bank.«

»Aber Sie lebten damals schon in Tancred?«

»Ich bin am 4. Mai hierhergekommen«, antwortete Gabbitas verdrossen.

Wexford legte eine Pause ein und sagte dann im Plauderton: »Finden Sie Miss Davina Jones nett, Mr. Gabbitas? Daisy Jones?«

Gabbitas wurde von dem Themawechsel kalt erwischt. Er explodierte: »Was soll das damit zu tun haben?«

»Sie sind jung und offenbar ungebunden. Sie ist ebenfalls jung, und hübsch außerdem. Sie ist sehr charmant. Was in Tancred House passiert ist, hat dazu geführt, daß das Mädchen heute Eigentümerin eines ansehnlichen Besitzes ist.«

»Für mich ist sie jemand, für den ich arbeite. Zugegeben, sie ist attraktiv, jedes männliche Wesen würde sie attraktiv finden. Aber was mich betrifft, ist sie nur jemand, für den ich arbeite. Und vielleicht nicht mehr lange.«

»Sie wollen den Job hier aufgeben?«

»Es ist nicht so, daß ich einen Job aufgebe. Vergessen Sie nicht, daß ich hier nicht angestellt bin. Das hab ich Ihnen doch gesagt. Ich bin selbständig. Gibt es sonst noch was, was Sie wissen möchten? Ich will Ihnen was sagen: Wenn ich wieder einmal eine Waffe finde, erzähl ich der Polizei nichts davon. Ich schmeiße sie in den nächsten Fluß.«

»An Ihrer Stelle würde ich das nicht tun, Mr. Gabbitas«, sagte Wexford milde.

Im Feuilleton der *Sunday Times* stand ein von einem angesehenen Literaturkritiker verfaßter Artikel über Material, das er für eine Biographie von Davina Flory zusammengetragen hatte. Dabei handelte es sich überwiegend um Briefe. Wexford warf einen kurzen Blick darauf, begann dann aber mit wachsendem Interesse zu lesen.

Viele dieser Briefe waren im Besitz der inzwischen verstorbenen, in Frankreich lebenden Nichte gewesen. Davina hatte sie ihrer Schwester, der Mutter der Nichte, geschrieben, und aus ihnen ging hervor, daß Davinas erste Ehe, mit Desmond Cathcart Flory, nie vollzogen worden war. Lange Passagen wurden daraus zitiert, Beispiele, wie unglücklich und bitter enttäuscht sie gewesen war, alles unverkennbar Davina Florys Stil, der zwischen dem Alltäglichen und dem Blumigen wechselte. Der Autor stellte, gestützt auf Indizien aus späteren Briefen, Spekulationen an, wer Naomi Florys Vater gewesen sein könnte.

Dies erklärte etwas, was Wexford durch den Kopf gegangen war. Desmond und Davina hatten zwar 1935 geheiratet, aber Davinas einziges Kind war erst zehn Jahre später geboren worden. Er rief sich jene gräßliche Szene im *Cheriton Forest Hotel* in Erinnerung, als Casey lautstark verkündet hatte, Davina Flory sei noch acht Jahre nach ihrer Eheschließung Jungfrau gewesen. Seufzend las er den Artikel zu Ende und blätterte auf die Doppelseite, die über das »Literarische Bankett« der Zeitung berichtete, das am vergangenen Monat in Grosvenor House stattgefunden hatte. Wexford sah sie sich nur an, weil er ein Foto von Amyas Ireland zu sehen hoffte, der an dem Bankett im Vorjahr teilgenommen hatte und vielleicht auch diesmal dabeigewesen war.

Das erste Gesicht, das er erblickte, das ihn aus der Seite voller Fotos förmlich ansprang, war Augustine Caseys Konterfei, Casey mit vier anderen Personen an einem Tisch. Wexford fragte sich, ob Casey wieder in ein Weinglas gespuckt habe. Dann las er die Bildunterschrift.

Von links nach rechts: Dan Kavanagh, Penelope Casey, Augustine Casey, Frances Hegarty, Jane Somers.

Alle zeigten ein freundliches Lächeln bis auf Casey, auf dessen Gesicht ein zynisches Grinsen lag. Die Frauen trugen Abendkleider.

Wexford betrachtete die Aufnahme, las noch einmal die Unterschrift, sah die anderen Fotos auf der Doppelseite an und kehrte zum ersten zurück. Er spürte an seiner Schulter Doras stumme Gegenwart. Sie wartete auf seine Frage, aber er zögerte, weil er nicht wußte, wie er das, was er sagen wollte, in Worte kleiden sollte. Die Frage kam sorgfältig überlegt.

»Wer ist die Frau in dem glänzenden Kleid?«

»Penelope Casey.«

»Ja, ich weiß. Das sehe ich. In welcher Beziehung steht sie zu ihm?«

»Sie ist seine Frau, Reg. Wie es aussieht, ist er zu seiner Frau oder sie zu ihm zurückgekehrt.«

»Du hast das schon gewußt?«

»Nein, Liebling, ich habe es nicht gewußt. Ich hatte bis vorgestern keine Ahnung, daß er verheiratet ist. Sheila hat diese Woche nicht angerufen, darum hab ich mich bei ihr gemeldet. Wie es sich anhörte, war sie sehr durcheinander, aber sie hat mir nur erzählt, daß Gus' Frau in die gemeinsame Wohnung zurückgekehrt und er nach Hause gegangen sei, um ›die Sache durchzusprechen‹.«

Wieder dieser Ausdruck ... Er legte die Hand vor die Augen, vielleicht um das Foto nicht mehr ansehen zumüssen. »Wie unglücklich sie sein muß«, sagte er seufzend. Und dann: »Mein Gott, das arme Kind ...«

22

»Ich kann Ihnen nicht sagen, ob es dieselbe Waffe ist wie die, mit der bei dem Banküberfall im vergangenen Mai geschossen wurde«, sagte der gerichtliche Sachverständige zu Wexford. »Es handelt sich aber fraglos um den Revolver, der am 11. März in Tancred House benutzt wurde.«

»Und warum können Sie nicht sagen, ob es derselbe Revolver ist?«

»Vermutlich ist er es. Ein Indiz zugunsten dieser Theorie ist, daß in die Trommel sechs Patronen passen – es ist eine klassische ›six gun‹ – und daß eine bei dem Mord in der Bank, in Tancred House fünf verwendet wurden. Wahrscheinlich die fünf übrigen in der Trommel. In einem Land, wo Morde oft mit Faustfeuerwaffen ausgeführt werden, würde ich kaum wagen, diese Verbindung herzustellen. Aber hier spricht viel dafür.«

»Aber Sie können trotzdem nicht mit Gewißheit sagen, daß es dieselbe Waffe ist?«

»Wie ich gesagt habe, nein.«

»Und warum nicht?«

»An dem Lauf ist etwas verändert worden«, sagte der Experte lakonisch. »Das ist kein besonderes Kunststück, wissen Sie. Die Revolver von Dan Wesson zum Beispiel mit ihren unterschiedlich langen Läufen kann jeder Amateur bei sich zu Hause verändern. Beim Colt Magnum könnte die Sache schwieriger sein. Derjenige, der sich darangemacht hat, muß die entsprechenden Werkzeuge gehabt haben. Ja, er muß sie gehabt haben, denn das ist bestimmt nicht der Lauf, mit dem dieser Revolver auf die Welt gekommen ist.«

»Hätte ein Büchsenmacher das Werkzeug dafür?«

»Kommt drauf an, was für ein Büchsenmacher, würde ich sagen. Die meisten sind auf Schrotflinten spezialisiert.«

»Und deswegen sind die Züge an den fünf in Tancred House abgefeuerten Geschossen anders als die an der Kugel, mit der Martin umgebracht wurde? Weil der Lauf verändert wurde?«

»Genau. Aus diesem Grund kann ich ja nur sagen, das und jenes ist wahrscheinlich, nicht, daß es bestimmt so passiert ist. Wir sind hier schließlich in Kingsmarkham, nicht in der Bronx. Bei uns gibt es ja nicht massenhaft Geheimdepots mit Faustfeuerwaffen. Die Zahl der abgegebenen Schüsse spricht eigentlich dafür; einer auf den armen Teufel, der einer von euch war, und die fünf anderen auf die Leute in Tancred. Und das Kaliber natürlich. Und die Absicht, Spuren zu verwischen. Was meinen Sie dazu? Er hat Revolverläufe nicht zum Spaß verändert, es war nicht sein Hobby.«

Er war aufgebracht. Die Erleichterung, die er darüber empfunden haben mochte, daß Sheila von diesem Menschen getrennt worden war, daß sie nun doch nicht nach Nevada fliegen werde, ging im Zorn unter. Casey zuliebe hatte sie *Fräulein Julie* abgelehnt, Casey zuliebe hatte sie ihr Leben, ja, so schien es, ihre Persönlichkeit verändert. Und nun war Casey zu seiner Frau zurückgekehrt.

Wexford hatte noch nicht mit ihr gesprochen. Als er anrief, meldete sich nur der Anrufbeantworter, aber mit den fröhlichen Mitteilungen war es vorbei, nur ganz knapp der Name und die Bitte, eine Nachricht zu hinterlassen. Das tat er; er bat sie um einen Rückruf. Dann, als sie sich nicht meldete, rief er noch einmal an und hinterließ, daß er mit ihr fühle, nach dem, was geschehen war, und daß ihm all die Dinge, die er gesagt hatte, leid täten.

Auf dem Weg zum Revier schaute er kurz bei der Bank

vorbei. Es war die Filiale, in der Martin getötet worden war, nicht seine eigene, aber sie lag fast direkt an der Route, die Donaldson fuhr. Nach hinten hinaus hatte die Filiale ihren eigenen Parkplatz. Wexford hatte seine Transcend-Karte dabei, mit der er in allen Banken und in sämtlichen Bankfilialen des Vereinigten Königsreichs Bargeld bekommen konnte.

Sharon Fraser war noch da. Ram Gopal hatte erreicht, in eine andere Filiale versetzt zu werden. Am zweiten Kassenschalter saß an diesem Vormittag eine sehr junge und hübsche Eurasierin. Trotz bester Vorsätze konnte Wexford nicht verhindern, daß sein Blick immer wieder zu der Stelle schweifte, wo Martin gestanden hatte und gestorben war. Irgend etwas sollte hier das Gedenken an ihn lebendig erhalten. Er erwartete halb, noch Martins Blut zu sehen, irgendeine Spur davon, während er sich zugleich einen so unsinnigen Gedanken verwies.

Vier Leute standen in der Schlange vor ihm. Er dachte daran, wie Dane Bishop, krank und verängstigt, vielleicht inzwischen nicht mehr ganz bei Verstand, ungefähr von dieser Stelle aus Martin erschossen hatte, hinausgerannt war und im Hinauslaufen seine Waffe auf den Boden geworfen hatte. Er dachte an die verängstigten Menschen, an die Schreie, an jene Männer, die danach nicht in der Bank geblieben waren, sondern sich still und heimlich verdrückt hatten. Einer von ihnen, der vielleicht dort gestanden hatte, wo er selbst jetzt stand, hatte nach Sharon Frasers Angaben einen Packen grüner Geldscheine in der Hand gehalten.

Wexford blickte sich um, um zu sehen, wie lange die Warteschlange hinter ihm war, und erkannte Jason Sebright. Sebright versuchte gerade, im Stehen einen Scheck auszustellen, statt an eines der Tischchen mit den angeketteten Kugelschreibern zu gehen. Die Frau vor ihm drehte sich um, und Wexford hörte Sebright sagen: »Macht es Ihnen was aus, wenn ich mein Scheckheft auf Ihre Schultern lege, gnädige Frau?«

Er löste ein verlegenes Gekicher aus. Sharon Frasers Lämpchen blinkte auf, und Wexford trat mit seiner Transcend-Karte an ihren Schalter. Er erkannte den Ausdruck in ihren Augen. Es war ein furchtsamer, abweisender Blick, der Blick eines Menschen, der jeden lieber bedient hätte als den vor ihm Stehenden, weil dieser mit seinem Beruf und seinen bohrenden Fragen ihre private Welt, ihren Frieden und vielleicht sogar ihre Existenz gefährdete.

Nach Martins Tod waren viele Leute in die Bank gekommen und hatten Blumen an der Stelle deponiert, wo er zusammengebrochen war, ebenso anonyme Spender wie jener Namenlose, der die Blumen an das Zufahrtstor von Tancred gehängt hatte. Die letzte dieser Spenden war verwelkt. Der Nachtfrost hatte sie geschwärzt, bis sie aussah wie das Nest irgendeines Vogels, der keine Ordnung hält. Wexford ersuchte Pemberton, sie wegzunehmen und später auf Ken Harrisons Abfallhaufen zu werfen. Ohne Zweifel würden ihr bald weitere folgen. Vielleicht weil seine Gedanken sich in einem abnormen Maß mit Liebe und Schmerz und den Fährnissen der Liebe beschäftigten, hatte er zu spekulieren begonnen, von wem diese Blumenspenden stammen mochten. Von einem Fan? Einem stummen – und reichen – Bewunderer? Oder mehr als das? Der Anblick der verwelkten Rosen brachte ihn auf jene frühen Briefe Davina Florys und ihre liebesleeren Jahre, bis Desmond Flory einrücken mußte.

Als Wexford sich dem Haus näherte, sah er, daß Arbeiter die eingeschlagene Scheibe ersetzten. Es war ein öder, windstiller Tag, Wetter, das die Meteorologen »ruhig« zu nennen sich angewöhnt hatten. Der Dunst zeigte sich nur in der Ferne, wo der Horizont verwischt war und die Bäume ein rauchiges Blau annahmen.

Wexford schaute durch das Eßzimmerfenster. Die Tür zur Halle stand offen. Der Raum war wieder zugänglich. An der Decke und an den Wänden konnte man noch die Spuren von den Blutspritzern sehen, aber der Teppich war verschwunden.

»Wir werden morgen da drinnen anfangen, Chef«, sagte der Arbeiter.

Also fing Daisy an, sich mit ihrem Verlust, sich mit dem Grauen abzufinden, das in diesem Raum geschehen war. Die Wiederherstellung hatte begonnen. Er ging über die Steinplatten an der Vorderseite von Tancred House entlang und auf den Ostflügel und die Ställe dahinter zu. Dabei entdeckte er etwas, was er bei seiner Ankunft nicht bemerkt hatte. Links vom Hauseingang lehnte Thanny Hogarths Fahrrad. Der hat die Gelegenheit beim Schopf gepackt, dachte Wexford und fühlte sich erleichtert, wurde vergnügt. Er verspürte Lust zu spekulieren, was passieren mochte, wenn jetzt Nicholas Virson daherkäme – oder war Daisy in diesen Dingen zu geschickt, als daß sie so etwas zugelassen hätte?

»Ich glaube, Andy Griffin hat jene beiden Nächte hier verbracht«, sagte Burden zu ihm, als er in die Ställe hineinspazierte.

»Was?«

»In einem von den Nebengebäuden. Wir haben sie natürlich durchsucht, nachdem die Sache passiert war, sie uns aber seitdem nicht wieder vorgenommen.«

»Von welchen Nebengebäuden sprechen Sie, Mike?«

Er folgte Burden auf dem sandigen Weg hinter der hohen Hecke. Eine kurze Reihe aneinander gebauter Cottages, nicht verfallen, aber auch nicht gut erhalten, stand parallel zu dieser Hecke. Man konnte hier, wie sie selbst, einen vollen Monat hausen, ohne von der Existenz dieser Cottages auch nur etwas zu ahnen.

»Karen kam gestern abend hierher«, sagte Burden.

»Sie machte ihren Kontrollgang. Daisy hatte gesagt, sie habe etwas gehört. Zwar war niemand unterwegs, aber Karen kam hierher und hat durch dieses Fenster da hineingeschaut.«

»Sie wollen sagen, sie hat mit einer Taschenlampe hineingeleuchtet?«

»Das nehme ich an. In diesen Cottages gibt es keinen Strom, kein fließendes Wasser, keinerlei Komfort. Brenda Harrison meint, daß seit fünfzig Jahren niemand mehr darin gewohnt hätte – genauer gesagt, seit Kriegsbeginn. Karen hat etwas gesehen, was sie veranlaßt hat, heute vormittag noch einmal herzukommen.«

»Was soll das heißen, ›etwas gesehen‹? Sie sind hier nicht im Gerichtssaal, Mike. Sie haben es mit mir zu tun, ist das klar?«

Burden machte eine ungeduldige Handbewegung. »Ja. Natürlich. Tut mir leid. Stoffetzen, eine Decke, Essensreste. Wir gehn mal rein. Das Zeug ist noch drinnen.«

Die Cottage-Tür war nicht abgesperrt. Aus den verschiedenen Gerüchen, die ihnen entgegenkamen, stach der Ammoniakgestank von altem Urin scharf heraus. Auf dem Backsteinboden sah man ein provisorisches Bett aus übereinanderliegenden schmutzigen Kissen, zwei alten Mänteln, nicht identifizierbaren Lumpen und einer anständigen, dicken und leidlich sauberen Decke. Zwei leere Cola-Dosen standen auf dem Gitterrost vor dem Kamin. Ein dichtgeflochtenes, eisernes Gefäß enthielt graue Asche, und auf der Asche lag – vielleicht dorthin geworfen, nachdem die Schlacke abgekühlt war – ein fettiges, zusammengeknülltes Papier, in das *fish and chips* eingewickelt gewesen waren. Der Gestank, der davon ausging, war noch eine Spur unangenehmer als der des Urins.

»Sie glauben, daß Andy Griffin hier geschlafen hat?«

»Wir können die Cola-Dosen auf Fingerabdrücke untersuchen lassen«, sagte Burden. »Er könnte hier gewesen sein. Er dürfte diesen Unterschlupf gekannt haben. Und wenn er in diesen beiden Nächten, am 17. und 18. März, hier war, war er allein hier.«

»Okay, aber wie ist er hierhergekommen?«

Burden machte ihm ein Zeichen, ihm durch den unappetitlichen Raum zu folgen. Er mußte den Kopf einziehen, so niedrig war der Türrahmen. Hinter dem Loch von einer Spülküche und der rückwärtigen Tür, oben und unten verriegelt, aber nicht abgeschlossen, lag ein mit Drahtgeflecht umgebenes Gartenstück samt einem kleinen, ummauerten Bereich, der früher vielleicht als Kohlenlager oder als Schweinestall gedient hatte. Darin stand, mit einer wasserdichten Plane halb zugedeckt, ein Motorrad.

»Niemand hätte ihn kommen hören«, sagte Wexford. »Die Harrisons und Gabbitas wohnen zu weit weg. Daisy war noch nicht nach Hause gekommen. Sie erschien erst mehrere Tage danach. Er war hier ungestört. Aber warum, Mike, warum *wollte* er ungestört sein?«

Sie spazierten auf dem Weg dahin, der an den Wald grenzte. Von ferne her, südlich der Nebenstraße, konnte man das Jaulen von Gabittas' Kettensäge hören. Wexfords Gedanken kehrten zu dem Revolver zurück, an dem herumgemacht worden war. Wäre Gabbitas in der Lage gewesen, den Lauf eines Revolvers zu verändern? Hätte er das notwendige Werkzeug gehabt? Und andererseits: Wer sonst könnte es gehabt haben?

»Warum, aus welchem Grund wollte Andy Griffin hier schlafen, Mike, was denken Sie?«

»Ich weiß es nicht. Ich frage mich allmählich, ob dieses Cottage ihn irgendwie besonders faszinierte.«

»Er war nicht unser zweiter Mann, hab ich recht? Er war nicht derjenige, den Daisy gehört, aber nicht gesehen hat?«

»Ich sehe ihn nicht in dieser Rolle. Das wäre eine

Nummer zu groß für ihn gewesen. Eine Kategorie zu hoch. Erpressung, das war seine Tour, miese, kleine Erpressungen.«

Wexford nickte. »Das war der Grund, warum er umgebracht wurde. Ich glaube, er hat ganz klein angefangen und es ist ihm immer nur um Bargeld gegangen. Das wissen wir von seinem Postsparkonto. Es kann sein, daß er öfter von hier aus operierte, als er und seine Eltern noch auf dem Gut lebten. Ich nehme an, daß Brenda Harrison nicht sein erstes Opfer war. Durchaus möglich, daß er es bei anderen Frauen mit Erfolg probiert hat. Er mußte sich nur eine ältere Frau aussuchen und ihr damit drohen, er würde ihrem Ehemann oder Freunden oder irgendeinem Verwandten erzählen, sie habe ihm Anträge gemacht. Manchmal dürfte das geklappt haben, manchmal auch nicht.«

»Glauben Sie, er hat's bei den Frauen hier versucht? Bei Davina Flory selbst oder bei ihrer Tochter? Ich höre noch seinen gehässigen Ton, in dem er mir gegenüber von ihnen gesprochen hat. Die gewählte Ausdrucksweise.«

»Hätte er das gewagt? Vielleicht. Wir werden es wahrscheinlich nie erfahren. Wen wollte er erpressen, als er an jenem Sonntag von zu Hause wegfuhr und hier kampierte? Den Killer oder denjenigen, den Daisy nicht gesehen hat?«

»Wer weiß.«

»Und warum mußte er dafür hier sein?«

»Das hört sich mehr nach einer Ihrer Theorien an, Reg, als nach einer von meinen. Aber ich glaube, wie gesagt, daß ihn an diesem Loch etwas fasziniert hat. Tancred war sein *Zuhause.* Es hat ihm vielleicht schwer zu schaffen gemacht, daß er hier weg mußte. Möglicherweise entdecken wir noch, daß er viel mehr Zeit hier und in den Wäldern oder einfach damit verbracht hat, die Umgebung auszukundschaften, als sich irgend jemand hat träumen lassen. Immer wenn er nicht zu Hause war und niemand wußte, wo er sich aufhielt, war er vermutlich hier draußen. Wer kannte sich hier und in den Wäldern aus? Wer hätte durch die Wälder fahren können, ohne steckenzubleiben oder gegen einen Baum zu prallen? Er hätte es gekonnt.«

»Aber wir haben doch gesagt, wir sehen in ihm nicht unseren zweiten Mann«, sagte Wexford.

»Okay, lassen wir beiseite, daß er es mit einem Fahrzeug durch die Wälder geschafft hätte, schließen wir jede Verwicklung in die Morde aus. Mal angenommen, er hat am 11. März hier kampiert. Sagen wir, er hatte vor, hier – aus uns noch unbekannten Gründen – ein paar Nächte zu verbringen. Er hat sein Zuhause um sechs Uhr mit dem Motorrad verlassen und seine Sachen hierhergebracht. Er war in dem Cottage, als die beiden Männer um acht Uhr ankamen – oder er war vielleicht nicht in dem Cottage, sondern ist draußen umhergestrichen oder hat weiß Gott was sonst getan. Er hat die Killer gesehen und einen von ihnen erkannt. Was sagen Sie dazu?«

»Nicht schlecht«, sagte Wexford. »Wen würde er erkennen? Gabbitas auf alle Fälle. Sogar unter einer Holzfällermaske. Würde er Gunner Jones erkennen?«

Das Fahrrad stand noch da. Der Handwerker war noch da und legte gerade letzte Hand an das neu verglaste Fenster. Schwaches Nieseln setzte ein, der erste Regen seit langer Zeit. Das Wasser rann an den Fenstern der Ställe herab, so daß es drinnen dunkel wurde. Gerry Hinde hatte eine Schreibtischlampe mit beweglichem Arm über dem PC angeschaltet, auf dem er eine neue Datenbank anlegte: sämtliche Personen beziehungsweise verdächtige Personen, die sie vernommen hatten, samt ihren Alibis und den Zeugen, die ihre Angaben untermauerten. Wexford überlegte, ob es überhaupt einen Sinn habe, weiter so nah am Tatort zu bleiben. Morgen war es vier Wochen her, seit das – wie die Presse es nannte – »Tancred-Massaker« begangen worden war, und der Deputy Chief Constable hatte einen Gesprächstermin mit ihm vereinbart. Wexford sollte ihn in seinem Haus aufsuchen. Es würde wie eine gastliche Einladung aussehen, mit dem obligatorischen Glas Sherry, aber der Zweck von alledem, dessen war er sich sicher, bestand darin, ihm Vorhaltungen zu machen, weil die Sache nicht vorankam und alles so viel kostete. Er würde den Vorschlag zu hören oder wohl eher den Befehl erhalten, mit seinen Leuten wieder nach Kingsmarkham ins Polizeirevier zurückzukehren. Wieder würde er sich die Frage anhören müssen, wie er die nächtliche Bewachung von Daisy Jones weiterhin rechtfertigen wolle. Aber wie könnte er eine Einstellung der Bewachung vor sich selbst rechtfertigen?

Er rief zu Hause an, um Dora zu fragen, ob sich Sheila gemeldet habe, erhielt eine besorgte, verneinende Antwort und ging dann in den Regen hinaus. Bei nassem Wetter sah das Herrenhaus düster aus. Es war merkwürdig, wie der Regen und die graue Atmosphäre das Äußere von Tancred House veränderten, so daß es wie ein Bauwerk auf einer der recht sinistren viktorianischen Radierungen wirkte, nüchtern, sogar von einer düsteren Strenge, die Fenster glanzlose Augen und die Farbe des Mauerwerks durch Wasserflecken verändert.

Die Wälder hatten unter dem schmutziggrauen Himmel ihren Blauschimmer verloren und eine kieselgraue Farbe angenommen. Bib Mew schob ihr Fahrrad um die Rückseite von Tancred House herum. Sie kleidete sich wie ein Mann, ging wie ein Mann, und man hätte sie aus dieser oder auch aus einer geringeren Entfernung ohne Zögern für einen Mann gehalten. Als sie an Wexford vorbeikam, tat sie so, als sähe sie ihn nicht: Sie verdrehte ungeschickt den Kopf und schaute zum Himmel hinauf, als ob sie sich mit dem Phänomen des Regens beschäftigte.

Er sagte sich, daß er ja ein behinderter Mensch war. Und doch lebte sie allein. Was für ein Leben mußte das sein? Wie hatte es früher ausgesehen? Sie war einmal verheiratet gewesen. Die Vorstellung kam ihm grotesk vor. Sie schwang sich wie ein Mann auf ihren Drahtesel, trat kraftvoll in die Pedale und radelte auf der Hauptzufahrt rasch davon. Offensichtlich mied sie noch immer die Nebenstraße. Wexford fröstelte leicht bei dem Gedanken an den Baum mit dem Erhängten.

Am Tag drauf erschienen die Handwerker. Ihr Transporter stand auf den Steinplatten neben der Fontäne, als Wexford eintraf. Sie bezeichneten sich nicht als Handwerker, sondern als »kreative Innendekorateure«, und sie kamen aus Brighton. Wexford ging sorgfältig seine Notizen zum Fall Tancred House durch, die mittlerweile schon einen dicken Ordner füllten. Gerry Hinde hatte sie alle auf einer Diskette gespeichert, kleiner als eine alte Single-Schallplatte, aber für Wexford nutzlos. Er sah, wie ihm nun, nachdem schon so viel Zeit vergangen war, der Fall unter den Händen entglitt.

Die Rätsel und die Ungereimtheiten blieben. Wo war Joanne Garland? Lebte sie noch, oder war sie tot? In welcher Beziehung stand sie zu den Morden? Auf welchem Weg hatten die Killer Tancred verlassen? Wer hatte den Revolver in Gabbitas' Cottage geschmuggelt? Oder hatte sich Gabbitas diesen Dreh selbst ausgedacht?

Wexford las noch einmal Daisys Aussage durch. Er spielte sich die Tonbandaufzeichnung davon vor. Er wußte, er mußte noch einmal mit ihr sprechen, denn hier waren dic Ungereimtheiten am augenfälligsten. Sie mußte ihm zu erklären versuchen, wie es möglich war, daß Harvey die Treppe hinaufgestiegen war aber in einer Position erschossen wurde, als wäre er erst am Fuß der Treppe gewesen, mit dem Gesicht zum Hauseingang; mußte zu erklären versuchen, warum eine so lange – gemessen in Sekunden, lange – Zeit verging, bis er nach dem Verlassen des Eßzimmers erschossen wurde.

Ob sie auch den Punkt klären könnte, den Freeborn sicher als einen absurden Witz betrachten würde, wenn er zur Sprache käme? Wenn Queenie, die Katze, normalerweise, ja, wie es schien, immer um sechs Uhr abends in den oberen Etagen umhertobte, ausnahmslos um sechs Uhr, warum hatte dann Davina Flory den Lärm über ihnen, den sie um acht Uhr hörte, auf Queenie zurückgeführt?

Noch eine weitere Frage mußte er ihr stellen, obwohl er beinahe überzeugt war, daß die Zeit ihre exakte Erinnerung daran ausgelöscht hatte, da die Traumatisierung unmittelbar nach dem Geschehen eingesetzt hatte.

Der Pkw auf den Steinplatten, so weit vom Transporter der »kreativen Innendekorateure« aus Brighton entfernt, wie es sich nur einrichten ließ, ohne auf dem Rasen zu parken, schien Joyce Virson zu gehören. Wexford vermutete, mit der Annahme richtig zu liegen, daß Daisy dankbar wäre, eine Zeitlang von Mrs. Virson verschont zu bleiben, ja sogar einen Vorwand begrüßen würde, sie ganz loszuwerden. Er zog an der Klingelstange, und Brenda öffnete.

Die Eßzimmertür war mit einem weißen Tuch verhängt worden. Gedämpfte Geräusche drangen heraus, keine Hammerschläge, keine kratzenden Geräusche, sondern ein weiches Plätschern und Gurgeln. Dazu die unvermeidlichen Hintergrundgeräusche von Handwerkern, allerdings leise, das geistlose Geplätscher von Pop-Musik. Man konnte es weder im Damenzimmer noch im *serre* hören, wo sie saßen, nicht zwei Personen, sondern drei: Daisy, Joyce Virson und ihr Sohn.

Nicholas Virson nimmt sich offenbar nach Lust und Laune frei, dachte Wexford, während er ein knappes »Guten Morgen« von sich gab. Welcher Beschäftigung er auch nachging, liefen denn die Geschäfte in dieser Wirtschaftsflaute so schlecht, daß es beinahe schon egal war, ob er an seinem Arbeitsplatz erschien oder nicht?

Sie waren mitten in einem Gespräch, als Brenda Harrison ihn hineinführte, und er hatte den Eindruck, daß es hitzig zugegangen war. Daisy machte einen entschlossenen Eindruck, ihr Gesicht war leicht gerötet. Mrs. Virsons Ausdruck war noch mißmutiger als sonst, und Nicholas Virson wirkte verärgert, als wäre ihm irgendein Plan durchkreuzt worden. Waren sie zum Lunch da? Wexford hatte noch gar nicht bemerkt, daß die Mittagszeit schon vorbei war.

Daisy stand auf, als er hereinkam, und drückte die Katze an sich, die sie auf dem Schoß gehabt hatte. Ihr Fell hatte beinahe den gleichen Farbton wie die blauen Jeans, die sie trug, zusammen mit einer Bomberjacke. Das Modell war bestickt und zwischen den farbigen Stickereien mit einer Vielzahl silberner und goldener Knöpfe besetzt. Unter der Jacke trug sie ein schwarzblau kariertes T-Shirt, der Gürtel in der Jeans war aus geflochtenen Silber- und Goldfäden und mit perlmuttartigen und klaren Glasstücken zusätzlich verziert. Man konnte sich dem Eindruck nicht entziehen, daß Daisy damit etwas aussagen wollte. Diese Leute sollten die richtige Daisy vorgeführt bekommen, das, was sie sein wollte, ein unabhängiges Individuum, vielleicht bewußt schockierend, das sich kleidete, wie es ihm gefiel, und tat, was ihr gefiel.

Der Kontrast zwischen ihrem Outfit und der Kleidung von Joyce Virson war – selbst wenn man den großen Altersunterschied berücksichtigte – derart kraß, daß er schon grotesk wirkte. Joyce Virson hatte die Uniform einer Schwiegermutter an, ein burgunderrotes Wollkleid mit passender Jacke, um den Hals an einem Lederriemchen eine silberne Raute, wie sie in den sechziger Jahren schick gewesen war, und als einzigen Schmuck an den Händen ihren großen, mit einem Brillanten besetzten Verlobungsring und den Ehering. Daisy hatte an der linken Hand einen riesigen Ring, eine fünf Zentimeter lange silberne Schildkröte – der Panzer mit farbigen Steinen besetzt –, die aussah, als wäre sie drauf und dran, zu den Knöcheln hinabzukriechen.

Wexford, der etwas gegen das Wort »belästigen« hatte, entschuldigte sich für die »Störung«. Er hatte nicht die Absicht, wieder zu gehen und später zurückzukommen, und gab Daisy zu verstehen, daß er überzeugt war, sie werde das nicht von ihm erwarten. An ihrer Stelle ergriff Mrs. Virson das Wort.

»Wenn Sie schon einmal da sind, Mr. Wexford, können Sie uns vielleicht beispringen. Ich weiß, wie Sie darüber denken, daß Daisy hier allein lebt. Nun gut, sie ist nicht allein. Sie lassen sie von ein paar jungen Frauen beschützen. Was die aber im Notfall unternehmen könnten, das, tut mir leid, kann ich mir beim besten Willen nicht vorstellen. Und, offen gestanden, als Gemeindesteuerzahlerin habe ich etwas dagegen, daß unser Geld für so etwas ausgegeben wird.«

Nicholas Virson sagte unerwartet: »Wir zahlen doch keine Gemeindesteuern mehr, Mutter. Wir zahlen jetzt Kopfsteuer.«

»Das ist doch alles das gleiche. Es geht denselben Weg. Wir sind heute vormittag hierhergefahren, um Daisy zu bitten, mitzukommen und sich wieder bei uns einzuquartieren. Oh, es ist nicht das erste Mal, das wissen Sie ebensogut wie ich. Aber wir dachten uns, warum es nicht noch einmal versuchen, zumal sich die Dinge verändert haben in bezug auf – nun ja, Nicholas und Daisy.«

Wexford sah, wie Nicholas Virsons Gesicht puterrot anlief. Es war kein Erröten aus Freude oder Genugtuung, sondern, nach dem begleitenden Zusammenzukken zu schließen, aus tiefer Verlegenheit. Für Wexford stand so gut wie fest, daß sich die Dinge nur in Joyce Virsons Phantasie verändert hatten.

»Es ist doch offensichtlich verrückt, daß sie sich hier aufhält«, überlegte Mrs. Virson laut, und dann sprudelten die nächsten Worte förmlich aus ihr heraus. »Als wäre sie eine *Erwachsene*! Als wäre sie imstande, selbständig Entschlüsse zu fassen!«

»Das bin ich durchaus«, sagte Daisy gelassen. »Ich bin erwachsen. Und ich *fasse* selbständig Entschlüsse.« Sie wirkte völlig unberührt von dieser ganzen Szene, sogar leicht gelangweilt.

Nicholas Virson legte sich ins Mittel. Sein Gesicht war noch leicht gerötet. Wexford erinnerte sich plötzlich an die Beschreibung des maskierten Killers, die Daisy ihm gegeben hatte, an das blonde Haar, das Kinngrübchen, die großen Ohren. Es war beinahe, als ob sie an Virson gedacht hätte, als sie den Täter beschrieb. Und warum hatte sie das wohl getan? Wenn auch nur unbewußt?

»Wir dachten«, sagte Nicholas Virson, »Daisy könnte zum Abendessen mitkommen und ... über Nacht bleiben und eben mal sehen, wie ihr das gefällt. Wir hatten geplant, ihr ein eigenes Wohnzimmer zur Verfügung zu stellen, das wäre dann beinahe eine Suite, wissen Sie, eine eigene Wohnung. Sie müßte gar nicht richtig bei uns wohnen, verstehen Sie. Wenn sie das möchte, könnte sie absolut ihre eigene Herrin sein.«

Daisy lachte. Ob der Grund dafür die Idee an sich oder die modische Floskel war, die Virson verwendet hatte, konnte Wexford nicht entscheiden. Er hatte geglaubt, daß aus ihren Augen noch Kummer und seelisches Aufgewühltsein sprächen, aber sie lachte, und ihr Lachen war unbeschwert und fröhlich.

»Ich habe euch doch vorhin schon gesagt, daß ich heute abend zum Essen verabredet bin. Ich nehme an, daß ich erst ziemlich spät zurückkomme, und ich werde selbstverständlich nach Hause gebracht.«

»Ach, Daisy...« Nicholas Virson konnte nicht mehr an sich halten. Sein Jammer brach unter der aufgeblasenen Art hervor. »Ach, Daisy, du könntest uns wenigstens sagen, mit wem du zum Essen ausgehst. Ist es jemand, den wir kennen? Wenn es eine Freundin ist, warum kannst du sie nicht zu uns mitbringen?«

Daisy sagte: »Davina hat oft gesagt, wenn eine Frau von ›jemandem‹ spricht, mit dem sie zusammenarbeitet, oder von ›jemandem‹, den sie kennt, werden die Leute immer annehmen, es handle sich um eine andere Frau. Immer. Weil die Leute im Grunde eigentlich nicht wollen, daß Frauen zu Vertretern des anderen Geschlechts Beziehungen haben.«

»Ich habe nicht den blassesten Schimmer, wovon du da sprichst«, sagte Nicholas Virson, und Wexford merkte ihm an, daß es wirklich so war. Er hatte keinen Schimmer.

»Also, es tut mir leid«, sagte Joyce Virson, »aber das geht über meinen Verstand. Ich hätte doch gedacht, daß ein Mädchen, das sich mit einem Mann gut versteht, auch gerne mit ihm zusammensein möchte.« Sie verlor die Geduld und damit ihre Beherrschung. »Es ist wirklich so: Wenn Leute zu früh ihre Freiheit und viel Geld in die Hand bekommen, steigt ihnen das zu Kopf. Es ist die Macht, sage ich Ihnen, sie macht sie verrückt. Für manche Frauen ist es das Höchste, wenn sie irgendeinen armen Kerl ihre Macht spüren lassen können, dessen einziges Verbrechen darin besteht, daß er sie zufällig gern hat. Es tut mir leid, aber ich finde so was furchtbar!« Sie geriet außer sich, ihre Stimme war nicht mehr zu bändigen, überschlug sich. »Wenn so die Emanzipation aussieht oder wie das heißt, *women's lib* oder weiß Gott was, dieser grauenhafte Unsinn, dann können Sie sich das an den Hut stecken, und ich wünsche Ihnen viel Glück damit! Einen anständigen Ehemann bekommen Sie auf diese Art nicht, das kann ich Ihnen garantieren!«

»Mutter«, sagte Nicholas Virson in einer kurzen Anwandlung von Festigkeit. Zu Daisy gewandt, sagte er: »Wir sind auf dem Weg zum Lunch bei ...«, er nannte Freunde in der Gegend, »... und wir hatten gehofft, du würdest mitkommen. Wir müssen wirklich bald weiter.«

»Ich kann nicht mitkommen, siehst du das nicht? Mr. Wexford ist da, um mit mir zu sprechen. Es ist wichtig. Ich muß der Polizei helfen. Hast du etwa vergessen, was hier vor vier Wochen passiert ist?«

»Natürlich nicht. Wie könnte ich denn? Mutter hat das alles nicht so gemeint, Daisy.« Joyce Virson hatte den Kopf weggedreht und hielt sich das Taschentuch vors Gesicht, während sie scheinbar äußerst konzentriert auf die kurz vorher aufgeblühten Tulpen in ihren Terrassenkübeln starrte. »Sie hatte *so* gehofft, daß du mitkommst, und ... ja, ich auch. Wir hatten wirklich geglaubt, wir könnten dich dazu überreden. Dürfen wir später noch einmal vorbeikommen, auf dem Nachhauseweg von dem Lunch? Können wir noch einmal reinschauen und dir zu erklären versuchen, was wir uns gedacht hatten?«

»Natürlich. Freunde können einander besuchen, wenn sie den Wunsch haben, oder? Und du bist ein Freund von mir, Nicholas, das weißt du doch?«

»Danke dir, Daisy.«

»Ich hoffe, du wirst immer mein Freund bleiben.«

Es war beinahe, als wären sie, Wexford und Joyce Virson, nicht da. Einen Augenblick lang waren die beiden jungen Menschen allein, eingeschlossen in ihre Beziehung, wie sie auch aussehen mochte, wie sie gewesen war, allein mit wer weiß welchen Geheimnissen des Herzens oder gemeinsamen Erlebnissen. Nicholas Virson stand auf, und Daisy küßte ihn auf die Wange. Dann tat sie etwas Merkwürdiges. Sie ging mit langen, raschen Schritten zur Tür des Wintergartens und stieß sie auf. Auf der anderen Seite war Bib Mew zu sehen, die, mit einem Staublappen in der Hand, einen Schritt zurückwich.

Daisy sagte nichts. Sie schloß die Tür und wandte sich Wexford zu. »Sie lauscht immer hinter der Tür. Es ist ihre Leidenschaft, eine Art Sucht. Ich weiß immer, wenn sie dahinter steht, ich höre, wie sie rasch zu atmen anfängt. Sonderbar, nicht? Was kann es ihr denn bringen?«

Kaum waren die Virsons fort, kehrte sie zu dem Thema Bib mit ihrer heimlichen Lauscherei zurück. »Ich kann sie nicht rausschmeißen. Wie sollte ich denn ohne jemanden zurechtkommen?« Plötzlich hörte sie sich wie eine doppelt so alte Frau, wie eine Hausfrau an, die nicht mehr weiß, wo ihr der Kopf steht. »Brenda hat erklärt, daß sie wegziehen. Ich hab ihr gesagt, daß ich ihnen nur aus Wut gekündigt habe, daß es nicht mein Ernst war, aber sie ziehen trotzdem aus. Sie wissen, daß sein Bruder einen Autoverleih hat? Ken will bei ihm einsteigen, sie haben vor, das Geschäft zu erweitern, und sie können die andere Wohnung über Freds Büro beziehen. John Gabbitas versucht seit dem vergangenen August ein Haus in Sewingbury zu kaufen und hat gerade erfahren, daß über seine Hypothek positiv entschieden ist. Er wird sich zwar weiter um die Wälder kümmern, nehme ich an, aber nicht mehr hier wohnen.« Sie stieß ein gezwungenes Kichern aus. »Dann bleibt mir nur noch Bib. Glauben Sie, sie wird mich abmurksen?«

»Sie haben doch keinen Grund für die Annahme...«, begann er ganz ernst.

»Überhaupt keinen. Sie sieht nur eben wie ein Kerl aus und macht nie den Mund auf und lauscht hinter der Tür. Außerdem ist sie schwachsinnig. Für eine Mörderin putzt sie wirklich gut. Entschuldigung, das war nicht komisch. Mein Gott, ich rede daher wie diese gräßliche Joyce! Sie meinen nicht, daß ich zu denen soll, oder? Sie drangsaliert mich richtig.«

»Sie würden ja sowieso nicht tun, was ich für richtig hielte, oder?« Sie schüttelte den Kopf. »Also kann ich mir die Worte sparen. Ja, Sie haben richtig getippt, ich möchte mit Ihnen über ein paar Dinge sprechen.«

»Ja, natürlich. Aber zuvor muß ich Ihnen etwas sagen. Ich wollte es schon vorher tun, aber die zwei haben gelabert und gelabert.« Sie lächelte etwas reumütig. »Joanne Garland hat angerufen.«

»Was?«

»Sehn Sie mich nicht so verblüfft an. Sie hat es noch nicht *gewußt.* Sie hatte keine Ahnung, was passiert ist. Sie ist gestern abend zurückgekommen und heute vormittag zur Galerie gegangen. Als sie sah, daß alles zugesperrt war, hat sie hier angerufen.«

Er erkannte, daß Daisy nicht ahnte, was sie über das Verbleiben Joanne Garland gemutmaßt hatten, vielleicht überhaupt nichts wußte, außer daß sie verreist war, irgendwohin. Warum sollte sie auch?

»Sie wollte mit Mom sprechen. Ist das nicht schrecklich? Ich mußte es ihr beibringen. Das war das schlimmste: ihr beizubringen, was geschehen war. Sie hat es mir zuerst nicht geglaubt. Sie hat es für einen schlechten Witz gehalten. Das ist erst... Moment, eine halbe Stunde her. Kurz bevor die Virsons kamen.«

23

Sie war in Tränen aufgelöst.

Weil sie am Telefon geweint und zwischen den Schluchzern nur zusammenhanglose Worte herausgekeucht hatte, hatte er sie nicht gebeten, ins Polizeirevier zu kommen, sondern sich bereit erklärt, zu ihr zu fahren. Jetzt saß er in dem Haus in Broom Vale in einem Sessel und Barry Vine in einem anderen, während Joanne Garland bereits nach der ersten Frage, die er ihr gestellt hatte, fassungslos in die Sofalehne schluchzte.

Beim Betreten des Hauses hatte Wexford als erstes bemerkt, daß ihr Gesicht übel zugerichtet war. Es waren alte Blessuren, die jetzt abheilten, doch die Spuren waren unverkennbar, grünliche, gelbliche, blaue Flekken um Nase und Mund, dunklere Abschürfungen, pflaumenfarben an den Augen und am Haaransatz. Der Tränenstrom konnte sie nicht verbergen.

Wo war sie gewesen? Wexford fragte sie das, bevor sie sich setzten, und die Frage löste einen neuen Strom von Tränen aus, »Amerika, Kalifornien«, brachte sie mühsam heraus und warf sich aufs Sofa, von einem Weinkrampf geschüttelt.

»Mrs. Garland«, sagte er nach einer Weile, »versuchen Sie sich zusammenzunehmen. Ich hole Ihnen ein Glas Wasser.«

Sie setzte sich kerzengerade hin, über ihr böse zugerichtetes Gesicht liefen die Tränen. »Ich will kein *Wasser.*« Zu Vine sagte sie: »Sie könnten mir einen Whisky holen. Dort in dem Schrank. Gläser stehen dabei. Nehmen Sie sich auch einen.« Ein tiefer, würgender Schluchzer schnitt das letzte Wort ab. Sie zog aus einer großen, roten Lederhandtasche auf dem Boden eine Handvoll farbiger Papiertaschentücher und rieb an ihrem Gesicht herum. »Entschuldigung. Ich höre gleich auf, wenn ich einen Schluck getrunken habe. Mein Gott, was für ein Schock!«

Barry Vine zeigte ihr die Sodaflasche, die er gefunden hatte. Sie schüttelte heftig den Kopf und nahm einen Schluck Whisky pur aus ihrem Glas. Sie schien das Angebot, das sie den beiden Beamten gemacht hatte, völlig vergessen zu haben, aber es wäre ohnedies abgelehnt worden. Der Whisky tat ihr offenbar gut. Er hatte auf sie eine ganz andere Wirkung als bei jemandem, der nur selten hochprozentigen Alkohol trinkt. Es war nicht so sehr, daß sie einen Drink – das heißt, Alkohol – brauchte, vielmehr war sie *durstig* nach Alkohol. Was sie trank, schien einen Durst ganz eigener Art zu löschen, und ihr Körper entspannte sich sichtlich.

Wieder erschienen die Papiertaschentücher, und abermals wischte sie sich das Gesicht ab, diesmal allerdings behutsam. Wexford fand, daß sie für ihre vierundfünfzig Jahre erstaunlich jung aussah, und wenn nicht jung, so war doch ihr Gesicht bemerkenswert glatt. Sie hätte eine müde und ziemlich mitgenommene Fünfunddreißigjährige sein können. Ihre Hände aber waren die einer viel älteren Frau, ein Gewebe aus Sehnen, ein Geschlängel von Venen. Sie trug ein grünes Jerseykostüm und eine Menge Modeschmuck. Ihr Haar war von einem hellen, bleichen Gold, ihre Figur wohlgeformt, wenn auch nicht ganz schlank, und sie hatte tolle Beine. Mrs. Garland war für den allgemeinen Geschmack eine attraktive Frau.

Sie atmete jetzt tief, während sie an ihrem Whisky nippte. Dann nahm sie eine Puderdose und einen Lippenstift aus der Handtasche und richtete ihr Gesicht. Wexford bemerkte, daß ihr Blick im Spiegel auf dem schlimmsten der blauen Flecke verweilte, unterhalb des linken Auges. Sie berührte ihn mit einer Fingerspitze, bevor sie, in dem Versuch, ihn zu überdecken, Puder auftrug.

»Wir haben allerlei Fragen an Sie, Mrs. Garland.«

»Ja, das kann ich mir denken.« Sie zögerte. »Ich habe nichts davon gewußt. In den amerikanischen Zeitungen stehen keine Meldungen aus dem Ausland. Höchstens wenn es sich um Krieg oder so was handelt. Ich habe erst davon erfahren, als ich mit dem Mädchen, Naomis Tochter, telefonierte.« Ihre Unterlippe zitterte, als sie den Namen Naomi aussprach. Sie schluckte. »Das arme Kind, *sie* müßte mir eigentlich leid tun. Ich hätte ihr sagen sollen, daß ich mit ihr fühle, aber es hat mich umgeworfen, einfach umgeschmissen. Ich brachte kaum ein Wort heraus.«

»Sie haben niemandem etwas davon gesagt, daß Sie vorhatten zu verreisen?« fragte Vine. »Sie haben gegenüber Ihrer Mutter und Ihren Schwestern kein Wort davon verlauten lassen.«

»Naomi wußte Bescheid.«

»Vielleicht«, meinte Wexford. »Würden Sie uns bitte sagen, wann Sie verreist sind und warum?«

Sie fragte wie ein Kind: »Muß ich?«

»Ja, leider. Vielleicht möchten Sie sich die Antwort erst überlegen. Ich muß Ihnen sagen, Mrs. Garland, daß Sie uns in beträchtliche Schwierigkeiten gebracht haben, da Sie wie vom Erdboden verschwunden waren.«

»Könnten Sie mir noch ein bißchen Scotch eingießen, bitte.« Sie hielt Vine das leere Glas hin. »Ja, schon gut. Sie brauchen kein solches Gesicht zu machen. Ja, ich trinke gern ein Gläschen, aber ich bin keine Alkoholikerin. Wenn ich unter Streß bin, tut mir ein Drink besonders gut. Ist daran irgend etwas auszusetzen?«

»Es ist nicht meine Aufgabe, Ihre Fragen zu beantworten«, sagte Wexford. »Ich bin hier, damit Sie meine beantworten. Ich habe Ihnen die Höflichkeit erwiesen, hierherzukommen, und ich möchte, daß Sie imstande sind, mir zu antworten. Habe ich mich klar ausgedrückt?« Er deutete ein Kopfschütteln an, als er Vine anblickte, der mit dem Glas in der Hand dastand, auf dem Gesicht der Ausdruck eines abgearbeiteten Sklaven. Joanne Garland wirkte schockiert und trotzig. »Hier geht es um eine sehr ernste Angelegenheit. Ich möchte von Ihnen jetzt erfahren, wann Sie nach Hause kamen und was Sie getan haben.«

»Das war gestern abend. Also, die Maschine aus Los Angeles sollte in Gatwick um halb drei landen, aber sie hatte Verspätung. Wir hatten den Zoll erst um vier hinter uns. Eigentlich wollte ich den Zug nehmen, aber ich war derart erledigt, daß ich direkt in ein Taxi stieg. Ich war gegen fünf Uhr hier.« Sie blickte ihn fest an. »Ich habe mir einen Drink genehmigt, na ja, zwei oder drei. Ich habe volle zwölf Stunden geschlafen.«

»Und heute morgen sind Sie zu Ihrem Laden gegangen. Er war geschlossen, und Sie hatten den Eindruck, daß er schon länger geschlossen war.«

»So ist es. Ich war wütend auf Naomi – Gott vergebe mir. Ja, ich weiß, ich hätte jemanden fragen können, ich hätte eine meiner Schwestern anrufen können. Aber ich kam gar nicht auf die Idee. Ich dachte nur: Naomi hat wieder mal Scheiße gebaut – ja, noch mal, Gott vergebe mir. Ich hatte die Schlüssel nicht dabei, weil ich dachte, das Geschäft sei offen. Also hab ich mich nach Hause geschleppt und Daisy angerufen. Ich wollte eigentlich mit Naomi sprechen, um ihr den Kopf zu waschen. Daisy hat es mir gesagt. Das arme Mädchen, es muß furchtbar für sie gewesen sein, daß sie es mir sagen und alles noch einmal durchleben mußte!«

»An dem Abend, als Sie verreisten, am 11. März, haben Sie zwischen fünf und halb sechs Ihre Mutter im Caenbrook Retirement Home besucht. Würden Sie uns erzählen, was Sie danach getan haben?«

Sie seufzte, warf einen kurzen Blick auf das leere Glas, das Vine auf den Tisch gestellt hatte, und fuhr sich mit der Zunge über die frisch bemalten Lippen. »Ich habe zu Ende gepackt. Ich hatte eine Maschine am Tag drauf, dem zwölften. Sie ging erst um elf Uhr vormittags, und ich sollte um halb zehn einchecken, aber ich habe mir gesagt: Fahr heute abend hinaus nach Gatwick, was ist, wenn die Züge am Vormittag Verspätung haben? Es war ein Entschluß, den ich eigentlich Knall auf Fall gefaßt habe. Beim Packen dachte ich: Du rufst nachher ein Hotel in Gatwick an und fragst, ob sie was für dich haben. Das habe ich dann auch getan, und sie hatten was frei. Ich hatte versprochen, zu Naomi hinauszufahren, obwohl wir im Laufe des Tages eigentlich schon alles vorbereitet hatten. Und wir brauchten die Buchführung nicht zu machen. Naomi hatte gesagt, sie würde die Umsatzsteuer auf dem neuesten Stand halten. Aber ich hatte gesagt, daß ich hinauskommen würde, um meinen guten Willen zu beweisen, ja...« Joanne Garlands Stimme wurde unsicher. »Ja, so war's. Ich hatte vor, nach Tancred zu fahren, auf eine halbe Stunde mit Naomi, dann wieder nach Hause und von dort zum Bahnhof. Von hier aus sind es nur zehn Minuten zu Fuß.«

Dieser Umstand war Wexford wohlbekannt, und er äußerte sich nicht dazu. Vine hingegen ließ nicht lokker. »Ich sehe nicht ein, warum Sie an diesem Abend weg mußten, wenn die Maschine erst um elf ging. Mit dem Zug dauert es doch nur eine halbe Stunde – höchstens.«

Sie warf ihm von der Seite einen gekränkten Blick zu. Es war offenkundig, daß Joanne Garland eine Abneigung gegen Wexfords Sergeant gefaßt hatte. »Wenn Sie es unbedingt wissen wollen, ich wollte nicht riskieren, am nächsten Morgen irgend jemandem zu begegnen.« Vines Miene blieb fragend. »Okay, Sie strengen sich aber gar nicht an zu verstehen, oder? Ich wollte nicht mit den Koffern gesehen werden, ich wollte keine Fragen, falls meine Schwestern zufällig irgendwo anriefen – klar?«

»Wir wollen mal vorläufig Ihre geheimnisvolle Reise beiseite lassen, Mrs. Garland«, sagte Wexford. »Um welche Zeit sind Sie nach Tancred gefahren?«

»Um zehn vor acht«, sagte sie rasch. »Ich merke mir immer, wann ich etwas getan habe. Ich lebe mit der Uhr. Und ich komme nie zu spät. Naomi wollte mich immer dazu bringen, daß ich später hinausfahre, aber das war nur, weil ihre Mutter Theater machte. Naomi hat immer wieder vorher bei mir angerufen, aber das war ich gewohnt und habe deshalb dienstags nie meinen Anrufbeantworter abgehört. Warum sollte ich denn nicht soviel zählen wie Lady Davina? Mein Gott, sie ist ja tot, ich sollte so was nicht sagen. Also gut, ich bin, wie gesagt, um zehn vor acht losgefahren und war um zehn nach acht draußen. Um elf nach, um es genau zu sagen. Ich habe auf meine Uhr geschaut, während ich klingelte.«

»Sie haben geklingelt?«

»Nicht nur einmal, mehrmals. Ich wußte, daß sie mich hörten. Ich wußte, daß sie da sind. O Gott, das heißt, ich *glaubte* es zu wissen.« Die Farbe wich aus ihrem Gesicht, das kalkweiß wurde. »Sie waren tot, nicht? Es war gerade passiert. Großer Gott im Himmel!« Wexford beobachtete sie, wie sie kurz die Augen schloß und schluckte. Er ließ ihr Zeit. Mit einer veränderten, schwereren Stimme sagte sie: »Im Eßzimmer brannte das Licht. Lieber Gott, verzeih mir. Ich dachte, Naomi hätte Davina erzählt, daß wir alles erledigt hätten, was erledigt werden mußte, und Davina habe daraufhin gesagt: ›Wenn das so ist, dann wird es höchste Zeit, daß diese Frau lernt, mich nicht zu stören, wenn ich beim Abendessen sitze.‹ Sie war so, sie hätte das ungeniert gesagt.« Wieder stellte sich bildhaft die

Erinnerung daran ein, was Davina Flory widerfahren war. Joanne verschloß ihren Mund mit der Hand.

Um jeglichen weiteren Bitten um die göttliche Vergebung zuvorzukommen, sagte Wexford rasch: »Sie haben noch einmal geklingelt?«

»Ich habe insgesamt drei- oder viermal geklingelt. Ich bin zum Eßzimmerfenster gegangen, aber die Vorhänge waren zugezogen. Ich war ein wenig verärgert, verstehn Sie. Es hört sich furchtbar an, wenn ich das jetzt sage. Ich dachte: Okay, ich vertrödle hier nicht meine Zeit, und bin nach Hause gefahren.«

»Einfach so? Sie haben sich den ganzen Weg nach Tancred gemacht, und als auf Ihr Klingeln nicht geöffnet wurde, sind Sie wieder nach Hause gefahren?«

Barry Vine erhielt einen gereizten Blick. »Was hätte ich denn nach Ihrer Meinung tun sollen? Die Tür einschlagen?«

»Mrs. Garland, denken Sie bitte sehr sorgfältig nach. Sind Sie auf der Fahrt nach Tancred irgendeinem Fahrzeug begegnet, oder haben Sie eines überholt?«

»Nein, bestimmt nicht.«

»Auf welchem Weg sind Sie hingefahren?«

»Auf welchem Weg? Über die Hauptzufahrt natürlich. Ich bin immer diese Strecke gefahren. Ich weiß, es gibt eine Alternative, aber ich habe dieses sehr schmale Sträßchen nie benutzt.«

»Sie haben also kein anderes Fahrzeug gesehen?«

»Nein, wie ich schon gesagt habe. Das ist auch kaum je passiert. Nun ja, einmal bin ich John Wie-heißt-der-doch-gleich begegnet, John Gabbitas, ja? Aber das liegt Monate zurück. Am 11. März bin ich ganz bestimmt niemandem begegnet.«

»Und auf der Rückfahrt?«

Sie schüttelte den Kopf. »Weder auf der Hin- noch auf der Rückfahrt bin ich einem Fahrzeug begegnet, und überholt habe ich auch keines.«

»Als Sie in Tancred ankamen, stand da ein anderes Auto oder ein Transporter oder sonst ein Fahrzeug vor dem Haus?«

»Nein, natürlich nicht. Sie haben ihre Autos immer untergestellt. Oh, jetzt verstehe ich, was Sie meinen, o Gott...«

»Sind Sie zufällig um das Haus herumgegangen?«

»Sie meinen, das Stück nach dem Eßzimmer? Nein, nein.«

»Sie haben nichts gehört?«

»Ich weiß nicht, was Sie damit meinen. Was hätte ich hören sollen? Oh – o ja, *Schüsse*. Mein Gott, nein!«

»Als Sie wegfuhren, dürfte es... wie spät gewesen sein? Viertel nach acht?«

Sie antwortete mit gedämpfter Stimme: »Ich habe Ihnen doch gesagt, daß ich mir immer die Zeit merke. Es war sechzehn Minuten nach acht.«

»Wenn Sie wollen, können Sie jetzt noch ein Glas trinken, Mrs. Garland.«

Wenn sie erwartete, Barry Vine würde sie bedienen, hatte sie sich getäuscht. Sie gab einen gespielten Seufzer von sich, stand auf und ging zu dem Schrank mit den Alkoholika. »Sind Sie sicher, daß Sie nichts möchten?«

Es war klar, daß die Frage nur Wexford galt. Er schüttelte den Kopf. »Wie haben Sie sich diese Blessuren an Ihrem Gesicht zugezogen?« fragte er.

Sie saß aufrecht und mit zusammengepreßten Knien auf dem Sofa, das Glas auf dem Schoß, Wexford versuchte in ihrem Gesicht zu lesen. Sah er gespielte Hilflosigkeit? Oder Verlegenheit? Jedenfalls nicht die Erinnerung an irgendeine Mißhandlung.

»Sie sind beinahe verschwunden«, sagte sie schließlich. »Man sieht kaum mehr was davon. Ich bin erst nach Hause gefahren, als ich mir sicher war, daß sie abgeheilt sind.«

»Ich sehe sie aber«, sagte Wexford barsch. »Ich täusche mich zweifellos, aber für mich sieht es so aus, als hätte Ihnen jemand vor ungefähr drei Wochen ein paar recht üble Schläge ins Gesicht verpaßt.«

»Mit dem Datum liegen Sie richtig«, sagte sie.

»Sie werden uns jetzt erzählen, was passiert ist, Mrs. Garland. Sie werden uns noch eine Menge anderer Dinge erzählen müssen, aber wir fangen damit an, was mit Ihrem Gesicht passiert ist.«

Es sprudelte aus ihr heraus. »Ich habe mir das Gesicht operieren lassen. In Kalifornien. Dort war ich bei einer Freundin zu Gast. Es ist dort so üblich, alle lassen es machen – nun ja, nicht alle. Aber meine Freundin. Sie hat mich zu sich eingeladen, und ich sollte in so eine Klinik...«

Wexford unterbrach sie mit dem einzigen Ausdruck, der ihm vertraut war. »Sie wollen damit sagen, Sie haben sich liften lassen?«

»Das«, sagte sie trübsinnig, »und die Augenlider straffen und eine Hautschicht auf der Oberlippe wegnehmen und so weiter. Sehn Sie, hier hätte ich es nicht machen lassen können. Alle hätten davon erfahren. Ich wollte weg. Ich wollte wohin, wo es warm ist, und... also gut, wenn Sie es wissen müssen, mir hat mein Gesicht nicht mehr gefallen. Früher hat mir gefallen, was ich im Spiegel sah, aber mit einemmal nicht mehr – drücke ich mich klar aus?«

Ganz rasch begann sich das Bild zusammenzufügen. Wexford ging der Gedanke durch den Kopf, ob Sheila später einmal den Wunsch haben würde, so etwas vornehmen zu lassen, und er fürchtete, daß es dazu kommen werde. Und konnte man sich übrigens über Joanne Garland lustig machen oder ablehnen, was sie getan hatte? Sie konnte es sich leisten, und sie hatte zweifellos erreicht, was sie bezweckt hatte. Er konnte ihr nachfühlen, daß sie vermeiden wollte, daß ihre klatschsüchtigen Angehörigen oder Nachbarn davon erfuhren. Wahrscheinlich war es leichter, die Leute vor vollendete Tatsachen zu stellen. Die weltfremde Naomi, in deren Kopf kein klarer Gedanke war, hatte es wissen dürfen. Joanne Garland hatte einen Menschen gebraucht, den sie sich anvertrauen konnte, der die Stellung hielt und in ihrer Abwesenheit den Laden führte. Wer eignete sich dafür besser als Naomi, die das Geschäft ja bestens kannte und auf eine kosmetische Operation nicht anders reagieren würde als eine andere Frau auf gefärbte Haare oder einen gekürzten Rocksaum.

»Ich nehme an, Sie haben nicht mit meiner Mutter gesprochen«, sagte Joanne Garland. »Übrigens, warum auch? Aber wenn Sie es getan hätten, würden Sie verstehen, warum ich nicht möchte, daß sie hinter so was kommt.«

Wexford schwieg.

»Werden Sie mich jetzt aus Ihren Fängen lassen?«

Er nickte. »Vorläufig, ja. Sergeant Vine und ich gehen jetzt zum Mittagessen. Sie werden sich vermutlich ausruhen wollen, Mrs. Garland. Ich möchte Sie dann später noch einmal sehen. Wir haben draußen in Tancred eine Tatortzentrale. Ich erwarte Sie dann dort um ... sagen wir halb fünf?«

»*Heute?*«

»Heute um halb fünf. Und an Ihrer Stelle würde ich Fred Harrison anrufen. Sie wollen doch nicht fahren, wenn Sie über der Promille-Grenze sind.«

Wieder hingen Blumen am Torpfosten. Karmesinrote Tulpen diesmal, nach Wexfords Schätzung ungefähr vierzig Stück, das Ganze so auf einem Kissen aus grünen Zweigen arrangiert, daß es eine Raute bildete. Barry Vine las ihm vor, was auf der daran befestigten Karte stand.

»Darob warden die härtesten Steine in Tränen erlebt.«

»Es wird immer erstaunlicher«, sagte Wexford. »Barry, wenn wir mit Mrs. Garland fertig sind, möchte ich, daß wir zusammen ein Experiment durchführen.«

Auf der Fahrt rief er zu Hause an und sprach mit Dora. Es könnte sein, daß er erst spät heimkäme. »Aber nein, Reg, das darfst du nicht. Sylvia hat doch heute ihre Hauseinweihung.« Ob er das vergessen habe? Er hatte. Wann sollten sie dort sein? »Um halb neun spätestens.«

»Wenn ich es eher schaffe, bin ich um acht zu Hause.«

»Ich geh jetzt ein Mitbringsel kaufen. Champagner, es sei denn, dir fällt etwas Interessanteres ein.«

»Nur ein Kissen aus vierzig roten Tulpen, aber ich bin sicher, daß ihr Champagner lieber ist. Sheila hat nicht zufällig angerufen?«

»Das hätte ich dir doch gesagt.«

Der Wald prangte in grünem Schein, erwachte nun mit dem Frühling zum Leben. Der zwiebelartige Geruch vom wilden Knoblauch mit seinen steifen, jadefarbenen Blättern und lilienähnlichen Blüten lag in der Luft. Ein Eichelhäher flog zwischen den Bäumen umher und stieß seinen gellenden Schrei aus. Der herabprasselnde Regen erfüllte die Wälder mit einem gleichmäßigen Rauschen.

Sie kamen aus dem Wald heraus in die offene Parklandschaft und passierten die Lücke in der niedrigen Mauer. Der Regen steigerte sich jäh zu einem Wolkenbruch, der auf die Steine hämmerte, und das Wasser strömte in Fluten über die Windschutzscheibe und die Seiten des Wagens. Durch die zuckende, gläsern-graue Düsternis sah Wexford Joyce Virsons Wagen wieder vor dem Eingang von Tancred House stehen. Plötzlich erfaßte ihn ein ungutes Vorgefühl, daß irgend etwas Folgenschweres nahe bevorstand, aber er tat es als absurd ab. Sie hatten nichts zu bedeuten, diese Gefühle.

Er ging in die Ställe und dachte dabei an den Spender

der Blumengebinde, an John Gabbitas, der von seinen Plänen, ein Haus zu kaufen, nie etwas erwähnt hatte, an die Harrisons, die Daisy im Stich ließen, an diese seltsame, schwachsinnige Frau, die heimlich hinter Türen lauschte. Hatte irgend etwas von diesen ungewöhnlichen Dingen eine Bedeutung für die Tancred-Morde?

Als Joanne Garland eintraf, führte er sie in die Ecke, in die man Daisys zwei Sessel gestellt hatte. Seit ihrem Gespräch am Vormittag hatte sie festes Puder-Make-up aufgetragen. Offensichtlich machte es sie unsicher, daß er nun den Grund für ihre Reise kannte. Sie blickte ihn besorgt an, setzte sich in einen der Sessel und hielt sich die Hand an die Wange, um die schlimmste der purpurroten Blessuren zu verdecken.

»George Jones«, sagte er. »Gunner Jones. Sie kennen ihn?«

Er mußte langsam einfältig werden. Was hatte er erwartet? Ein tiefes Erröten? Wieder einen Tränenstrom? Sie sah ihn an, wie er sie vielleicht angeblickt hätte, wenn er von ihr gefragt worden wäre, ob er Dr. Perkins kenne.

»Ich habe ihn seit Jahren nicht gesehen«, sagte sie. »Ja, ich kenne ihn von früher. Wir waren dicke Freunde, er und Naomi und ich und Brian, mein zweiter Ehemann. Wie gesagt, ich habe ihn nicht mehr gesehen, seit er und Naomi auseinandergegangen sind. Ich habe ihm ein-, zweimal geschrieben – ist es das, worauf Sie hinauswollen?«

»Sie haben ihm schriftlich vorgeschlagen, mit Naomi einen Neuanfang zu machen, oder?«

»Hat er Ihnen das erzählt?«

»Stimmt es denn nicht?«

Sie legte eine Denkpause ein. Ein scharlachroter Fingernagel kratzte an ihrem Haaransatz. Vielleicht juckten die unsichtbaren Stiche. »Es stimmt und stimmt auch nicht. Beim erstenmal, als ich ihm schrieb, ging es schon darum. Naomi war ein bißchen ... nun ja, wehmütig gestimmt, hat ein wenig Trübsal geblasen. Ein- oder zweimal hat sie zu mir gesagt, sie hätte sich vielleicht doch mehr Mühe mit Gunner geben sollen. Alles sei besser als Einsamkeit. Also habe ich ihm geschrieben. Er hat nie geantwortet. Reizend, habe ich gedacht. Aber ich hatte inzwischen eingesehen, daß es doch keine so tolle Idee war. Ich war ein bißchen voreilig gewesen. Die arme Naomi, sie war nicht für die Ehe geschaffen. Nun ja, das galt für Beziehungen überhaupt. Das soll aber nicht heißen, daß sie für Frauen was übrig hatte. Am besten war sie, wenn sie allein war, wenn sie mit ihren Siebensachen, ihren Farben und alledem, herumwerkelte.«

»Aber Sie haben ihm noch einmal geschrieben, Ende des vergangenen Sommers.«

»Ja, aber nicht deswegen.«

»Weswegen dann, Mrs. Garland?«

Wie oft hatte er den Ausspruch schon gehört, den sie jetzt gleich von sich geben würde? Er konnte ihn voraussagen, Wort für Wort. Und er kam prompt: »Das hat mit dieser Sache überhaupt nichts zu tun.«

So gab er die Antwort, die er in solchen Fällen immer gab. »Das bleibt meinem Urteil überlassen.«

Sie wurde plötzlich ärgerlich. »Ich will es nicht sagen. Es ist etwas Peinliches. Verstehen Sie denn nicht? Sie sind tot, es ist jetzt nicht mehr wichtig. Jedenfalls ist es nicht zu – wie nennen Sie das? – sexuellem Mißbrauch, zu einem Gewaltakt gekommen. Das war doch wirklich lächerlich, diese zwei alten Leute. Mein Gott, das ist so *blöd*! Ich bin *müde*, und es hat mit der ganzen Sache nicht das geringste zu tun.«

»Ich hätte gern von Ihnen gehört, was in dem Brief stand, Mrs. Garland.«

»Ich möchte Daisy sehen«, sagte sie. »Ich muß hinüber zu Daisy und ihr mein Beileid aussprechen. Mein

Gott, ich war ja schließlich die beste Freundin ihrer Mutter.«

»Umgekehrt war es nicht so?«

»Drehen Sie mir nicht immer das Wort im Mund um. Sie wissen schon, was ich meine.«

Ja, er wußte, was sie meinte. »Ich habe Zeit in Hülle und Fülle, Mrs. Garland.« Aber das stimmte nicht, er mußte ja auf Sylvias Einladung gehen. Und wenn der Himmel einstürzte, er mußte hin. »Wir bleiben jetzt in diesen recht bequemen Sesseln sitzen, bis Sie sich entschließen, mich aufzuklären.«

Inzwischen war er, von der Relevanz für die Ermittlungen ganz abgesehen, darauf versessen, es zu erfahren. Sie hatte mit ihren Ausflüchten seine Neugier nicht nur geweckt, sondern förmlich aus dem Schlaf gezerrt.

»Ich entnehme Ihren Andeutungen, daß es nichts Persönliches ist«, sagte er. »Es geht nicht um Sie. Sie brauchen sich also nicht zu genieren.«

»Okay, dann packe ich jetzt aus. Aber Sie werden sehen, was ich meine, wenn ich es Ihnen erzähle. Gunner hat übrigens auch diesen Brief nicht beantwortet. Ein schöner Vater ist mir das. Aber ich hätte es mir ja denken können. Der hat sich doch, seit er damals abgehauen ist, nie auch nur im geringsten für das arme Kind interessiert.«

»Es ging also um Daisy?« sagte Wexford, dem ein Licht aufgegangen war.

»Ja. Ja, um sie.«

»Naomi hat es mir erzählt«, sagte Joanne Garland. »Dazu muß ich sagen, man muß Naomi gekannt haben, um zu verstehen, wie sie war. Das Wort ›naiv‹ trifft es nicht genau, obwohl sie das auch war. Irgendwie nicht wie andere Leute, weltfremd – sie hatte keinen Schimmer von dem, was vor sich ging. Ich drücke mich wohl nicht klar aus. Sie hat sich nicht wie andere Leute benommen, und deshalb glaube ich nicht, daß sie eigentlich wußte, wie andere sich verhielten. Wenn sie Dinge taten, die... nun ja, verkehrt oder unmöglich oder auch richtig empörend waren. Und ebensowenig hat sie begriffen, wenn Leute etwas... ja, etwas Erfolgreiches oder Schlaues oder Tolles getan haben. Drücke ich mich überhaupt verständlich aus?«

»Ja, ich denke schon.«

»Sie begann eines Tages, als wir im Laden waren, über diese Geschichte zu sprechen. In einem Ton, in dem sie vielleicht hätte erzählen können, daß Daisy einen neuen Freund hat oder an einer Klassenfahrt ins Ausland teilnimmt. Genauso hat sie es dahergebracht. Sie sagte – ich versuche jetzt mal, mich an ihre genauen Worte zu erinnern –, ja, sie sagte: ›Davina meint, es wäre doch nett, wenn Harvey mit Daisy ins Bett ginge. Um sie gewissermaßen einzuführen.‹ Ja, *einführen* war das Wort. ›Weil Harvey ein wunderbarer Liebhaber ist. Und sie möchte nicht, daß Daisy erleben muß, was ihr passiert ist.‹ Ist Ihnen jetzt klar, was ich mit peinlich gemeint habe?«

Wexford war zwar nicht schockiert, aber er verstand, daß es schockierend war. »Und was haben Sie darauf geantwortet?«

»Warten Sie. Ich bin noch nicht fertig. Naomi hat gesagt, die Dinge lägen so, daß Davina jetzt zu alt sei für... ich brauche es doch nicht auszusprechen, oder? So körperlich, wenn Sie verstehen, was ich meine. Und das machte ihr Kummer, weil Harvey – das sind jetzt Davinas Worte – noch jung und ein vitaler Mann sei. Pfui, habe ich gedacht, pfui, pfui! Offenbar dachte Davina wirklich, es wäre für beide toll, und sie und Harvey haben es dem Mädchen tatsächlich vorgeschlagen. Das heißt, sie hat mit Daisy darüber gesprochen, und noch am selben Tag hat der schreckliche alte Harvey irgendeinen Annäherungsversuch unternommen.«

»Wie hat Daisy reagiert?«

»Ich denke mir, daß sie ihm gesagt haben wird, er solle abhauen. Ja, Naomi hat es so erzählt. Verstehen Sie, Naomi war nicht empört oder sonst was. Sie hat nur gesagt, Davina sei sexbesessen, sei es immer gewesen, aber sie müßte sich klarmachen, daß nicht alle Leute so eingestellt seien wie sie. Aber Naomi hat sich nicht verhalten, wie ich mich verhalten hätte, wenn es mein Kind gewesen wäre, also, wenn ich ein Kind gehabt hätte. Sie hat geredet wie über irgend etwas, worüber wir beide unterschiedlicher Meinung wären, zum Beispiel, ob wir in der Galerie eine Modenschau veranstalten sollten oder nicht. Sie hat lediglich gesagt, daß das Daisys Sache sei. Ich bin in die Luft gegangen. Ich habe alles mögliche gesagt, daß Daisy sittlich gefährdet sei, all sowas, aber es hat alles nichts genützt. Dann habe ich Daisy erwischt. Ich habe sie abgefangen, als sie aus der Schule kam, ihr vorgeschwindelt, daß ich eine Reifenpanne hätte, und sie gebeten, mich nach Hause zu fahren.«

»Sie haben mit ihr darüber gesprochen?«

»Sie hat zwar gelacht, aber es war ihr anzumerken, daß sie ... nun ja, angewidert war. Sie hatte nie viel für Harvey übrig, und ich hatte den Eindruck, daß sie von ihrer Großmutter menschlich sehr enttäuscht war. Sie hat mehrmals gesagt, daß sie das von Davina nicht erwartet hätte. Es hat ihr überhaupt nichts ausgemacht, daß ich davon wußte, sie war sehr nett, sie ist ja ein sehr liebes Kind. Das hat es irgendwie noch schlimmer gemacht.

Sie wollten alle kurz darauf in die Ferien fahren. Es hat mich wirklich beunruhigt, aber ich wußte nicht, was ich sonst noch tun sollte. Immer wieder sah ich dieses Bild vor mir, wie der alte Harvey ... nun ja, wie er sie vergewaltigt. Ich weiß, es war albern von mir, weil ich nicht annehme, daß er es gekonnt hätte, und außerdem muß man sagen, daß sie keine Leute von dieser Sorte waren.«

Wexford hatte keine klare Vorstellung, welche Sorte sie meinte, wollte sie aber nicht unterbrechen. Joanne Garlands anfängliche Zurückhaltung war verschwunden, während sie mit ihrem Bericht in Fahrt geriet.

»Es war kurz vor ihrer geplanten Rückkehr, als ich diesem Nicholas begegnete – heißt er nicht Virson? Ich wußte, daß er gewissermaßen Daisys fester Freund war. Was bei ihr eben als fester Freund galt, und ich habe schon überlegt, ob ich es ihm erzählen sollte. Es lag mir auf der Zunge, aber er ist solch ein gespreizter Esel, daß ich mir gut vorstellen konnte, wie er puterrot anlaufen und schnell abwinken würde. Also ließ ich es sein. Ich habe dann Gunner deswegen geschrieben.

Schließlich ist er ja ihr Vater. Ich dachte, darauf würde sogar der elende Gunner reagieren und etwas unternehmen. Aber da habe ich mich schön getäuscht. Es war ihm völlig egal. Ich mußte mich einfach auf Daisy verlassen – genauer gesagt, auf ihre Vernunft. Und es war ja nicht so, als wäre sie noch ein Kind, eigentlich nicht mehr, sie war ja siebzehn. Aber dieser Gunner – ein schöner Vater ist mir der!«

In den Gelben Seiten standen sieben Büchsenmacher in Kingsmarkham, fünf in Stowerton, drei allein in Pomfret und weitere zwölf im Umland.

»Es ist ein Wunder, daß wir noch freilebende Tiere haben«, sagte Karen Malahyde. »Wonach suchen wir eigentlich?«

»Nach jemandem, der Ken Harrison als Teilzeitjobber beschäftigte, ihm beibrachte, wie man einen Revolverlauf verändert, und ihm dafür das Werkzeug geliehen hat.«

»Sie machen Witze, Sir, oder?«

»Ich fürchte, ja«, sagte Burden.

24

Fred Harrison kam in seinem Taxi an ihm vorbei, als er in Richtung auf das Tor der Hauptzufahrt fuhr. Unterwegs, um Joanne Garland abzuholen, die gerade ihren Kondolenzbesuch bei Daisy macht, dachte er, während er den Gruß des Mannes erwiderte. Kondolenz? Ja – warum nicht? Es war erstaunlich, welche Mißhandlungen die Liebe überlebt. Man brauchte nur an geprügelte Ehefrauen und mißhandelte Kinder zu denken. Vermutlich hatte sie sich die alte bewundernde Ehrfurcht vor ihrer Großmutter bewahrt, gedämpft durch echte Zuneigung, und was Harvey Copeland betraf, so hatte sie ihn schlichtweg nie gemocht. Und ihre Mutter – Menschen wie Naomi Jones, exzentrisch in ihrer Weltfremdheit, ihrer weichen, zufriedenen Passivität, waren oft sehr liebenswert.

Was Wexford wußte, Joanne Garland aber vermutlich nicht, das waren die Enthüllungen in den Briefen, die in dem Artikel in der *Sunday Times* zitiert worden waren. Die nie vollzogene erste Ehe mit Desmond Flory. Jene Jahre eines Zusammenlebens »wie Bruder und Schwester«, wie der seinerzeit gängige Euphemismus es beschrieb, die Aussichtlosigkeit, in jenen Zeiten und in jenem Milieu Hilfe zu finden. Die sexuell besten Jahre ihres Lebens, von dreiundzwanzig bis fünfdunddreißig, vergeudet, verloren, vielleicht ohne Aussicht auf einen Ausgleich in späterer Zeit. Und gegen Ende des Kriegs, in dessen letzten Tagen Desmond Flory fiel, war es zu der Begegnung mit dem Mann gekommen, der dann Naomis Vater wurde.

Die ungenutzte Energie dieser Jahre hatte sie in die

Aufforstung der Wälder gesteckt. Es war müßig zu spekulieren, ob es diese Wälder heute geben würde, wenn Flory bei seiner Frau nicht versagt hätte. Wexford fragte sich, ob Davina Florys Sexbesessenheit vielleicht ihre Wurzeln in jenen zehn Jahren der Enttäuschung gehabt hatte, ob diese leeren Jahre ihr nicht immer gegenwärtig gewesen waren. Sie hatte gewußt, was die Zukunft auch bringen mochte, diese Lücke konnte nie mehr geschlossen werden.

Vor etwas Ähnlichem hatte sie Daisy bewahren wollen. Das war die nachsichtige Deutung. Wexford konnte sich viele andere katastrophale Folgen einer Liaison zwischen Daisy und dem Ehemann ihrer Großmutter vorstellen, so daß die nachsichtige Deutung schließlich als das erschien, was sie war: eine leere Entschuldigung. Sie hätte klüger sein sollen, sagte er zu sich. Geschmack und schlichter Anstand hätten sie eines Besseren belehren sollen, Geschmack und Anstand und dazu noch etwas, auf das sie doch, wie sie behauptet hatte, so großen Wert legte: *zivilisiertes* Verhalten.

Wer aber war der Liebhaber gewesen? Wer war dieser Mann gewesen, der wie der Prinz im Märchen dahergeritten kam, um die Frau in dem verwunschenen Wald zu befreien? Irgendein Schriftstellerkollege, nahm er an, oder ein Universitätslehrer. Es fiel ihm auch nicht schwer, sich Davina in der Rolle einer Lady Chatterley vorzustellen und Davinas Vater als einen Gutsangestellten.

Der Regen hatte aufgehört. Es war feucht und dunstig, doch als er die Straße durch den Wald hinter sich hatte und in Richtung Kingsmarkham fuhr, kam die untergehende Sonne heraus. Der Abend war schön und warm, die Wolken waren in dichten, wogenden Massen zum Horizont gezogen. Eine letzte Pfütze spritzte hoch, als er mit dem Wagen auf das Garagentor zufuhr. Er traf

Dora am Telefon an, und Hoffnung keimte auf, wurde aber von einem Kopfschütteln rasch zerstört. Es war Neils Vater gewesen, der angefragt hatte, ob sie abgeholt werden möchte.

»Und was ist mit mir? Warum sollte ich nicht abgeholt werden wollen?«

»Er hat angenommen, du kommst nicht. Liebling, die Leute sind es doch gewohnt, daß du auf Einladungen meistens nicht erscheinst.«

»Natürlich gehe ich zur House-warming-Party meiner eigenen Tochter!«

Es war unvernünftig, sich darüber aufzuregen. Wexford war Psychologe genug, um zu wissen, daß Schuldbewußtsein der wahre Grund war, wenn er außer Fassung geraten war. Er hatte Schuldgefühle, weil er gar nicht mehr wußte, was er an Sylvia hatte, sie liebte, weil sie da war, sie hinter ihrer Schwester zurücksetzte und sich zwingen mußte, an sie zu denken, damit er ihre Existenz nicht ganz vergaß. Er ging nach oben, um sich umzuziehen. Er hatte vorgehabt, eine Sportjacke und eine Kordsamthose anzuziehen, wählte aber statt dessen seinen besten Anzug, seinen einzigen wirklich guten Anzug.

Warum machte er sich nur so viele Gedanken um dieses alberne Mädchen, diese lächerliche, affektierte Sheila mit ihren Schauspielerinnenallüren? Daß er sie mit diesen schrecklichen Adjektiven bedachte, ließ ihn beinahe laut aufstöhnen. Da er in der Diele allein war, nahm er den Telefonhörer ab und wählte ihre Nummer. Als es zum viertenmal klingelte und die Stimme auf dem Anrufbeantworter sich nicht meldete, schöpfte er wieder Hoffnung. Aber niemand nahm den Hörer ab. Er ließ es zwanzigmal klingeln und legte dann auf.

»Du siehst aber elegant aus«, meinte Dora. Und: »Sie macht schon keine Dummheiten, glaub mir nur.«

»Daran hab ich nicht einmal gedacht«, sagte er, obwohl es nicht stimmte.

Das Haus,das Sylvia und ihr Mann gekauft hatten, befand sich auf der anderen Seite von Myfleet, ungefähr zwölf Meilen entfernt. Ein Pfarrhaus aus jenen Zeiten, als die Church of England sich nichts dabei dachte, ihre Geistlichen mit dem lächerlichen Jahresgehalt von 500 Pfund in ein feuchtes, ungeheiztes Haus mit zehn Schlafzimmern zu setzen. Sylvia und Neil hatten es unbedingt haben wollen. Sie teilten die im ausgehenden zwanzigsten Jahrhundert verbreitete Abneigung gegen das Vorstadtleben und hatten es kaum erwarten können, bis sie es sich leisten konnten, ihre Doppelhaushälfte mit fünf Zimmern zu verlassen. Diese Sehnsucht nach einem »richtigen« Haus war eines der wenigen Dinge, in denen sie sich einig waren, wie Wexford und seine Frau kürzlich festgestellt hatten. Aber kein ungleiches Paar hätte sich mit mehr Ernst bemühen können, zusammenzubleiben, als diese beiden, die immer mehr gemeinsamen Besitz anhäuften und es fertigbrachten, sich mehr und mehr darauf zu verlassen, vom Partner bedient und unterstützt zu werden.

Sylvia hatte nach dem Abschluß ihres Fernstudiums eine ziemlich gute Stelle in der Bildungsbehörde der Grafschaft erhalten. Sie schien sich gerne selbst das Leben schwer zu machen, so daß sie sich auf Neil verlassen mußte, so wie er seinerseits öfter Einladungen gab und mehr Auslandsreisen unternahm und dabei auf sie vertraute. Doch der Kauf dieses Hauses, noch einmal zehn Meilen weiter von Sylvias Arbeitsplatz entfernt und in der Gegenrichtung der Schule seiner Enkel, erschien Wexford des Guten zuviel. Er äußerte seine Bedenken gegenüber Dora, während er aufmerksam die zahllosen Windungen nach Myfleet dahinfuhr.

»Das Leben ist so schon schwer genug, man muß nicht auch noch ein Hindernisrennen daraus machen.«

»Natürlich. Hast du schon daran gedacht, daß Sheila vielleicht heute abend auch dort ist? Sie ist eingeladen.«

»Sie wird nicht kommen.«

Sie war nicht da. Noch bevor er fragen konnte, sagte Sylvia ihm, daß ihre Schwester nicht kommen werde – sie habe ihr schon vor einer Woche einen Korb gegeben. Er hätte ohnehin nicht gefragt. Szenen aus der Vergangenheit und Bekundungen bitteren Grolls hatten ihn gelehrt, welche Folgen solche Fragen haben konnten.

»Du siehst aber elegant aus, Dad.«

Er küßte sie, sagte, das Haus sei herrlich, obwohl es ihm jetzt noch größer und strenger in seinem Äußeren erschien. Aber es ließ sich nicht bestreiten, daß es für eine Party den idealen Rahmen bot. Er ging ins Wohnzimmer, wo sich bereits die Gäste drängten. Das ganze Gebäude bedurfte dringend einer Renovierung und schrie nach einer Zentralheizung. Der Anblick eines großen Feuers in dem viktorianischen, pseudoherrschaftlichen Kamin tat wohl, und die Körperwärme von fünfzig Menschen würde dafür sorgen, daß man nicht fror. Wexford begrüßte seinen Schwiegersohn und nahm dankend ein Glas Highland Spring entgegen, veredelt mit Eiswürfeln, Limonenscheiben und Minzeblättern.

Alle Anwesenden wußten, wer er war. Es war nicht eigentlich Unbehagen, das er spürte, als er sich zwischen den Gästen bewegte, sondern vielmehr Vorsicht, ein In-sich-selbst-Zurückziehen, eine flüchtige Befragung des Gewissens. Dies galt heute noch mehr als früher, angesichts der gegenwärtigen Kampagne gegen Alkohol am Steuer, und er sah Männer, die heimliche Blicke auf ein Glas warfen, das offensichtlich ein paar Zentimeter Whisky enthielt, und sich dabei fragten, ob sie damit durchkämen, wenn sie ihn als Apfelsaft ausgaben, oder ob sie auf die alte Entschuldigung zurückgreifen sollten: Meine Frau fährt auf dem Rückweg.

Er entdeckte Burden. Der Inspector stand schweigend bei einer Gruppe, die Jenny und ein paar von Sylvias Kollegen aus der Bildungsbehörde einschloß. Das große Glas in seiner Hand enthielt tatsächlich Apfelsaft. Es sei denn, Mike wäre ausgeflippt und hätte sich ein halbes Pint Scotch geben lassen. Wexford schob sich langsam hinüber, nachdem er einen ihm genehmen Gesprächspartner erspäht hatte.

»Sie sehen aber elegant aus.«

»Sie sind jetzt der dritte, der es für angebracht hält, mein Äußeres zu kommentieren. Und mit fast genau denselben Worten. Laufe ich denn im allgemeinen in solchen Lumpen herum?«

Burden ging nicht darauf ein, sondern sah Wexford mit einem angedeuteten Lächeln an, das von einem schwachen Hochziehen der Augenbrauen begleitet wurde. Er selbst trug einen anthrazitgrauen Kaschmirpullover über einem weißen Polohemd, dazu eine anthrazitgraue Bomberjacke aus Waschseide und Designer-Jeans und hatte damit vielleicht nicht die gewünschte Wirkung erzielt. Zumindest nicht in Wexfords Augen.

»Weil wir schon bei persönlichen Bemerkungen sind«, sagte Wexford, »in diesem Aufzug sehen Sie aus wie ein schnieker Pfarrer. Der passende Bewohner für dieses Haus. Das macht der hohe, weiße Kragen.«

»Ach, Unsinn«, sagte Burden verstimmt. »Das ist wieder eine Ihrer typischen Bemerkungen, nur weil ich nicht jeden Tag so aussehe, daß mir der ›Polyp‹ aus allen Knopflöchern herausschaut. Kommen Sie mit hier herein. Nehmen Sie Ihr Glas mit. Dieses Haus ist ein richtiges Labyrinth.«

Sie befanden sich nun in einem Raum, der früher einmal vielleicht ein Damenzimmer, Nähzimmer, Studio oder »kleines Reich« gewesen war. In der Ecke brannte ein Ölofen, der zwar Gerüche, aber nur wenig Wärme abgab.

»Sehn Sie sich die Dinger da in meinem Glas an«, bemerkte Wexford. »Sie schauen aus wie Murmeln. Wie würden Sie dazu sagen? Nicht Eiswürfel, denn sie sind ja rund. Wie wär's mit Eiskugeln?«

»Da würde doch niemand wissen, was Sie meinen. Man würde sagen ›runde Eiswürfel‹.«

»Ja, aber das ist doch ein Widerspruch in sich, man müßte ...«

Burden unterbrach ihn in einem strengen Ton. »Der Deputy Chief Constable hat angerufen, während Sie bei dieser Joanne Soundso waren. Ich habe mit ihm gesprochen. Er sagt, es ist eine Farce, vier Wochen nach dem Geschehnis von einer ›Mordzentrale‹ zu sprechen, und er möchte, daß wir Ende der Woche aus Tancred weg sind.«

»Ich weiß. Er hat mich zu sich bestellt. Übrigens, wer spricht denn von einer ›Mordzentrale‹?«

»Karen und auch Gerry, wenn sie ans Telefon gehen. Und noch schlimmer – ich habe Gerry sagen hören: ›Hier ist die Massakerzentrale.‹«

»Es ist nicht so wichtig. Wir brauchen nicht mehr dort zu sein. Ich habe das Gefühl, daß die Lösung zum Greifen nahe ist, Mike, mehr als das kann ich nicht sagen. Ich brauche nur noch ein, zwei Dinge, die das Bild ergänzen, ich brauche noch *einen* Funken Erleuchtung ...«

Burden sah ihn mißtrauisch an. »Ich brauche noch viel, viel mehr, das kann ich Ihnen verraten. Ist Ihnen nicht klar, daß wir noch nicht einmal die erste Hürde überwunden haben, nämlich, wie sie von Tancred wegkamen, ohne daß jemand sie gesehen hat?«

»Ja, Daisy hat um 20.22 Uhr über die Notrufnummer angerufen. Das, sagt sie, war zwischen fünf und zehn

Minuten, nachdem sie abgehauen waren. Aber sie weiß es nicht genau, und ihre Schätzung ist wirklich sehr grob. Wenn es tatsächlich volle zehn Minuten waren, und das ist wohl das Maximum, müssen sie um zwölf nach acht verduftet sein, vier Minuten bevor Joanne Garland wegfuhr. Ich glaube dieser Frau, Mike. Ich glaube, daß sie ein tolles Zeitgedächtnis hat, wie das bei solchen Pünktlichkeitsfanatikern so ist. Wenn sie sagt, sie sei um 20.16 Uhr weggefahren, dann stimmt das auch.

Aber wenn die zwei um zwölf nach acht losgefahren wären, hätte sie sie sehen müssen. Um diese Zeit ist sie nämlich an der Vorderseite des Hauses entlanggegangen und hat durchs Fenster ins Eßzimmer hineinzuschauen versucht. Also fuhren sie später weg, und Daisy hat eher fünf als zehn Minuten bis zum Telefon gebraucht. Sagen wir, sie sind um siebzehn oder achtzehn Minuten nach acht abgehauen. In diesem Fall müßten sie hinter Joanne Garland hergefahren sein, und man kann sicher annehmen, daß sie schneller gefahren sind als die Frau...«

»Es sei denn, sie haben die Nebenstraße genommen.«

»Dann wären sie von Gabbitas gesehen worden. Wenn Gabbitas irgendwie daran beteiligt gewesen wäre, Mike, dann läge es in seinem Interesse zu sagen, er habe sie gesehen. Und das sagt er nicht. Wenn er unschuldig ist und behauptet, er habe sie nicht gesehen, dann sind sie dort nicht gefahren. Aber um auf Joanne Garland zurückzukommen.

Als sie am Tor der Hauptzufahrt ankam, mußte sie aussteigen, um es zu öffnen, wieder einsteigen, durchfahren, noch einmal aussteigen und es schließen. Ist es gerade noch vorstellbar, daß sie, mit dem Wagen der Killer dicht hinter ihr, das geschafft hat, ohne von ihnen eingeholt zu werden?«

»Wir könnten es ausprobieren«, sagte Burden.

»Das hab ich getan. Heute nachmittag habe ich es ausprobiert. Nur haben wir nicht zwei, sondern drei Minuten zwischen der Abfahrt von Wagen A und der von Wagen B verstreichen lassen. Ich bin mit Wagen A zwischen dreißig und vierzig Meilen pro Stunde gefahren, und Barry ist mit Wagen B so schnell gefahren, wie er es gefahrlos konnte, vierzig bis fünfzig, manchmal über fünfzig. Er hat mich eingeholt, als ich das zweite Mal ausstieg, um das Tor zu schließen.«

»Könnten sie weggefahren sein, *bevor* Joanne Garland angekommen ist?«

»Kaum. Sie traf dort elf Minuten nach acht ein. Nun sagt Daisy, sie hätten die Killer erst ein, zwei Minuten nach acht im Haus gehört. Wenn sie um zehn nach acht abgehauen sind, blieben ihnen höchstens zehn Minuten Zeit, um nach oben zu gehen, ein Chaos zu veranstalten, wieder nach unten zu kommen, drei Menschen zu töten, einen vierten anzuschießen und zu verduften. Es wäre zu schaffen gewesen – mit knappster Not. Doch wenn sie auf der Hauptzufahrt durch den Wald weggefahren sind, müssen sie Joanne Garland begegnet sein, die nach Tancred unterwegs war. Und wenn sie, sagen wir, um sieben nach acht, über die Nebenstraße losgefahren sind, müssen sie Bib Mew auf ihrem Rad überholt haben, da sie Tancred House um zehn vor acht verlassen hat.«

Burden sagte nachdenklich: »So wie es sich bei Ihnen anhört, ist es unmöglich.«

»Es ist unmöglich. Es sei denn, Bib und Gabbitas und Joanne Garland und die Killer hätten sich abgesprochen, was offenkundig nicht der Fall ist. Es ist ein Ding der Unmöglichkeit, daß sie sich zu irgendeinem Zeitpunkt zwischen fünf nach acht und zwanzig nach acht aus dem Staub gemacht haben, und doch wissen wir, daß sie es getan haben müssen. Mike, wir sind die ganze Zeit von einer Voraussetzung ausgegangen, die auf einem sehr dürftigen Indiz beruht: nämlich, daß sie *mit einem Wagen* gekommen und abgehauen sind. In oder auf irgendeinem motorisierten Fahrzeug. Wir sind davon ausgegangen, daß die Killer ein Fahrzeug benutzt haben. Aber angenommen, es war nicht so?«

Burden starrte ihn an. In diesem Augenblick ging die Tür auf, und ein Schwarm von Leuten kam herein, alle mit gefüllten Tellern und alle auf der Suche nach einem Platz zum Sitzen. Statt seine eigene Frage zu beantworten, sagte Wexford: »Es gibt was zu essen. Wollen wir uns nicht etwas holen gehen?«

»Wir sollten uns sowieso nicht die ganze Zeit hier aufhalten. Es ist nicht fair gegenüber Sylvia.«

»Sie meinen, der Eingeladene hat die Pflicht, die Runde unter den Gästen zu machen und sich damit sein Mineralwasser und die Kartoffelchips zu verdienen?«

»Ja, so ungefähr.« Burden feixte. Er sah auf seine Uhr. »Wissen Sie, daß es schon nach zehn ist? Wir haben unseren Babysitter nur bis elf.«

»Gerade noch Zeit für ein Sandwich«, sagte Wexford, der sich ziemlich sicher war, daß seine Geschmacksvorlieben nicht berücksichtigt waren.

Während er ein Sandwich mit Lachs und Mayonnaise verzehrte, unterhielt er sich mit zwei von Sylvias Kolleginnen, dann mit ein paar alten Schulfreunden von ihr. Burden hatte nicht ganz unrecht mit dem, was er von den Pflichten eines Gastes gesagt hatte. Dora war, wie er feststellte, in einen lustigen Streit mit Neils Vater verwickelt. Doch die ganze Zeit behielt er Burden immer ein wenig im Auge, und als die Schulfreunde sich noch Sandwichs mit Geflügelsalat holten, verdrückte er sich in Burdens Richtung.

Burden nahm ihr Gespräch genau an der Stelle wieder auf, wo sie es abgebrochen hatten. »Aber irgendein Fahrzeug müssen sie doch benutzt haben.«

»Nun, Sie wissen ja, was Holmes gesagt hat. Wenn

alles andere als unmöglich ausscheidet, muß das zutreffen, was übrigbleibt, und wenn es noch so unwahrscheinlich ist.«

»Wie hätten sie ohne ein Fahrzeug hinkommen sollen? Tancred House liegt doch am Ende der Welt.«

»Durch den Wald. Zu Fuß. Es ist die einzige Möglichkeit, Mike. Überlegen Sie mal. Die Straßen waren doch geradezu verstopft. Joanne Garland auf der Hauptzufahrt in beiden Richtungen. Zuerst Bib Mew und dann Gabbitas auf der Nebenstraße. Aber das braucht sie nicht zu kümmern, weil sie sich völlig ungefährdet aus dem Staub machen – zu Fuß. Warum nicht? Was hatten sie schon zu tragen? Einen Revolver und ein paar Schmuckstücke.«

»Daisy hat gehört, wie ein Motor angelassen wurde.«

»Natürlich hat sie das. Sie hat gehört, wie Joanne Garland wegfuhr. Das war zwar später, als sie angibt, aber es wäre doch zuviel verlangt von ihr, die Zeit genau anzugeben. Sie hörte, wie der Motor von Joanne Garlands Wagen ansprang, während sie zum Telefon kroch, nachdem die beiden Killer fort waren.«

»Ja, ich glaube, Sie haben recht. Und die beiden hätten sich absetzen können, ohne von jemandem gesehen zu werden?«

»Das habe ich nicht gesagt. Sie sind von jemandem gesehen worden. Von Andy Griffin. Er war an diesem Abend dort draußen, hat in seinem Versteck sein Nachtlager aufgeschlagen und sie gesehen. Aus so geringer Entfernung, denke ich, daß er sie erkannte. Er hat versucht, sie oder einen von ihnen zu erpressen, und das Ergebnis war, daß sie ihn aufgeknüpft haben.«

Wexford begann zu überlegen, ob er nicht auch aufbrechen sollte, nachdem Burden und seine Frau sich verabschiedet hatten. Sie waren so spät gegangen, daß ihr

Babysitter eine Viertelstunde länger bleiben mußte. Es war beinahe elf Uhr.

Dora war mit einem Schwarm anderer Frauen unter Sylvias Führung zu einer Besichtigung des Hauses aufgebrochen. Sie wollten dabei keinen Lärm machen, damit die kleinen Jungen nicht wach wurden. Wexford mochte Sylvia nicht fragen, ob sie von ihrer Schwester gehört habe, denn eine solche Frage würde vielleicht einen Eifersuchtsanfall auslösen. Wenn Sylvia mit ihrem neuen Haus und ihrem derzeitigen Leben zufrieden war, würde sie auf seine Erkundigung wie ein vernünftiger Mensch reagieren. Wenn aber nicht – und er konnte nicht sagen, in welcher Gemütsverfassung sie an diesem Abend war –, würde sie mit ihren alten Vorwürfen über ihn herfallen, daß er ihre jüngere Schwester bevorzuge. Es gelang ihm, sich zu Neil durchzuwinden, und so fragte er ihn.

Natürlich hatte Neil keine Ahnung, ob Sylvia in der letzten Zeit mit Sheila gesprochen hatte. Er wußte nur vage, daß Sheila mit einem Romancier liiert gewesen war, von dem er bis dahin noch nie gehört hatte, nichts aber davon, daß diese Beziehung beendet war. Ohne dies beabsichtigt zu haben, ließ er Wexford dumm dastehen. Er sagte, alles werde seinen richtigen Gang gehen, und entschuldigte sich, weil er ein Tablett mit Kaffeetassen holen wolle.

Dora kam zurück und meinte, wenn er jetzt gern einen richtigen Drink hätte, würde sie nachher fahren. Wexford lehnte dankend ab; er hatte festgestellt, daß man nach zwei Gläsern von diesem Mineralwasser eigentlich nicht auf Alkohol versessen war. Er schlug vor aufzubrechen.

Sie waren beide mit diesem schwierigen Kind ungemein vorsichtig geworden und gaben sich alle erdenkliche Mühe, Sylvia ja nicht zu kränken. Aber auch andere Leute waren im Aufbruch begriffen. Nur ein harter

Kern von Nachtschwärmern würde bis nach Mitternacht bleiben. Geduldig warteten sie darauf, daß anderen Gästen die Mäntel gebracht und scherzende Abschiedsworte mit jenen gewechselt wurden, die sich mit dem Gehen Zeit ließen.

Schließlich küßte Wexford seine Tochter und wünschte ihr eine gute Nacht, dankte ihr für die reizende Einladung. Sie küßte ihn ebenfalls und zog ihn mit einer netten, herzlichen Umarmung ganz ohne Groll an sich. Er fand, daß Dora ein bißchen weit ging, als sie sagte: »Happy house« – was für ein Ausdruck! –, aber alles war recht, was dem Ziel diente, es Sylvia recht zu machen.

Es gab mehrere Routen nach Hause. Durch Myfleet selbst oder auf einem kleinen Umweg nach Norden, womit man Myfleet umging, oder südwärts auf der langen Route über Pomfret Monachorum. Er entschied sich für die Umgehungsstraße, obwohl sich das Wort anhörte, als handelte es sich um eine gutbeleuchtete Autobahn und nicht um das, was es wirklich war: gewissermaßen ein Fadenspiel aus Sträßchen, bei dem man genau wissen mußte, wie man die richtigen Fäden aufnahm.

Es war sehr dunkel. Der Mond ließ sich nicht sehen, und auch die Sterne waren hinter einer dichten Wolkendecke verborgen. In den Dörfern dieser Gegend hatten die Bewohner sich gegen die Installierung einer Straßenbeleuchtung gewehrt, so daß die Ortschaften zu dieser Stunde wie unbewohnt wirkten. Alle Häuser lagen im Dunkeln, nur hier und da war in einem Fenster, wo ein Nachtvogel sich die Zeit um die Ohren schlug, hinter Vorhängen gedämpftes Licht zu sehen.

Dora hörte die Sirenen einen Sekundenbruchteil vor ihm. »Können eure Leute denn das nicht sein lassen? Jetzt, nach Mitternacht?«

Sie befanden sich auf einem der geraden Abschnitte

einer Allee zwischen zwei Wohnsiedlungen. Die Böschungen zu beiden Seiten ragten wie Schutzwände empor. In diesem dunklen Canyon wurde das Licht der Scheinwerfer stark gebündelt.

»Das sind nicht welche von uns«, sagte er. »Das ist die Feuerwehr.«

»Woher willst du das wissen?«

»Das Heulen hört sich anders an.«

Der Klang der Sirenen wurde stärker, und einen Augenblick lang dachte Wexford schon, das Feuerwehrauto rase ihnen frontal entgegen. Er war bereits auf die Bremse gestiegen und lenkte den Wagen, so dicht es ging, an den linken Straßenrand, als das Sirengengeheul wieder schwächer wurde. Er erkannte, daß die Feuerwehr weiter vorne auf einer anderen Straße unterwegs war.

Wexford beschleunigte wieder und tauchte aus der Senke mit den dichtbewachsenen Böschungen auf, die sie gegen den Wind abschirmten. Die Wälle wurden immer flacher, die Straße breiter, und vor ihnen dehnte sich offenes, flaches Land. Der Himmel vor ihnen war rot. Am Horizont hatte rauchiges Rot die Wolkenberge verfärbt wie der Widerschein der Lichter einer Großstadt. Aber dort war keine Stadt.

Wieder setzte Sirenengeheul ein. »Das ist nicht in Myfleet«, stellte Dora fest. »Es ist davor. Brennt da ein Haus?«

»Das werden wir gleich sehen.«

Er wußte Bescheid, noch ehe sie dort ankamen. Es war das einzige Haus mit einem Reetdach in der ganzen Siedlung. Das dumpfe, rauchige Rostrot verstärkte sich weiter, bis das Glühen am Himmel sich wie ein Kohlefeuer ausnahm. Dann konnten sie das gleichmäßige Prasseln der züngelnden Flammen wahrnehmen.

Die Straße war bereits abgesperrt. Auf der anderen Seite der Barriere standen die beiden Löschfahrzeuge.

Die Feuerwehrmänner versuchten der Flammen Herr zu werden, offensichtlich aber nicht mit Wasser. Der Lärm, den der Brand verursachte, hörte sich an wie das Tosen, mit dem sturmgepeitschte Wellen auf einen Kiesstrand donnern.

Wexford stieg aus und trat an die Absperrung. Ein Brandmeister wollte ihn auf die Straße nach Myfleet verweisen, doch dann erkannte er, wen er vor sich hatte. Wexford schüttelte den Kopf. Er wollte gar nicht erst versuchen, diesen Höllenlärm zu überschreien. Die Brandhitze reichte bis zu ihm, raubte der Luft ihre Kälte und Feuchtigkeit, war sengend wie das gewaltige Kaminfeuer in einem Haus, in dem Riesen wohnen.

Wexford blickte wie gebannt in die Flammen. Er war so nahe, daß er sich vorstellen konnte, das Feuer versengte ihm das Gesicht. Obwohl es erst kürzlich geregnet hatte, allerdings zu unergiebig, hatte das Reetdach gebrannt wie Zunder. Dort, wo es gewesen war, wo noch ein paar Überreste vorhanden waren, konnte man zwischen den wütenden Flammen die rußigen Dachbalken erkennen. Das Haus war zu einer Fackel geworden, doch das Feuer loderte wilder als die Flamme einer Fackel, tierisch in seiner Gier und seiner leidenschaftlichen Entschlossenheit, alles zu verbrennen und zu vernichten. Funken stoben in Spiralen gen Himmel, sanken herab und tanzten durch die Luft. Ein großer, brennender Brocken, ein Bündel lodernden Strohs löste sich plötzlich vom Dach und wirbelte wie eine Rakete auf sie zu. Wexford duckte sich und wich rückwärts aus.

Als das brennende Ding schwelend zu ihren Füßen lag, fragte Wexford den Brandmeister, ob jemand im Haus gewesen sei.

Das Eintreffen eines Krankenwagens ersparte dem Mann die Antwort. Wexford sah, daß Dora ein Stück zurückfuhr, um Platz zu machen. Der Brandmeister öffnete die Absperrung für den Rettungswagen.

»Der Versuch war aussichtlos«, sagte der Feuerwehrmann.

Ein Wagen fuhr hinterher. Es war Nicholas Virsons MG. Er wurde langsamer, aber nicht so, als hätte der Fahrer bewußt gebremst. Der MG kam rüttelnd zum Stehen und machte zuletzt noch einen Satz nach vorn. Virson stieg aus, stand da und blickte auf das brennende Haus. Er schlug die Hände vors Gesicht.

Wexford ging zu Dora zurück. »Du kannst nach Hause fahren, wenn du willst. Mich nimmt schon irgend jemand mit.«

»Reg, was ist da geschehen?«

»Ich weiß es nicht. Ich kann mir nicht vorstellen, daß der Brand zufällig ausgebrochen ist.«

»Ich warte auf dich.«

Die Sanitäter trugen auf einer Bahre jemanden heraus. Wexford hatte eine Frau erwartet, aber es war ein Mann, jener Feuerwehrmann, der den aussichtslosen Rettungsversuch unternommen hatte. Nicholas Virson blickte Wexford mit einem verzweifelten Ausdruck an. Er weinte hemmungslos.

25

Das Haus war zum Teil sehr alt gewesen und war in ferner Vergangenheit auf einem hölzernen Traggerüst errichtet worden. Zwei der Hauptpfeiler hatten den Brand überstanden. Sie waren aus Eichenholz und nahezu unzerstörbar. Wie verkohlte Bäume ragten sie aus den Aschehaufen in die Höhe. Das Haus hatte keine Fundamente gehabt. Diese Pfeiler waren nur tief in die Erde gerammt worden.

Die geschwärzte Brandstätte wirkte mehr wie die Reste eines niedergebrannten Waldstücks als die eines eingeäscherten Hauses. Wexford, der die Verwüstung von seinem Wagen aus betrachtete, erinnerte sich, wie hübsch er das Heim der Virsons bei seinem ersten Besuch gefunden hatte. Ein idyllisches Holzhaus mit Kletterrosen um die Haustüre und einem Garten, der es wert gewesen wäre, in einem Kalender abgebildet zu werden. Der Täter hatte offensichtlich ein besonderes Vergnügen daran gefunden, Schönheit zugrunde zu richten, hatte mit Behagen dieses Zerstörungswerk angerichtet. Denn inzwischen stand für Wexford fest, daß es sich hier um Brandstiftung handelte.

Jemanden zu töten, war vielleicht das primäre Motiv gewesen, aber blinde Zerstörungslust hatte auch ihren Teil daran gehabt, als hätte der Täter damit seinem Werk die Krone aufsetzen wollen.

In der Garage im Thatched House hatten zwanzig Zwei-Gallonen-Kanister Benzin und ungefähr zehn Kanister mit je einer Gallone Paraffin gelagert. Die Kanister waren die Wände entlang aufgereiht gewesen, ein

Großteil an der gemeinsamen Mauer mit dem Haus. Das Reetdach hatte über das Haus hinweg auch die Garage gedeckt.

Nicholas Virson hatte eine Erklärung dafür. Eine politische Krise im Nahen Osten habe seine Mutter veranlaßt, diesen Vorrat anzulegen. Welche spezielle Krise, daran könne er sich nicht mehr erinnern, aber das Öl sei seit Jahren in der Garage gewesen, für einen »verregneten Tag«, womit er Notzeiten meinte.

Die Tage, dachte Wexford, waren nicht verregnet genug. Dem leichten Nieseln in den letzten Tagen war eine lange, anhaltende Dürreperiode vorausgegangen. Die Männer von der Spurensicherung hatten nur wenig in der Garage gefunden, von der kaum mehr etwas übrig war. Irgend etwas hatte diese Kanister in Brand gesetzt, eine einfache Lunte. Aus der Entdeckung des Stummels einer gewöhnlichen Haushaltskerze, die – beinahe ein Wunder – unter dem Garagentor ins Freie gerollt war, schlossen sie, daß es sich dabei um einen für die Brandstiftung verwendeten Gegenstand handle. Das, woran die Beamten dabei dachten, klappte zwar nicht immer, hatte aber in diesem Fall funktioniert. Man tauche ein Stück Bindfaden nicht in Benzin, sondern in Paraffin und stecke das eine Ende in einen Paraffinkanister. Dieser steht zwischen mit Benzin gefüllten Kanistern. Man binde das andere Bindfadenende um eine halb niedergebrannte Kerze, zünde die Kerze an, und zwei, drei, vier Stunden später ...

Der Feuerwehrmann hatte zwar schwere Verbrennungen erlitten, würde aber wahrscheinlich durchkommen. Joyce Virson war tot. Wexford hatte der Presse erklärt, daß die Kripo den Fall als Mord behandle. Hier handle es sich um Brandstiftung und Mord.

»Wer wußte von diesem Benzin, Mr. Virson?«

»Unsere Zugehfrau. Der Mann, der unseren Garten in Schuß hält. Meine Mutter, nehme ich an, hat Leuten,

Bekannten, ich selbst habe vielleicht anderen Leuten davon erzählt. Zum Beispiel erinnere ich mich, daß einmal ein guter Freund von mir hier war, weil er keinen Sprit mehr hatte. Ich habe so viel in seinen Tank gefüllt, daß er damit nach Hause kam. Dann die Burschen, die erschienen waren, um das Reetdach zu flikken. Sie sind auch in die Garage gegangen und haben mittags da drinnen immer ihre belegten Brote gegessen...«

Und einen Glimmstengel geraucht, dachte Wexford. »Nennen Sie uns doch einmal ein paar Namen.«

Während Anne Lennox die Namen notierte, dachte Wexford an das Gespräch, das er kurz vorher mit James Freeborn, dem Deputy Chief Constable, geführt hatte. Auf wie viele Morde man noch gefaßt sein müsse, bis ein Täter ermittelt war, hatte er gefragt. Fünf Menschen waren bereits umgekommen. Das sei mehr als ein Massaker, das sei eine Hekatombe. Wexford hütete sich, seinen Chef zu korrigieren oder eine sarkastische Bemerkung einzuwerfen, zum Beispiel, daß er hoffe, es werde nicht zu weiteren fünfundneunzig Todesfällen kommen. Statt dessen bat er darum, die Tatortzentrale draußen in Tancred noch bis zum Wochenende weiterführen zu dürfen, und erhielt Freeborns widerstrebende Einwilligung.

Aber keine Bewacherinnen mehr für das Mädchen. Wexford mußte ihn beruhigen, daß Daisy Jones schon die Woche über nicht mehr bewacht worden sei.

»So etwas kann sich Jahre hinziehen.«

»Das hoffe ich nicht, Sir.«

Nicholas Virson fragte, ob sie noch Fragen an ihn hätten oder ob er gehen könne.

»Einen Moment noch, Mr. Virson.«

»Gestern, als wir noch nicht viel Ahnung von der Ursache des Brandes hatten, habe ich Sie gefragt, wo Sie am Dienstagabend waren. Wegen Ihres tiefen Kummers habe ich nicht weiter gebohrt. Ich stelle jetzt die Frage noch einmal. Wo waren Sie?«

Virson zögerte. Schließlich rückte er mit der Antwort heraus, die niemals wahr ist, aber unter solchen Umständen oft gegeben wird. »Um Ihnen die reine Wahrheit zu sagen, ich bin durch die Gegend gefahren.«

Gleich zwei solche Stereotypen. Kam das denn vor, daß Leute »so durch die Gegend« fahren? Allein, in der Nacht, Anfang April? In ihrer vertrauten Umgebung, wo es nichts Neues zu sehen, keine schönen Fleckchen zu entdecken gibt, zu denen man dann bei Tage wieder hinfährt, um sie sich anzusehen? Auf einer Urlaubsreise kam so etwas vielleicht vor, aber in der eigenen Wohngegend?

»Wohin sind Sie gefahren?« fragte er geduldig.

Virson war kein guter Lügner. »Ich weiß es nicht mehr. Durch die Straßen eben.« In der Hoffnung, daß man ihm glaubte, fügte er hinzu: »Es war eine schöne Nacht.«

»Gut, Mr. Virson, und um welche Zeit haben Sie Ihre Mutter verlassen, wann sind Sie losgefahren?«

»Das kann ich Ihnen sagen. Es war halb zehn. Punkt halb zehn.« Er setzte hinzu: »Ich sage die Wahrheit.«

»Wo war Ihr Wagen?«

»Draußen in der Einfahrt, und der ... der meiner Mutter stand daneben. Wir fuhren unsere Autos nie in die Garage.«

Nein, es war ja nicht Platz genug. Die Garage war voller Benzinkanister, jederzeit bereit,in Brand zu geraten, sobald eine Flamme sie erreichte, die einen Bindfaden entlanglief.

»Und wohin sind Sie gefahren?«

»Ich habe Ihnen doch gesagt, ich weiß es nicht mehr. Ich bin ohne Ziel durch die Gegend gefahren. Sie wissen, wann ich zurückkam ...«

Drei Stunden später. Es wirkte wie gutes Timing.

»Sie sind drei Stunden lang durch die Gegend gefahren. In dieser Zeit hätten Sie es nach Heathrow und zurück geschafft.«

Virson versuchte ein trauriges Lächeln. »Ich bin nicht nach Heathrow gefahren.«

»Nein, das nehme ich auch nicht an.« Wenn Virson ihm nicht die Wahrheit sagen wollte, blieb ihm nichts anderes übrig, als zu raten. Er schaute auf das Blatt Papier, auf dem Anne Lennox die Namen und Adressen jener Leute notiert hatte, die von dem Benzinlager wußten: Joyce Virsons enge Freunde, Nicholas Virsons Freund, dem das Benzin ausgegangen war, ihr Gärtner, ihre Zugehfrau ... »Ich glaube, hier ist Ihnen ein Fehler unterlaufen, Mr. Virson, Mrs. Mew arbeitet in Tancred House.«

»O ja, aber auch für uns ... äh, für mich. An zwei Vormittagen in der Woche.« Er schien erleichtert, daß er etwas anderes gefragt wurde. »Auf diese Weise ist sie als Aushilfe nach Tancred gekommen. Meine Mutter hat sie empfohlen.«

»So.«

»Ich schwöre bei meinem Leben und bei allem, was mir heilig ist«, sagte Virson leidenschaftlich, »daß ich mit alledem nichts zu tun habe.«

»Ich weiß nicht, was Ihnen heilig ist, Mr. Virson«, sagte Wexford milde, »aber ich zweifle, ob es in diesem Fall von Belang ist.« Er hatte dergleichen schon oft zu hören bekommen, von achtbaren Männern ebenso wie von Ganoven, die bei den Häuptern ihrer Kinder und bei der Hoffnung auf ein Fortleben im Jenseits schworen. »Lassen Sie mich wissen, wo ich Sie erreichen kann, ja?«

Burden kam zu ihm, nachdem Virson gegangen war. »Wissen Sie, Reg, ich bin auch diese Strecke nach Hause gefahren. Das Haus war um Viertel nach elf stockdunkel.«

»Sie haben keinen Kerzenschein durch die Ritzen der Garagentür gesehen?«

»Es war nicht beabsichtigt, Joyce Virson umzubringen, hab ich recht? Unser Täter kennt sicher keinerlei Skrupel, und es wäre ihm bestimmt egal gewesen, ob sie mit draufging oder nicht, aber es war Zufall, sie war nicht sein Hauptziel, oder?«

»Nein, das glaube ich auch nicht.«

»Ich hole mir jetzt was zum Lunch. Möchten Sie auch etwas? Heute gibt's was Thailändisches oder *steak and kidney pie.*«

»Sie hören sich an wie die billigste Fernsehreklame.«

Wexford ging mit ihm hinaus ins Freie, und sie stellten sich hinten an der kurzen Schlange der Wartenden an. Von hier aus war nur das eine Ende von Tancred House zu sehen, die hohe Mauer und die Fenster des Ostflügels. Hinter einem davon war die Silhouette von Brenda Harrison schwach zu erkennen, die mit einem Tuch an der Scheibe rieb. Wexford hielt seinen Teller für Kartoffelpüree und in Öl gedünstetes Gemüse hin. Als er wieder hinüberschaute, war Brenda Harrison vom Fenster verschwunden und Daisy an ihre Stelle getreten.

Daisy war natürlich nicht damit beschäftigt, das Glas klarzuwischen, sondern stand mit herabbaumelnden Händen da. Sie schien in die Ferne zu starren, hin zu den Pflanzungen, den Wäldern und dem blauen Horizont, und ihr Gesichtsausdruck, soweit er ihn sehen konnte, erschien ihm unsagbar traurig. Sie stand da, eine einsame Gestalt, und es überraschte ihn nicht, als er bemerkte, daß sie die Hände hob und das Gesicht bedeckte, ehe sie sich abwandte.

Auch Burden hatte sie gesehen. Er sagte zunächst nichts, sondern nahm seinen Teller mit dem ziemlich bunten, aromatisch duftenden Essen und eine Dose Cola mit einem darübergestülpten Glas.

Als sie wieder in den Ställen waren, sagte er knapp: »Er hatte es auf sie abgesehen, nicht?«

»Auf Daisy?«

»Er hatte es schon die ganze Zeit auf sie abgesehen. Als er den Brand legte, wollte er Daisy treffen, nicht Joyce Virson. Er hat geglaubt, Daisy wäre dort. Sie haben mir doch erzählt, daß die Virsons hier waren und sie überreden wollten, am Dienstagabend bei ihnen zu essen und dort zu übernachten.«

»Ja, aber sie hat abgelehnt. Sie wollte nichts davon wissen.«

»Ich weiß. Und wir wissen, daß sie nicht hin ist. Aber unser Täter hat das nicht gewußt. Er wußte, daß die Virsons sie dazu zu überreden versucht hatten, und er wußte auch, daß sie *am Nachmittag noch mal vorbeikamen, um einen zweiten Versuch zu machen.* Irgend etwas muß passiert sein, das ihm Gewißheit gab, Daisy würde die Nacht in Thatched House verbringen.«

»Also kommt Virson nicht in Frage. Er wußte, daß sie nicht dort sein würde. Sie sagen in einer Tour ›er‹, Mike. Muß es denn ein ›er‹ sein?«

»Das nimmt man als selbstverständlich an. Vielleicht sollte man es besser nicht.«

»Vielleicht sollte man überhaupt nichts als selbstverständlich betrachten.«

»Bib Mew hat für die Virsons wie auch hier in Tancred gearbeitet. Sie wußte von dem Benzin in der Garage.«

»Sie lauscht heimlich an Türen«, sagte Wexford, »und hört vielleicht nur ungenau, was dahinter gesprochen wird. Sie war am 11. März abends hier. Bei vielen von den – sollen wir sagen – Manövern an diesem Abend kommt es auf ihre Aussage an. Sie ist nicht sehr helle, aber immerhin imstande, allein zu leben und zwei Jobs zu erledigen.«

»Sie sieht aus wie ein Mann. Sharon Fraser hat gesagt,

die Leute, die die Bankfiliale verließen, seien alle Männer gewesen, aber wenn einer von ihnen Bib Mew war, hätte Sharon Fraser erkannt, daß es kein Mann war?«

»Einer der Männer in der Bank stand mit einer Handvoll grüner Geldscheine in der Schlange. Seit die Ein-Pfund-Note abgeschafft ist, haben wir in England keine grünen Scheine mehr. Welches Land hat welche? Ausschließlich grüne Banknoten?«

»Die Vereinigten Staaten«, sagte Burden.

»Ja, das waren Dollarscheine. Martin wurde am 13. Mai umgebracht. Thanny Hogarth ist Amerikaner und könnte durchaus im Besitz von Dollarnoten gewesen sein, als er hierherkam, aber er traf erst im Juni in England ein. Wie steht es mit Preston Littlebury? Wir wissen von Vine, daß er seine Geschäfte zumeist in Dollar abwickelt.«

»Haben Sie Barrys Bericht schon gesehen? Littlebury handelt mit Antiquitäten, das stimmt, und er importiert sie aus Osteuropa. Aber gegenwärtig bezieht er sein Einkommen vorwiegend aus dem Verkauf ostdeutscher Armeeuniformen. Er hat sich ein bißchen geziert, das zuzugeben, aber Barry hat es aus ihm herausgekitzelt. Anscheinend herrscht hier eine rege Nachfrage nach solchen Erinnerungsstücken, Stahlhelmen, Gürteln, Tarnanzügen.«

»Aber keine Waffen?«

»Keine Waffen, soviel wir wissen. Barry sagt auch, daß Littlebury kein Bankkonto hier hat. Er hat kein Konto bei dieser Bank.«

»Ich auch nicht«, versetzte Wexford, »aber ich habe meine famose Transcend-Karte. Ich kann in jede Filiale jeder beliebigen Bank gehen. Außerdem stand der Mann, der die Scheine in der Hand hielt, nur deswegen in der Schlange, *um sie in Pfunde zu tauschen*, oder nicht?«

»Ich habe diesen Littlebury nie zu sehen bekommen,

aber nach dem, was ich über ihn höre, ist er nicht der Typ, der einen Revolver aufhebt und sich damit davonmacht. Ich sage Ihnen was, Reg: Der Mann in dieser Schlange war Andy Griffin, mit den Dollars, mit denen ihn Littlebury bezahlt hatte.«

»Und warum hat er sie dann nie umgewechselt? Warum haben wir sie im Haus seiner Eltern gefunden?«

»Weil er nicht mehr drangekommen ist. Hocking und Bishop kamen herein, und Martin wurde erschossen. Andy Griffin hat den Revolver aufgehoben und ist damit verduftet. Er hat ihn mitgehen lassen, um ihn zu verkaufen, und er hat ihn verkauft. Damit wollte er den Käufer erpressen, mit dem Besitz der belastenden Waffe.

Die Dollarscheine hat er nie umgetauscht. Er hat sie mit nach Hause genommen und in der Schublade versteckt, weil er eine ... nun ja, eine gewisse abergläubische Furcht hatte, er könnte nach dem, was geschehen war, damit gesehen werden. Vielleicht hat er sich gesagt, er würde sie eines Tages umtauschen, aber nicht jetzt, vorläufig noch nicht. Außerdem würde er für das Schießeisen viel mehr als fünfzig Pfund erhalten.«

Wexford meinte: »Mike, ich glaube, Sie haben recht.«

Es wäre eine freundliche, gastfreundliche Geste gewesen, ihn bei sich aufzunehmen. Vielleicht hatte Daisy dieses Angebot gemacht, und Nicholas Virson hatte es ausgeschlagen. Aus denselben Gründen, aus denen er schon einmal erklärt hatte, daß er unmöglich über Nacht in Tancred House bleiben könne?

Aber jetzt lagen die Dinge doch ganz anders. Der junge Mann hatte kein Dach über dem Kopf. Doch an Daisys Himmel war dieser Stern im Sinken, einerlei, wie hell er einmal gestrahlt, welch anbetende Bewunderung er geweckt hatte. Thanny Hogarth hatte ihn verdrängt. Was seid ihr, wenn der Mond erwacht?

Für ein Mädchen ihres Alters war ein solches Verhalten ganz normal. Sie war achtzehn. Aber es hatte sich eine Tragödie ereignet. Nicholas Virsons Mutter war tot, sein Haus niedergebrannt. Daisy mußte angeboten haben, ihn bei sich aufzunehmen, doch ihr Anerbieten war allein wegen der Existenz Thanny Hogarths verschmäht worden.

Bis er etwas Dauerhafteres fand, hatte Nicholas Virson ein Zimmer im *Olive and Dove* genommen. Wexford traf ihn dort an der Theke an. Woher er sich den dunklen Anzug verschafft hatte, den er trug, war Wexford ein Rätsel. Er wirkte verdüstert und einsam und viel älter als damals bei ihrer ersten Begegnung im Krankenhaus, ein trauernder Mann, der um alles gebracht worden war. Als Wexford zu ihm hinging, zündete Virson sich gerade eine Zigarette an, und darauf spielte er jetzt an.

»Ich habe vor acht Monaten das Rauchen aufgegeben. Ich habe mit meiner Mutter Urlaub auf Korfu gemacht. Es schien mir eine günstige Gelegenheit, kein Streß und so. Es ist sonderbar: Als ich damals sagte, nichts würde mich dazu bringen, wieder anzufangen, konnte ich nicht ahnen, was passieren würde. Ich habe heute schon zwanzig gequalmt.«

»Ich möchte mich mit Ihnen noch einmal über den Dienstagabend unterhalten, Mr. Virson.«

»O Gott, muß das denn sein?«

»Ich werde Ihnen keine Fragen stellen, ich werde Ihnen etwas erzählen. Sie brauchen es nur zu bestätigen oder zu bestreiten. Ich glaube aber nicht, daß Sie es bestreiten werden. Sie waren draußen in Tancred.«

Die traurigen Augen wurden unruhig. Virson machte einen tiefen Zug an seiner Zigarette wie ein Raucher, der sich etwas Stärkeres als Tabak gedreht hat. Nach kurzem Zögern gab er die klassische Antwort eines Menschen, den er als Kriminellen bezeichnet hätte. »Und wenn es so war?«

Zumindest kein »Es hätte sein können...«

»Sie sind keineswegs ›durch die Gegend gefahren‹, sondern direkt dorthin. Das Haus war leer, Daisy ausgegangen, und auch von unseren Leuten befand sich niemand dort. Aber das wußten Sie ja alles schon vorher. Ich weiß nicht, wo Sie Ihren Wagen gelassen haben. Es gibt ja viele Stellen, wo er für Leute, die auf der Hauptzufahrt oder über die Nebenstraße kommen, nicht zu sehen gewesen wäre.

Sie haben gewartet. Es muß Ihnen kalt, die Zeit muß Ihnen lang geworden sein, aber Sie haben gewartet. Ich weiß nicht, wann die beiden eintrafen, Daisy und Hogarth, oder womit sie kamen. In seinem Transporter oder in ihrem Wagen – in einem ihrer Wagen. Aber sie erschienen endlich, und Sie haben sie gesehen.«

Virson flüsterte in sein Glas: »Kurz vor zwölf.«

»Aha.«

Virson murmelte jetzt verdrossen: »Das war kurz vor Mitternacht. Am Steuer saß ein junger Typ mit langem Haar.« Er hob den Kopf. »Am Steuer von *Davinas* Wagen.«

»Er gehört jetzt Daisy«, sagte Wexford.

»Es ist nicht recht!« Er hieb mit der Faust auf den Tresen, so daß der Barmann herblickte.

»Was? Daß er den Wagen ihrer Großmutter fuhr? Ihre Großmutter ist tot.«

»Nicht das. Das meine ich nicht. Ich meine, sie gehört mir. Wir waren so gut wie verlobt. Sie hat gesagt, sie würde mich ›eines Tages‹ heiraten. Das hat sie an dem Tag gesagt, als sie aus dem Krankenhaus zu uns kam.«

»Solche Dinge passieren nun mal, Mr. Virson. Sie ist ja noch sehr jung.«

»Sie sind zusammen ins Haus gegangen. Der Kerl hat seinen verdammten Arm um sie gelegt. Ein Typ, dem die Haare bis auf die Schultern hängen und der sich seit zwei Tagen nicht rasiert hatte. Mir war klar, daß er in dieser Nacht nicht wieder herauskommen würde. Ich weiß nicht, wieso, aber ich wußte es. Es hätte keinen Sinn gehabt, noch länger zu warten.«

»Vielleicht war es nur gut für ihn, daß er nicht herauskam.«

Virson funkelte ihn trotzig an. »Ja, vielleicht.«

Wexford glaubte einen Teil davon. Er dachte: Aber warum eigentlich nicht alles glauben? Glauben ja, beweisen, nein. Er war ohnehin kurz vor dem Ziel, er wußte beinahe genau, was sich am 11. März abgespielt hatte, er kannte das Motiv und den Namen einer der beiden Personen, die die Tat begangen hatten. Sobald er zu Hause war, wollte er Ishbel Macsamphire anrufen.

Die Post war spät gekommen, erst als er schon zur Arbeit weggefahren war. Unter den Sendungen für ihn war ein Päckchen von Amyas Ireland. Es enthielt die Fahnen von Augustine Caseys neuem Roman *Peitschenhieb*. Amyas schrieb, dieses Vorabexemplar sei eines von fünfhundert, die der Verlag versenden wolle, Wexford erhalte davon die Nummer 350. Er solle es gut hüten, denn es könnte eines Tages etliches wert sein. Zumal, wenn er es von Casey signieren ließ. Er, schrieb Amyas, liege doch richtig mit der Annahme, daß Casey mit Wexfords Tochter befreundet sei.

Er unterdrückte den Impuls, es sofort in das Kaminfeuer zu werfen, das Dora angezündet hatte. Hatte er Augustine Casey denn etwas vorzuwerfen? Nichts. Sobald Sheila über den Berg war, hatte der Mensch ihnen allen einen Gefallen erwiesen.

Er versuchte in Edinburgh anzurufen, aber niemand hob ab. Sie war wohl ausgegangen und kam vielleicht erst am späteren Abend zurück. Wenn eine Frau um acht Uhr nicht zu Hause war, konnte man mit einiger Sicherheit annehmen, daß sie nicht vor zehn zurück sein werde. Er wollte sich mit Caseys Buch die Zeit vertreiben. Selbst wenn Mrs. Macsamphire alle seine Fragen bejahen sollte, wäre es doch ein zu schwaches Indiz, um darauf aufzubauen, zu dürftig für sich allein...

Er las Caseys *Peitschenhieb*, beziehungsweise er versuchte es zu lesen. Nach einiger Zeit wurde ihm klar, daß er nichts verstanden hatte. Nicht, weil er mit den Gedanken woanders war, sondern weil es schlicht unverständlich war. Es bestand großenteils aus Versen. Im übrigen schien es sich um eine Unterhaltung zwischen zwei namenlosen Personen zu handeln, die vermutlich, aber nicht mit Sicherheit, männlichen Geschlechts waren und sich große Sorgen um das Verschwinden eines Gürteltiers machten. Er warf einen Blick auf den Schluß des Buches, konnte nicht klug daraus werden, und beim Zurückblättern sah er, daß diese Verse, alternierend mit Gesprächen über das Gürteltier, das ganze Buch ausfüllten, abgesehen von einer Seite, bedeckt mit algebraischen Gleichungen, und einer anderen, auf der ein einziges Wort, »shit«, siebenundfünfzigmal wiederholt wurde.

Nach einer Stunde gab er es auf und ging nach oben, um sich Davina Florys Buch über Bäume zu holen, das auf dem Nachttischchen lag. Er sah, daß er den Stadtführer von Heights, Nevada, als Lesezeichen verwendet hatte. Den Führer hatte Sheila ihm gegeben. Zweifellos wirkte Casey inzwischen in Heights als *writer-in-residence*.

Wenigstens würde sie nun nicht dorthin fliegen. Die Liebe war doch eine merkwürdige Sache. Er liebte Sheila und hätte ihr daher eigentlich wünschen müssen, was sie selbst sich wünschte: bei Casey zu sein, ihm bis ans Ende der Welt zu folgen. Aber das tat er nicht. Freude übermannte ihn, daß ihr die Erfüllung ihres Wunsches versagt bleiben sollte. Er seufzte ein wenig, blätterte in dem Führer und sah sich die Farbaufnahmen von Wald und Gebirge an, einem See, einem Wasserfall, dem Stadtzentrum mit dem Kapitol, das von einer goldenen Kuppel gekrönt wurde.

Unterhaltsamer waren die Inserate. Da warb eine Firma für ihre maßgefertigten Western-Stiefel, »in sämtlichen strahlenden Farben des Spektrums auf unserer Erde und im Weltall«. Coram Clark Inc. war eine Büchsenmacherfirma mit Niederlassungen in Reno, Carson City und Heights. Sie verkaufte alle möglichen Waffen, so daß Wexford große Augen machte. Gewehre, Schrotflinten, Faustfeuerwaffen, Luftgewehre, Munition, Fernrohre und Schwarzpulver, wie es im Text hieß. Das ganze Spektrum von Browning über Winchester, Luger, Beretta, Remington und Speer. Für gebrauchte Waffen wurden Höchstpreise geboten. Kauf, Verkauf, Tausch, Herstellung von Schießeisen. In manchen amerikanischen Bundesstaaten brauchte man keinen Waffenschein, konnte man in seinem Auto eine Schußwaffe mitführen, vorausgesetzt, man ließ sie deutlich sichtbar auf dem Beifahrersitz liegen. Er erinnerte sich daran, was Burden über amerikanische Studenten gesagt hatte, denen der Kauf von Waffen zur Selbstverteidigung ohne Einschränkungen erlaubt worden war, als das Gerücht umging, auf dem Campus treibe ein Serienmörder sein Unwesen...

Hier war eine Anzeige für das beste Popcorn im amerikanischen Westen, und eine andere warb mit irisierenden Farben für individuell gestaltete Nummernschilder. Er schob den Führer zwischen die letzten Seiten von *Schön wie ein Baum* und las eine halbe Stunde darin. Kurz vor zehn Uhr versuchte er dann noch einmal, Ishbel Macsamphire zu erreichen.

Natürlich konnte er sie nicht viel später als zehn anrufen. Er versuchte sich an die Regel zu halten, daß man abends nach zehn niemanden mehr anrief. Es war zwei Minuten vor zehn, als es an der Haustüre klingelte. Die Regel, daß man abends nach zehn Uhr niemanden mehr anrief, galt in Wexfords Augen auch für Besuche. Nun ja, es war noch nicht ganz so weit.

Dora ging öffnen, ehe er sie davon abhalten konnte. Er hielt es nicht für klug, daß eine Frau abends allein an die Haustür ging. Das war kein Sexismus, sondern Vorsicht, bis zu dem Tag, an dem sich alle Frauen wie Karen Malahyde die Mühe machten, einen Kampfsport zu erlernen. Er stand auf und ging zur Wohnzimmertür. Eine weibliche Stimme, sehr tief. Also kein Grund zur Beunruhigung. Eine Frau, die irgend etwas holen wollte.

Er setzte sich wieder hin, schlug *Schön wie ein Baum* dort auf, wo das Lesezeichen steckte, und sein Blick fiel wieder auf die Anzeige der Büchsenmacherfirma Coram Clark Inc... Einen dieser Namen hatte er letzthin in einem ganz anderen Kontext gehört. Clark war ein verbreiteter Name. Aber wer hieß Coram? *Coram*, erinnerte er sich aus seiner weit zurückliegenden Schülerzeit, als Latein Pflichtfach gewesen war, bedeutete »wegen« – nein, »in Gegenwart von«. Sie hatten seinerzeit einen Spruch mit Präpositionen gelernt, die mit dem Ablativ verbunden waren:

ab, cum, de, ex, sine, pro
gehen mit dem Ablato,
und manche andre ebenso.

Erstaunlich, daß er sich das all die Jahre gemerkt hatte... Da kam Dora herein und hinter ihr eine zweite Frau. Es war Sheila.

Sie sah ihn an, und er sah sie an und sagte: »Wie wunderbar, dich zu sehen.«

Sie ging zu ihm hin und legte ihm die Arme um den Hals. »Ich bin zur Zeit bei Sylvia. Ich habe den Abend mit der Party falsch aufgeschrieben und bin gestern abend dort erschienen. Aber, Darling, was für ein tolles Haus. Was ist denn in die gefahren, daß sie endlich vom Stadtrand genug haben? Ich finde es ganz wunderbar, dachte aber, ich reiß mich mal los und schaue schnell bei euch vorbei.«

Um zehn Uhr abends. Das sah ihr ähnlich. »Geht es dir gut?« fragte er.

»Eigentlich nicht. Ich fühle mich hundeelend. Aber das geht vorbei.«

Er sah, daß das Vorabexemplar von Caseys Buch auf einem der Sofakissen lag. Caseys Name stand zwar nicht in zweieinhalb Zentimeter großen Buchstaben darauf, wie es beim fertigen Buch vielleicht der Fall sein würde, aber er war deutlich genug zu lesen. *Peitschenhieb von Augustine Casey, unkorrigiertes Exemplar, voraussichtlicher Preis im Vereinigten Königreich £ 14.95.*

»Ich habe furchtbare Sachen gesagt. Möchtest du sie durchsprechen?«

Das unfreiwillige Erschauern ihres Vaters brachte sie zum Lachen.

»Was ich gesagt habe, tut mir leid, Daddy.«

»Ich habe Schlimmeres gesagt, und das tut mir leid.«

»Ich sehe, du hast Gus' neues Buch.« Der Ausdruck in ihren Augen erinnerte ihn an die Anbetung, die ihn so abgestoßen hatte, die faszinierte, sklavische Ergebenheit. »Hat es dir gefallen?«

Was lag jetzt noch daran. Der Mensch war ja verschwunden. Er beschloß, aus Freundlichkeit zu lügen. »Ja, sehr. Es ist sehr gut.«

»Ich selber hab kein Wort davon verstanden«, sagte Sheila.

Dora brach in ein Lachen aus. »Jetzt laßt's gut sein, trinken wir doch was!«

»Wenn sie etwas trinkt, muß sie hier übernachten«, sagte Wexford, der Polizeibeamte.

Sheila blieb noch zum Frühstück und fuhr dann zum Old Rectory zurück. Wexford brach viel später als gewöhnlich auf. Aber er wollte unbedingt noch vorher mit Mrs. Macsamphire sprechen. Aus irgendeinem Grund, der ihm nicht ganz klar war, wollte er das von zu Hause aus tun, nicht draußen in Tancred oder im Fond seines Wagens.

Ebenso wie man niemanden nach zehn Uhr abends anrufen konnte, war morgens neun Uhr der früheste Zeitpunkt. Er wartete, bis Sheila gegangen war, wählte die Nummer und bekam eine junge Frau mit einem sehr starken schottischen Akzent an den Apparat. Sie sagte, Ishbel Macsamphire sei im Garten, und fragte, ob sie ihn zurückrufen könnte. Das wollte Wexford nicht. Vielleicht gehörte die Frau zu den Leuten, die sich über jeden Pfennig, den sie für Ferngespräche ausgeben, ärgern oder vielleicht ärgern *müssen*.

»Würden Sie sie netterweise fragen, ob sie die Zeit erübrigen könnte, jetzt mit mir zu sprechen?«

Während er am Telefon wartete, geschah etwas Merkwürdiges. Er erinnerte sich plötzlich ganz genau daran, wer es war, der einen Vornamen mit einem Büchsenmacher in Nevada gemeinsam hatte, wer der Mann war, der mit dem zweiten Vornamen Coram hieß.

26

Er brauchte den ganzen Tag dafür, weil er erst am Spätnachmittag wirklich damit beginnen konnte. Den ganzen Tag und die halbe Nacht, denn wenn es in Kingsmarkham Mitternacht war, war es im Westen der Vereinigten Staaten erst vier Uhr nachmittags.

Am nächsten Tag fuhr er auf der B 2428 Richtung Tancred House, nachdem er gerade vier Stunden geschlafen und so viele transatlantische Telefongespräche geführt hatte, daß Freeborn sicher der Schlag treffen würde. Die kalte Nacht hatte auf Mauer und Torpfosten einen Silberhauch gelegt und junge Blätter und noch blattlose Zweige mit glitzerndem Rauhreif überzogen. Doch der Reif war inzwischen verschwunden, geschmolzen im warmen Sonnenschein des Frühlingstages. Die Sonne stand hoch am hellblauen Himmel und schien blendend herab. Nicht viel anders als in Nevada.

Mit jedem Tag wurde das Grün der Bäume intensiver. Ein grüner Hauch verwandelte sich in einen Dunst, der Dunst wurde zu einem Schleier, und der Schleier zu einer tiefgrünen, glänzenden Hülle. Die ganze Mattigkeit des Winters wurde vom Grün überdeckt, Schmutz und angesammelte Abfälle verschwanden unter neuem Wachstum. Auf einem dunklen, öden Bild, einer grauen Lithographie, wurden die leeren Stellen von einem in sanftes Chromgrün getauchten Pinsel allmählich ausgefüllt. Der Wald rechts und links von der Straße war nicht mehr eine dunkle Wand, sondern eine Komposition schimmernder Grüntöne, in die der Wind Bewegung brachte, der Äste hob und dabei Lichtstrahlen hereinließ.

Weiter vorne, am Tor, stand ein Fahrzeug. Kein Pkw, sondern ein Transporter. Wexford konnte schwach eine männliche Gestalt erkennen, die an einem Torpfosten etwas anzubinden schien. Langsam näherten sie sich. Donaldson bremste, bis der Wagen stehenblieb, und stieg aus, um das Tor zu öffnen, wobei er kurz das blaugrün-violette Gebinde betrachtete, aus dem diese letzte Totenspende bestand.

Der Mann war zu seinem Fahrzeug zurückgegangen. Wexford stieg aus, um mit dem Fahrer zu sprechen. Dabei konnte er den Blumenstrauß betrachten, der auf die Seitenwand des Transporters gemalt war.

Der Fahrer war jung, nicht älter als dreißig. Er kurbelte das Seitenfenster herab.

»Was kann ich für Sie tun?«

»Detective Chief Inspector Wexford. Darf ich fragen, ob sämtliche Blumen hier am Tor von Ihnen stammen?«

»Meines Wissens ja. Vielleicht haben auch andere Leute Blumenspenden gebracht, aber mir ist nichts davon bekannt.«

»Sind Sie ein Bewunderer von Davina Florys Büchern?«

»Meine Frau. Ich habe zum Lesen keine Zeit.«

Wexford ging der Gedanke durch den Kopf, wie oft er diese beiden Erklärungen schon gehört hatte. Besonders auf dem Land fand es eine gewisse Sorte Männer besonders maskulin, ein solches Ansinnen von sich zu weisen. Den schwarzen Peter der Ehefrau zuzuschieben. Lesen, besonders wenn es um Belletristik ging, war etwas für Frauen.

»Dann waren das alles Blumenspenden Ihrer Frau?«

»Was? Sie machen wohl Witze? Das ist Teil meiner Werbekampagne, verstehen Sie? Meine Frau hat die Sachen rausgesucht, die wir auf die Karten geschrieben haben. Ich dachte mir, das hier ist eine günstige Stelle.

Ein ständiges Kommen und Gehen. Mach den Leuten den Mund wäßrig, und wenn sie richtig neugierig geworden sind, zeig ihnen, wo sie solche Sachen für sich selbst bestellen können. Verstanden? Wenn Sie mich jetzt entschuldigen wollen – ich hab einen Termin beim Krematorium.«

Wexford las das Kärtchen an diesem fächerförmigen Gebinde aus Schwertlilien, Astern, Veilchen und Vergißmeinnicht, gestaltet wie ein Pfauenrad. Diesmal kein Dichterzitat, keine passende Zeile von Shakespeare, sondern: *Anther Florets, Kingsmarkham, Kingsbrook Centre, 1. Etage* und daneben eine Telefonnummer.

Als Wexford ihm davon erzählte, sagte Burden: »Ein Versuch auf gut Glück. Kann das denn klappen?«

»Es hat schon geklappt, Mike. Ich habe gesehen, wie Donaldson sich heimlich die Adresse aufschrieb. Und Sie erinnern sich doch an all die Leute, die gesagt haben, solche Blumen hätten sie auch gern. Für ihren Hochzeitstag oder sonst was. Und ich stehe jetzt da mit meinen sentimentalen Spekulationen.«

»Mit welchen sentimentalen Spekulationen?«

»Ich hatte mir doch wahrhaftig eingebildet, die Blumen seien von irgendeinem Methusalem gekommen, der in grauer Vorzeit ein Liebhaber von Davina Flory gewesen war. Vielleicht sogar Naomis Vater.« Zu Karen Malahyde, die mit einem Schreibbrett vorbeikam, bemerkte er: »Wir können das ganze Zeug heute zusammenpacken lassen; wir ziehen aus. Mr. Graham Pagett kann seine Technik mit dem verbindlichen Dank der Kripo von Kingsmarkham zurückhaben. Ja, und dazu ein höflicher Brief, in dem wir ihm für seinen Beitrag zur Bekämpfung der Kriminalität Anerkennung zollen.«

»Sie haben die Lösung gefunden«, sagte Burden. Es war eine Feststellung, keine Frage.

»Ja, endlich.«

Burden sah ihn eindringlich an. »Wollen Sie sie mir erzählen?«

»Es ist ein schöner Vormittag. Ich möchte raus ins Freie, irgendwohin, in die Sonne. Barry kann uns fahren. Wir fahren irgendwohin durch die Wälder – weit weg von dem Baum mit dem Erhängten. Wenn ich den sehe, läuft's mir kalt über den Rücken.«

Sein Telefon begann zu wimmern.

Das bißchen Regen, das gefallen war, hatte den Erdboden kaum aufgeweicht. Eine Doppelspur, die die Räder von Gabbitas' Landrover hinterlassen hatten, stammte vermutlich vom vergangenen Herbst. Vine bugsierte den Wagen auf diesem Weg dahin und achtete darauf, die Ränder der Reifenspuren nicht zu zerstören. Sie waren im nordöstlichen Teil der Tancredschen Wälder, und der Pfad zweigte in nördlicher Richtung von der Nebenstraße ab, nicht weit von der Stelle, wo Wexford Gabbitas und Daisy im Abendlicht gesehen hatte, Daisys Hand auf dem Arm des jungen Mannes.

Der Wagen folgte dem gewundenen Weg durch eine Öffnung zwischen den dicht nebeneinander stehenden Hainbuchen. Vor ihnen erstreckte sich ein sich weit hinziehender Reïtweg. Dieser grasbewachsene Weg, der zwischen den zentralen und den östlichen Wäldern verlief, öffnete einen weiten Blick durch einen grünen Canyon, an dessen Ende sich in einer U-förmigen Öffnung der blendend blaue Himmel zeigte. An diesem Ende und auf die ganze Länge der Senke fiel die Sonne jetzt senkrecht auf die weiche Grasnarbe.

Wexford erinnerte sich an die Figuren in einer Landschaft, an den romantischen Hauch, der an jenem Abend die Szenerie durchweht hatte, und sagte: »Wir parken hier. Die Aussicht ist so schön.«

Vine zog die Handbremse an, und der Motor starb ab.

Die Stille wurde gestört vom krächzenden, blechernen, unmusikalischen Gezwitscher von Vögeln in den riesigen Linden, hochbetagten Überlebenden des großen Orkans. Wexford kurbelte das Fenster herunter.

»Wir wissen jetzt, daß die Killer, die am 11. März Tancred aufsuchten, nicht mit dem Auto kamen. Es wäre unmöglich gewesen, sich unbemerkt abzusetzen. Sie fuhren nicht mit einem Pkw, nicht mit einem Transporter und auch nicht auf einem Motorrad. Das hatten wir angenommen, denn die Indizien sprachen durchaus dafür. Ich bin sicher, daß jeder diese Annahme gemacht hätte. Wir haben uns jedoch getäuscht. Sie erschienen zu Fuß. Beziehungsweise einer der beiden ging zu Fuß.«

Burden blickte auf und sah ihn durchdringend an.

»Nein, nein, Mike, es waren schon zwei. Und kein motorisiertes Fahrzeug, keinerlei mechanisches Fortbewegungsmittel wurde benutzt. Und die Tatzeit, die kannten wir ja von Anfang an. Harvey Copeland wurde ein paar Minuten nach acht Uhr erschossen, sagen wir, zwei oder drei Minuten nach acht, die Schüsse auf die beiden Frauen und Daisy fielen vielleicht um sieben nach acht. Die Flucht geschah um zehn nach acht oder eine runde Minute früher, zu einer Zeit, als Joanne Garland noch auf dem Weg nach Tancred war.

Sie hat das Haus um elf nach acht erreicht. Zum Zeitpunkt der Flucht der Täter müßte sie auf der Hauptzufahrt gewesen sein. Als sie klingelte und an die Tür klopfte und ins Eßzimmer hineinzuschauen versuchte, waren drei Menschen bereits tot. Und Daisy kroch zum Telefon.«

»Sie hat es nicht klingeln hören?«

»Sie glaubte, sterben zu müssen, Sir«, sagte Vine. »Sie fürchtete zu verbluten. Vielleicht hat sie das Klingeln doch gehört und kann sich nur nicht mehr daran erinnern.«

Wexford erwiderte: »Es wäre verkehrt, Daisys Darstellung viel Glauben zu schenken. Zum Beispiel ist es unwahrscheinlich, daß irgend jemand gesagt hat, an dem Lärm über ihnen sei die Katze schuld, wenn die Katze normalerweise gegen sechs, nicht gegen acht herumtobte. Es ist ganz unwahrscheinlich, daß ihre Großmutter meinte, der Lärm komme von der Katze. Wir sollten auch alles das, was Daisy über ein Fluchtfahrzeug gesagt hat, mit Vorsicht behandeln.

Wir wollen diese nebensächlichen Dinge einen Augenblick beiseite lassen und uns einem mehr spekulativen Bereich zuwenden. Andy Griffin ist sicher ermordet worden, um ihn zum Schweigen zu bringen, nachdem er einen Erpressungsversuch unternommen hatte. Was war der Grund für den Mord an Joyce Virson?«

»Der Täter dachte, Daisy würde sich in dieser Nacht im Haus der Virsons aufhalten.«

»Glauben Sie das wirklich, Mike?«

»Nun ja, Joyce Virson hat ihn schließlich nicht erpreßt«, sagte Burden mit einem Grinsen, das er dann deplaziert fand und durch einen finsteren Blick ersetzte. »Wir haben uns darauf geeinigt, daß er es auf Daisy abgesehen hatte. Er muß hinter Daisy her gewesen sein.«

»Das sieht aber nach einem umständlichen Vorgehen aus«, sagte Wexford. »Warum sich die Mühe machen, einen Brand zu legen, und dabei das Risiko eingehen, daß andere in den Flammen umkommen, wenn Daisy doch die meiste Zeit allein in Tancred und leicht an sie heranzukommen war? Wir hatten auf Anweisung des Alten ihre nächtliche Bewachung eingestellt, und die Ställe waren geräumt. Ich habe nie daran geglaubt, daß der Brandanschlag auf das Thatched House dem Zweck dienen sollte, Daisy umzubringen. Er hatte den Zweck, jemanden zu töten, das schon, aber nicht Daisy.« Er legte eine Pause ein und blickte forschend von einem zum andern. »Sagen Sie mir, was haben Nicholas Virson, John Gabbitas, Jason Sebright und Jonathan Hogarth gemeinsam?«

»Alle Männer, alle jung«, sagte Burden, »alle englischsprachig ...«

»Sie wohnen hier in der Gegend. Zwei sind Amerikaner oder Halbamerikaner.«

»Alle kommen aus der Mittelschicht, sehen ziemlich gut oder sehr gut aus ...«

»Sie sind alle Bewunderer von Daisy«, sagte Vine.

»Stimmt, Barry. Sie haben es erfaßt. Virson ist in sie verliebt, Hogarth ist scharf auf sie, und Gabbitas und Sebright sind, glaube ich, sehr von ihr angetan. Sie ist ein attraktives Mädchen, ein reizendes Kind, da überrascht es nicht, daß sie viele Bewunderer hat. Ein weiterer war Harvey Copeland, ziemlich alt für sie, ja, er hätte gut und gern ihr Großvater sein können, aber ein gutaussehender Typ für sein Alter und früher einmal ein ›Bombenerfolg auf dem Campus‹. Und, Davina Flory zufolge, traumhaft im Bett.«

Burden schnitt sein Puritanergesicht, die Lippen nach unten, die Augenbrauen zusammengezogen. Die ausdruckslose Miene des lässigen Vine veränderte sich nicht.

»Ja, ich weiß, die Vorstellung, daß der alte Harvey Copeland Daisy in die Sexualität einführt, ist widerlich. Sie ist abstoßend und irgendwie auch zum Lachen. Bedenken Sie, es wurde kein Zwang angewendet, vermutlich gab es nicht einmal einen ernsthaften Überredungsversuch. Nur so ein Gedanke, nicht? Man kann sich vorstellen, wie Davina Flory sagt: ›Es ist nur so eine Idee, liebes Kind.‹ Nur ein Psychopath mit abwegigen Racheideen hätte Harvey Copeland den Vorfall verübelt. Und wer, außerdem, wird schon davon gewußt haben?«

»Ihr Vater wußte es«, warf Burden ein. »Joanne Garland hat es ihm mitgeteilt.«

»Ja. Und zweifellos hat auch Daisy manchen Leuten was davon gesagt. Sie hat es sicher dem Mann erzählt, der sie liebt. Allerdings hat sie mir gegenüber nichts erwähnt. Ich habe es erst von der besten Freundin ihrer Mutter erfahren. So, und jetzt nach Edinburgh, ja?« Burden schaute unwillkürlich zum Fenster hinaus, was Wexford zum Lachen brachte. »Nicht wortwörtlich, Mike. Ich habe Sie beide für heute lange genug herumgeschleppt. Stellen wir uns vor, wir sind in der letzten August- und in der ersten Septemberwoche in Edinburgh bei den Festspielen.

Davina Flory ist immer zu den Festspielen nach Edinburgh gefahren, genauso wie nach Salzburg und Bayreuth, zu den Passionsspielen in Oberammergau alle zehn Jahre, nach Glyndebourne und nach Snape. Aber vergangenes Jahr fand dort auch das Bücherfestival statt, das nur jedes zweite Jahr abgehalten wird, und sie sollte über das Thema Autobiographie sprechen und auch an einer literarischen Podiumsdiskussion teilnehmen. Sie wurde selbstverständlich von Harvey Copeland begleitet und nahm auch Naomi und Daisy mit.

Diesmal haben sie auch Nicholas Virson mitgenommen. Sicher kaum ein Verehrer der Künste, aber das dürfte natürlich nicht sein Grund gewesen sein, mitzufahren. Er wollte nur mit Daisy zusammen sein. Er war in sie verliebt und nutzte jede Gelegenheit, in ihrer Nähe zu sein.

Sie wohnten nicht bei Ishbel Macsamphire, einer alten Freundin Davina Florys aus ihrer Collegezeit, besuchten sie aber, beziehungsweise Davina und Harvey besuchten sie. Naomi lag mit einer Grippe in ihrem Hotelzimmer. Daisy war mit ihren eigenen Dingen beschäftigt. Davina hat zweifellos mit Mrs. Macsamphire darüber gesprochen, was sie sich für Daisy alles erhoffte, und dabei erwähnt – in welchem Ton, wissen wir nicht, aber wir können ihn uns vorstellen –, daß Daisy einen festen Freund namens Nicholas hatte.

Dann sah Mrs. Macsamphire eines Tages Daisy mit ihrem Freund auf der anderen Straßenseite. Sie waren nicht nahe genug, daß eine förmliche Begrüßung notwendig gewesen wäre, aber zweifelsohne winkte sie, und Daisy winkte zurück. Sie trafen sich erst auf der Beerdigung wieder. Ich habe mitgehört, wie Mrs. Macsamphire zu Daisy sagte, sie hätten einander seit den Festspielen nicht mehr gesehen, ›als ich Sie mit Ihrem jungen Freund sah‹. Natürlich nahm ich an, sie meinte Nicholas Virson. Ich habe immer geglaubt, daß sie ihn gemeint hat.«

»War es denn nicht so?«

»Joanne Garland hat mir berichtet, sie habe Nicholas Virson Ende August auf der Straße getroffen und sich überlegt, ob sie ihm etwas von dieser Geschichte mit Harvey Copeland und Daisys geplanter Einführung in die Sexualität sagen solle. Sie hat es, nebenbei bemerkt, dann doch nicht getan, aber das ist jetzt ohne Belang. Virson erzählte mir später, daß er Ende August mit seiner Mutter auf Korfu gewesen sei. Nun hat das nicht viel zu besagen. Er könnte an einem Tag in Kingsmarkham und am nächsten auf Korfu gewesen sein, aber dadurch wurde es doch unwahrscheinlich, daß er etwa um dieselbe Zeit in Edinburgh war.«

»Haben Sie ihn gefragt?« sagte Burden.

»Nein, ich habe Mr. Macsamphire gefragt. Ich habe sie heute morgen am Telefon gefragt, ob der Mann, der damals Daisy begleitete, blond war, und sie hat gesagt, nein, er sei dunkelhaarig gewesen und habe sehr gut ausgesehen.«

Wexford legte eine Pause ein und sagte dann: »Wollen wir aussteigen und uns ein bißchen die Füße vertreten? Ich würde gern den Reitweg entlanggehen und mir anschauen, was an seinem Ende ist. Das liegt ja in der Natur des Menschen, nicht, daß er immer wissen will, was am Ende kommt?«

Das Szenario, von dem er geträumt hatte, nahm eine neue Form an. Er sah, wie sich der Ablauf der Ereignisse neu ordnete, als er aus dem Wagen stieg und langsam den Weg entlangging. Wildkaninchen hatten das Gras so gestutzt, daß es aussah wie gemähter Rasen. Die Luft war lind und mild, duftete frisch und irgendwie süß. An den Kirschbäumen kamen zwischen den sich entfaltenden kupferfarbenen Blättern Blüten heraus. Wieder sah er vor sich den Tisch, die Frau, die quer darüberlag, den Kopf in einem Teller voll Blut, gegenüber ihre Tochter in einer Ohnmacht, aus der es kein Erwachen gab, das junge Mädchen, blutend über den Boden kriechend. Eine Art Rückspulmechanismus führte ihn ein, zwei, drei Minuten zurück, bis zu den ersten Geräuschen im Haus, dem absichtlich veranstalteten Lärm, als in Davina Florys Zimmer Dinge umgeworfen wurden. Der Schmuck war schon vorher weggenommen worden...

Burden und Vine gingen schweigend neben ihm her. Das Ende des Grabens rückte langsam näher, doch es erschloß sich kein Panoramablick auf weitere Waldungen, auf eine Fortsetzung des breiten grünen Wegs. Es war, als könnte dahinter das Meer beginnen, oder der Reitpfad an einem Klippenrand enden, dem Rand eines Abgrunds, von dem aus man ins Nichts hinaustreten würde.

»Sie waren zu zweit«, sagte er, »aber nur einer von ihnen ging ins Haus. Er kam zu Fuß und betrat es fünf Minuten vor acht durch die hintere Tür, wohlvorbereitet. Er wußte seinen Weg, er wußtc genau, was er vorfinden werde. Er trug Handschuhe und hatte den Revolver dabei, gekauft von Andy Griffin, der ihn nach dem Mord an Martin in der Bankfiliale hatte mitgehen lassen.

Vielleicht hätte er nie gedacht, daß er so etwas tun würde, wäre nicht die Waffe gewesen. Er besaß sie, also mußte er sie auch benutzen. Der Revolver hatte ihm die Idee eingegeben. Den Lauf hatte er inzwischen verändert. Wie man das anstellt, damit kannte er sich aus, er hatte es schon als Junge getan.

Bewaffnet mit dem Revolver, in dessen Trommel noch die fünf Patronen steckten, betrat er Tancred House und ging über die hintere Treppe nach oben, um Davina Florys Schlafzimmer in Unordnung zu bringen. Die Leute im Erdgeschoß hörten ihn, und Harvey Copeland stand auf, um nach dem Grund für den Lärm zu sehen, aber inzwischen war der bewaffnete Mann die hintere Treppe hinuntergestiegen und näherte sich durch den Korridor, der vom Küchenbereich wegführt, der Halle. Als er Schritte hörte, drehte sich Harvey um, und der Killer erschoß ihn, so daß er rückwärts über die untersten Stufen stürzte.«

»Warum hat er zweimal geschossen?« fragte Vine. »Nach dem Expertenbericht war bereits der erste Schuß tödlich.«

»Ich habe gerade etwas über einen Psychopathen mit abwegigen Racheideen gesagt. Der Killer wußte, was mit Harvey Copeland und Daisy geplant gewesen war. Er hat in einem Eifersuchtsrausch zweimal auf Davinas Ehemann gefeuert, um ihm seine Frechheit heimzuzahlen.

Dann ging er ins Eßzimmer, wo er Davina und Naomi erschoß. Als letztes schoß er auf Daisy. Aber nicht, um sie zu töten, er wollte sie nur verwunden.«

»Warum?« fragte Burden. »Warum nur verwunden? Was war es, was ihn gestört hat? Wir wissen, daß es nicht der Krach war, den die Katze im Obergeschoß veranstaltet hat. Sie sagen, der Täter hat sich um zehn oder neun nach acht abgesetzt, während Joanne Garland noch auf der Hauptzufahrt war, aber in einem gewissen Sinne war es gar keine organisierte Flucht, sondern der Killer hat zu Fuß das Weite gesucht. War es nicht so, daß Joanne Garlands Klingeln ihn veranlaßt hat, durchs Haus zu rennen, um durch die hintere Tür zu entkommen?«

Vine sagte: »Wenn sie ihn gestört hätte, hätte sie die Schüsse gehört oder zumindest den letzten. Er ist fort, weil in seinem Revolver keine Kugeln mehr waren. Er konnte kein zweites Mal auf sie schießen, nachdem er sie beim erstenmal nicht richtig getroffen hatte.«

Sie waren am Ende des Reitwegs angelangt und standen nun gewissermaßen am Rand einer Klippe, eines Abgrunds. Unterhalb zogen sich die Ränder des Waldes dahin, die Wiesen dahinter, das grüne Hügelland in der Ferne. Eine riesige Wolkenbank türmte sich am Horizont auf, doch zu weit von der Sonne entfernt, um ihr helles Licht dämpfen zu können. Sie standen da und genossen die Aussicht.

»Daisy kroch zum Telefon«, fuhr Wexford fort. »Sie hatte nicht nur Schmerzen, war nicht nur von Angst und Todesfurcht erfüllt, sondern auch psychisch schwer getroffen. Und wenn sie in diesen Minuten um ihr Leben fürchtete, so wollte sie doch auch sterben. Noch lange danach, tage-, wochenlang wollte sie sterben. Sie hatte nichts mehr, was sie am Leben hielt.«

»Sie hatte ja alle ihre Angehörigen verloren«, sagte Burden.

»Oh, Mike, damit hat das nichts zu tun«, sagte Wexford plötzlich voller Ungeduld. »Was lag ihr denn an ihren Angehörigen? Nichts. Ihre Mutter hat sie verachtet, genauso wie Davina Flory ihre Tochter verachtet hat, ein armes, schwaches Geschöpf, das eine katastrophale Ehe eingegangen war, es nie schaffte, einen richtigen Beruf auf die Beine zu stellen, und zeit ihres Lebens von Davina abhängig gewesen war. Ihre Großmutter hat Daisy, glaube ich, wirklich nicht gemocht, sie verabscheute ihr dominantes Gebaren, diese Pläne für ein Studium und irgendwelche Bildungsreisen, und daß sie schließlich sogar ihr Liebesleben für sie einrichten wollte. Harvey Copeland muß sie mit einer Mischung aus Spott und Widerwillen betrachtet haben. Nein, sie hatte für ihre nächsten Angehörigen nichts übrig und hat nicht um sie getrauert, als sie tot waren.«

»Und doch hat sie getrauert. Sie haben zu mir gesagt, Sie hätten selten so tiefen Kummer beobachtet. Ja, genau das haben Sie gesagt.«

Wexford nickte. »Aber sie hat nicht gelitten, weil sie die brutale Ermordung ihrer Familie miterleben mußte. Sie hat gelitten, weil der Mann, den sie liebte und von dem sie sich geliebt glaubte, auf sie geschossen hatte. Der Mann, den sie liebte, der einzige Mensch auf der Welt, den sie liebte und von dem sie gedacht hatte, er würde aus Liebe zu ihr alles drangeben, er hatte versucht, sie umzubringen. Zumindest hat sie das geglaubt.

In diesen Minuten, als sie blutend zum Telefon kroch, brach ihre ganze Welt zusammen, weil der Mann, in den sie leidenschaftlich verliebt war, versucht hatte, ihr das anzutun, was er den anderen angetan hatte. *Darum* hat sie so lange Zeit gelitten. Sie war allein, verlassen, zuerst im Krankenhaus, dann bei den Virsons, zuletzt allein in dem Haus, das nun ihr gehörte, und er nahm keinen Kontakt auf, hat es kein einziges Mal versucht, ist nicht gekommen. Er hatte sie nie geliebt, er hatte auch sie umbringen wollen. Kein Wunder, daß sie so melodramatisch zu mir gesagt hat: ›Der Schmerz sitzt im Herzen.‹«

Als die Wolkenbank die Sonne erreichte, wurde es rasch kühl. Sie kehrten um in Richtung Wagen. Es wurde plötzlich kalt, und eine scharfe Aprilbrise durchschnitt die Luft.

Sie erreichten den Wagen, stiegen ein und fuhren

über die Nebenstraße zurück nach Tancred House. Vine steuerte den Wagen ganz langsam über die Auffahrt. Auf dem Beckenrand saß die blaue Katze und hielt einen Goldfisch zwischen den Pfoten.

Der Fisch mit dem scharlachroten Kopf zappelte und wand sich. Queenie klopfte ihn genüßlich mit der Pfote, die ihn nicht auf den Beckenrand drückte. Vine stieg aus dem Wagen, aber die Katze war viel zu flink für ihn. Sie packte den zappelnden Fisch mit dem Maul und lief auf die Haustür zu, die einen Spaltbreit offenstand.

Von innen wurde die Tür hinter ihr geschlossen.

27

Die meisten Geräte waren fort. Die Tafel und die Telefonapparate waren verschwunden. Die beiden Männer, die Graham Pagett geschickt hatte, trugen gerade den Rechner und Hindes Laserdrucker hinaus. Jemand entfernte ein Tablett mit eingetopften Kakteen. Die eine Ecke des Stalls war wieder so hergerichtet, wie sie früher gewesen war – das Retiro eines jungen Mädchens.

Wexford hatte den Raum noch nie so gesehen. Er hatte nie zu Gesicht bekommen, was Daisy hier für Sachen hatte, welcher Geschmack die Einrichtung bestimmte, die Bilder, die an den Wänden hingen. Ein Klimt-Poster in einem Glasträger zeigte einen weiblichen Akt in einer glänzenden, alles enthüllenden Draperie. Auf einem zweiten waren Katzen zu sehen, kuschelige Perserkätzchen, die sich in einem satingefütterten Korb aneinander schmiegten. Möbliert war der Raum mit weißen Korbmöbeln, deren Polster mit blauweiß kariertem Leinwandstoff bezogen waren.

War das ihr eigener oder der Geschmack, den Davina Flory ihr vorgegeben hatte? Eine Zimmerpflanze mit matt herabhängenden Blättern in einem blau-weißen chinesischen Topf. Viktorianische Romane, zweifellos ungelesen, in den Originaleinbänden, und Werke über sehr unterschiedliche Themen, von Archäologie zu moderner europäischer Politik, von Werken über Sprachfamilien bis zu einer Schmetterlingskunde Englands. Alle von Davina Flory ausgesucht, dachte Wexford. Das einzige Buch, das den Eindruck machte, daß es jemals aus dem Regal genommen worden sei, war *Die schönsten Katzenfotos der Welt.*

Er winkte Burden und Vine, in dem kleinen Wohnbereich Platz zu nehmen, der durch den Auszug der Polizei geschaffen worden war. Zum letztenmal war draußen der Imbißwagen vorgefahren, aber das Essen mußte warten. Wieder dachte er, und mit Verdruß, daran, daß Vine nur ein, zwei Tage nach den Morden richtig getippt und das auch ausgesprochen hatte.

»Es waren zwei«, sagte Burden. »Sie haben die ganze Zeit daran festgehalten, daß sie zu zweit waren, aber nur einen erwähnt. Daraus können wir, soweit ich sehen kann, nur *einen* Schluß ziehen.«

Wexford warf ihm einen eindringlichen Blick zu. »Ja?«

»Daß Daisy die zweite Person war.«

»Aber natürlich war sie es«, sagte Wexford und seufzte.

»Sie waren zu zweit, Daisy und der Mann, den sie liebte«, fuhr Wexford fort. »Sie haben mich darauf gebracht, Barry. Sie haben es ganz am Anfang zu mir gesagt, aber ich habe nicht auf Sie gehört.«

»Hab ich das?«

»Sie haben gesagt, daß sie ›Alleinerbin‹ sei und darauf verwiesen, das beste Motiv zu haben, und ich habe Ihnen sarkastisch geantwortet, ob sie etwa ihren Liebhaber dazu gebracht habe, sie an der Schulter zu verwunden, und daß sie an materiellem Besitz kein Interesse habe.«

»Ich weiß nicht, ob ich das ganz ernst meinte«, sagte Vine.

»Aber Sie hatten *recht*.«

»Es geschah also wegen des Besitzes?« fragte Burden.

»Sie wäre nicht darauf gekommen, wenn er sie nicht darauf gebracht hätte. Und er hätte die Tat nicht begangen, wenn sie nicht hinter ihm gestanden hätte. Sie wollte auch ihre Freiheit. Ihre Freiheit und den Besitz, das Gut und das Geld, sie wollte tun und lassen können, was sie wollte. Nur wußte sie nicht, was sie erwartete, was ein Mord *ist*, wie Menschen aussehen, wenn sie umgebracht worden sind. Das mit dem Blut hatte sie sich nicht so vorgestellt.«

Er mußte plötzlich an Lady Macbeths Worte denken. In vier Jahrhunderten hatte sie niemand übertroffen, hatte niemand etwas psychologisch Profunderes ausgesprochen: Wer konnte sich vorstellen, daß Menschen so viel Blut in sich haben?

»Sie hat mir nur sehr wenige Lügen aufgetischt. Es war nicht notwendig, sie mußte kaum Theater spielen. Ihr Elend war echt. Es ist nicht schwer, sich vorzustellen, wie das wäre, wenn man jemandem, seinem Liebhaber, seinem Komplizen, absolut vertraut, genau weiß, was er tun wird, und genau seine eigene Rolle kennt. Und dann geht die Sache schief, und er schießt auf einen selber. Er wird plötzlich zu einem anderen. Einen Sekundenbruchteil, bevor er auf einen schießt, kann man es in seinen Augen sehen: nicht Liebe, sondern Haß. Und man weiß, man ist die ganze Zeit getäuscht worden.

Also war ihr Jammer echt – kein Wunder, daß sie gesagt hat, sie möchte sterben und wisse nicht, was aus ihr werden soll. Bis er eines Nachts, als sie hier mit Karen allein war, wiederkam. Er wußte nichts von Karens Anwesenheit und kam bei der ersten Gelegenheit, um ihr zu sagen, daß er sie liebe, daß er sie nur verwundet habe, damit es echt wirke, damit kein Verdacht auf sie falle. Das habe er von Anfang an vorgehabt, und er habe gewußt, es würde klappen, er sei ein erstklassiger Schütze, er treffe immer sein Ziel. Indem er sie in die Schulter schoß, sei er das geringste Risiko eingegangen. Aber er habe es ihr nicht vorher sagen können, das müsse sie einsehen. Er hätte nicht sagen können: ›Ich werd auch auf dich schießen, aber vertrau mir.‹

Und Risiken habe er eingehen müssen! Damit das Gut und das Geld und die Tantiemen, damit all dies in ihre und keine anderen Hände fiel. Er habe sie nicht angerufen, weil er sich nicht getraut habe. Als sich die erste Chance für ihn bot, sei er nach Tancred House gekommen, um sie zu sehen, weil er angenommen habe, sie sei allein. Karen hat ihn gehört, aber nicht gesehen. Daisy schon. Er trug keine Maske, das hat Daisy erfunden. Sie sah ihn, und in der Erinnerung daran, wie er sie vermeintlich hintergangen und auch auf sie geschossen hatte, hat sie zweifellos geglaubt, er sei wiedergekommen, um sie umzubringen.«

Burden erhob einen Einwand. »Auf sie zu schießen, war ein ungeheures Risiko. Sie hätte sich gegen ihn stellen und uns alles verraten können.«

»Er hat darauf gerechnet, daß sie dafür selbst zu tief in der Sache drinsteckt. Wenn sie uns einen Tip gäbe, wer er war, und wir ihn verhafteten, würde er uns erzählen, welche Rolle sie dabei gespielt hat. Und außerdem hat er darauf gezählt, daß sie zu sehr in ihn verliebt ist, um ihn zu verraten. Damit hatte er recht, nicht?

Nachdem er in der Nacht nach Tancred gekommen war, erschien er am nächsten Tag wieder, und diesmal war sie wirklich allein. Er sagte ihr, warum er auf sie geschossen hatte, daß er sie liebe, und natürlich hat sie ihm verziehen. Schließlich war er ja alles, was sie hatte. Und danach war sie wie umgewandelt, war sie glücklich. Ich habe noch nie eine solche Wandlung erlebt. Trotz allem, was geschehen war, war sie glücklich, sie hatte den Geliebten wieder, alles würde wieder gut werden. Mein Gott, war ich verblendet, ich dachte, es sei Nicholas Virsons wegen. Natürlich war es nicht so. Sie hat die Fontäne wieder angestellt. Die Fontäne lief zur Feier ihres Glücks.

Ein paar Tage hielt sich dieses Hochgefühl – bis die Erinnerung an jene Nacht zurückzukehren begann. Das gerötete Tischtuch und Davinas Kopf in einem blutgefüllten Teller, und ihre unschuldige, einfältige Mutter tot und der arme Harvey, wie er draußen auf den Stufen lag – und das Kriechen zum Telefon.

Ja, so hatte sie sich das alles nicht gedacht. Sie hatte nicht geahnt, daß es so sein würde. Die Sache zu planen und zu proben war für sie eine Art Spiel gewesen. Doch die Realität, das Blut, der Schmerz, die Toten, das alles hatte sie ganz und gar nicht gewollt.

Ich will sie nicht in Schutz nehmen. Es gibt keine Entschuldigung für das Geschehene. Sie hat vielleicht nicht gewußt, was sie tat, aber sie wußte, daß drei Menschen ermordet werden sollten. Und das Ganze war eine *folie à deux.* Sie hätte es nicht ohne ihn tun können, aber er hätte es ohne sie nicht getan. Sie haben einander vorangetrieben. Des Gunners Tochter zu küssen, ist eine gefährliche Geschichte.«

»Dieser Ausdruck, *kissing the gunner's daughter*«, sagte Burden, »was bedeutet er eigentlich? Jemand hat ihn vor kurzem verwendet, wer, fällt mir jetzt nicht ein...«

»Ich war das«, sagte Vine.

»Was er bedeutet? Er bedeutet, daß jemand ausgepeitscht wird. Wenn in der Royal Navy ein Mann ausgepeitscht wurde, hat man ihn zuvor an Deck auf eine Kanone gebunden. Deshalb war es eine gefährliche Sache, die Tochter des Kanoniers – *the gunner's daughter* – zu küssen.

Sie hat, glaube ich, nicht gewußt, daß Andy Griffin umgebracht werden müßte. Oder vielmehr umgebracht würde, weil ihr Liebhaber in einem Mord die Möglichkeit sah, aus Schwierigkeiten herauszukommen. Jemand ärgert dich? Dann bring ihn um. Jemand schaut zufällig dein Mädchen an? Bring ihn um.

Nicht hinter Daisy war er her, als er mit einer Kerze und einem Bindfaden die Benzinkanister im Thatched

House in Brand setzte. Er hatte es auf Nicholas Virson abgesehen. Virson hatte gewagt, Daisy anzusehen, hatte dreisterweise sogar geglaubt, Daisy könnte ihn tatsächlich heiraten. Wer hätte denn angenommen, daß Nicholas Virson, der Daisy gebeten hatte, bei ihm und seiner Mutter zu logieren, in dieser Nacht nicht zu Hause sein, sondern draußen in Tancred auf Daisy lauern würde?

Sie hat mehr von ihrer Großmutter, als sie ahnt. Ist Ihnen schon aufgefallen, wie wenige Freunde sie hat? In all diesen Wochen war keine einzige junge Frau im Haus – von den jungen Frauen abgesehen, die *wir* dort einquartiert haben. Auf dem Begräbnis war nur ein einziges junges weibliches Wesen, die Enkelin von Mrs. Macsamphire.

Davina Flory hatte zwar ein paar Freunde aus ferner Vergangenheit, doch die Freunde des Ehepaares, das waren Freunde von Harvey Copeland. Naomi hatte Freunde. Daisy hatte nicht eine einzige Freundin, der sie sich anvertrauen, die ihr jetzt zur Seite stehen konnte. Aber Männer? Auf Männer hat sie sehr gewirkt, ja.« Wexford sagte es in einem leicht wehmütigen Ton. Er dachte einen Augenblick lang daran, wie sie auf ihn gewirkt hatte. »Männer werden rasch zu ihren Sklaven. Ein interessanter Punkt übrigens, wie verblendet Davina Flory gewesen sein muß, als sie dachte, sie müßte Daisy einen Mann fürs Bett beschaffen, als wäre Daisy nicht bestens dafür ausgestattet, sich den selbst zu besorgen. Aber sie waren so egozentrisch, diese beiden Frauen, Großmutter und Enkelin, und darum konnten sie nicht über die eigene Nasenspitze hinaussehen.

Daisy hat ihren Liebhaber in Edinburgh, in der Festspielzeit, kennengelernt. Wie genau, das werden wir noch herausfinden. Vielleicht in einem Experimentiertheater oder bei einem Pop-Konzert. Ihre Mutter war krank, und zweifellos ist sie ihrer Großmutter entwischt, sobald sich eine Gelegenheit bot. Sie war damals noch sehr verärgert. Es hat sie immer noch gewurmt, daß Davina diesen Vorschlag mit Harvey gemacht hatte. Nicht weil sie schockiert oder gar angewidert war, glaube ich, sondern weil sie ihr diese Eingriffe in ihr Leben allmählich immer mehr verübelte. Sollte das immer so weitergehen, daß Davina ihr, Daisys, Leben dirigierte? Es wurde ja nicht besser, es wurde immer schlimmer.

Doch hier nun war ein junger Mann, der keinen Respekt vor ihren Angehörigen, keine Ehrfurcht vor irgendeinem von ihnen hatte, jemand, in dem sie einen ungebundenen Geist gesehen haben muß, unabhängig, forsch, ein Draufgänger. Ein Mensch wie sie selbst, beziehungsweise, wie sie einer sein könnte, wenn auch sie ihre Freiheit hätte.

Wer auf die Idee verfallen ist? Er oder sie? Ich denke, er, aber vielleicht wäre sie nie entstanden, wenn er nicht Gunners Tochter geküßt hätte. Und danach hat er gesagt: ›All das könnte *uns* gehören. Das Haus, das Gut, das Geld.‹

Der Plan war ganz einfach und ließe sich ohne Schwierigkeiten ausführen. Allerdings mußte er dafür ein guter Schütze sein, und das war er, ein sehr guter sogar. Aber er hatte keine Waffe. Das war ein Manko. Für ihn war es immer ein Manko, wenn er keine Waffe hatte. Es war, als wäre sein rechter Arm nicht vollständig, wenn sich in der Hand daran keine Waffe befand. Haben sie vielleicht über die Möglichkeit gesprochen, daß in Tancred House eine Schrotflinte oder ein Gewehr war? Hatte der alte Harvey auf dem Gutsgelände vielleicht Vögel gejagt? Hätte ihm Davina das erlaubt?«

Burden ließ ein Weilchen vergehen. Dann, als Wexford den Kopf hob, sagte er: »Was ist passiert, als sie hierher zurückgekehrt sind?«

»Ich glaube nicht, daß *sie* hierher zurückgekommen sind. Daisy ja, mit ihren Angehörigen. Sie mußte wieder in die Schule, und vielleicht ist ihr alles wie ein Traum vorgekommen, ein böser Tagtraum, der nun nie Wirklichkeit werden würde. Aber eines Tages tauchte er wieder auf. Er meldete sich bei ihr, und sie haben sich verabredet, hier in den Ställen, wo sie ihr eigenes Reich hatte. Niemand hat ihn gesehen, denn außer Daisy kam ja niemand hierher. ›Na, wie steht's damit?‹ Wann sie es tun wollten.

Ich glaube nicht, daß Daisy wußte, ob ihre Großmutter ein Testament gemacht hatte oder nicht. Falls ein Testament vorhanden war und Naomi und Harvey starben, würde zweifelsohne sie Alleinerbin sein. Gab es kein Testament, dann war es möglich, daß Davinas Nichte Louise Merritt einen Teil des Erbes erhielt. Louise Merritt ist im Februar gestorben, und es war wohl kaum ein Zufall, daß sie mit der Ausführung ihres Plans gewartet haben, bis Davinas Nichte tot war.

Vorher, vermutlich ein paar Monate vorher, im Herbst, war er im Wald Andy Griffin begegnet. Wie oft sie sich getroffen haben, bis das Geschäft zustande kam, weiß ich nicht, aber Andy Griffin machte das Angebot, ihm einen Revolver zu verkaufen, und dieses Angebot wurde akzeptiert.

Er hat die Innenwand des Laufs verändert, darin war er geübt. Das Werkzeug dafür hatte er mitgebracht.« Wexford erzählte, wie er die Werbeanzeige in dem Stadtführer von Heights entdeckt hatte. »Der Büchsenmacher hieß Coram Clark. Ich wußte, der Name war mir schon einmal untergekommen, konnte mich aber nicht erinnern, wo. Ich wußte nur, daß irgend jemand so hieß und daß der Betreffende in einer Beziehung zu dem Fall Tancred House stand. Schließlich ist es mir dann wieder eingefallen. Es war ganz am Anfang, am Tag nach den Morden, als die Presse hier draußen war.

Auf der Pressekonferenz hat ein Reporter von der Lokalzeitung eine Frage gestellt. Er hat mich hinterher draußen abgefangen. Er war sehr vorlaut, sehr selbstsicher, ein noch sehr junger Mann, eigentlich ein Junge, dunkelhaarig, gutaussehend. Er war auf dieselbe Schule wie Daisy gegangen – womit er von selbst herausrückte –, und dann hat er mir gesagt, wie er heißt. Er hat davon gesprochen, daß er überlege, wie er sich als Journalist nennen solle, habe aber noch keinen Entschluß gefaßt.

Das ist inzwischen geschehen. Ich habe den Namen in einer Autorenzeile im *Courier* gesehen. Er nennt sich Jason Coram, aber mit vollem Namen heißt er Jason Sherwin Coram Sebright.

Sebright erzählte mir auch beiläufig, daß seine Mutter Amerikanerin sei und daß er sie manchmal in den Vereinigten Staaten besuche. Als Täter unwahrscheinlich, aber immerhin.

Das hat er mir auf dem Begräbnis erzählt. Er saß in der Kirche neben mir. Danach ist er rumgegangen und hat Trauergäste interviewt, auf eine Art, die er stolz ›seine US-Technik‹ nannte. Nachdem der nächtliche Besucher um Tancred House geschlichen war, am Tag darauf, kam Sebright hierher, um Daisy zu einem Exklusivinterview zu bewegen. Ich bin ihm begegnet, als er aus dem Haus kam, und er hat mir alles darüber erzählt. Er wollte seinen Text ›Der maskierte Eindringling‹ nennen, und vielleicht, wer weiß, hat er's auch getan.

Ishbel Macsamphire hatte Daisy in Edinburgh zusammen mit einem gutaussehenden, dunkelhaarigen jungen Mann gesehen. Diese Beschreibung hätte ebensogut auf John Gabbitas gepaßt, aber Gabbitas ist Engländer, und seine Eltern leben in Norfolk.

Jason Sebright hatte gerade die Schule hinter sich. Er war achtzehn, stand kurz vor seinem neunzehnten Geburtstag. Im September begann er seine Journalistenausbildung mit einem Job beim *Courier.* Es hätte leicht sein können, daß er zu der Zeit, als Daisy in Edinburgh war, dorthin gefahren ist. Ich habe gewartet, bis es drüben in Nevada zehn Uhr vormittags war, und die Büchsenmacherfirma Coram Clark in Heights angerufen. Coram Clark selbst – sie nennen ihn Coram Clark junior – war zwar nicht da, aber, wie man mir sagte, in ihrem Laden in der Innenstadt von Carson City zu erreichen. Schließlich bekam ich ihn an den Apparat. Er war sehr auskunftswillig. Ich finde den Enthusiasmus der Amerikaner erfrischend. Bei denen bekommt man nicht so viel von ›könnte gewesen sein‹ und diesem Kram zu hören. Ich habe ihn gefragt, ob er hier im Vereinigten Königreich einen jungen Verwandten namens Jason Sebright habe.

Er hat mir gesagt, daß er die Technik beherrsche, den Lauf eines Revolvers zu verändern. Er hat gesagt, daß das notwendige Werkzeug dafür nicht viel Platz beanspruchen würde und ohne Mühe nach Großbritannien gebracht werden könnte. Beim Zoll würde man nicht erkennen, worum es sich handelt. Aber er habe keinen jungen Verwandten namens Jason, weder im Vereinigten Königreich noch sonstwo. Seine Töchter seien verheiratet. Söhne habe er keine. Er sei ein Einzelkind gewesen und habe keine Neffen. Von Jason Sherwin Coram Sebright hatte er nie gehört.«

»Das überrascht mich nicht«, sagte Burden, nicht sehr mitfühlend. »Ganz schön an den Haaren herbeigezogen, diese Idee.«

»Ja, aber es hat sich trotzdem gelohnt. Coram Clark hatte zwar keine jungen Verwandten, weder in Großbritannien noch sonstwo, aber er hat mir eine Menge nützlicher Auskünfte gegeben. Er sagte, daß es einen Präzisionsschießkurs auf einem Schießgelände in Carson City gibt. Er hat auch manchmal Studenten von der Heights University, die bei ihm jobben, Autos fahren, im Laden arbeiten, und in manchen Fällen reparieren sie sogar Schußwaffen. Studenten an amerikanischen Universitäten verdienen sich oft nebenher ihren Lebensunterhalt.

Nachdem ich den Hörer aufgelegt hatte, fiel mir etwas ein. Ein amerikanisches Uni-Sweatshirt mit Buchstaben darauf, die beinahe herausgewaschen waren. Aber ich war mir sicher, daß die Großbuchstaben ST und U darauf waren.

Mein Freund Stephen Perkins von der Myringham University konnte mir sagen, wofür diese Buchstaben standen. Er hat ganz einfach die Lebensläufe in den Bewerbungen für das *creative-writing*-Seminar durchgesehen. Die Stylus University in Kalifornien. In Amerika nennen sie zwar jede Ansiedlung City, und Stylus ist für eine City ziemlich klein, aber es hat eine Polizei und einen Polizeichef, Chief Peacock. Es gibt auch acht Büchsenmacher am Ort. Chief Peacock hat zurückgerufen und war sogar noch ergiebiger als Coram Clark. Er hat mir erzählt, daß erstens die Stylus University ein Seminar für Militärgeschichte anbietet, und zweitens, daß einer der Büchsenmacher häufig Studenten abends oder am Wochenende zur Aushilfe im Laden hat. Ich habe die Büchsenmacher einen nach dem anderen angerufen. Der vierte, den ich erreichte, konnte sich sehr gut an Thanny Hogarth erinnern. Er hatte bis zum Ende seines Abschlußsemesters letztes Jahr bei ihm gearbeitet. Nicht, weil er Geld brauchte. Sein Vater ist reich und hat ihn mit einem sehr großzügigen Wechsel unterstützt. Thanny Hogarth liebte Schußwaffen, er war in Schußwaffen vernarrt.

Chief Peacock hat mir noch etwas anderes berichtet. Vor zwei Jahren wurden auf dem Campus der Stylus University zwei Studierende erschossen. Beide waren Männer und hatten etwas gemeinsam. Sie sind nacheinander mit demselben Mädchen ausgegangen. Der Killer wurde nie geschnappt.«

Das Fahrrad lehnte an der Hauswand.

Die Innendekorateure waren im Haus damit beschäftigt, das Eßzimmer zu renovieren. Ihr Transporter war dicht neben dem Fenster abgestellt, das Pemberton eingeschlagen hatte. Die Fontäne lief an diesem Tag nicht. In dem klaren, dunklen Wasser des Beckens schwamm der letzte rote Fisch.

Die drei Kriminalbeamten blieben am Becken stehen. »Beim zweitenmal, als ich dieses Haus betrat«, sagte Wexford, »habe ich zusammen mit einer Menge anderer Dinge das Werkzeug auf einem Tisch gesehen. Ich wußte nicht, worum es sich handelte. Ich glaube, ich habe sogar einen Revolverlauf gesehen, aber wer erkennt schon einen Revolverlauf, wenn er nicht mit der Waffe verbunden ist?«

Burden sagte unvermittelt: »Warum hat er sie nicht geheiratet?«

»Was?«

»Vor dem Massaker, meine ich. Wenn sie es sich mit ihm anders überlegt hätte, hätte er nichts bekommen. Sie hätte nur zu sagen brauchen, nach dem, was er getan hatte, wolle sie nichts mehr von ihm wissen, und er hätte das Nachsehen gehabt.«

»Sie war noch nicht achtzehn«, sagte Wexford. »Sie hätte die Einwilligung ihrer Eltern gebraucht. Können Sie sich vorstellen, daß Davina Flory ihrer Tochter Naomi erlaubt hätte, ihre Einwilligung zu erteilen? Außerdem sind Sie ein Anachronismus, Mike, Sie leben nicht in unserer Zeit. Die beiden sind Kinder von heute, und vermutlich haben sie gar nicht ans Heiraten gedacht. Eine Ehe? Das ist was für die alten Leute und für die Virsons dieser Welt.

Außerdem sondert einen so etwas, ein Massaker, von der Menschheit ab. Vielleicht ist ihnen etwas aufgegangen: daß sie gezeichnet waren, daß niemand anders zu ihnen passen würde, daß sie nur einander hatten.«

Er ging auf das Haus zu und wollte gerade an der Klingel ziehen, als er bemerkte, daß die Haustür einen Spaltbreit offenstand. Sicher hatten die Handwerker sie nicht geschlossen. Er zögerte kurz und ging dann hinein, gefolgt von Burden und Vine.

Die beiden waren im *serre* und so intensiv beschäftigt, daß sie eine Sekunde lang nichts hörten. Die beiden dunkelhaarigen Köpfe steckten dicht beieinander. Auf dem Glastisch vor ihnen lagen ein Perlenhalsband, ein goldenes Armband und zwei Ringe, der eine mit einem Rubin und Brillantenschultern, der andere mit Perlen und Saphiren besetzt.

Daisy betrachtete den Mittelfinger ihrer linken Hand, über den Thanny Hogarth vielleicht gerade den Verlobungsring gestreift hatte, groß und kunstvoll mit Brillanten besetzt, Brillanten im Wert von neunzehntausend Pfund.

Sie blickte sich um. Sie stand auf, als sie sah, wer da gekommen war, und wischte mit einer unbeabsichtigten Bewegung der brillantengeschmückten Hand den ganzen Schmuck auf den Boden.

Mord ist ein schweres Erbe

Aus dem Englischen von
Denis Scheck

Für
meinen Vater und Simon

Alle Zitate am Anfang der Kapitel stammen aus *The Book of Common Prayer* und wurden in der 1844 in London erschienenen deutschen Überset-zung wiedergegeben.

1

Die Reichsgesetze mögen solche Christen, die grober und schwerer Verbrechen schuldig befunden sind, mit dem Tode bestrafen.

Die Religionsartikel

Es war fünf Uhr morgens. Inspector Burden hatte wohl schon mehr Morgendämmerungen gesehen als die meisten, aber er war ihrer nie wirklich überdrüssig geworden, schon gar nicht im Sommer. Er liebte die Stille, den Anblick des ländlichen Städtchens im menschenleeren Zustand, das harte blaue Licht, das von derselben Färbung und Leuchtkraft war wie das Licht der Abenddämmerung, jedoch ohne deren Melancholie.

Vor kaum einer Viertelstunde hatten die beiden Männer, die sie wegen der gestern abend in einer der Kneipen von Kingsmarkham vorgefallenen Schlägerei verhört hatten, jeder für sich und fast gleichzeitig gestanden. Inzwischen saßen sie in zwei kahlen weißen Zellen im Erdgeschoß dieses unangemessen modernen Polizeigebäudes. Burden stand am Fenster in Wexfords Büro und blickte zum Himmel empor, der eine dem Aquamarinblau eigene grünliche Färbung aufwies. Ein in enger Formation fliegender Vogelschwarm zog über ihn hinweg. Er erinnerte Burden an seine Kindheit, als alles, so wie in der Morgendämmerung, größer, klarer und bedeutungsvoller erschienen war als heute. Müde und ein wenig angewidert öffnete er das Fenster, um den Zigarettenqualm und Schweißgeruch der Jugendlichen hinauszulassen, die mitten im Hochsommer Lederjacken trugen.

Draußen auf dem Gang hörte er, wie Wexford Colonel Grisworld, dem Chief Constable, gute Nacht sagte – oder guten Morgen. Burden fragte sich, ob Grisworld, als er kurz vor zehn mit einer langen Tirade über die Ausmerzung des Rowdytums aufgetaucht war, wohl geahnt hatte, daß er sich die ganze Nacht würde um die Ohren schlagen müssen. Das hast du jetzt von deiner Einmischerei, dachte er boshaft.

Die schwere Eingangstür fiel ins Schloß, und Grisworlds Auto sprang an. Burden sah ihm nach, wie es über den Vorplatz an den großen, mit rosa Geranien bepflanzten Steintrögen vorbei auf die Kingsmarkham High Street rollte. Der Chief Constable fuhr selbst. Burden bemerkte anerkennend und leicht amüsiert, daß Grisworld nur mit ungefähr 45 Kilometer in der Stunde fuhr, bis er an dem schwarzweißen Schild angelangt war, das die Geschwindigkeitsbegrenzung aufhob. Daraufhin beschleunigte der Wagen und geriet auf der leeren Landstraße nach Pomfret rasch außer Sicht.

Als er Wexford eintreten hörte, wandte er sich um. Das plumpe graue Gesicht des Chief Inspectors war noch eine Spur grauer als sonst, aber davon abgesehen, zeigte er keine Anzeichen von Müdigkeit, und in seinen Augen, die dunkel und hart wie Basalt waren, stand ein triumphierendes Leuchten. Er war ein stattlicher Mann von kräftigem Aussehen und mit einer kräftigen, einschüchternden Stimme. Der graue Anzug – einer seiner obligatorischen Zweireiher mit weit unten sitzenden Knöpfen – sah heute schäbiger und zerknitterter aus denn je. Doch er paßte zu Wexford und wirkte fast wie eine zweite Haut über seiner natürlichen, die runzelig und dick war.

»Wieder eine Arbeit erledigt. Wie die alte Frau sagte, als sie dem Mann das Auge ausgestochen hatte.«

Burden nahm solche Sprüche mit stoischer Gelassenheit hin. Er wußte, daß Wexford ihn mit voller Absicht schockieren wollte, und mit schöner Regelmäßigkeit gelang ihm das auch. Er kräuselte die schmalen Lippen zu einem verkniffenen Lächeln. Wexford reichte ihm einen blauen Umschlag, und er war froh über die Ablenkung, durch die er seine leichte Verlegenheit überspielen konnte.

»Das hier hat mir Grisworld gerade gegeben«, sagte Wexford. »Morgens um fünf. Kein Gefühl für gutes Timing.«

Burden warf einen Blick auf den Poststempel aus Essex.

»Von dem Mann, den er erwähnt hat, Sir?«

»Da Verehrerpost aus dem schönen und idyllischen Thringford für mich ja wohl kaum der Normalfall ist, dürfte es sich tatsächlich um diesen Pfarrer handeln. Ein gewisser Mr. Archery, der die Alte-Kumpel-Masche abzieht.« Er ließ sich auf einen der wackligen Stühle sinken, der wie immer ein protestierendes Quietschen von sich gab. Wexford verband mit diesen Stühlen eine Haßliebe, wie es sein Untergebener zu nennen pflegte, und diese Haßliebe erstreckte sich im Grunde auf das gesamte hypermoderne Mobiliar seines Büros. Der schwarz glänzende Boden, der quadratische Nylonteppich, die Stühle mit den schlanken Chrombeinen, die dottergelben Jalousien – sie alle waren Wexfords Ansicht nach nicht »zweckdienlich«, sondern Staubfänger und »Schnickschnack«. Gleichzeitig war er insgeheim aber auch ungeheuer stolz auf sie. Sie hatten ihre Wirkung und dienten dazu, fremden Besuchern zu imponieren, beispielsweise dem Verfasser dieses Briefes, den Wexford nun aus dem Kuvert zog.

Er war auf ziemlich dickes blaues Papier geschrieben. In übertrieben vornehmem Tonfall sagte der Chief Inspector gespreizt: »Da wenden wir uns am besten doch gleich an den Chief Constable von Mid-Sussex, meine Liebe. Schließlich waren wir zusammen in Oxford, nicht wahr?« Er verzog das Gesicht zu einer Art wölfischem Grinsen. »Lagen wohl zusammen am Busen der gleichen Alma mater«, fügte er hinzu. »So was kann ich nicht ausstehen.«

»Stimmt es denn?«

»Stimmt was?«

»Daß sie zusammen in Oxford waren?«

»Keine Ahnung. Irgendwas in der Richtung. Vielleicht waren's auch die Sportplätze von Eton. Grisworld sagte bloß: ›Jetzt, wo wir diese Gauner hinter Schloß und Riegel haben, möchte ich gern, daß Sie einen Blick auf den Brief eines guten Freundes von mir werfen. Archery ist sein Name, ein prima Kerl. Diese Anlage ist für Sie. Ich möchte, daß Sie ihn nach besten Kräften unterstützen. Soweit ich weiß, hat es etwas mit diesem Halunken Painter zu tun.‹«

»Wer ist Painter?«

»Ein Verbrecher, kam vor fünfzehn oder sechzehn Jahren an den Galgen«, sagte Wexford lakonisch. »Mal sehen, was uns der Herr Pfarrer zu sagen hat.«

Burden sah ihm über die Schulter. Der Brief trug den Absender Pfarrhaus St. Columba, Thringford, Essex. Die griechischen E erweckten instinktiv eine leichte Abneigung in ihm. Wexford las vor:

»›Sehr geehrter Herr, ich hoffe, Sie verzeihen mir, wenn ich Ihre kostbare Zeit in Anspruch nehme...‹ Was bleibt mir auch anderes übrig? ›...aber ich messe dieser Angelegenheit eine gewisse Dringlichkeit bei. Col. Grisworld, der Chief Constable von Blablabla und so weiter, hat mich freundlicherweise an Sie als den zuständigen Beamten verwiesen, der mir unter Umständen mit diesem Problem weiterhelfen kann, weshalb ich mir, nachdem ich erst ihn zu Rate zog, nun die Freiheit nehme, mich an Sie zu wenden.‹« Er hüstelte und lockerte sich die zerknitterte graue Krawatte. »Du lieber Himmel – der redet ja lange um den heißen Brei herum. Ah, jetzt kommt er zur Sache. ›Gewiß erinnern Sie sich an den Fall Herbert Arthur Painter...‹ *Und ob.* ›Wie ich erfahren habe, leiteten Sie die Untersuchung. Ich hielt es daher für das beste, mich an Sie zu wenden, ehe ich bestimmte Erkundigen anstelle, die einzuholen ich gänzlich wider meinen Willen gezwungen bin.‹«

»Gezwungen?«

»So schreibt der Mann zumindest. Weshalb, sagt er nicht. Das Weitere besteht aus einer Menge Höflichkeiten, und ob er mich morgen – nein, heute – sprechen könne. Er will mich heute morgen anrufen, aber er ›setzt meine Bereitwilligkeit voraus, ihn zu empfangen‹.« Er schaute zum Fenster hinaus, wo die Sonne über der York Street aufging, und frönte seiner Vorliebe für entstellte Zitate: »Vermutlich weilt er jetzt gerade in elysischen Gefilden, vollgestopft mit schwerbekömmlichem Hammelfleisch oder was Pfarrer sonst im Schweiße ihres Angesichts zu Abend essen.«

»Um was geht es eigentlich?«

»Du meine Güte, Mike, das ist doch klar wie Kloßbrühe. Ihnen scheint dieser Kram von wegen ›gezwungen sein‹ und ›gänzlich wider meinen Willen‹ entgangen zu sein. Ich kann mir nicht vorstellen, daß er ein sonderlich hohes Gehalt hat. Wahrscheinlich schreibt er zwischen Frühgottesdienst und Mütterkreis wahre Kriminalgeschichten. Falls er darauf spekuliert, den Geschmack der breiten Masse damit zu treffen, daß er Painter aus der Versenkung holt, muß er es verzweifelt nötig haben.«

»Ich glaube, ich erinnere mich an den Fall«, sagte Burden nachdenklich. »Ich war damals gerade aus der Schule gekommen...«

»Womöglich hat es Sie wohl noch in Ihrer Berufswahl beeinflußt?« spöttelte Wexford. »›Was möchtest du denn werden, mein Sohn?‹ – ›Kriminalbeamter, Papa.‹ «

Während der fünf Jahre als Wexfords rechte Hand war Burden gegen die Sticheleien immun geworden. Er war sich darüber im klaren, daß er eine Art Ventil darstellte, der Sündenbock, an dem Wexford seinen derben und manchmal haarsträubenden Humor auslassen konnte. Die Einwohner dieser Kleinstadt, die Wexford ohne Unterschied als »unsere Kunden« bezeichnete, mußten – wenn sie nicht gerade im Verdacht eines Schwerverbrechens standen – damit verschont bleiben. Burdens Aufgabe war es, dem überschäumenden Zorn, Hohn und Spott seines Chefs eine Zielscheibe zu bieten. Nun fiel ihm die Rolle des Blitzableiters zu, in den die Verachtung einschlug, die eigentlich Grisworld und Grisworlds Bekanntem gebührte.

Er sah Wexford verständnisvoll an. Nach einem anstrengenden Tag und einer nervenaufreibenden Nacht war dieser Brief der Tropfen, der das Faß zum Überlaufen brachte. Wexford hatte sich mit einemmal versteift vor Ärger, auf seiner Stirn zeigten sich tiefere Falten als sonst, und sein ganzer Körper war von kaum unterdrückter Wut verkrampft, die bei der kleinsten Ungeschicklichkeit losbrechen konnte.

»Diese Painter-Geschichte«, sagte Burden, geschickt in seine Therapeuten-Rolle überwechselnd, »war im Grunde doch eine Routineangelegenheit. Ich habe damals den Fall in der Zeitung verfolgt, weil er *die* lokale Sensation war, aber ansonsten war, nach meiner Erinnerung, nichts Bemerkenswertes dran.«

Wexford steckte den Brief in den Umschlag zurück und legte ihn in eine Schublade. Seine Bewegungen waren exakt und äußerst beherrscht. Ein falsches Wort, ging es Burden durch den Kopf, und er hätte den Brief zerrissen und die Fetzen auf dem Boden verstreut, wo sich die Putzfrau um die weitere Bearbeitung kümmern konnte. Seine Worte waren unter den gegebenen Umständen offenbar so richtig wie möglich gewesen, denn Wexford sagte mit scharfer, aber beherrschter Stimme: »Für mich war er bemerkenswert.«

»Weil Sie mit ihm betraut waren?«

»Weil es der allererste Mordfall war, den ich persönlich leitete. Für Painter war er bemerkenswert, weil er ihn an den Galgen brachte, und auch seine Frau blieb nicht unberührt. Es hat sie wohl ziemlich erschüttert, soweit diese Frau überhaupt etwas erschüttern konnte.«

Mit wachsender Nervosität registrierte Burden, wie er den Brandfleck betrachtete, den die Zigarette einer der von ihnen Verhörten auf dem zitronengelben Sitzleder des Stuhls hinterlassen hatte. Er wartete auf den großen Knall. Statt dessen fragte Wexford in gleichgültigem Ton:

»Haben Sie kein Zuhause, wo Sie sich mal wieder blikken lassen müßten?«

»Dafür ist es jetzt zu spät«, meinte Burden und unterdrückte ein sich ankündigendes Gähnen. »Außerdem ist meine Frau an die See gefahren.«

Da er ein äußerst familienbewußter Mensch war, kam ihm sein Bungalow wie ausgestorben vor, wenn Jean und die Kinder nicht da waren. Dieser Zug seiner Persönlichkeit bot Wexford viele Gelegenheiten zu Sticheleien und höhnischen Bemerkungen, die sich außerdem seine relative Jugend, sein unerschütterliches stockkonservatives Wesen und seine gewisse pedantische Einstellung zum Ziel erkoren. Doch Wexford sagte nur: »Das habe ich vergessen.«

Burden verstand etwas von seiner Arbeit. Der große häßliche Mann respektierte ihn dafür. Wenn er ihn auch manchmal deswegen aufzog, wußte Wexford die Vorteile doch zu schätzen, die ein Stellvertreter mit sich brachte, dessen würdevolles, gutes Aussehen anziehend auf Frauen wirkte. Wenn sie jenem asketischen Gesicht gegenübersaßen, auf dem sich Mitgefühl abzeichnete, das Wexford »Weichlichkeit« nannte, neigten sie eher dazu, ihr Herz auszuschütten, als bei einem majestätischen fünfundfünfzigjährigen Schwergewicht. Er verfügte jedoch über keine besonders ausgeprägte persönliche Ausstrahlung, so daß ihn sein Vorgesetzter meist in den Hintergrund drängte. Um nun jene aggressive Energie in andere Bahnen zu lenken, mußte er einen Tadel wegen Dummheit in Kauf nehmen.

Er riskierte es. »Wenn Sie die Sache für diesen Archery ohnehin noch mal auseinanderklamüsern müssen, wäre es dann nicht ein guter Gedanke, wenn wir den Tatbestand kurz rekapitulierten?«

»Wir?«

»Dann eben Sie, Sir. Nach so langer Zeit wird Ihre Erinnerung an den Fall wohl auch nicht mehr ganz so deutlich sein.«

Sein Wutanfall wurde von unterschwelligem Lachen

begleitet. »Herrgott noch mal! Glauben Sie, ich merke nicht, was in Ihrem Kopf vorgeht? Wenn ich einen Psychiater brauche, gehe ich zu einem Fachmann.« Er hielt inne, und das Lachen verwandelte sich in ein sarkastisches Grinsen. »Schön, es könnte mir vielleicht helfen...« Doch Burden hatte den Fehler begangen, sich zu früh in Sicherheit zu wiegen. »Mir den Tatbestand für diesen verfluchten Mr. Archery wieder in Erinnerung zu rufen, weiter nichts«, fügte Wexford zornig hinzu. »Aber es gibt nichts Rätselhaftes an dem Fall, keine geschickt gelegten falschen Fährten oder so was. Painter war es, keine Frage.« Er deutete nach Osten aus dem Fenster. Rosenrot und Gold überzog den weiten Himmel über Sussex, auf dem sich gedämpfte zartrosa Streifen wie von einem Aquarellpinsel hingemalte Striche abzeichneten. »Das ist so sicher, wie jetzt die Sonne aufgeht«, sagte er. »Es gab nie irgendwelche Zweifel. Herbert Arthur Painter tötete mit einem Beil seine neunzigjährige Arbeitgeberin durch einen Schlag auf den Kopf, und er tat es wegen 200 Pfund. Er war ein brutaler primitiver Rohling. Wenn es je einen gab, auf den die Bezeichnung ›Unmensch‹ wirklich zutraf, dann war es Painter. Komisch, daß sich ein Pfarrer zum Verteidiger von so einem macht.«

»Falls er ihn verteidigt.«

»Warten wir's ab«, sagte Wexford.

Sie standen vor der Karte, die auf der gelben Rauhfasertapete befestigt war.

»Sie wurde in ihrem Haus umgebracht, nicht?« fragte Burden. »Eines dieser großen Gebäude an der Straße nach Stowerton?«

Die Karte zeigte den ganzen, ziemlich verschlafenen

Landkreis. In der Mitte lag Kingsmarkham, ein Marktflecken mit ungefähr 12000 Einwohnern; die Straßen waren in Braun und Weiß eingezeichnet, das Umland grün mit dunkleren Grünflächen, die für Waldungen standen. Von der Kleinstadt gingen Straßen aus wie Fäden vom Innenrad eines Spinnennetzes, eine nach Pomfret im Süden, eine andere nach Sewingbury im Nordosten. Die vereinzelten Dörfer, Flagford, Clusterwell und Forby, waren winzige Fliegen in diesem Netz.

»Das Haus heißt *Victor's Piece*«, sagte Wexford. »Komischer Name. Irgendein General baute es für sich nach den Ashantikriegen.«

»Es liegt ungefähr da.« Burden legte den Finger auf einen senkrechten Faden des Netzes, der von Kingsmarkham nach Stowerton führte, das direkt im Norden lag. Er dachte nach, und schließlich dämmerte es ihm. »Ich glaube, ich kenne das Haus«, sagte er. »Eine scheußliche Bruchbude, außen ganz mit grünem Holz verschalt. Bis vor einem Jahr war es ein Altersheim. Jetzt wird es vermutlich abgerissen.«

»Bestimmt. Es gehören ein oder zwei Hektar Land dazu. Wenn Sie nun im Bild sind, können wir uns ja wieder setzen.«

Burden hatte seinen Stuhl ans Fenster gerückt. Es lag etwas Tröstliches und gleichzeitig Verjüngendes darin, den heraufdämmernden Tag zu beobachten, der wunderschön zu werden versprach. Auf den Feldern lagen lange, dichte blaue Baumschatten, und auf den Schieferdächern der alten Häuser funkelte helles Morgenlicht. Schade, daß er nicht mit Jean hatte wegfahren können. Der Sonnenschein und die frische, berauschende Luft ließen ihn an Urlaub denken und hielten ihn davon ab, sich die Einzelheiten des Falls in Erinnerung zu rufen, der vor langer

Zeit Kingsmarkham in Aufruhr versetzt hatte. Er durchforstete sein Gedächtnis und mußte sich zu seiner Schande eingestehen, daß er sich nicht einmal mehr an den Namen der Ermordeten entsann.

»Wie hieß sie eigentlich?« fragte er Wexford. »Es war ein ausländischer Name, nicht? Porto oder Primo oder so.«

»Primero. Rose Isabel Primero. Das war der Name ihres Mannes. Ausländerin war sie aber ganz und gar nicht, sie stammte von Forby Hall. Ihre Familie stellte seit Generationen die Gutsherren von Forby.«

Burden kannte Forby gut. Die wenigen Touristen, die in diese von der Landwirtschaft geprägte Gegend ohne Küstenstreifen oder grünes Hügelland, Burgen oder Kathedralen kamen, ließen es sich nicht entgehen, Forby zu besichtigen. In den Reiseführern stand es lächerlicherweise als fünftschönstes Dorf Englands verzeichnet. An jedem Kiosk im Kreis fand man Ansichtskarten von seiner Kirche. Burden hatte eine gewisse Vorliebe für dieses Dorf, da sich seine Bewohner als fast völlig frei von kriminellen Neigungen erwiesen hatten.

»Dieser Archery könnte doch ein Verwandter sein«, gab er zu bedenken. »Vielleicht will er ein paar Auskünfte für sein Familienarchiv.«

»Da habe ich meine Zweifel«, sagte Wexford und räkelte sich in der Sonne wie eine riesige graue Katze. »Ihre einzigen Verwandten waren ein Enkel und zwei Enkelinnen. Roger Primero, der Enkel, wohnt jetzt auf Forby Hall. Geerbt hat er es nicht, er mußte es kaufen. Näheres weiß ich nicht.«

»Früher lebte einmal eine Familie Kynaston auf Forby Hall, sagt zumindest Jeans Mutter. Aber das muß schon viele Jahre her sein.«

»Stimmt«, sagte Wexford mit einer Spur von Ungeduld in der polternden Baßstimme. »Mrs. Primero war eine geborene Kynaston und ging schon auf die Vierzig zu, als sie Dr. Ralph Primero heiratete. Ihre Familie sah das wohl nicht so gern – aber das ereignete sich auch um die Jahrhundertwende.«

»Was war er, Arzt?«

»Irgendein Facharzt oder so, glaube ich. In *Victor's Piece* zogen sie ein, als er in Ruhestand ging. So schrecklich reich waren sie gar nicht. Als der Arzt in den dreißiger Jahren starb, hinterließ er Mrs. Primero ungefähr 10000 Pfund, davon mußte sie leben. Aus der Ehe war ein Kind hervorgegangen, ein Sohn, aber er starb kurz nach seinem Vater.«

»Soll das heißen, sie lebte allein in diesem Riesenhaus? In ihrem Alter?«

Wexford schürzte die Lippen und versenkte sich in seine Erinnerung. Burden wußte, daß sein Vorgesetzter ein beinahe übernatürliches Gedächtnis besaß. Wenn er sich wirklich für etwas interessierte, hatte er fast so etwas wie das absolute Gedächtnis. »Mrs. Primero hatte eine Hausangestellte«, sagte Wexford. »Sie hieß – heißt, denn sie lebt noch – sie heißt Alice Flower. Sie war ein gutes Stück jünger als Mrs. Primero, etwas über Siebzig, und sie stand seit ungefähr fünfzig Jahren in Diensten ihrer Gnädigen. Sie war ein Dienstmädchen der alten Schule, schon mehr ein Fossil als ein Faktotum. Da sie so lange zusammen waren, könnte man glauben, sie seien Freundinnen geworden statt Herrin und Dienerin, aber Alice wußte, wohin sie gehörte, und bis an den Tag, an dem Mrs. Primero starb, verkehrten sie per ›gnädige Frau‹ und ›Alice‹ miteinander. Ich kannte Alice vom Sehen. Sie war schon ein ziemliches Original, wenn sie zum Einkaufen nach Kingsmarkham kam, besonders als Painter begann, sie in Mrs. Primeros Daimler in die Stadt zu chauffieren. Wissen Sie noch, wie früher die Kindermädchen aussahen? Nein, wohl kaum. Sie sind zu jung. Alice trug jedenfalls immer einen blauen, langen Mantel und ein blaues Filzhütchen, das man damals ›sittsam‹ nannte. Sie und Painter waren beide Dienstboten, doch Alice hielt sich ihm für meilenweit überlegen. Sie pflegte ihre höhere Stellung ihm gegenüber herauszukehren und ihm genau wie Mrs. Primero Anweisungen zu erteilen. Für seine Frau und seine Kumpel hieß er Bert, aber Alice nannte ihn ›Biest‹. Natürlich nicht ins Gesicht. Das hätte sie sich dann doch nicht ganz getraut.«

»Wollen Sie damit sagen, daß sie Angst vor ihm hatte?«

»In gewisser Beziehung schon. Er war ihr verhaßt, und es ärgerte sie, daß er überhaupt da war. Mal sehen, ob ich noch diesen Zeitungsausschnitt habe.« Wexford zog die unterste Schublade seines Schreibtisches auf, in der er persönliche, halbdienstliche Dinge aufbewahrte, Kuriositäten, die einmal sein Interesse geweckt hatten. Viel Hoffnung hatte er nicht, das Gesuchte zu finden. Zu der Zeit von Mrs. Primeros Ermordung war die Kingsmarkhamer Polizei in einem gelben Backsteingebäude in der Stadtmitte untergebracht. Jenes hatte man vor vier oder fünf Jahren abgerissen und durch diesen verblüffend modernen Neubau am Stadtrand ersetzt. Beim Umzug von dem hohen Kieferschreibtisch an seinen jetzigen aus lakkiertem Rosenholz war der Zeitungsausschnitt höchstwahrscheinlich verlorengegangen. Er durchstöberte Notizen, Briefe und seltsame kleine Andenken, bis er schließlich mit triumphierendem Grinsen wieder hochsah.

»Na, wer sagt's denn, der Unmensch persönlich. Gutaussehender Kerl, wenn man diesen Typ mag. Herbert Arthur Painter, vormals bei der Vierzehnten Armee in Birma. Fünfundzwanzig Jahre alt, angestellt bei Mrs. Primero als Chauffeur, Gärtner und Mädchen für alles.«

Der Ausschnitt war aus dem *Sunday Planet* und bestand aus mehreren Spalten Text, die eine zweispaltige Abbildung umgaben. Das Foto war scharf, und Painter schaute direkt in die Kamera.

»Merkwürdig«, sagte Wexford. »Er schaute einem immer direkt ins Gesicht. Soll ein Kennzeichen für Aufrichtigkeit sein, falls man an so einen Blödsinn glaubt.«

Burden mußte das Bild schon einmal gesehen haben, aber er hatte es völlig vergessen. Es war ein längliches, gut proportioniertes Gesicht mit einer geraden, wenn auch etwas fleischigen Nase, die sich am unteren Ansatz stark verbreiterte. Painter hatte die dicken, geschwungenen Lippen, die bei Männern wie der derbe Abklatsch eines Frauenmunds wirken, eine flache hohe Stirn und kurzes enggelocktes Haar. Die Locken waren so eng gewellt, daß es aussah, als ob sie an der Kopfhaut zögen und Schmerzen verursachten.

»Er war groß und stattlich«, fuhr Wexford fort. »Ein Gesicht wie ein schöner, zu groß geratener Mops, finden Sie nicht? Während des Kriegs diente er im Fernen Osten, aber falls er unter der Hitze und den Entbehrungen gelitten hat, sah man ihm es damals nicht mehr an. Er strahlte die unverwüstliche Gesundheit eines Brauereigauls aus. Tut mir leid, so viele Tiermetaphern zu verwenden, aber Painter war wie ein Tier.«

»Wie kam es, daß Mrs. Primero ihn in ihre Dienste nahm?«

Wexford nahm den Zeitungsausschnitt wieder an sich,

warf einen kurzen Blick darauf und faltete ihn zusammen.

»Seit dem Tod des Doktors«, sagte er, »bis 1947 bemühten sich Mrs. Primero und Alice Flower, das Haus in Schuß zu halten, indem sie hin und wieder ein bißchen Unkraut jäteten und einen Mann aus der Nachbarschaft kommen ließen, wenn ein Brett befestigt werden mußte. Sie können sich das ja ungefähr vorstellen. Nacheinander stellten sie verschiedene Frauen aus Kingsmarkham als Haushaltshilfen an, aber früher oder später kündigten alle, um in die Fabriken zu gehen. Allmählich begann das Haus zu verfallen. Das war nicht weiter überraschend, wenn man bedenkt, daß gegen Kriegsende Mrs. Primero Mitte Achtzig und Alice fast Siebzig war. Außerdem rührte Mrs. Primero, von ihrem Alter mal ganz abgesehen, im Haushalt keinen Finger. Dazu war sie nicht erzogen worden; sie hätte ein Staubtuch nicht von einem Sofaschoner unterscheiden können.«

»War wohl ein ziemlicher Besen, was?«

»Sie war das, wozu sie Gott und ihre Umwelt gemacht hatten«, erklärte Wexford ernst, jedoch mit einem leichten Anflug von Ironie in der Stimme. »Vor ihrem Tod habe ich sie nie gesehen. Sie war eigensinnig, ein wenig geizig, auch das, was man heutzutage ›reaktionär‹ nennen würde, und neigte dazu, diktatorisch und ganz die Herrin des Hauses zu sein. Ich gebe Ihnen mal ein paar Beispiele. Als ihr Sohn starb, standen seine Frau und die Kinder völlig mittellos da. Die Einzelheiten weiß ich nicht, jedenfalls war Mrs. Primero durchaus bereit, ihnen mit Geld unter die Arme zu greifen, sofern dies zu ihren Bedingungen geschah. Die Familie sollte zu ihr ziehen und so weiter. Aber man muß ihr zugute halten, daß sie sich zwei Haushalte vielleicht nicht leisten konnte. Die andere Geschichte ist, daß sie eine eifrige Kirchgängerin war. Als sie zu alt dafür wurde, bestand sie darauf, daß Alice an ihrer Stelle ging. Wie so eine Art Sündenbock. Aber sie hatte auch ihre guten Seiten. Sie vergötterte ihren Enkel Roger und hatte eine gute Freundin. Darauf kommen wir später noch.

Wie Sie wissen, herrschte nach dem Krieg große Wohnungsnot, und Dienstboten gab es so gut wie gar keine. Mrs. Primero war eine kluge alte Frau und kam auf den Gedanken, zwei Fliegen mit einer Klappe zu schlagen. Im Park von *Victor's Piece* stand ein Wagenschuppen mit einer Art Speicher darüber. Der Kutschenplatz diente als Garage für den bereits erwähnten Daimler. Seit dem Tod des Doktors hatte ihn niemand mehr gefahren – Mrs. Primero konnte nicht fahren und Alice selbstredend auch nicht. Benzin war sehr knapp, aber auf Bezugsschein bekam man genug für die Einkäufe und eine wöchentliche Spritztour über die Landsträßchen mit den alten Herrschaften.«

»Demnach war Alice also so gut mit ihr befreundet?« warf Burden ein.

»Eine Dame kann doch wohl noch in Begleitung ihres Mädchens spazierenfahren«, sagte Wexford todernst. »Jedenfalls gab Mrs. Primero im Kingsmarkhamer *Chronicle* eine Anzeige auf, in der ein junger Mann mit handwerklichem Geschick gesucht wurde, der für eine Wohnung und drei Pfund die Woche bereit war, den Garten zu besorgen, Gelegenheitsarbeiten zu verrichten und das Auto zu warten und zu fahren.«

»Drei Pfund!« Burden war Nichtraucher und kein Freund kostspieliger Vergnügungen, aber von den Wochenendeinkäufen, die er für seine Frau erledigte, wußte er, wie wenig mit drei Pfund auszurichten war.

»Damals war das wesentlich mehr wert, Mike«, sagte Wexford, und es klang fast wie eine Entschuldigung. »Mrs. Primero ließ den Speicher neu streichen, Trennwände für drei Zimmer einziehen und Wasserleitungen legen. Eine Nobelherberge war es nicht gerade, aber lieber Himmel, 1947 waren die Leute schon froh, wenn sie überhaupt ein Dach über dem Kopf hatten! Sie erhielt viele Zuschriften, aber aus irgendeinem Grund – weiß Gott, aus welchem – entschied sie sich für Painter. Bei der Verhandlung sagte Alice, sie habe gedacht, seine Frau und die Kleine würden ihn bei der Stange halten. Kommt ganz darauf an, was man unter ›bei der Stange halten‹ versteht, nicht?«

Burden rückte seinen Sessel aus der Sonne. »War die Frau auch bei Mrs. Primero angestellt?«

»Nein, nur Painter. Sie hatte doch das Kind. Es war erst zwei, als sie einzogen. Wäre sie im Haus beschäftigt gewesen, hätte sie das Kind mitbringen müssen. Mrs. Primero hätte das nie geduldet. Was sie betraf, bestand zwischen ihr und den Painters eine unüberbrückbare Kluft. Mein Eindruck war, daß sie während der ganzen Zeit, in der Painter für sie arbeitete, höchstens ein paar Worte mit Mrs. Painter gewechselt hat, und was das kleine Mädchen betrifft – ich glaube, sie hieß Theresa –, wird sie kaum gewußt haben, daß es sie überhaupt gab.«

»Nach einer besonders netten Frau klingt das nicht gerade«, meinte Burden unschlüssig.

»Sie war eine typische Vertreterin ihrer Zeit und Klasse«, sagte Wexford tolerant. »Vergessen Sie nicht, daß sie die Tochter eines Gutsherrn war, und das zu einer Zeit, als Gutsherren noch etwas galten. Für sie war Mrs. Painter mit der Frau eines Pächters vergleichbar. Ich habe keine Zweifel, daß sie, falls Mrs. Painter krank geworden wäre, die alte Alice mit einer Schüssel Suppe und ein paar Decken zu ihr geschickt hätte. Außerdem blieb Mrs. Painter gern für sich. Sie war sehr hübsch, aber äußerst zurückhaltend und die Ehrbarkeit in Person. Painter machte ihr ein wenig angst, was leicht verständlich ist, denn sie war ein kleines Persönchen und er ein großer, ungeschlachter Rohling. Als ich nach dem Mord mit ihr sprach, fiel mir auf, daß sie blaue Flecken am Arm hatte, zu viele blaue Flecken, um nur von den üblichen Mißgeschicken in der Küche herrühren zu können. Ich möchte wetten, daß ihr Mann sie öfters verprügelte.«

»In Wirklichkeit waren es also zwei völlig getrennte Haushalte«, sagte Burden. »Mrs. Primero und ihr Mädchen lebten für sich in *Victor's Piece*, und die Familie Painter in ihrer kleinen Wohnung am anderen Ende des Gartens.«

»Ich weiß nicht, ob man das so sagen kann. Der Wagenschuppen stand gerade mal dreißig Meter von der Hintertür des Hauses entfernt. Painter ging dort nur hin, um die Kohlen abzuliefern und sich seine Anweisungen zu holen.«

»Aha«, erwiderte Burden. »Jetzt erinnere ich mich. Es ging doch um irgendeine verzwickte Angelegenheit mit den Kohlen. War das nicht mehr oder weniger der entscheidende Punkt bei dem Fall?«

»Painter sollte Holz hacken und Kohlen ins Haus bringen«, fuhr Wexford fort. »Kohlen schleifen war zuviel für Alice, und Painter sollte mittags einen Eimer voll bringen – vorher machten sie nie Feuer – und um halb sieben noch einen. Gegen die Gartenarbeit oder die Wagenpflege hatte er nie etwas einzuwenden, aber bei den Kohlen hörte es bei ihm aus irgendeinem Grund auf. Er machte es zwar – von öfteren Versäumnissen abgesehen –, aber nie ohne darüber zu murren. Der Mittagsdienst überschneide sich mit seiner Essenszeit, sagte er, und an Winterabenden gehe er nicht mehr gern aus der Wohnung. Ob er nicht zwei Eimer um elf bringen könne? Aber Mrs. Primero duldete das nicht. Sie sagte, sie ließe aus ihrem Salon keine Kohlenhalde machen.«

Burden lächelte. Seine Müdigkeit war fast schon verflogen. Nach einem Frühstück, einer Rasur und einer Dusche würde er ein neuer Mensch sein. Er blickte kurz auf die Uhr und dann auf die gegenüberliegende Seite der High Street, wo am *Carousel Café* gerade die Rolläden hochgezogen wurden.

»Ich könnte eine Tasse Kaffee vertragen«, sagte er.

»Zwei Seelen und ein Gedanke. Trommeln Sie mal jemand heraus und lassen welchen holen.«

Wexford stand auf und reckte sich, zog seine Krawatte fest und strich sich das Haar glatt, das zu spärlich war, um in Unordnung zu geraten. Der Kaffee kam in Plastiktassen mit Kunststofflöffeln und verpackten Zuckerwürfeln.

»Sehr schön«, sagte Wexford. »Soll ich fortfahren?« Burden nickte.

»Im September 1950 arbeitete Painter seit drei Jahren für Mrs. Primero. Es schien alles ganz gut zu klappen, bis auf die Schwierigkeiten, die Painter wegen der Kohlen machte. Nie brachte er sie ins Haus, ohne sich zu beschweren, und ständig verlangte er eine Lohnerhöhung.«

»Er dachte wohl, sie schwimme nur so im Geld.«

»Was sie auf der Bank hatte, angelegt in Aktien oder was immer, konnte er natürlich nicht wissen. Andererseits war es ein offenes Geheimnis, daß sie Geld im Haus aufbewahrte.«

»Meinen Sie in einem Safe?«

»Nie im Leben. Sie wissen doch, wie diese alten Schachteln sind. Teils hatte sie es in Papiertüten eingewickelt in Schubladen, teils in alten Handtaschen.«

Burden hatte sein Gedächtnis angestrengt und fragte plötzlich: »Und eine dieser Handtaschen enthielt *die* 200 Pfund?«

»Richtig«, bestätigte Wexford grimmig. »Ob sie es sich nun leisten konnte oder nicht, Mrs. Primero lehnte es strikt ab, Painters Lohn zu erhöhen. Wenn ihm die Stelle nicht passe, könne er gehen, aber das bedeutete, auch die Wohnung aufzugeben. Als Frau in ihrem Alter war Mrs. Primero besonders empfindlich gegen Kälte und fing schon im September zu heizen an. Painter hielt dies für unnötig und machte wie üblich viel Wirbel...«

Als das Telefon klingelte, hielt er inne und ging selbst an den Apparat. Aus Wexfords ständig wiederholtem »Ja, ja... in Ordnung« konnte sich Burden kein Bild machen, wer am anderen Ende war. Mit leichtem Widerwillen trank er seinen Kaffee aus. Die Plastiktasse war am Rand aufgeweicht. Wexford legte auf.

»Meine Frau«, sagte er. »Ob ich tot sei? Ob ich vergessen hätte, daß ich noch ein Zuhause habe? Ihr ist das Haushaltsgeld ausgegangen, und sie kann das Scheckbuch nicht finden.« Er lachte verhalten, suchte in seiner Jackentasche und zog es hervor. »Kein Wunder. Da muß ich kurz zu ihr rüber.« Mit unvermittelter Freundlichkeit fügte er hinzu: »Wie wär's, wenn Sie auch nach Hause gingen und sich ein bißchen aufs Ohr legten?«

»Ich hänge nicht gern in der Luft«, murrte Burden. »Jetzt weiß ich, wie sich meine Kinder fühlen, wenn ich mitten in einer Gutenachtgeschichte aufhöre.«

Wexford fing an, seine Aktentasche zu packen.

»Wenn man die ganzen Nebensächlichkeiten einmal

wegläßt«, sagte er, »bleibt nicht mehr viel zu erzählen. Es geschah am Abend des 24. September, einem kalten, regnerischen Sonntag. Mrs. Primero hatte Alice in die Kirche geschickt. Sie ging ungefähr um Viertel vor sechs, Painter sollte um halb sieben mit den Kohlen kommen. Tatsächlich brachte er sie auch, und als er das Haus verließ, hatte er 200 Pfund mehr in der Tasche.«

»Mich würden auch die Nebensächlichkeiten interessieren«, sagte Burden.

Wexford stand schon kurz vor der Tür.

»Demnächst in diesem Theater.« Er lächelte verschmitzt. »Sie können nicht sagen, daß ich Sie im ungewissen lasse.« Das Lächeln verschwand, und sein Gesicht verhärtete sich. »Mrs. Primero wurde um 19 Uhr gefunden. Sie lag in einer großen Blutlache auf dem Boden im Salon. An den Wänden und ihrem Lehnstuhl klebte Blut, und in der Feuerstelle lag ein blutbeflecktes Holzbeil.«

2

> Wenn er gerichtet wird, soll er schuldig gesprochen werden... Seine Kinder sollen Waisen werden und sein Weib eine Witwe.
>
> *Psalm 109, zu lesen am 22. Tage*

Das Nickerchen, das Wexford ihm verordnet hatte, wäre an einem trüben Tag verlockend gewesen, nicht aber an diesem Morgen, wo der Himmel blau und wolkenlos war und die Sonne zu Mittag tropische Hitze versprach.

Überdies erinnerte sich Burden, daß er seit drei Tagen nicht mehr sein Bett gemacht hatte. Lieber statt dessen eine Dusche nehmen und sich rasieren.

Nach einem aus zwei Eiern und einigen Scheiben seines Lieblingsspecks bestehenden Frühstück in der Kantine hatte er sich entschieden, was er tun wollte. Eine Stunde war leicht zu erübrigen. Mit ganz nach unten gekurbelten Wagenfenstern fuhr er auf der High Street Richtung Norden, über die Kingsbrook-Brücke, am *Olive and Dove* vorbei und weiter auf der Landstraße nach Stowerton. Abgesehen von einem neuen Haus hier und da, einem Supermarkt auf dem Gelände des alten Polizeireviers und den ins Auge stechenden Verkehrsschildern überall, hatte sich in den letzten sechzehn Jahren nicht viel verändert. Die Wiesen, die hohen, jetzt im Juli dichtbelaubten Bäume und die kleinen, holzverschalten Cottages waren noch genauso, wie sie Alice Flower auf ihren Einkaufsfahrten in dem Daimler gesehen hatte. Damals mußte es weniger Verkehr gegeben haben, überlegte er. Er bremste, fuhr auf den Seitenstreifen und runzelte die Stirn über einen Motorradfahrer, der ihn beim Überholen des Gegenverkehrs nur um Zentimeter verfehlt hatte.

Die Zufahrt zu *Victor's Piece* mußte irgendwo hier abgehen. Jene nebensächlichen Einzelheiten, aus denen Wexford ein so großes Geheimnis gemacht hatte, stellten sich nun nach und nach aus eigener Erinnerung wieder bei ihm ein. Hatte er nicht von einer Bushaltestelle und einer Telefonzelle am Ende des Weges gelesen? Konnten dies die Wiesen sein, die Painter, so glaubte er sich zu erinnern, auf der verzweifelten Suche nach einem Versteck für ein Bündel blutbefleckter Kleider überquert hatte?

Da vorn stand die Telefonzelle. Er blinkte und bog

langsam nach links in die Zufahrt ein. Ein kurzes Stück weit war sie geschottert, dann verschmälerte sie sich zu einem Feldweg, der vor einem Tor aufhörte. Es waren nur zwei Häuser: ein weißverputztes Doppelhaus und gegenüber das spätviktorianische Gebäude, das er als »scheußliche Bruchbude« bezeichnet hatte.

Aus der Nähe hatte er es noch nie gesehen, doch er bemerkte nichts, was ihn zu einer Meinungsänderung veranlaßt hätte. Das Dach aus grauem Schiefer wurde durch eine steile Giebelkonstruktion regelrecht verschandelt. Zwei dieser Giebel ragten über der Vorderseite des Hauses auf, ein dritter türmte sich auf der rechten Seite empor, und aus diesem schob sich noch einer hervor, der etwas kleiner war und anscheinend die Rückseite überblickte. Alle Giebel schmückte Fachwerk in Kreuzmuster. In einige der Balken hatte man unfachmännisch Zickzackleisten geschnitzt, und alle waren in einem matten Flaschengrün angestrichen. An manchen Stellen bröckelte der Verputz zwischen dem Holz ab, wodurch nacktes, rötliches Mauerwerk zum Vorschein kam. Von der Unterkante der Fenster im Erdgeschoß bis zum höchsten Giebel hinauf, wo ein vergittertes Fenster gähnend offenstand, breitete Efeu seine flachen, ebenfalls dunkelgrünen Blätter und seilartigen grauen Ranken aus. Dort war er entlanggekrochen, hatte sich an der gesprenkelten Mauer festgesetzt und den Fensterrahmen aus der Backsteinmauer gedrängt.

Burden betrachtete den Garten mit dem Auge eines Landmanns. Nie zuvor hatte er eine solch prächtige Auslese feinsten Unkrauts gesehen. Der fruchtbare schwarze Boden, über viele Jahre hinweg bebaut und gepflegt, trug jetzt Ampfer mit Blättern so dick und glänzend wie von Gummibäumen, Disteln mit braunroten Köpfen und über einen Meter hohe Nesseln. Die Kieswege verloren sich im Gras und dem von Mehltau befallenem Kreuzkraut. Nur die Klarheit der Luft und der sanfte Glanz des Sonnenlichts verhinderten, daß das Haus richtig unheimlich wirkte.

Die Vordertür war verschlossen. Das Fenster daneben gehörte zweifellos zum Salon. Burden konnte sich nicht verkneifen, sich mit einem gewissen sarkastischen Humor zu fragen, welcher instinktlose Verwaltungsbeamte wohl verfügt hatte, daß der Schauplatz eines Mordes an einer alten Frau über Jahre hinweg das Zuhause – tatsächlich sogar die letzte Zuflucht – anderer alter Frauen sein sollte. Doch nun waren sie fort. Das Haus sah aus, als wäre es seit Jahren unbewohnt.

Durch das Fenster konnte er in ein großes düsteres Zimmer sehen. Auf den Rost des bernsteinfarbenen Marmorkamins hatte jemand klugerweise eine zerknüllte Zeitung gelegt, um den herabfallenden Ruß aufzufangen. Wexford hatte gesagt, der Kamin sei ganz mit Blut bespritzt gewesen. Da vorne, unmittelbar vor der kupfernen Einfassung, mußte die Leiche gelegen haben.

Er ging um die Seite herum und mußte sich einen Weg durch ein Gebüsch bahnen, wo Holunder und starke junge Birken den Flieder zu verdrängen drohten. Die Scheiben der Küchenfenster starrten vor Schmutz, und eine Küchentür war nicht vorhanden, nur eine Hintertür, die anscheinend vom Ende des Hauptflurs abging. Vom Bauen verstanden die Viktorianer nicht viel, dachte er bei sich. Zwei Türen mit einem geraden Gang dazwischen! Der Durchzug mußte entsetzlich sein.

Unterdessen war er in den hinteren Garten gelangt, aber er konnte buchstäblich den Wald vor lauter Bäumen nicht sehen. Die Natur war Amok gelaufen auf *Victor's*

Piece; der Wagenschuppen war fast völlig unter Kletterpflanzen verborgen. Er schlenderte über den schattigen, mit Steinplatten belegten Hof, auf dem es durch die aufragenden Hauswände etwas frisch war, und fand sich vor einem Wintergarten wieder, offenbar ein Anbau an eine Art Damen- oder Frühstückszimmer. Momentan beherbergte er eine Kletterpflanze, die schon lange abgestorben und ziemlich blattlos war.

Das also war *Victor's Piece*. Schade, daß er nicht hinein konnte, aber er mußte so oder so wieder zurück. Aus langer Gewohnheit – und teils auch, um mit gutem Beispiel voranzugehen – hatte er alle Fenster seines Autos hochgekurbelt und die Türen abgeschlossen. Im Inneren herrschte eine Gluthitze. Er fuhr durch das kaputte Tor auf den Feldweg und reihte sich in den Verkehr auf der Landstraße aus Stowerton ein.

Ein größerer Kontrast wie den zwischen dem Gebäude, das er gerade verlassen hatte, und dem Gebäude, das er nun betrat, ließ sich kaum denken. Schönes Wetter schmeichelte dem Polizeirevier von Kingsmarkham. Wexford vertrat zuweilen die These, der Architekt dieses Neubaus müsse ihn während eines Urlaubs in Südfrankreich entworfen haben. Er war weiß, verschachtelt, unnötig groß und da und dort mit Fresken verziert, die den Elgin Marbles verpflichtet waren.

An diesem Julimorgen glitzerte und glänzte er strahlend weiß. Falls seine Fassade das Sonnenbad tatsächlich genoß, konnten die sich in ihm aufhaltenden Menschen das nicht von sich behaupten. Es gab viel zu viele Glasflächen an dem Bau. Für Treibhausgewächse und tropische Fische mochte das ganz gut sein, sagte Wexford immer, für einen älteren angelsächsischen Polizisten mit Bluthochdruck und geringer Widerstandskraft gegen Hitze sei es aber ein höchst zweifelhaftes Vergnügen. Der Telefonhörer rutschte in seiner großen Hand hin und her, und als er das Gespräch mit Henry Archery beendet hatte, kurbelte er die Jalousien herunter.

»Da ist eine Hitzewelle im Anmarsch«, sagte er zu Burden. »Ich schätze, Ihre Frau hat sich eine gute Woche ausgesucht.«

Burden blickte von der Aussage auf, die zu lesen er gerade begonnen hatte. Schlank wie ein Windhund, im Gesicht hager und spitz, besaß er oft den Instinkt eines Jagdhundes im Wittern von Ungewöhnlichem, verbunden mit der wilden Phantasie eines Menschen.

»Während einer Hitzewelle geschieht anscheinend immer etwas«, sagte er. »Etwas, das in unser Ressort fällt, meine ich.«

»Nun mal halblang«, erwiderte Wexford. »Hier bei uns ist doch immer was los.« Er zog die drahtigen Augenbrauen, die buschig wie Zahnbürsten waren, in die Höhe. »Für heute steht jedenfalls Archery auf dem Programm. Er kommt um zwei.«

»Hat er gesagt, um was es eigentlich geht?«

»Das will er sich für heute nachmittag aufheben. Reichlich affektiert, sein Getue. Gehört alles zum großen Geheimnis, wie man ohne einen Penny in der Tasche ein Gentleman sein kann. Immerhin, er hat eine Abschrift des Gerichtsprotokolls, ich muß also den ganzen Käse nicht noch einmal mit ihm durchhecheln.«

»Das muß ihn eine Stange Geld gekostet haben. Er muß scharf auf die Sache sein.«

Wexford sah auf die Uhr und erhob sich. »Muß zum Gericht rüber«, sagte er. »Die Lumpen abservieren, die mich um den Schlaf gebracht haben. Hören Sie mal,

Mike, wir könnten doch auch mal ein bißchen Dolce vita machen, das haben wir uns wirklich verdient. Außerdem habe ich heute keine Lust auf eine Steakpastete im *Carousel.* Wie wär's denn, wenn wir auf einen Sprung ins *Olive* gehen und auf Punkt eins einen Tisch bestellen?«

Burden lächelte. Das paßte ihm ausgezeichnet. Alle Jubeljahre einmal pflegte Wexford darauf zu bestehen, verhältnismäßig stilvoll zu Mittag oder gar zu Abend zu essen.

»Ihr Wunsch ist mir Befehl«, antwortete er.

Das *Olive and Dove* ist die beste Herberge in Kingsmarkham und auch die einzige, die den Namen Hotel wirklich verdient. Mit viel Phantasie läßt sich der *Queen's Head* noch als Gasthaus bezeichnen, der *Dragon* und der *Crusader* können jedoch nicht für sich in Anspruch nehmen, mehr als Kneipen zu sein. Das *Olive,* wie es die Einheimischen stets nennen, liegt an der High Street am Stowerton zugewandten Endc von Kingsmarkham, gegenüber dem märchenhaften georgianischen Wohnhaus von Mr. Missal, dem Stowertoner Autohändler. Teilweise ist es selbst im georgianischen Stil erbaut, doch es handelt sich um einen architektonischen Bastard mit Überbleibseln im Tudorstil und einem Seitenflügel, der ein noch höheres Alter für sich in Anspruch nimmt. Es entspricht in jeder Hinsicht dem, was nette Menschen aus dem Mittelstand meinen, wenn sie von einem »netten« Hotel sprechen. Es beschäftigt stets drei Kellner, die Zimmermädchen sind gesetzt und häufig schon etwas älter, das Badewasser ist heiß, das Essen den Erwartungen gemäß, und der Reiseführer des britischen Automobilclubs hat ihm zwei Sterne verliehen.

Burden hatte telefonisch einen Tisch bestellt. Als er kurz vor eins in den Speisesaal trat, bemerkte er voller

Genugtuung, daß man ihm den Tisch am Fenster zur High Street reserviert hatte. Hier saß man nicht direkt in der Sonne, und die Geranien im Blumenkasten blühten und sahen taufrisch aus. Die Mädchen, die auf der anderen Straßenseite auf den Bus nach Pomfret warteten, trugen Baumwollkleider und Sandalen.

Wexford kam fünf nach eins hereinmarschiert. »Es will mir nicht in den Kopf, weshalb er nicht um halb eins Schluß machen kann wie die in Sewingbury«, brummte er. Mit »er« war, wie Burden wußte, der Vorsitzende des Gerichts in Kingsmarkham gemeint. »Himmel, war das heiß im Gericht. Was wollen wir essen?«

»Gebratene Ente«, erklärte Burden bestimmt.

»Na schön, eh ich mich vierteilen lasse. Hauptsache, sie verhunzen sie nicht mit irgendwelchem anderen Zeugs. Sie wissen schon, was ich meine, Mais und Bananen.« Er nahm die Speisekarte zur Hand und warf einen finsteren Blick darauf. »Hören Sie sich das mal an: Huhn Polynesien. Was glauben die eigentlich, wer wir sind? Buschmänner?«

»Ich bin heute morgen mal rausgefahren und habe mir *Victor's Piece* angeschaut«, sagte Burden, während sie auf die Ente warteten.

»Ach? Wie ich gesehen habe, steht es zum Verkauf. Im Schaufenster des Maklers hängt eine Karte mit einem höchst irrführenden Foto. 6000 wollen sie dafür haben. Bißchen viel, wenn man bedenkt, daß Roger Primero 1951 weniger als zwei für das Haus bekam.«

»Es hat wohl seitdem mehrmals den Eigentümer gewechselt?«

»Ein- oder zweimal, ehe die alten Leutchen einzogen. Danke«, sagte er, an den Kellner gewandt. »Nein, wir wollen keinen Wein. Zwei kleine Bier vom Faß.« Er breitete sich die Serviette auf dem breiten Schoß aus und streute reichlich Pfeffer in die Flügel-und-Orangen-Soße, was Burden einen Schauder über den Rücken laufen ließ.

»War Roger Primero der Erbe?«

»Einer der Erben. Mrs. Primero hinterließ kein Testament. Wie ich schon sagte, belief sich ihr Vermögen auf nur 10000 Pfund, und die gingen zu gleichen Teilen an Roger und seine beiden jüngeren Schwestern. Heute ist er ein reicher Mann, aber von seiner Großmutter hat er sein Geld jedenfalls nicht. Er mischt überall mit – Öl, Baugeschäft, Reedereien –, ein echter Industriemagnat.«

»Ich glaube, ich habe ihn schon mal gesehen.«

»Bestimmt. Seit er Forby Hall erworben hat und Grundbesitzer wurde, ist er sehr standesbewußt. Geht mit Hunden auf Fuchsjagd und all so was.«

»Wie alt ist er?« fragte Burden.

»Als seine Großmutter ermordet wurde, war er zweiundzwanzig. Dann müßte er jetzt also so um die achtunddreißig sein. Die Schwestern waren viel jünger. Angela war zehn und Isabel neun.«

»Ich glaube mich zu erinnern, daß er als Zeuge bei der Verhandlung aussagte.«

Wexford schob den Teller von sich, winkte ziemlich herrisch den Kellner herbei und bestellte zwei gedeckte Apfelkuchen. Für Burden war es nichts Neues, daß sein Chef eine etwas beschränkte Auffassung vom Dolce vita besaß.

»Roger Primero hatte an jenem Sonntag seiner Großmutter einen Besuch abgestattet«, sagte Wexford. »Er arbeitete damals in einer Anwaltskanzlei in Sewingbury und machte es sich zur Gewohnheit, den Sonntagstee in *Victor's Piece* einzunehmen. Vielleicht hatte er dabei seinen Teil von den Moneten im Auge, wenn Mrs. Primero einmal nicht mehr sein sollte – er besaß weiß Gott keinen roten Heller zu jener Zeit –, doch er schien sie aufrichtig gern zu haben. Tatsache ist jedenfalls, daß wir, nachdem wir uns die Leiche angesehen und ihn als nächsten Verwandten aus Sewingbury hatten holen lassen, ihn mit Gewalt davon abhalten mußten, zum Wagenschuppen hinüberzugehen und Painter eigenhändig zu erwürgen. Bestimmt haben ihn seine Großmutter und Alice sehr verwöhnt, Sie wissen schon, ihn auf Händen getragen und vorn und hinten bedient. Ich sagte ja, daß Mrs. Primero auch ihre guten Seiten hatte. Es hatte zwar Streit in der Familie gegeben, doch offenbar blieben die Enkelkinder davon unberührt. Ein paarmal hatte Roger seine beiden Schwestern auf Besuch nach *Victor's Piece* gebracht, und sie waren anscheinend sehr gut miteinander ausgekommen.«

»Alte Menschen kommen meistens gut mit Kindern aus«, sagte Burden.

»Freilich mußten es die richtigen Kinder sein, Mike. Angela und Isabel, die ja, und sie hatte auch eine große Schwäche für die kleine Liz Crilling.«

Burden legte den Löffel weg und sah den Chief Inspector mit großen Augen an.

»Sie sagten doch, Sie hätten das alles damals in der Zeitung gelesen?« fragte Wexford mißtrauisch. »Sagen Sie bloß nicht, es wäre schon so lange her. Das geben mir immer meine Kunden zur Antwort, da sehe ich rot. Wenn Sie den Bericht über diesen Prozeß gelesen haben, müssen Sie doch noch wissen, daß Elizabeth Crilling, die damals genau fünf Jahre alt war, Mrs. Primeros Leiche gefunden hat.«

»Ich versichere Ihnen, ich kann mich nicht mehr erinnern, Sir.« Das mußte der Tag gewesen sein, an dem er sich die Zeitung geschenkt hatte, weil er nervös wegen eines Einstellungsgesprächs gewesen war. »Aber sie hat bei der Verhandlung doch nicht etwa ausgesagt, oder?«

»Nicht in diesem Alter – es gibt Grenzen. Außerdem war sie zwar die erste, die den Salon betrat und auf die Leiche stieß, aber ihre Mutter begleitete sie.«

»Um ein wenig abzuschweifen«, sagte Burden, »mir ist Ihre Bemerkung über die richtigen Kinder noch nicht ganz klar. Mrs. Crilling wohnt da drüben in der Glebe Road.« Er wandte sich zum Fenster und wedelte mit der Hand in Richtung des reizlosesten Viertels von Kingsmarkham, wo zwischen den Kriegen lange Straßen mit kleinen braunen Reihenhäusern aus dem Boden geschossen waren. »Sie und das Mädchen bewohnen die Hälfte eines Hauses und sind arm wie Kirchenmäuse...«

»Sie sind ganz schön heruntergekommen«, sagte Wexford. »Im September 1950 war Crilling noch am Leben – er starb kurz danach an Tuberkulose –, und sie wohnten gegenüber von *Victor's Piece.*«

»In diesem Doppelhaus?«

»Richtig. Eine gewisse Mrs. White und ihr Sohn wohnten in der anderen Hälfte. Mrs. Crilling war damals ungefähr dreißig, schon ein kleines bißchen über dreißig.«

»Sie machen wohl Witze«, sagte Burden spöttisch. »Dann wäre sie jetzt erst Ende Vierzig.«

»Sehen Sie mal, Mike, man kann sagen, was man will von wegen harte Arbeit, Kinderkriegen und all so was. Lassen Sie sich von mir gesagt sein, daß nichts auf der Welt eine Frau so vorzeitig altern läßt wie eine Geisteskrankheit. Und Sie wissen so gut wie ich, daß Mrs. Crilling seit Jahren laufend in Nervenkliniken behandelt wird.« Er hielt inne, als ihr Kaffee kam, und betrachtete die braune Flüssigkeit mit kritisch gespitzten Lippen.

»Sie sagten doch schwarz, Sir?« fragte der Kellner.

Wexford gab eine Art Knurren von sich. Die Kirchuhr schlug Viertel vor. Während der Nachhall verklang, sagte er zu Burden:

»Soll ich den Pfarrer zehn Minuten warten lassen?«

»Das liegt ganz bei Ihnen, Sir«, antwortete Burden gleichgültig. »Sie wollten mir gerade erzählen, wie Mrs. Primero und die Crilling sich anfreundeten. Sie waren doch befreundet?«

»Ohne Zweifel. Mrs. Crilling war damals durchaus damenhaft, und sie hatte so eine Art an sich, schmeichlerisch und katzenfalsch, Sie wissen schon. Zudem war Crilling Buchhalter oder so etwas, jedenfalls verlieh ihm sein Beruf gerade so viel Prestige, um seine Frau in Mrs. Primeros Augen als Dame erscheinen zu lassen. Mrs. Crilling kam ständig auf einen Sprung nach *Victor's Piece*, und stets brachte sie dabei das Kind mit. Sie müssen recht dicke miteinander gewesen sein, weiß Gott. Elizabeth nannte Mrs. Primero ›Oma Rose‹, genau wie Roger und seine Schwestern.«

»Dann kam sie also auch an jenem Sonntag ›auf einen Sprung‹ vorbei und entdeckte, daß Oma Rose tot war?« wagte sich Burden vor.

»Ganz so einfach war es nicht. Mrs. Crilling hatte der Kleinen ein Partykleid genäht. Gegen sechs war sie damit fertig, machte Elizabeth fein und wollte sie Mrs. Primero vorführen, um Eindruck zu schinden. Freilich muß man wissen, daß sie und Alice sich ständig in den Haaren lagen. Beide wachten eifersüchtig über ihre jeweiligen Einflußbereiche und so. Deshalb wartete Mrs. Crilling, bis Alice auf dem Weg zur Kirche war, und ging dann allein hinüber, mit der Absicht, zurückzulaufen und das Kind zu holen, falls Mrs. Primero wach war. Sie hielt recht häufig ein Nickerchen, in ihrem Alter kein Wunder.

Beim erstenmal – es war ungefähr zwanzig nach sechs – schlief Mrs. Primero tatsächlich, und Mrs. Crilling ging nicht ins Haus. Sie klopfte bloß ans Fenster im Salon. Als sich die alte Frau nicht rührte, ging sie nach Hause und kam später wieder. Durch das Fenster sah sie übrigens den leeren Kohleneimer und wußte daher, daß Painter noch nicht dagewesen war.«

»Soll das heißen, daß Painter zwischen Mrs. Crillings Besuchen in das Haus kam und den Mord beging?« fragte Burden.

»Sie kam erst um sieben wieder. Die Hintertür mußte für Painter immer offenbleiben, sie und das Kind gingen also ins Haus, riefen ›Juhu!‹ oder irgend so einen Quatsch, und als sie keine Antwort bekamen, stiefelten sie in den Salon. Elizabeth ging voran – um so schlimmer –, und fertig war die Bescherung!«

»Mensch!« sagte Burden. »Die arme Kleine!«

»Ja«, murmelte Wexford. »Ja... Aber so gern ich auch den restlichen Nachmittag mit dem Aufwärmen alter Erinnerungen vertrödeln möchte, ich muß jetzt zu diesem Pfaffen.«

Beide standen auf. Wexford bezahlte die Rechnung, wobei er peinlich genau zehn Prozent Trinkgeld gab.

»Ich verstehe nicht, was der Pfarrer damit zu tun hat«, sagte Burden, als sie im Auto saßen.

»Wegen der Todesstrafe kann es kaum sein, die ist inzwischen ja abgeschafft. Er schreibt bestimmt ein Buch, wie ich schon sagte, möchte die Sache ganz groß rausbringen und hat deshalb sein gutes Geld für eine Protokollabschrift ausgegeben.«

»Oder er ist am Kauf von *Victor's Piece* interessiert.

Vielleicht handelt er mit Spukhäusern und hofft, auf eine Goldgrube gestoßen zu sein, so eine Art Pfarrhaus von Borley.«

Ein fremdes Auto stand auf dem Vorplatz des Polizeireviers. Das Kennzeichen war nicht von hier, und auf der kleinen Metallplakette daneben war der Name Essex und das Wappen der Grafschaft zu sehen, drei Krummsäbel auf rotem Grund.

»Bald wissen wir mehr«, sagte Wexford.

3

> Denn es stehen falsche Zeugen wider mich
> und tun mir Unrecht ohne Scheu.
>
> *Psalm 27, zu lesen am 5. Tage*

Im allgemeinen konnte Wexford die Geistlichkeit nicht leiden. Für ihn war der Priesterkragen eine Art verrutschter Heiligenschein, ein Zeichen von Scheinheiligkeit, hinter dem Heuchelei und geballter Egoismus zu vermuten waren. Seiner Ansicht nach ließen es die Diener Gottes am Dienst am Nächsten fehlen. Die meisten erwarteten, daß man Gott in ihnen verehre.

Mit gutem Aussehen und Charme brachte er sie nicht in Verbindung. In Gestalt von Henry Archery erwartete ihn daher eine kleine Überraschung. Er war vielleicht nicht viel jünger als Wexford, doch immer noch schlank und außerordentlich gutaussehend; sein Anzug war zwar ziemlich hell, ansonsten aber ebenso unauffällig wie sein Hemdkragen und die Krawatte. Er hatte dichtes blondes

Haar, in dem das Grau nicht sehr auffiel, gebräunte Haut und ein Gesicht, das eine klare scharfgeschnittene Ebenmäßigkeit aufwies.

Während des vorausgehenden Austausches von Höflichkeitsfloskeln fiel Wexford die Schönheit seiner Stimme auf. Man hatte das Gefühl, es müßte ein Vergnügen sein, ihn laut vorlesen zu hören. Als er ihn aufforderte, Platz zu nehmen, und sich gegenüber von ihm niederließ, lachte Wexford in sich hinein. Er malte sich eine Reihe weiblicher Gemeindemitglieder aus, alle alt und abgehärmt, die sich für den kärglichen Lohn eines Lächelns von diesem Mann die Finger wund arbeiteten. Im Moment lächelte Archery nicht, und er schien sich alles andere als wohl in seiner Haut zu fühlen.

»Der Fall ist mir vertraut, Chief Inspector«, setzte er an. »Ich habe das Gerichtsprotokoll gelesen und die ganze Angelegenheit mit Colonel Grisworld besprochen.«

»Was genau möchten Sie also wissen?« fragte Wexford in seiner offenen Art.

Archery holte tief Luft und antwortete eine Spur zu prompt:

»Ich möchte von Ihnen hören, ob Sie in irgendeinem Winkel Ihres Herzens auch nur den leisesten Zweifel, den allergeringsten Zweifel an Painters Schuld hegen.«

Das war es also oder zumindest ein Teil davon. Burden hatte mit seinen Vermutungen, der Pfarrer könne ein Verwandter der Primeros sein oder das Primerosche Anwesen kaufen wollen, völlig falsch gelegen. Dieser Mann war darauf aus, Painter einer Mohrenwäsche zu unterziehen, was immer er damit auch bezweckte.

Wexford runzelte die Stirn und sagte nach einem Moment: »Nichts zu machen. Painter war es, keine Frage.«

Er reckte störrisch das Kinn vor. »Sie können mich ruhig in Ihrem Buch zitieren. Sie können schreiben, Wexford behaupte sechzehn Jahre danach immer noch steif und fest, daß Painter ohne den geringsten Zweifel schuldig war.«

»In welchem Buch denn?« Archery neigte höflich den Kopf. Seine Augen waren braun und spiegelten nun Verwirrung wider. Dann lachte er. Es war ein nettes Lachen, und Wexford hörte es zum erstenmal. »Ich schreibe keine Bücher«, sagte er. »Allerdings habe ich einmal ein Kapitel zu einem Werk über Abessinierkatzen beigesteuert, aber das ist wohl kaum...«

Abessinierkatzen. Große, rote, blöde Katzen, dachte Wexford. Das fehlte noch! »Warum interessieren Sie sich für Painter, Mr. Archery?«

Archery zögerte. Die Sonne brachte Falten in seinem Gesicht zum Vorschein, die Wexfords Blick entgangen waren. Komisch, dachte er wehmütig, dunkelhaarige Frauen altern langsamer als blonde, aber für Männer gilt das genaue Gegenteil.

»Meine Gründe sind persönlicher Natur, Chief Inspector. Ich kann mir nicht vorstellen, daß sie für Sie von Belang sind. Aber wie ich Ihnen versichern darf, besteht nicht die geringste Gefahr, daß ich irgend etwas von dem veröffentlichen werde, was ich von Ihnen höre.«

Nun, er hatte Grisworld sein Versprechen gegeben – in dieser Beziehung waren ihm also die Hände gebunden. Hatte er sich nicht ohnehin schon damit abgefunden, den größten Teil des Nachmittags diesem Geistlichen zu widmen? Die Müdigkeit forderte schließlich doch ihren Tribut von ihm. Er war vielleicht noch in der Lage, sich in Erinnerungen zu ergehen und Gesagtes und Geschehenes der vertrauten Vergangenheit zu erörtern; zu jeder anderen Aufgabe, die höhere Anforderungen an ihn stellte, fühlte er sich an diesem heißen Nachmittag jedenfalls nicht mehr fähig. Wahrscheinlich würden die persönlichen Gründe – und bei sich räumte er ein, fast kindlich neugierig auf sie zu sein – zu gegebener Zeit zum Vorschein kommen. Im Gesicht seines Besuchers lag ein offenherziger, jungenhafter Zug, der Wexford zu der Vermutung veranlaßte, daß er nicht sonderlich verschwiegen war.

»Was wollen Sie denn von mir hören?« fragte er.

»Weshalb Sie so felsenfest von Painters Schuld überzeugt sind. Ich weiß von solchen Dingen natürlich auch nicht mehr als der durchschnittliche Laie, aber mir drängt sich der Eindruck auf, daß es zahlreiche Schwachstellen in der Beweisaufnahme gab. Es waren auch noch andere Menschen beteiligt, Menschen, die ein echtes Interesse an Mrs. Primeros Tod hatten.«

»Ich bin jederzeit bereit, alle Punkte mit Ihnen durchzugehen, Sir«, erwiderte Wexford frostig.

»Jetzt?«

»Selbstverständlich jetzt. Haben Sie das Gerichtsprotokoll dabei?«

Archery zog es aus einer arg lädierten Ledertasche hervor. Seine Hände waren lang und schmal, ohne jedoch weibisch zu wirken. Sie erinnerten Wexford an die Hände von Heiligen auf »kirchlichen« Bildern, wie er sie nannte. Ungefähr fünf Minuten lang überflog er schweigend das Protokoll und frischte seine Erinnerung an unbedeutendere Nebensächlichkeiten auf. Dann legte er es beiseite und richtete den Blick auf Archerys Gesicht.

»Wir müssen zurückgehen bis zum 23. September«, sagte er, »dem Tag vor dem Mord, einem Samstag. An jenem Abend kam Painter gar nicht mit den Kohlen. Die beiden alten Frauen warteten bis zwanzig Uhr, als das Feuer schon fast erloschen war, und Mrs. Primero, daß sie zu Bett gehen wolle. Alice Flower war so wütend darüber, daß sie hinausging, um selbst ›eine Handvoll Briketts‹ zu holen, wie sie es ausdrückte.

»Und dabei verletzte sie sich am Bein«, ergänzte Archery eifrig.

»Die Verletzung war nicht weiter schwer, aber sie verärgerte Mrs. Primero, die Painter die Schuld daran gab. Ungefähr um zehn am nächsten Morgen schickte sie Alice zum Wagenschuppen und ließ Painter ausrichten, daß sie ihn Punkt elf Uhr dreißig sprechen wolle. Er kam zehn Minuten zu spät, Alice führte ihn in den Salon und hörte kurz danach, wie er und Mrs. Primero sich stritten.«

»Womit wir bei dem ersten Punkt wären, den ich ansprechen möchte«, sagte Archery. Er durchblätterte das Protokoll, legte den Finger auf den Anfang eines Absatzes und reichte es Wexford. »Wie Sie wissen, gehört dies zu Painters eigener Aussage. Den Streit leugnet er nicht. Er gibt zu, daß ihm Mrs. Primero mit Entlassung drohte. Er sagt aber auch, daß Mrs. Primero schließlich Verständnis für seinen Standpunkt entwickelt habe. Eine Lohnerhöhung habe sie abgelehnt, weil ihm das nur Flausen in den Kopf setzen und er in ein paar Monaten womöglich noch eine Zulage verlangen würde. Statt dessen wolle sie ihm etwas geben, was man ihres Wissens als Gratifikation bezeichne.«

»Das alles ist mir völlig präsent«, erklärte Wexford ungeduldig. »Er sagte aus, sie habe ihn angewiesen, nach oben in ihr Schlafzimmer zu gehen, wo er im Kleiderschrank eine Handtasche fände. Diese Handtasche solle er ihr herunterbringen, und das, so sagte er, habe er getan.

In der Handtasche waren ungefähr zweihundert Pfund, die durfte er behalten, samt der Handtasche mitnehmen und als Gratifikation auffassen, allerdings nur unter der Bedingung, daß von nun an absoluter Verlaß auf ihn sei, die Kohlen zu den vorgeschriebenen Zeiten pünktlich ins Haus zu bringen.« Er räusperte sich. »Ich habe ihm kein Wort davon abgenommen, und die Geschworenen auch nicht.«

»Warum nicht?« fragte Archery leise.

Allmächtiger, dachte Wexford, da werde ich Sitzfleisch brauchen.

»Erstens, weil die Treppe in *Victor's Piece* zwischen dem Salon und der Küche nach oben führt. Alice Flowers war in der Küche und kochte das Mittagessen. Sie hatte für ihr Alter ein bemerkenswert gutes Gehör, aber sie hat nicht gehört, daß Painter die Treppe hinaufging. Er war aber, das dürfen Sie mir glauben, ein großer schwerfälliger Radaubruder, wie er im Buch steht.« Archery zuckte unter der letzten Bemerkung leicht zusammen, doch Wexford fuhr fort: »Zweitens hätte Mrs. Primero niemals den Gärtner nach oben geschickt, um in ihrem Schlafzimmer herumzuschnüffeln. Da müßte ich mich in ihrem Charakter schon gewaltig täuschen. Sie hätte Alice unter irgendeinem Vorwand das Geld holen lassen.«

»Vielleicht wollte sie nicht, daß Alice davon erfuhr.«

»Das ist so sicher wie das Amen in der Kirche«, erwiderte Wexford spitz. »Sie hätte das ganz bestimmt nicht gewollt. Ich sagte unter irgendeinem Vorwand.« Das veranlaßte den Pfarrer, künftig vorsichtiger mit seinen Zwischenbemerkungen zu sein. Äußerst selbstsicher fuhr Wexford fort: »Drittens schließlich stand Mrs. Primero in dem Ruf, ziemlich knauserig zu sein. Alice war seit einem halben Jahrhundert bei ihr, doch außer ihrem Lohn und einem Pfund extra zu Weihnachten hat sie Alice nie etwas gegeben.« Er tippte auf das Protokoll. »Sehen Sie mal, das steht hier schwarz auf weiß. Wir wissen, daß Painter Geld haben wollte. Am Abend zuvor, als er nicht mit den Kohlen kam, war er mit einem Kumpel aus Stowerton im *Dragon* gesessen. Der Kumpel hatte ein Motorrad zu verkaufen und bot es Painter für knapp zweihundert Pfund an. Allem Anschein nach hatte Painter keinerlei Aussicht auf so viel Geld, aber er bat seinen Freund, mit dem Verkauf noch ein paar Tage zu warten; sobald sich irgendwas ergäbe, wolle er sich mit ihm in Verbindung setzen. Sie behaupten, er habe das Geld vor Sonntag mittag erhalten. Ich behaupte, daß er es abends nach dem brutalen Mord an Mrs. Primero gestohlen hat. Wenn Sie recht haben, weshalb hat er sich dann nicht am Sonntag nachmittag bei seinem Freund gemeldet? Am Ende der Zufahrt steht eine Telefonzelle. Wir haben bei dem Kumpel nachgefragt, er rührte sich nicht aus dem Haus, aber das Telefon machte keinen Mucks.«

Wie ein Sturm prasselten die Tatsachen auf ihn ein, und Archery gab sich geschlagen, zumindest schien es so. Er sagte nur noch:

»Wenn ich Sie recht verstehe, behaupten Sie, daß Painter zu dem Kleiderschrank ging, nachdem er Mrs. Primero am Abend umgebracht hatte. Im Innern des Kleiderschrankes wurde aber kein Blut gefunden.«

»Das ist kein Wunder, denn er benützte Gummihandschuhe zu der Tat. Aber wie dem auch sei, der Staatsanwalt vertrat die Ansicht, daß er sie mit dem stumpfen Ende des Beils bewußtlos schlug, das Geld nahm und dann, als er wieder nach unten kam, in Panik verfiel und sie endgültig umbrachte.«

Ein leichter Schauder überlief Archery. »Kommt es Ihnen nicht komisch vor«, fragte er daraufhin, »daß Painter, falls er tatsächlich der Täter war, so durchsichtig zu Werke ging?«

»Das machen viele. Sie sind nämlich dumm.« Wexford verzog verächtlich den Mund. Nach wie vor hatte er keine Ahnung, welches Interesse Archery an Painter haben könnte, aber es war offensichtlich, daß er für Painter eingenommen war. »Dumm«, wiederholte er mit der Absicht, den Geistlichen an seinem wunden Punkt zu treffen. Ein weiteres Zucken von Archery belohnte ihn. »Sie denken, man würde ihnen glauben. Sie müßten einem nur erzählen, es sei ein Landstreicher oder Einbrecher gewesen, und schon zieht man befriedigt Leine. Painter war auch so einer. Immer diese alte Masche mit dem Landstreicher«, fügte er hinzu. »Wann haben *Sie* zuletzt einen Landstreicher gesehen? Bestimmt vor mehr als sechzehn Jahren.«

»Kommen wir jetzt mal zu dem eigentlichen Mord«, sagte Archery leise.

»Aber gern.« Wiederum nahm Wexford das Protokoll zur Hand und erfaßte mit raschem Blick alle erforderlichen Informationen. »Also«, setzte er an, »Painter sagte, er sei um halb sieben die Kohlen holen gegangen. Er entsann sich an die genaue Zeit – es war achtzehn Uhr 25, als er die Wohnung verließ –, weil seine Frau gesagt hat, in fünf Minuten müsse das Kind ins Bett. Aber auf die Zeit kommt es gar nicht so sehr an. Wir wissen, daß sie zwischen achtzehn Uhr zwanzig und neunzehn Uhr ermordet wurde. Painter ging in den Hof, hackte ein wenig Holz und schnitt sich in den Finger. Das behauptete er zumindest. Fest steht, daß er sich tatsächlich in den Finger schnitt – aber absichtlich.«

Archery ging auf das Letztgesagte nicht ein. »Er und Mrs. Primero hatten die gleiche Blutgruppe.«

»Beide waren Gruppe o. Vor sechzehn Jahren konnte man Blutgruppen noch nicht so genau bestimmen wie heute. Das kam Painter natürlich sehr gelegen. Viel geholfen hat es ihm aber auch nicht.«

Der Geistliche schlug die Beine übereinander und lehnte sich zurück. Wexford durchschaute seine Absicht, einen möglichst entspannten Eindruck zu machen, was aber kläglich mißlang. »Wie ich höre, haben Sie persönlich Painter vernommen, nachdem das Verbrechen entdeckt wurde?«

»Wir kamen um Viertel vor acht zu dem Wagenschuppen. Painter war nicht zu Hause. Ich fragte Mrs. Painter, wo er sei, und sie sagte, er sei ein paar Minuten nach halb sieben aus dem Herrenhaus zurückgekommen, habe sich die Hände gewaschen und sei gleich wieder weggegangen. Ihr habe er erzählt, er wolle seinen Freund in Stowerton besuchen. Wir waren gerade erst zehn Minuten dort, als er in der Wohnung auftauchte. Die Geschichte, die er uns auftischte, hielt schon auf den ersten Blick nicht stand, für eine Verletzung am Finger war viel zuviel Blut zu sehen – und den Rest kennen Sie ja. Es steht alles da drin. Ich nahm ihn auf der Stelle fest.«

Das Protokoll zitterte ein wenig in Archerys Händen. Er konnte die Finger nicht ganz ruhig halten. »Vor Gericht«, sagte er betont langsam, »erklärte Painter, daß er nicht in Stowerton gewesen sei. ›Ich wartete an der Bushaltestelle am Ende der Zufahrt, aber der Bus kam nicht. Ich sah die Polizeiautos in die Zufahrt einbiegen und fragte mich, was denn los sei. Kurz darauf wurde mir ein bißchen schwummrig, weil mein Finger so stark blutete. Ich ging zurück in meine Wohnung. Ich dachte, meine

Frau wüßte vielleicht, was passiert ist.‹« Nach kurzem Zögern fügte er mit einer Art flehentlichem Eifer hinzu: »Das klingt eigentlich nicht wie die Aussage des primitiven Trottels, als den Sie ihn hinstellen.«

Wexford antwortete ihm mit Engelsgeduld, als hätte er einen altklugen Teenager vor sich. »Diese Aussagen werden bearbeitet, Mr. Archery. Man faßt sie zusammen und kleidet sie in klar verständliche Worte. Glauben Sie mir. Sie waren bei der Verhandlung nicht dabei, aber ich. Was nun den Wahrheitsgehalt seiner Angaben anlangt, so saß ich in einem dieser Polizeiautos und habe während der Fahrt nicht Zeitung gelesen. Wir überholten den Bus nach Stowerton und bogen links in die Zufahrt ein. An der Haltestelle wartete niemand.«

»Ich denke, Sie wollen damit sagen, daß er zwar behauptet hat, an der Haltestelle gewartet zu haben, in Wahrheit aber die Kleider versteckte.«

»Natürlich versteckte er die Kleider! Bei der Arbeit trug er gewöhnlich einen Regenmantel. Sie finden das in der Aussage von Mrs. Crilling und Alice. Manchmal hing er im Wagenschuppen, manchmal an einem Haken an der Hintertür von *Victor's Piece*. Painter sagte, er habe den Mantel an jenem Abend angehabt und ihn an der Hintertür hängenlassen. Man konnte ihn aber nirgends finden. Sowohl Alice als auch Roger Primero sagten aus, sie erinnerten sich, den Mantel am Nachmittag an der Hintertür hängen gesehen zu haben, aber Mrs. Crilling war sicher, daß er nicht dort war, als sie um sieben mit Elizabeth kam.«

»Schließlich fanden Sie den Regenmantel zusammengerollt unter einer Hecke, zwei Felder von der Haltestelle entfernt.«

»Den Regenmantel, einen Pullover und ein Paar Gummihandschuhe«, ergänzte Wexford. »Samt und sonders triefend vor Blut.«

»Aber den Regenmantel hätte jeder tragen können, und den Pullover zu identifizieren gelang Ihnen nicht.«

»Alice Flower ging immerhin so weit zu sagen, er sähe aus wie der, den Painter manchmal anhatte.«

Archery stieß einen tiefen Seufzer aus. Eine Zeitlang hatte er Wexford Schlag auf Schlag mit Fragen und Aussagen bombardiert, doch plötzlich war er in Schweigen verfallen. Nur Unschlüssigkeit stand auf seinem Gesicht. Wexford wartete. Endlich, dachte er. Archery war an dem Punkt angelangt, wo es unumgänglich wurde, jene »persönlichen Gründe« offenzulegen. Während in seinem Inneren ein Kampf ausgetragen wurde, fragte er mit gespielter Gelassenheit:

»Was war mit Painters Frau?«

»Eine Frau kann nicht gezwungen werden, gegen ihren Gatten auszusagen. Wie Sie wissen, erschien sie nicht vor Gericht. Sie und das Kind zogen irgendwohin, und einige Jahre später hörte ich, sie habe wieder geheiratet.«

Er hielt den Blick starr auf Archery gerichtet und zog die Augenbrauen nach oben. Irgend etwas, was er gesagt hatte, gab für den Geistlichen den Ausschlag. Eine leichte Röte überzog Archerys gleichmäßig sonnengebräunte Haut. Die braunen Augen funkelten hell, als er sich, nun wieder angespannt, vorbeugte.

»Das Kind...«

»Was ist mit ihm? Es schlief in seinem Bettchen, als wir Painters Schlafzimmer durchsuchten, und das war das einzige Mal, daß ich es gesehen habe. Es war vier oder fünf.«

»Inzwischen ist es einundzwanzig und eine sehr schöne junge Frau«, erwiderte Archery gepreßt.

»Das überrascht mich nicht. Painter war ein gutaussehender Kerl, wenn man diesen Typ mag, und auch Mrs. Painter war hübsch.« Wexford hielt inne. Archery war Geistlicher. Hatte Painters Tochter ihrem Vater nachgeschlagen und war infolge eines Vergehens in Archerys Obhut gelangt? Vielleicht war Archery Gefängnispfarrer. Das wäre genau sein Fall, dachte Wexford boshaft. Zorn stieg in ihm auf, als er sich fragte, ob diese ganze Debatte nur deshalb eingefädelt worden war, weil Archery seine Hilfe brauchte, um den richtigen psychologischen Zugang zu einer straffälligen Diebin oder Betrügerin zu finden. »Was soll mit ihr sein?« wollte er ärgerlich wissen. Zum Teufel mit Grisworld! »Kommen Sie schon, Sir, sagen Sie es mir und damit fertig.«

»Ich habe einen Sohn, Chief Inspector, mein einziges Kind. Er ist auch einundzwanzig...«

Es fiel dem Geistlichen offenkundig schwer, die richtigen Worte zu finden. Er zögerte und preßte die Hände zusammen. Schließlich sagte er zaghaft und leise: »Er möchte Miss Painter heiraten.« Als Wexford auffuhr und ihn anstarrte, setzte er hinzu: »Oder Miss Kershaw, wie jetzt ihr Name lautet.«

Wexford war wie vor den Kopf geschlagen. Er war erstaunt, was eine Seltenheit bei ihm war, und fühlte prikkelnde Spannung in sich aufsteigen. Sich noch mehr Überraschung anmerken zu lassen, hätte jedoch gegen sein Taktgefühl verstoßen, weshalb er sachlich fortfuhr.

»Sie müssen entschuldigen, Mr. Archery, aber mir ist nicht ganz klar, wie Ihr Sohn, der Sohn eines anglikanischen Geistlichen, zu der Bekanntschaft eines Mädchens aus Miss Painters – äh, Miss Kershaws – Kreisen kam.«

»Sie lernten sich in Oxford kennen«, erwiderte Archery schlicht.

»Auf der *Universität?*«

»So ist es. Miss Kershaw ist eine äußerst intelligente junge Frau.« Archery lächelte kaum merklich. »Sie studiert Moderne Wissenschaften. Gehört zu den Besten, wie ich höre.«

4

> Weiß irgend jemand unter euch eine Ursache oder ein rechtmäßiges Hindernis anzugeben, warum diese beiden Personen in dem heiligen Ehestande nicht verbunden werden sollten, der sage es.
>
> *Das Aufgebot der Ehe*

Wenn er die Zukunft eines Mädchens wie Theresa Painter hätte voraussagen sollen, was hätte er ihr prophezeit? Kinder wie sie, überlegte Wexford, während er sich von seiner zweiten Überraschung erholte, Kinder wie Painters Tochter traten mit einer Hypothek und einem Makel ins Leben. Der überlebende Elternteil, wohlmeinende Verwandte und grausame Mitschüler machten es oft nur noch schlimmer. Bis heute hatte er sich kaum Gedanken über das Schicksal des Kindes gemacht. Als er jetzt rasch darüber nachdachte, hätte er ihr vermutlich höchstens zugetraut, eine kleine graue Maus im Heer der Fabrikarbeiterinnen zu werden.

Statt dessen war Theresa Painter offenbar in den Genuß der größten Segnungen der modernen Zivilisation gekommen: Verstand, eine höhere Schulbildung, Schönheit, Freundschaft mit Menschen wie diesem Pfarrer, eine Verlobung mit dem Sohn des Pfarrers.

Wexford versetzte sich zurück zu der ersten von insgesamt nur drei Begegnungen mit Mrs. Painter. Viertel vor acht war es gewesen an jenem Sonntag im September. Er und der Sergeant in seiner Begleitung hatten an die Tür am Fuß der Außentreppe des Wagenschuppens geklopft, und Mrs. Painter war heruntergekommen, um ihnen zu öffnen. Was immer damals in London gerade Mode gewesen war, die jungen Frauen von Kingsmarkham trugen das Haar immer noch in die Stirn gekämmt und mit auf die Schulter fallenden, engen Locken. Mrs. Painter bildete dabei keine Ausnahme. Ihr Haar war naturblond, das Gesicht hatte sie sich gepudert und die Lippen schüchtern rot geschminkt. Ehrbare Landfrauen trugen 1950 kein Augen-Make-up, und Mrs. Painter war vor allen Dingen ehrbar. Ansonsten war an ihr wenig Besonderes. Auf ihrer trockenen, feinen Haut begannen sich schon Falten einzuprägen, kleine Einbuchtungen, die eine Gewohnheit zum spröden Lippenschürzen verrieten, ein Vorrecken des Kinns, mit dem ein empörtes Zurückwerfen des Kopfes einherging.

Der Polizei stand sie mit der gleichen Einstellung gegenüber wie andere Menschen Wanzen oder Mäusen. Als sie nach oben gingen, streute sie in die Antworten auf ihre Fragen immer wieder die Bemerkung ein, daß es eine Schande sei, die Polizei im Haus zu haben. Ihre blauen Augen waren stumpf und ausdruckslos, wie er sie noch nie an einem Menschen gesehen hatte. Zu keiner Zeit, selbst dann nicht, als sie im Begriff waren, Painter abzuführen, zeigte sie das geringste Mitleid, nur jene starre Angst, was die Leute wohl denken würden, wenn sie erführen, daß die Polizei ihren Mann verhört hatte.

Vielleicht war sie nicht so dumm, wie er geglaubt hatte. Irgendwo in jener hübschen ehrbaren Maus und jenem unmenschlichen Trumm, ihrem Mann, mußten die Wurzeln der Intelligenz ihrer Tochter gelegen haben. »Äußerst intelligentes Mädchen«, hatte Archery beiläufig gesagt. Allmächtiger, dachte Wexford in Erinnerung daran, wie stolz er gewesen war, als seine Tochter einmal acht Zweier mit nach Hause gebracht hatte. Allmächtiger! Moderne Wissenschaften, was war das überhaupt? Hatte es etwas mit Informatik oder Naturwissenschaften zu tun? Er hatte eine vage Ahnung, daß sich hinter diesem esoterischen und bewußt irreführenden Namen Philosophie und Volkswirtschaft verbargen. Archery gegenüber wollte er seine Unwissenheit nicht zeigen. Philosophie! Fast hätte er einen überraschten Pfiff ausgestoßen. Painters Tochter hörte – ja, so sagte man das, hörte – Philosophie! Was es nicht alles gab, kaum zu glauben. Ja, kaum zu glauben...

»Mr. Archery«, fragte er, »sind Sie ganz sicher, daß es sich bei diesem Mädchen wirklich um die Tochter von Herbert Arthur Painter handelt?«

»Aber natürlich, Chief Inspector. Sie hat es mir selbst gesagt.« Nahezu herausfordernd sah er Wexford an. Vielleicht dachte er, der Polizist würde bei seinen nächsten Worten lachen. »Sie ist ebenso nett wie schön«, sagte er. Wexfords Miene zeigte keine Regung. »Sie kam uns an Pfingsten besuchen. Wir hatten sie noch nie zuvor gesehen, obwohl unser Sohn in seinen Briefen natürlich von ihr gesprochen hatte. Wir haben sie sofort ins Herz geschlossen.

Die Zeiten haben sich verändert, seit ich aufs College ging, Chief Inspector. Ich mußte damit rechnen, daß mein Sohn in einem Alter, in dem ich mich noch für einen Jungen hielt und nicht im Traum an die Priesterweihe dachte, in Oxford ein Mädchen kennenlernt und sie vielleicht heiraten will. Die Kinder meiner Bekannten heiraten mit einundzwanzig, und ich war bereit, ihm unter die Arme zu greifen, damit er nicht mit leeren Händen ins Leben starten mußte. Ich hoffte nur, es würde ein Mädchen sein, für das wir Zuneigung und Verständnis empfinden konnten.

Miss Kershaw – ich verwende diesen Namen, wenn Sie nichts dagegen haben – ist ein Mädchen, wie ich es selbst nicht besser für ihn hätte aussuchen können: schön, anmutig, wohlerzogen und umgänglich. Oh, sie strengt sich nach besten Kräften an, ihr gutes Aussehen unter der Uniform zu verbergen, die heutzutage alle tragen, lange Zottelmähne, Hosen, großer schwarzer Dufflecoat – Sie wissen schon. Aber das tragen heute alle. Worauf es ankommt, ist, daß sie es nicht verbergen kann.

Meine Frau ist ein wenig impulsiv. Sie machte schon Andeutungen über die Hochzeit, als Theresa noch keine vierundzwanzig Stunden bei uns war. Mir fiel es schwer zu verstehen, weshalb die jungen Leute so zögerlich damit waren. Die Briefe von Charles lobten sie in den siebten Himmel, und ich konnte sehen, daß sie bis über beide Ohren ineinander verliebt waren. Dann sagte sie es uns. Sie brachte das Thema ziemlich unverblümt zur Sprache. Sie sagte – ich kann mich noch genau an ihre Worte erinnern –: ›Ich glaube, Sie sollten etwas über mich wissen, Mrs. Archery. Mein Vater hieß Painter und wurde wegen Mordes an einer alten Frau gehängt.‹

Anfangs wollte es meine Frau nicht wahrhaben. Sie hielt es für eine Art Ulk. Charles sagte: ›Es stimmt. Aber das ist egal. Die Menschen sind, was sie sind, nicht was ihre Eltern getan haben.‹ Daraufhin erklärte Theresa –

wir nennen sie Tess: ›Es wäre nicht egal, wenn er es getan hätte, er hat es aber nicht getan. Ich sagte Ihnen, *weshalb* man ihn gehängt hat. Ich wollte damit nicht ausdrücken, er habe es wirklich getan.‹ Dann fing sie an zu weinen.«

»Warum führt sie den Namen Kershaw?«

»Das ist der Name ihres Stiefvaters. Er muß ein sehr bemerkenswerter Mann sein, Chief Inspector. Er ist Elektroingenieur, aber ...« Erzähl mir bloß nichts von wegen ungebildeter Techniker, dachte Wexford mürrisch. » ... aber er muß ein höchst intelligenter, scharfsinniger und gütiger Mensch sein. Die Kershaws haben zwei eigene Kinder, doch soweit ich ersehen kann, hat er Tess mit nicht weniger Zuneigung behandelt als den eigenen Sohn und die eigene Tochter. Sie sagt, seine Liebe habe ihr geholfen, das Stigma – ich kann es wirklich nur als Stigma bezeichnen – des Verbrechens ihres Vaters zu ertragen, als sie ungefähr mit zwölf davon erfuhr. Er verfolgte ihre Fortschritte in der Schule, förderte sie in jeder Beziehung und rief in ihr den Wunsch wach, sich für ein Begabtenstipendium der Grafschaft zu bewerben.«

»Sie erwähnten ›das Stigma des Verbrechens ihres Vaters‹. Haben Sie nicht gesagt, sie glaubt, er hätte es nicht getan?«

»Lieber Chief Inspector, *sie weiß, daß er es nicht getan hat.*«

Wexford erwiderte bedächtig: »Mr. Archery, ich brauche einem Mann wie Ihnen gewiß nicht zu sagen, daß, wenn wir von jemandem sprechen, der etwas *weiß*, wir damit meinen, daß dieses Wissen eine Tatsache ist, etwas, das wahr und über jeden berechtigten Zweifel erhaben ist. Wir meinen damit, daß es die Mehrheit der anderen Menschen auch *weiß*. Mit anderen Worten, es ist Geschichte, steht in den Akten und ist allgemein bekannt.«

Er hielt kurz inne. »Ich und die obersten Richter und die amtlichen Akten und das, was Ihr Sohn meint, wenn er vom Establishment spricht, wissen nun aber ohne jeden Zweifel, daß Painter Mrs. Rose Primero tatsächlich umgebracht hat.«

»Ihre Mutter hat ihr etwas anderes gesagt«, entgegnete Archery. »Sie hat ihr gesagt, sie habe die absolut unwiderlegbare Gewißheit, daß Theresas Vater Mrs. Primero nicht umgebracht hat.«

Wexford zuckte mit den Achseln und lächelte. »Jeder glaubt, was er glauben will. Die Mutter dachte, für ihre Tochter sei es so am besten. An ihrer Stelle hätte ich vielleicht genauso gehandelt.«

»Ich glaube nicht, daß es so war«, widersprach Archery dickköpfig. »Tess sagt, ihre Mutter sei eine sehr nüchterne Frau. Über Painter spricht sie nie, erwähnt ihn mit keinem Wort. ›Dein Vater hat nie jemanden umgebracht‹, erklärt sie in aller Gelassenheit, aber mehr will sie darüber nicht sagen.«

»Weil sie nicht mehr darüber sagen kann. Sehen Sie, Sir, ich glaube, Sie betrachten diese Sache etwas zu romantisch. Sie stellen sich die Painters als treuliebendes Ehepaar vor, so eine Art fröhliches Landvolk, Liebe in der kleinen Hütte und so was. So war es aber nicht. Glauben Sie mir, Painter war kein Verlust für sie. Ich persönlich bin überzeugt, daß er sie verprügelte, wann immer es ihm gerade in den Sinn kam. Was ihn betraf, war sie einfach seine Frau, jemand, der ihm das Essen kochte, seine Wäsche wusch und – na ja«, fügte er schonungslos hinzu. »Jemand, mit dem er ins Bett ging.«

»Ich kann mir nicht vorstellen, daß dies von Belang ist«, erwiderte Archery steif.

»Nicht? Sie malen sich eine Unschuldserklärung in

Verbindung mit einem unanfechtbaren Beweis aus, die er der einzigen Person anvertraut hat, die er liebte und von der er wußte, daß sie ihm glauben würde. Entschuldigen Sie, aber das ist kompletter Blödsinn. Bis auf die paar Minuten, als er zurück in den Wagenschuppen kam, um sich die Hände zu waschen – und nebenbei das Geld zu verstecken –, war er nie allein mit ihr. Und zu diesem Zeitpunkt konnte er es ihr nicht sagen. Er hätte noch gar nichts davon wissen dürfen. Verstehen Sie, worauf ich hinauswill? Er hätte ihr sagen können, daß er es getan hat, aber nicht, daß er es *nicht* getan hat.

Dann kamen wir. Wir entdeckten Blutspritzer in der Spüle und leichte Blutflecke an der Küchenwand, wo er den Pullover ausgezogen hatte. Er war kaum zurück, als er schon den Verband abnahm, um uns die Schnittwunde an seiner Hand zu zeigen. Die Binde gab er seiner Frau, aber er sagte kein Wort zu ihr und wandte sich auch nicht um Beistand an sie. Nur einmal hat er sie erwähnt...«

»Ja?«

»Wir fanden die Handtasche mit dem Geld unter der Matratze ihres Doppelbetts. Wenn Painter das Geld am Morgen erhalten hatte, warum hatte er dann seiner Frau nichts davon erzählt? Hier steht es, Sie finden das alles im Protokoll. ›Ich wußte, daß mein Weib die Hand auf das Geld gelegt hätte. Sie lag mir immer in den Ohren, Sachen für die Wohnung zu kaufen.‹ Mehr sagte er nicht, er hat sie nicht einmal angesehen dabei. Wir nahmen ihn fest, und er sagte: ›Schön, aber Sie sind gewaltig auf dem Holzweg. 's war ein Penner.‹ Er gab seiner Frau keinen Kuß und bat nicht um Erlaubnis, sich von dem Kind verabschieden zu dürfen.«

»Sie muß doch im Gefängnis mit ihm gesprochen haben.«

»In Gegenwart eines Vollzugsbeamten. Sehen Sie, Sir, Sie und alle anderen Beteiligten scheinen ganz zufrieden zu sein. Das ist doch wohl die Hauptsache. Sie müssen entschuldigen, wenn ich nicht der gleichen Meinung mit Ihnen bin.«

Schweigend nahm Archery ein Foto aus seiner Brieftasche und legte es auf den Schreibtisch. Wexford nahm es in die Hand. Wahrscheinlich war es im Garten des Pfarrhauses aufgenommen. Im Hintergrund stand ein großer Magnolienbaum, ein Baum so hoch wie das Haus, das er teilweise verdeckte. Er war mit wächsernen Kelchblüten übersät. Unter seinen Zweigen standen Arm in Arm ein Junge und ein Mädchen. Der Junge war groß und blond. Er lächelte und war eindeutig Archerys Sohn.

Auf dem Gesicht des Mädchens lag ein Ausdruck melancholischer Ruhe. Sie blickte aus großen, gleichmütigen Augen in die Kamera. Helles Haar fiel ihr in Ponyfransen in die Stirn und bis auf die Schultern einer typisch studentischen Hemdbluse, ausgebleicht und eng gegürtet, zu der sie einen zerknitterten Rock trug. Ihre Taille war zierlich, ihr Busen voll. Wexford sah wieder die Mutter vor sich, nur hielt dieses Mädchen die Hand eines Jungen statt eines blutigen Lappens.

»Reizend«, sagte er trocken. »Ich hoffe, sie wird Ihren Sohn sehr glücklich machen.« Er reichte den Schnappschuß zurück. »Weshalb auch nicht.«

Gemischte Gefühle, darunter Wut, Schmerz und Unmut, flackerten in den Augen des Geistlichen. Wexford beobachtete ihn interessiert.

»Ich weiß nicht, was oder wem ich glauben soll«, gestand Archery niedergeschlagen, »und solange ich darüber im ungewissen bin, Chief Inspector, kann ich zu dieser Heirat nicht meinen Segen geben. Nein, das ist zu milde ausgedrückt.« Er schüttelte energisch den Kopf. »Ich bin gegen sie, ganz und gar gegen sie.«

»Und das Mädchen, Painters Tochter?«

»Sie glaubt an die Unschuld ihres Vaters – akzeptiert sie, ist vielleicht besser ausgedrückt –, aber sie ist sich im klaren, daß man darüber anderer Meinung sein kann. Sollte es dazu kommen, glaube ich kaum, daß sie meinen Sohn heiratet, solange seine Mutter und ich so darüber denken wie jetzt.«

»Vor was haben Sie Angst, Mr. Archery?«

»Vererbung.«

»Eine äußerst unsichere Sache, die Vererbung.«

»Haben Sie Kinder, Chief Inspector?«

»Zwei Mädchen.«

»Sind sie verheiratet?«

»Eins davon.«

»Und wer ist Ihr Schwiegervater?«

Zum erstenmal fühlte sich Wexford diesem Geistlichen überlegen. So etwas wie Schadenfreude machte sich in ihm breit. »Ein Architekt, ein Tory-Stadtrat hier.«

»Aha.« Archery neigte den Kopf. »Und bauen Ihre Enkel schon Paläste aus Holzklötzchen, Mr. Wexford?« Wexford sagte nichts. Das einzige Indiz für die Existenz seines ersten Enkels äußerte sich bislang im morgendlichen Unwohlsein der Mutter. »Die Meinen werde ich von Kindesbeinen an nicht aus den Augen lassen, ständig darauf lauernd, ob sie sich zu Gegenständen mit scharfen Kanten hingezogen fühlen.«

»Sie sagten, sie würde ihn nicht heiraten, wenn Sie etwas dagegen hätten.«

»Sie lieben sich. Ich kann nicht...«

»Wer wird es schon wissen? Geben Sie Kershaw als ihren Vater aus.«

»*Ich* werde es wissen«, sagte Archery. »Wenn ich sie anschaue, sehe ich schon Painter vor mir. An Stelle ihres Munds und ihrer Augen sehe ich seine Wulstlippen und seine Blutgier. Es ist das gleiche Blut, Chief Inspector, das Blut, das sich mit dem von Mrs. Primero vermischte, auf dem Boden, an den Kleidern, in den Wasserrohren. Dieses Blut wird in meinen Enkeln fließen.« Anscheinend bemerkte er, daß er sich hatte hinreißen lassen, denn er brach unvermittelt ab, errötete und schloß kurz die Augen, als schrecke er vor dem geschilderten Anblick zurück.

»Ich wünschte, ich könnte Ihnen helfen, Mr. Archery«, sagte Wexford sanft. »Aber der Fall ist abgeschlossen, erledigt und vorbei. Es gibt nichts, was ich noch tun könnte.«

Archery zuckte mit den Achseln und zitierte leise, ganz so, als könne er einfach nicht anders: »Er nahm Wasser und wusch die Hände vor dem Volk und sprach: ›Ich bin unschuldig an seinem Blut...‹« Dann fuhr er auf, und seine Miene wirkte plötzlich zerknirscht. »Verzeihen Sie mir, Chief Inspector. Es war sehr häßlich, so etwas zu sagen. Darf ich Ihnen erklären, was ich vorhabe?«

»Wissen Sie, wer ich bin?« fragte Wexford.

Burden schüttelte den Kopf.

»Pontius Pilatus, der und kein anderer. Also bringen Sie mir in Zukunft gefälligst mehr Respekt entgegen.«

Burden grinste. »Was hat er denn nun eigentlich gewollt, Sir?«

»Erstens wollte er hören, daß Painter möglicherweise zu Unrecht hingerichtet worden sei, womit ich ihm nicht dienen konnte. Herrgott noch mal, das liefe doch auf das Eingeständnis hinaus, ich verstünde nichts von meiner Arbeit. Es war mein erster Mordfall, Mike, und zu meinem Glück war er so unkompliziert. Archery wird auf eigene Faust ein paar Nachforschungen anstellen. Nach sechzehn Jahren völlig aussichtslos, aber er läßt sich nichts sagen. Zweitens bat er mich um Erlaubnis, alle Zeugen hier in der Gegend aufspüren zu dürfen. Wollte Rückendeckung von mir, falls sie wutschäumend bei uns aufkreuzen und sich beschweren.«

»Und er kann also auf nichts weiter aufbauen«, sagte Burden nachdenklich, »als auf Mrs. Painters gefühlsmäßigen Glauben an die Unschuld ihres Gatten?«

»Ja, aber was ist das schon? Quatsch mit Soße, wenn Sie mich fragen. Angenommen, Sie kämen an den Galgen, würde Jean dann nicht John und Pat erzählen, Sie seien unschuldig? Würde meine Frau nicht dasselbe den Kindern erzählen? Das ist ganz normal. Painter legte kein Geständnis in letzter Minute ab – Sie wissen ja, wie sehr die Gefängnisbehörden auf so etwas achten. Nein, sie hat sich das zusammenphantasiert und glaubt jetzt schon selbst dran.«

»Kennt Archery sie?«

»Noch nicht, aber er will das heute noch ändern. Sie und ihr zweiter Mann leben in Purley, und er hat sich von ihnen zum Tee einladen lassen.«

»Sie sagten, das Mädchen habe es ihm an Pfingsten erzählt. Weshalb hat er so lange gewartet. Das ist doch schon Monate her.«

»Das habe ich ihn auch gefragt. Er meinte, die ersten paar Wochen hätten er und seine Frau einfach abgewartet. Sie hofften, ihr Sohn würde Vernunft annehmen. Tat er aber nicht. Er brachte seinen Vater dazu, sich eine Abschrift des Prozeßprotokolls zu besorgen, und lag ihm in den Ohren, Grisworld zu bearbeiten. Er ist natürlich ein

Einzelkind und so verwöhnt wie sonst was. Das Ende vom Lied war, daß Archery schließlich versprach, der Sache auf den Grund zu gehen, sobald er zwei Wochen Urlaub bekäme.«

»Er kommt also wieder?«

»Das hängt ganz von Mrs. Painter ab«, sagte Wexford.

5

> ...daß sie ihre Kinder christlich und tugendhaft auferziehen mögen.
>
> *Die Einsegnung der Ehe*

Das Haus der Kershaws lag ungefähr zwei Kilometer von der Stadtmitte entfernt; vom Bahnhof und dem Kino, den Geschäften und Kirchen trennten es Tausende anderer großer Vorstadthäuser. Denn groß war Craig Hill Nummer 20, ein halbherzig im georgianischen Stil gehaltenes Haus aus himbeerroten Ziegelsteinen. Der Garten war mit einjährigen Pflanzen angelegt, der Rasen frei von Klee, und an den obligatorischen Rosensträuchern hatte man die verwelkten Blüten abgezwickt. In der betonierten Auffahrt spritzte ein ungefähr zwölfjähriger Junge einen großen weißen Ford ab.

Archery parkte sein Auto am Randstein. Im Gegensatz zu Wexford hatte er noch nicht den Wagenschuppen von *Victor's Piece* gesehen, aber er hatte von ihm gelesen, und der Eindruck drängte sich ihm auf, daß Mrs. Kershaw sich weit emporgearbeitet hatte. Als er aus dem Wagen stieg, brach ihm auf Stirn und Oberlippe Schweiß aus. Er beruhigte sich damit, daß es ungewöhnlich heiß war und er schon immer ein wenig empfindlich auf Hitze reagierte.

»Bin ich hier richtig bei Familie Kershaw?« fragte er den Jungen.

»Goldrichtig.« Er sah Tess sehr ähnlich, aber sein Haar war etwas blonder, und seine Nase zierten Sommersprossen. »Die Haustür ist offen. Soll ich ihn rufen?«

»Mein Name ist Archery«, stellte sich der Geistliche vor und streckte die Hand aus.

Der Junge wischte sich die Hände an der Jeans ab. »Guten Tag«, sagte er.

Inzwischen war ein kleiner runzeliger Mann die Verandastufen heruntergekommen. Die trockene, warme Luft schien zwischen ihnen stillzustehen. Archery versuchte, keine Enttäuschung in sich aufkommen zu lassen. Was hatte er erwartet? Bestimmt nicht jemand so Kleines, so unfertig Aussehendes und so Verhutzeltes wie dieses Klappergestell in der alten Flanellhose und dem Strickhemd ohne Krawatte. Dann lächelte Kershaw, und die Jahre fielen von ihm ab. Seine Augen funkelten leuchtend blau, seine schiefstehende Zähne waren weiß und sauber.

»Guten Tag.«

»Mr. Archery, wie schön. Freut mich sehr, Sie kennenzulernen. Um die Wahrheit zu sagen, ich habe am Fenster gesessen und schon Ausschau nach Ihnen gehalten.«

In Gegenwart dieses Mannes mußte man einfach Hoffnung empfinden, fast schon Fröhlichkeit. Sofort fiel Archery eine seltene Eigenschaft an ihm auf, eine Eigenschaft, der er in seinem Leben bisher nur ungefähr fünf- oder sechsmal begegnet war. Dieser Mann interessierte sich einfach für alles. Er strahlte Energie und Enthusiasmus aus. An einem Wintertag hätte er die Luft erwärmt. Jetzt in dieser Hitze war seine Lebenslust schlicht überwältigend.

»Gehen wir doch ins Haus, ich möchte Ihnen meine Frau vorstellen.« Seine Stimme war dröhnend laut, eine Cockneystimme, die einen an *fish and chips* denken ließ, an Aal mit Kartoffelpüree und Pubs im Londoner East End. Als er ihm in die holzgetäfelte Diele folgte, fragte sich Archery, wie alt er wohl war. Vielleicht erst fünfundvierzig. Sein Impetus, Lebenshunger und Schlafmangel, weil Schlaf bloß Zeitverschwendung war, hatten möglicherweise seine Jugend aufgezehrt. »Wir sitzen im Wohnzimmer«, sagte er und stieß eine geriffelte Glastür auf. »Das gefällt mir an einem Tag wie heute. Wenn ich von der Arbeit nach Hause komme, sitze ich gern zehn Minuten an der Terrassentür und betrachte den Garten. Man hat dann das Gefühl, die viele Plackerei im Winter habe sich gelohnt.«

»Im Schatten zu sitzen und sich am Grün zu weiden?« Kaum waren die Worte gefallen, als Archery sie auch schon bereute. Er wollte diesen Ingenieur aus der Provinz nicht in Verlegenheit bringen.

Kershaw warf ihm einen kurzen Blick zu. Dann lächelte er und sagte ungezwungen: »Miss Austen wußte recht gut, wovon sie redete, nicht?« Archery war sprachlos. Er ging in das Zimmer und reichte der Frau, die sich aus einem Sessel erhoben hatte, die Hand.

»Meine Frau. Das ist Mr. Archery, Renee.«

»Guten Tag.«

Irene Kershaw sagte nichts, gab ihm aber die Hand und lächelte ein angespanntes strahlendes Lächeln. Ihr Gesicht war so, wie das von Tess aussehen würde, wenn die Zeit ihm eine gewisse Härte und den letzten Schliff verliehen hatte. In ihrer Jugend war sie blond gewesen. Jetzt hatte sie das Haar matt laubbraun gefärbt; offenbar war sie – vielleicht sogar ihm zu Ehren – gerade beim Friseur gewesen, denn unnatürlich flaumige Strähnen fielen ihr auf Stirn und Ohren.

»Nehmen Sie Platz, Mr. Archery«, sagte Kershaw. »Der Tee ist gleich soweit. Du hast den Kessel doch schon aufgesetzt, Renee?«

Archery setzte sich in einen Sessel am Fenster. Kershaws Garten war voller Lauben für Rosenzüchtungen, kleinen Winkeln mit dekorativ aufgeschichteten Steinen und felsliebenden Pflanzen. Er erfaßte das Zimmer mit einem raschen Blick, wobei ihm sofort die Sauberkeit und die Riesenmenge an Sachen auffiel, die es sauberzuhalten galt. Es wimmelte von Büchern, Readers' Digests, Enzyklopädien, Wörterbüchern, Werken über Astronomie, Hochseefischen, europäische Geschichte. Auf einem Ecktisch stand ein Aquarium mit tropischen Fischen, auf dem Kaminsims mehrere Flugzeugmodelle; den Flügel bedeckten Notenstapel, und an einer Staffelei hing das halbfertige, recht hübsche Ölporträt eines jungen Mädchens. Das Zimmer war groß, zwar mit einem Wiltonteppich und Schonbezügen aus Chintz durchaus konventionell eingerichtet, doch es brachte die Persönlichkeit des Hausherrn zum Ausdruck.

»Wir hatten das Vergnügen, Ihren Charlie kennenzulernen«, sagte Kershaw. »Ein netter bescheidener Junge. Er gefällt mir.« Charlie! Archery saß ganz still und versuchte, sich nicht beleidigt zu fühlen. Charles' Eignung stand schließlich nicht in Zweifel.

Ziemlich unvermittelt ergriff Renee Kershaw das Wort. »Wir mögen ihn alle.« Sie sprach mit dem gleichen Akzent wie Wexford. »Aber ich kann mir beim besten

Willen nicht vorstellen, wie sie zurechtkommen wollen, wo doch alles so schrecklich teuer ist – die Lebenshaltungskosten, wissen Sie – und Charles keine Arbeit in Aussicht hat...« Archery war verblüfft. Machte sie sich wirklich Sorgen wegen solcher Bagatellen? Er begann sich zu fragen, wie er das Thema anschneiden sollte, das ihn nach Purley geführt hatte. »Wo wollen sie denn wohnen?« fragte Mrs. Kershaw betulich. »Im Grunde sind es doch noch Kinder. Man braucht doch schließlich ein Dach über dem Kopf, nicht wahr? Man muß eine Hypothek aufnehmen und...«

»Ich glaube, der Kessel pfeift, Renee«, unterbrach sie ihr Mann.

Sie stand auf und strich sich sittsam den Rock nach unten, damit ihre Knie bedeckt blieben. Es war ein sehr spießiger Faltenrock mit blaßblauen und rosa gesprenkelten Streifen, der eine völlig geschlechtslose Ehrbarkeit ausstrahlte. Dazu trug sie einen kurzärmeligen Pullover und um den Hals eine einreihige Zuchtperlenkette. Archery konnte sich vorstellen, daß diese Perlenkette Mrs. Kershaws ganzer Stolz war. Bestimmt wurden sie jeden Abend fein säuberlich eingewickelt und an einem dunklen Ort verwahrt. Mrs. Kershaw roch nach Körperpuder, von dem ein bißchen noch in den Falten ihres Halses steckte.

»Für Hypotheken ist es wohl noch ein bißchen zu früh«, sagte Kershaw, als sie gegangen war. Archery lächelte gequält. »Glauben Sie mir, Mr. Archery, ich weiß, daß Sie nicht nur wegen einer Teestunde mit zukünftigen Verwandten hergekommen sind.«

»Es ist mir peinlicher, als ich für möglich gehalten hätte.«

Kershaw lachte in sich hinein. »Das glaube ich gern.

Ich kann Ihnen nichts über den Vater von Tess erzählen, was nicht allgemein bekannt wäre, weil es damals in der Zeitung stand. Ist Ihnen das klar?«

»Und ihre Mutter?«

»Sie können es versuchen. In Zeiten wie diesen sehen Frauen die Welt durch einen Schleier aus weißer Seide. Ihr lag nie viel daran, daß Tess eine höhere Schule besucht. Sie möchte sie unter die Haube bringen und wird alles dazu beitragen, damit dem nichts im Wege steht.«

»Und Sie, was möchten Sie?«

»Ich? Oh, ich möchte, daß sie glücklich wird. Glück fängt nicht unbedingt am Altar an.« Mit einemmal wurde er energisch und direkt. »Offen gesagt, Mr. Archery, bin ich mir nicht sicher, ob sie mit einem Mann glücklich werden kann, der ihr schon Mordgelüste unterstellt, noch ehe sie mit ihm verlobt ist.«

»Aber im Gegenteil!« Archery war nicht darauf gefaßt, von seinem Gegenüber in die Defensive gedrängt zu werden. »Nach Ansicht meines Sohnes ist Ihre Stieftochter vollkommen. Ich stelle die Nachforschungen an. Mein Sohn weiß das, er möchte es Tess zuliebe, aber er hat keine Ahnung, daß ich hier bin. Versetzen Sie sich doch in meine Lage...«

»Ich *war* schon in Ihrer Lage. Tess war erst sechs, als ich ihre Mutter heiratete.« Er warf einen raschen Blick zur Tür und beugte sich dann näher zu Archery. »Glauben Sie etwa, ich hätte sie nicht im Auge behalten und darauf gelauert, ob sich irgendeine Auffälligkeit bemerkbar macht? Nach der Geburt meiner Tochter war Tess sehr eifersüchtig. Sie konnte das Baby nicht leiden, und eines Tages ertappte ich sie dabei, wie sie sich über Jills Kinderwagen beugt und sie mit einem Gummispielzeug auf den Kopf schlägt. Zum Glück war es aus Gummi.«

»Du lieber Himmel...!« Archery spürte, wie sich Blässe auf seinem Gesicht ausbreitete.

»Was konnte ich tun? Ich mußte arbeiten gehen und die Kinder allein lassen. Mir blieb nichts anderes übrig, als mich auf meine Frau zu verlassen. Dann bekamen wir einen Sohn – ich glaube, Sie sind ihm draußen beim Wagenwaschen begegnet –, und Jill lehnte ihn in genau der gleichen Weise und mit genau der gleichen Heftigkeit ab. Der springende Punkt ist, daß sich alle Kinder so verhalten.«

»Sonst haben Sie nichts mehr von diesen – diesen Neigungen bemerkt?«

»Neigungen? Eine Persönlichkeit entsteht nicht durch Erbanlagen, Mr. Archery, sondern durch ihr Umfeld. Ich wollte, daß Tess das bestmögliche Umfeld hat, und mit aller gebotenen Bescheidenheit glaube ich sagen zu können, daß für sie dieser Wunsch in Erfüllung ging.«

Der Garten lag schimmernd unter einem Hitzeschleier. Archery fielen Dinge auf, die er anfangs nicht bemerkt hatte: Kreidelinien auf dem Rasen, wo man ohne Rücksicht auf die Rabatten einen Tennisplatz auf dem Gras eingezeichnet hatte; an der Garagenwand ein wüstes Provisorium von Kaninchenställen; eine Schaukel, die schon bessere Tage gesehen hatte. Hinter ihm auf dem Kaminsims sah er zwei gegen Nippesfiguren gelehnte Einladungskarten. Eine gerahmte Fotografie darüber zeigte drei Kinder in Hemden und Jeans, die alle viere von sich gestreckt auf einem Heuhaufen lagen. Ja, dies war das bestmögliche Umfeld für die Waise des Mörders gewesen.

Die Tür ging auf, und das Mädchen von dem Porträt schob einen Teewagen herein. Archery war es zu warm, und er machte sich zuviel Sorgen, um Hunger zu haben, doch zu seiner Bestürzung mußte er entdecken, daß der Wagen mit selbstgebackenen Kuchen, Erdbeeren in Glasschälchen und Petits fours in Papierhütchen vollgeladen war. Das Mädchen sah ungefähr wie vierzehn aus. Sie war nicht so schön wie Tess und trug eine bauschige Schuljacke, doch ihr Gesicht erhellte die Lebenslust ihres Vaters.

»Meine Tochter Jill.«

Jill lümmelte sich in einen Sessel, wobei viel von einem langen Bein zu sehen war.

»Setz dich bitte anständig hin, Schatz«, sagte Mrs. Kershaw scharf. Sie bedachte das Mädchen mit einem tadelnden Blick und begann Tee einzuschenken, wobei sie einen Finger zierlich abspreizte. »Sie begreifen einfach nicht, daß sie heutzutage mit dreizehn schon junge Frauen sind, Mr. Archery.« Archery war verlegen, das Mädchen schien sich jedoch nichts draus zu machen. »Sie müssen unbedingt diesen Kuchen probieren. Jill hat ihn gebacken.« Widerwillig nahm er ein Stück. »So ist es recht. Ich habe meinen beiden Töchtern immer gesagt, die Schule ist ja in gewisser Hinsicht schön und gut, aber mit Algebra bringt man keinen Sonntagsbraten auf den Tisch. Gute Hausmannskost ist für Jill und Tess kein Problem.«

»Wenn ich was koche, dann ist das höchstens gute Haus*frauen*kost, Mami.«

»Nimm doch nicht alles so wörtlich. Du weißt, was ich sagen will. Wenn ihr mal heiratet, müssen sich eure Männer nicht schämen, jemanden zum Essen einzuladen.«

»Darf ich vorstellen, mein Generaldirektor, Liebling«, sagte Jill vorlaut. »Sei doch so lieb und schneide eine Scheibe von dir ab, wir haben Hunger.«

Kershaw brach in unbändiges Gelächter aus. Dann ergriff er die Hand seiner Frau. »Laß bloß Mami in Ruhe.« Diese ausgelassene Fröhlichkeit und familiäre Vertrautheit machten Archery nervös. Er quälte sich ein Lächeln ab und merkte, daß es gequält wirkte.

»Was ich eigentlich sagen wollte, Mr. Archery«, fuhr Mrs. Kershaw ernsthaft fort, »selbst wenn Ihr Charlie und meine Tessie anfangs die üblichen Schwierigkeiten durchmachen, Tess ist nicht dazu erzogen worden, als Ehefrau müßig zu sein. Ein trautes Heim ist ihr wichtiger als unnötiger Luxus.«

»Davon bin ich überzeugt.« Archery blickte hilflos auf das sich rekelnde Mädchen, das den Sessel fest in Beschlag genommen hatte und Erdbeeren mit Sahne in sich hineinstopfte. Jetzt oder nie! »Mrs. Kershaw, ich zweifle nicht an Theresas Eignung zur Ehefrau...« Nein, das war nicht richtig. Genau die bezweifelte er schließlich. Er verhaspelte sich. »Ich wollte mit Ihnen über...« Kershaw würde doch gewiß für ihn einspringen? Jills Augenbrauen zogen sich zu einem gelinden Ausdruck des Mißfallens zusammen, und aus grauen Augen starrte sie ihn unverwandt an. Verzweifelt sagte er: »Ich wollte allein mit Ihnen sprechen.«

Irene Kershaw schien zusammenzuschrumpfen. Sie stellte die Tasse auf den Tisch, legte zierlich das Messer quer auf den Teller, faltete die Hände im Schoß zusammen und blickte auf sie hinab. Es waren kümmerliche Hände, kurz, dick und abgearbeitet, der einzige Schmuck ein Ring, ihr zweiter Ehering.

»Mußt du nicht noch Hausaufgaben machen, Jill«, fragte sie mit Flüsterstimme. Kershaw stand auf und wischte sich den Mund ab.

»Die kann ich im Zug machen«, sagte Jill.

Archery hatte eine leichte Abneigung gegen Kershaw gefaßt, doch in diesem Moment empfand er unwillkürlich Bewunderung für den Mann. »Jill, du weißt doch über Tess Bescheid«, sagte Kershaw. »Was geschah, als sie noch klein war. Mami muß mit Mr. Archery darüber reden. Unter vier Augen. Wir müssen sie jetzt allein lassen, weil es uns zwar auch etwas angeht, eigentlich aber nicht betrifft. Nicht ganz so wie sie. O. K.?«

»O. K.«, sagte Jill. Ihr Vater legte den Arm um sie und nahm sie mit in den Garten.

Er mußte den Anfang machen, doch er war schrecklich verlegen und kam sich linkisch vor. Draußen vor dem Fenster hatte Jill einen Tennisschläger gefunden und übte Schläge gegen die Garagenwand. Mrs. Kershaw nahm eine Serviette zur Hand und tupfte sich die Mundwinkel ab. Sie sah ihn an, ihre Blicke begegneten sich, und sie schaute weg. Archery hatte plötzlich das Gefühl, daß sie nicht allein waren, daß ihre auf die Vergangenheit gerichteten Gedanken einen gewalttätigen Geist aus seinem Grab im Gefängnis heraufbeschworen hatten, der nun hinter ihren Sesseln stand, sie mit blutiger Hand an den Schultern faßte und auf ihr Urteil warte.

»Tess meint, Sie hätten mir etwas zu sagen«, begann er. »Über Ihren ersten Mann.« Sie wickelte die Serviette nun zusammen und zerknüllte sie, bis sie wie ein Golfball aussah. »Mrs. Kershaw, Sie sollten es mir, glaube ich, sagen.«

Die Papierkugel fiel lautlos auf den leeren Teller.

»Ich spreche nie von ihm, Mr. Archery. Mir ist es lieber, einen Strich unter die Vergangenheit zu ziehen.«

»Es schmerzt, ich weiß – das muß es. Aber wenn wir nur einmal darüber reden und es damit hinter uns bringen könnten, verspreche ich Ihnen, das Thema nie wieder anzuschneiden.« Es kam ihm zu Bewußtsein, daß er gerade so tat, als würden sie sich noch oft wiedersehen, als seien sie durch die Heirat schon verwandt. Außerdem erweckte er den Anschein, als genüge ihm ihr Wort. »Ich bin heute in Kingsmarkham gewesen, und...«

Sie klammerte sich an den Strohhalm. »Durch die vielen Neubauten hat man es bestimmt ganz verschandelt.«

»Eigentlich nicht«, sagte er. Lieber Gott, laß sie jetzt bloß nicht abschweifen.

»Ich bin dort in der Nähe geboren«, erzählte sie. Er bemühte sich, ein Seufzen zu unterdrücken. »Das war schon ein komisches, verschlafenes kleines Nest, mein Dorf. Damals habe ich mir wohl gedacht, ich würde mein ganzes Leben dort zubringen. Aber man kann eben nie sagen, was das Leben alles für einen bereithält.«

»Erzählen Sie mir von Tess' Vater.«

Sie hörte auf, mit den Händen an ihrer Kette herumzuspielen, und legte sie in ihren ehrbaren blauen Schoß. Als sie sich an ihn wandte, sah ihr Gesicht würdevoll aus, fast schon lächerlich steif und verschlossen. Sie hätte die Gattin eines Bürgermeisters sein können, die in irgendeinem Gemeindegremium den Vorsitz führte und sich ausführlich räusperte, ehe sie das Wort an den Verein der Landfrauen richtete. »Sehr geehrte Vorsitzende, meine Damen...«, hätte sie ansetzen müssen. Statt dessen sagte sie:

»Vorbei ist vorbei, Mr. Archery.« In diesem Moment wußte er, daß es aussichtslos war. »Ich bin mir Ihres Problems bewußt, aber ich kann wirklich nicht darüber sprechen. Er war kein Mörder, mein Wort muß Ihnen genügen. Er war ein guter, liebenswürdiger Mensch, der keiner Fliege etwas hätte zuleide tun können.« Eigenartig, dachte er, wie sie alte Redensarten mit modernen Phrasen vermengte. Er wartete, dann platzte er heraus:

»Aber woher wissen Sie das? *Können* Sie es überhaupt wissen? Mrs. Kershaw, haben Sie etwas gesehen oder gehört...«

Die Perlen waren an ihren Mund gewandert, und ihre Zähne schlossen sich um die Kette. Als sie zerriß, spritzten die Perlen in alle Richtungen auseinander, auf ihren Schoß, über das Teegeschirr bis auf den Teppich. Sie stieß ein leises, kultiviertes Lachen aus, verdrießlich und entschuldigend. »Was habe ich da nur angerichtet!« Im Nu lag sie auf den Knien, klaubte die verstreuten Perlen zusammen und sammelte sie in einer Untertasse.

»Es liegt mir viel an einer Hochzeit in Weiß.« Ihr Gesicht tauchte hinter dem Teewagen auf. Der Anstand verlangte, daß auch er auf die Knie ging und bei der Suche mithalf. »Könnten Sie wohl Ihre Frau dazu bringen, mich dabei zu unterstützen? Oh, herzlichen Dank. Sehen Sie mal, da vorn ist noch eine, direkt neben Ihrem linken Fuß.« Auf allen vieren kroch er ihr nach. Ihre Blicke trafen sich unter dem herabhängenden Tischtuch. »Meine Tess wäre glatt imstande, in Jeans vor den Altar zu treten, wenn sie es sich in den Kopf setzt. Und hätten Sie etwas dagegen, wenn wir den Empfang vielleicht hier machen würden? Unser Wohnzimmer ist so schön groß.«

Archery stand auf und gab ihr noch drei Perlen. Als der Tennisball gegen das Fenster donnerte, fuhr er zusammen. Das Geräusch hatte sich wie ein Schuß angehört.

»Jetzt reicht es aber, Jill«, sagte Mrs. Kershaw scharf. Immer noch die Untertasse voller Perlen in der Hand, öffnete sie das Fenster. »Ich hab's dir nicht einmal gesagt, ich hab's dir schon mindestens fünfzigmal gesagt, daß ich nicht noch mehr Scherben will.«

Archery sah sie an. Sie war verärgert, verletzt und sogar ein wenig empört. Unvermittelt fragte er sich, ob sie so auch an jenem längst vergangenen Sonntag ausgesehen hatte, als die Polizei in ihr Reich im Wagenschuppen eindrang. War sie überhaupt zu einer heftigeren Erregung fähig als jetzt, zu mehr als bloßer Verärgerung über eine Störung des häuslichen Friedens?

»Wenn Kinder im Haus sind, kann man einfach nichts in Ruhe bereden«, sagte sie.

Wie auf ein Stichwort hin hatten sie einen Augenblick später wieder die ganze Familie auf dem Hals, Jill, aufsässig und vorlaut, der Junge, dem er in der Auffahrt begegnet war, lauthals seinen Tee verlangend, und Kershaw selbst, lebensprühender denn je, auf dessen kleinem zerfurchtem Gesicht sich eine gewisse nüchterne Schlauheit abzeichnete.

»Jill, du kommst jetzt augenblicklich in die Küche und hilfst mir beim Abwasch.« Die Untertasse wanderte auf den Kaminsims, wo sie zwischen einem Setzkasten und einer Karte abgestellt wurde, die Mrs. Kershaw zu einer morgendlichen Kaffeestunde zugunsten der Krebshilfe einlud. »Ich verabschiede mich jetzt schon von Ihnen, Mr. Archery.« Sie hielt ihm die Hand entgegen. »Sie haben noch so einen weiten Weg vor sich, da möchten Sie gewiß gleich aufbrechen.« Es war fast schon ein Rauswurf, doch wie sie das sagte, war es einer Königin würdig. »Falls wir uns vor dem großen Tag nicht mehr sehen sollten – nun, wir treffen uns dann in der Kirche.«

Die Tür schloß sich. Archery blieb stehen.

»Was soll ich jetzt tun?« fragte er schlicht.

»Was haben Sie erwartet?« entgegnete Kershaw. »So etwas wie einen unwiderlegbaren Beweis, ein Alibi, das nur sie bezeugen kann?«

»Glauben *Sie* ihr denn?« fragte Archery gespannt.

»Ah, das steht auf einem anderen Blatt. Wissen Sie, mir ist es gleich. Mir macht es so oder so nichts aus. Es ist so leicht, *nicht* zu fragen, Mr. Archery, einfach gar nichts zu tun und es hinzunehmen.«

»Aber mir macht es etwas aus«, sagte Archery. »Wenn Charles Ihre Stieftochter wirklich heiratet, werde ich meine Pfarrei aufgeben müssen. Ich glaube, Sie sind sich nicht ganz darüber im klaren, in welcher Gegend ich wohne, was für Leute…«

»Ach was!« Kershaw verzog den Mund und breitete verärgert die Hände aus. »Für solch altmodischen Kram habe ich nichts übrig. Wer soll es denn wissen? Hier in der Gegend halten die Leute sie alle für mein Kind.«

»Aber ich werde es wissen.«

»Warum, zum Teufel, hat sie es Ihnen auch sagen müssen? Warum konnte sie nicht den Mund halten?«

»Machen Sie Tess ihre Ehrlichkeit zum Vorwurf, Kershaw?«

»Ja, verdammt noch mal, genau das!« Archery zuckte unter dem Fluch zusammen und kniff in dem grellen Licht die Augen zusammen. Er sah einen Rotschleier. Es war nur die Innenhaut des Augenlids, aber für ihn sah es wie ein Blutsee aus. »Verschwiegen, nicht ehrlich, währt am längsten. Wegen was machen Sie sich eigentlich Sorgen? Sie wissen verdammt genau, daß sie ihn nicht heiraten wird, wenn Sie es nicht wollen.«

Archery erwiderte schroff: »Und wie soll ich danach mit meinem Sohn auskommen?« Er beherrschte sich, dämpfte die Stimme und setzte ein anderes Gesicht auf. »Ich muß versuchen, einen anderen Weg zu finden. Ihre Frau ist ganz sicher?«

»Sie ist nie davon abgegangen.«

»Dann gehe ich zurück nach Kingsmarkham. Eigentlich ziemlich aussichtslos, nicht?« Unsinnigerweise, was er jedoch erst merkte, als die Worte schon heraus waren, fügte er hinzu: »Vielen Dank für Ihre Hilfe und – und für den vorzüglichen Tee.«

6

> Doch, da sich allem Ansehen nach die Zeit seiner Auflösung nahet, so... mache du ihn zu seiner Todesstunde geschickt und bereit.
>
> *Ordnung des Krankenbesuchs*

Der Mann lag auf dem Rücken mitten auf dem Zebrastreifen. Als Inspector Burden aus dem Polizeiauto stieg, mußte er nicht erst lange fragen, wo der Verletzte war, oder sich zum Unfallort führen lassen. Wie auf einem entsetzlichen Standfoto aus einem Aufklärungsfilm des Verkehrsministeriums, die Art von Film, die Frauen zum Schaudern bringt und sie rasch auf ein anderes Programm umschalten läßt, breitete sich alles direkt vor seinen Augen aus.

Ein Rettungswagen stand bereit, doch niemand unternahm den Versuch, den Mann zu verlagern. Unerbittlich und mit fast so etwas wie Gleichgültigkeit blinkten die beiden Blaulichter in regelmäßigem Rhythmus. Ein weißer Mini steckte schräg mit der Schnauze in der zertrümmerten Spitze eines Pollers.

»Können Sie ihn nicht von der Straße schaffen?« fragte Burden.

Der Arzt war lakonisch. »Den hat's erwischt.« Er kniete nieder, tastete am linken Handgelenk nach dem Puls, stand wieder auf und wischte sich das Blut von den Fingern. »Ich wage die Vermutung, daß er sich die Wirbelsäule gebrochen und einen Riß in der Leber hat. Das Problem ist nur, daß er noch mehr oder minder bei Bewußtsein ist und es eine Höllenqual für ihn wäre, wenn man versuchte, ihn zu verlagern.«

»Armer Teufel. Was ist passiert? Hat jemand etwas gesehen?«

Sein Blick schweifte über die Menschentraube, Frauen mittleren Alters in Baumwollkleidern, spät heimkehrende Pendler und Liebespaare auf ihrem Abendspaziergang. Die letzten Sonnenstrahlen fielen sanft auf ihre Gesichter und auf das Blut, das den Zebrastreifen bedeckte. Burden kannte den Mini. Er kannte den dummen Aufkleber auf seiner Heckscheibe, auf dem eine Schnecke abgebildet war, neben der stand: *Dieser Mini hat Sie gerade zur Schnecke gemacht.* Lustig war das nie gewesen, aber in diesem Augenblick wirkte es empörend durch die Art, wie es den Mann auf der Straße verspottete.

Ein Mädchen lag mit dem Kopf auf dem Lenkrad. Ihr Haar war kurz, schwarz und drahtig, und aus Verzweiflung oder Reue hatte sie sich die Finger hineingewühlt. Die langen roten Nägel stachen wie leuchtende Federn hervor.

»Machen Sie sich wegen der keine Sorgen«, sagte der Arzt verächtlich. »Sie ist nicht verletzt.«

»Sie da...« Burden suchte sich die gelassenste und am wenigsten aufgeregt wirkende Zuschauerin aus. »Sie haben nicht zufällig den Unfall beobachtet?«

»Ach, das war furchtbar. Wie ein Schwein fuhr die, die Schlampe. Mit über 150 Sachen kam die angeschossen.«

War ja mal wieder ein Glücksgriff, dachte Burden. Er wandte sich an einen blassen Mann, der einen Sealyhamterrier an der Leine führte.

»Können Sie mir vielleicht helfen?«

Ein Ruck an der Leine, und der Terrier setzte sich auf den Randstein.

»Dieser Herr dort...« Noch eine Spur weißer werdend, deutete er auf das zerknautschte Bündel auf dem Zebrastreifen. »Er schaute erst nach rechts und dann nach links, wie man es tun soll. Es kam aber nichts. Wegen der Brücke da hat man nicht ganz freie Sicht.«

»So? Ja, verstehe.«

»Na ja, er wollte gerade zur Verkehrsinsel rübergehen, als urplötzlich dieses weiße Auto auftaucht. Raste wie verrückt, die Frau. Hundertfünfzig vielleicht nicht gerade, aber an die hundert werden es schon gewesen sein. Diese Minis mit den frisierten Motoren kriegen nämlich einen Affenzahn drauf. Er zögerte kurz und wollte dann umkehren. Das hat sich in Sekundenschnelle abgespielt. An Einzelheiten kann ich mich da kaum erinnern.«

»Bislang gelingt es Ihnen recht gut.«

»Dann hat ihn der Wagen erwischt. Oh, die Fahrerin stieg natürlich wie verrückt auf die Bremse. Den Krach vergess' ich mein Lebtag nicht, wo doch die Bremsen quietschten, er einen Schrei ausstieß, die Arme hochwarf und dann umfiel wie vom Blitz getroffen.«

Burden wies einen Beamten an, die Namen und Adressen aufzuschreiben, und ging einen Schritt auf das weiße Auto zu. Eine Frau faßte ihn am Arm.

»Moment mal«, sagte sie, »der Mann da will einen Priester oder so was. Ehe Sie kamen, hat er ständig danach gefragt. Holt Pater Chiverton, hat er gesagt, wie wenn er wüßte, daß es zu Ende geht.«

»Stimmt das?« fragte Burden in scharfem Ton Dr. Crocker.

Crocker nickte. Man hatte den Sterbenden inzwischen zugedeckt, unter seinem Kopf lag ein zusammengerollter Regenmantel, auf seinem Körper die Jacken von zwei Polizisten. »Pater Chiverton, das hat er gesagt. Offen gestanden lag mir mehr sein körperliches als sein seelisches Wohlergehen am Herzen.«

»Dann ist er also katholisch?«

»Keine Spur. Ihr von der Polizei seid doch die reinste Atheistenbande. Chiverton ist hier der neue Pfarrer. Lesen Sie denn nie das hiesige Käseblatt?«

»Ein *Pater*?«

»Er ist ein ziemlich hohes Tier. Vorsänger beim Abendmahl, Träger der goldenen Hostie am Bande und so was.« Der Arzt räusperte sich. »Ich persönlich bin Kongregationalist.«

Burden ging zu dem Fußgängerüberweg hinüber. Das bleiche Gesicht des Mannes hatte die Farbe gelblichen Elfenbeins angenommen, doch die Augen standen offen und erwiderten seinen Blick. Mit leichtem Schrecken wurde Burden klar, daß er jung war, vielleicht nicht älter als zwanzig.

»Kann ich irgendwas für dich tun, alter Knabe?« Er wußte, daß ihm der Arzt eine schmerzstillende Spritze gegeben hatte. Mit dem eigenen vorgebeugten Körper schirmte er ihn vor den Zuschauern ab. »Wir schaffen dich gleich von hier weg«, log er. »Möchtest du was?«

»Pater Chiverton…« Das tonlose Flüstern klang so losgelöst und menschenunähnlich wie ein Windhauch. Ein Krampf überlief das immer blasser werdende Gesicht. »Beichten… tue Buße… vergib uns unsere Schuld, wie auch wir…«

»Verdammte Religion«, sagte der Arzt. »Nicht mal in Ruhe sterben läßt sie die Menschen.«

»Sie müssen für Ihre Kirchengemeinde ein großer Gewinn sein«, erwiderte Burden schroff. Seufzend stand er auf. »Offenbar will er beichten. Die Beichte gibt es doch wohl auch in der anglikanischen Kirche, oder?«

»Wer will, kann beichten, aber man muß nicht, wenn man keine Lust dazu hat. Das ist das Schöne an unserem Verein.« Als Burden ihn mit einem mörderischen Blick bedachte, setzte er hinzu: »Nun reißen Sie mir mal nicht gleich den Kopf ab. Wir haben Chiverton zu erreichen versucht, aber er und sein Vikar sind auf einer Tagung.«

»Constable Gates!« Ungeduldig winkte Burden den Polizisten zu sich, der die Adressen aufschrieb. »Flitzen Sie mal nach Stowerton und holen Sie mir einen – einen Pfarrer.«

»In Stowerton haben wir's schon versucht, Sir.«

»Ach du Schande«, sagte Burden leise.

»Entschuldigen Sie, Sir, aber ein Geistlicher hat doch gerade eine Verabredung mit dem Chief Inspector. Ich könnte über Funk mal auf dem Revier nachfragen und...«

Burden runzelte die Stirn. Das Polizeirevier von Kingsmarkham war anscheinend zum Schlachtfeld der streitenden Kirche auf Erden geworden.

»Tun Sie das, aber schnell...«

Er murmelte dem Jungen ein paar sinnlose Worte zu und ging dann zu dem Mädchen, das zu schluchzen angefangen hatte.

Nicht wegen dem, was sie getan hatte, weinte sie, sondern wegen dem, was sie vor zwei Stunden gesehen hatte. Seit ihrem letzten wachen Alptraum – so nannte sie es, obwohl sie ihr früher einmal wirklicher als die Wirklichkeit erschienen waren – waren zwei oder drei Jahre vergangen, und nun weinte sie, weil die bösen Träume wieder von vorn anfangen würden und das Gegenmittel, mit dem sie es versucht hatte, das Bild nicht aus ihrem Gedächtnis getilgt hatte.

Auf dem Heimweg von der Arbeit hatte sie es im Fenster des Immobilienmaklers gesehen. Es war ein Foto von einem Haus, aber nicht so, wie es jetzt war, verkommen, verwittert und in einem verwilderten Garten gelegen. Die Immobilienmakler führten dich hinters Licht, sie wollten dich glauben machen, es sei so, wie es vor langer Zeit einmal war... Dich? In dem Moment, als sie bemerkte, daß sie sich mit »du« anredete, war ihr klar, daß es wieder anfing, die Neuauflage des bösen Traums. Folglich hatte sie sich in den Mini gesetzt und war nach Flagford gefahren, fort von den Assoziationen, den Erinnerungen und der abscheulichen Du-Stimme, um zu trinken und zu trinken, denn das verscheuchte sie vielleicht.

Doch sie ließen sich nicht verscheuchen, und du warst wieder in dem großen Haus, hörtest den Stimmen zu, die so lange schmeichelten, schöntaten und stritten, daß du dich langweiltest, schrecklich langweiltest, bis du hinaus in den Garten gingst und das kleine Mädchen trafst.

Du gingst zu ihr hin und sagtest: »Gefällt dir mein Kleid?«

»Es ist hübsch«, sagte sie, und es schien ihr nichts auszumachen, daß es viel schöner war als ihres.

Sie spielte an einem Sandhaufen Kuchenbacken mit einer alten Tasse ohne Henkel. Du bliebst und spieltest mit, und danach kamst du jeden Tag zum Sand, da unten, wo du von den Fenstern aus nicht gesehen werden konntest. Der Sand war warm und schön; du konntest ihn verstehen. Auch das kleine Mädchen konntest du verstehen, obwohl sie das einzige kleine Mädchen war, dem du je begegnet warst. Du kanntest eine Menge Erwachsene, aber die konntest du nicht verstehen, genausowenig wie die häßlichen Worte und die komisch schmeichlerische Art, wie sich das Gespräch immer um Geld drehte, so daß dir war, als fielen Münzen von den brabbelnden Lippen herab und glitten schmutzig zwischen zuckenden Fingern hindurch.

Das kleine Mädchen hatte einen gewissen Zauber an sich, denn sie lebte in einem Baum. Natürlich war es nicht wirklich ein Baum, sondern ein Haus in einem Gebüsch, dessen Blätter rauschten.

Der Sand war nicht trocken wie die Wüste, in der du jetzt lebtest, sondern warm und feucht wie Sand an einem Strand, den ein laues Meer überspült. Auch schmutzig war er, und du hattest Angst, was geschehen würde, wenn du ihn auf dein Kleid kriegtest...

Du weintest und trampeltest mit den Füßen, aber so, wie du jetzt weintest, als der gutaussehende Inspector an deinen Wagen trat, hattest du noch nie geweint.

Ob er allen Ernstes denke, nach so langer Zeit noch etwas Neues entdecken zu können? Archery ließ sich Wexfords Frage durch den Kopf gehen. Er kam zu dem Schluß, daß es weniger eine Frage des Glaubens an Painters Unschuld als des Vertrauens war. Aber Vertrauen zu wem? Doch gewiß nicht zu Mrs. Kershaw. Vielleicht war es nur der kindliche Glaube, solche Sachen könnten niemandem zustoßen, der mit ihm, Archery, in Verbindung stand. Das Kind eines Mörders konnte nicht jemand wie Tess sein, Kershaw hätte sie dann nicht geliebt, und Charles würde sie nicht heiraten wollen.

»Ein Besuch bei Alice Flower kann nichts schaden«, sagte er. Er merkte, daß er sich verteidigte, ganz schwach verteidigte. »Ich würde gern mit den Enkeln von Mrs. Primero reden, vor allem mit Roger Primero.«

Einen Augenblick schwieg Wexford. Er hatte schon davon gehört, daß der Glaube Berge versetzen kann, aber das hier war schlicht albern. Ihm erschien es beinahe so lächerlich, wie wenn irgendein Spinner mit der Behauptung aufgetaucht wäre, Dr. Crippen sei das unschuldige Opfer unglücklicher Umstände gewesen. Aus bitterer Erfahrung wußte er, wie schwierig es war, einen Mörder zur Strecke zu bringen, wenn zwischen der Tat und dem Beginn der Ermittlungen auch nur eine Woche verstrichen war. Archerys Nachforschungen kamen eineinhalb Jahrzehnte zu spät, außerdem besaß er keinerlei Erfahrung.

»Eigentlich müßte ich Sie davon abhalten«, sagte er schließlich. »Sie wissen nicht, worauf Sie sich da einlassen.« Bemitleidenswert, dachte er, einfach lachhaft. Laut sagte er: »Alice Flower liegt in der geriatrischen Abteilung des Stowertoner Krankenhauses. Sie ist gelähmt. Ich weiß nicht einmal, ob sie sich verständlich machen kann.«

Ihm fiel ein, daß Archery in der hiesigen Gegend völlig fremd sein mußte. Er stand auf und wuchtete sich zu der Wandkarte.

»Stowerton liegt da«, sagte er und bezeichnete die Stelle mit der eingezogenen Spitze eines Kugelschreibers, »und *Victor's Piece* ist ungefähr hier, zwischen Stowerton und Kingsmarkham.«

»Wo wohnt Mrs. Crilling?«

Wexford zog eine Grimasse. »In der Glebe Road. Auf Anhieb fällt mir die Nummer jetzt nicht ein, aber ich kann es feststellen lassen, sonst kriegen Sie sie über das

Wählerverzeichnis heraus.« Er drehte sich schwerfällig um und starrte Archery aus grauen Augen unverwandt an. »Sie vergeuden natürlich Ihre Zeit. Ich muß Ihnen gewiß nicht sagen, sich davor zu hüten, den Leuten unbegründete Anschuldigungen an den Kopf zu werfen.«

Unter dem ungerührten Blick fiel es Archery schwer, den seinen nicht abzuwenden. »Es geht mir nicht darum, jemand anderem die Schuld anzulasten, Chief Inspector. Ich will nur Painters Unschuld beweisen.«

»Ich fürchte, Sie werden feststellen müssen, daß ersteres die Folge von letzterem ist«, erwiderte Wexford barsch. »Aber es wäre so oder so ein Irrtum – ich will keinen Ärger haben.« Ein Klopfen an der Tür ließ ihn unwirsch herumfahren. »Ja, was ist?«

Sergeant Martins höfliches Gesicht erschien. »Dieser VU auf dem Zebrastreifen der High Street, Sir?«

»Was ist damit? Das fällt wohl kaum in mein Ressort.«

»Gates hat sich gerade gemeldet, Sir. Ein weißer Mini, LMB 12 M, den wir schon länger im Auge hatten – ein Zusammenstoß mit einem Fußgänger. Sie brauchen anscheinend einen Geistlichen, und Gates erinnerte sich, daß Mr. Archery ...«

Wexfords Lippen zuckten. Archery stand eine Überraschung bevor. In der ausgesucht höflichen Art, derer er sich zuweilen befleißigte, wandte er sich an den Pfarrer von Thringford: »Es sieht so aus, als bedürfe die weltliche Gerichtsbarkeit ein wenig des geistlichen Beistands. Wenn Sie vielleicht so gut sein wollten...?«

»Selbstverständlich.« Archery richtete den Blick auf den Sergeant. »Jemand wurde überfahren und – liegt nun im Sterben?«

»Leider ja, Sir«, bestätigte Martin ernst.

»Da komme ich wohl besser mit«, sagte Wexford.

Als Geistlicher der anglikanischen Kirche war Archery dazu verpflichtet, die Beichte abzunehmen, wenn ein Beichtvater benötigt wurde. Bisher beschränkte sich seine einzige Erfahrung mit diesem Mysterium allerdings auf eine Miss Baylis, ein in Ehren ergrautes Mitglied seiner Gemeinde, die, da sie (laut Mrs. Archery) seit vielen Jahren in ihn verliebt war, von ihm verlangte, daß er sich den kleinen Schwall häuslicher Sünden anhörte, den sie ihm jeden Freitagmorgen ins Ohr murmelte. Ihr Bedürfnis war masochistischer, selbstquälerischer Natur, etwas ganz anderes als die Sehnsucht des Jungen, der auf der Straße lag.

Wexford bugsierte ihn über den Zebrastreifen zu der Verkehrsinsel. Auf der Straße hatte man Umleitungsschilder aufgestellt, die den Verkehr über die Queen Street führten, und die Menschenmenge war zum Weitergehen veranlaßt worden. Mehrere Polizisten liefen aufgeregt hin und her. Zum erstenmal in seinem Leben fiel Archery auf, wie passend der Ausdruck »weiße Mäuse« war. Er sah kurz zu dem Mini hinüber, wandte den Blick von der glänzenden Stoßstange mit dem Blutstreifen rasch wieder ab.

Der Junge sah ihn unsicher an. Er hatte vielleicht noch fünf Minuten zu leben. Archery sank auf die Knie und legte sein Ohr auf die bleichen Lippen. Anfangs vernahm er nur den unregelmäßigen Atem, dann bildeten sich aus dem schwachen bebenden Seufzen zwei Worte heraus, die sich wie »Heilige Weihen…« anhörten, wobei das zweite Wort in einem hohen Frageton endete. Er neigte sich näher, als das Sündenbekenntnis hervorzuströmen begann, stoßweise, tonlos, abgehackt, wie das Glucksen eines gemächlich dahinfließenden Bachs. Er sagte irgend etwas von einem Mädchen, doch es blieb völlig unverständlich. Archery wurde nicht schlau daraus. Zu dir nehmen wir unsere Zuflucht, ging ihm durch den Kopf, und beten für diesen deinen Diener, der hier, unter deiner Hand, in großer Schwachheit des Leibes darniederliegt...

Die anglikanische Kirche sieht kein Ritual vor, das mit der Letzten Ölung vergleichbar wäre. Archery ertappte sich dabei, wie er immer wieder eindringlich sagte: »Ist schon gut, ist schon gut.« Ein Rasseln ging durch die Brust des Jungen, dann quoll ein Blutschwall aus seinem Mund und spritzte auf Archerys gefaltete Hände. »Demütig befehlen wir die Seele dieses deines Dieners, unseres geliebten Bruders, in deine Hände...« Er war erschöpft, und vor Mitleid und Entsetzen versagte ihm die Stimme. »Demütigst flehen wir dich an, laß sie teuer in deinen Augen sein...«

Die Hand, die vor Archery auftauchte und mit einem Taschentuch seine Finger abwischte, um sich dann auf ein stillstehendes Herz zu legen und nach einem nicht mehr vorhandenem Puls zu fühlen, gehörte dem Arzt. Wexford sah zu dem Arzt und zuckte kaum merklich mit den Schultern. Niemand sagte etwas. Das Schweigen ging in Bremsenquietschen unter, und lautes Hupen und ein Fluch drangen zu ihnen herüber, als ein Auto, das die Umleitung zu spät bemerkte, in die Queen Street abbog. Wexford breitete die Jacke über das erstarrte Gesicht.

Archery kniete erschüttert und fröstelnd im Abendglast. Steif erhob er sich, in seinem Inneren das Gefühl tiefster Einsamkeit und ein schreckliches Verlangen zu weinen. Jetzt wo der Poller zerstört war, konnte man sich nur auf das Heck des weißen Todeswagens stützen. Da ihm schlecht war, hielt er sich daran fest.

Gleich darauf schlug er die Augen auf und ging langsam an der Wagenseite entlang auf Wexford zu, der nachdenklich die schwarze Zottelmähne eines Mädchens betrachtete. Ihn, Archery, ging das nichts an. Er wollte nichts damit zu tun haben, wollte Wexford nur fragen, wo er ein Hotel zum Übernachten finden könne.

Etwas im Gesichtsausdruck des anderen Manns ließ ihn zögern. Auf der Miene des schwergewichtigen Chief Inspectors zeichnete sich Ironie ab. Er verfolgte, wie Wexford an das Glas klopfte. Das Fenster wurde heruntergekurbelt, und das Mädchen im Wageninneren wandte ihnen ein tränenüberströmtes Gesicht zu.

»Schlimme Sache, das«, hörte er Wexford sagen. »Eine ganz schlimme Sache, Miss Crilling.«

»Unerforschlich sind die Wege des Herrn«, sagte Wexford, als er und Archery über die Brücke gingen, »seine Wunder ein ewiges Rätsel.« Er summte die alte Choralmelodie und schien am Klang seines ziemlich eingerosteten Baritons offenbar Gefallen zu finden.

»Stimmt«, sagte Archery ernst. Er blieb stehen, legte die Hand auf das Granitgeländer und blickte auf das braune Wasser hinab. Ein Schwan glitt unter der Brücke hervor und steckte den langen Hals in das auf dem Wasser treibende Unkraut. »Das war also wirklich das Mädchen, das Mrs. Primeros Leiche entdeckte?«

»Ja, das war Elizabeth Crilling. Eine der jungen Wilden von Kingsmarkham. Ein Freund – ein sehr *intimer* Freund, darf ich wohl sagen – schenkte ihr diesen Mini zum einundzwanzigsten Geburtstag, und seither war man sich hier in der Gegend seines Lebens nicht mehr sicher.«

Archery schwieg. Tess Kershaw und Elizabeth Crilling waren im gleichen Alter. Sie waren gemeinsam ins Leben getreten, fast Seite an Seite. Beide mußten mit ihren

Müttern auf dem Grasstreifen der Straße nach Stowerton spazierengegangen sein, mußten auf den Wiesen hinter *Victor's Piece* gespielt haben. Die Crillings waren recht wohlhabende Mittelständler gewesen; die Painters bettelarm. Vor seinem geistigen Auge sah er noch einmal jenes tränenüberströmte Gesicht, über das kleine Rinnsale aus Schminke und Wimperntusche liefen, und in seinen Ohren klangen noch die Schimpfworte nach, die sie Wexford an den Kopf geworfen hatte. Ein anderes Gesicht schob sich über das von Elizabeth Crilling, ein hübsches, scharfgeschnittenes Gesicht mit ruhigen, intelligenten Augen unter der blonden Pagenfrisur. Wexford schreckte ihn aus seinen Gedanken auf.

»Sie wurde natürlich zu sehr verhätschelt, verwöhnt eben. Jeden Tag war sie bei Mrs. Primero, die sie, nach allem, was man so hört, mit Süßigkeiten und allem möglichen anderen Zeugs vollstopfte. Nach dem Mord klapperte Mrs. Crilling mit ihr sämtliche Psychiater der Reihe nach ab und wollte sie nicht zur Schule gehen lassen, bis man ihr schließlich das Jugendamt auf den Hals hetzte. Auf wie vielen Schulen sie insgesamt war, weiß Gott allein. Beim hiesigen Jugendgericht nahm sie jedenfalls Platz eins unter den Mädchen ein.«

Aber der Vater von *Tess* war ein Mörder, von Tess hätte man eine solche Jugend erwarten können. »Auf wie vielen Schulen sie insgesamt war, weiß Gott allein...« Tess war auf einer Schule gewesen und besuchte nun eine berühmte alte Universität. Aber aus der Tochter einer unschuldigen Freundin war eine Straftäterin geworden; aus dem Kind des Mörders ein Vorbild. In der Tat, unerforschlich waren die Wege des Herrn.

»Ich möchte unbedingt mit Mrs. Crilling sprechen, Chief Inspector.«

»Wenn Sie sich die Mühe machen, morgen früh zur Sitzung des Untersuchungsgerichts zu kommen, Sir, wird sie höchstwahrscheinlich dort sein. So wie ich Mrs. Crilling kenne, ist es gut möglich, daß Sie noch einmal in Ihrer Eigenschaft als Geistlicher benötigt werden, und dann, wer weiß?«

Im Weitergehen verdüsterte sich Archerys Miene. »Mir wäre es lieber, es könnte ganz offen geschehen. Ich möchte mich unter keinem Vorwand bei ihr einschleichen.«

»Jetzt hören Sie mal zu, Sir«, sagte Wexford, dem der Geduldsfaden riß. »Wenn Sie bei diesem Spielchen mitmischen wollen, dann geht das nur unter einem Vorwand. Sie haben nicht die Befugnis, unbescholtenen Bürgern irgendwelche Fragen zu stellen, und wenn sie sich beschweren, kann ich Sie kaum in Schutz nehmen.«

»Ich werde ihr alles offen und ehrlich erklären. Darf ich mit ihr sprechen?«

Wexford räusperte sich. »Kennen Sie König Heinrich IV., Erster Teil?«

Ein wenig verdutzt nickte Archery. Wexford blieb unter dem Bogen stehen, der in den Innenhof des *Olive and Dove* führte. »Das Zitat, an das ich dachte, ist Percys Antwort auf Glendower, als dieser sagt, er könne Geister aus der wüsten Tiefe rufen.« Aufgeschreckt durch Wexfords Brummstimme schwang sich ein kleiner Schwarm Tauben mit flatternden rostgrauen Flügeln aus dem Gebälk in die Luft. »Immer wenn ich ein bißchen zu optimistisch bin bei meiner Arbeit, ist mir diese Antwort eine große Hilfe.« Er räusperte sich, dann zitierte er: »›Das kann ich auch, das kann ein jeder: Doch kommen sie, wenn Ihr nach ihnen ruft?‹ Gute Nacht, Sir. Ich hoffe, Sie fühlen sich im *Olive* wohl.«

7

> Zu welcher erhabenen Würde... Sie berufen sind; nämlich Boten, Wächter und Haushälter zu sein...
>
> *Die Priester-Ordination*

Zwei Menschen saßen auf der Zuschauertribüne des Kingsmarkhamer Gerichtssaals, Archery und eine Frau mit scharfem, verlebtem Gesicht. Das lange, graue Haar, das eher aus Nachlässigkeit als mit Absicht seltsam modisch war, und das Cape, das sie anhatte, verliehen ihr ein mittelalterliches Aussehen. Vermutlich war sie die Mutter des Mädchens, das gerade wegen Totschlags angeklagt worden war, das Mädchen, das der Protokollführer als Elizabeth Anthea Crilling aufgerufen hatte, wohnhaft in 24 A Glebe Road, Kingsmarkham in der Grafschaft Sussex. Sie hatte Ähnlichkeit mit ihrer Mutter, und immer wieder tauschten sie kurze Blicke aus, wobei Mrs. Crillings Blick über den gertenschlanken Körper ihrer Tochter huschte oder mit rührseliger, triefender Zuneigung auf dem Gesicht des Mädchens zur Ruhe kam. Es war ein wohlproportioniertes Gesicht, wenn auch, abgesehen von den vollen Lippen, ziemlich hager. Manchmal, wenn ein Begriff oder eine bestimmte Redewendung Gefühle hervorrief, schien es nur aus stieren, dunklen Augen zu bestehen, dann wieder war es ausdruckslos und verschlossen wie das Gesicht eines geistig zurückgebliebenen Kinds mit einem von Kobolden und im Dunkeln zuschlagenden Wesen bevölkerten Innenleben. Mutter und Tochter verband ein unsichtbares Band, doch ob es aus Liebe oder Haß gewirkt war, konnte Archery nicht sagen. Beide waren schlecht angezogen, verschlampt, anfällig für Gefühlsduseleien, dachte er, doch jede besaß auch eine ganz bestimmte Eigenschaft – Leidenschaftlichkeit? Phantasie? Überschäumende Erinnerungen? –, die sie von den anderen im Gerichtssaal Anwesenden abhob und diese neben ihnen verblassen ließ.

Seine Rechtskenntnisse gingen gerade so weit, um zu wissen, daß dieses Gericht das Mädchen lediglich dem Assisengericht zur Hauptverhandlung überstellen konnte. Die Aussagen, die mühselig mit Schreibmaschine festgehalten wurden, belasteten es schwer. Elizabeth Crilling hatte laut dem Wirt des *Swan* in Flagford seit achtzehn Uhr dreißig im teureren Teil seines Lokals getrunken. Er hatte ihr sieben doppelte Whiskys ausgeschenkt, und als er ihr keinen mehr geben wollte, hatte sie ihn unflätig beschimpft, bis er mit der Polizei gedroht hatte.

»Haben wir keine andere Wahl, als Sie dem Assisengericht in Lewes zu überstellen«, sagte der Vorsitzende gerade. »…nichts zu erhoffen von Versprechen auf Begünstigung, nichts zu fürchten von etwaigen Drohungen…«

Auf der Zuschauertribüne gellte ein Schrei auf. »Was wollt ihr mit ihr machen?« Mrs. Crilling war aufgesprungen, wobei sich ihr zeltähnliches Cape aufbauschte und einen Luftstoß durch den Gerichtssaal gehen ließ. »Ihr wollt sie doch nicht ins Gefängnis stecken?«

Ohne sich eigentlich darüber im klaren zu sein, weshalb er das tat, ging Archery rasch die Bank entlang, bis er neben ihr stand. Gleichzeitig machte Martin fünf oder sechs Riesenschritte auf sie zu und warf dem Geistlichen einen bösen Blick zu.

»Gnädige Frau, Sie gehen jetzt wohl lieber hinaus.«

Sie prallte vor ihm zurück und schlug das Cape noch enger um sich, als wäre es kalt statt drückend heiß.

»Ihr dürft meinen Schatz nicht einsperren!« Sie versetzte dem Sergeant, der ihr den Blick auf die Richterbank versperrte, einen Stoß. »Nimm deine Flossen weg, du gemeiner Sadist!«

»Schaffen Sie diese Frau aus dem Saal«, sagte der Richter mit eisiger Gelassenheit. Mrs. Crilling wirbelte zu Archery herum und faßte ihn an den Händen. »Sie haben ein freundliches Gesicht. Sind Sie mein Freund?«

Archery war die Szene schrecklich peinlich. »Vermutlich können Sie eine Kaution beantragen«, murmelte er.

Die Polizistin, die neben der Anklagebank stand, kam zu ihnen herüber. »Kommen Sie schon, Mrs. Crilling...«

»Kaution, ich will Kaution! Dieser Herr hier ist ein alter Freund von mir, und er sagt, ich könnte eine Kaution beantragen. Ich verlange mein Recht!«

»So geht das hier aber nicht.« Der Richter warf einen vernichtenden Blick in Richtung Archery. Der Pfarrer setzte sich und versuchte, seine Hände aus Mrs. Crillings Griff zu befreien. »Soll das heißen, daß Sie Freilassung auf Kaution beantragen?« Der Richter hatte sich wieder Elizabeth zugewandt, die trotzig nickte.

»Wir trinken jetzt eine schöne Tasse Tee, Mrs. Crilling«, sagte die Polizistin. »Kommen Sie schon.« Den Arm um ihre Taille gelegt, bugsierte sie die geistig Verwirrte hinaus. Der Richter beriet sich mit dem Protokollführer, und Elizabeth Crilling wurde gegen Kaution aus der Untersuchungshaft entlassen, nachdem sich sie und ihre Mutter jeweils zur Zahlung von 500 Pfund verpflichtet hatten.

»Bitte, erheben Sie sich!« sagte der Gerichtsdiener. Die Sitzung war geschlossen.

Auf der anderen Seite des Gerichtssaals stopfte Wexford Unterlagen in seine Aktentasche.

»Ein richtiger Freund in der Not, der Bursche«, sagte er zu Burden und warf einen Blick in Richtung Archerys. »Denken Sie an mich, der wird noch seine liebe Mühe haben, sich aus den Klauen der alten Crillingschen zu befreien. Wissen Sie noch, wie wir sie damals in die Psychiatrie nach Stowerton karren mußten? Damals waren Sie ihr Freund. Wollte Ihnen unbedingt einen Kuß geben.«

»Erinnern Sie mich bloß nicht«, sagte Burden.

»Komische Sache, das gestern abend. Daß er zur Stelle war, meine ich, um dem armen Jungen den Weg in den Himmel zu ebnen.«

»Es war Glück.«

»Soweit ich mich erinnere, kam so etwas bisher nur einmal vor, außer bei Katholiken natürlich.« Er wandte sich um, als Archery, der sich zwischen den Holzbänken hindurchzwängte, zu ihnen trat. »Guten Morgen, Sir. Ich hoffe, Sie haben gut geschlafen. Ich sagte gerade dem Inspector, daß kurz, nachdem ich hierherzog, ein Mann draußen in Forby ums Leben kam. Muß schon mehr als zwanzig Jahre her sein. Ich habe es nie vergessen. Er war auch noch ein Junge, wurde von einem Militärlastwagen über den Haufen gefahren. Aber er war nicht so ruhig, der schrie wie am Spieß. Irgendwas von einem Mädchen und einem Kind.« Er machte eine Pause. »Sagten Sie etwas, Sir? Verzeihung, mir war so. Er verlangte auch nach einem Geistlichen.«

»Ich hoffe, daß seinem Wunsch entsprochen wurde.«

»Leider war das nicht möglich. Er starb – ungebeichtet, so heißt das wohl. Der Pfarrer hatte unterwegs eine Autopanne. Seltsam, daß ich das nie vergessen habe. Grace war sein Name, John Grace. Gehen wir?«

Die Crillings hatten den Saal schon verlassen. Als sie ins Sonnenlicht traten, kam Wexford die Polizistin entgegen.

»Mrs. Crilling gab mir ein Briefchen, Sir. Sie bat mich, es einem Mr. Archery auszuhändigen.«

»Lassen Sie sich einen guten Rat geben«, sagte Wexford. »Zerreißen Sie ihn. Die hat nicht mehr alle Tassen im Schrank.« Doch Archery hatte das Kuvert schon aufgeschlitzt.

Sehr geehrter Herr, las er.
wie ich höre, sind Sie ein Diener Gottes. Wohl dem, der nicht sitzt, wo die Spötter sitzen. Gott hat Sie zu mir und meinem Schatz gesandt. Ich erwarte Sie heute nachmittag bei mir zu Hause, um mich persönlich bei Ihnen zu bedanken.

In herzlicher Verbundenheit,
Josephine Crilling

Archerys Hotelzimmer verband auf reizvolle Weise Altes mit Neuem. In der Decke waren Balken eingezogen, die Wände waren rosa gestrichen und mit geprägten Zickzackleisten verziert, aber es war auch mit Teppichboden, einer Vielzahl von Lampen an den Wänden und am Kopfende des Bettes sowie mit einem Telefon ausgestattet. Er wusch sich die Hände in dem rosafarbenen Waschbecken (ein eigenes Bad hatte er für unnötige Verschwendung gehalten), nahm den Telefonhörer in die Hand und ließ sich mit Thringford in Essex verbinden.

»Liebling?«

»Henry! Gott sei Dank, daß du anrufst. Ich versuche schon die ganze Zeit, dich zu erreichen in diesem Olivendingsbums oder wie das heißt.«

»Wieso, was ist denn?«

»Charles hat einen furchtbaren Brief geschrieben. Anscheinend hat die arme liebe Tess gestern nachmittag ihre Eltern angerufen und Charles nun erklärt, er müsse die Verlobung als gelöst betrachten. Sie sagte, es sei weder ihm noch uns zumutbar.«

»Und...?«

»Und Charles sagt, wenn Tess ihn nicht heiratet, bricht er sein Studium ab und geht nach Afrika, um für Simbabwe zu kämpfen.«

»Das ist doch glatter Blödsinn!«

»Er sagt, wenn du ihn davon abhalten willst, stellt er irgendwas Schreckliches an, damit er von der Uni fliegt.«

»Ist das alles?«

»Aber nein. Er schreibt jede Menge. Mal sehen. Ich habe den Brief hier. ›...Was soll Vaters dauerndes Gelaber‹ – entschuldige, Liebling, ist das was Schlimmes? – ›von wegen Glauben und Vertrauen haben, wenn er nicht bereit ist, auf das Wort von Tess und ihrer Mutter zu vertrauen? Ich habe mir diesen Katastrophenprozeß einmal angesehen, und er hat mehr Löcher als ein Schweizer Käse. Ich glaube, Vater könnte den Innenminister zu einer Neuaufnahme des Falls veranlassen, wenn er sich nur ein wenig Mühe gäbe. Es ging zum Beispiel auch um eine Erbschaft, die in der Verhandlung aber gar nicht zur Sprache kam. Drei Leute erbten beträchtliche Beträge, und zumindest einer von ihnen schwirrte an Mrs. Primeros Todestag im Haus herum...‹«

»Schon gut«, unterbrach sie Archery erschöpft. »Du kannst dich vielleicht noch erinnern, Mary, daß ich selbst eine Abschrift des Verhandlungsprotokolls habe, die mich 200 Pfund gekostet hat. Und wie steht es sonst?«

»Mr. Sims verhält sich recht merkwürdig.« Mr. Sims war Archerys Vikar. »Miss Bayliss behauptet, er trage die Hostien fürs Abendmahl in der Hosentasche mit sich herum, und heute morgen habe sie ein langes blondes Haar im Mund gehabt.«

Archery lächelte. Diese Art von Gemeindeklatsch lag seiner Frau weit mehr als die Aufklärung von Mordfällen. Er sah sie vor sich, eine hübsche energische Frau, die gegen die Falten in ihrem Gesicht etwas unternahm, noch ehe sie ihm überhaupt auffielen. Er begann, sie psychisch und physisch zu vermissen.

»Jetzt hör mir mal zu, Liebling. Beantworte Charles' Brief – sei diplomatisch. Schreibe ihm, wie anständig sich Tess verhält und daß ich einige sehr aufschlußreiche Gespräche mit der Polizei führe. Falls auch nur die geringste Aussicht auf eine Neuaufnahme des Falls besteht, werde ich an den Innenminister schreiben.«

»Wundervoll, Henry. Oh, da klackert's schon wieder. Machen wir Schluß, das wird sonst zu teuer. Übrigens, Rusty hat heute morgen eine Maus gefangen und sie ins Bad gelegt. Er und Tawny vermissen dich.«

»Richte ihnen Grüße aus«, sagte Archery ihr zuliebe.

Er ging nach unten in den dunklen, kühlen Speisesaal, bestellte sich ein Gericht namens *Navarin d'agneau* und in einem Anfall von Leichtsinn eine halbe Flasche Anjou. Alle Fenster standen offen, doch bei einigen waren die grünen Fensterläden vorgeklappt. Ein Tisch in einer der Nischen erinnerte ihn durch die weiße Tischdecke, die Rohrstühle mit den schrägen Rückenlehnen und den Strauß Gartenwicken in der Vase an den Dufy, der an einer Wand in seinem Arbeitszimmer hing. Hereinfallendes Sonnenlicht malte blaßgelbe Streifen auf das Tischtuch und die zwei Silbergedecke.

Bis auf ihn und ein halbes Dutzend älterer Hotelgäste war der Speisesaal wie ausgestorben, doch kurz darauf ging die Tür zur Bar auf, und der Oberkellner führte einen Mann und eine Frau herein. Archery fragte sich, ob die Direktion den Apricot-Pudel beanstanden würde, den die Frau auf den Armen trug und streichelte. Aber der Oberkellner lächelte ehrerbietig, und Archery sah, wie er das kleine Krausköpfchen tätschelte.

Der Mann war klein, dunkelhaarig und hätte ohne die glasigen, blutunterlaufenen Augen gutaussehend gewirkt. Vielleicht trug er Kontaktlinsen, überlegte sich Archery. Er setzte sich an den Dufy-Tisch, riß ein Päckchen Peter Stuyvesant auf und verteilte den Inhalt in ein goldenes Zigarettenetui. Trotz der ins Auge fallenden Gepflegtheit des Mannes – glänzendes Haar, eleganter Anzug, straffe, pfirsichglatte Haut – lag etwas Wildes in der Art, wie seine Finger das Papier zerfetzten. Ein Ehering und ein großer, auffälliger Siegelring glitzerten in dem gedämpften Licht, als er das zerknüllte Päckchen aufs Tischtuch warf. Archery bemerkte amüsiert, wieviel Schmuck er trug, denn neben den Ringen hatte er noch eine Krawattennadel mit einem Saphir und eine Armbanduhr.

Im Gegensatz dazu trug die Frau gar keinen Schmuck. Sie hatte ein schlichtes, cremefarbenes Seidenkostüm an, das zu ihrem Haar paßte, und alles an ihr, vom duftigen Hut und Haar bis zu ihren übereinandergeschlagenen Knöcheln, hatte die Farbe matten Sonnenlichts, so daß sie einen fahlen Glanz zu verbreiten schien. Außer im Kino und in Marys Illustrierten hatte er seit Jahren keine Frau mehr gesehen, die so schön war wie diese. Im Vergleich zu ihr war Tess lediglich ein hübsches Mädchen. Archery fühlte sich an eine elfenbeinerne Orchidee erinnert oder an eine Teerose, die auch nach dem Herausheben aus dem Zellophanwürfel des Blumenhändlers noch ihre Taupatina behält.

Er gab sich einen Ruck und wandte sich entschlossen seinem *Navarin* zu. Es entpuppte sich als zwei Lammkoteletts in einer bräunlichen Soße.

Zwischen der High Street und der Kingsbrook Road in Kingsmarkham liegt eine Siedlung mit häßlichen Reihenhäusern, die mit jener Mischung aus Mörtel und Kies verputzt sind, welche Bauunternehmer Rauhputz nennen. An einem heißen Tag, wenn die Straßen voll Staub liegen und Hitzespiegelungen auf ihnen flirren, sehen diese graubraunen Häuserzüge wie aus Sand geformt aus. Ein Riesenkind, das phantasielos mit Eimer und Schäufelchen spielte, hätte ihr Erbauer sein können.

Archery fand die Glebe Road durch den einfachen und altbewährten Kniff, einen Polizisten zu fragen. Polizisten zu befragen wurde ihm langsam zur Gewohnheit, aber dieser hier stand in der Rangordnung ganz unten, ein junger Constable, der auf einer Kreuzung den Verkehr regelte.

Die Glebe Road hätte von den Römern stammen können, so gerade, lang und einförmig verlief sie. Die Sandhäuser verzierte keinerlei Holz. Ihre Fensterrahmen waren aus Metall, und die Vordächer Auswüchse aus kieseligem Mörtel. Nach jedem vierten Haus führte ein überwölbter Durchlaß auf die Hinterhöfe, und diese Durchlässe gaben den Blick auf Schuppen, Kohlebunker und Mülltonnen frei.

Die Hausnummern fingen an der Einmündung in die Kingsbrook Road an, und Archery mußte fast einen Kilometer zu Fuß gehen, ehe er bei Nummer 24 anlangte. Der heiße Bürgersteig, auf dem geschmolzener Teer in Pfützen stand, brannte ihm unter den Füßen. Er drückte das Gartentor auf und bemerkte, daß sich unter dem Vordach nicht eine, sondern zwei Haustüren verbargen. Das Haus war in zwei gewiß winzige Kleinwohnungen umgebaut worden. Er klopfte mit dem Chromklopfer an die Tür, die mit 24A bezeichnet war, und wartete.

Als sich nichts rührte, klopfte er noch einmal. Ein knirschendes Quietschen ertönte, und ein Junge auf Rollschuhen tauchte in dem Durchlaß auf. Er schenkte dem Geistlichen keine Beachtung. Schlief Mrs. Crilling vielleicht? Heiß genug für ein Mittagsschläfchen war es; auch Archery fühlte sich schlapp.

Er trat einen Schritt zurück und spähte in den Durchlaß. Dann hörte er, wie die Tür aufging und wieder zugeschlagen wurde. Es war also jemand zu Haus. Er ging die sandfarbige Mauer entlang und stand plötzlich vor Elizabeth Crilling.

Er ahnte gleich, daß sie nicht auf sein Klopfen reagiert hatte, wahrscheinlich hatte sie es nicht einmal gehört. Offensichtlich wollte sie gerade ausgehen. Statt dem schwarzen Kleid hatte sie ein kurzes blaues Hemdkleid aus Baumwolle an, das die Konturen ihrer vorstehenden Hüftknochen betonte. Dazu trug sie weiße Sandaletten, die hinten offen waren, und eine voluminöse weißgoldene Handtasche.

»Was wollen Sie?« Offenbar hatte sie keine Ahnung, wer er war. Sie sah alt aus, dachte er, ausgemergelt, wie wenn man sie benutzt und verschlissen hätte. »Falls Sie irgendwas verhökern, sind Sie hier an der falschen Adresse.«

»Ich bin Ihrer Mutter heute morgen bei Gericht begegnet«, sagte Archery. »Sie bat mich, Sie zu besuchen.«

Ihr Lächeln fand er eigentlich ganz nett, denn sie hatte einen hübschen Mund und gute Zähne. Aber das Lächeln war zu kurz.

»Das«, antwortete sie, »war heute morgen.«

»Ist sie zu Hause?« Er blickte hilflos auf die Türen. »Ich – äh – wo wohnt sie, in welcher Wohnung?«

»Meinen Sie das im Ernst? Schlimm genug, sich ein Haus mit ihr zu teilen. *Unter* ihr wohnen könnte bloß ein Stocktauber mit 'nem Hirnriß.«

»Dann gehe ich mal rein, ja?«

»Machen Sie, was Sie wollen. Zu Ihnen rauskommen wird sie jedenfalls kaum.« Sie hängte sich die Tasche über die rechte Schulter, wodurch der Riemen den blauen Stoff straff um ihren Busen spannte. Ohne einen Grund dafür angeben zu können, mußte Archery an die unvergleichliche Frau aus dem Speisesaal des *Olive* denken, an ihre blütenfeine Haut und natürliche Anmut.

Das Gesicht von Elizabeth Crilling war talgig. Im hellen Nachmittagslicht hatte ihre Haut die Struktur einer Zitronenschale. »Na, dann rein mit Ihnen«, sagte sie spitz und schloß auf. Sie stieß die Tür auf, drehte sich wieder um und ging mit trippelnden, trappelnden Sandalettenschritten davon. »Sie wird Sie schon nicht beißen«, sagte sie über die Schulter. »Glaube ich jedenfalls. Mich hat sie einmal gebissen, aber – aber dafür gab es mildernde Umstände.«

Archery trat in den Flur. Drei Türen gingen von ihm ab, aber alle waren geschlossen. Er hüstelte und rief zaghaft: »Mrs. Crilling?« Die Luft war stickig, und es herrschte Stille in der Wohnung. Er zögerte einen Augenblick, dann öffnete er die erste Tür. Hinter ihr lag ein Schlafzimmer, das durch eine Trennwand aus Hartfaserplatten in zwei Räume unterteilt war. Er hatte sich gefragt, wie die beiden Frauen miteinander auskamen. Jetzt wußte er es. Das mittlere Zimmer mußte der Wohnraum sein. Er klopfte an und machte die Tür auf.

Obwohl die Terrassentür angelehnt war, schwängerte dichter Qualm die Luft, und die beiden Aschenbecher auf dem Klapptisch quollen über vor Kippen. Jede freie Stelle war mit Zeitungen und Abfall bedeckt, und den Abfall bedeckte Staub. Als er eintrat, stimmte ein blauer Wellensittich in einem winzigen Käfig ein schrilles, zänkisches Gezwitscher an. Der Käfig pendelte heftig hin und her.

Mrs. Crilling trug einen rosafarbenen Nylonmorgenrock, der aussah, als sei er ursprünglich für eine Braut entworfen worden. Die Flitterwochen, ging es Archery durch den Kopf, mußten schon lange vorbei sein, denn der Morgenmantel sah scheußlich aus und war voller Flecken und Löcher. Sie saß in einem Ohrensessel am Fenster und blickte auf ein eingezäuntes Gelände hinter dem Haus. Als Garten konnte man es kaum bezeichnen, denn nichts wuchs dort außer fast einen Meter hohen Nesseln, rosarotem Stechapfel und Brombeersträuchern, auf deren jede Handbreit Boden bedeckenden Ranken es vor Fliegen wimmelte.

»Sie haben doch nicht vergessen, daß ich Sie besuchen sollte, Mrs. Crilling?«

Das Gesicht, das hinter der Kopfstütze des Sessels zum Vorschein kam, hätte auch den Verwegensten eingeschüchtert. Rings um die schwarzen Pupillen sah man das Weiß ihrer Augen. Jeder Muskel wirkte straff, stramm und angespannt wie unter einer innerlichen Qual. Ihr weißes Haar, das sie in einer teenagerhaften Ponyfrisur trug, fiel wie ein Schleier über die stark hervortretenden Backenknochen.

»Wer sind Sie?« Sie stützte sich mühsam auf, wobei sie die Sessellehne fest umklammert hielt, und drehte sich langsam zu ihm um. Der V-Ausschnitt des Morgenmantels gab den Blick auf ein zerfurchtes, dürres Tal frei, das wie ein längst ausgetrocknetes Flußbett aussah.

»Wir sind uns heute morgen bei Gericht begegnet. Sie haben mir geschrieben...«

Er verstummte. Sie hatte mit einem Ruck den Kopf vorgereckt, so daß nur wenige Zentimeter sie trennten, und unterzog sein Gesicht einer sorgfältigen Musterung. Dann trat sie einen Schritt zurück und brach in langgezogenes schnatterndes Gelächter aus, das der Wellensittich sogleich nachahmte.

»Mrs. Crilling, fühlen Sie sich nicht wohl? Kann ich etwas für Sie tun?«

Sie faßte sich krampfhaft an den Hals, und das Gelächter ging in einem keuchenden Ausatmen unter. »Tabletten... Asthma...«, stieß sie hervor. Er war durcheinander und bestürzt, langte aber nach dem Tablettenfläschchen, das hinter ihm auf dem mit Krimskrams beladenen Kaminsims stand. »Geben Sie mir meine Tabletten, und dann... und dann raus mit Ihnen!«

»Entschuldigen Sie, ich wollte Ihnen keine Unannehmlichkeiten bereiten.«

Sie machte keine Anstalten, eine Tablette einzunehmen, sondern preßte sich das Fläschchen an die bebende Brust. Durch die Bewegung klapperten die Tabletten, und der Vogel, der mit den Flügeln flatterte und gegen die Käfigstäbe schlug, setzte halb freudig, halb gequält zu einem rasenden Crescendo an.

»Wo ist mein Schatz?« Meinte sie Elizabeth? Sie mußte Elizabeth meinen.

»Sie ist weggegangen. Ich traf sie an der Tür. Mrs. Crilling, soll ich Ihnen ein Glas Wasser holen? Oder eine Tasse Tee machen?«

»Tee? Was will ich mit Tee? Das hat sie mich heute morgen auch gefragt, die Frau von der Polizei. Wir trinken jetzt eine schöne Tasse Tee, Mrs. Crilling.« Ein heftiger Krampf schüttelte sie, und nach Atem ringend taumelte sie gegen den Sessel. »Sie... mein Schatz... Ich dachte, Sie sind mein Freund... Aaah!«

Archery bekam nun wirklich Angst. Er stürzte aus dem Zimmer in die schmutzige Küche und füllte Wasser in eine Tasse. Auf dem Fenstersims stapelten sich leere Tablettenfläschchen, und neben einem dreckigen Augentropfer lag eine nicht minder schmutzige Spritze. Als er zurückkam, keuchte und schnaufte sie noch immer. Konnte er es wagen, sie zur Einnahme der Tabletten zu zwingen? Auf dem Etikett des Fläschchens stand: *Mrs. J. Crilling. Zwei Tabletten bei Bedarf.* Er schüttelte zwei heraus, stützte sie mit dem freien Arm und schob sie ihr in den Mund. Mit Mühe unterdrückte er ein angewidertes Schaudern, als sie sabbernd und würgend das Wasser trank.

»Scheußlich... ekelhaft«, murmelte sie. Halb stützend, halb schiebend bugsierte er sie in den Sessel und raffte den auseinanderklaffenden Morgenmantel zusammen. Von Mitleid und Entsetzen ergriffen, kniete er sich neben sie.

»Wenn Sie wollen, bin ich Ihr Freund«, sagte er besänftigend.

Seine Worte bewirkten das genaue Gegenteil. Mit einer gewaltigen Anstrengung versuchte sie, Atem zu holen. Ihre Lippen öffneten sich einen Spalt weit, und er konnte erkennen, wie sich ihre Zunge hob und gegen den Gaumen schlug.

»Kein Freund von mir... Feind... Polizeifreund! Nehmen mir meinen Schatz weg... Ich habe Sie mit ihnen zusammen gesehen... Ich hab's mit eigenen Augen gesehen, wie Sie mit ihnen rauskamen.« Er stand auf und wich vor ihr zurück. Nie im Traum hätte er gedacht, daß sie nach diesem Krampfanfall zu schreien imstande wäre, und als sie dann doch schrie, schrill und ohrenbetäubend wie ein Kind, schlug er unwillkürlich die Hände vors Gesicht. »...über meine Leiche steckt man sie da rein! Nicht ins Gefängnis! Dort wird es ans Licht kommen. Sie wird's ihnen verraten... mein Schatz... Sie wird's ihnen sagen müssen!« Wie elektrisiert bäumte sie sich mit einem plötzlichen Ruck auf, sperrte den Mund auf und ruderte wild mit den Armen. »Es wird alles ans Licht kommen. Eher bring ich sie um, umbringen werd ich sie... Haben Sie gehört?«

Die Terrassentür stand offen. Wieder im Freien, stolperte Archery in ein dorniges, stachliges Unkrautdikkicht. Mrs. Crillings mühsam herausgepreßte Satzfetzen hatten sich zu einem Schwall von Beschimpfungen verdichtet. In dem Maschendrahtzaun war ein Tor. Er klinkte es auf und trat, sich den Schweiß von der Stirn wischend, in das kühle dunkle Sandsteingewölbe des Durchlasses.

»Guten Tag, Sir. Sie sehen aber nicht sehr gut aus. Macht Ihnen die Hitze zu schaffen?«

Archery hatte sich tief Luft holend über das Brückengeländer gelehnt, als das Gesicht des Detective Inspectors plötzlich neben ihm aufgetaucht war.

»Sie sind Inspector Burden, nicht?« Er gab sich einen Ruck und blinzelte. Der ruhige Blick dieses Mannes und der gemächlich über die Brücke fließende Passantenstrom war die reinste Wohltat. »Ich war gerade bei Mrs. Crilling, und...«

»Damit ist alles gesagt, Sir. Ich habe vollstes Verständnis.«

»Ich verließ sie mitten in einem Asthmaanfall. Vielleicht hätte ich einen Arzt oder einen Krankenwagen rufen sollen. Offen gestanden, wußte ich kaum, was ich tun sollte.«

Ein Stückchen steinhartes Brot lag auf dem Geländer. Burden schnippte es ins Wasser, und ein Schwan tauchte danach.

»In erster Linie ist das bei ihr psychisch bedingt, Mr. Archery. Ich hätte Sie warnen müssen, was Sie da erwartet. Wahrscheinlich hat sie Ihnen eine ihrer üblichen Szenen gemacht?« Archery nickte. »Wenn Sie ihr das nächste Mal begegnen, wird sie bestimmt die Liebe selbst sein. So wirkt sich das bei ihr aus, himmelhochjauchzend, zum Tode betrübt, von einem Moment auf den anderen. Manisch-depressiv nennt man das. Ich wollte gerade auf eine Tasse Tee ins *Carousel.* Wollen Sie nicht mitkommen?«

Gemeinsam gingen sie die High Street entlang. Vor manchen der Läden waren ausgebleichte, gestreifte Markisen aufgespannt. Die Schatten waren schwarz wie die Nacht, das Licht unter dem mediterran wirkenden Himmel schmerzhaft grell. Im *Carousel* herrschte Dämmerlicht, es war muffig, und ein Geruch nach Insektenspray hing in der Luft.

»Zwei Tee, bitte«, sagte Burden.

»Erzählen Sie mir von den Crillings.«

»Da gibt es eine Menge zu erzählen, Mr. Archery. Mrs. Crillings Mann starb und hinterließ ihr keinen Penny, deshalb zog sie in die Stadt und suchte sich Arbeit. Das

Kind, Elizabeth, war schon immer schwierig, aber Mrs. Crilling verzog sie noch mehr. Sie schleppte sie zu Psychiatern – fragen Sie mich nicht, woher das Geld dafür kam –, und als man sie zwang, das Mädchen zur Schule zu schicken, blieb es nie lange an einer. Eine Weile ging Elizabeth aufs St. Catherine in Sewingbury, von dort wurde sie aber ausgeschlossen. Mit vierzehn oder so kam sie als Fürsorgefall vors Jugendgericht, das sie ihrer Mutter wegnahm. Aber schließlich ging sie zu ihr zurück. Das machen die meisten.«

»Meinen Sie, dies alles ist so gekommen, weil sie Mrs. Primeros Leiche fand?«

»Schon möglich.« Burden schaute auf und lächelte, als die Bedienung ihren Tee brachte. »Vielen Dank, Miss. Zucker, Mr. Archery? Nein, ich auch nicht.« Er räusperte sich und fuhr fort: »Ich schätze, es hätte viel ausgemacht, wenn sie ein ordentliches Zuhause gehabt hätte, aber Mrs. Crilling war immer sehr labil. Oft arbeitslos, nach allem, was man so hört, bis sie schließlich eine Stelle als Verkäuferin fand. Ein Verwandter hat ihnen früher wohl finanziell unter die Arme gegriffen. Mrs. Crilling fehlte oft mal einen Tag, angeblich wegen des Asthmas, aber der eigentliche Grund war ihre Verrücktheit.«

»Kann man sie nicht in eine Anstalt einweisen?«

»Sie würden staunen, wie schwer es ist, jemanden einweisen zu lassen, Sir. Der Arzt meinte, wenn er sie je während einer ihrer Anfälle sähe, könne er eine Zwangseinweisung vornehmen, aber wissen Sie, die sind gerissen. Bis der Arzt endlich kommt, ist sie so normal wie Sie oder ich. Ein paarmal hat sie sich freiwillig einer Behandlung in Stowerton unterzogen. Vor ungefähr vier Jahren legte sie sich einen Freund zu. Das wurde natürlich zum Stadtgespräch. Elizabeth machte damals gerade eine

Ausbildung zur Heilgymnastikerin. Der Clou an der Geschichte war jedenfalls, daß dem Freund die Tochter schließlich lieber war.«

»*Mater pulchra, filia pulchrior*«, murmelte Archery.

»Sie sagen es, Sir. Sie brach die Ausbildung ab und zog mit ihm zusammen. Mrs. Crilling rastete daraufhin wieder aus und verbrachte sechs Monate in Stowerton. Als sie entlassen wurde, ließ sie das glückliche Paar nicht in Ruhe, sondern bombardierte sie mit Briefen, Anrufen und Überraschungsbesuchen. Liz konnte das nicht ertragen und ging deshalb zu ihrer Mutter zurück. Der Freund war im Autohandel, und von ihm hat sie diesen Mini geschenkt bekommen.«

Archery seufzte. »Ich weiß nicht, ob ich Ihnen das sagen soll, aber Sie waren so freundlich zu mir, Sie und Mr. Wexford...« In Burden keimten Schuldgefühle auf. Freundlich war seiner Meinung nach nicht ganz das richtige Wort. »Mrs. Crilling sagte, falls Elizabeth – sie nennt sie ihren Schatz – ins Gefängnis käme... und das wäre doch möglich, oder?«

»Gut möglich sogar.«

»Dann würde sie Ihnen etwas sagen, Ihnen oder der Gefängnisleitung. Mein Eindruck war, daß sie in diesem Fall gezwungen wäre, Ihnen etwas zu verraten, das Mrs. Crilling geheimhalten möchte.«

»Vielen Dank, Sir. Fürs erste können wir nur abwarten, was im Lauf der Zeit ans Licht kommt.«

Archery trank seinen Tee aus. Plötzlich kam er sich wie ein Verräter vor. Hatte er Mrs. Crilling verraten, weil er sich bei der Polizei lieb Kind machen wollte?

»Ich fragte mich«, sagte er, um sich zu rechtfertigen, »ob es vielleicht irgend etwas mit Mrs. Primeros Ermordung zu tun haben könnte. Ich weiß nicht, warum nicht

Mrs. Crilling den Regenmantel getragen und ihn versteckt haben könnte. Sie haben selbst gesagt, daß sie geistesgestört ist. Sie war dort und hätte es genausogut tun können wie Painter.«

Burden schüttelte den Kopf. »Mit welchem Motiv?«

»Die Motive von Wahnsinnigen können für normale Menschen wenig überzeugend sein.«

»Schon, auf ihre komische Art ist sie aber vernarrt in ihre Tochter. Das Kind hätte sie nicht mitgenommen.«

Archery erwiderte bedächtig: »Vor Gericht sagte sie, zum erstenmal sei sie um achtzehn Uhr fünfundzwanzig hinübergegangen. Mal angenommen, sie ging erst um achtzehn Uhr vierzig, als *Painter schon da und wieder weg war.* Dann kehrte sie später mit dem Kind zurück, weil niemand auf den Gedanken käme, daß eine Mörderin ihr Kind wissentlich eine Leiche finden lassen würde.«

»Sie haben Ihren Beruf verfehlt, Sir«, sagte Burden im Aufstehen. »Sie hätten zu uns kommen müssen. Inzwischen hätten Sie's mindestens zum Superintendent gebracht.«

»Ich lasse meiner Phantasie wohl zu sehr die Zügel schießen«, sagte Archery. Um nicht noch einmal ins offene Messer zu laufen, setzte er rasch hinzu: »Wissen Sie zufällig die Besuchszeiten des Stowertoner Krankenhauses?«

»Steht als nächstes Alice Flower auf Ihrer Liste? Ich an Ihrer Stelle würde vorher kurz die Oberschwester anrufen. Besuchszeit ist von sieben bis halb acht.«

8

Unser Leben währet siebzig Jahre, und wenn es hoch kommt, so sind es achtzig Jahre, und wenn es köstlich gewesen ist, so ist es Mühe und Arbeit gewesen.

Psalm 90. Das Begräbnis der Toten

Alice Flower war siebenundachtzig, fast so alt wie ihre gnädige Frau zur Zeit ihres Todes. Eine Reihe von Schlaganfällen hatten ihren betagten Körper schwer erschüttert, so wie Stürme ein altes Haus erschüttern, aber das Haus war solide und stabil gebaut. Firlefanz, Verzierungen oder Raffinessen hatten nie etwas an ihm zu suchen gehabt. Es war gebaut worden, um Wind und Wetter standzuhalten.

Sie lag in einem schmalen hohen Bett auf einer Station, die den Namen »Heiderösslein« trug. Überall auf der Station lagen ähnliche alte Frauen in ähnlichen Betten. Sie hatten saubere rosige Gesichter und weißes Haar, in dem an manchen Stellen die blaßrote Kopfhaut durchschimmerte. Auf jedem Nachttisch standen mindestens zwei Vasen mit Blumensträußen, Zeichen der Gewissensbisse von auf Besuch kommenden Angehörigen, dachte Archery bei sich, die nur dasitzen und plaudern mußten statt Bettpfannen leeren und wundgelegene Stellen einreiben.

»Besuch für dich, Alice«, sagte die Schwester. »Es hat keinen Zweck, ihr die Hand zu geben. Die Hände kann sie nicht bewegen, aber ihr Gehör ist einwandfrei, und reden tut sie wie ein Wasserfall.«

Ein höchst unchristlicher Haß flackerte in Archerys Augen auf. Falls sie es bemerkte, beachtete die Schwester es nicht.

»Bist 'nem guten Tratsch nie abgeneigt, was Alice? Das ist Reverend Archery.« Er zuckte unter ihren Worten zusammen und trat näher ans Bett.

»Guten Abend, Sir.«

Ihr Gesicht war breit, die Haut grob und von tiefen Falten durchzogen. Ein Mundwinkel hing durch die Lähmung der Bewegungsnerven nach unten, wodurch ihr Unterkiefer vorstand und große falsche Zähne zu sehen waren. Die Schwester machte sich eifrig an dem Bett zu schaffen, zog dem alten Dienstmädchen das Nachthemd höher um den Hals und legte die beiden Hände, die zu nichts mehr zu gebrauchen waren, auf der Decke zurecht. Der Anblick dieser Hände war eine Qual für Archery. Harte Arbeit hatte sie aller Schönheit beraubt und entstellt, aber durch Krankheit und Ödeme war die Haut glatt und bleich geworden, so daß sie wie die Hände eines mißgebildeten Kindes aussahen. Der Instinkt und das Gefühl für die Sprache von 1611, dem Erscheinungsjahr der englischen Bibelübersetzung, verließen ihn nie und bildeten nun eine Quelle des Mitleids. Siehe, du hast wohlgetan, du fromme und gläubige Magd, dachte er. Du warest gläubig im wenigen, ich aber werde dich machen zur Herrscherin über vieles...

»Würde es Ihnen etwas ausmachen, sich mit mir über Mrs. Primero zu unterhalten, Miss Flower?« fragte er freundlich und ließ sich auf einen Stuhl sinken.

»Aber keine Spur«, sagte die Schwester. »Nichts wäre ihr lieber.«

Archery wurde es zuviel. »Eigentlich handelt es sich um eine Privatangelegenheit, wenn es Sie nicht stört.«

»Privat! Das ist die Gutenachtgeschichte der ganzen Station, glauben Sie mir.« Sie rauschte ab, ein knisternder marineblauweißer Roboter.

Alice Flowers Stimme war brüchig und rauh. Die Schlaganfälle hatten die Kehlkopfmuskulatur oder die Stimmbänder in Mitleidenschaft gezogen. Doch ihre Aussprache war angenehm und korrekt, erlernt, so vermutete Archery, in den Küchen und Kinderstuben gebildeter Menschen.

»Was wollen Sie denn wissen, Sir?«

»Wenn Sie mir vielleicht erst einmal von der Familie Primero erzählen könnten?«

»Oh, das kann ich. Die hat mich schon immer interessiert.« Sie ließ ein leises rasselndes Husten hören und wandte den Kopf ab, um den entstellten Mundwinkel zu verbergen. »Ich kam zu Mrs. Primero, als der Junge zur Welt kam...«

»Der Junge?«

»Mr. Edward, er war ihr einziges Kind.«

Aha, dachte Archery, der Vater des reichen Roger und seiner Schwestern.

»Er war ein reizender Junge, und wir zwei beide waren ein Herz und eine Seele. Mich und seine arme Mutter hat es um Jahre altern lassen, als er starb, das können Sie mir glauben. Aber um diese Zeit hatte er schon eine Familie, Gott sei Dank, und Mr. Roger war seinem Vater wie aus dem Gesicht geschnitten.«

»Ich nehme an, Mr. Edward ließ ihn in ziemlich gesicherten Verhältnissen zurück, oder?«

»Aber nein, Sir, das war ja das Schlimme. Wissen Sie, der alte Dr. Primero hinterließ sein Vermögen der gnädigen Frau, weil es Mr. Edward damals doch so gut ging. Aber bei einem Geschäft in London hat er alles verloren, und als er von uns schied, standen Mrs. Edward und die drei Kinderchen gar nicht gut da.« Sie hustete noch einmal, was Archery zusammenfahren ließ. Er bildete sich ein, sehen zu können, wie sie sich verzweifelt, aber vergebens bemühte, die Hände zu heben und vor die bebenden Lippen zu halten. »Die gnädige Frau bot ihre Hilfe an – dabei hatte sie doch auch kaum mehr als das Nötigste –, aber Mrs. Edward war dermaßen stolz, daß sie von ihrer Schwiegermutter nichts annehmen wollte. Wie sie zurechtkam, ist mir bis heute ein Rätsel. Schließlich waren sie zu dritt, nicht wahr. Mr. Roger war der Älteste, und dann hatte sie noch die zwei kleinen Würmchen, viel viel jünger als ihr Bruder, aber dicht beieinander, wenn Sie verstehen, was ich meine. Kaum achtzehn Monate lagen zwischen den beiden.«

Sie ließ den Kopf auf das Kissen zurücksinken und biß sich auf die Lippe, als wolle sie versuchen, sie wieder zurechtzuzupfen. »Angela war die Älteste. Die Zeit vergeht wie im Flug, deshalb wird sie inzwischen wohl an die Sechsundzwanzig sein. Die Jüngste war Isabel, sie hatte den Namen von der gnädigen Frau. Sie waren noch ganz klein, als ihr Vati starb, und es dauerte Jahre, bis wir sie zu Gesicht bekamen.

Es war ein herber Schlag für die gnädige Frau, das kann ich Ihnen sagen, wo sie doch nicht wußte, was aus Mr. Roger geworden war. Aber dann stand er eines Tages aus heiterem Himmel vor der Tür von *Victor's Piece.* Stellen Sie sich vor, er wohnte möbliert einen Katzensprung weit weg drüben in Sewingbury, wo er bei einer sehr guten Anwaltskanzlei eine Ausbildung zum Solicitor machte. Durch einen Bekannten von Mrs. Edward war er dort reingekommen. Er hatte keine Ahnung, daß seine Oma noch am Leben war, und schon gar nicht, daß sie in

Kingsmarkham wohnte, aber er suchte geschäftlich nach einer Nummer im Telefonbuch, und da stand es schwarz auf weiß: Mrs. Rose Primero, *Victor's Piece*. Nachdem er einmal auf Besuch war, ließ er sich nicht mehr halten. Das hätten wir natürlich auch gar nicht gewollt, Sir. Fast jeden Sonntag kam er, ein paarmal machte er sogar den ganzen weiten Weg nach London, um seine Schwestern abzuholen und mitzubringen. Richtige Musterkinder waren das.

Mr. Roger und die gnädige Frau hatten immer viel Spaß miteinander. Die ganzen alten Fotografien gingen sie durch, und erst die Geschichten, die sie ihm erzählt hat!« Sie hielt mit einem Mal inne, und Archery beobachtete, wie das alte Gesicht sich verhärtete und purpurrot anlief. »Es war mal eine Abwechslung, einen netten, gebildeten jungen Mann im Haus zu haben statt immer diesen Painter.« Ihre Stimme wurde zu einem schrillen durchdringenden Kreischen. »Dieser gemeine viehische Mörder!«

Eine andere Frau, die auf der anderen Seite der Station in einem ähnlichen Bett wie Alice Flower lag, lächelte zahnlos wie jemand, der eine vertraute Geschichte nochmals erzählt bekommt. Die Gutenachtgeschichte der ganzen Station, hatte die Schwester gesagt.

Archery beugte sich zu ihr. »Das muß ein schrecklicher Tag gewesen sein, Miss Flower«, sagte er, »der Tag, an dem Mrs. Primero starb.« Die stechenden Augen leuchteten rot und wäßrig blau. »Ich kann mir vorstellen, daß Sie ihn nie vergessen werden...«

»Bis an mein Lebensende nicht«, erwiderte Alice Flower. Vielleicht dachte sie dabei an ihren Körper, der einst ein so vortreffliches Werkzeug gewesen war, nun aber zu nichts mehr zu gebrauchen und zu drei Vierteln schon abgestorben war.

»Wollen Sie mir davon erzählen?«

Kaum hatte sie angefangen, als ihm klar wurde, wie oft sie diese Geschichte schon erzählt haben mußte. Wahrscheinlich waren ein paar der anderen Alten nicht gänzlich bettlägerig und standen abends manchmal auf, um sich an Alice Flowers Bett zu versammeln. Eine Geschichte, zitierte er bei sich, um Kinder ihr Spiel vergessen zu lassen und alte Frauen hinterm Ofen hervorzulokken.

»Er war ein Teufel«, sagte sie, »ein richtiges Scheusal. Ich hatte eine Heidenangst vor ihm, aber das ließ ich ihn nie merken. Der war einer vom Stamme Nimm. Sechs Pfund im Jahr, mehr hab ich in meiner ersten Stellung nicht bekommen. Und er, er hatte eine eigene Wohnung und seinen Lohn, und zudem durfte er noch einen wunderschönen Wagen fahren. Aber manche Leute kriegen den Hals eben nicht voll genug. Man sollte doch meinen, ein großer, starker Kerl wie der wäre nur zu froh, für eine alte Frau Kohlen zu holen, aber Mr. Bert Painter war da anderer Meinung. Biest Painter, so hieß er für mich.

An jenem Sonntag abend, als er nicht kam und nicht kam, mußte die gnädige Frau ganz allein in der eisigen Kälte sitzen. Lassen Sie mich zu ihm rüber und ihn mir vorknöpfen, hab ich zu der Gnädigen gesagt, aber das wollte sie nicht. Morgen früh ist auch noch ein Tag, Alice, hat sie gemeint. Wenn er an diesem Abend noch gekommen wär, immer wieder hab ich das hin und her überlegt, wär ich bei ihnen im Zimmer gewesen. Dann hätte er ihr nicht etwas vorlügen können.«

»Er kam aber erst am nächsten Morgen, Miss Flower...«

»Sie hat ihm ganz schön Bescheid gestoßen. Ich hörte, wie sie ihm eins auf 'n Deckel gab.«

»Was haben Sie zu der Zeit gemacht?«

»Ich? Als er kam, war ich gerade beim Gemüse fürs Mittagessen der Gnädigen, dann zündete ich den Backofen an und schob den Bräter mit dem Fleisch in die Röhre. Die vom Gericht, dem Old Bailey in London, haben mich das auch gefragt.« Sie verstummte, und in dem Blick, den sie ihm zuwarf, lag ein gewisses Mißtrauen. »Schreiben Sie ein Buch über die Sache, Sir?«

»So etwas Ähnliches«, sagte Archery.

»Sie wollten wissen, ob ich sicher sei, daß mit meinem Gehör noch alles stimme. Ich höre besser als dieser Richter, das können Sie mir glauben. Das war auch ein Glück, denn wär ich schwerhörig gewesen, hätten wir an jenem Morgen vielleicht noch alle das Leben verloren.«

»Wie das denn?«

»Biest Painter war bei der Gnädigen im Salon, und ich ging gerade in die Speisekammer, um Essig für die Minzsoße zu holen, als ich ganz plötzlich so ein Zischeln und Brutzeln hör. Das ist der alte Backofen, mit dem stimmt doch was nicht, sagte ich mir, und so war's dann auch. Ich nehm also die Beine in die Hand, flitze zurück und reiß die Röhre auf. Eine Kartoffel war irgendwie aus dem Bräter gesprungen und aufs Gas gefallen. Brannte lichterloh, Sir, und zischte und fauchte wie 'ne Dampflok. Flugs drehte ich das Gas ab, aber dann machte ich was Dummes. Schüttete Wasser drauf. In meinem Alter hätte ich's eigentlich besser wissen müssen. Ach, war das ein Krach und ein Qualm! Das eigene Wort konnte man nicht mehr verstehen.«

Davon hatte nichts in dem Verhandlungsprotokoll gestanden. Archery hielt vor Aufregung den Atem an. ›Das eigene Wort konnte man nicht mehr verstehen...‹ Wenn man im Qualm fast erstickte und halb taub war von dem

Gezisch, hörte man vielleicht nichts von einem Mann, der nach oben ging, im Schlafzimmer nach etwas suchte und wieder herunterkam. Alices diesbezügliche Aussage war eine der Hauptstützen der Anklage gewesen. Denn wenn Painter am Morgen in Mrs. Primeros Gegenwart 200 Pfund angeboten bekommen und sie angenommen hatte, welches Motiv hätte er dann noch gehabt, sie abends zu ermorden?

»Wir aßen dann jedenfalls zu Mittag, bis Mr. Roger kam. Mir tat noch mein armes altes Bein weh, weil ich am Abend doch ein paar Briketts holen wollte und es angeschlagen hatte, denn Painter das Biest hockte irgendwo und ließ sich vollaufen. Mr. Roger war ja so nett und hat immer gefragt, ob er mir nicht an die Hand gehen könne mit dem Abwasch oder so. Aber das ist keine Männerarbeit, und wer rastet, der rostet, hab ich immer gesagt.

Es muß dann gegen halb sechs gewesen sein, als Mr. Roger sagte, er müsse jetzt gehen. Ich hatte alle Hände voll zu tun mit dem Geschirr und machte mir Sorgen, ob Painter auch kommen würde, wie er's versprochen hatte. ›Ich finde die Tür schon allein, Alice‹, meinte Mr. Roger und kam zu mir in die Küche hinüber, um auf Wiedersehen zu sagen. Die Gnädige hielt ein Schläfchen im Salon, Gott hab sie selig. Es war ihr letztes vor dem ewigen Schlaf.« Bestürzt sah Archery zwei Tränen in ihre Augen treten und ungehindert über die eingefallenen runzeligen Wangen kullern. »Ich rief ihm nach: ›Leben Sie wohl, lieber Mr. Roger, bis nächsten Sonntag dann‹, und kurz darauf höre ich, wie er die Haustür zumacht. Die Gnädige schlief wie ein Kind, sie ahnte ja nicht, daß ihr dieser mordgierige Wolf auflauerte.«

»Bitte nicht aufregen, Miss Flower.« Im Zweifel, was er nun tun solle – Anstand zeigt sich stets im Kleinen, dachte er –, zog er sein sauberes weißes Taschentuch hervor und wischte ihr sanft über die feuchten Wangen.

»Vielen Dank, Sir. Es geht schon wieder. Man kommt sich richtig dumm vor, wenn man nicht einmal mehr die eigenen Tränen trocknen kann.« Das verzerrte schiefe Lächeln war fast noch quälender anzusehen als das Weinen. »Wo war ich gleich? Ach, ja. Also ich ging dann in die Kirche, und kaum war ich weg, kommt Mrs. Crilling daher und steckt ihre Nase...«

»Was dann geschah, weiß ich bereits, Miss Flower«, unterbrach sie Archery sehr liebenswürdig und sanft. »Erzählen Sie mir doch von Mrs. Crilling. Kommt sie Sie hier manchmal besuchen?«

Alice Flower stieß so etwas wie ein Schnauben aus, das bei einer Gesunden ulkig gewirkt hätte. »Die doch nicht. Seit dem Prozeß ist sie mir immer aus dem Weg gegangen, Sir. Ihrem Geschmack nach weiß ich zuviel über sie. Die beste Freundin der gnädigen Frau, von wegen und so! Sie interessierte sich einzig und allein aus *einem* Grund für die Gnädige. Mit List und Tücke hat sie ihr Kind bei der Gnädigen eingeschmeichelt, und zwar nur, weil sie glaubte, die Gnädige würde ihr mal was hinterlassen, wenn sie nicht mehr sein sollte.«

Archery rückte näher und hoffte inständig, die das Ende der Besuchszeit anzeigende Glocke möge nicht ausgerechnet jetzt bimmeln.

»Mrs. Primero hat aber kein Testament gemacht.«

»Nein, Sir, und genau das hat die neunmalkluge Crillingsche auch so beunruhigt. Wenn die Gnädige schlief, kam sie öfters zu mir in die Küche raus. ›Alice‹, sagte sie dann, ›wir müßten eigentlich dafür sorgen, daß die liebe Mrs. Primero ein Testament aufsetzt. Das ist unsere Pflicht, Alice, so steht's im Gebetbuch‹.«

»Ach, wirklich?«

Auf Alices Gesicht zeichnete sich sowohl Verwunderung als auch eine gewisse Selbstzufriedenheit ab. »Freilich, Sir. Im Gebetbuch steht: ›Doch sollen die Menschen öfters erinnert werden, ihre zeitlichen Angelegenheiten in Ordnung zu bringen und darüber zu bestimmen, während sie noch gesund sind.‹ Aber mit Verlaub, Sir, ich halte mich nicht an alles, was im Gebetbuch steht, schon gar nicht, wenn es auf eine glatte Belästigung hinausläuft. ›Es liegt auch in deinem Interesse, Alice‹, hat sie gesagt, ›denn wenn sie mal nicht mehr ist, stehst du auf der Straße.‹

Aber die gnädige Frau wollte so oder so nichts davon wissen. Alles soll an ihre leiblichen Erben fallen, hat sie gesagt, und das waren Mr. Roger und die beiden Kleinen. Ihnen gehörte es aber von allein, nicht wahr, auch ohne großes Getue von wegen Testament und Notar.«

»Hat Mr. Roger ihr nicht geraten, ein Testament zu machen?«

»Mr. Roger ist ein wunderbarer Mensch, soviel ist sicher. Als Painter das Biest die abscheuliche Tat begangen hatte und die arme gnädige Frau tot war, bekam Mr. Roger seinen Teil des Geldes – ein bißchen mehr als 3000 Pfund. ›Ich werde für dich sorgen, Alice‹, hat er gesagt, und er hat mehr als Wort gehalten. Er besorgte mir ein schönes Zimmer in Kingsmarkham und zahlte mir zusätzlich zu meiner Rente noch zwei Pfund pro Woche. Er hatte sich als Kaufmann selbständig gemacht und sagte zu mir, mit einer Pauschale wolle er mich nicht abspeisen. Von seinem Gewinn wolle er mir ein Ruhegeld aussetzen, so hat er's genannt, der Gute.«

»Als Kaufmann? Ich dachte, er sei Solicitor gewesen.«

»Er wollte sich immer schon als Kaufmann selbständig

machen, Sir. Die Einzelheiten weiß ich nicht genau, aber eines Tages kam er zu der gnädigen Frau – es muß zwei oder drei Wochen vor ihrem Tod gewesen sein – und erzählte ihr, ein guter Freund habe ihm angeboten, ihn zum Teilhaber zu machen, wenn er mit 10000 Pfund bei ihm einsteige. ›Ich weiß wohl, es ist völlig aussichtslos‹, sagte er schön artig. ›Ein Luftschloß eben, Oma Rose.‹ ›Mich darfst du dabei jedenfalls nicht im Auge haben‹, sagte die Gnädige. ›Ich habe selber bloß 10000, die sind in Woolworth-Aktien angelegt, und damit müssen Alice und ich auskommen. Wenn ich einmal nicht mehr bin, wirst du deinen Teil davon bekommen.‹ Offen und ehrlich, Sir, damals hab ich mir gedacht, wenn Mr. Roger seine Schwestern übers Ohr hauen will, könnte er die Gnädige beschwatzen, doch ein Testament aufzusetzen und alles ihm zu vermachen. Aber das tat er nicht, er hat die Sache nie wieder erwähnt und legte Wert darauf, sooft als möglich die beiden Frätzchen mitzubringen. Dann ermordete Painter das Biest die gnädige Frau, und ihr Vermögen fiel, wie sie es gesagt hatte, an ihre drei Enkel.

Mr. Roger ist heute ein wohlhabender Mann, Sir, ein sehr wohlhabender sogar, und er kommt mich regelmäßig besuchen. Irgendwoher hat er die 10000 wohl bekommen, vielleicht bot sich ihm auch durch einen anderen Freund noch eine Gelegenheit. Ihn danach zu fragen hätte sich für mich nicht geschickt.«

Ein netter Mann, dachte Archery, ein Mann, der vielleicht dringend Geld gebraucht hatte, deshalb aber zu keinen krummen Touren bereit war; ein Mann, der für die Hausangestellte seiner verstorbenen Großmutter sorgte, während er im Begriff stand, sich eine Existenz aufzubauen, der sie immer noch besuchte und sich höchstwahrscheinlich geduldig immer wieder die Geschichte anhörte, die Archery eben erzählt bekommen hatte. Ein sehr netter Mann. Falls Liebe, Lob und Zuneigung ein Lohn für einen solchen Mann darstellten, so hatte er seinen Lohn.

»Falls Sie Mr. Roger treffen, Sir, falls Sie ihn wegen der Geschichte sprechen wollen, an der Sie schreiben, könnten Sie ihm dann herzliche Grüße von mir bestellen?«

»Ich denke dran, Miss Flower.« Er ergriff ihre gefühllose Hand und drückte sie. »Auf Wiedersehen und vielen Dank.« Du hast wohlgetan, du fromme und gläubige Magd.

Es war kurz nach acht, als er wieder ins *Olive and Dove* kam. Der Oberkellner bedachte ihn mit einem ungnädigen Blick, als er um Viertel nach in den Speisesaal trat. Archery sah sich verwundert in dem leeren Saal um, dessen Tische man an die Wand geschoben hatte.

»Heute abend ist Tanz, Sir. Wir haben unsere Gäste zwar ausdrücklich gebeten, das Abendessen um Punkt sieben einzunehmen, aber ich denke, wir werden noch etwas für Sie zurechtmachen können. Wenn Sie mir bitte folgen wollen.«

Archery ging hinter ihm in den kleineren der beiden Salons, die an den Speisesaal angrenzten. Er war mit Tischen vollgestopft, an denen die Leute hastig ihr Essen hinunterschlangen. Er bestellte und sah durch die Glastür zu, wie das Orchester auf dem Podium Platz nahm.

Wie sollte er diesen langen heißen Sommerabend verbringen? Der Tanz ging wahrscheinlich bis halb eins oder eins, und bis dahin würde es im Hotel nicht auszuhalten sein. Ein gemächlicher Spaziergang war das Naheliegendste. Er konnte aber auch das Auto nehmen und einen Blick auf *Victor's Piece* werfen. Der Kellner kam mit dem bestellten Schmorbraten, und Archery, wild zur Sparsamkeit entschlossen, bat um ein Glas Wasser.

Er saß ziemlich für sich in seiner Nische, der nächste Tisch stand mindestens zwei Meter entfernt, und so fuhr er erschreckt zusammen, als er etwas Weiches und Flauschiges an seinem Bein vorbeistreichen spürte. Er zog es zurück, streckte die Hand nach unten, hob das Tischtuch und sah in ein strahlendes Paar Augen, das zu einem goldgelben Krausköpfchen gehörte.

»Hallo, Hund«, sagte er.

»Oh, entschuldigen Sie bitte. Belästigt er Sie?«

Er blickte auf und sah sie neben sich stehen. Offensichtlich waren sie eben erst hereingekommen, sie, der Mann mit den glasigen Augen und ein anderes Paar.

»Aber kein bißchen.« Archerys Gelassenheit ließ ihn schmählich im Stich, so daß er beinahe ins Stottern geriet. »Es macht mir wirklich nichts aus. Ich mag Tiere.«

»Sie waren zum Mittagessen schon hier, nicht? Er muß Sie wohl wiedererkannt haben. Komm da vor, Hund. Er hat keinen Namen. Wir sagen einfach Hund zu ihm, weil er einer ist, und im Grunde ist das auch kein schlechterer Name als Jock oder Gyp. Als Sie ›Hallo, Hund‹ sagten, hielt er Sie für einen persönlichen Bekannten. Er ist nämlich sehr klug.«

»Bestimmt.«

Sie nahm den Pudel auf den Arm und drückte ihn an die cremefarbene Spitze ihres Kleids. Jetzt, wo sie keinen Hut trug, sah man die vollkommene Form ihres Kopfs und die hohe, faltenlose Stirn. Der Oberkellner trippelte herbei, nun weit weniger unwirsch.

»Wir kommen schon wieder, Louis, wie Unkraut«, sagte der Mann mit den Fischaugen jovial. »Meine Frau hat sich in den Kopf gesetzt, bei euch heute abend das

Tanzbein zu schwingen, aber erst brauchen wir noch einen Happen zu Abend.« Aha, die beiden waren also verheiratet. Warum war ihm das nicht schon früher aufgefallen, was ging ihn das eigentlich an und, vor allen Dingen, weshalb gab ihm das so einen leichten Stich ins Herz? »Unsere Freunde müssen noch einen Zug erwischen, wenn Sie also zur gewohnten Schnelligkeit noch einen Gang zuschalten könnten, wären wir Ihnen unendlich dankbar.«

Gemeinsam nahmen sie Platz. Der Pudel strolchte auf der Suche nach etwas Eßbarem zwischen den Beinen der Gäste herum. Archery bemerkte mit gelinder Belustigung, wie schnell ihnen das Essen aufgetragen wurde. Alle hatten verschiedene Gerichte bestellt, doch die Wartezeit war minimal, und alles geschah ohne Hektik. Archery ließ sich viel Zeit mit dem Eckchen Käse und dem Kaffee. Hier in seinem kleinen Winkel störte er bestimmt niemanden. Es kamen nun Leute zum Tanzen herein, die an seinem Tisch vorbeischwebten und hinter sich eine Duftwolke zurückließen, die nach Zigarren und blumigem Parfum roch. Im Speisesaal, der nun ein Tanzsaal war, hatte man die Türen zum Garten geöffnet, und auf der Terrasse standen Pärchen, die in der Ruhe des Sommerabends der Musik zuhörten.

Der Pudel saß gelangweilt auf der Schwelle und beobachtete die Tanzenden.

»Komm her, Hund«, sagte seine Besitzerin. Ihr Gatte erhob sich.

»Ich bringe euch zum Bahnhof, George«, sagte er. »Wir haben nur noch zehn Minuten, also macht mal hopphopp!« Er schien über einen reichen Wortschatz zu verfügen, um anzudeuten, daß Eile geboten war. »Brauchst nicht mitzukommen. Trink ruhig deinen Kaffee aus.«

Der Tisch lag unter Rauchschleiern verborgen. Sie hatten während des ganzen Essens geraucht. Er würde zwar wahrscheinlich nur eine halbe Stunde weg sein, doch er beugte sich vor und gab seiner Frau einen Kuß. Sie lächelte ihn an und zündete sich eine neue Zigarette an. Als sie gegangen waren, blieb sie mit Archery allein zurück. Sie wechselte auf den Stuhl ihres Mannes, der ihr freien Blick auf die Tänzer gab, von denen sie viele zu kennen schien, denn sie winkte gelegentlich und nickte ihnen zu, wie um zu versprechen, daß sie sich ihnen in Kürze anschließen würde.

Archery fühlte sich mit einemmal einsam. Außer zwei ziemlich feindseligen Polizisten kannte er niemand in dieser Stadt. Sein Aufenthalt zog sich vielleicht noch über die ganzen vierzehn Tage hin. Warum hatte er Mary nicht gebeten, ihm Gesellschaft zu leisten? Für sie wäre es ein Urlaub, eine Abwechslung, die sie weiß Gott einmal nötig hatte. Gleich wenn er seine zweite Tasse ausgetrunken hatte, würde er auf sein Zimmer gehen und sie anrufen.

Die Stimme der jungen Frau schreckte ihn auf. »Macht es Ihnen etwas aus, wenn ich mir Ihren Aschenbecher hole? Unsere sind voll.«

»Aber nein, nehmen Sie ihn ruhig.« Er hob die schwere Glasschale hoch, und als er sie ihr gab, berührten ihre kühlen trockenen Fingerspitzen die seinen. Ihre Hand war klein und kindlich, die Nägel kurz und unlackiert. »Ich rauche nicht«, fügte er ziemlich einfältig hinzu.

»Bleiben Sie lange hier?« Ihre Stimme klang hell und sanft, aber doch reif.

»Nur ein paar Tage.«

»Ich fragte«, sagte sie, »weil wir sehr oft hier sind und ich Sie vor heute mittag noch nie gesehen habe. Die meisten hier sind Stammgäste.« Sorgfältig drückte sie die Zigarette aus, bis auch der letzte Glutfunken erloschen war. »Einmal im Monat ist im *Olive* Tanz, das versäumen wir nie. Ich tanze gern.«

Hinterher fragte sich Archery, was um alles in der Welt ihn, einen fast fünfzigjährigen Landpfarrer, dazu veranlaßt hatte, das Folgende zu sagen. Vielleicht lag es an den sich vermischenden Parfums, der herabsinkenden Dämmerung oder einfach daran, daß er allein war, außerhalb seiner gewohnten Umgebung, fast schon außerhalb seiner gewohnten Identität.

»Möchten Sie tanzen?«

Es wurde Walzer gespielt. Walzer tanzen konnte er, dessen war er sich gewiß. Walzer wurde auch auf Gemeindefesten getanzt. Man mußte mit den Füßen einfach eins, zwei, drei eine Art Dreieck abschreiten. Aber dennoch und trotz alledem spürte er, wie er rot wurde. Für was würde sie ihn halten, in seinem Alter. Sie könnte auf den Gedanken kommen, er wolle sie ›aufreißen‹, wie Charles das nannte.

»Mit Vergnügen«, sagte sie.

Abgesehen von Mary und Marys Schwester war sie seit zwanzig Jahren die erste Frau, mit der er tanzte. Er war dermaßen schüchtern und von der Ungeheuerlichkeit seiner Tat so überwältigt, daß er einen Augenblick lang taub gegen die Musik und blind gegenüber den ungefähr 100 anderen Menschen war, die auf der Tanzfläche kreisten. Dann lag sie in seinen Armen, ein federleichtes Geschöpf aus Parfum und Spitze, dessen Körper, der nun so unpassend den seinen berührte, die fließende Verformbarkeit und Zartheit eines Sommernebels besaß. Er glaubte zu träumen, und wegen dieser völligen Unwirklichkeit achtete er nicht mehr auf seine Füße und wie er sie bewegen mußte, sondern folgte einfach ihren Schritten, als wären er und sie und die Musik miteinander verschmolzen.

»Als Tänzer ist mit mir kein Blumentopf zu gewinnen«, sagte er, als er die Sprache wiedergefunden hatte. »Sie werden über meine Fehler hinwegsehen müssen.« Er war so viel größer als sie, daß sie zu ihm aufschauen mußte.

Sie lächelte. »Es ist schwer, beim Tanzen Konversation zu machen, finden Sie nicht? Ich weiß nie, was ich sagen soll, aber irgendwas muß man doch sagen.«

»Zum Beispiel: ›Ist das Parkett nicht schön griffig?‹« Seltsam, daran erinnerte er sich noch aus seiner Studentenzeit.

»Oder: ›Tanzen Sie auch linksherum?‹ Es ist wirklich zu blöd. Jetzt tanzen wir zusammen, und ich weiß noch nicht mal Ihren Namen.« Sie lachte mit gespielter Mißbilligung. »Das ist fast schon unmoralisch.«

»Mein Name ist Archery. Henry Archery.«

»Guten Abend, Mr. Archery«, sagte sie förmlich. Als sie in eine vom Licht der untergehenden Sonne beschienene Stelle tanzten, sah sie ihn unverwandt an, wobei strahlende Röte auf ihr Gesicht fiel. »Sie erkennen mich wirklich nicht?« Er schüttelte den Kopf und fragte sich, ob er vielleicht einen schrecklichen Fauxpas begangen hatte. Sie seufzte übertrieben. »Und so was will berühmt sein! Imogen Ide. Kommt Ihnen das nicht bekannt vor?«

»Tut mir schrecklich leid.«

»Offen gestanden, sehen Sie auch nicht so aus, als studierten Sie Modejournale in Ihrer Freizeit. Vor meiner Heirat war ich Mannequin. Das meistfotografierte Gesicht Großbritanniens.«

Er wußte nicht recht, was er darauf sagen sollte. Die

Dinge, die ihm in den Sinn kamen, bezogen sich alle irgendwie auf ihre außergewöhnliche Schönheit, und sie auszusprechen wäre ungehörig gewesen. Sie ahnte wohl seine mißliche Lage und brach in Gelächter aus, doch es war ein umgängliches Lachen, herzlich und nett.

Er lächelte sie an. Dann entdeckte er über ihre Schulter hinweg ein bekanntes Gesicht. Chief Inspector Wexford war in Begleitung einer dicken, freundlich wirkenden Frau und eines jungen Paares in den Tanzsaal getreten. Seine Frau, seine Tochter und der Architektensohn, vermutete Archery und spürte plötzlich einen innerlichen Stich. Er beobachtete, wie sie Platz nahmen, und wollte gerade wegsehen, als Wexfords Blick auf ihn fiel. Ihr beiderseitiges Lächeln war das Lächeln von Gegenspielern, und Archery fand die Situation schrecklich peinlich. Auf Wexfords Miene stand sanfter Spott, als wolle er ihm bedeuten, ein so frivoler Zeitvertreib wie Tanzen passe schlecht zu seiner hehren Aufgabe. Jäh wandte er den Blick von ihm ab und wieder seiner Partnerin zu.

»Ich lese leider nur die *Times*.« Erst als die Worte schon heraus waren, bemerkte er, wie versnobt sich das anhören mußte.

»Einmal war ich auch in der *Times*«, sagte sie. »Oh, nicht mein Bild. Ich stand in der Rubrik ›Aus dem Gerichtssaal‹. Mein Name fiel in einem Prozeß, und der Richter fragte: ›Wer ist Imogen Ide?‹«

»Dann sind Sie ja eine echte Berühmtheit.«

»Den Ausschnitt habe ich mir bis heute aufgehoben.«

Die Musik, bis dahin sanft wie ein Wiegenlied, schlug plötzlich ein beängstigendes Tempo an und wurde von einem ungestümen Trommelrhythmus begleitet.

»Tut mir leid, den kann ich nicht«, sagte Archery unbeholfen. Rasch ließ er sie los, mitten auf der Tanzfläche.

»Macht nichts. Trotzdem vielen Dank. Hat mir Spaß gemacht.«

»Mir auch, sehr sogar.«

Sie schlängelten sich zwischen den anderen Paaren hindurch, die sich schüttelten und herumhüpften wie Wilde. Sie hielt ihn an der Hand, die er ihr schlecht entziehen konnte, ohne unhöflich zu wirken.

»Ah, da kommt mein Mann wieder«, sagte sie. »Möchten Sie uns den Abend über nicht Gesellschaft leisten, falls Sie nichts Besseres vorhaben?«

Der Mann namens Ide kam lächelnd auf sie zu. Sein gleichmäßig olivfarbenes Gesicht, das tiefschwarze Haar und seine fast feminin wirkende Gepflegtheit verliehen ihm das Aussehen einer Wachsfigur. Archery kam auf den unsinnigen Gedanken, daß, wenn man ihm bei Madame Tussaud's begegnete, der alte Witz von dem einfältigen Besucher, der eines der Ausstellungsstücke mit einem Anwesenden aus Fleisch und Blut verwechselt, seine Umkehrung erfahren würde. In diesem Fall ginge man an dem echten Menschen vorbei, weil man ihn für eine Wachsfigur hielt.

»Das ist Mr. Archery, Liebling. Ich habe ihn gefragt, ob er sich uns nicht anschließen möchte. Es ist so ein schöner Abend.«

»Gute Idee. Darf ich Sie vielleicht zu einem Drink einladen, Mr. Archery?«

»Nein, vielen Dank.« Archery schüttelte ihm die Hand und war wegen seines Gedankenspiels überrascht, wie warm sich Ides Hand anfühlte. »Ich muß gehen. Ich muß meine Frau anrufen.«

»Ich hoffe, wir sehen uns wieder«, sagte Imogen Ide. »Unser Tanz hat mir gefallen.« Sie nahm ihren Ehemann bei der Hand, führte ihn auf die Tanzfläche, ihre Körper berührten sich, und ihre Schritte folgten dem komplizierten Rhythmus. Archery ging auf sein Zimmer. Vorher hatte er gedacht, die Musik würde ihn stören, doch hier in der violetten Dämmerung wirkte sie betörend und aufwühlend und rief längst vergessene unbestimmte Sehnsüchte in ihm wach. Er stand am Fenster und blickte zum Himmel, den lange, zerfranste Wolkenbänder überzogen, blaßrosa wie Blätter von Alpenveilchen, doch weniger materiell. Passend zu diesem friedsamen Himmel waren die Klänge der Musik sanfter geworden und hörten sich für seine Ohren nun wie die Anfangstakte der Ouvertüre zu einer Pastorale an.

Er setzte sich aufs Bett und legte die Hand auf das Telefon. Dort blieb sie eine Weile bewegungslos liegen. Welchen Sinn hatte es, Mary anzurufen, wenn er ihr nichts zu sagen, ja nicht einmal einen Plan für sein weiteres Vorgehen morgen früh vorzuweisen hatte? Mit einemmal spürte er Widerwillen in sich aufsteigen gegen Thringford und die Kleinkariertheit seiner Gemeinde. So lange und so beschränkt hatte er dort gelebt, während die ganze Zeit über außerhalb eine Welt gelegen hatte, von der er wenig wußte.

Von wo er saß, konnte er nichts als Himmel sehen, zerklüftete Kontinente und Inseln in einem Meer von Azur. ›Hier laß uns rasten und den Zauber der Musik das Ohr umschmeicheln...‹ Er nahm die Hand vom Telefon, legte sich zurück und dachte an nichts.

9

Sein Mund ist glätter denn Butter und hat doch Krieg im Sinn; seine Worte sind gelinder denn Öl und sind doch erhobene Schwerter.

Psalm 55, zu lesen am 10. Tage

»An der Sache ist wohl nichts dran, oder?«

»An welcher Sache, Mike? Liz Crillings dunkles Geheimnis, von dem ihre Mutter nicht will, daß man es ihr unter der Folter abpreßt?«

Burden ließ gegen den grellen Morgenhimmel die Jalousien herunter.

»Bei diesen Crillings habe ich immer ein ungutes Gefühl«, sagte er.

»Sie haben keinen größeren Dachschaden als die Hälfte unserer anderen Kunden auch«, erwiderte Wexford gutgelaunt. »Zur Verhandlung vor dem Assisengericht wird Liz jedenfalls aufkreuzen. Und sei es nur deshalb, weil Mrs. Crilling schlicht und einfach gewisse Zweifel kommen dürften, ob sie ihrem Schwager, oder wer sie sonst unterstützt, 1000 Pfund aus der Nase ziehen kann. Falls die Tochter uns dann was zu sagen hat, wird sie's uns sagen.«

Burden blieb hartnäckig, wollte sich aber nicht zu weit vorwagen: »Ich habe so ein Gefühl, daß da eine Verbindung zu Painter besteht.«

Wexford hatte etwas in dem dicken, orangefarbenen Branchenverzeichnis nachgeschlagen. Jetzt ließ er es absichtlich laut auf den Schreibtisch knallen.

»Jetzt reicht's mir aber! Was geht hier eigentlich vor,

ein Komplott gegen mich, um nachzuweisen, daß ich nichts von meiner Arbeit verstehe?«

»Verzeihung, Sir, so habe ich es nicht gemeint.«

»Ich weiß verflucht noch mal gar nichts, Mike. Ich weiß nur, daß der Fall Painter eine glasklare Sache war und für niemanden die geringste Aussicht besteht, zu beweisen, daß er nicht der Täter war.« Allmählich beruhigte er sich wieder und breitete auf dem Umschlag des Verzeichnisses seine Hände zu zwei großen, starren Fächern aus. »Von mir aus, dann knöpfen Sie sich Liz eben vor. Oder bitten Sie Archery, es für Sie zu übernehmen. Der scheint auf dem Gebiet was auf dem Kasten zu haben.«

»Ach? Wie meinen Sie denn das?«

»Vergessen Sie's. Ich habe jedenfalls zu arbeiten, außerdem ...«, sagte Wexford und brachte rasch seine Metaphern auf die Reihe, »... habe ich die Nase voll davon, in einer Tour diesen Painter unter dieselbe gerieben zu bekommen.«

Archery hatte tief und traumlos geschlafen. Ihm kam der Gedanke, er habe das Träumen schon im wachen Zustand besorgt, so daß im Schlaf nichts mehr zu tun blieb. Das Telefon weckte ihn. Seine Frau war dran.

»Entschuldige die frühe Störung, Liebling, aber ich habe wieder einen Brief von Charles bekommen.«

Auf dem Nachttisch bemerkte er eine Tasse kalten Tee. Archery fragte sich, wie lange sie wohl schon dort stand. Er fand seine Armbanduhr und sah, daß es neun war.

»Das macht nichts. Wie geht es dir?«

»Ganz ordentlich. Du klingst, als ob du noch im Bett liegst.«

Archery brummte etwas Unverständliches.

»Hör mal, Charles hört morgen an der Uni auf, und er schreibt, daß er direkt nach Kingsmarkham kommt.«

»Er will *aufhören* mit der Uni?«

»Oh, nicht wie du denkst, Henry. Er läßt nur die letzten drei Tage des Trimesters ausfallen. Das kann ja nicht viel schaden.«

»Aber auch nicht viel nützen. Kommt er ins *Olive?*«

»Natürlich. Irgendwo muß er ja wohnen. Es ist schrecklich teuer, ich weiß, Liebling, aber für August und September hat er einen Job – irgendwas in einer Brauerei. Es hört sich abscheulich an, aber er bekommt sechzehn Pfund die Woche und will dir das Geld zurückzahlen.«

»Ich wußte nicht, daß mein Herr Sohn mich für so geizig hält.«

»So meint er's doch nicht. Du bist wirklich empfindlich heute morgen...«

Als sie aufgelegt hatte, hielt er den Hörer noch eine Weile in der Hand. Er grübelte nach, warum er sie nicht eingeladen hatte, ebenfalls mitzukommen. Gestern abend hatte er es tun wollen, aber dann... Natürlich – er war während ihres Anrufs noch so verschlafen gewesen, daß er kaum wußte, was er sagte. Die Stimme der Vermittlung meldete sich.

»Sind Sie fertig oder wollen Sie eine Verbindung?«

»Nein, danke. Ich bin fertig.«

Die Sonne schien die kleinen Sandhäuser in der Glebe Road gebleicht und ausgetrocknet zu haben. An diesem Morgen wirkten sie noch mehr wie Wüstenbehausungen, jede von einer eigenen winzigen Oase umgeben.

Burden ging erst zum Haus Nummer 102. Dort wohnte

ein alter Bekannter von ihm, ein Mann mit einem langen Vorstrafenregister und einem tückischen Sinn für Humor, der in gewissen Kreisen unter dem Namen »Monkey« Matthews bekannt war. Burden hielt es für mehr als wahrscheinlich, daß er der Absender jener selbstgebastelten Bombe war, einem absonderlichen Eigenbau, bei dem man Zucker und Unkrautvertilger in eine Whiskyflasche gestopft hatte, die eine leichtlebige blonde Dame heute morgen in ihrem Briefkasten fand. Die Bombe hatte lediglich die Diele ihrer Wohnung zerstört, da sie und ihr gegenwärtiger Liebhaber noch im Bett gelegen hatten, doch Burden vermutete, daß es auch so auf eine Anklage wegen Mordversuchs hinauslaufen würde.

Er klopfte an und klingelte, doch er hatte den Eindruck, daß die Klingel kaputt war. Daraufhin ging er ums Haus herum zur Rückseite, wo er bis zu den Knöcheln in Müll, Kinderwagenrädchen, Zeitungen und leeren Flaschen versank. Er warf einen Blick in das Küchenfenster. Auf dem Fensterbrett stand eine Packung Unkrautvertilger – pulverförmiges Natriumchlorat –, die oben aufgerissen war. War das nur Selbstsicherheit oder schon blanke Dummheit? Er ging zur Straße zurück und gab aus einer nahe gelegenen Telefonzelle Bryant und Gates Bescheid, den Bewohner des Hauses Glebe Road 102 festzunehmen.

Nummer 24 lag auf derselben Straßenseite. Wo er nun schon mal in der Nähe war, konnte es nichts schaden, sich ein bißchen mit Liz Crilling zu unterhalten. Die Haustür war nur angelehnt. Er hüstelte und ging hinein.

Aus einem Plastiktransistor im hinteren Zimmer dröhnte Popmusik. Elizabeth Crilling saß an dem Tisch, las die Stellenanzeigen der Kreiszeitung von letzter Woche und trug nichts außer einem Unterrock, dessen gerissener Träger von einer Sicherheitsnadel zusammengehalten wurde.

»Wüßte nicht, Sie eingeladen zu haben.«

Burden sah sie voller Abscheu an. »Macht es Ihnen etwas aus, sich vielleicht was überzuziehen?« Sie rührte sich nicht von der Stelle, sondern hielt den Blick starr auf die Zeitung gerichtet. Er schaute sich in dem trostlosen, unaufgeräumten Zimmer um und suchte aus den diversen, bunt zusammengewürfelten Kleiderhaufen etwas aus, das wie ein Morgenmantel aussah, ein rosafarbenes, lappiges Ding, dessen Falbeln an verwelkte Blumen denken ließen. »Da«, sagte er und fragte sich, ob ihr vielleicht schlecht war, denn sie schauderte, als sie in den Morgenmantel schlüpfte. Er war ihr viel zu groß und gehörte offenbar jemand anderem.

»Wo ist Ihre Mutter?«

»Ich weiß nicht. Ging irgendwohin. Ich bin nicht ihr Kindermädchen.« Plötzlich grinste sie, wodurch ihre schönen Zähne zu sehen waren. »Bin ich meiner Mutter Hüter? Das ist gut, finden Sie nicht? Da fällt mir ein...« Das Lächeln verschwand; laut und in schneidendem Ton fuhr sie fort: »Was hat dieser Pfarrer hier zu suchen?«

Burden beantwortete Fragen nur, wenn es gar nicht anders ging.

»Suchen Sie eine neue Stelle?«

Sie zog einen Flunsch. »Ich rief gestern bei mir im Geschäft an, gleich als ich vom Gericht kam. Die Saftsäcke haben mich rausgeschmissen. Recht schönen Dank auch noch.« Burden neigte höflich den Kopf. »Irgendwie muß ich meine Brötchen ja verdienen. Die von der Regenmantelfabrik suchen Arbeiterinnen, und es heißt, mit Überstunden käme man da auf zwanzig Pfund die Woche.«

Burden mußte an ihre Ausbildung denken, die teuren

Schulen, für die Mrs. Crillings Verwandte aufgekommen waren. Sie starrte ihn unverfroren an.

»Ich hätte gute Lust, mich da zu bewerben«, sagte sie. »Kann schließlich nichts schaden. Das Leben ist sowieso nur Scheiße.« Sie lachte schrill, ging zu dem Kaminsims, lehnte sich dort an und sah zu ihm hinüber. Der offene Morgenmantel und die schmuddelige Unterwäsche wirkten auf derbe, primitive Weise aufreizend, was zu dem heißen Wetter und schlampigen Zimmer zu passen schien. »Was verschafft mir die Ehre Ihres Besuchs? Fühlen Sie sich einsam, Inspector? Wie ich höre, ist Ihre Frau verreist.« Sie steckte sich eine Zigarette zwischen die Lippen. Ihr Zeigefinger war von Nikotin zerfressen, der Nagel gelb, die Nagelhaut angeknabbert. »Wo, zum Teufel, sind die Streichhölzer?«

Etwas in dem kurzen, argwöhnischen Blick, den sie ihm über die Schulter zuwarf, veranlaßte ihn, ihr in die Küche nachzugehen. Dort angelangt, drehte sie sich zu ihm um, schnappte sich eine Schachtel Streichhölzer und baute sich vor ihm auf, wie um ihm den Weg zu versperren. Ein prickelndes Gefühl der Unruhe breitete sich in ihm aus. Sie drückte ihm die Streichhölzer in die Hand.

»Geben Sie mir bitte Feuer.«

Mit ruhiger Hand zündete er das Streichholz an. Sie schob sich dicht an ihn heran, und als die Flamme den Tabak aufzehrte, schlossen sich ihre Finger um seine Hand. Für den Bruchteil einer Sekunde empfand er etwas, das sein eher prüdes Naturell als schmutzig bezeichnete, dann setzten sich eben dieses Naturell, sein Pflichtgefühl und ein gesundes Mißtrauen in ihm durch. Ihr Atem ging schwer, aber nicht wegen seiner Nähe, dessen war er sicher. Durch lange Übung geschult, wich er ihr geschickt aus, löste sich von dem langen, entblößten Bein, das sich zwischen seine geschoben hatte, und stand dem gegenüber, was sie ihm vielleicht zu verheimlichen gehofft hatte.

In der Spüle stapelte sich schmutziges Geschirr, Kartoffelschalen, Teesatz und nasses Papier, doch die bürgerliche Abscheu vor Schmutz hatten die Crillings längst überwunden.

»Ein paar freie Tage wären kein Beinbruch«, sagte er laut. »Würde nicht schaden, wenn Sie hier mal ein bißchen Ordnung machten.«

Sie hatte zu lachen angefangen. »Wissen Sie, durch einen Rauchschleier betrachtet, sehen Sie eigentlich gar nicht übel aus.«

»Waren Sie krank?« Sein Blick fiel auf die Spritze und die Pillenröhrchen, die bis auf ein halbvolles alle leer waren. »Was mit den Nerven?«

Ihr Lachen hörte auf. »Die gehören ihr.«

Burden las stumm die Etiketten.

»Sie nimmt sie gegen ihr Asthma. Es sind alles die gleichen.« Als er nach der Spritze greifen wollte, packte sie ihn am Handgelenk. »Sie haben kein Recht, hier herumzuschnüffeln. Das läuft auf eine Haussuchung hinaus, und dafür brauchen Sie einen Durchsuchungsbefehl.«

»Stimmt«, sagte Burden gelassen. Er ging mit ihr ins Wohnzimmer zurück und zuckte unter ihrer lauten Stimme zusammen.

»Sie haben mir immer noch nicht meine Frage zu dem Pfarrer beantwortet.«

»Er ist hier, weil er Painters Tochter kennt«, sagte Burden zurückhaltend.

Sie erbleichte, und er glaubte, ihre Mutter stünde vor ihm. »Painter, der die alte Frau umbrachte?«

Burden nickte.

»Merkwürdig. Ich würde sie gern wiedersehen.« Obwohl ihre Bemerkung nicht unlogisch war, beschlich ihn das komische Gefühl, sie wechsle das Thema. Sie richtete den Blick in den Garten. Aber Nesseln, Brombeersträucher und den schäbigen Maschenzaun hatte sie wohl nicht vor Augen, dachte er. »Früher ging ich immer zum Wagenschuppen hinüber und spielte mit ihr«, erzählte sie. »Mutter hat nie etwas davon gewußt. Sie meinte, Tess gehöre einer anderen Klasse an. Ich konnte das nicht verstehen. Wie kann sie in einer Klasse sein, dachte ich mir, wenn sie doch gar nicht zur Schule geht?« Sie streckte die Hand aus und versetzte dem Vogelkäfig einen kräftigen Stoß. »Mutter saß dauernd bei der Alten – Rhabarber, Rhabarber, Rhabarber, ihr Geschwätz klingt mir jetzt noch im Ohr – und schickte mich zum Spielen immer in den Garten. Dort gab es nichts zum Spielen, und eines Tages sah ich Tessie, die an einem Sandhaufen hockte... Warum sehen Sie mich so an?«

»Tu ich das?«

»Weiß sie über ihren Vater Bescheid?« Burden nickte. »Die arme Kleine. Was arbeitet sie denn?«

»Sie studiert irgendwas.«

»*Studiert?* Mein Gott, ich hab auch mal studiert.« Sie hatte zu zittern begonnen. Das vorstehende Stück Asche an ihrer Zigarette fiel ab und verteilte sich auf den rosa Falbeln. Sie sah an sich herunter und bemühte sich vergeblich, alte Flecken und Brandlöcher wegzuschnippen. Die Bewegungen erinnerten an die unkontrollierten Zuckungen eines Veitstanzes. Als sie zu ihm herumwirbelte, schlug ihm Haß und Verzweiflung entgegen. »Was wollen Sie eigentlich mit mir machen?« schrie sie. »Gehen Sie! Raus!«

Als er fort war, zog sie aus einem Haufen ungebügelter Wäsche ein zerrissenes Tuch und breitete es über den Vogelkäfig. Die plötzliche Bewegung und der dadurch entstandene Luftzug bauschte den Fetzen auf, den ihre Mutter Negligé nannte und vor dem sie erst Angst bekommen hatte, als er ihre Haut berührte. Warum, zum Teufel, mußte er auch hier auftauchen und das alles wieder aufrühren. Vielleicht half ein Drink. Gestern freilich hatte es auch nichts geholfen... Aber in diesem Haus gab es sowieso nie was Trinkbares.

Zeitungen, alte Briefe und unbezahlte Rechnungen, leere Zigarettenschachteln und ein Paar alte Strümpfe mit Laufmaschen purzelten ihr entgegen, als sie die Schranktür aufmachte. Sie kramte hinten im Schrank zwischen staubigen Vasen, Weihnachtsgeschenkpapier und Spielkarten mit Eselsohren herum. Die Form von einer der Vasen sah vielversprechend aus. Sie zog sie hervor und stellte fest, daß es die Flasche Cherry Brandy war, die ihr Onkel ihrer Mutter zum Geburtstag geschenkt hatte. Ekelhaft süßlicher Cherry Brandy... Sie hockte sich zwischen dem herumliegenden Zeug auf den Boden und schenkte etwas davon in ein schmutziges Glas. Sogleich war ihr bedeutend wohler, fast fühlte sie sich gut genug, sich anzuziehen und etwas wegen dem verdammten Job zu unternehmen. Wo sie nun schon dabei war, konnte sie die Flasche auch gleich austrinken – einfach herrlich, wie schnell man die Sache in den Griff bekam, vorausgesetzt, man fing auf nüchternen Magen an.

Der Flaschenhals schlug klirrend gegen das Glas. Sie konzentrierte sich darauf, ihre Hand ruhig zu halten, und achtete nicht darauf, wie der Pegel in dem Glas immer höher stieg, bis es schließlich überlief und der Likör sich über die geplätteten rosa Falbeln ergoß.

Überall Rot. Zum Glück sind wir keine Sauberkeitsfanatiker, dachte sie. Dann sah sie an sich herab, und ihr Blick fiel auf das Rot auf dem blaßrosa Untergrund... Sie zerrte mit den Fingern an dem Nylon, bis auch sie rot und klebrig waren. O Gott, o Gott! Sie trampelte darauf herum, als sei es etwas Ekelhaftes, Lebendiges, und warf sich auf das Sofa.

...Jetzt hattest du nichts Hübsches an, nichts, das du Tessie hättest zeigen können. Sie sorgte sich immer, du könntest dich schmutzig machen, und eines Tages, als Mami im Haus bei Oma Rose und dem Mann war, den sie Roger nannten, nahm sie dich mit nach oben zu Tante Renee und Onkel Bert, und Tante Renee zog dir über dein Kleid eine alte Schürze an.

Onkel Bert und Roger. Das waren die einzigen Männer, die du kanntest, mit Ausnahme von Vati natürlich, der immer krank war – »indisponiert« nannte es deine Mutter. Onkel Bert war derb und groß, und als du einmal ganz leise nach oben gingst, hörtest du, wie er Tante Renee anbrüllte, und dann sahst du, wie er sie schlug. Aber zu dir war er freundlich und nannte dich immer Lizzie. Roger nannte dich nie irgendwie. Wie denn auch, wo er doch nie mit dir sprach und dich immer so ansah, als hasse er dich?

Irgendwann im Herbst sagte Mami, du brauchtest ein Partykleid. Das war eigentlich sonderbar, weil ihr doch zu gar keinen Parties eingeladen wurdet, aber Mami sagte, du könntest es an Weihnachten tragen. Rosa war es, drei Schichten blaßrosa Tüll über einem rosa Petticoat, und es war das schönste Kleid, das du je gesehen hattest...

Hatte es einmal angefangen, ging es immer weiter, und Elizabeth Crilling wußte das. Es gab nur ein Mittel, wie man die Du-Stimme zum Schweigen bringen konnte. Den Blick von dem rosa Fetzen abgewandt, der über und über mit Rot besudelt war, torkelte sie in die Küche, um ihr Heil im zeitweiligen Vergessen zu finden.

Irene Kershaws Stimme klang kühl und abweisend am Telefon. »Ihr Charlie scheint sich mit Tessie gekabbelt zu haben, Mr. Archery. Ich weiß ja nicht, um was es da geht, aber an ihr liegt es sicher nicht. Sie betet ihn förmlich an.«

»Sie sind alt genug, um selbst zu wissen, was sie tun«, sagte Archery, ohne selbst daran zu glauben.

»Morgen kommt sie nach Hause. Sie muß ganz durcheinander sein, sonst würde sie nicht die letzten Semestertage schwänzen. Die Leute hier fragen mich dauernd, wann die Hochzeit stattfindet, und ich weiß einfach nicht, was ich ihnen sagen soll. Das bringt mich in eine peinliche Lage.«

Ehrbarkeit, immer wieder Ehrbarkeit.

»Rufen Sie wegen was Bestimmtem an, Mr. Archery, oder wollten Sie nur mit mir plaudern?«

»Ich möchte nur fragen, ob Sie mir vielleicht die Geschäftsnummer Ihres Mannes geben könnten?«

»Wenn Sie sich mit ihm mal zusammensetzen würden«, sagte sie, nun etwas herzlicher, »und versuchen würden, die Sache unter Männern wieder glattzubügeln, wäre mir das natürlich mehr als recht. Es geht ja wohl nicht an, daß man meine Tess einfach – na ja, sitzenläßt.« Archery erwiderte nichts. »Die Nummer ist Uplands 62234«, fügte sie hinzu.

Kershaw hatte einen eigenen Apparat und eine verständige Sekretärin, dem Dialekt nach eine waschechte Londonerin.

»Ich möchte dem Führer von Painters Einheit im Krieg schreiben«, sagte Archery nach Austausch der üblichen Höflichkeiten.

Kershaw schien zu zögern, dann antwortete er gewohnt lebhaft und munter wie immer: »Den Namen des Kerls weiß ich nicht, aber er war bei der Duke of Babraham's Light Infantry. Drittes Bataillon. Das Heeresministerium wird Ihnen weiterhelfen.«

»Die Verteidigung hat ihn bei der Verhandlung nicht als Zeugen benannt, aber er ist mir vielleicht nützlich, falls er Painter ein gutes Führungszeugnis ausstellen kann.«

»Falls. Aus welchem Grund wohl hat ihn die Verteidigung nicht benannt, Mr. Archery?«

Das Heeresministerium zeigte sich hilfsbereit. Das Dritte Bataillon hatte ein gewisser Oberst Cosmo Plashet befehligt. Er war jetzt außer Dienst und lebte als alter Mann in Westmoreland. Archery unternahm mehrere Anläufe für den Brief an Oberst Plashet. Das Resultat fiel zwar nicht so aus, wie er sich das erhofft hatte, aber es würde seinen Zweck erfüllen müssen. Nach dem Mittagessen verließ er das Hotel, um ihn zur Post zu bringen.

Gemächlich schlenderte er zur Post. Die Zeit wurde ihm lang, und er wußte nicht recht, was er als nächstes tun sollte. Morgen würde Charles kommen, den Kopf voller Ideen und überspannter Pläne, aber dennoch eine Stütze für ihn, ein Helfer. Doch so wie er Charles kannte, würde er ihn bald nach seiner Pfeife tanzen lassen. Es war auch bitter nötig, daß ihm jemand zeigte, wo's langging. Polizeiarbeit ist etwas für Polizisten, dachte er bei sich, Fachleute, die speziell dafür ausgebildet waren und die auf den riesigen Ermittlungsapparat zurückgreifen konnten.

Dann sah er sie. Sie kam gerade aus der Blumenhandlung neben dem Postamt und trug einen riesigen Strauß weißer Rosen in den Armen. Die Blumen paßten genau zu dem weißen Muster ihres schwarzen Kleids und verschmolzen damit, so daß man nicht erkennen konnte, welche echt und welche bloß eine Applikation auf der Seide waren.

»Guten Tag, Mr. Archery«, sagte Imogen Ide.

Bis jetzt war ihm gar nicht aufgefallen, wie schön der Tag eigentlich war, wie satt das Blau des Himmels, wie prächtig das strahlende Ferienwetter. Sie lächelte.

»Würden Sie bitte so nett sein, mir die Tür am Wagen aufzumachen?«

Wie ein Junge stürzte er los, ihre Bitte zu erfüllen. Hund, der Pudel, saß auf dem Beifahrersitz, und als Archery an die Tür faßte, knurrte er und bleckte die Zähne.

»Sei doch nicht so dumm«, sagte sie zu dem Hund und verbannte ihn auf den Rücksitz. »Ich bringe die Blumen nach Forby auf den Friedhof. Die Vorfahren meines Mannes haben dort so eine Art Familiengruft. Sehr feudal. Er ist in London, deshalb gehe ich an seiner Stelle. Die alte Kirche dort ist sehenswert. Haben Sie schon die nähere Umgebung erkundet?«

»Bisher leider nicht.«

»Vielleicht machen Sie sich ja nichts aus Lichtgaden, Taufsteinen und so was.«

»Aber nein, ganz im Gegenteil. Wenn Sie es für sehenswert halten, nehme ich heute abend den Wagen und fahre nach Forby.«

»Warum kommen Sie nicht einfach mit?«

Er hatte es darauf angelegt, daß sie ihn einlud. Er wußte es und schämte sich dafür. Aber wofür hatte er sich zu schämen? In gewisser Hinsicht machte er Ferien, und Ferienbekanntschaften schließt man rasch. Er hatte ihren Mann kennengelernt, und es war rein zufällig, daß sie jetzt nicht in Begleitung ihres Gatten war. In diesem Fall hätte er ohne Bedenken zugestimmt. Außerdem dachte sich heutzutage kein Mensch mehr etwas dabei, wenn ein Mann mit einer Frau einen kleinen Ausflug machte. Wie oft hatte er Miss Baylis zum Einkaufen von Thringford nach Colchester mitgenommen? Der Altersunterschied zwischen ihm und Imogen Ide war noch viel größer als der zu Miss Baylis. Keinesfalls war sie älter als dreißig. Er war alt genug, ihr Vater zu sein. Mit einem Mal wünschte er, dieser Gedanke wäre ihm nicht gekommen, denn er ließ die Dinge in einem unerfreulichen Licht erscheinen.

»Das ist sehr nett von Ihnen«, sagte er. »Gern.«

Sie war eine gute Fahrerin. Ausnahmsweise machte es ihm nichts aus, Beifahrer zu sein, und er sehnte sich nicht danach, selbst hinterm Steuer zu sitzen. Das Auto, ein silberner Lancia Flavia, war wunderschön und schnurrte sanft über die kurvenreichen Landstraßen. Es herrschte wenig Verkehr, sie begegneten nur zwei anderen Autos. Die Wiesen zeigten sattes Grün oder, wo frisch gemäht war, zartes Gelb, und zwischen ihnen und einer dunklen, bewaldeten Hügelkette schlängelte sich ein funkelnder, brauner Bach.

»Das ist der Kingsbrook«, sagte sie, »der gleiche Bach, der unter der High Street durchfließt. Schon merkwürdig. Der Mensch kann fast alles, Berge versetzen, Meere erschaffen und Wüsten bewässern, aber das Fließen des Wassers kann er nicht verhindern. Er kann es eindämmen, in Kanäle leiten, durch Rohre führen und Brücken darüber bauen...« Er sah sie an und rief sich staunend in Erinnerung, daß sie früher Fotomodell gewesen war. Ihre

Lippen standen einen Spalt weit offen, und der Wind spielte in ihrem Haar. »Aber dennoch sprudelt es aus der Erde und bahnt sich einen Weg ins Meer.«

Er sagte nichts und hoffte, daß sie sein Nicken, wenn nicht sah, so doch ahnte. Sie kamen in ein Dorf. Ungefähr ein Dutzend Cottages und einige wenige große Häuser umringten einen ausladenden Dorfanger; es gab eine kleine Wirtschaft, und zwischen dem dichten, dunkelgrünen Laubdach konnte Archery die Umrisse der Kirche erkennen.

Am Eingang zum Kirchhof stand ein Schwingtor, durch das sie nur hintereinander gehen konnten. Er ließ Imogen Ide den Vortritt und nahm ihr die Rosen ab. Der Friedhof war schattig und kühl, aber nicht sehr gepflegt; ein paar von den älteren Grabsteinen waren umgestürzt und lagen in den wuchernden Nesseln und Dornsträuchern.

»Hier entlang«, sagte sie und schlug den Weg zur Linken ein. »Man darf nicht entgegen dem Uhrzeigersinn um eine Kirche gehen. Das soll Unglück bringen.«

Eiben und Stecheichen säumten den Weg. Der Boden war sandig, doch mit Moos und feinbüscheligen Kräutern bewachsen. Die Kirche war sehr alt und aus roh behauenen Eichenstämmen erbaut. Ihre Schönheit lag in ihrem Alter.

»Es ist eine der ältesten Holzkirchen Englands.«

»In meinem Heimatkreis steht auch eine«, sagte Archery. »In Greensted. Sie stammt, glaube ich, aus dem neunten Jahrhundert.«

»Diese hier wurde neunhundertirgendwas erbaut. Möchten Sie das Hagioskop der Aussätzigen sehen?«

Nebeneinander knieten sie nieder, und im Vorbeugen spähte er durch die kleine dreieckige Öffnung unten in der Holzwand. Obgleich es nicht das erste Hagioskop war, das er sah, quälte ihn der Gedanke an die Ausgestoßenen, die Unreinen, die an diese winzige vergitterte Scharte kamen, um die Messe zu hören und eine Hostie auf die Zunge gelegt zu bekommen, die manche für den Leib Gottes halten. Es ließ ihn an Tess denken, auch sie eine Ausgestoßene, wie die Aussätzigen zu einem unverdienten Gebrechen verdammt. Im Inneren sah er einen kleinen, gepflasterten Gang, hölzerne Bankreihen und eine mit Heiligengesichtern verzierte Kanzel. Er fröstelte und spürte, wie auch sie neben ihm zitterte.

Unter dem Eibengeäst waren sie sich sehr nahe. Er hatte das merkwürdige Gefühl, als seien sie völlig allein auf der Welt, und es hätte sie an diesen Ort verschlagen, um ihr Schicksal zu erfüllen. Er schaute auf, wandte sich zu ihr, und ihre Blicke begegneten sich. Er hatte ein Lächeln von ihr erwartet, doch statt dessen sah er in ein tiefernstes Gesicht, auf dem jedoch Erstaunen und so etwas wie Angst lag. Ohne es genau definieren zu können, empfand er in seinem Inneren das gleiche, was er aus ihrem Blick herauslas. Der Duft der Rosen war berauschend, kräftig und unerträglich süß.

Schnell erhob er sich, wobei ihn die Steifheit in den Knien ein wenig behinderte. Einen Augenblick lang hatte er sich wie ein Junge gefühlt; sein Körper ließ ihn im Stich, wie Körper das meistens tun.

»Werfen Sie doch mal einen Blick ins Innere, derweil lege ich die Blumen aufs Grab«, sagte sie. »Dauert nicht lange.«

Leise ging er zwischen den Bankreihen hindurch und blieb vor dem Altar stehen. Ein Zuschauer hätte ihn für einen Atheisten halten können, so kühl und berechnend war sein Blick. Dann doch noch mal zurück, um den schlichten, kleinen Taufstein und die Inschriften auf den Gedenktafeln zu betrachten. Er warf zwei Halbkronenstücke in die Sammelbüchse und trug seinen Namen in das Fremdenbuch ein. Seine Hand zitterte so stark, daß die Unterschrift wie die eines alten Mannes aussah.

Als er wieder hinaus auf den Kirchhof trat, entdeckte er nirgends eine Spur von ihr. Die Zeit und die Witterung hatten die Buchstaben auf den älteren Steinen unleserlich gemacht. Er schlenderte zum neuen Teil des Friedhofs und las die letzten Botschaften der Angehörigen an ihre Toten.

Als er am Ende des Weges angelangt war, wo eine Hecke stand und hinter ihr eine Wiese lag, fiel ihm ein bekannt klingender Name ins Auge. Grace, John Grace. Er dachte nach und durchforstete seine Erinnerung. Es war kein häufiger Name, und bis vor kurzem hatte er ihn nur mit dem berühmten Kricketspieler in Verbindung gebracht. Aber klar – ein Junge hatte sterbend auf der Straße gelegen, und der Tod und die Bitte dieses Jungen hatten Wexford an eine ähnliche Tragödie erinnert. Im Gerichtssaal hatte Wexford ihm davon erzählt. »Muß schon mehr als zwanzig Jahre her sein…«

Bestätigung suchend richtete Archery den Blick auf die eingemeißelten Worte.

Dem Gedenken an
John Grace
Geweiht, der am
16. Februar 1945
Im Alter von
Einundzwanzig Jahren
Aus diesem Leben schied.

Hirte, dein Lied ist verklungen;
Nun bette dein Haupt in die Erde.
Gottes Lamm, das Licht der Welt,
Führt Hirten heim zur Herde.

Ein hübscher, wenn nicht genialer Einfall, dachte Archery. Anscheinend war es ein Zitat, aber er kannte es nicht. Er wandte sich um, als Imogen Ide zu ihm trat. Laubschatten spielten auf ihrem Gesicht und zeichneten ein Muster auf ihr Haar, so daß es wie mit einem Spitzenschleier bedeckt aussah.

»Besinnen Sie sich auf Ihre Sterblichkeit?« fragte sie ernst.

»Vermutlich. Ein Besuch hier lohnt sich.«

»Es freut mich, daß ich es Ihnen zeigen durfte. Ich bin sehr patriotisch – falls man das so sagen kann –, was meinen Heimatkreis betrifft, wenn ich auch noch nicht lange hier zu Hause bin.«

Er war sicher, daß sie ihm ihre Dienste als Fremdenführerin für zukünftige Unternehmungen anbieten wollte; rasch sagte er: »Morgen kommt mein Sohn. Zusammen müssen wir uns hier unbedingt ein bißchen umsehen.« Sie lächelte höflich. »Er ist einundzwanzig«, fügte er ziemlich albern hinzu.

Ihre Blicke wanderten gleichzeitig zu der Inschrift auf dem Grabstein.

»Von mir aus können wir gehen«, sagte sie.

Vor dem *Olive and Dove* setzte sie ihn ab. Ihr Abschied war nüchtern, und ihm fiel auf, daß sie nichts von einem Wiedersehen gesagt hatte. Ihm war nicht nach Tee, so daß er direkt auf sein Zimmer ging. Ohne zu wissen, warum, holte er sein Foto von Painters Tochter hervor. Während er das Bild betrachtete, fragte er sich, weshalb sie ihm so wunderschön erschienen war. Sie war doch bloß ein hübsches Mädchen, und hübsch nur wegen ihrer Jugend. Doch während er sie vor Augen hatte, schien er zum erstenmal zu begreifen, warum Charles sich so inbrünstig danach sehnte, sie zu besitzen. Es war ein merkwürdiges Gefühl und hatte wenig zu tun mit Tess, ihrem Aussehen oder mit Charles. In gewisser Beziehung war es eine allumfassende Anteilnahme, doch spielten auch durchaus egoistische Motive eine Rolle, und es kam eher vom Herzen als vom Verstand.

10

> Sollte er auch wegen seines Vermögens noch nichts verordnet haben, so soll er ermahnt werden, sein Testament zu machen... zur bessern Beruhigung seines Gewissens und zur Erleichterung derer, die seinen Letzten Willen vollziehen sollen.
>
> *Ordnung des Krankenbesuchs*

»Sehr weit bist du anscheinend nicht gekommen«, sagte Charles. Er setzte sich in einen Lehnstuhl und ließ den Blick in der gemütlichen Hotelhalle umherschweifen. Dem Zimmermädchen, das gerade mit einer Bohnermaschine zugange war, erschien er mit dem ziemlich langen blonden Haar und dem spöttischen Gesichtsausdruck sehr gutaussehend. Sie beschloß, sich die Halle heute besonders gründlich vorzunehmen. »Das wichtigste ist, die Sache ganz professionell anzugehen. Wir haben nicht ewig Zeit. Montag kommender Woche fange ich in der Brauerei an.« Archery war pikiert. Seine seelsorgerischen Pflichten zählten anscheinend nicht. »Mit diesem Primero ist irgendwas faul, da bin ich sicher. Ehe ich gestern abend hier ankam, habe ich ihn angerufen und auf halb zwölf heute einen Termin mit ihm ausgemacht.«

Archery sah auf die Uhr. Es war kurz vor zehn.

»Dann machst du dich jetzt besser auf die Socken. Wo wohnt er denn?«

»Siehst du? Das wäre das allererste gewesen, was ich an deiner Stelle in Erfahrung gebracht hätte. Er wohnt auf Forby Hall. Hält sich wohl für so eine Art Landjunker.« Er warf einen kurzen Blick auf seinen Vater und fragte rasch: »Geht es klar, wenn ich den Wagen nehme?«

»Von mir aus. Was willst du ihm erzählen, Charles? Er läßt dich vielleicht rausschmeißen.«

»Kann ich mir nicht vorstellen«, antwortete er verschmitzt. »Ich hab mich ein bißchen über ihn informiert, und es scheint, daß er irre scharf auf Publicity ist. Will unbedingt sein Image aufpolieren. »Er zögerte kurz, dann setzte er verwegen hinzu: »Hab ihm erzählt, ich sei Spitzenreporter beim *Sunday Planet* und arbeite an einer Featurereihe über Industriekapitäne. Klingt doch gut, findest du nicht?«

»Nur stimmt es leider nicht.«

»Der Zweck heiligt die Mittel«, antwortete Charles wie aus der Pistole geschossen. »Mir schwebt vor, die Sache ganz im Hinblick auf seine Jugend aufzuziehen, wo er immer nur Pech hatte – der Vater stirbt, die Großmutter wird ermordet, null Aussichten, so in der Richtung etwa. Das Ganze dann nach dem Motto: ›Ein Mann will nach oben.‹ Wie das Leben so spielt. Er soll sehr pressefreundlich sein.«

»Wir holen jetzt wohl besser den Wagen.«

Es war heiß, wie schon die ganze Zeit über, aber schwüler als gestern. Die Sonne lag hinter leichtem Dunst verborgen. Charles trug ein weißes Hemd mit offenem Kragen und eine unten ziemlich eng zulaufende Hose. Archery fand, er sähe aus wie ein Duellant aus der Regency-Zeit.

»Es ist noch zu früh«, sagte er. »Nach Forby sind es nur fünf oder sechs Kilometer. Möchtest du einen Bummel durch die Stadt machen?«

Sie gingen die High Street entlang und über die Kingsbrook-Brücke. Archery war stolz, seinen Sohn neben sich zu haben. Er wußte, daß sie sich sehr ähnlich sahen, doch keine Sekunde lange bildete er sich ein, man könnte sie für Brüder halten. Das drückend schwüle Wetter hatte ihm stechende Rheumaschmerzen beschert, und er konnte sich heute beim besten Willen nicht mehr vorstellen, wie man sich mit einundzwanzig fühlte.

»Du studierst doch Literaturwissenschaft«, sagte er zu Charles. »Sag mir mal, woher das stammt.« Sein Gedächtnis hatte jedenfalls noch nicht nachgelassen. Er hatte die paar Verse auswendig parat.

»›Hirte, dein Lied ist verklungen;
Nun bette dein Haupt in die Erde.
Gottes Lamm, das Licht der Welt,
Führt Hirten heim zur Herde.‹«

Charles zuckte mit den Achseln. »Kommt mir zwar irgendwie bekannt vor, aber ich weiß nicht, wo ich es hintun soll. Woher hast du das?«

»Von einem Grabstein auf dem Kirchhof in Forby.«

»Du bist doch wirklich das letzte, Vater. Während ich

glaube, du setzt Himmel und Hölle in Bewegung, um mir und Tess zu helfen, treibst du dich auf Friedhöfen herum und sammelst fromme Sprüche.«

Archery fiel es schwer, Fassung zu bewahren. Falls Charles alles selbst in die Hand nehmen wollte, bestand kein Grund, weshalb er nicht einfach wieder nach Thringford fahren sollte. Es gab nichts, was ihn in Kingsmarkham hielt. Verwundert überlegte er, weshalb ihm die Aussicht auf eine Rückkehr in seine Pfarrgemeinde so unsäglich trübe erschien. Plötzlich blieb er wie angewurzelt stehen und versetzte seinem Sohn einen Rippenstoß.

»Was ist denn?«

»Die Frau da vor dem Fleischer, die in dem Cape – das ist diese Mrs. Crilling, von der ich dir erzählt habe. Ich möchte ihr lieber nicht begegnen.«

Doch es war zu spät. Offensichtlich hatte sie sie schon erspäht, denn sie kam mit wehendem Cape wie ein Unwetter auf sie zu.

»Mr. Archery! Teuerster Freund!« Sie hielt ihn an beiden Händen gefaßt und schüttelte sie wie Pumpenschwengel. »Ist das aber eine Überraschung! Erst heute morgen habe ich zu meiner Tochter gesagt, wie sehr ich hoffe, diesen liebenswürdigen Mann wiederzusehen, der mir in meiner elenden Not Beistand leistete.«

Diese Stimmung war neu. Sie benahm sich wie eine Herzoginwitwe auf einem gelungenen Gartenfest. Das Cape kannte er schon, aber darunter trug sie ein normales Baumwollkleid, schlicht und abgetragen, das vorn auf der Brust mit einigen Soßenflecken verkleckert war. Sie schenkte ihnen ein gelassenes und huldvolles Lächeln.

»Das ist mein Sohn Charles«, murmelte Archery. »Charles, das ist Mrs. Crilling.«

Zu seiner Überraschung ergriff Charles die ihm hingehaltene, nicht allzu saubere Hand und machte eine leichte Verbeugung.

»Guten Tag.« Über ihren Kopf hinweg warf er seinem Vater einen wütenden Blick zu. »Ich habe schon so viel von Ihnen gehört.«

»Nur Gutes, will ich hoffen.« Falls ihr der Gedanke kam, daß Archery eigentlich wenig Veranlassung hatte, irgend etwas Gutes über sie zu berichten, ließ sie sich nichts davon anmerken. Sie wirkte ziemlich normal, ausgelassen, geradezu leichtsinnig. »Ich habe eine kleine Bitte an Sie, die Sie mir unmöglich abschlagen können. Ich möchte, daß Sie beide auf ein klitzekleines Täßchen Kaffee mit mir ins *Carousel* kommen. Die Rechnung übernehme natürlich ich«, fügte sie schelmisch hinzu.

»Unsere Zeit«, sagte Charles hochtrabend – lächerlich geschwollen, dachte Archery, »steht ganz zu Ihrer Verfügung. Das heißt, bis Viertel nach elf. Und an solche Bagatellen wie die Rechnung wollen wir in Gegenwart einer Dame doch keinen Gedanken verschwenden.«

Offensichtlich hatte er damit den richtigen Ton bei ihr getroffen. »Ist er nicht *goldig?*« gluckste sie. Sie gingen in das Café. »Kinder sind wirklich ein Segen, finden Sie nicht? Die Krönung eines Lebens. Sie müssen stolz auf ihn sein, wenn er Sie natürlich auch weit in den Schatten stellt.«

Charles zog einen Stuhl für sie heran. Sie waren die einzigen Gäste, und eine Zeitlang kam niemand, um ihre Bestellung aufzunehmen. Mrs. Crilling lehnte sich vertraulich zu Archery herüber.

»Mein Schatz hat eine Stelle angenommen und fängt morgen an. Angestellte in einer Firma für Damenbekleidung. Wie ich höre, hat sie dort hervorragende Aufstiegsmöglichkeiten. Bei ihrer Intelligenz sind ihr keine Grenzen gesetzt. Das Problem war bisher nur, daß sie nie eine echte Chance bekam.« Sie hatte mit leiser, affektierter Stimme gesprochen. Plötzlich wandte sie ihm den Rükken zu, schlug mit der Zuckerdose auf den Tisch und schrie laut in Richtung Küche:

»Bedienung!«

Charles zuckte zusammen. Archery warf ihm einen triumphierenden Blick zu.

»Immer hat man ihr Hoffnung gemacht, und dann wurde nichts draus«, fuhr sie fort, als sei nichts gewesen. »Ihrem Vater ging es genauso – in der Blüte seiner Jahre bekam er aus heiterem Himmel Tbc, und sechs Monate darauf war er tot.« Als sie sich erneut ruckartig von ihm abwandte, war es an Archery, zusammenzuzucken. »Herrgott noch mal, wo steckt diese verdammte Bedienung?« brüllte sie.

Eine Frau in grüner Dienstkleidung, auf deren Oberteil »Geschäftsführerin« eingestickt war, kam aus der Küche. Der Blick, mit dem sie Mrs. Crilling bedachte, war gelangweilt und vernichtend.

»Ich habe Sie bereits einmal darum gebeten, nicht mehr zu uns zu kommen, wenn Sie sich nicht benehmen können.« Sie lächelte Archery eisig an. »Was darf es sein, Sir?«

»Drei Kaffee, bitte.«

»Für mich schwarz«, sagte Charles.

»Wo war ich noch gleich?«

»Bei Ihrer Tochter«, erinnerte Archery sie hoffnungsvoll.

»Oh, ja, bei meinem Schatz. Eigentlich merkwürdig, daß sie so viel Pech hatte, denn als sie noch ganz klein war, sah es ganz so aus, als sei alles in bester Butter für sie. Ich hatte eine liebe alte Freundin, wissen Sie, und die war einfach verrückt nach meinem Schatz. Sie schwamm nur so im Geld, hielt sich Dienstboten und all so was...«

Der Kaffee kam. Eigentlich war es eher ein Espresso, den eine Schaumkrone zierte.

»Bringen Sie mir weißen Zucker«, sagte Mrs. Crilling mürrisch. »Dieses braune Zeug vertrag ich nicht.« Die Bedienung stolzierte wortlos von dannen, kam mit einer anderen Zuckerdose zurück und knallte sie auf den Tisch. Sobald sie außer Hörweite war, fluchte ihr Mrs. Crilling in schrillem Ton nach: »Blöde Schlampe!«

Dann kam sie wieder zum Thema. »Meine Freundin war schon sehr alt und schon längst nicht mehr verantwortlich für das, was sie tat. Senil nennt man das wohl. Immer wieder lag sie mir in den Ohren, daß sie etwas für meinen Schatz tun wolle. Ich wiegelte das natürlich ab, denn nichts ist mir widerlicher, als von anderen Leuten Geld anzunehmen.« Sie hielt plötzlich inne und gab vier gehäufte Teelöffel Zucker in ihren Kaffee.

»Natürlich«, pflichtete Charles ihr bei. »Geldgier wäre nun wirklich das letzte, was man Ihnen zum Vorwurf machen könnte.«

Sie lächelte, lehnte sich über den Tisch und tätschelte zu Archerys großem Vergnügen Charles die Wange.

»Sie Engel«, sagte sie. »Sie süßer, verständnisvoller Engel.« Sie holte tief Luft, dann fuhr sie praktischer denkend fort: »Trotzdem, man muß sehen, wo man bleibt. Nicht daß ich sie drängte, erst als der Arzt sagte, mein Mann habe nur noch sechs Monate zu leben. Keine Versicherung, dachte ich in meiner Verzweiflung, keine Rente. Ich malte mir schon aus, meinen Schatz vor der Tür eines Waisenhauses aussetzen zu müssen.«

Archery für sein Teil war nicht imstande, sich das auszumalen. Elizabeth war damals ein wohlentwickeltes Kind von fünf Jahren gewesen.

»Erzählen Sie doch weiter«, sagte Charles. »Das ist höchst interessant.«

»Sie sollten ein Testament machen, sagte ich zu meiner Freundin. Ich flitze mal rasch in die Stadt und besorge Ihnen einen Vordruck. Ein paar Tausend, und mein Schatz stünde schon ganz anders da. Sie wissen, wie sie Ihre letzten Jahre versüßt hat, und Ihre Enkel, was haben die schon für Sie getan? Ist doch aber auch wahr, dachte ich mir.«

»Aber sie hat kein Testament gemacht?« warf Archery ein.

»Lassen Sie mich das so erzählen, wie ich will – oder wissen Sie es besser? Es war ungefähr eine Woche vor ihrem Tod. Der Vordruck für das Testament lag da schon wochenlang nutzlos herum, während der arme Mr. Crilling zusehends verfiel. Aber glauben Sie, sie füllte ihn aus? Nicht ums Verrecken, die alte Kuh. Ich mußte meine ganzen Überredungskünste aufbieten. Immer wenn ich ein Wort davon sagte, warf mir dieses verrückte alte Dienstmädchen Knüppel zwischen die Beine. Dann holte sich die Alte – Flower, so hieß sie – aber eine schwere Erkältung und mußte das Bett hüten. ›Haben Sie sich inzwischen überlegt, wem Sie Ihre weltlichen Besitztümer vermachen wollen?‹ fragte ich meine Freundin ganz beiläufig und ungezwungen. ›Vielleicht sollte ich etwas für die kleine Lizzie tun‹, meinte sie, und mir war klar, daß ich mir diese Gelegenheit nicht entgehen lassen durfte.

Eh sie noch papp sagen konnte, flitzte ich über die Straße. Ich wollte nicht selbst als Zeugin unterschreiben, weil mein Schatz doch begünstigt wurde. Mrs. White, meine Nachbarin, und die Frau, die ihr im Haushalt half, kamen mit rüber. Es war ihnen ein Vergnügen. Dadurch fiel sozusagen ein kleiner Sonnenstrahl in ihr ödes Leben.«

Archery wollte sagen: »Aber Mrs. Primero hinterließ doch kein Testament.« Doch er traute sich nicht. Die leichteste Andeutung, daß er wußte, von wem sie sprach, hätte die Erzählung ein abruptes Ende nehmen lassen.

»Jedenfalls haben wir die Sache dann schön zu Papier gebracht. Ich bin eine eifrige Leserin, Mr. Archery, und so fiel es mir nicht schwer, die richtigen Worte zu finden. ›Blut ist dicker als Wasser‹, faselte meine alte Freundin – sie redete irr –, aber sie bedachte die Enkel jeweils nur mit 500. Blieben 8000 für meinen Schatz, die ich treuhänderisch verwalten sollte, bis sie einundzwanzig war, und ein mickriges Sümmchen für die Flower. Meine Freundin weinte bitterlich. Sie hat wohl erkannt, wie gemein es von ihr war, nicht schon früher so gehandelt zu haben.

Das war's dann auch schon. Ich begleitete Mrs. White und die andere Dame vor die Tür – was schön dumm von mir war, doch das wußte ich damals nicht. Das Testament, sagte ich, wolle ich sicher für sie aufbewahren, und das habe ich auch getan. Sie sollte zu niemand ein Sterbenswörtchen davon sagen. Und eine Woche später – ist es denn die Möglichkeit – segnete sie das Zeitliche.«

»Damit war ein guter Anfang für Ihre Tochter gemacht, Mrs. Crilling, wie übel ihr das Schicksal später auch mitspielte«, sagte Charles mit Unschuldsmiene.

Er fuhr zusammen, als sie unvermittelt aufsprang. Ihr Gesicht war wieder so kreidebleich wie im Gerichtssaal, und ihre Augen funkelten vor Zorn.

»Was sie an Zuwendungen erhielt«, sagte sie mit erstickter Stimme, »kam von den Verwandten ihres verstorbenen Vaters. Almosen waren es, billige Almosen. ›Schick mir die Schulrechnungen, Josie‹, hat ihr Onkel zu mir gesagt. ›Ich zahle sie direkt, und die Schuluniform, da kann sie mit ihrem Tantchen gehen. Wenn du glaubst, daß sie wegen der Nerven in Behandlung muß, kann sie mit ihr auch nach London zum Arzt fahren.‹«

»Und das Testament?«

»Dieses verdammte Testament!« rief Mrs. Crilling. »Es war ungültig. Ich merkte es erst, als sie tot war. Ich ging damit schnurstracks zu Quadrant & Quadrant, den Anwälten, die früher auf der High Street waren. Damals lebte noch der alte Quadrant. ›Und wie steht's mit diesen Änderungen?‹ fragte er. Ich werfe also einen Blick drauf, und was muß ich sehen? Die alte Kuh hatte doch tatsächlich Sachen dazugekritzelt, während ich mit Mrs. White an der Haustür stand. Sachen dazugekritzelt und Sachen ausgestrichen. ›Die machen das Ganze ungültig‹, sagte Mr. Quadrant. ›Zusätze müssen entweder von den Zeugen gesondert bestätigt oder in einem Nachtrag untergebracht werden. Sie könnten es natürlich anfechten‹, und dabei sah er mich von oben bis unten ganz gehässig an, wo er doch genau wußte, daß ich bettelarm war. ›Aber viel Aussichten kann ich Ihnen da nicht machen.‹«

Zu Archerys Entsetzen ließ sie einen Schwall von Obszönitäten folgen, von denen er viele zum erstenmal in seinem Leben hörte. Die Geschäftsführerin kam heraus und packte sie am Arm.

»Da ist die Tür. So etwas dulden wir hier nicht.«

»Du lieber Himmel«, sagte Charles, nachdem die Frau sie hinausbugsiert hatte. »Jetzt verstehe ich, was du meinst.«

»Ich muß zugeben, ihre Ausdrucksweise hat mich ein wenig schockiert.«

Charles lachte erheitert. »Das war nun wirklich nichts für deine zarten Ohren.«

»Dafür aber höchst aufschlußreich. Willst du trotzdem noch zu Primero?«

»Kann nichts schaden.«

Archery mußte auf dem Gang vor Wexfords Büro lange warten. Gerade als er schon daran dachte, aufzugeben und es später noch einmal zu versuchen, gingen die Türen des Haupteingangs auf, und zwei uniformierte Polizisten führten einen kleinen, verschmitzt wirkenden Mann in Arbeitskleidung herein. Offenkundig war er ein Krimineller, doch alle schienen ihn zu kennen und in ihm einen Grund zu ironischer Heiterkeit zu sehen.

»Diese neumodischen Kästen kann ich nicht ab«, raunzte er den diensthabenden Sergeant an. Wexford kam aus seinem Büro, schenkte Archery keine Beachtung und ging zum Diensthabenden hinüber. »Die alten Reviere sind mir zehnmal lieber. Ich hab's eben gern ein bißchen schmuddelig, das ist das Dumme bei mir.«

»Deine Ansichten über Innenarchitektur interessieren mich nicht, Monkey«, sagte Wexford.

Der kleine Mann wandte sich zu ihm um und grinste. »Sie haben ein böses Schandmaul, Meister. Vor lauter Karrieremachen ist Ihnen der Sinn für Humor flötengegangen. Echt schade.«

»Halt die Klappe.«

Archery verfolgte die Unterhaltung mit Bewunderung. Er wünschte, er hätte die Macht und die Befugnis besessen, so mit Mrs. Crilling umzuspringen, oder solche Befugnisse könnten auf Charles übertragen werden, damit es ihm möglich wäre, Primero ohne Vorspiegelung falscher Tatsachen zu befragen. Wexford, der etwas von Bomben und einem Mordversuch daherredete, führte den kleinen Mann in sein Büro, wo sich hinter ihnen die Tür schloß. So etwas gab es also, dachte Archery. Möglicherweise waren seine gerade Gestalt annehmenden Hypothesen doch nicht so weit hergeholt.

»Wenn ich dann vielleicht Inspector Burden kurz sprechen könnte«, sagte er nun selbstsicherer zu dem diensthabenden Sergeant.

»Ich seh mal nach, ob er frei ist, Sir.«

Nach einer Weile kam Burden zu ihm heraus.

»Guten Morgen, Sir. Es will und will sich einfach nicht abkühlen.«

»Ich habe Ihnen etwas ziemlich Wichtiges mitzuteilen. Haben Sie fünf Minuten Zeit für mich?«

»Aber gewiß.«

Doch er machte keine Anstalten, ihn an einen ungestörteren Ort zu führen. Der diensthabende Sergeant befaßte sich mit dem sorgfältigen Durchblättern eines großen Buches. Während er auf dem lächerlich löffelförmigen Stuhl vor Wexfords Büro saß, kam sich Archery wie ein Schuljunge vor, der lange auf seinen Termin beim Direktor gewartet hat und nun gezwungen ist, sich einem Untergebenen anzuvertrauen und möglicherweise aus dessen Händen die Strafe entgegenzunehmen. Er erzählte Burden eine kurzgefaßte und etwas bereinigte Version des Gesprächs mit Mrs. Crilling.

»Hochinteressant. Sie meinen, als Mrs. Primero ermordet wurde, hielt diese Crilling das Testament für gültig?«

»Darauf läuft es hinaus. Den Mord hat sie nicht erwähnt.«

»Wir können nichts unternehmen. Ist Ihnen das klar?«

»Ich will nur von Ihnen hören, ob ich triftige Gründe habe, mich an den Innenminister zu wenden.«

Von irgendwo tauchte ein Constable auf, klopfte an Wexfords Tür und wurde eingelassen.

»Sie haben keinerlei Indizien«, sagte Burden. »Ich bin überzeugt, der Chief Inspector würde es nicht befürworten.«

Dröhnendes Hämegelächter drang durch die dünne Trennwand. Unvernünftigerweise fühlte sich Archery davon gekränkt.

»Ich glaube, ich werde trotzdem schreiben.«

»Sie müssen tun, was Sie für richtig halten, Sir.« Burden stand auf. »Haben Sie sich hier in der Gegend schon ein bißchen umgesehen?«

Archery schluckte seinen Groll hinunter. Wenn Burden die Unterredung in Geplauder auslaufen lassen wollte, würde er eben plaudern. Hatte er seinem alten Freund Grisworld und schließlich auch dem Chief Inspector nicht versprochen, keinen Ärger zu machen?

»Gestern war ich in Forby«, sagte er. »Ich habe mir den Kirchhof angesehen und bin zufällig auf das Grab des Jungen gestoßen, den Mr. Wexford gestern im Gericht erwähnte. Sein Name war Grace. Erinnern Sie sich?«

Burdens Miene blieb höflich ausdruckslos, doch der diensthabende Sergeant blickte auf.

»Ich komme aus Forby, Sir«, sagte er. »In meinem Dorf macht man ziemlich viel Tamtam um John Grace. Obwohl er jetzt schon zwanzig Jahre tot ist, kennt ihn dort jedes Kind.«

»Wieso denn?«

»Er hielt sich für einen Dichter, der arme Kerl, Stücke hat er auch geschrieben. Damals zog er mit seinen Gedichten von Haus zu Haus und versuchte, sie zu verkaufen.«

»Wie W. H. Davis«, sagte Archery.

»Aber sicher.«

»War er Hirte?«

»Nicht daß ich wüßte. Er trug Brötchen aus oder so was.«

Wexfords Tür sprang auf, der Constable kam heraus und sagte zu Burden: »Der Chief Inspector will Sie sprechen, Sir.«

Wexford rief ihm nach: »Sie können wieder reinkommen, Gates. Guy Fawkes möchte eine Aussage machen. Und geben Sie ihm eine Zigarette. Er wird schon nicht gleich in die Luft gehen.«

»Mein Typ wird verlangt, Sir, wenn Sie mich also bitte entschuldigen wollen...«

Burden begleitete Archery zum Eingang.

»Da haben Sie Alice Flower ja gerade noch erwischt«, sagte er. »Oder kamen Sie zu spät?«

»Ich habe mit ihr gesprochen. Aber wieso zu spät?«

»Sie ist gestern gestorben«, antwortete Burden. »Steht alles im hiesigen Blättchen.«

Archery fand einen Zeitungshändler. Der *Kingsmarkham Chronicle* war an jenem Morgen erschienen und lag in druckfrischen Stapeln auf dem Ladentisch. Er kaufte ein Exemplar und entdeckte die Meldung unten auf der letzten Seite.

Miss A. Flower gestorben

Er überflog den Artikel und nahm ihn zum gründlichen Lesen mit auf die Hotelterrasse.

Heute verstarb... Das hieß also gestern, dachte Archery mit Blick auf die Datumszeile. Er las weiter. *Heute verstarb Miss Alice Flower im Stowertoner Kranken-*

haus. Sie wurde siebenundachtzig. Miss Flower, die fünfundzwanzig Jahre lang im Kreis wohnte, wird vor allem wegen ihrer Rolle in dem aufsehenerregenden Victor's Piece-Mordprozeß in Erinnerung bleiben. Sie war viele Jahre lang Dienstmädchen und enge Freundin von Mrs. Primero…

Es folgte eine kurze Darstellung des Mordes und Prozesses.

Der Trauergottesdienst findet am Montag in der Pfarrkirche von Forby statt. Mr. Roger Primero möchte die Totenfeier in aller Stille abhalten und bittet, von Beileidsbezeigungen am Grabe abzusehen.

Roger Primero, getreu bis in den Tod, dachte Archery. Unwillkürlich hoffte er, daß Charles diesem gütigen und pflichtbewußten Menschen keine Unannehmlichkeiten bereitet hatte. Alice Flower war also schließlich gestorben, der Tod hatte gerade so lange gewartet, damit sie ihm, Archery, ihr Wissen noch anvertrauen konnte. Wieder hatte er das Gefühl, als hätte das Schicksal seine Hand im Spiel gehabt. Siehe, du hast wohlgetan, du getreue Magd. Gehe ein zu deines Herrn Freude!

Erschöpft und in gedrückter Stimmung ging er zum Mittagessen. Wo, in aller Welt, steckte nur Charles? Er war seit mehr als zwei Stunden weg. Inzwischen hatte Primero diese alberne Tarnung wahrscheinlich längst durchschaut und…

Er stocherte lustlos in dem Fruchtsalat mit zerlaufenem Eis herum und malte sich in seiner Vorstellung gerade aus, wie ein stinkwütender Wexford seinen Sohn verhörte, als Charles in den Speisesaal platzte, in der Hand die klimpernden Autoschlüssel.

»Ich habe mich schon gewundert, wo du abgeblieben bist.«

»Ich verbrachte einen höchst aufschlußreichen Morgen. Gibt's was Neues bei dir?«

»Nicht viel. Alice Flower ist tot.«

»Ist mir bereits alles haarklein zu Ohren gekommen. Primero redete von nichts anderem. Anscheinend saß er gestern stundenlang an ihrem Bett.« Er warf sich auf einen Stuhl neben dem seines Vaters. »Himmel, das war vielleicht heiß im Auto! Eigentlich war ihr Tod eine Hilfe, wenn man das so sagen kann. Dadurch kam er leichter auf den Mord zu sprechen.«

»Ich hätte nicht gedacht, daß du so gefühllos sein kannst«, sagte Archery mißbilligend.

»Nun mach aber mal 'nen Punkt, Vater. Sie hatte ihr Leben hinter sich – und es war siebzehn Jahre länger, als sie erwarten durfte. Sie hat bestimmt nicht mehr sehr am Leben gehangen. Möchtest du nicht hören, was ich von ihm herausbekommen habe?«

»Natürlich.«

»Du willst keinen Kaffee, oder? Dann gehen wir doch nach draußen.«

Auf der Terrasse saß niemand. Überall auf dem Boden und den lädierten Rohrstühlen lagen die Blätter einer gelben Kletterrose. Die wenigen Hotelgäste hatten, wie um sich Stammplätze zu reservieren, hier draußen persönliche Gegenstände liegenlassen, Zeitschriften, Bücher aus der Bibliothek, ein blaues Garnknäuel, eine Brille. Charles schaufelte rücksichtslos zwei Plätze frei und pustete die Rosenblätter weg. Erst jetzt fiel Archery auf, daß er einen außerordentlich glücklichen Eindruck machte.

»Erst mal das Haus«, begann er, als sie sich gesetzt hatten. »Ziemlich beeindruckend, ungefähr zehnmal so groß wie unsere bescheidene Hütte in Thringford, und ganz aus grauem Stein mit so einer Art Ziergiebel über dem Eingang. Mrs. Primero wohnte dort in ihrer Jugend, und Roger erwarb es, als es dieses Frühjahr zum Verkauf stand. Es steht in einem Park, in dem es Rehe gibt, und von dem mit Säulen geschmückten Eingang führt eine breite Auffahrt zum Haus. Von der Straße aus ist es nicht zu sehen, nur die Zedern im Park.

Sie haben einen italienischen Butler – nicht ganz so stilvoll wie ein englischer, findest du nicht? Aber die sind wohl vom Aussterben bedroht. Jedenfalls führte mich dieser Butlertyp ins Haus und ließ mich dann ungefähr zehn Minuten in der Halle herumstehen, die so groß wie das Erdgeschoß unseres Hauses ist. Ich war ein bißchen nervös, weil ich immer daran denken mußte, was ist, wenn er beim *Sunday Planet* angerufen und dort erfahren hat, daß die noch nie von mir gehört haben? Hat er aber nicht, und alles lief wie am Schnürchen. Er war in der Bibliothek. Ausgezeichnete Büchersammlung, und ein paar Bände sahen recht gebraucht aus, so daß sie wohl irgend jemand lesen wird, er aber kaum, glaube ich.

Die Einrichtung war ganz in Leder, schwarzes Leder. So sexy Zeug eben, du kennst das ja. Er forderte mich auf, Platz zu nehmen, und bot mir einen Drink an...«

»Bißchen früh am Tag, nicht?«

»Leute wie der saufen rund um die Uhr. Gehörten sie zur Arbeiterklasse, wären es Alkoholiker, aber wenn man einen Butler hat und 50000 Pfund im Jahr verdient, kann man sich alles erlauben. Dann kam seine Frau herein. Ziemlich gutaussehende Frau – natürlich schon ein wenig angewelkt, aber tolle Kleider. Nicht daß ich möchte, daß Tess sich so kleidet...« Er machte ein langes Gesicht, und Archerys Herz wurde von Mitleid gerührt. »Falls ich überhaupt je etwas dabei zu sagen habe, was Tess anzieht«, fügte er trübselig hinzu.

»Erzähl weiter.«

»Wir tranken also etwas. Mrs. Primero war nicht sehr gesprächig, doch dafür war ihr Mann um so mitteilsamer. Ich mußte ihm gar nicht viele Fragen stellen, du mußt dir wegen deinem Gewissen also keine Sorgen machen, und schließlich kam er von ganz allein auf den Mord zu sprechen. Er hat immer wieder gesagt, er wünschte, an jenem Sonntag nicht so bald von *Victor's Piece* weggegangen zu sein. Er hätte leicht noch bleiben können.

›Ich hatte bloß eine Verabredung mit ein paar Bekannten von mir in einem Pub in Sewingbury‹, sagte er. ›Und wie sich herausstellte, hätte ich mir die Mühe auch sparen können, weil sie nicht aufkreuzten. Das heißt, sie kamen zwar, nur war ich im falschen Pub. Ich wartete daher eine Stunde oder so und ging dann nach Hause. Ich möchte nicht wissen‹, fügte er dann noch hinzu, ›wie oft ich mich schon in den Hintern getreten habe, weil ich nicht auf *Victor's Piece* geblieben bin.‹ Was hältst du davon? Ich finde, das klingt oberfaul.«

»Er hätte es dir gar nicht erzählen müssen«, gab Archery zu bedenken. »Außerdem wird ihn die Polizei vernommen haben.«

»Vielleicht hat sie's, vielleicht aber auch nicht. Er hat es nicht erwähnt.« Charles lehnte sich in seinem Stuhl zurück, schwang die Füße nach oben und steckte sie durch die Pergola. »Dann kamen wir auf Geld zu sprechen«, erzählte er. »Geld, das muß ich hinzufügen, ist der Angelpunkt seines Daseins.«

Archery sah sich unerklärlicherweise in die Rolle von Primeros Verteidiger gedrängt. Alice Flower hatte ihn in solch rosigen Farben geschildert. »Ich hatte den Eindruck, daß er eher ein netter Mensch ist«, sagte er.

»Er ist schon in Ordnung«, meinte Charles gleichgültig. »Was seinen Erfolg und sein Geld betrifft, ist er äußerst bescheiden.« Er grinste. »Einer von der Sorte, die den ganzen Weg zur Bank mit ihren Tränen pflastern. Wie auch immer, damit wären wir beim springenden Punkt des Ganzen.

Kurz vor Mrs. Primeros Ermordung fragte ihn ein Kumpel, ob er sich zusammen mit ihm selbständig machen wolle. Im Import- oder Exportgeschäft. Ich bin mir nicht mehr ganz sicher, aber das ist ja auch nicht weiter wichtig. Der Freund wollte mit 10000 anfangen, und Primero sollte mit dem gleichen Betrag einsteigen. So viel hatte Primero aber nicht, nicht mal einen Bruchteil davon. Was ihn betraf, war die Sache gestorben. Statt dessen starb dann Mrs. Primero.«

»Das wissen wir doch schon«, wandte Archery ein. »Alice Flower hat mir das alles erzählt...«

»Schon, aber nun hör mal, was jetzt kommt. Das wußte Alice Flower nicht. ›Das war der Grundstein meines Erfolgs‹, hat er gemeint, und dabei hat er gegrinst wie ein Honigkuchenpferd. ›Nicht, daß mich der Tod meiner Großmutter nicht erschüttert hätte‹, hat er noch schnell hinzugefügt. Seine Frau ist die ganze Zeit über dagesessen und hat mit ausdruckslosem Gesicht zugehört. Er hat immer wieder ängstlich zu ihr hingeschielt.

›Ich kratzte das Geld zusammen und stieg bei ihm ein‹, hat er gesagt und ziemlich schnell gesprochen. ›Und seitdem ging es stetig bergauf mit mir.‹

Ich war in einer Zwickmühle. Alles lief so glatt, daß ich mir die Sache nicht versauen wollte. Ich fand, er machte einen unerschrockenen Eindruck, und plötzlich wurde mir auch der Grund dafür klar. *Er hatte keine Ahnung, wieviel ich über Mrs. Primeros Vermögen wußte.* Sie hinterließ kein Testament, es war sechzehn Jahre her, ich war ein Zeitungsreporter, und nach allem, was er wußte, interessierte ich mich für ihn, nicht für seine Großmutter.«

»Bißchen viel, was du da in einen unerschrockenen Eindruck hineingeheimnist.«

»Vielleicht habe ich im Rückblick ein wenig übertrieben. Aber wart mal ab. Dann stellte ich eine Frage. Es war ein Schuß ins Blaue, aber er traf genau ins Schwarze.

›Sie haben die 10000 also genau im richtigen Moment bekommen?‹ habe ich ganz beiläufig gefragt. Primero hat sich ausgeschwiegen, aber seine Frau hat mich angeschaut und gesagt: ›Exakt die erforderliche Summe nach Abzug der Erbschaftssteuern. Roger hat mir das so oft erzählt, daß ich es schon besser weiß als er selber.‹

Damit konnte ich es natürlich nicht bewenden lassen. Ich ließ nicht locker. ›Wie ich höre, haben Sie zwei Schwestern, Mr. Primero. Ich nehme an, sie haben ähnliche Beträge geerbt?‹ Er hat auf einmal schrecklich argwöhnisch ausgesehen. Schließlich ging mich das nichts an und hatte nichts mit dem Artikel zu tun, den ich angeblich schreiben sollte. ›Sind auch sie geschäftlich erfolgreich?‹ habe ich hinzugefügt, um die vorherige Frage zu rechtfertigen. Es war ein Geniestreich. Entschuldige die Großspurigkeit, aber so war es. Ich konnte förmlich sehen, wie sein Mißtrauen nachließ.

›Ich sehe sie wirklich sehr selten‹, hat er gesagt. ›Aber Roger‹, hat sich seine Frau eingeschaltet, ›wir sehen sie doch *nie*, das weißt du.‹ Primero hat ihr einen eisigen Blick zugeworfen. ›Eine ist verheiratet‹, hat er gesagt, ›und die andere arbeitet in London. Sie sind wesentlich jünger als ich.‹ – ›Es muß schön sein, schon als Kind 10000 Pfund zu erben‹, habe ich weitergebohrt. Worauf er dann gesagt hat: ›Ich kann mir vorstellen, daß es wohl immer schön ist, aber danach kam ich niemals mehr in den Genuß, etwas zu erben. Wollen wir das Thema damit abschließen und mit meiner Lebensgeschichte fortfahren?‹

Ich tat so, als mache ich mir Notizen. Ich kritzelte bloß herum, aber er hielt es für Kurzschrift. Als er zum Schluß kam, stand er auf, schüttelte mir die Hand und sagte, er werde nach dem *Sunday Planet* Ausschau halten. Mir war das ein wenig peinlich, und ich wußte nicht so recht, was ich sagen sollte, aber seine Frau half mir durch eine Einladung zum Essen aus der Verlegenheit. Ich nahm an, und wir speisten fürstlich zu Mittag, Räucherlachs und riesige Steaks, fast schon Rinderhälften waren das, und hinterher Himbeeren in Himbeerlikör.«

»Du hast vielleicht Nerven«, sagte Archery mit widerwilliger Bewunderung. Er tadelte sich dafür. »Das war nicht recht von dir. Höchst unmoralisch.«

»Aber für einen guten Zweck. Was das bedeutet, ist dir doch klar, oder?«

Weshalb halten einen die eigenen Kinder immer für senil und doch kindisch, auf langweilige Art praktisch und doch irrational, zwar in der Lage, sie zu ernähren, doch beschränkt bis an die Grenze des Schwachsinns?

»Selbstverständlich«, antwortete Archery gereizt. »Alice Flower und Mrs. Crilling haben übereinstimmend gesagt, daß Mrs. Primeros Vermögen sich nur auf 10000 Pfund belief, aber anscheinend bekam Roger Primero nicht nur ein Drittel davon, sondern die ganzen 10000.«

Charles fuhr mit einem Ruck zu ihm herum, wodurch noch mehr Blätter von der Pergola zu Boden fielen. »Aber warum wohl? Ein Testament gab es nicht, das steht fest. Ich habe es nachgeprüft. Und zu erben hatten nur die drei, Roger, Angela und Isabel. Mrs. Primero hatte sonst keinerlei Verwandte, und nach dem Gesetz hätte alles zwischen den drei Enkeln aufgeteilt werden müssen. Aber Roger bekam alles.«

»Ich verstehe es einfach nicht.«

»Ich auch nicht – noch nicht. Vielleicht ändert sich das, wenn ich bei den Schwestern war. Ich konnte Roger schlecht fragen, wo sie wohnen, aber Primero ist kein geläufiger Name, und die Unverheiratete steht möglicherweise im Londoner Telefonbuch. Ich bin mir noch nicht ganz klar, wie ich die Sache bei ihnen anpacke, aber ich habe so eine Idee, daß ich sagen könnte, ich käme vom Finanzamt…«

»*Facilis descensus Averni.*«

»In solchen Dingen«, erwiderte Charles forsch, »muß man hart, kühn und entschlossen sein. Kann ich morgen wieder den Wagen haben?«

»Wenn es sein muß.«

»Ich dachte, du könntest dir vielleicht mal *Victor's Piece* ansehen«, sagte Charles in hoffnungsvollem Ton. »Einfach einen Blick drauf werfen. Sieh nach, ob sich Primero irgendwo versteckt haben könnte. Vielleicht hat er sich an jenem Sonntag abend nach oben geschlichen oder so, statt das Haus durch die Vordertür zu verlassen.«

»Geht da nicht deine Phantasie mit dir durch?«

»Diese Schwäche liegt bei uns in der Familie.« Sein Blick verdüsterte sich, und zu Archerys Bestürzen schlug er die Hände vors Gesicht. »Tess hat seit zwei Tagen nicht mehr mit mir gesprochen«, sagte der Junge. »Ich darf sie nicht verlieren. Ich darf nicht.« Wäre er zehn Jahre jünger gewesen, hätte ihn sein Vater in die Arme geschlossen. Aber wäre er zehn Jahre jünger gewesen, wäre das alles nie geschehen.

»Es schert mich einen Dreck«, sagte Charles, um Fassung ringend, »was ihr Vater war oder was er tat. Und wenn man jeden ihrer Vorfahren gehängt hätte, mir ist das egal. Aber dir nicht, und ihr auch nicht, und... Aber was soll's?« Er stand auf. »Entschuldige dieses Theater.« Den Blick immer noch stur nach unten gewandt, scharrte er mit den Füßen in dem Laubhaufen. »Du tust dein möglichstes«, sagte er mit schrecklich affektiertem Ernst, »aber in deinem Alter kann man nicht von dir verlangen, daß du das verstehst.« Ohne seinen Vater eines Blickes zu würdigen, drehte er sich um und ging ins Hotel.

11

> Vor Unzucht und vor allen anderen Todsünden, vor allem Betruge der Welt, des Fleisches und des Teufels bewahre uns, o Herr
>
> *Die Litanei*

Angela Primero lebte in einer Wohnung in den Oswestry Mansions in Baron's Court. Sie war sechsundzwanzig und die ältere von Mrs. Primeros Enkelinnen. Das war alles, was Charles über sie wußte – das und ihre Telefonnummer, die er mühelos in Erfahrung gebracht hatte. Er rief sie an und fragte, ob er sie am nächsten Tag besuchen dürfe. Er hatte seinen ursprünglichen Plan aufgegeben und sagte, er käme vom *Sunday Planet*; da der Tod von Alice Flower das Interesse der Öffentlichkeit erneut auf den Mord an Mrs. Primero gelenkt habe, plane seine Zeitung einen großen Bericht über das Schicksal der anderen in den Fall Verwickelten. Das gefiel ihm ganz gut. Es klang plausibel.

Miss Primero hatte eine harte Stimme für eine so junge Frau. Sie klang rauh, schroff, fast wie eine Männerstimme. Sie empfange ihn gern, doch ob er sich darüber im klaren sei, daß sie ihre Großmutter nur flüchtig in Erinnerung habe? Gerade ein paar Kindheitserinnerungen suche er, Miss Primero, kleine Anekdötchen, um die Geschichte lebendiger zu machen.

Sie öffnete ihm so schnell die Tür, daß er sich fragte, ob sie dahinter auf ihn gewartet habe. Ihr Aussehen überraschte ihn, denn er hatte das Bild ihres Bruders vor Augen gehabt und daher jemand Kleines und Dunkelhaariges mit regelmäßigen Gesichtszügen erwartet. Er hatte auch eine Fotografie von ihrer Großmutter gesehen, und obwohl das Alter ihr betagtes Gesicht verschrumpelt und entstellt hatte, waren noch immer die Überreste einer klassischen Schönheit und eine starke Ähnlichkeit mit Roger erkennbar gewesen.

Die junge Frau, deren Wohnung er nun betrat, hatte ein markantes unansehnliches Gesicht, einen schlechten Teint und einen großen, vorstehenden Unterkiefer. Ihr Haar war braun, matt und glanzlos. Sie trug ein adrettes, dunkelblaues Kleid, das aus einem Kaufhaus stammte, und hatte eine gute, wenn auch zu große Figur.

»Mr. Bowman?«

Charles gefiel der Name, den er sich zugelegt hatte. Er lächelte sie freundlich an.

»Guten Tag, Miss Primero.«

Sie führte ihn in ein kleines, äußerst spärlich möbliertes Wohnzimmer. Indem er es unwillkürlich mit der Bibliothek auf Forby Hall verglich, machte er das Rätsel noch größer. Hier gab es weder Bücher noch Blumen, und der einzige Schmuck bestand aus einer Reihe gerahmter Fotografien, ein halbes Dutzend vielleicht, auf denen ein junges blondes Mädchen und ein Baby zu sehen waren.

Sie folgte seinem Blick auf die Porträtaufnahme über dem Kamin. »Meine Schwester«, sagte sie. Ihr häßliches Gesicht wurde etwas freundlicher, und sie lächelte. Während sie redete, drang aus dem Nebenraum ein leises Wimmern und Stimmengemurmel. »Sie ist gerade in meinem Schlafzimmer und wechselt dem Baby die Windeln. Samstag morgens besucht sie mich immer.«

Charles fragte sich, womit sich Angela Primero wohl ihren Lebensunterhalt verdiente. Als Schreibkraft vielleicht oder als Sekretärin? Die ganze Bude wirkte zu beengt und kümmerlich. Die Möbel waren schreiend bunt und sahen billig und unstabil aus. Vor dem Kamin lag ein wollener Flickenteppich. Einfach, aber doch geschmacklos...

»Bitte, nehmen Sie Platz«, sagte Angela Primero.

Der kleine, orangefarbene Sessel reagierte mit einem Knarren auf sein Gewicht. Ein himmelweiter Unterschied, ging es ihm durch den Kopf, zu der üppigen schwarzen Ledergarnitur des Bruders. Vom nächsthöheren Stock hörte er Musik spielen und einen Staubsauger.

»Was wollen Sie von mir hören?«

Auf dem Kaminsims lag eine Schachtel Zigaretten, Weights. Sie nahm eine und hielt ihm die Schachtel hin. Er schüttelte den Kopf.

»Erst mal das, was Sie noch von Ihrer Großmutter in Erinnerung haben.«

»Nicht viel. Wie ich Ihnen schon gesagt habe.« Ihre Ausdrucksweise war barsch und rauh. »Ein paarmal waren wir dort zum Tee. Es war ein großes, düsteres Haus, und ich erinnere mich, daß ich Angst hatte, allein aufs

Klo zu gehen. Das Hausmädchen mußte immer mitgehen.« Sie stimmte ein humorloses, abgehacktes Lachen an, und nur mit Mühe hielt er sich vor Augen, daß sie erst sechsundzwanzig war. »Ich habe Painter nie auch nur gesehen, falls Sie darauf hinauswollen. Im Haus gegenüber wohnte ein Kind, mit dem wir manchmal spielten, und ich glaube, Painter hatte eine Tochter. Ich habe sie einmal danach gefragt, aber meine Großmutter sagte, sie sei ordinär, wir sollten uns von ihr fernhalten.«

Charles ballte die Hände. Er fühlte plötzlich eine verzweifelte Sehnsucht nach Tess, sie einerseits bei sich zu haben und andererseits deshalb, um sie dieser jungen Frau vorzustellen, die man dazu erzogen hatte, sie zu verachten.

Die Tür ging auf, und das Mädchen von den Fotos kam herein. Angela Primero sprang sofort auf und nahm ihr das Baby vom Arm. Charles hatte wenig Erfahrung mit Säuglingen. Er schätzte diesen hier auf ungefähr sechs Monate. Er sah klein und uninteressant aus.

»Das ist Mr. Bowman, Liebes. Meine Schwester, Isabel Fairest.«

Mrs. Fairest war nur ein Jahr jünger als ihre Schwester, doch sie wirkte nicht älter als achtzehn. Sie war sehr klein und dünn, hatte ein rötlichweißes Gesicht und riesige blaßblaue Augen. Ihr Haar glänzte und war goldblond.

Rogers Haare und Augen waren schwarz, Angelas Haar dunkelblond und ihre Augen nußbraun. Keiner von ihnen sah einem anderen auch nur im mindesten ähnlich. Bei Genetik kann man sich nicht nur auf seine Augen verlassen, ging es Charles durch den Kopf.

Mrs. Fairest setzte sich. Sie schlug zwar nicht die Beine übereinander, hatte jedoch wie ein kleines Mädchen die

Hände auf dem Schoß. Es war schwer, sich vorzustellen, daß sie verheiratet war, und völlig ausgeschlossen schien der Gedanke, sie könnte ein Kind zur Welt gebracht haben.

Ihre Schwester wandte kaum einmal den Blick von ihr ab. Wenn sie es denn tat, dann nur, um das Baby anzugurren. Mrs. Fairests Stimme war leise und sanft, und ein wenig schimmerte der Cockneydialekt durch.

»Wenn er dir zuviel wird, kannst du ihn ruhig in sein Bettchen legen.«

»Du weißt doch, wie gern ich ihn halte. Liebes. Ist er nicht eine Pracht? Willst du dein Tantchen nicht mal anlachen? Du kennst doch dein Tantchen noch, auch wenn du sie eine ganze Woche lang nicht mehr gesehen hast?«

Mrs. Fairest stand auf und ging hinter den Sessel ihrer Schwester. Gemeinsam glucksten sie dem Baby etwas vor, streichelten ihm über die Bäckchen und ließen es seine Finger um die ihren krümmen. Es war offensichtlich, daß sie einander sehr gern hatten, doch während Angela sowohl der Schwester als auch dem Neffen mütterliche Liebe entgegenbrachte, legte Isabel eine klettenhafte Abhängigkeit von ihrer älteren Schwester an den Tag. Charles kam es so vor, als hätten sie seine Anwesenheit vergessen, und er fragte sich, welche Rolle Mr. Fairest wohl in dieser Familie spielte. Er hüstelte.

»Was nun Ihre Jugend anbelangt, Miss Primero...?«

»Oh, ja. (Brauchst nicht weinen, Goldchen. Er muß noch sein Bäuerchen machen, Liebes.) Ich habe wirklich nichts mehr von meiner Großmutter in Erinnerung. Meine Mutter hat wieder geheiratet, als ich sechzehn war. Sind das die Sachen, die Sie hören wollen?«

»Ja, genau.«

»Wie ich schon sagte, meine Mutter hat wieder geheiratet, und sie und mein Stiefvater wollten, daß wir mit ihnen nach Australien gehen. (So ist's recht! Und was für ein schönes Bäuerchen das war.) Aber ich wollte nicht. Isabel und ich gingen damals noch zur Schule. Meine Mutter machte das ein paar Jahre mit, dann gingen sie ohne uns. Schließlich war es ihr Leben. Ich wollte auf ein Lehrerseminar, aber das gab ich dann auf. Isabel und ich hatten ja das Haus, nicht, Liebes? Und wir gingen beide arbeiten. (Will er jetzt ein Nickerchen machen?)«

Es war eine ganz alltägliche Geschichte, bruchstückhaft und stark gekürzt. Charles hatte das Gefühl, es stecke viel mehr dahinter. Die Not und die Entbehrungen hatte sie weggelassen. Geld hätte alles ändern können, doch Geld hatte sie mit keinem Wort erwähnt. Ihren Bruder auch nicht.

»Isabel hat vor zwei Jahren geheiratet. Ihr Mann ist bei der Post. Ich bin Sekretärin im Büro einer Zeitung.« Ernst runzelte sie die Stirn. »Ich werde dort nachfragen müssen, ob sie schon mal von Ihnen gehört haben.«

»Ja, tun Sie das«, erwiderte Charles mit gespielter Selbstsicherheit. Er mußte auf das Thema Geld zu sprechen kommen, doch er wußte nicht, wie er das anstellen sollte. Mrs. Fairest holte eine Tragetasche aus dem anderen Zimmer, in die sie das Baby hineinlegten, um sich dann zärtlich über es zu beugen und es anzugurren. Obwohl es fast schon Mittag war, hatte ihm keine von beiden einen Drink oder auch nur Kaffee angeboten. Charles gehörte zu einer Generation, die sich an fast stündliche Imbisse gewöhnt hatte, ein Täßchen von diesem, ein Gläschen von jenem, dazu die eine oder andere Kleinigkeit aus dem Kühlschrank. Sie bildeten darin gewiß keine Ausnahme. Sehnsüchtig dachte er an Rogers Gastlichkeit. Mrs. Fairest blickte auf und sagte verhalten:

»Ich komme wirklich gern hierher. Es ist so leise.« Über ihnen surrte nach wie vor der Staubsauger. »Wir haben nur ein Zimmer, mein Mann und ich. Es ist schön und groß, aber an Wochenenden ist es furchtbar laut dort.«

Es war ungehörig, das wußte Charles, doch er mußte es einfach sagen.

»Es überrascht mich, daß Ihnen Ihre Großmutter nichts hinterlassen hat.«

Angela Primero zuckte mit den Achseln. Sie wickelte die Decke um das Baby und richtete sich auf. »So ist das Leben«, sagte sie in nüchternem Ton.

»Soll ich es ihm sagen, Liebes?« Isabel Fairest faßte sie am Arm und sah ihr ängstlich auf Anleitung wartend ins Gesicht.

»Wozu? Für ihn ist es uninteressant.« Sie starrte Charles an, dann setzte sie klug hinzu: »So etwas kann man nicht in einer Zeitung bringen. Das wäre Verleumdung.«

Mist, Mist, Mist! Warum hatte er auch nicht gesagt, er käme vom Finanzamt? Dann hätten sie gleich über Geld sprechen können.

»Aber ich finde, die Leute sollten davon erfahren«, sagte Mrs. Fairest und zeigte mehr Standfestigkeit, als er ihr zugetraut hätte. »Unbedingt, Liebes. So habe ich schon immer gedacht, schon seit ich es überhaupt begriffen habe. Ich finde, die Leute sollten erfahren, wie er uns behandelt hat.«

Charles legte demonstrativ sein Notizbuch weg.

»Davon gelangt nichts an die Öffentlichkeit.«

»Siehst du, Liebes. Er wird nichts verraten. Und wenn, ist es mir auch egal. Die Leute sollten über Roger Bescheid wissen.«

Der Name war gefallen. Sie alle atmeten ziemlich schwer. Charles gewann als erster die Fassung wieder. Ein gelassenes Lächeln gelang ihm.

»Na gut, ich sag's Ihnen. Wenn Sie's aber in der Zeitung bringen und ich muß dafür ins Gefängnis wandern, ist mir das schnurz! Oma Rose hinterließ 10000 Pfund, und wir hätten alle einen Teil davon bekommen sollen, aber nicht die Bohne bekamen wir. Roger – das ist unser Bruder – erhielt alles. Den Grund dafür weiß ich nicht, die genauen Einzelheiten kennt aber Angela. Meine Mutter hatte einen Bekannten, den Solicitor, bei dem Roger arbeitete, und er erklärte, wir könnten versuchen, es anzufechten, aber das wollte Mutter nicht, weil es gräßlich sei, gegen den eigenen Sohn vor Gericht ziehen zu müssen. Wir waren damals ja noch ganz klein und bekamen nichts davon mit. Mutter sagte, Roger würde uns helfen – er sei moralisch dazu verpflichtet, wenn auch nicht dem Gesetz nach –, aber das hat er nie getan. Er schob es immer weiter hinaus, bis Mutter dann in Streit mit ihm kam. Seit ich zehn und Angela elf war, haben wir ihn nie mehr gesehen. Ich würde ihn gar nicht mehr kennen, und wenn er mir auf der Straße begegnete.«

Es war eine vertrackte Geschichte. Sie waren alle Enkel von Mrs. Primero, somit alle erbberechtigt für den Fall, daß es kein Testament gab. Und es hatte kein Testament gegeben.

»Ich möchte davon nichts in Ihrer Zeitung lesen«, sagte Angela Primero unvermittelt. Sie wäre eine gute Lehrerin geworden, dachte er sich und grübelte über die Verschwendung von Talent nach, denn sie war zärtlich zu kleinen Kindern, aber streng, wenn es sein mußte.

»Ich werde nichts davon veröffentlichen«, sagte Charles, und das war die volle Wahrheit.

»Das ist auch besser so. Die Sache ist nämlich die, daß wir es gar nicht anfechten konnten. Wir hätten nicht die mindeste Aussicht auf Erfolg gehabt. Dem Gesetz nach stand Roger das Ganze zu. Doch wenn meine Großmutter einen Monat später gestorben wäre, hätte die Sache natürlich ganz anders ausgesehen.«

»Ich kann Ihnen da nicht ganz folgen«, sagte Charles, mittlerweile sehr gespannt.

»Haben Sie meinen Bruder schon mal gesehen?«

Er nickte, besann sich dann aber auf ein Kopfschütteln. Sie sah ihn argwöhnisch an. Darauf machte sie eine dramatische Geste. Sie faßte ihre Schwester an den Schultern und schob sie nach vorn, damit er sie genau betrachten konnte.

»Er ist klein und dunkelhaarig«, sagte sie. »Sehen Sie Isabel an, sehen Sie mich an. Wir sehen nicht wie Schwestern aus, weil wir keine Schwestern sind, und Roger ist nicht unser Bruder. Oh, Roger ist natürlich das Kind meiner Eltern, und Mrs. Primero war seine Großmutter. Meine Mutter konnte keine Kinder mehr bekommen. Sie warteten elf Jahre, und als sie merkten, daß es keinen Sinn hatte, adoptierten sie mich. Ein Jahr darauf nahmen sie auch Isabel an.«

»Aber... Ich...«, stammelte Charles. »Wurden Sie denn nicht gesetzlich adoptiert?«

Angela Primero hatte wieder Fassung gewonnen. Sie legte den Arm um ihre Schwester, die zu weinen angefangen hatte.

»Doch wir wurden gesetzlich adoptiert. Das machte keinen Unterschied. Angenommene Kinder können nicht erben, wenn der Verstorbene kein Testament gemacht hat – so war es zumindest im September 1950. Jetzt können sie erben. Dieses Gesetz wurde damals gerade verabschiedet, und in Kraft trat es am 1. Oktober 1950. Pech, nicht?«

Die Fotografie im Schaufenster des Immobilienmaklers verlieh *Victor's Piece* ein trügerisch reizvolles Aussehen. Vielleicht hatte der Makler schon lange die Hoffnung aufgegeben, mehr als den reinen Grundstückswert dafür zu erzielen, denn Archerys schüchterne Anfrage stieß auf überschwengliche Begeisterung. Er verließ das Büro mit der Erlaubnis zur jederzeitigen Besichtigung, einem Schlüsselbund und viel Honig um den Bart.

Kein Bus in Sicht. Er ging zur Haltestelle beim *Olive and Dove* zurück und wartete im Schatten. Schließlich zog er die Besichtigungserlaubnis aus der Tasche und überflog sie. »Herrliches Anwesen mit individuellem Gepräge«, las er, »das nur auf einen phantasievollen Besitzer wartet, um es mit neuem Leben zu erfüllen...« Die alte Tragödie wurde nicht erwähnt, und es fand sich kein Hinweis darauf, daß in seinen Mauern jemand eines gewaltsamen Todes gestorben war.

Zwei Busse nach Sewingbury kamen und einer, auf dem Bahnhof Kingsmarkham als Endstation angegeben war. Er las immer noch und verglich die Euphemismen des Maklers mit der Beschreibung in dem Prozeßprotokoll, als der silberne Wagen am Randstein hielt.

»Mr. Archery!«

Er drehte sich um. Die gewölbten Flügel und die glitzernde Windschutzscheibe reflektierten das grelle Sonnenlicht. Das Goldsilber von Imogen Ides Haar leuchtete vor dem Hintergrund des glänzenden Metalls sogar noch heller.

»Ich bin unterwegs nach Stowerton. Kann ich Sie mitnehmen?«

Er war mit einemmal lächerlich glücklich. Alles war wie weggeblasen, sein Mitleid mit Charles, seine Trauer um Alice Flower, sein Gefühl der Hilflosigkeit gegenüber dem undurchschaubaren Räderwerk der Justiz. Eine unsinnige und gefährliche Freude ergriff ihn, und ohne diese Empfindung zu durchleuchten, ging er zu dem Auto hinüber. Die Karosserie war glühend heiß, eine lodernde Silberflamme unter seiner Hand.

»Mein Sohn hat meinen Wagen«, sagte er. »Ich muß nicht nach Stowerton, aber zu einem Haus in der gleichen Richtung, es heißt *Victor's Piece.*«

Darauf reagierte sie mit einem leichten Stirnrunzeln, und er vermutete, daß sie wohl wie alle hier darüber Bescheid wußte, denn sie sah ihn sonderbar an. Mit klopfendem Herzen stieg er auf der Beifahrerseite ein. Das fortwährende regelmäßige Pochen in seiner linken Seite war so heftig, daß es ihm physischen Schmerz bereitete, und er wünschte, es möge aufhören, ehe er zusammenzucken oder sich die Hand auf die Brust pressen mußte.

»Sie haben heute Hund nicht dabei«, sagte er.

Sie scherte wieder in den Verkehr ein. »Ihm ist es zu heiß«, sagte sie. »Sie beabsichtigen doch wohl nicht, *Victor's Piece* zu kaufen?«

Sein Herz war zur Ruhe gekommen. »Wieso, kennen Sie es?«

»Es gehörte früher einmal den Verwandten meines Mannes.«

Ide, überlegte er sich, Ide. Er konnte sich nicht daran erinnern, etwas über den Verbleib des Hauses nach Mrs. Primeros Tod gehört zu haben. Vielleicht hatte es irgendwelchen Ides gehört, ehe man es in ein Altersheim umwandelte.

»Ich habe zwar einen Schlüssel und eine Besichtigungserlaubnis, aber kaufen werde ich es bestimmt nicht. Es ist nur...«

»Neugier?« Sie konnte ihn nicht ansehen, während sie hinterm Steuer saß, doch er spürte ihre auf ihn gerichteten Gedanken stärker als alle Blicke. »Sind Sie Hobbydetektiv?« Es wäre normal gewesen, diese Frage mit seinem Namen zu beenden. Er hatte den Eindruck, daß sie ihn wegließ, weil »Mr. Archery« plötzlich zu förmlich war, sein Vorname aber noch zu vertraut. »Wissen Sie was, ich glaube, ich komme mit«, sagte sie. »Ich muß erst um halb eins in Stowerton sein.«

Imogen Ide gibt mir das Geleit... Es war ein dummes Verschen, und es klingelte ihm gedämpft in den Ohren wie ein altes, halb vergessenes Madrigal. Er erwiderte nichts, doch sie mußte sein Schweigen für Zustimmung gehalten haben, denn statt ihn an der Zufahrt abzusetzen, bremste sie ab und bog in den Feldweg ein, wo dunkle Giebel zwischen den Bäumen hervorlugten.

Selbst an diesem strahlenden Morgen wirkte das Haus düster und bedrohlich. Seine gelbbraunen Ziegelmauern durchbrach kreuzförmiges Fachwerk, und an zwei Fenstern waren die Scheiben eingeschlagen. Die Ähnlichkeit zwischen ihm und dem Maklerfoto war so gering wie die zwischen einer Urlaubsansichtskarte und dem eigentlichen Ferienort. Das Unkraut, die Dornensträucher, die Feuchtigkeitsflecken, die auf und zu schlagenden morschen Flügelfenster und die allgemeinen Anzeichen des Verfalls hatte der Fotograf entweder geschickt vermieden oder nachträglich wegretuschiert. Ferner war es ihm irgendwie gelungen, die riesige Verschachteltheit auf ein Mindestmaß zu reduzieren. Das Tor war eingefallen; sie fuhr durch die entstandene Lücke die Auffahrt hinauf und hielt direkt vor der Haustür.

Dieser Augenblick hätte ihm etwas bedeuten müssen, sein erster Blick auf das Haus, in dem der Vater von Tess sein Verbrechen begangen – oder nicht begangen – hatte. Seine Sinne hätten hellwach sein müssen, um die Atmosphäre aufzunehmen und Details der Stellung und Entfernung von Gegenständen zu registrieren, die der Polizei durch die mit der Routine einhergehende Abgestumpftheit entgangen waren. Statt dessen sah er sich nicht als Beobachter, als den Mann mit den Röntgenaugen, sondern als ein für die Gegenwart lebender Mensch, der den Augenblick auskostet und die Vergangenheit ad acta legt. Er fühlte sich lebendig wie schon seit Jahren nicht mehr, und daher wurde er sich seiner Umgebung kaum bewußt. Dinge konnten ihn nicht berühren, ebensowenig verbürgte Tatsachen. Nur seine Gefühle zählten. Er sah und erlebte das Haus nur als einen verlassenen Ort, den er und diese Frau bald aufsuchen würden.

Sobald er dies in so vielen Worten gedacht hatte, war ihm klar, daß er nicht hineingehen sollte. Er könnte sagen, er wolle nur einen Blick auf das Anwesen werfen. Sie stieg gerade aus dem Auto, schaute zu den Fenstern auf und kniff vor dem Licht die Augen zusammen.

»Wollen wir hineingehen?«

Er steckte den Schlüssel ins Schloß, und sie stand dicht neben ihm. Er hatte erwartet, daß ihnen aus der Diele ein modriger Geruch entgegenschlagen würde, doch er bemerkte ihn kaum. Lichtstrahlen aus mehreren verstaubten Fenstern durchkreuzten den Raum, und in den Sonnenpfützen tanzten Stäubchen. Auf dem geplättelten Boden lag ein alter Läufer, in dem sich ihr Absatz verfing, so daß sie stolperte. Instinktiv streckte er die Hand aus, um sie zu stützen, und spürte dabei, wie ihre rechte Brust an seinem Arm entlangstreifte.

»Passen Sie auf, wo Sie hintreten«, sagte er, ohne sie anzusehen. Ihr Schuh hatte eine kleine Staubwolke aufgewirbelt, und sie lachte nervös. Vielleicht war es auch nur ein normales Lachen. Zu dieser Art von Deutung war er nicht in der Lage, denn er konnte immer noch den sanften Druck auf seinem Arm spüren, als sei sie nicht rasch einen Schritt zurückgetreten.

»Schrecklich stickig hier drin«, sagte sie. »Reizt mich zum Husten. Das hier ist das Zimmer, in dem der Mord begangen wurde – hier entlang.« Sie stieß eine Tür auf, und sein Blick fiel auf einen Bretterboden, einen Marmorkamin und große helle Flecken an den Wänden, wo Bilder gehangen hatten. »Die Treppe ist hier hinten, und daneben liegt die Küche, wo die arme alte Alice das Sonntagsessen kochte.«

»Nach oben will ich nicht«, sagte er rasch. »Es ist zu heiß und staubig. Sie werden Ihr Kleid schmutzig machen.« Er holte tief Luft, entfernte sich so weit als möglich von ihr und blieb vor dem Kaminsims stehen. Hier, genau an dieser Stelle, hatte Mrs. Primero den ersten Schlag mit dem Beil abbekommen; dort hatte der Kohleneimer gestanden, hier, da und überall war das alte Blut vergossen worden. »Der Tatort«, meinte er albern.

Sie kniff die Augen zusammen und ging zum Fenster hinüber. Die Stille war schrecklich, und er wollte sie mit Geplauder ausfüllen. So viel gab es zu sagen, so viele Bemerkungen, die auch flüchtige Bekannte an einem solchen Ort austauschen konnten. Der Schatten, den sie in der Mittagssonne warf, hatte genau die richtigen Proportionen, war weder zu groß noch zwergenhaft klein. Es sah wie ein schwarzer Scherenschnitt aus, und im Wissen, daß er mehr nie bekommen würde, wollte er auf die Knie fallen und ihn berühren.

Sie ergriff zuerst das Wort. Er wußte nicht recht, was er erwartet hatte, das jedenfalls nicht – das ganz gewiß nicht.

»Sie sind Ihrem Sohn sehr ähnlich – oder er Ihnen.«

Die Spannung ließ nach. Er fühlte sich betrogen und verärgert.

»Ich wußte nicht, daß Sie ihn kennen.«

Darauf ging sie nicht ein. In ihren Augen blitzte es schelmisch. »Sie haben mir nicht erzählt, daß er für eine Zeitung arbeitet.«

Archery krampfte sich der Magen zusammen. Sie mußte dort gewesen sein, bei den Primeros. Wurde von ihm erwartet, daß er Charles' Lüge aufrechterhielt?

»Er ist geradeso wie Sie«, sagte sie. »Geklingelt hat es bei mir aber erst, als er schon weg war. Ich bin nur mal von seinem Aussehen ausgegangen, nicht von dem Namen – ich nehme an, Bowman ist das Pseudonym, unter dem er für den *Planet* schreibt, oder? – und so habe ich es erraten. Roger hat es nicht gemerkt.«

»Ich verstehe nicht ganz«, setzte Archery an. Er würde es erklären müssen. »Mrs. Ide...«

Sie wollte lachen, ließ es dann aber, als sie die Bestürzung auf seinem Gesicht bemerkte. »Ich glaube, wir haben uns beide an der Nase herumgeführt«, sagte sie freundlich. »Ide war mein Mädchenname, der Name, den ich als Fotomodell benutzte.«

Er wandte sich ab, drückte seine heiße Handfläche gegen den Marmor. Sie ging einen Schritt auf ihn zu, und er roch ihr Parfum. »Mrs. Primero war die Verwandte, der dieses Haus gehörte, die Verwandte, die in Forby begraben liegt?« Es war nicht notwendig, auf ihre Antwort zu warten. Er ahnte ihr Nicken. »Ich verstehe nicht, wie ich ein solcher Narr sein konnte«, sagte er. Schlimmeres als ein Narr. Was würde sie von ihm halten, wenn morgen der *Planet* herauskam? Er brachte ein dummes, schamerfülltes Gebet dar, daß Charles nichts von der Frau erfahren hatte, die ihre Schwägerin sein mußte. »Verzeihen Sie mir?«

»Aber was gibt es denn da zu verzeihen?« Sie klang ehrlich verwirrt, was nicht weiter verwunderlich war. Er hatte für zukünftige Vergehen um Vergebung gebeten. »Mich trifft genausoviel Schuld wie Sie. Keine Ahnung, weshalb ich Ihnen nicht gesagt habe, daß ich Imogen Primero bin.« Sie hielt kurz inne. »Es steckte keine böse Absicht dahinter. Wie das so eben geht. Wir tanzten – kamen auf etwas anderes zu sprechen... Ich weiß nicht.«

Er hob den Kopf, rüttelte sich ein wenig auf. Dann ließ er sie stehen und ging in die Diele. »Sie müssen noch nach Stowerton, sagten Sie doch. Es war nett von Ihnen, mich herzufahren.«

Sie stand jetzt hinter ihm, hatte ihm die Hand auf den Arm gelegt. »Machen Sie nicht so ein Gesicht. Was sollen Sie denn angestellt haben? Nichts, rein gar nichts. Es war bloß ein – ein Formfehler.«

Die Hand war klein und zart, aber hartnäckig. Ohne einen Grund dafür angeben zu können – vielleicht weil sie einen trostbedürftigen Eindruck machte –, legte er seine Hand auf die ihre. Sie entzog sie ihm nicht, ließ sie unter der seinen liegen, so daß er spürte, wie sie leicht zitterte, als sie seufzte. Er wandte sich zu ihr um und empfand Scham, die ebenso lähmend wie eine Krankheit war. Ihr Gesicht war weit von seinem, dann nur noch Zentimeter, dann gar nicht mehr entfernt, war kein Gesicht mehr, nur noch ein weicher Mund.

Die Scham ging unter in einer Woge der Begierde, die um so schrecklicher und köstlicher war, weil er seit zwanzig Jahren, ja vielleicht überhaupt noch nie so etwas empfunden hatte. Seit er von Oxford abgegangen war, hatte er außer Mary nie eine Frau geküßt, war kaum einmal mit einer allein gewesen außer mit Alten, Kranken oder Sterbenden. Weder wußte er, wie er den Kuß beenden sollte, noch ob dies an seiner Unerfahrenheit lag oder an dem Sehnen, etwas zu verlängern, das so viel mehr war, wenn auch nicht mehr genug, als die Berührung eines Schattens.

Sie löste sich aus seinen Armen ziemlich jäh, doch ohne ihn wegzustoßen oder sich zu sträuben. Gegen was hätte sie sich sträuben wollen? »Du meine Güte«, sagte sie, lächelte aber nicht. Ihr Gesicht war kreidebleich.

Es gab Worte, mit denen man sich aus so etwas herausreden konnte. »Ich weiß nicht, was mich dazu verleitet hat« oder »Eine plötzliche Regung hat mich mitgerissen...« Allein der Gedanke ans Lügen widerte ihn an. Die Wahrheit erschien ihm sogar noch unwiderstehlicher und dringlicher als seine Begierde, und er glaubte, sie aussprechen zu müssen, auch wenn sie ihr morgen und in Zukunft wie eine Lüge vorkommen würde.

»Ich liebe Sie. Ich glaube, ich habe Sie vom ersten Augenblick an geliebt, als ich Sie sah. Ich glaube, so war es.« Er faßte sich mit der Hand an die Stirn, und seine Fingerspitzen schienen zu brennen, obwohl sie eiskalt waren, so wie auch Schnee auf der Haut brennen kann. »Ich bin verheiratet«, sagte er. »Das wissen Sie – ich meine, meine Frau lebt –, und ich bin Pfarrer. Ich habe nicht das Recht, Sie zu lieben, und ich verspreche Ihnen, daß ich nie mehr allein mit Ihnen sein werde.«

Sie war sehr erstaunt und machte große Augen, doch er hatte keine Ahnung, welches seiner Geständnisse ihr Erstaunen ausgelöst hatte. Ihm kam sogar der Gedanke, daß es sie überrascht hatte, einmal klare Sätze von ihm zu hören, denn bisher hatte er fast nur unzusammenhängendes Zeugs gesagt. »Ich darf wohl nicht annehmen«, fügte er hinzu, denn sein letzter Satz kam ihm ein wenig eitel vor, »daß von Ihrer Seite her irgendeine Versuchung bestand.« Sie wollte etwas sagen, doch er fuhr hastig fort: »Würden Sie bitte nichts sagen, sondern einfach wegfahren?«

Sie nickte. Trotz seines Verbots sehnte er sich danach, daß sie zu ihm käme und ihn nur noch einmal berührte. Es war ein unstillbares Verlangen, das ihm den Atem raubte. Sie machte eine hilflose kleine Geste, als ob auch sie sich in der Gewalt eines überwältigenden Gefühls befände. Dann drehte sie sich um, wandte verlegen das Gesicht von ihm ab, lief durch die Diele und ging zur Vordertür hinaus.

Als sie fort war, fiel ihm ein, daß sie ihn nicht nach seinen Gründen gefragt hatte, sich das Haus anzusehen. Sie hatte wenig gesagt und er alles, worauf es ankam. Er dachte, er müsse verrückt geworden sein, denn es ging ihm nicht in den Kopf, wie man zwanzig Jahre Selbstdisziplin auf einen Schlag vergessen konnte wie eine Lektion, die ein gelangweiltes Kind zu lernen bekommen hatte.

Das Haus entsprach genau der Beschreibung in dem Prozeßprotokoll. Er registrierte seinen Grundriß emotionslos und ohne Einfühlung, der lange Gang zwischen der Vorder- und der Hintertür, an der Painters Mantel gehangen hatte, die Küche, die schmale, zu beiden Seiten geschlossene Treppe. Eine Lähmung schien seinen Verstand überkommen zu haben; er ging zu der Hintertür und schob wie betäubt die Riegel auf.

Der überwucherte Garten lag sehr ruhig und wie dösend im Mittagsglast. Das Licht und die Hitze machten ihn schwindlig. Zuerst konnte er den Wagenschuppen nirgends entdecken. Dann bemerkte er, daß er ihn die ganze Zeit seit Betreten des Gartens vor Augen gehabt hatte, denn was er für ein großes wogendes Gebüsch gehalten hatte, war vielmehr ein massives Backsteingebäude, das unter einer Decke aus wildem Wein verborgen lag. Ohne Interesse, ohne die geringste Spur von Neugier ging er darauf zu. Er ging, weil er dadurch etwas zu tun hatte und dieses Haus aus einer Million leise raschelnder Blätter wenigstens so etwas wie ein Ziel darstellte.

An dem Tor hing ein Vorhängeschloß. Archery war erleichtert. Dadurch war er der Verpflichtung enthoben, noch etwas zu unternehmen. Er lehnte sich an die Mauer, und die Blätter fühlten sich kalt und feucht auf seinem Gesicht an. Kurz darauf ging er die Auffahrt hinunter und durch das zerstörte Tor. Das silberne Auto würde natürlich nicht dort sein. War es auch nicht. Der Bus kam fast sofort. Er hatte ganz vergessen, daß er versäumt hatte, die Hintertür von *Victor's Piece* abzuschließen.

Archery brachte dem Immobilienmakler die Schlüssel zurück und sah sich dort noch eine Weile das Foto des Hauses an, von dem er gerade kam. Es war, als betrachte man das Porträt eines Mädchens, das man nur als alte Frau kennt, und er fragte sich, ob es vielleicht vor dreißig Jahren aufgenommen worden war, als Mrs. Primero das Haus gekauft hatte. Dann wandte er sich um und schlenderte langsam zum Hotel.

Um halb fünf herrschte im *Olive and Dove* normalerweise Flaute. Doch heute war Samstag und überdies ein prächtiger Samstag. Der Speisesaal war voller Ausflügler; im Gesellschaftsraum saßen die gewohnten Hotelgäste und Neuankömmlinge gerade so dicht zusammengepfercht, wie es der Anstand zuließ, und nahmen ihren Tee auf silbernen Tabletts. Archerys Herzschlag beschleunigte sich, als er seinen Sohn im Gespräch mit einem Mann und einer Frau sah. Sie wandten ihm den Rükken zu, und er sah nur, daß die Frau langes blondes Haar hatte und der Mann dunkelhaarig war.

Er bahnte sich einen Weg zwischen den Lehnsesseln, wobei ihm vor Beklommenheit der Schweiß ausbrach, und schlängelte sich zwischen beringten Händen, die Teekannen hielten, kleinen asthmatischen Hunden, Kresseschälchen und Sandwichpyramiden hindurch. Als sich die Frau umdrehte, hätte er Erleichterung empfinden müssen. Statt dessen versetzte ihm seine bittere Enttäuschung einen Stich wie von einem langen, dünnen Messer. Er streckte die Hand aus und drückte die warmen Finger Tess Kershaws.

Er sah nun, wie töricht seine anfängliche wilde Vermutung gewesen war. Kershaw schüttelte ihm jetzt die Hand, und sein munteres Gesicht, das viele Lachfalten zerfurchten, hatte nicht die mindeste Ähnlichkeit mit der wächsernen Blässe Roger Primeros. Sein Haar war eigentlich nicht dunkel, sondern dünn und mit Grausträhnen durchzogen.

»Charles hat auf dem Rückweg von London kurz bei uns vorbeigeschaut«, sagte Tess. Mit ihrer weißen Baumwollbluse und dem marineblauen Sergerock war sie vielleicht die schlechtangezogenste Frau in diesem Raum. Wie um dies zu erklären, setzte sie rasch hinzu: »Als wir die Neuigkeit von ihm hörten, ließen wir alles stehen und liegen und fuhren mit ihm hierher.« Sie stand auf, schlängelte sich zum Fenster durch und sah in den strahlenden, heißen Nachmittag hinaus. Als sie zurückkam, sagte sie: »Es ist ein merkwürdiges Gefühl. Ich habe zwar überhaupt keine Erinnerung daran, aber als ich klein war, muß ich unzählige Male hier vorbeigekommen sein.«

Vielleicht Hand in Hand mit Painter. Und während sie zu Fuß gingen, der Mörder und sein Kind, hatte da Painter den vorbeifließenden Verkehr beobachtet und sich überlegt, auf welche Weise er zu einem Teilnehmer dieses Verkehrs werden könnte? Archery bemühte sich, in dem zierlichen spitzen Gesicht ihm gegenüber nicht die derben und ungeschlachten Züge des Mannes zu sehen, den Alice Flower »Biest« genannt hatte. Andererseits war der Grund ihres Hierseins ja gerade, den Beweis zu erbringen, daß es sich keineswegs so abgespielt hatte.

»Eine Neuigkeit?« fragte Charles und merkte, wie sich ein widerwilliger Ton in seine Stimme einschlich.

Charles erzählte ihm alles. »Und dann fuhren wir gemeinsam zu *Victor's Piece*«, sagte er. »Wir hatten nicht geglaubt, daß wir hineinkommen könnten, aber irgend jemand hatte die Hintertür nicht abgeschlossen. Wir nahmen das Haus genau unter die Lupe und kamen zu dem Schluß, daß sich Primero mit Leichtigkeit versteckt haben könnte.«

Archery wandte sich ein wenig ab. Mit diesem Namen verbanden sich nun viele Assoziationen, in erster Linie quälende.

»Er sagte Alice auf Wiedersehen, machte die Haustür auf und zu, ohne wirklich hinauszugehen, und schlich sich dann ins Eßzimmer – das Eßzimmer wurde nicht benutzt und war deshalb abgedunkelt. Alice ging aus dem Haus und...« Charles zögerte und suchte mit Rücksicht auf Tess nach passenden Worten. »Und nachdem die Kohlen abgeliefert waren, kam er heraus, zog sich den

Regenmantel über, der an der Hintertür hing, und – beging eben die Tat.«

»Es ist nur eine Theorie, Charlie«, sagte Kershaw, »aber sie stimmt mit den Fakten überein.«

»Ich weiß nicht…« hob Archery an.

»Sieh mal, Vater, möchtest du nicht, daß Painter entlastet wird?«

Nicht, dachte Archery, wenn es bedeutet, *ihren* Mann zu beschuldigen. Das nicht. Ich habe sie vielleicht schon gekränkt, aber das kann ich ihr unmöglich antun.

»Um noch einmal auf das Motiv zurückzukommen«, sagte er lustlos.

»Das Motiv ist fabelhaft«, warf Tess aufgeregt ein. »Es ist wirklich ein *echtes* Motiv.« Ihm war völlig klar, was sie meinte. 10000 Pfund waren etwas Greifbares, Handfestes, eine echte Versuchung, während 200 Pfund… Ihre Augen leuchteten, um sich dann wieder zu verdunkeln. Dachte sie daran, daß es genauso schlimm war, einen Mann zu Unrecht zu hängen, wie eine alte Frau wegen einer Handtasche mit Geld umzubringen? Und würde sie auch das ihr ganzes Leben lang mit sich herumschleppen müssen? Wie die Sache auch ausging, konnte sie je entkommen?

»Primero arbeitete in der Kanzlei eines Solicitors«, sagte Charles ganz aufgeregt. »Er wird von dem Gesetz Wind bekommen haben, er verfügte über alle Möglichkeiten, sich Gewißheit zu verschaffen. Mrs. Primero hat vielleicht nichts davon gewußt, zumindest nicht, wenn sie nicht Zeitung las. Wer kennt schon alle Gesetze, die demnächst in Kraft treten sollen? Möglicherweise erkundigte sich ein Klient bei Primeros Chef, der wies ihn an, das mal nachzuprüfen, und schon haben wir den Salat. Primero wird gewußt haben, wenn seine Großmutter vor Oktober 1950 starb, ohne ein Testament zu hinterlassen, würde das ganze Vermögen ihm zufallen. Doch wenn sie nach Inkrafttreten des Gesetzes starb, gingen zwei Drittel davon an seine Schwestern. Ich habe das alles nachgelesen. Man nennt es das ›Große Adoptionsgesetz‹, das adoptierten Kindern fast die gleichen Rechte einräumt wie leiblichen. *Selbstverständlich* wußte Primero davon.«

»Was hast du jetzt vor?«

»Ich war bei der Polizei, aber ich habe erst am Montag um zwei einen Termin bei Wexford. Er ist übers Wochenende verreist. Ich möchte wetten, daß die Polizei Primeros Angaben nie überprüft hat. So wie ich die Brüder kenne, halte ich es für wahrscheinlich, daß sie sich um die anderen gar nicht mehr kümmerten, als sie sich auf Painter mal eingeschossen hatten.« Er schaute zu Tess und faßte sie an der Hand. »Du kannst sagen, was du willst, von wegen dies ist ein freies Land und so«, ereiferte er sich, »aber du weißt so gut wie ich, daß jeder im Unterbewußtsein die Ansicht hat, daß ›Arbeiterschicht‹ und ›Verbrecherschicht‹ gleichbedeutend sind. Warum sich noch um den ehrbaren Solicitorsangestellten mit der einflußreichen Verwandtschaft kümmern, wenn man den Chauffeur schon am Schlafittchen hat?«

Archery zuckte mit den Schultern. Aus langer Erfahrung wußte er, daß es sinnlos war, mit Charles zu diskutieren, wenn er seine pseudokommunistischen Ideale unter die Leute bringen wollte.

»Herzlichen Dank für deine begeisterte Zustimmung«, sagte Charles sarkastisch. »Hat deine Jammermiene einen bestimmten Grund?«

Archery konnte es ihm nicht sagen. Ein großer Kummer schien über ihn gekommen zu sein, und um seinem

Sohn eine Antwort zu geben, wählte er aus seinem widersprüchlichem Leid etwas aus, das er vor ihnen allen offenbaren konnte.

»Ich dachte an die Kinder«, sagte er, »die vier kleinen Mädchen, die alle unter diesem Verbrechen gelitten haben.« Er lächelte Tess zu. »Tess, natürlich«, zählte er auf, »die beiden Schwestern, die du besucht hast – und Elizabeth Crilling.«

Den Namen der Erwachsenen, die mehr zu leiden haben würden als sie alle, falls Charles recht behielt, fügte er nicht hinzu.

12

> Oder habe ich nicht Macht zu tun, was ich will mit dem Meinen?
> *Das Evangelium für den Sonntag Septuagesima*

Der Mann, den man um neun Uhr am Montag in Wexfords Büro führte, war klein und schmächtig. Seine Handknochen waren auffallend feingliedrig und hatten schmale zierliche Gelenke wie die einer Frau. Sein dunkelgrauer Anzug, der ebenso teuer wie schick aussah, ließ ihn kleiner wirken, als er eigentlich war. Selbst so früh am Morgen und außerhalb seines Zuhauses umgab ihn eine Fülle eleganter Attribute. Wexford, der ihn gut kannte, bemerkte amüsiert die saphirbesetzte Krawattennadel, die beiden Ringe, die Schlüsselkette mit dem schweren Tropfen aus getriebenem Bernstein – wenn es denn Bernstein war – und die Aktentasche aus Reptilienleder. Wie viele Jahre, fragte er sich, würde Roger Primero wohl noch brauchen, um sich an den Reichtum zu gewöhnen?

»Wunderschöner Morgen«, sagte Wexford. »Ich war gerade ein paar Tage in Worthing, und das Meer war glatt wie ein Spiegel. Was kann ich für Sie tun?«

»Einen Betrüger schnappen«, sagte Primero. »Einen miesen kleinen Scheißer, der sich als Journalist ausgibt.« Er klappte die Aktentasche auf und warf eine Sonntagszeitung auf Wexfords Schreibtisch. Sie rutschte auf der polierten Oberfläche und fiel auf den Boden. Mit einem Stirnrunzeln ließ Wexford sie liegen.

»Verdammt«, sagte Primero. »Aber macht nichts, es steht sowieso nichts drin, was Sie lesen könnten.« Die glasigen Augen wirkten entzündet in dem markanten ausdruckslosen Gesicht. Seine Eitelkeit mußte den Mann schließlich so weit gebracht haben, sich gegen eine Brille aufzulehnen, dachte Wexford und zwinkerte leicht hinter seinem schweren Horngestell hervor. »Hören Sie mal, Chief Inspector, ich sag's Ihnen so, wie's ist, ich habe eine Stinkwut im Bauch. Und das kam so. Macht's Ihnen was aus, wenn ich rauche?«

»Überhaupt nicht.«

Ein goldenes Zigarettenetui erschien aus seiner Tasche, gefolgt von einer Spitze und einem Feuerzeug, das mit einer schwarzgoldenen Einlegearbeit verziert war. Wexford beobachtete interessiert, wie ein Requisit ums andere auftauchte, und fragte sich, wann wohl die eigentliche Inszenierung über die Bühne ging. Dieser Mann ist ein wandelnder Herrenausstatter, dachte er.

»Und das kam so«, wiederholte er. »Der Typ rief mich am Donnerstag an und sagte, er sei beim *Planet* und wolle einen Artikel über mich schreiben. Meine frühen

Jahre. Sie können sich das ungefähr vorstellen? Ich sagte, er könne am Freitag vorbeikommen, und er stand auch pünktlich auf der Matte. Ich gab ihm ein ellenlanges Interview, alle Information von A bis Z, und der Gipfel war noch, daß ihn meine Frau zum Mittagessen einlud.« Er verzog Mund und Nase wie jemand, der etwas Ekelhaftes riecht. »Verflucht«, sagte er, »ein solches Essen hat er bestimmt in seinem ganzen Leben noch nicht gesehen...«

»Es erschien aber kein Artikel, und als Sie heute früh beim *Planet* angerufen haben, hatte man dort noch nie von ihm gehört.«

»Woher wissen Sie das?«

»So was kommt öfters vor«, erklärte Wexford lapidar. »Ich muß mich über Sie wundern, Sir. Ein Mann mit Ihrer Erfahrung. Sie hätten *Freitag* früh beim *Planet* anrufen müssen.«

»Dafür komme ich mir jetzt auch wie der letzte Esel vor.«

Wexford fragte obenhin: »Geld war nicht zufällig im Spiel, oder?«

»Das fehlte noch!«

»Also nur das Mittagessen, und Sie haben ihm eine Menge Zeugs erzählt, das Sie besser für sich behalten hätten.«

»Darum geht's.« Bisher hatte er eine Schmollmiene gemacht, doch plötzlich lächelte er, und es war ein sympathisches Lächeln. Wexford hatte ihn eigentlich immer ziemlich gemocht. »Zum Teufel, Chief Inspector...«

»Zum Teufel, ganz recht. Aber Sie waren trotzdem gut beraten, zu uns zu kommen, obwohl ich nicht glaube, daß wir etwas tun können, es sei denn, er macht den ersten Schritt...«

»Den ersten Schritt? Was soll das heißen?«

»Lassen Sie mich mal ein Beispiel nennen. Ist nicht persönlich gemeint, Sie verstehen. Nur mal angenommen, ein wohlhabender Mann, der ein wenig im Blickpunkt der Öffentlichkeit steht, begeht eine kleine Indiskretion gegenüber einem angesehenen Journalisten. In der übergroßen Mehrzahl aller Fälle kann er sie nicht ausschlachten, weil er seiner Zeitung eine Verleumdungsklage damit einhandeln würde.« Wexford hielt inne und sah sein Gegenüber durchdringend an. »Aber wenn er die gleichen indiskreten Dinge einem Hochstapler, einem Betrüger sagt...« Primero war sehr blaß geworden. »Was soll den Hochstapler davon abhalten, einigen Hinweisen nachzugehen und etwas wirklich Nachteiliges auszugraben? Die meisten Menschen, Mr. Primero, selbst ordentliche gesetzestreue Menschen, haben etwas in ihrer Vergangenheit, das sie lieber nicht bekanntwerden lassen möchten. Sie müssen sich selbst die Frage stellen, was könnte er im Schilde führen? Die Antwort darauf lautet, entweder ist er hinter Ihrem Geld her, oder er ist ein Verrückter.« Ein wenig freundlicher fügte er hinzu: »Meiner Erfahrung nach sind neun von zehn schlicht verrückt. Aber falls es dazu beiträgt, Sie zu beruhigen, könnten Sie uns vielleicht trotzdem eine Beschreibung geben. Ich nehme an, er hat Ihnen seinen Namen genannt?«

»Das wird kaum sein richtiger Name sein.«

»Natürlich nicht.«

Primero beugte sich vertraulich zu ihm. Da er aus langer Erfahrung wußte, wie nützlich es sein konnte, sich über Parfums auf dem laufenden zu halten, fiel Wexford auf, daß Primero nach *Lentheric's Onyx* roch.

»Er wirkte ganz nett«, leitete Primero die Beschreibung ein. »Meine Frau war ziemlich angetan von ihm.« Seine Augen hatten zu tränen begonnen, und sehr behutsam rieb er sie mit den Fingern. Wexford fühlte sich an eine weinende Frau erinnert, die aus Angst, die Wimperntusche zu verschmieren, nicht wagt, sich die Augen abzuwischen. »Ich habe ihr übrigens nichts davon erzählt. Ich bin darüber hinweggegangen. Wollte sie nicht beunruhigen. Er war redegewandt, sprach mit Oxfordakzent und so weiter. Ein großer blonder Bursche, der sich als Bowman vorstellte, Charles Bowman.«

»A-ha!« sagte Wexford, aber nicht laut.

»Chief Inspector?«

»Mr. Primero?«

»Mir ist gerade noch etwas eingefallen. Er zeigte – nun, er zeigte ein ungewöhnliches Interesse für meine Großmutter.«

Wexford hätte beinahe losgelacht.

»Nach dem, was Sie mir erzählt haben, glaube ich Ihnen versichern zu können, daß es zu keinem ernsten Nachspiel kommen wird.«

»Sie halten ihn für bekloppt?«

»Zumindest für harmlos.«

»Da fällt mir aber ein Stein vom Herzen.« Primero stand auf, nahm seine Aktentasche wieder an sich und hob die Zeitung auf. Er stellte sich ziemlich ungeschickt dabei an, als sei er nicht gewohnt, auch nur die allerkleinsten Verrichtungen selbst zu erledigen. »In Zukunft werde ich vorsichtiger sein.«

»Vorsicht ist besser als Nachsicht, Sie wissen ja.«

»Jedenfalls will ich Ihnen nicht länger die Zeit stehlen.« Er machte ein langes, möglicherweise aber aufrichtig bekümmertes Gesicht. Die tränenden Augen verstärkten noch sein melancholisches Aussehen. »Muß nämlich zu einer Beerdigung. Die arme alte Alice.«

Wexford war aufgefallen, daß die Krawatte, auf der der

Saphir dunkel funkelte, schwarz war. Er begleitete Primero bis zur Tür. Während des ganzen Gesprächs hatte er ein todernstes Gesicht gemacht. Nun gestattete er sich, in fast lautloses Gelächter auszubrechen.

Bis zwei Uhr blieb nichts zu tun, außer die Sehenswürdigkeiten zu besichtigen. Charles war früh in die Stadt gegangen und hatte einen Reiseführer gekauft. Sie saßen im Gesellschaftsraum und blätterten ihn durch.

»Hier steht«, sagte Tess, »daß Forby das fünftschönste Dorf Englands sei.«

»Armes Forby«, erwiderte Charles. »Man kann etwas auch zu Tode loben.«

Kershaw begann, einen Plan aufzustellen.

»Wie wär's denn, wenn wir uns alle in mein Auto quetschen…« er legte einen Finger auf die Karte »…die Kingsbrook Road nach Forby nehmen – dort einen großen Bogen um Forby Hall machen, nicht, Charles? – rasch einen Blick auf die Kirche werfen und dann weiter nach Pomfret fahren? Pomfret Grange ist im Sommer werktags immer geöffnet. Wir könnten uns das Landschlößchen mal ansehen, danach nehmen wir die Hauptstraße zurück nach Kingsmarkham.«

»Prima«, meinte Tess.

Kershaw fuhr, und Archery saß neben ihm. Sie nahmen den gleichen Weg, den er mit Imogen Ide gefahren war, als sie Blumen auf das Grab der alten Mrs. Primero gelegt hatte. Nach einer Weile tauchte vor ihnen der Kingsbrook auf, und er mußte daran denken, was sie über die Unnachgiebigkeit des Wassers gesagt hatte und wie es, ungeachtet aller Bemühungen des Menschen, fortwährend aus der Erde sprudelt und sich einen Weg zum Meer bahnt.

Kershaw parkte den Wagen an dem Dorfanger mit dem Ententeich. Das Dorf wirkte friedlich und ruhig. Der Sommer war noch nicht so weit fortgeschritten, das frische Grün der Buchen matt zu machen oder die wilden Klematis mit ihren übelriechenden gräulichen Grannen niederzudrücken. Rings um den Anger standen Grüppchen von Cottages, und neben der Kirche erhob sich ein Häuserzug im georgianischen Stil mit Erkerfenstern, deren dunkle Scheiben glitzerten und hinter denen Chintz und Silber zu sehen waren. Es gab nur drei Geschäfte, ein Postamt, einen Metzgerladen mit einem weißen, säulengeschmückten Vordach und ein Andenkengeschäft für Touristen. Die Montagmorgenwäsche der Cottagebewohner hing zum Trocknen in der windstillen warmen Luft.

Sie setzten sich auf die Bänke am Rande des Angers, und Tess fütterte die Enten mit einer Packung Kekse, die sie in der Ablage unter dem Armaturenbrett gefunden hatte. Kershaw hatte eine Kamera dabei und machte Fotos. Plötzlich wurde Archery klar, daß er nicht mit ihnen weiterfahren wollte. Fast schauderte er vor Widerwillen bei dem Gedanken, über die Gänge von Pomfret Grange zu zotteln, mit unaufrichtiger Freude das Porzellan anzustaunen und so zu tun, als bewundere er die Ahnengalerie.

»Macht es euch was aus, wenn ich hierbleibe? Ich hätte mir gern noch mal die Kirche angesehen.«

Charles warf ihm einen bösen Blick zu. »Wir sehen uns die Kirche gemeinsam an.«

»Ich kann nicht, Liebling«, sagte Tess. »In Jeans kann ich in keine Kirche.«

»Da kannste mal sehen, wer bei euch die Hosen anhat«, witzelte Kershaw. Er steckte den Fotoapparat weg.

»Wenn wir dem herrschaftlichen Anwesen noch einen Besuch abstatten wollen, machen wir uns jetzt besser auf den Weg.«

»Ich kann bequem mit dem Bus zurückfahren«, sagte Archery.

»Aber komm um Himmels willen nicht zu spät.«

Falls es mehr als nur eine empfindsame Reise sein sollte, mußte er sich auch einen Führer besorgen. Als das Auto weggefahren war, lenkte er seine Schritte zu dem Andenkenladen. Eine Glocke bimmelte hell, als er die Tür aufdrückte, und eine Frau trat aus dem Hinterzimmer in den Verkaufsraum.

»Einen Führer für St. Mary's haben wir nicht, aber direkt hinter der Kirchentür gibt es welche.«

Da er nun einmal hier war, mußte er auch irgend etwas kaufen. Eine Postkarte? Eine kleine Brosche für Mary? Das, überlegte er sich, wäre wohl die schlimmste Art von Untreue, jedesmal Ehebruch begehen, wenn du das Andenken an deiner Frau siehst. Trübselig ließ er seinen Blick über Hufeisen aus Messing, bemalte Krüge und die Auslagen mit Modeschmuck schweifen.

Ein kleiner Ladentisch wurde ganz von Kalendern, Täfelchen mit in das Holz eingebrannten Worten und gerahmten Gedichten eingenommen. Eines davon, ein kleines Bild auf einer Karte, das einen Hirten mit einem Heiligenschein und ein Lamm darstellte, fiel ihm ins Auge, weil ihm der unter der Zeichnung stehende Text bekannt vorkam.

»Hirte, dein Lied ist verklungen...«

Die Frau stand neben ihm.

»Wie ich sehe, bewundern Sie die Werke unseres hiesigen Barden«, sagte sie freundlich. »Er starb als ganz junger Mensch und liegt hier begraben.«

»Ich war an seinem Grab«, sagte Archery.

»Wissen Sie, viele Leute, die hierherkommen, nehmen an, er sei Hirte gewesen. Ich muß immer erklären, daß früher Hirte und Dichter das gleiche bedeuteten.«

»Lycidas«, sagte Archery.

Sie schenkte dem Einwurf keine Beachtung. »Im Grunde war er sehr gebildet. Er besuchte die High School, und alle sagten, er hätte studieren sollen. Er kam bei einem Verkehrsunfall ums Leben. Möchten Sie ein Foto von ihm sehen?«

Aus einer Schublade unter dem Ladentisch zog sie einen Stapel billig gerahmter Fotografien hervor. Es waren alle die gleichen, und unter jeder standen die Worte: John Grace, der Barde von Forby. Wen Gott liebt, stirbt jung.

Es war ein hübsches asketisches Gesicht mit scharfgeschnittenen Zügen. Es wirkte hypersensibel, daneben vermittelte es aber auch den Eindruck, sein Besitzer leide an bösartiger Blutarmut, dachte Archery. Er hatte das komische Gefühl, es schon irgendwo gesehen zu haben.

»Wurde etwas von seinen Werken veröffentlicht?«

»Ein paar kleine Sachen in Zeitschriften, mehr nicht. Die genauen Einzelheiten weiß ich nicht, weil ich erst seit zehn Jahren am Ort wohne, aber früher gehörte einmal einem Verleger ein Wochenendhaus hier, und als der arme Junge starb, soll er sehr interessiert daran gewesen sein, seine Gedichte in einem Buch zu veröffentlichen. Mrs. Grace – seine Mutter, wissen Sie – wäre nichts lieber gewesen, nur war das meiste von dem Zeugs, das er geschrieben hatte, leider verlorengegangen. Bloß die kleinen Sachen, die Sie hier sehen, hat man noch gefunden. Seine Mutter sagte, er habe ganze Stücke geschrieben – sie reimten sich nicht, wenn Sie verstehen, was ich meine, aber sie waren ähnlich wie die von Shakespeare.

Jedenfalls waren sie nicht aufzufinden. Vielleicht hat er sie verbrannt oder weggeschenkt. Schade ist es irgendwie schon, nicht?«

Archery blickte kurz aus dem Fenster auf die kleine Holzkirche. »Manch Milton ohne Lied und Ruhm liegt hier...« murmelte er leise.

»Stimmt genau«, sagte die Frau. »Aber man kann nie wissen, vielleicht tauchen sie einmal auf wie die Schriftrollen vom Toten Meer.«

Archery erwarb das Bild mit dem Hirten und dem Lamm für 25 Pence und schlenderte zur Kirche hinüber. Er ging durch das Schwingtor und rechts herum auf die Tür zu. Was hatte sie noch gesagt? »Man darf nie entgegen dem Uhrzeigersinn um eine Kirche gehen. Das bringt Unglück.« Er brauchte Glück für Charles und für sich selbst. Das Ironische dabei war, daß, ganz gleich, wie die Sache auch ausging, einer von ihnen immer verlieren würde.

Aus der Kirche drang keine Musik, doch als er die Tür aufschob, bemerkte er, daß gerade ein Gottesdienst im Gange war. Einen Moment lang blieb er stehen, sah sich die Leute an und hörte auf die Worte.

»Habe ich menschlicher Meinung zu Epheso mit den wilden Tieren gefochten? Was hilft mir's, so die Toten nicht auferstehen?«

Es war ein Trauergottesdienst. Sie waren fast genau in der Mitte der Liturgie für das Begräbnis der Toten.

»Laßt uns essen und trinken, denn morgen sind wir tot...«

Die Tür quietschte beim Schließen leise. Als er sich nun umdrehte, bemerkte er vor dem anderen Tor auch die Autos des Leichenzugs, insgesamt drei. Er warf noch einmal einen Blick auf das Grab von Grace, kam an der frisch geschaufelten Grube vorbei, die den noch in der Kirche liegenden Sarg aufnehmen sollte, und ließ sich schließlich auf einer Holzbank in einem schattigen Winkel nieder. Es war Viertel vor zwölf. Noch eine halbe Stunde, dachte er bei sich, dann würde er zum Bus gehen müssen. Kurz darauf nickte er ein.

Das Geräusch leiser Schritte weckte ihn. Er schlug die Augen auf und sah, daß man den Sarg aus der Kirche trug. Vier Träger hatten ihn sich auf die Schultern geladen, doch es war ein kleiner Sarg, vielleicht für ein Kind oder eine kurzgewachsene Frau. Auf ihm lagen einige Blumensträuße und ein riesengroßer Kranz Madonnenlilien.

Den Sargträgern folgte ungefähr ein Dutzend Menschen; angeführt wurde der Trauerzug von einem Mann und einer Frau, die nebeneinander gingen. Sie wandten Archery den Rücken zu, überdies trug die Frau, die einen schwarzen Mantel anhatte, einen großen schwarzen Hut, dessen Krempe sich über ihr Gesicht wölbte. Doch er hätte sie überall erkannt. Und wenn er blind und taub gewesen wäre, er hätte sie an ihrer Ausstrahlung und ihrem Fluidum erkannt. Sie konnten ihn nicht sehen, hatten keine Ahnung, daß sie beobachtet wurden, diese Trauernden, die zum Begräbnis von Alice Flower gekommen waren.

Die anderen in dem Leichenzug waren größtenteils alt, vermutlich Alices Freunde, und eine Frau sah aus wie die Schwester aus dem Krankenhaus. Sie versammelten sich am Grab, und der Pfarrer begann mit den Worten, mit denen man die alte Dienerin endgültig der Erde übergeben würde. Primero bückte sich, scharrte ziemlich geziert eine Handvoll schwarze Erde zusammen und warf sie auf den Sarg. Seine Schultern bebten, und eine kleine Hand in einem schwarzen Handschuh legte sich ihm auf den

Arm. Es gab Archery einen heftigen Stich, die Eifersucht verschlug ihm den Atem.

Der Pfarrer sprach das Gebet und den Segen. Daraufhin nahm ihn Primero ein wenig zur Seite, sie unterhielten sich und gaben sich die Hand. Er faßte seine Frau am Arm und ging mit ihr gemächlich zu dem Tor, wo die Autos standen. Es war vorbei.

Als sie nicht mehr zu sehen waren, stand Archery auf und trat an das Grab, das gerade zugeschaufelt wurde. Die Lilien roch er aus fünf Meter Entfernung. Auf dem Gebinde steckte eine Karte, auf der die schlichten Worte standen: »In Liebe, von Mr. und Mrs. Roger.«

»Guten Tag«, sagte er zu dem Totengräber.

»Guten Tag, Sir. Schöner Tag heute.«

Es war Viertel nach zwölf vorbei. Archery eilte auf das Schwingtor zu und überlegte sich, wie oft die Busse wohl fuhren. Als er unter den überwölbenden Bäumen hervortrat, blieb er wie angewurzelt stehen. Auf dem sandigen Weg kam ihm mit großen Schritten Charles entgegen.

»Du hast nichts versäumt«, rief Charles. »Die hatten wegen Umbaus geschlossen. Haste da noch Töne? Wir dachten, da könnten wir dich auch gleich wieder abholen.«

»Wo steht ihr?«

»Auf der anderen Seite der Kirche.«

Inzwischen waren sie bestimmt weg. Dennoch wünschte sich Archery, wieder im *Olive and Dove* vor kaltem Braten und Salat zu sitzen. Als sie um die Eibenhecke bogen, fuhr ein schwarzes Auto an ihnen vorbei. Er zwang sich, zum Tor zu blicken. Die Primeros standen immer noch dort und sprachen mit der Schwester. Mit einemmal war ihm ganz trocken im Hals.

»Gehen wir über den Rasen«, drängte er.

»Zufällig wartet Mr. Kershaw aber da drüben.«

Nur wenige Meter trennten sie jetzt noch von den Primeros. Die Schwester gab ihnen die Hand und stieg in eine der gemieteten Limousinen. Primero drehte sich um, und sein Blick traf auf Charles.

Zuerst wurde er weiß, dann merkwürdig purpurrot vor Zorn. Charles ging unbeirrt auf ihn zu, und dann setzte sich auch Primero in Bewegung. Sie näherten sich einander bedrohlich, lächerlich, wie zwei Revolverhelden in einem Western.

»Mr. Bowman, vom *Sunday Planet*, wie ich glaube?«

Charles blieb stehen und sagte unverfroren: »Von mir aus können Sie glauben, was Sie wollen.«

Sie hatte sich mit der Frau in dem Auto unterhalten. Nun reckte sie den Kopf, und das Auto setzte sich in Bewegung. Sie waren allein, sie vier mitten im fünftschönsten Dorf Englands. Sie sah Archery an, erst peinlich berührt, dann mit einer Herzlichkeit, die ihre Verlegenheit überwand.

»Oh, nanu, ich...«

Primero packte sie am Arm. »Erkennst du ihn? Ich werde dich als Zeugin brauchen, Imogen.«

Charles starrte ihn wütend an. »Für was denn?«

»Charles!« sagte Archery streng.

»Leugnen Sie etwa, daß Sie sich unter einem Vorwand in mein Haus eingeschlichen haben?«

»Roger, Roger...« Sie lächelte zwar noch, doch es war ein steifes Lächeln. »Erinnerst du dich nicht mehr, wir haben Mr. Archery auf dem Tanz kennengelernt. Das ist sein Sohn. Er ist Journalist, schreibt aber unter Pseudonym, das ist alles. Sie machen hier Ferien.«

»Das stimmt leider nicht ganz, Mrs. Primero«, sagte Charles entschieden. Sie blinzelte, ihre Wimpern klimperten irritiert, und ihr Blick heftete sich auf Archerys Gesicht. »Mein Vater und ich kamen mit der festen Absicht hierher, gewisse Erkundigungen einzuziehen. Das haben wir auch getan. Um dies zu erreichen, mußten wir uns in Ihr Vertrauen einschleichen. Vielleicht haben wir dabei wenig Skrupel gezeigt, aber wir fanden, der Zweck heiligt die Mittel.«

»Ich verstehe leider nicht ganz.« Ihr Blick ruhte nach wie vor auf Archery, und er war nicht imstande, ihm einfach auszuweichen. Er wußte, daß ihm eine flehentliche Bitte um Vergebung ins Gesicht geschrieben stand, die Charles' Erklärung Lügen strafte und auch die Pein seiner Liebe erkennen ließ. Es gab jedoch keinen Grund, weshalb sie dort etwas anderes als Schuld herauslesen sollte. »Ich verstehe kein Wort. Was für Erkundigungen?«

»Ich sag's Ihnen...«, begann Charles, doch Primero fiel ihm ins Wort.

»Da Sie so freimütig sind, werden Sie gewiß nichts dagegen haben, mit mir jetzt auf der Stelle zum Polizeirevier zu gehen und Ihre ›Erkundigungen‹ vor Chief Inspector Wexford auf den Tisch zu legen.«

»Aber nicht im geringsten«, sagte Charles gedehnt, »außer daß ich jetzt zufällig zu Mittag essen möchte und sowieso schon einen Termin beim Chief Inspector habe. Um Punkt zwei. Ich beabsichtige ihm zu sagen, Mr. Primero, wie gelegen Ihnen der Tod Ihrer Großmutter kam, wie Sie es anstellten – oh, völlig legal, das gebe ich zu –, ihre Schwestern um ihr Erbe zu betrügen und wie Sie sich an einem bestimmten Septemberabend vor sechzehn Jahren in *Victor's Piece* versteckten.«

»Sie sind ja verrückt!« schrie Primero.

Archery fand die Sprache wieder. »Das reicht,

Charles.« Er hörte, wie sie etwas sagte, ein feines, geisterhaftes Stimmchen.

»Das ist nicht wahr!« Und dann, furchtbar ängstlich: »Das ist doch nicht wahr?«

»Es fällt mir nicht im Traum ein, mit diesem Gauner auf der Straße herumzustreiten.«

»Natürlich ist es wahr.«

»Es ging alles mit rechten Dingen zu«, erklärte Primero plötzlich. Hier im Mittagsglast war ihnen allen sehr heiß, doch nur auf Primeros Gesicht stand wirklicher Schweiß, Wassertropfen auf käsig bleicher Haut. »Verdammt, es war eine Frage der Gesetze«, polterte er. »Was geht Sie das überhaupt an? Wer sind Sie eigentlich?«

Ohne ihren Blick von Archery zu wenden, faßte sie ihren Mann am Arm. Alle Fröhlichkeit war aus ihrem Gesicht verschwunden, und beinahe wirkte sie alt, eine angegraute blonde Frau, deren schwarze Kleidung mehr ins Auge fiel als sie selbst. Weil sie häßlich geworden war, schien sie mit einemmal für Archery erreichbar zu sein, und doch war sie ihm noch nie so fern wie jetzt. »Gehen wir nach Hause, Roger.« Ihre Lippen bebten, und zarte Fältchen tauchten an ihren Mundwinkeln auf. »Ich will hoffen, Mr. Archery«, sagte sie, »daß es Ihnen im Verlauf Ihrer Nachforschungen gelang, das Angenehme mit dem Nützlichen zu verbinden.«

Als sie weg waren, stieß Charles einen großen Seufzer aus.

»Eigentlich hat mir das richtig Spaß gemacht. Mit dem Angenehmen meinte sie wohl das Mittagessen, das sie mir spendiert haben. Diese Millionärsfrauen zählen einem die Kaviareier einzeln in den Mund, das kannst du mir glauben. Trotzdem war es wohl ein ziemlicher

Schlag für sie. Nun mach bloß kein so belämmertes Gesicht, Vater. Diese krankhafte Angst vor Konflikten ist schrecklich spießig.«

13

> Ich übe Recht und Gerechtigkeit... ich hasse alle falschen Wege.
>
> *Psalm 119, zu lesen am 26. Tage*

»Gesetze und Verordnung des Vereinigten Königreichs, 1950.« Wexford nahm den Band – war es ein Weißbuch? Zu seiner Schande mußte Archery sich eingestehen, daß er es nicht wußte – und las den Titel laut vor. »Da drin steht etwas, das ich mir ansehen soll?«

Charles schlug die Seite für ihn auf. »Hier.« Wexford fing an zu lesen. Das Schweigen war lastend, fast quälend. Archery blickte verstohlen zu den anderen, auf Charles, der vor Eifer rot geworden war, Kershaw, der einen entspannten Eindruck machen wollte, dessen hin und her huschende glänzende Augen aber seine Besorgnis verrieten, und auf die Zuversicht und Gelassenheit ausstrahlende Tess. Begründete sich ihr felsenfestes Vertrauen in ihrer Mutter oder in Charles? Das sichere Auftreten seines Sohnes war beträchtlich ins Wanken geraten, als sie vor fünf Minuten dieses Büro betreten hatten und er Tess mit dem Chief Inspector bekannt machen mußte.

»Miss Kershaw«, hatte er gesagt, »die... meine Zukünftige. Ich...«

»Ah, ja.« Wexford hatte sich sehr weltgewandt gezeigt. »Guten Tag, Miss Kershaw, Mr. Kershaw. Möchten Sie nicht Platz nehmen? Die Hitzewelle ist wohl leider am Abklingen.«

Und tatsächlich zeichnete sich an dem strahlendblauen, so gar nicht zu England passenden Himmel ein Witterungsumschwung ab. Er begann, als kurz nach dem Mittagessen eine kaum faustgroße Wolke auftauchte, und nach dieser Wolke hatte ein plötzlich aufkommender Wind noch andere aufziehen lassen. Während Wexford mit einem leichten Stirnrunzeln unverwandt las, sah Archery nachdenklich aus dem Fenster, dessen gelbe Jalousie ganz hochgerollt war, auf die sich zusammenballenden fleckigen Wolkenberge, die wie mit Pockennarben mit Grau bedeckt und durchsetzt waren.

»Sehr interessant«, sagte Wexford, »und mir völlig neu. Ich wußte nicht, daß die Primero-Schwestern adoptiert waren. Das kam Primero gut zupaß.«

»Gut zupaß?« wiederholte Charles. Archery stieß innerlich ein Seufzen aus. Er wußte schon immer im voraus, wenn sein Sohn unverschämt oder, wie Charles es ausdrückte, »direkt« wurde. »Mehr haben Sie dazu nicht zu sagen?«

»Nein«, sagte Wexford. Nur wenige Menschen besitzen so viel Selbstvertrauen und Zurückhaltung, ohne Einschränkung ja oder nein zu sagen. Wexford war groß, dick und häßlich; sein Anzug hatte zwar schon bessere Tage gesehen, dazwischen zu viele regnerische und zu viele heiße und staubige, aber er strahlte Kraft aus. »Ehe wir uns hierüber weiter unterhalten, Mr. Archery«, sagte er zu Charles, »möchte ich gern noch erwähnen, daß sich Mr. Primero bei mir über Sie beschwert hat.«

»Ach, das.«

»Ja, das. Ich weiß schon seit einigen Tagen, daß Ihr Vater Bekanntschaft mit den Primeros geschlossen hat. Die Idee, dies auf dem Weg über Mrs. Primero zu tun, war vielleicht gar nicht schlecht und gewiß auch nicht unangenehm.« Archery war bleich geworden und wußte das auch. Ihm war schlecht. »Und lassen Sie mich gerechterweise hinzufügen«, fuhr Wexford fort, »daß ich ihm von meiner Seite aus grünes Licht signalisiert habe, mit den in den Fall Primero verwickelten Personen in Verbindung zu treten.« Er warf einen raschen Blick auf Tess, die sich nicht rührte. »Voraussetzung dafür war aber, daß er hier keinen Ärger macht. Wegen Ihrer kleinen Eskapade am Freitag hat es aber eine Menge Ärger gegeben, und das dulde ich nicht!«

»Ist ja gut, es tut mir leid«, entschuldigte sich Charles mürrisch, doch er erkannte, daß er sich vor Tess rechtfertigen mußte. »Aber Sie wollen mir doch nicht erzählen, daß Ihre Leute ab und zu nicht auch mal einen Vorwand gebrauchen, um zum Ziel zu kommen.«

»Rein zufällig«, wies ihn Wexford zurecht, »haben meine Leute aber das Gesetz auf ihrer Seite.« Hochtrabend fügte er hinzu: »Sie *sind* das Gesetz.« Er wurde wieder etwas freundlicher. »An Strafpredigten müßten Sie durch Ihren Vater eigentlich gewöhnt sein. Wenn wir uns in diesem Punkt also verstanden haben, können Sie mir jetzt vielleicht sagen, was genau Sie und Ihr Vater eigentlich herausgefunden haben.«

Charles erzählte es ihm. Wexford hörte geduldig zu, doch während sich die gegen Primero sprechenden Indizien mehrten, breitete sich nicht Überraschung auf seinem Gesicht aus, sondern eine merkwürdige Ausdruckslosigkeit. Die ungeschlachten Züge wirkten mit einemmal stur.

»Sie werden jetzt natürlich sagen, daß er ein Alibi hatte«, schloß Charles. »Mir ist klar, daß Ihre Leute sein Alibi bestimmt überprüft haben und es nach so vielen Jahren schwer zu widerlegen sein wird, aber...«

»Sein Alibi ist nicht überprüft worden«, sagte Wexford.

»Was sagten Sie?«

»Sein Alibi ist nicht überprüft worden.«

»Ich verstehe nicht ganz.«

»Mr. Archery...« Wexford stand auf und legte die fleischigen Hände auf den Schreibtisch, kam aber nicht hinter ihm vor. »Ich bin durchaus bereit, diese Sache mit Ihnen zu besprechen und Ihnen jede Ihrer Fragen zu beantworten.« Er hielt kurz inne. »Aber nicht in Miss Kershaws Anwesenheit. Wenn ich das sagen darf, es war meiner Meinung nach unklug von Ihnen, sie hierher mitzubringen.«

Nun sprang Charles seinerseits auf.

»Miss Kershaw ist meine zukünftige Frau«, brauste er auf. »Alles, was Sie mir sagen, können Sie auch ihr sagen. Ich werde in dieser Angelegenheit keine Geheimnisse vor ihr haben.«

Gelassen setzte sich Wexford wieder. Er zog einen Stapel Akten aus einer Schublade des Schreibtisches hervor und fing an, sie zu lesen. Nach einer Weile blickte er bedächtig auf und sagte: »Es tut mir leid, daß unser Gespräch so fruchtlos für Sie verlief. Wenn Sie ein wenig Entgegenkommen gezeigt hätten, wäre ich vermutlich in der Lage gewesen, Ihnen eine Menge unnützer Nachforschungen zu ersparen. Haben Sie bitte Verständnis, ich bin ein vielbeschäftigter Mann, deshalb sage ich Ihnen jetzt auf Wiedersehen.«

»Nein«, rief Tess. »Ich gehe. Ich warte im Auto.«

»Tess!«

»Ich gehe, das ist doch selbstverständlich, Liebling. Verstehst du denn nicht? Er kann vor mir nicht über meinen Vater sprechen. Ach, Charles, sei doch kein Kindskopf!«

Genau das ist er aber, dachte Archery unglücklich. Wexford wußte etwas – etwas, das schrecklich sein würde. Aber warum spielte er Katz und Maus mit ihnen, warum hatte er es mit Archery schon die ganze Zeit über gespielt. Selbstvertrauen und Kraft – doch verbarg sich darunter vielleicht ein grimmiger, nach innen gewandter Snobismus, eine Angst, die Archerys könnten seine Autorität untergraben und Unruhe in seinen Bezirk bringen? Aber dennoch übte der Mann einen starken Bann aus und war ohne Zweifel ein guter und gerechter Mensch. Niemals würde er lügen oder die Wahrheit verdrehen, um einen Irrtum zu vertuschen. »Sein Alibi ist nicht überprüft worden.« Wenn sie doch nur mit diesem Eiertanz aufhören würden!

Schließlich machte Wexford den ersten Schritt.

»Aus dem Revier brauchen Sie nicht gleich zu gehen, Miss Kershaw«, sagte er. »Falls Ihr – Ihr Vater Sie in den ersten Stock begleiten möchte – geradeaus den Gang entlang und nach der Flügeltür gleich links –, werden Sie feststellen, daß wir eine ganz passable Kantine besitzen, selbst an den Ansprüchen einer Dame gemessen. Ich empfehle eine Tasse starken Tee und Johannisbeerkuchen.«

»Danke.« Tess wandte sich um und tippte Kershaw ganz leicht auf die Schulter. Er stand sofort auf. Wexford machte hinter ihnen die Tür zu.

Charles holte tief Luft, versuchte tapfer, sich zwanglos auf seinem Stuhl zu rekeln, und sagte: »Also schön. Was ist nun mit diesem Alibi, das aus unerfindlichen Gründen nicht überprüft wurde?«

»Unerfindlich«, widersprach Wexford, »waren die Gründe nicht. Mrs. Primero ist zwischen 18 Uhr 25 und 19 Uhr am Sonntag, dem 24. September 1950, ermordet worden.« Er hielt inne, damit Charles ihn mit seinem zwangsläufigen, ungeduldig hervorgestoßenen »Ja, ja« unterbrechen konnte. »Sie ist in Kingsmarkham ermordet worden, aber Roger Primero hat man um 18 Uhr 30 in Sewingbury gesehen, das acht Kilometer entfernt liegt.«

»Ach, gesehen hat man ihn, ja?« spöttelte Charles und schlug die Beine übereinander. »Was hältst du davon, Vater? Glaubst du nicht, es könnte die entfernte Möglichkeit bestehen, daß er im voraus dafür gesorgt hat, ›gesehen‹ zu werden. Für zwanzig Mäuse findet sich immer irgend so ein zwielichtiger Typ, der sagt, er habe einen gesehen und notfalls einen Meineid darauf leistet.«

»Irgend so ein zwielichtiger Typ eben, was?« Wexford bemühte sich nun kaum noch, seine Belustigung zu verbergen.

»Jemand hat ihn gesehen. Schön. Wer hat ihn gesehen?«

Wexford seufzte und das Lächeln verschwand.

»Ich habe ihn gesehen«, sagte er.

Es war ein Schlag ins Gesicht. Innige Zuneigung zu seinem Sohn, die während den letzten Tagen wenig zum Zuge gekommen war, ließ Archery das Herz überfließen. Charles sagte nichts, und Archery, der dies in letzter Zeit ziemlich oft tun mußte, bemühte sich sehr, keinen Haß auf Wexford in sich hochsteigen zu lassen. Er hatte unverschämt lange gebraucht, zur Sache zu kommen, aber damit hatte er sich natürlich gerächt.

Die großen Ellenbogen hatte er auf den Schreibtisch gestützt, die Finger aufeinandergelegt, so daß sie eine unnachgiebige Fleischpyramide bildeten. Wenn Wexford Primero an jenem Abend gesehen hatte, war es unbestreitbar, denn er war die Unbestechlichkeit in Person. Es war fast so, als hätte ihn Gott gesehen. Erschrocken setzte sich Archery auf dem Stuhl gerade und hüstelte schmerzhaft trocken.

»Sie?« sagte Charles schließlich.

»Ich«, bestätigte Wexford. »Mit eigenen Augen.«

»Das hätten Sie uns wirklich vorher sagen können!«

»Das hätte ich auch«, sagte Wexford nachsichtig, und seltsamerweise klang es glaubhaft, »wenn ich auch nur die leiseste Ahnung gehabt hätte, daß Sie ihn verdächtigen. Sich an Primero wegen seiner Großmutter ranzumachen war eine Sache, ihm den Mord anzuhängen aber eine ganz andere.«

Höflich jetzt, steif und sehr förmlich fragte Charles: »Würden Sie so freundlich sein, uns die Einzelheiten mitzuteilen?«

Wexfords Höflichkeit stand seiner in nichts nach. »Aber gern. Ich habe es vor. Ehe ich dies tue, sage ich jedoch lieber gleich, daß eine Verwechslung absolut ausgeschlossen ist. Ich kannte Primero. Ich hatte ihn mit seinem Chef sehr oft im Gericht gesehen. Er pflegte ihn zu begleiten, um die beruflichen Feinheiten von ihm zu lernen.« Charles nickte mit unbewegtem Gesicht. Archery glaubte zu wissen, was in seinem Kopf vorging. Verlust war etwas, wo auch er seine Erfahrungen besaß.

»Ich hatte beruflich in Sewingbury zu tun«, fuhr Wexford fort, »und war mit einem Mann verabredet, der uns manchmal ein paar Hinweise gab. Ihn könnte man einen zwielichtigen Typ nennen, aber zwanzig Mäuse war es nicht wert, was wir aus ihm herauskriegten. Die Verabredung war um achtzehn Uhr in einem Pub, dem *Black Swan.* Jedenfalls sprach ich kurz mit meinem – meinem Freund, und um sieben mußte ich wieder in Kingsmarkham sein. Ich ging kurz vor halb sieben aus der Kneipe und lief Primero direkt in die Arme.

›Guten Abend, Inspector‹, sagte er, und ich hatte den Eindruck, daß er ein bißchen verwirrt wirkte. Und das war auch nicht weiter verwunderlich. Wie ich später erfuhr, wollte er sich mit ein paar Freunden dort treffen, aber er war im falschen Pub gelandet. Sie warteten auf ihn im *Black Bull.* ›Sind Sie im Dienst?‹ fragte er. ›Oder können wir uns einen hinter die Binde gießen?‹ «

Archery mußte fast lächeln. Die lächerliche Redeweise, die Primero auch nach sechzehn Jahren Wohlstand beibehielt, hatte Wexford treffend imitiert.

» ›Danke bestens‹, sagte ich, ›aber ich bin so schon spät dran.‹ – ›Na denn, gute Nacht‹, sagte er und ging zur Theke. Ich war noch keine zehn Minuten in Kingsmarkham, als man mich zu *Victor's Piece* rauskommen ließ.«

Charles erhob sich sehr langsam und streckte steif und mechanisch die Hand aus.

»Haben Sie vielen Dank, Chief Inspector. Ich glaube, damit hat sich das Thema wohl erledigt.« Wexford beugte sich über den Schreibtisch und gab ihm die Hand. Ein Anflug von Mitleid glitt über sein Gesicht, war im nächsten Moment aber wieder verschwunden. »Tut mir leid, daß ich eben nicht sehr höflich war.«

»Ist schon in Ordnung«, sagte Wexford. »Das ist ein Polizeirevier, keine Sonntagsschule.« Er zögerte kurz und fügte dann hinzu: »Auch mir tut es leid.« Und Archery war klar, daß die Entschuldigung nichts mit Charles' schlechten Manieren zu tun hatte.

Noch ehe sie alle ins Auto eingestiegen waren, fingen Tess und Charles schon zu streiten an. In der Gewißheit, daß sie das oder etwas sehr Ähnliches alle schon einmal gesagt hatten, hörte Archery ihnen nur mit halbem Ohr zu. Er hatte nun schon seit einer halben Stunde geschwiegen, und noch immer gab es nichts, was er hätte sagen können.

»Wir müssen die Sache realistisch sehen«, erklärte Charles gerade. »Wenn ich nichts dagegen habe und Mutter und Vater nichts dagegen haben, warum können wir dann nicht einfach heiraten und vergessen, daß du überhaupt je einen Vater hattest?«

»Wer sagt, sie hätten nichts dagegen? Realistisch ist das jedenfalls nicht. Ich bin realistisch. Auf die eine oder andere Weise hatte ich sehr viel Glück...« Tess warf Kershaw ein flüchtiges, bekümmertes Lächeln zu. »Ich hatte mehr davon, als irgend jemand für möglich gehalten hätte, aber in dieser einen Beziehung muß ich eben verzichten.«

»Und was heißt das im Klartext?«

»Einfach – na, daß es lächerlich war, je auch nur mit dem Gedanken zu spielen, daß wir heiraten könnten, du und ich.«

»Du und ich? Was ist mit den anderen, die einmal auftauchen und dich gern haben werden? Machst du mit denen dann das gleiche Melodrama durch, oder läßt du dir das Herz erweichen, wenn die Dreißiger mal ihr häßliches Haupt erheben?«

Die letzte Bemerkung ließ sie zusammenfahren. Archery dachte, Charles habe wohl vergessen, daß sie nicht allein waren. Er schob sie auf den Rücksitz des Autos und knallte die Tür zu.

»Ich bin eben neugierig, verstehst du?« fuhr Charles

mit bitterem Sarkasmus fort. »Ich möchte bloß wissen, ob du ein Gelübde ewiger Keuschheit abgelegt hast. Mein Gott, das klingt wie eine von den Schlagzeilen des *Sunday Planet* – Wegen Sünde des Vaters zu einsamer Jungfernschaft verdammt! Nur um das mal festzuhalten, da ich moralisch ja so himmelweit über dir stehe, würde ich gern die Anforderungen wissen, die der Glückliche erfüllen muß. Könntest du mir ein paar nähere Angaben liefern?«

Ihre Mutter hatte das Vertrauen in ihr begründet, das die Familie Archery mit ihren Zweifeln erschüttert hatte; dennoch war es immer noch vorhanden, bis Wexford es endgültig zerstört hatte. Ihr Blick war starr auf Kershaw gerichtet, der ihr den Kontakt zur Wirklichkeit bot. Archery überraschte es nicht, als sie in hysterischem Ton antwortete: »Vermutlich müßte er einen Mörder zum Vater haben.« Sie schnappte nach Luft, denn es war das erste Mal, daß sie es selbst eingestand. »So wie ich.«

Charles tippte Archery auf die Schulter. »Steig doch mal kurz aus und murks jemanden ab.«

»Jetzt halt aber die Klappe«, fuhr ihn Kershaw an. »Laß gut sein, Charlie.«

Archery stupste ihn am Arm. »Ich möchte gern aussteigen, wenn es keine Umstände macht. Ich muß ein bißchen an die frische Luft.«

»Ich auch«, sagte Tess. »Ich hab schreckliches Kopfweh und halte die Enge hier drin nicht mehr aus. Ich brauch ein Aspirin.«

»Hier kann ich nicht parken.«

»Dann gehen wir zu Fuß zurück zum Hotel. Wenn ich hier nicht gleich rauskomme, werde ich ohnmächtig.«

Kurz darauf standen sie zu dritt auf dem Bürgersteig. Charles machte eine Leichenbittermiene. Tess taumelte leicht, und Archery faßte sie beim Arm, um sie zu stützen. Einige Passanten beäugten sie neugierig.

»Du wolltest doch Kopfschmerztabletten«, sagte Charles.

Zur nächsten Apotheke waren es nur wenige Meter, doch Tess zitterte unter ihrer dünnen Kleidung. Die Luft war unangenehm drückend. Archery bemerkte, daß an sämtlichen Läden die Markisen eingerollt waren.

Charles wollte schon wieder anfangen, aber sie warf ihm einen flehentlichen Blick zu. »Reden wir jetzt nicht mehr davon. Wir haben alles gesagt, bis Oktober muß ich dich nicht mehr sehen, und nicht einmal dann, wenn wir achtgeben...«

Er runzelte die Stirn, schwieg aber und machte nur eine kleine wegwerfende Geste. Archery hielt Tess die Ladentür auf. In der Apotheke war niemand außer der Verkäuferin und Elizabeth Crilling. Sie schien nichts zu kaufen, sondern auf etwas zu warten und derweil mit dem Ladenmädchen zu schwatzen. Mitten an einem Nachmittag unter der Woche ging sie einkaufen. Was war aus der Stelle bei der »Firma für Damenbekleidung« geworden? Archery fragte sich, ob sie ihn erkennen würde und wie er das verhindern könnte, denn er wollte sie nicht mit Tess bekannt machen. Ehrfürchtiges Staunen ergriff ihn, als ihm klar wurde, was in diesem kleinen Laden eigentlich vor sich ging, ein Wiedersehen nach sechzehn Jahren zwischen dem Kind, das Painters Tochter war, und dem Kind, das Painters Untat entdeckt hatte.

Während er an der Tür blieb, ging Tess zum Ladentisch. Sie kamen sich so nahe, daß sie sich beinahe berührten. Dann griff Tess nach einem der Aspirinröhrchen, die vor Liz Crilling standen, und streifte sie dabei am Ärmel.

»Verzeihung.«

»Macht nichts.«

Archery konnte sehen, daß Tess kein Kleingeld hatte und mit einem Schein bezahlen mußte. Seine Angst, seine Befürchtungen über die Auswirkungen, die es auf Tess haben würde, wenn sie in diesem Moment die Wahrheit erführe, waren so groß, daß er beinahe gerufen hätte: »Laß gut sein! Schenk's ihnen. Bloß laß uns jetzt um Himmels willen wegrennen und uns verstecken!«

»Haben Sie's nicht kleiner?«

»Leider nein.«

»Dann muß ich mal kurz nachsehen, ob wir wechseln können.«

Die beiden jungen Frauen standen schweigend nebeneinander. Tess starrte auf einen Punkt vor sich, doch Liz Crilling spielte nervös mit zwei kleinen Parfumflakons, die auf einer Glasplatte standen, und schob sie umher wie Schachfiguren.

Dann kam der Apotheker im weißen Kittel in den Verkaufsraum.

»Wartet hier eine Miss Crilling auf ein Rezept?«

Tess drehte sich um, glühend rot im Gesicht.

»Das ist zwar ein Mehrfachrezept, aber leider ist es nicht mehr gültig...«

»Was soll das heißen, nicht mehr gültig?«

»Das soll heißen, daß es nur sechsmal benutzt werden kann. Ohne neues Rezept darf ich Ihnen diese Tabletten nicht mehr geben. Wenn Ihre Mutter...«

»Die alte Kuh«, sagte Miss Crilling schleppend.

Die lebhafte Munterkeit auf dem Gesicht von Tess verschwand, als hätte sie der Schlag getroffen. Ohne den Geldbeutel aufzumachen, stopfte sie das Wechselgeld lose in ihre Handtasche und stürzte aus der Apotheke.

Die alte Kuh. Es war ihre Schuld. Alles Schlechte, was dir je zugestoßen war. Alles ihre Schuld – angefangen bei dem schönen rosa Kleid. Sie nähte es für dich; saß an jenem kalten Sonntag den ganzen Tag an der Nähmaschine. Als es fertig war, hast du es angezogen, und Mami hat dir das Haar gebürstet und dir eine Schleife reingebunden.

»Ich flitz mal kurz rüber und zeig dich Oma Rose«, hat Mami gesagt und ist rübergeflitzt, aber als sie zurückkam, ist sie böse gewesen, weil Oma Rose geschlafen hat und nicht hörte, wie sie ans Fenster klopfte.

»Versuch's in einer halben Stunde noch mal«, hat Vati gesagt. »Vielleicht ist sie dann wach.« Er selber hat auch gedöst, ist im Bett gelegen, ganz bleich und mager auf den Kissen. Deshalb ist Mami bei ihm oben geblieben, hat ihm seine Medizin gegeben und ihm vorgelesen, weil er zu schwach war, ein Buch zu halten.

»Du bleibst schön im Wohnzimmer, Schatz, und paß ja auf, daß du das Kleid nicht schmutzig machst.«

Du hast getan, was sie sagte, aber geheult hast du trotzdem. Der Besuch bei Oma Rose ist dir natürlich egal gewesen, aber während sie mit Mami geredet hätte, das hast du gewußt, hättest du auf den Gang hinaus und in den Garten schleichen können, um es Tessie zu zeigen, jetzt, wo es noch brandneu war.

Warum eigentlich nicht? Warum nicht einen Mantel überziehen und über die Straße laufen? Mami würde erst wieder in einer halben Stunde runterkommen. Aber du mußtest dich beeilen, denn Tessie ging immer schon um halb sieben ins Bett. Tante Renee war da sehr streng. »Anständige Arbeiterklasse«, sagte Mami immer, was das auch heißen mochte, und wenn sie dich vielleicht auch in ihr Zimmer ließ, aufwecken würde sie dich Tessi bestimmt nicht lassen.

Aber warum, warum, warum bist du bloß da hingegangen?

Elizabeth Crilling trat aus der Apotheke, ging wie blind zur Abzweigung in die Glebe Road und rempelte im Gehen die Passanten an. Vor dir noch ein so langer Weg, an den abscheulichen kleinen Sandhäusern vorbei, die in dem gespenstischen Licht wie Grabmäler in der Wüste aussahen, noch ein so langer, langer Weg... Und wenn du ans Ende der Straße kamst, blieb dir nur noch eins übrig.

14

Es ist den Christen erlaubt... Waffen zu tragen und im Kriege zu dienen.

Die Religionsartikel

Der Brief mit dem Poststempel aus Kendal erwartete Archery an der Rezeption, als sie ins *Olive and Dove* zurückkamen. Er starrte ihn verständnislos an, dann erinnerte er sich. Oberst Cosmo Plashet, Painters Einheitsführer.

»Was nun?« fragte er Charles, als Tessi nach oben gegangen war, um sich hinzulegen.

»Ich weiß nicht. Sie fahren heute abend nach Purley zurück.«

»Fahren wir heute abend nach Thringford zurück?«

»Ich weiß nicht, Vater. Ich sage dir doch, ich weiß nicht.« Er hielt kurz inne, gereizt, leicht rot im Gesicht. »Ich werde zu Primero gehen und mich entschuldigen müssen«, sagte er, das Kind, das sich wieder auf gutes Benehmen besinnt. »Es war verflucht scheußlich, sich ihm gegenüber so zu verhalten.«

Archery sagte es instinktiv, ohne nachzudenken. »Wenn du möchtest, übernehme ich das. Ich werde sie anrufen.«

»Danke. Wenn er darauf besteht, mit mir persönlich zu sprechen, gehe ich hin. Mit ihr hast du dich schon mal unterhalten, nicht? Wexford sagte so etwas.«

»Ja, ich habe mich mit ihr unterhalten, aber ich wußte nicht, wer sie war.«

»Das sieht dir ähnlich«, meinte Charles, nun wieder bissig.

Wollte er sie wirklich anrufen und sich entschuldigen? Und wie konnte er nur so vermessen sein, anzunehmen, daß sie überhaupt ans Telefon kam? »Ich will hoffen, Mr. Archery, daß es Ihnen im Verlauf Ihrer Nachforschungen gelang, das Angenehme mit dem Nützlichen zu verbinden.« Sie mußte ihrem Mann gesagt haben, was sie damit gemeint hatte. Wie der angegraute Pfarrer mit einemmal sentimental wegen ihr wurde. Er hatte Primeros Antwort schon im Ohr, seine flapsige Redeweise: »Ist er wirklich in den Nahkampf mit dir getreten?« Darauf dann ihr fröhliches abwehrendes Lachen. Es gab ihm einen Stich ins Herz. Er ging in die leere Hotelhalle und schlitzte den Brief von Oberst Plashet auf.

Er war handgeschrieben auf grobem, weißem Pergament, das fast so dick wie Karton war. Weil die Tinte an einigen Stellen von Tiefschwarz zu Hellgrau verblaßte, merkte Archery, daß der Verfasser keinen Füllfederhalter benutzt hatte. Es war die Handschrift eines alten Mannes, dachte er, die Adresse eines alten Soldaten: »Srinagar«, Church Street, Kendal...

Sehr geehrter Mr. Archery, las er,
ich habe Ihren Brief mit Interesse zur Kenntnis genommen und werde mein möglichstes tun, Ihnen nach bestem Wissen über Soldat Herbert Arthur Painter Auskunft zu geben. Wie Sie vielleicht wissen, wurde ich bei Painters Prozeß nicht als Leumundszeuge benannt, obgleich ich mich dafür erforderlichenfalls in Bereitschaft hielt. Zum Glück bewahrte ich mir die Notizen auf, die ich mir damals machte. Ich sage zum Glück, denn Sie werden sich bewußt sein, daß sich der aktive Dienst des Soldaten Painter über einen Zeitraum erstreckte, der zwischen dreiundzwanzig und zwanzig Jahren zurückliegt, und mein Gedächtnis ist nicht mehr so gut, wie ich das gern hätte. Sollten Sie jedoch auf die irrige Annahme verfallen sein, ich sei im Besitz von Informationen, die ein günstiges Licht auf Painter werfen, muß ich Sie entschieden eines Besseren belehren. Bei der Entscheidung, mich nicht als Zeuge zu benennen, muß Painters Rechtsbeistand klar erkannt haben, daß jede Aussage, die ich wahrheitsgemäß hätte ablegen können, statt ihrer Sache förderlich zu sein, nur die Aufgabe der Staatsanwaltschaft erleichtert hätte.

Das war es also. Nun konnte nur noch eine abscheuliche Aufzählung von Painters Verfehlungen folgen. Oberst Plashets eigenwilliger Schreibstil ließ ihm wesentlich eindringlicher klarwerden, was für einen Mann Charles als Schwiegervater zu akzeptieren bereit war, als das dem nüchternen Prozeßprotokoll gelungen war. Neugier, nicht Hoffnung, veranlaßte ihn zum Weiterlesen.

Painter diente bereits ein Jahr in den Streitkräften Ihrer Majestät, als er meinem Regiment zugeteilt wurde. Dies erfolgte kurz vor unserer Einschiffung nach Birma als Truppenteil der Vierzehnten Armee. Er war ein höchst unbefriedigender Soldat. Erst nach drei Monaten in Birma nahmen wir an Kampfhandlungen teil, und während dieser Zeit wurde Painter zweimal wegen Trunkenheit und Unbotmäßigkeit unter Anklage gestellt und einmal wegen schwerer Offiziersbeleidigung zu sieben Tagen verschärftem Arrest verurteilt.
An der Front besserten sich sein Betragen und Verhalten beträchtlich. Er besaß eine Kämpfernatur, war unerschrocken und angriffslustig. Nach kurzer Zeit kam es jedoch in dem Dorf, in dem wir unser Lager hatten, zu einem Zwischenfall, bei dem eine junge Birmanin getötet wurde. Painter wurde vor ein Kriegsgericht gestellt und wegen Totschlags angeklagt. Er wurde für unschuldig befunden. Mehr sage ich wohl besser nicht zu dieser Sache.
Im Februar 1945, sechs Monate vor Einstellung der Feindseligkeiten im Fernen Osten, steckte sich Painter mit einer Tropenkrankheit an, die sich durch schwere Vereiterungen an den Beinen äußert. Wie ich hörte, hat seine völlige Mißachtung gewisser elementarer Hygienemaßnahmen und seine Weigerung, eine vernünftige Diät einzuhalten, dem Leiden Vorschub geleistet. Er wurde schwer krank und sprach schlecht auf die Behandlung an. Zu dieser Zeit lag gerade ein Truppentransporter vor Kalkutta, und sobald es Painters Verfassung erlaubte, wurde er und einige andere

Kranke auf dem Luftwege dorthin verlegt. Besagter Truppentransporter lief Ende März 1945 in einen Hafen des Vereinigten Königreichs ein.
Weitere Angaben über Painters Geschick liegen mir nicht vor, doch wie ich glaube, wurde er kurze Zeit später aus Gesundheitsgründen aus der Armee entlassen.
Sollten Sie bezüglich Painters Militärdienst noch irgendwelche Fragen an mich haben, darf ich Sie meiner Bereitschaft versichern, sie nach bestem Wissen und Gewissen zu beantworten. Gern gebe ich Ihnen die Erlaubnis, diesen Brief zu veröffentlichen. Darf ich Sie jedoch um Nachsicht mit den Grillen eines alten Mannes ersuchen und mir bei Erscheinen ein Exemplar Ihres Buches ausbitten?

Mit vorzüglicher Hochachtung
Cosmo Plashet

Alle nahmen sie an, er schreibe ein Buch. Archery lächelte ein wenig über den hochtrabenden Stil des Obersten, doch die kurzen Zeilen über den Tod der Birmanin enthielten nichts, über das man hätte lächeln können. Des Obersten vorsichtiges: »Mehr sage ich wohl besser nichts mehr zu dieser Sache...« verriet ihm mehr als eine ganze Seite mit Erklärungen.

Nichts Neues, nichts Wichtiges. Warum hatte er also so ein starkes Gefühl, etwas Entscheidendes überlesen zu haben? Doch nein, er konnte nichts entdecken... Er sah noch einmal hin, ohne zu wissen, nach was er suchte. Dann, noch während er auf die krakeligen Häkchen und Schleifen starrte, überflutete ihn eine heiße Woge aus Angst und Sehnsucht. Er hatte Angst, mit ihr zu sprechen, sehnte sich aber danach, ihre Stimme zu hören.

Er blickte auf und war erstaunt, wie dunkel es geworden war. Der nachmittägliche Sommerhimmel ähnelte durch die schiefergraue Wolkendecke der Abenddämmerung. Über den Dächern der Häuser im Osten war er bleigrau getönt mit einer Spur von bedrohlichem Purpur, und während Archery den Brief zusammenfaltete, zuckte ein gleißender Blitzstrahl durch das Zimmer, der die Worte auf dem Papier plastisch hervortreten und seine Hände bläulichweiß erscheinen ließ. Kaum war er an der Treppe angelangt, folgte der Donner, und die Echos grollten und polterten noch durch das alte Gebäude, als er in sein Zimmer trat.

Mehr als ein Gespräch mit ihm ablehnen konnte sie nicht. Das würde sie nicht einmal selbst tun müssen, denn sie konnte es ihm durch den italienischen Butler ausrichten lassen. Es bestand gar nicht die Möglichkeit, daß sie ihn persönlich anfahren oder ihm Vorwürfe machen würde – sie konnte eine wesentlich vernichtendere Wirkung erzielen, indem sie einen Diener schickte.

»Forby Hall. Bei Mr. Primero.«

Es *war* der Butler. Der italienische Akzent verzerrte jedes Wort bis auf den Namen, der durch ihn die echte lateinische Betonung erhielt.

»Ich möchte bitte mit Mrs. Primero sprechen.«

»Wen darf ich melden, Sir?«

»Henry Archery.«

Vielleicht würde ihr Mann nicht bei ihr sein, wenn der Butler seinen Anruf meldete. Menschen wie sie, die ein riesiges Haus mit vielen Zimmern bewohnten, neigten dazu, für sich zu leben, er in der Bibliothek, sie im Salon. Bestimmt schickte sie den Butler mit einer Mitteilung ans Telefon zurück. Als Ausländer besaß der Butler nicht jenes Feingefühl für die Bedeutungsnuancen der einzelnen Worte, das würde ihr Spielraum lassen. Sie konnte ihm auftragen, etwas Hintergründiges und scheinbar Höfliches zu sagen, und er würde die den Worten zugrunde liegende schneidende Spitze gar nicht erkennen. Er hörte Schritte, hallende Schritte in der großen Halle, die Charles beschrieben hatte. Im Telefon knisterte es, vielleicht wegen des Sturms.

»Hallo?«

Aus knochentrockenem Hals bemühte er sich, Antwort zu geben. Warum hatte er sich nicht irgendwas zurechtgelegt? Weil er so überzeugt gewesen war, daß sie nicht kommen würde?

»Hallo, sind Sie noch dran?«

»Mrs. Primero…«

»Ich dachte schon, die Wartezeit sei Ihnen zu lang geworden. Mario brauchte so lange.«

»Selbstverständlich habe ich gewartet.« Regen trommelte an sein Fenster, klopfte und klatschte gegen das Glas. »Ich möchte mich bei Ihnen für heute morgen entschuldigen. Es war unverzeihlich.«

»Oh, nein«, sagte sie. »Ich habe Ihnen verziehen – für heute morgen. Sie waren schließlich nicht daran beteiligt. Es sind die anderen Male, die mir so – na, nicht unverzeihlich, nur unbegreiflich erscheinen.«

Er konnte sich vorstellen, wie sie die hellen Hände zu einer kleinen hilflosen Geste ausstreckte.

»Man kommt sich nicht gern benutzt vor. Nicht daß ich verletzt wäre. Mich kann man nicht so leicht verletzen, weil ich im Grunde sehr hart bin, viel härter als Roger. Aber ich bin ein bißchen verwöhnt und komme mir vor, als hätte man mich von meinem Sockel gestoßen. Das tut mir wohl mal ganz gut.«

»Es wäre so viel noch zu erklären«, sagte Archery bedächtig. »Ich dachte, ich könnte es am Telefon erklären, aber jetzt muß ich feststellen, daß es nicht geht.« Dennoch machte es das Wüten des Sturms leichter für ihn. Er konnte kaum das eigene Wort verstehen. »Ich möchte Sie *sehen*«, sagte er und dachte nicht mehr an sein Versprechen.

Anscheinend hatte auch sie es vergessen. »Hierher können Sie nicht kommen«, sagte sie praktisch, »weil Roger irgendwo im Haus ist und er Ihre Entschuldigung vielleicht nicht ganz so sieht wie ich. Und ich kann auch nicht zu Ihnen kommen, weil das *Olive and Dove* als anständiges Haus keine Besuche auf den Zimmern der Hotelgäste gestattet.« Er murmelte etwas Unverständliches. »Das ist schon die zweite Gemeinheit, die ich Ihnen heute an den Kopf werfe«, sagte sie. »Und in der Hotelhalle mitten unter den verkalkten Tattergreisen wollen Sie bestimmt auch nicht reden, oder? Ich hab's, wie wär's mit *Victor's Piece*?«

»Da ist abgeschlossen.« Er fügte hinzu: »Und es regnet.«

»Ich habe einen Schlüssel. Roger hat immer einen behalten. Sagen wir um acht? Dem *Olive* wird es nur recht sein, wenn Sie früh zu Abend essen.«

Fast schuldbewußt ließ er den Hörer auf die Gabel fallen, als Charles den Kopf durch die Tür steckte. Doch er hatte den nicht heimlich, sondern auf Charles' Veranlassung hin angerufen.

»Ich glaube, das mit den Primeros habe ich hingekriegt«, sagte er und dachte über den Satz nach, dessen Ursprung er vergessen hatte: Gott hat den Menschen die Sprachen gegeben, damit sie ihre Gedanken verbergen konnten.

Doch in der Sprunghaftigkeit der Jugend hatte Charles

inzwischen das Interesse verloren. »Tess und Kershaw fahren gleich ab«, sagte er.

»Ich komme runter.«

Sie standen in der Hotelhalle und warteten. Auf was, fragte sich Archery. Daß der Sturm sich legte? Auf ein Wunder? Oder nur, um auf Wiedersehen zu sagen?

»Ich wollte, wir wären nicht Elizabeth Crilling begegnet«, sagte Tess. »Aber gleichzeitig wünschte ich auch, ich hätte mit ihr gesprochen.«

»Es ist schon ganz gut so«, meinte Archery. »Euch trennen Welten. Das einzige, was euch verbindet, ist euer Alter. Ihr seid beide einundzwanzig.«

»Wünschen Sie mir mein Leben nicht weg«, sagte Tess seltsam, und er sah, daß ihr Tränen in den Augen standen. »Einundzwanzig werde ich erst im Oktober.« Sie hob den Matchsack auf, der ihr als Koffer fürs Wochenende diente, und streckte Archery die Hand entgegen. »Ade nun, ihr Lieben, geschieden muß sein«, zitierte Kershaw. »Mehr bleibt eigentlich nicht zu sagen, oder, Mr. Archery? Ich weiß, Sie hofften, die Sache würde sich einrenken, aber es hat nicht sollen sein.«

Charles starrte unverwandt auf Tess. Sie wich seinem Blick aus.

»Sag um Gottes willen wenigstens, ob ich dir schreiben darf.«

»Welchen Sinn hätte das?«

»Es würde mir Spaß machen«, sagte er gepreßt.

»Ich werde nicht zu Hause sein. Übermorgen fahre ich zu meiner Tante nach Torquay.«

»Und dort zeltet ihr am Strand, oder was? Diese Tante, hat die keine Adresse?«

»Ich habe keinen Zettel«, sagte Tess, und Archery bemerkte, daß sie den Tränen nahe war. Er griff in seine Tasche, zog erst Oberst Plashets Brief hervor – nein, den nicht, den brauchte Tess nicht zu sehen –, dann die illustrierte Karte mit dem Gedicht und dem Bild des Poeten. Ihre Augen waren verschleiert; rasch kritzelte sie die Adresse hin und reichte sie wortlos Charles.

»Auf geht's, Kleines«, sagte Kershaw. »Nach Hause, und schone er mir nicht die Pferde.« Er zog die Autoschlüssel hervor. »Keines von den fünfzehn«, sagte er, doch niemand lächelte.

15

> So er jemand beleidigt hat, soll er ihn um Verzeihung bitten; auch wo er irgend jemand Unrecht oder Schaden zugefügt haben mag, da soll er nach seinen äußersten Kräften Ersatz geben.
>
> *Ordnung des Krankenbesuchs*

Es regnete so stark, daß er sich aus dem Auto unter das verfallene Vordach retten mußte, und selbst dort erwischte ihn der von einem böigen Wind aufgepeitschte Regen noch und überschüttete ihn mit eisigen Tröpfchen vom Immergrün. Er lehnte sich an die Tür und kam ins Stolpern, weil sie unter seinem Gewicht nachgab und geräuschvoll aufschwang.

Sie mußte schon vor ihm gekommen sein. Von dem Flavia war nirgends eine Spur zu sehen, und vor Selbstekel und Beklommenheit lief ihm ein Schauder über den Rücken, als er auf den Gedanken kam, daß hinter ihrer

Diskretion vielleicht Absicht stand. Sie war in dieser Gegend weithin bekannt, sie war verheiratet, und sie hatte eine heimliche Verabredung mit einem verheirateten Mann. Deshalb hatte sie ihren auffälligen Wagen versteckt. Ja, es war ordinär, ordinär und schmutzig, und er, ein Diener Gottes, hatte es eingefädelt.

Victor's Piece, in dem es bei schönem Wetter trocken und muffig roch, roch nun im Regen feucht und muffig. Es roch nach Pilzen und Verwesung. Unter diesen splittrigen Dielen voller Astlöcher hausten vermutlich Ratten. Er schloß die Tür und ging ein kurzes Stück den Gang entlang, wobei er sich fragte, wo sie wohl steckte und weshalb sie nicht zu ihm gekommen war, als die Tür quietschte. Dann blieb er abrupt stehen, denn direkt vor ihm war die Hintertür, an der Painters Regenmantel gehangen hatte, und auch jetzt hing dort ein Regenmantel. Bei seinem ersten Besuch des Hauses hatte dort bestimmt nichts gehangen. Fasziniert und ein wenig von Grausen gepackt, ging er zu dem Regenmantel.

Es lag auf der Hand, was geschehen sein mußte. Irgend jemand hatte das Haus endlich gekauft, die Handwerker waren gekommen und einer von ihnen hatte seinen Regenkittel vergessen. Kein Grund zur Beunruhigung. Seine Nerven mußten ziemlich am Ende sein.

»Mrs. Primero«, rief er, und dann, weil man Frauen, mit denen man heimliche Verabredungen hat, nicht mit Nachnamen anredet: »Imogen! Imogen!«

Es kam keine Antwort. Dennoch war er überzeugt, nicht allein in diesem Haus zu sein. Du wolltest sie doch erkennen, selbst wenn du blind und taub wärest, spöttelte eine Stimme in seinem Inneren, an ihrer Ausstrahlung wolltest du sie erkennen. Was ist nun damit? Er öffnete die Tür zum Eßzimmer, dann die zum Salon. Dort schlug ihm ein feuchtkalter Geruch entgegen. Unter dem Fensterbrett drang Wasser ein und bildete eine immer größer werdende Pfütze, dunkel und gräßlich erinnerungsträchtig. Sie und die rostfarbene Äderung des Marmors am Kamin ließen ihn an vergossenes Blut denken. Wer wollte so ein Haus kaufen? Wer konnte es ertragen? Doch irgend jemand mußte es gekauft haben, denn dort hing der Kittel eines Handwerkers an der Tür...

Hier war sie gesessen, die alte Frau, und hatte Alice in die Kirche geschickt. Hier war sie gesessen, hier waren ihr die Augen zu einem Nickerchen zugefallen, als Mrs. Crilling ans Fenster geklopft hatte. Dann war er gekommen, wer immer er war, mit seinem Beil, und vielleicht hatte sie noch geschlafen, hatte die Drohungen und Forderungen und Beilhiebe einfach verschlafen, bis sie in den ewigen Schlaf hinübergedämmert war. Ewiger Schlaf? *Mors janua vitae.* Wenn sie das Tor zum Leben doch nur nicht über diesen unsagbaren Schmerzensweg erreicht hätte. Er ertappte sich dabei, wie er um etwas betete, von dem er wußte, daß es unmöglich war: Gott solle die Vergangenheit ändern. Dann klopfte Mrs. Primero ans Fenster.

Archery fuhr so heftig und ruckartig zusammen, daß es ihm schien, als krampfe sich eine Hand mit glitschigen Fingern um sein Herz. Er keuchte und zwang sich hinzusehen.

»Entschuldigen Sie die Verspätung«, sagte Imogen Ide. »Was für eine schauderhafte Nacht.«

Sie hätte schon im Haus sein müssen, dachte er und riß sich zusammen. Aber sie war draußen gewesen und hatte ans Fenster geklopft, weil sie gesehen hatte, wie er hier wie eine verlorene Seele herumstand. Das gab der Sache ein ganz neues Gesicht, denn sie hatte das Auto nicht versteckt. Es stand auf dem Kiesweg neben seinem, naß, silbern und glitzernd wie etwas Lebendiges aus den Tiefen des Meeres.

»Wie sind Sie hereingekommen?« fragte sie.

»Die Tür war offen.«

»Hat wohl ein Handwerker vergessen abzuschließen.«

»Vermutlich.«

Sie trug ein Tweedkostüm, und ihr hellblondes Haar war naß. Er war so dumm – so verdorben, dachte er – gewesen, sich vorzustellen, daß sie bei ihrem Wiedersehen zu ihm laufen und ihn umarmen würde. Statt dessen sah sie ihn ernst, fast kalt an, zwischen ihren Augenbrauen zwei mißbilligende Fältchen.

»Gehen wir ins Damenzimmer«, sagte sie. »Dort stehen Möbel, außerdem knüpfen sich keine – Assoziationen daran.«

Die Einrichtung bestand aus zwei Küchenhockern und einem Sessel mit geflochtener Rückenlehne. Von dem mit einer dicken Schmutzschicht überzogenen Fenster aus konnte er den Wintergarten sehen, an dessen zersprungenen Glaswänden noch die Überreste einer abgestorbenen Kletterpflanze hingen. Den Sessel überließ er ihr und setzte sich auf einen der Hocker. Er hatte das komische Gefühl – doch ein Gefühl nicht ohne eigenen Reiz –, sie seien hierhergekommen, um das Haus zu kaufen, er und sie, hätten sich verfrüht und müßten somit ungemütlich auf die Ankunft des Maklers warten, der sie durch das Haus führen wollte.

»Daraus könnte man ein Arbeitszimmer machen«, würde er sagen. »Bei schönem Wetter muß es herrlich sein.«

»Wir könnten hier aber auch essen. Hübsch nahe bei der Küche.«

»Wirst du es ertragen können, morgens aufzustehen und mir das Frühstück zu machen?« (Liebes, mein Liebes...)

»Sie wollten mir etwas erklären«, sagte sie, und natürlich würde es nie ein gemeinsames Bett geben, ein gemeinsames Frühstück oder überhaupt eine Zukunft für sie. Das war ihre Zukunft, dieses Gespräch in einem klammen Damenzimmer mit Ausblick auf eine abgestorbene Kletterpflanze. Er begann, ihr von Charles und Tess und Mrs. Kershaws fester Überzeugung zu erzählen. Als er zu der Sache mit dem Erbe kam, wurde ihre Miene noch abweisender und frostiger, und noch ehe er am Schluß angelangt war, sagte sie:

»Sie wollten den Mord wirklich Roger anhängen?«

»Was konnte ich tun? Ich war hin und her gerissen zwischen Charles und Ihnen.« Sie schüttelte energisch den Kopf, und das Blut schoß ihr ins Gesicht. »Ich flehe Sie an, mir zu glauben, daß ich es nicht darauf anlegte, Ihre Bekanntschaft zu machen, weil Sie seine Frau sind.«

»Ich glaube Ihnen.«

»Das Geld... seine Schwestern... davon haben Sie nichts gewußt?«

»Ich wußte gar nichts. Nur, daß es sie gab und er keinen Kontakt zu ihnen hatte. Du lieber Gott!« Sie verzog das Gesicht und strich sich mit den Händen über Wangen, Augen und Schläfen. »Wir haben den ganzen Tag davon gesprochen. Er kann nicht begreifen, daß er moralisch verpflichtet war, ihnen zu helfen. Für ihn zählt nur, daß Wexford es nicht als Motiv für den Mord ernst nimmt.«

»Wexford selbst hat ihn an jenem Abend zur Tatzeit in Sewingbury gesehen.«

»Er weiß es nicht oder hat es vergessen. Er wird Höllenqualen durchstehen, bis er endlich Mut faßt und Wexford anruft. Man könnte behaupten, das sei seine Strafe.« Sie seufzte. »Geht es seinen Schwestern sehr schlecht?«

»Einer von den beiden schon. Sie wohnt mit ihrem Mann und dem Baby in einem Zimmer.«

»Ich muß Roger dazu bringen, ihnen zu geben, was ihnen ursprünglich zustand, jeweils etwas über 3300 Pfund. Ich glaube, ich werde sie lieber selbst mal besuchen. Das Geld wird ihm nicht weh tun. Eigentlich komisch, ich wußte, daß er skrupellos war. Anders kann man nicht an so viel Geld kommen, aber ich hätte nicht gedacht, daß er so tief sinken würde.«

»Es hat nicht Ihre...« Er zögerte und fragte sich, was er zerstört hatte.

»Meine Gefühle ihm gegenüber verändert? Ach, Sie sind vielleicht komisch. Hören Sie mal zu, ich erzähl Ihnen was. Sieben Jahre ist das jetzt her, und es war im Juni. In diesem Monat war mein Gesicht auf den Titelbildern von sechs verschiedenen Zeitschriften. Das meistfotografierte Mädchen Großbritanniens.«

Verwirrt und ratlos nickte er.

»Wenn man mal einen Gipfel erklommen hat, kann es nur noch bergab gehen. Im Juni des nächsten Jahres war mein Gesicht auf einer Zeitschrift. Deshalb habe ich Roger geheiratet.«

»Sie haben ihn nicht geliebt?«

»Ich mochte ihn. In gewisser Hinsicht hat er mich gerettet, und die ganze Zeit über rette ich ihn.« Archery wußte, was sie meinte; er erinnerte sich an ihre sanfte Gelassenheit im Speisesaal des *Olive*, an die Hand, die sich auf den zitternden Arm eines Trauernden gelegt hatte. Er erwartete immer gefaßte Ruhe von ihr, deshalb erschreckte es ihn, als sie plötzlich lostobte: »Wie hätte ich wissen sollen, daß auf mich ein Pfarrer mittleren Alters wartet – ein Pfarrer mit einer Frau, einem Sohn und einem Schuldkomplex so groß wie ein Berg?«

»Imogen!«

»Nein, fassen Sie mich nicht an! Es war dumm, hierherzukommen, und ich hätte es nie tun sollen. Mein Gott, wie ich solche Rührszenen hasse!«

Er stand auf und ging so weit es das kleine Zimmer erlaubte von ihr weg. Es hatte aufgehört zu regnen, aber der Himmel war schlammfarben, und die Kletterpflanze war mausetot.

»Was werden sie jetzt tun, Ihr Sohn und dieses Mädchen?« fragte sie.

»Ich glaube, das wissen sie selbst nicht.«

»Und Sie, was werden Sie tun?«

»Mich zieht es heim zur Frau meines Herzens«, zitierte er.

»Kipling!« Sie lachte hysterisch, und es peinigte ihn, nun, da es zu spät war, ungeahnte Tiefe bei ihr zu entdekken. »Kipling! Das hat mir gerade noch gefehlt.«

»Adieu«, sagte er.

»Adieu, lieber Henry Archery. Ich wußte nie, wie ich Sie anreden sollte. Wußten Sie das?« Sie hob seine Hand an die Lippen und küßte sie auf der Innenfläche.

»Vielleicht ist es kein Name für Liebeleien«, sagte er wehmütig.

»Er klingt aber gut mit ›Reverend‹ vorn dran.«

Sie ging hinaus und schloß lautlos die Tür hinter sich.

»Jenny küßte mich«, sagte er zu der Kletterpflanze. Jenny konnte einfach die Kurzform für Imogen sein. »Na und?«

Kurz darauf trat er in die Diele und überlegte sich, weshalb das Haus nun leerer und verlassener wirkte als vorher. Vielleicht lag es an seinem neuerwachten Gefühl des Verlusts. Er wandte sich zur Hintertür, und dann fiel es ihm auf. Es war kein eingebildeter, sondern ein tatsächlicher Schwund. Der Regenmantel war weg.

Hatte er überhaupt je dort gehangen, oder erzeugte seine morbide und hypersensible Phantasie Halluzinationen? Jemand, der sich wie er ganz in Painters Geschichte versenkt hatte, drängte sich eine solche Vision vielleicht spontan auf. Aber wenn der Regenmantel nur Einbildung gewesen war, wie waren dann diese pfenniggroßen Pfützen auf dem Boden zu erklären, die doch bestimmt von an einem Ärmel heruntergelaufenen Regengerinnseln herrührten?

An das Übernatürliche im volkstümlichen Sinne glaubte er nicht. Doch während er nun seinen Blick auf den Haken gerichtet hatte, an dem der Regenmantel gehangen hatte, erinnerte er sich, wie ihn das Klopfen an dem Fenster hatte zusammenfahren lassen und wie er die Marmoräderung mit Blut verglichen hatte. Völlig ausgeschlossen war es nicht, daß über Häusern wie diesem etwas Böses schwebte, das die Phantasie anregte und vor dem geistigen Auge Bilder einer vergangenen Tragödie entstehen ließ.

Die Tür war mit viereckigen Scheiben verglast. Alle waren schmutzig, glänzten jedoch matt im Abendlicht – alle außer einer. Er warf einen genaueren Blick darauf, dann mußte er über seine unsinnigen Einfälle gequält lächeln. Aus der dem Schloß am nächsten liegenden Einfassung war das Glas entfernt worden. Jemand konnte den Arm hindurchgeschoben haben, um den Schlüssel umzudrehen und die Riegel zurückzuschieben.

Jetzt war die Tür unverriegelt. Er trat auf den mit Steinplatten belegten Hof hinaus. Dahinter erstreckte sich der in dünnen, feuchten Nebel gehüllte Garten. Bäume, Sträucher und die üppige Unkrautdecke bogen sich unter ihrer Wasserlast zu Boden. Früher hätte er, ganz verantwortungsbewußter Bürger, Besorgnis über den Verbleib dessen empfunden, der diese Fensterscheibe eingeschlagen hatte, hätte vielleicht sogar in Erwägung gezogen, zur Polizei zu gehen. Jetzt war er einfach apathisch und gleichgültig.

Imogen bestimmte sein Denken, doch auch was ihm zu ihr in den Sinn kam, zeugte nicht mehr von Leidenschaft oder Scham. Er wollte ihr noch fünf Minuten Vorsprung geben, dann würde er sich auf den Rückweg ins *Olive* machen. Mechanisch bückte er sich, und um sich zu beschäftigen, begann er, vorsichtig die Glasscherben aufzuheben und gegen die Wand zu lehnen, wo niemand, nicht einmal der Einbrecher, aus Versehen auf sie treten konnte.

Seine Nerven waren in schlechtem Zustand, das war ihm klar, aber das eben war doch ein Schritt gewesen, gefolgt von einem scharf eingezogenen Atemzug.

Sie kam zurück! Aber das durfte sie nicht – es war mehr, als er ertragen konnte. Sie zu sehen wäre eine Augenweide, aber alles, was sie sagen konnte, würde doch nur auf einen neuerlichen Abschied hinauslaufen. Er biß die Zähne zusammen, spannte die Handmuskeln an, und noch ehe er sich zurückhalten konnte, hatten sich seine Finger um eine Glasscherbe geschlossen.

Das Blut kam vor dem Schmerz. Er stand auf, wie vor den Kopf geschlagen in diesem leeren Haus, und wandte sich zu dem Klapperdiklapp hoher Absätze um. Ihr Schrei schlug ihm ins Gesicht.

»Onkel Bert! Onkel Bert! O mein Gott!«

Seine Hand war blutüberströmt, doch zusammen mit

der unverletzten Hand streckte er sie aus, um den Sturz Elizabeth Crillings zu bremsen.

»Das müssen Sie nähen lassen«, sagte sie. »Sie werden Tetanus kriegen. Da bleibt eine schlimme Narbe zurück.«

Er wickelte das Taschentuch enger um die Wunde, setzte sich eine Grimasse schneidend auf die Stufe und behielt sie im Auge. Binnen Sekunden war sie wieder zu sich gekommen, doch ihr Gesicht war noch immer sehr bleich. Ein leichter Windstoß fuhr durch das Pflanzengestrüpp und ließ Wassertropfen auf sie niederprasseln. Archery fröstelte.

»Was haben Sie hier zu suchen?« fragte er.

Mit schlaff ausgestreckten Beinen reckte sie sich auf dem Stuhl, den er ihr aus dem Damenzimmer geholt hatte, weit nach hinten. Ihm fiel auf, wie dünn ihre Beine waren, dünn wie Beine einer Orientalin; ihre Strümpfe warfen an den Knöcheln Falten.

»Ich hatte Krach mit meiner Mutter«, sagte sie.

Er schwieg und wartete ab. Einen Augenblick lang verharrte sie träge, dann schnellte ihr Körper nach vorn wie der Stahlbügel einer Mausefalle. Instinktiv rückte er ein wenig von ihr ab, denn ihr Gesicht war nun ganz nahe, und ihre Hände umklammerten einander krampfhaft zwischen Knien und Brüsten. Ihre Lippen bewegten sich, noch ehe Worte herauskamen.

»Herrgott noch mal!« Er blieb ruhig, beherrschte seine unwillkürliche Reaktion auf den Fluch. »Ich sah Sie voller Blut«, sagte sie, »und dann sagten Sie genau das, was er auch gesagt hat. ›Ich hab mich geschnitten.‹« Ein heftiges Schaudern ließ sie erbeben, als hätte sie eine unsichtbare Riesenhand gepackt und schüttelte sie durch. Verblüfft beobachtete er, wie sie wieder locker wurde, und hörte sie in starkem Kontrast dazu sagen: »Geben Sie mir eine Zigarette.« Sie warf ihm ihre Tasche zu. »Feuer!« Die Flamme flackerte in der feuchten Luft und dem an ihr zerrenden Wind. Sie wölbte ihre dünnen Hände mit den großen Knöcheln um sie. »Sie schnüffeln ziemlich viel herum«, sagte sie im Zurücklehnen. »Ich weiß nicht, was Sie erwartet haben, aber mehr werden Sie nicht finden.«

Verwirrt sah er sich in dem Garten um und ließ den Blick über die vorstehenden Giebel und die nassen, holprigen Steinplatten schweifen.

»Mehr als mich, meine ich«, sagte sie schroff und ärgerlich. »Sie haben mich bei der Polizei angeschwärzt und wissen nicht mal, um was es eigentlich geht.« Erneut beugte sie sich ruckartig vor, zog schamlos – er war entsetzt – den Rock nach oben und entblößte den Oberschenkel oberhalb des Strumpfbands. Die bleiche Haut war mit Nadeleinstichen übersät. »Asthma, darum geht's. Asthmatabletten. Man löst sie in Wasser – allein schon das ist eine Heidenarbeit – und zieht dann eine Spritze auf.«

Archery hielt sich nicht für leicht schockierbar, doch jetzt war er schockiert. Er merkte, wie ihm das Blut ins Gesicht schoß. Vor Verlegenheit verschlug es ihm die Sprache, dann kam Mitleid in ihm auf und eine Art stiller Vorwurf an die Menschheit.

»Und was für eine Wirkung hat das?« fragt er gelassen.

»Es törnt einen an, wenn Sie mir folgen können. Ungefähr so, wie es Sie wohl antörnt, wenn Sie Psalmen singen«, spöttelte sie. »Ich lebte da mal mit einem Mann zusammen, der hat mir's gezeigt. Und ich saß ja direkt an der Quelle. Bis Sie uns Burden auf den Hals gehetzt haben, diesen Dreckskerl. Er hat meiner Mutter einen Wahnsinnsschreck eingejagt. Sie muß sich jetzt jedesmal ein neues Rezept ausstellen lassen und die Tabletten selber abholen.«

»Verstehe«, sagte er und war wieder um eine Hoffnung ärmer. Das war es also, was Mrs. Crilling gemeint hatte. Im Gefängnis gab es weder Tabletten noch Spritzen, und weil sie süchtig danach war, mußte sie entweder ihre Sucht eingestehen oder...

»Ich glaube nicht, daß die Polizei Ihnen etwas tun kann«, sagte er, ohne zu wissen, ob es so war oder nicht.

»Als ob Sie da mitreden könnten. Ich hab noch zwanzig Stück in einem Fläschchen, deshalb kam ich her. Oben hab ich mir ein Bett hergerichtet und...«

Er unterbrach sie. »Der Regenmantel ist Ihrer?«

Die Frage erstaunte sie, doch nur für einen Augenblick, dann kehrte wieder die Verachtung zurück, die sie doppelt so alt aussehen ließ, als sie eigentlich war.

»Klar doch«, sagte sie giftig. »Wessen dachten Sie denn, Painters? Ich ging kurz raus, um was aus meinem Auto zu holen. Die Tür hab ich angelehnt gelassen, und als ich zurückkam, waren Sie mit dieser Schickse da.« Er blickte sie unverwandt an und beherrschte sich. Zum erstenmal in seinem Leben verspürte er den Drang, einen anderen Menschen zu ohrfeigen. »Ich traute mich nicht gleich wieder zurück«, sagte sie und verfiel nun wieder in ihre einzige andere Laune, einer selbstmitleidigen Kindlichkeit. »Aber ich mußte meinen Mantel holen – in der Tasche waren die Tabletten.«

»Was, zum Teufel, haben Sie hier eigentlich gemacht? Seit wann kehrt der Pfarrer an den Tatort zurück? Wollen Sie in seine Haut schlüpfen?«

»In wessen Haut?« flüsterte er beschwörend.

»In Painters natürlich. Bert Painter. Mein Onkel Bert.« Sie war nun wieder trotzig, doch ihre Hände zitterten, und in ihre Augen trat ein glasiger Blick. Jetzt hatte er sie soweit. Er hörte zu wie ein Mann, der eine Hiobsbotschaft erwartet, denn er wußte zwar, daß sie unvermeidlich war, ja er wußte sogar genau, wie sie lauten würde, aber dennoch hoffte er, irgendeine Einzelheit, einen Aspekt an ihr zu entdecken, der sie erträglicher machen würde. »An jenem Abend«, sagte sie, »stand er da genau wie Sie. Bloß hatte er ein Stück Holz in der Hand, an dem Blut klebte, und er selber war auch voller Blut. ›Ich hab mich geschnitten‹, hat er gesagt. ›Schau weg, Lizzie, ich hab mich geschnitten.‹ «

16

> Wenn der unsaubere Geist von dem Menschen ausfähret, so durchwandelt er dürre Stätten, suchet Ruhe und findet ihrer nicht; so spricht er: Ich will wieder umkehren in mein Haus, daraus ich gegangen bin.
> *Das Evangelium für den dritten Sonntag in der Fasten*

Sie erzählte es ihm in der zweiten Person: »Du hast dieses getan, du hast jenes getan.« Archery begriff, daß er etwas zu Gehör bekam, was noch kein Elternteil oder Psychiater vor ihm gehört hatte, und er staunte. Die eigentümliche Verwendung des Fürworts schien seinen Geist in den Körper des Mädchens zu versetzen, so daß er mit ihren Augen sehen und mit ihr den maßlosen Schrecken empfinden konnte. In der klammen Dämmerung saß sie völlig reglos an der Stelle, wo für sie alles seinen Anfang genommen hatte. Nur ihre Augenlider bewegten sich. An qualvollen Stellen der Erzählung schloß sie manchmal die Augen, um sie unter langsamem Ausatmen dann wieder aufzuschlagen. Archery hatte noch nie an einer Séance teilgenommen – und hätte so etwas auch als theologisch unhaltbar mißbilligt –, doch er hatte davon gelesen. Elizabeth Crillings mit monotoner Leierstimme vorgetragener Singsang über schreckliche Vorkommnisse erinnerten ihn stark an die Offenbarungen eines Mediums. Sie kam nun zum Schluß, und auf ihrem Gesicht breitete sich matte Erleichterung aus, wie bei jemand, der sich einer schweren Last entledigt.

...Du hast deinen Mantel angezogen, deinen besten Mantel, weil es dein bestes Kleid war, und bist über die Straße gelaufen, den Bürgersteig entlang und am Gewächshaus vorbei. Keiner hat dich gesehen, denn niemand ist in der Nähe gewesen. Oder war da jemand?

Du bist mucksmäuschenstill ums Haus geschlichen, aber dann hast du gesehen, daß es bloß Onkel Bert war, der aus dem Haus in den Garten ging.

»Onkel Bert, Onkel Bert! Ich hab mein bestes Kleid an. Darf ich zu Tessie und es ihr zeigen?«

Plötzlich hast du Angst gekriegt, mehr Angst als je in deinem ganzen Leben, weil Onkel Bert so komisch geatmet hat, gekeucht und gehustet hat er wie Vati, wenn er einen seiner Anfälle bekam. Dann hat er sich zu dir umgedreht, und an seinen Händen und vorn auf seinem Mantel klebte lauter so rotes Zeug.

»Ich hab mich geschnitten«, hat er gesagt. »Schau weg, Lizzie. Ich hab mich gerade geschnitten.«

»Ich möcht zu Tessie! Ich möcht zu Tessie!«

»Du gehst da jetzt nicht rauf!«

»Du darfst mich nicht anfassen. Ich hab mein neues Kleid an. Sonst sag ich's meiner Mami.«

Ganz mit dem roten Zeug bekleckert, hat er einfach da gestanden, und sein Gesicht hat wie das eines Löwen ausgesehen, ein großer, wulstiger Mund, eine dicke Nase und eine gelbbraune Zottelmähne. Ja, er hat ausgesehen wie der Löwe in dem Bilderbuch, das anzusehen dir Mami verboten hatte...

Das rote Zeug war ihm ins Gesicht gespritzt und bis an die Mundwinkel gelaufen. Er hat sich mit diesem scheußlichen Gesicht ganz dicht über dich gebeugt und dich angeschrien:

»Wenn du ihr was sagst, Lizzie Crilling, du hochnäsiges Balg, weißt du, was ich dann tu? Wo ich auch bin – wo ich auch bin, hast du verstanden? –, ich werd dich finden, und dann geht's dir so wie der Alten da drin.«

Es war vorbei. Er sah das an der Art, wie sie aus ihrer Trance erwachte, sich aufsetzte und so etwas wie ein Ächzen von sich gab.

»Aber Sie gingen zurück«, murmelte Archery. »Gingen Sie mit Ihrer Mutter zurück?«

»Meine Mutter!« Weinen hätte ihn nicht überrascht. Anders dieses heftige bittere Lachen. Auf einem hohen, dissonanten Ton brach sie plötzlich ab und gab hastig Antwort. »Ich war erst fünf, bloß ein kleines Mädchen. Ich wußte nicht, was er meinte, nicht damals. Viel mehr Angst hatte ich davor, ihr zu verraten, daß ich dort gewesen war.« Ihm fiel das »ihr« auf, und instinktiv wußte er, daß sie ihre Mutter nicht wieder mit Namen erwähnen würde. »Ich habe nicht mal gewußt, daß es Blut war. Ich schätze, damals habe ich es für Farbe gehalten. Dann gingen wir zurück. Ich habe mich vor dem Haus nicht gefürchtet und wußte nicht, wen er mit der Alten gemeint hatte. Als er zu mir sagte, es werde mir so wie der Alten gehen, glaubte ich, er meine seine Frau damit, Mrs. Painter. Er wußte, daß ich mal gesehen hatte, wie er sie schlug. Ich fand die Leiche. Das wußten Sie? Ach, es war schrecklich. Ich habe es nicht begriffen. Wissen Sie, was ich anfangs geglaubt habe? Ich glaubte, sie sei zerplatzt oder so was.«

»Nicht«, sagte Archery.

»Wenn Sie es jetzt nicht mal ertragen, was glauben Sie dann wohl, wie es für mich war? Ich war *fünf*. Fünf, Herrgott noch mal. Man steckte mich ins Bett, und ich war wochenlang krank. Painter hat man natürlich verhaftet, aber das wußte ich nicht. So etwas erzählt man Kindern nicht. Ich hatte keine Ahnung, was eigentlich geschehen war, ich wußte nur, daß Oma Rose zerplatzt war, er das irgendwie gemacht hatte und es mir auch so gehen würde, wenn ich sagte, ich hätte ihn gesehen.«

»Aber hinterher. Haben Sie es dann nicht jemand gesagt?«

Sie hatte von dem Leichenfund erzählt und gesagt, es sei schrecklich gewesen, aber in ihrer Stimme hatte Heuchelei mitgeklungen. Ein Kind findet eine ermordete Frau, dachte er. Ja, davor würde die ganze Welt entsetzt zurückschrecken. Aber für sie war das nicht das Schlimmste gewesen. Als er sie nun fragte, was hinterher geschehen war, merkte er, wie die Trance wieder einen Schleier über ihr Gesicht legte, als Painters Gespenst – genau wo ihr auch Painter begegnet war – vor ihr auftauchte.

»Er würde dich finden«, murmelte sie. »Wo du auch warst, wo er auch war, er würde dich finden. Du wolltest es *ihr* sagen, aber sie hörte dir nicht zu. ›Denk nicht dran, Schatz, streich es aus deinem Gedächtnis.‹ Aber es ließ sich nicht einfach streichen...« Bewegung geriet in ihre Miene, und die ausdruckslosen Augen huschten hin und her.

»Miss Crilling, ich bringe Sie jetzt nach Hause.«

Sie stand auf ging mit mechanischen Schritten auf die Hauswand zu, ein Roboter mit einem Fehler in der Programmierung. Als ihre Hände die Ziegel berührten, blieb sie stehen und redete mit ihm, wandte sich dabei aber dem Haus zu.

»Es ließ sich nicht streichen. Es kreiste mir dauernd im Kopf herum, ein Karussell, das nie stehenblieb, sondern sich ohne Ende weiterdrehte.«

War sie sich bewußt, daß sie in Metaphern sprach? Er hatte an die Sprechweise von Medien denken müssen, doch jetzt klang es eher wie eine mißtönende Schallplatte, die immer das gleiche Grauen abspielte, wenn die Nadel der Assoziation auf ihr aufsetzte. Er stupste sie am Arm und war überrascht, als sie willig und schlaff hinter ihm zu dem Sessel zurückging. Eine Weile saßen sie schweigend da. Sie ergriff zuerst das Wort und war fast wieder die alte.

»Sie kennen doch Tessie? Sie wird Ihren Sohn heiraten?« Er zuckte mit den Schultern. »Ich glaube, sie war die einzige echte Freundin, die ich je hatte«, sagte sie leise. »Die Woche darauf hatte sie Geburtstag. Sie wurde fünf und ich wollte ihr eines von meinen alten Kleidern schenken. Wollte es heimlich rüberschmuggeln, wenn sie bei der Alten war. Verdammt großzügig von mir kleinem Biest. Ich habe sie nie wieder gesehen.«

»Sie sind ihr heute nachmittag in der Apotheke begegnet«, sagte Archery sanft.

Ihre neu gewonnene Gelassenheit hing an einem seidenen Faden. War er zu weit gegangen?

»Die in der weißen Bluse?« fragte sie tonlos und so leise, daß er sich vorbeugen mußte, um sie zu verstehen. Er nickte.

»Das Mädchen, das kein Kleingeld hatte?«

»Ja.«

»Sie hat neben mir gestanden, und ich hatte keine Ahnung.« Es folgte langes Schweigen. Das einzige Geräusch war das schwache Rascheln nasser Sträucher, tropfenbeladener schimmernder Blätter an den Mauern des Wagenschuppens. Dann warf sie den Kopf zurück. »Frauen fallen mir wohl nicht so ins Auge«, sagte sie. »Sie und den Jungen in Ihrer Begleitung habe ich aber gesehen. Ich erinnere mich, daß ich mir noch überlegt habe, wie dieser tolle Typ bloß in unser Kaff kommt.«

»Der tolle Typ«, sagte Archery, »ist mein Sohn.«

»Und das ist ihr Freund? Hätte ich nicht gedacht!« Sie stieß einen Schrei aus. »Und ich hätte auch nicht gedacht, daß ich Ihnen das alles erzähle. Wenn Sie mich nicht so kalt erwischt hätten...«

»Es war reiner Zufall. Vielleicht ist es besser, wenn ich es jetzt weiß.«

»Sie! Sie denken nur an sich und Ihren lieben Sohn. Was ist mit mir?« Sie stand auf, sah ihn an und ging zu der Tür mit der zerbrochenen Scheibe. Es stimmte, dachte er beschämt. Er war bereit gewesen, alle diese anderen Menschen zu opfern, um Charles zu schonen, die Crillings, Primero, sogar Imogen – aber sein Streben war von Anfang an zum Scheitern verurteilt gewesen, weil sich die Vergangenheit nicht ändern ließ.

»Was wird man mit mir machen?« Sie hatte ihr Gesicht von ihm abgewandt und sprach leise. Doch in diesen sechs Worten lag solche Angst und Eindringlichkeit, daß sie wirkten, als ob sie geschrien hätte.

»Mit Ihnen machen?« Er konnte nicht mehr tun, als aufzustehen und ratlos zu ihr zu gehen. »Warum sollte man irgendwas mit Ihnen machen?« Er mußte an den Toten auf dem Zebrastreifen und die Nadelstiche denken, doch er sagte nur: »An Ihnen wurde mehr gesündigt, als Sie selbst gesündigt haben.«

»Ach, die Bibel!« rief sie. »Bleiben Sie mir bloß mit solchen Bibelsprüchen vom Hals.« Er erwiderte nichts, denn er hatte nichts aus der Bibel zitiert. »Ich gehe jetzt nach oben«, sagte sie in sonderbarem Ton. »Wenn Sie Tess sehen, würden Sie ihr dann herzliche Grüße von mir bestellen? Ich wünschte«, sagte sie, »ich wünschte, ich hätte ihr zu ihrem Geburtstag etwas schenken können.«

Als er endlich eine Arztpraxis gefunden hatte, bestand er nur noch aus Hand, spürte nichts anderes mehr als Hand, ein pulsierendes Etwas, das pochte wie ein zweites Herz. Er erkannte Dr. Crocker sofort und sah, daß man sich auch an ihn erinnerte.

»Muß ein Traumurlaub für Sie sein«, sagte Crocker. Er nähte den Finger und zog eine Spritze mit Tetanusserum auf. »Erst der tote Junge und jetzt das. Verzeihung, das tut vielleicht weh. Sie haben eine dicke Haut.«

»So?« Während er sich den Oberarm frei machte, konnte sich Archery ein Lächeln nicht verkneifen. »Ich möchte Sie etwas fragen.« Ohne lange Erklärungen legte er ihm die Frage vor, die ihm auf dem ganzen Weg von *Victor's Piece* hierher keine Ruhe gelassen hatte. »Ist so etwas möglich?«

»Anfang Oktober?« Crocker sah ihn scharf und nicht ohne Mitleid an. »Hören Sie, wie persönlich ist Ihre Frage?«

Archery erriet seine Gedanken und brachte ein Lachen zustande. »So persönlich auch wieder nicht«, sagte er. »Ich erkundige mich für einen Freund, wie man so sagt.«

»Also, es ist höchst unwahrscheinlich.« Crocker grinste. »Es gab solche Fälle, aber sehr wenige und in großem zeitlichem Abstand. Die gehen dann als kleine Sensation in die Medizingeschichte ein.«

Archery nickte und wandte sich zum Gehen.

»Den Finger möchte ich noch mal sehen«, sagte der Arzt. »Oder gehen Sie damit zu Ihrem Hausarzt. Zwei Spritzen brauchen Sie mindestens noch. Sie kümmern sich darum, wenn Sie nach Hause kommen, ja?«

Nach Hause ... ja, morgen würde er zu Hause sein. Sein Aufenthalt in Kingsmarkham war kein Urlaub gewesen, das zuallerletzt, aber er hatte das komische Gefühl am Ende eines Urlaubs, wenn einem sein Ferienort vertrauter ist als das eigene Zuhause.

Jeden Tag war er auf der High Street entlanggegangen, öfter noch, als er auf die Hauptstraße Thringfords kam. Die Anordnung der Läden, Apotheke, Lebensmittelhandlung, Textilgeschäft, kannte er ebenso gut wie die Hausfrauen Kingsmarkhams. Hübsch war das Städtchen jedenfalls. Mit einemmal schien es ihm bedauerlich, daß er kaum bemerkt hatte, wie hübsch es war – und eigentlich war es mehr als das, denn Hübschheit verträgt sich nicht mit Anmut und Würde –, er würde es gedanklich immer mit gescheiterter Liebe und erfolgloser Suche in Verbindung bringen.

Im Licht der Straßenlaternen, von denen einige noch die alte Form mit schmiedeeisernem Gehäuse aufwiesen, sah er schmale Gassen, die sich zwischen Steinmauern entlangwanden, große Innenhöfe und in manchen Vorgärten Blumen. Das fahle, gelbe Licht verlieh den

Blumen eine leuchtende Blässe. Vor einer halben Stunde war es gerade noch hell genug zum Lesen gewesen; inzwischen hatte sich Dunkelheit herabgesenkt, und in den die Straße säumenden Fenstern gingen Lampen an. Der Himmel sah regnerisch aus, und Sterne zeigten sich nur in den Spalten zwischen dem bauschig aufgeworfenen Gewölk. Der Mond war nicht zu sehen.

Das *Olive and Dove* war hell erleuchtet, und der Parkplatz stand voller Autos. Eine Glastür trennte die Eingangshalle von der Cocktailbar, und er sah, daß dort dichtes Gedränge herrschte. Junge Leute saßen paarweise und in Grüppchen auf hohen Barhockern und standen an kleinen, schwarzen Eichentischen. Er hätte alles darum gegeben, dachte Archery, Charles unter ihnen zu sehen, wie er lachend den Kopf zurück warf und die Hand auf die Schulter eines hübschen Mädchens legte. Kein schönes, intellektuelles, verdorbenes Mädchen – einfach jemand Hübsches, Fades und Unkompliziertes. Aber Charles war nicht unter ihnen. Er traf ihn allein im Gesellschaftsraum beim Briefeschreiben an. Seit seinem Abschied von Tess waren erst wenige Stunden vergangen, aber schon schrieb er ihr...

»Was, in aller Welt, hast du mit deiner Hand gemacht, und wo warst du?«

»Ich hab mich mit der Vergangenheit herumgeschlagen.«

»Sprich nicht in Rätseln, Vater. Das paßt nicht zu dir.« Seine Stimme klang bitter und trotzig. Archery fragte sich, weshalb man sagt, Leid verbessere den Charakter, ja weshalb er das zuweilen selbst gedankenlos zu den Mitgliedern seiner Gemeinde gesagt hatte. Sein Sohn, nörgelnd, quengelig und egoistisch, redete auf ihn ein. »Seit zwei Stunden will ich dieses Kuvert adressieren, kann es aber nicht, weil ich nicht weiß, wo die Tante von Tess wohnt.« Charles bedachte ihn mit einem mürrischen, vorwurfsvollen Blick. »Du hast sie aufgeschrieben. Sag bloß nicht, du hast sie verloren.«

»Da.« Archery zog die Karte aus seiner Tasche und ließ sie auf den Tisch fallen. »Ich rufe jetzt deine Mutter an und sage ihr, daß wir morgen früh nach Hause kommen.«

»Ich gehe mit dir nach oben. Abends ist hier nichts los.«

Nichts los? Und an der Bar wimmelte es von Leuten, von denen einige gewiß so anspruchsvoll wie Charles waren. Wäre Tess bei ihnen gewesen, hätte er das nicht gesagt. Schlagartig faßte Archery den Entschluß, daß er Charles glücklich machen mußte, und wenn er zum Glück Tess brauchte, dann sollte er Tess haben. Folglich durfte die Theorie, die er sich zurechtgelegt hatte, kein Fehlschlag werden. Auf der Schwelle seines Zimmers hielt er inne, legte die Hand auf den Lichtschalter, knipste ihn aber nicht an. Während er dort in der Dunkelheit stand, hinter ihm Charles, sah er sich in Gedanken mit Wexford wieder im Polizeirevier sitzen. Damals war er seiner Sache sicher gewesen. »Ich bin gegen diese Heirat, ganz und gar dagegen«, hatte er dem Chief Inspector erklärt. Wie sehr sich seine Meinung doch geändert hatte! Aber damals wußte er auch nicht, was es hieß, sich nach einer Stimme, einem Lächeln zu sehnen. Alles zu verstehen hieß nicht nur, alles zu vergeben, es bedeutete die völlige Identität von Leib und Seele.

Über seine Schulter fragte Charles: »Findest du den Schalter nicht?« Seine Hand tastete nach oben und berührte die seines Vaters auf der trockenen kühlen Wand. Licht durchflutete das Zimmer. »Bist du in Ordnung? Du siehst erschöpft aus.«

Vielleicht lag es an seinem ungewohnt sanften Ton. Archery wußte, wie leicht man gütig sein kann, wenn man glücklich ist, und wie unmöglich es scheint, inmitten des eigenen Elends an andere zu denken. Mit einemmal war er voller Liebe, einer überschäumenden, allumfassenden Liebe, die sich erstmals seit Tagen nicht auf jemand Bestimmtes richtete, in der aber Raum war für seinen Sohn – und für seine Frau. In der unvernünftigen Hoffnung, ihre Stimme würde sanft und freundlich klingen, griff er zum Telefon.

»Ein Wunder, daß du dich noch an unsere Nummer erinnerst.« Dies waren die ersten Worte, die er zu hören bekam, und ärgerlicher Unmut schwang in ihnen mit. »Ich habe mich schon gefragt, was aus dir geworden ist. Dachte, du seist durchgebrannt.«

»Das würde ich nie tun«, sagte er todunglücklich. Und weil er auf dem Pfad der Tugend wieder Fuß gefaßt hatte, fügte er als groteskes Echo auf Elizabeth Crilling hinzu: »In Kingsmarkham laufen nicht viele tolle Typen herum. Du hast mir gefehlt.« Es stimmte nicht, und auch was er als nächstes sagen wollte, würde eine Lüge sein. »Es wird guttun, wieder bei dir zu Hause zu sein.« Diese Lüge würde er in Wahrheit verwandeln müssen. Er ballte die Hand zur Faust, bis die Finger vor Schmerz glühten, aber während er dies tat, dachte er, daß er und die Zeit sie wahr machen könnten...

»In deinem Wortschatz finden sich wirklich einige merkwürdige Ausdrücke«, sagte Charles, als er aufgelegt hatte. »Tolle Typen, nicht zu glauben. Sehr vulgär.« In der Hand hielt er immer noch die Karte und starrte sie in tiefster Versunkenheit an. Vor einer Woche hätte sich Archery noch gewundert, daß die Adresse und die Handschrift einer Frau derart faszinieren können.

»Am Samstag hast du mich gefragt, ob mir das schon mal unter die Augen gekommen sei. Du wolltest wissen, ob ich es schon mal gehört hätte. Also, jetzt wo ich's vor mir sehe, kommt mir's bekannt vor. Es stammt aus einem langen religiösen Versdrama. Ein Teil davon ist in Prosa, aber es kommen auch Gedichte drin vor, richtige Hymnen, und von einer ist das die letzte Strophe.«

»Wo hast du es gesehen? In Oxford? In der Bibliothek?«

Doch Charles hörte ihm nicht zu. Als ob er schon seit einer halben Stunde hatte danach fragen wollen, sagte er: »Wo bist du heute abend gewesen? Stand es im Zusammenhang mit mir und Tess?«

Durfte er es ihm sagen? War er genötigt, diesen letzten Funken Hoffnung preiszugeben, ehe er ihn durch etwas Wirkliches, Erwiesenes ersetzen konnte?

»Ich wollte bloß einen letzten Blick auf *Victor's Piece* werfen.« Charles nickte. Er schien das ganz selbstverständlich zu finden. »Zufällig scheuchte ich Elizabeth Crilling auf, die sich dort versteckte.« Er erzählte ihm von den Drogen und ihren erbärmlichen Bemühungen, an mehr Tabletten heranzukommen, aber alles sagte er ihm nicht.

Charles reagierte unerwartet. »Vor wem hat sie sich versteckt?«

»Vor der Polizei, nehme ich an, oder vor ihrer Mutter.«

»Hast du sie dort einfach allein gelassen?« fragte Charles empört. »Die hat doch einen Sprung in der Schüssel. Wer weiß, zu was die fähig ist. Hast du eine Ahnung, wieviel von diesen Tabletten man nehmen muß, um sich zu vergiften? Sie könnte absichtlich zu viele nehmen. Hast du daran schon mal gedacht?«

Sie hatte ihm vorgeworfen, auf sie keine Rücksicht zu nehmen, doch selbst dieser Wink hatte ihm kein Licht aufgehen lassen. Es war ihm einfach nicht in den Sinn gekommen, daß es unverantwortlich von ihm war, ein junges Mädchen in einem leerstehenden Haus allein zu lassen.

»Ich finde, wir sollten zu *Victor's Piece* rausfahren und versuchen, sie zum Heimgehen zu bewegen«, sagte Charles. Da ihm die plötzliche Lebhaftigkeit auf der Miene seines Sohnes nicht verborgen blieb, fragte sich Archery, wie aufrichtig seine Motive waren und zu welchem Teil diese plötzliche Betriebsamkeit auf den Wunsch zurückzuführen war, etwas zu tun, irgend etwas, weil er wußte, daß er nicht würde schlafen können, wenn er jetzt zu Bett ginge. Charles steckte die Karte in die Tasche. »Es wird dir zwar nicht gefallen«, sagte er, »aber ich glaube, wir sollten ihre Mutter mitnehmen.«

»Sie hat sich mit ihr gestritten. Ihrem Verhalten nach haßt sie ihre Mutter.«

»Das will nichts bedeuten. Hast du sie schon mal zusammen gesehen?«

Nur einen Blick in einem Gerichtssaal, ein Blick unenträtselbarer Leidenschaft. Zusammen hatte er sie nie gesehen. Er wußte nur, falls Charles irgendwo allein und unglücklich wäre, vielleicht nahe daran, sich das Leben zu nehmen, würde er, Archery, nicht wollen, daß ihm Fremde zu Hilfe kämen.

»Du kannst fahren«, sagte er und warf seinem Sohn die Schlüssel zu.

Die Kirchenuhr schlug elf. Archery überlegte sich, ob Mrs. Crilling schon im Bett sein würde. Dann kam ihm zum erstenmal der Gedanke, sie könnte sich Sorgen um ihre Tochter machen. Alltägliche Gefühle hatte er den Crillings nie zugetraut. Sie waren anders als andere, die Mutter geistesgestört, das Mädchen kriminell. War das der Grund, weshalb er sich ihrer nur bedient hatte, statt barmherzig gegen sie zu sein? Als sie in die Glebe Road einbogen, spürte er ungewohnte Wärme in sich aufkommen. Es war nicht zu spät – vor allem jetzt, wo sie sich ein wenig erleichtert hatte –, Elizabeth nach Hause zu bringen, die alte Wunde zu heilen und etwas Gutes aus dem Chaos entstehen zu lassen.

Äußerlich war ihm kalt. Er hatte keinen Mantel an, und die Nacht war kühl. Von einer Winternacht erwartet man, daß sie kalt ist, ging ihm durch den Kopf. Eine kalte Sommernacht dagegen hatte etwas Deprimierendes und Verkehrtes an sich. November mit Blumen, ein Novemberwind, der über die blühende Blütenpracht des Sommers strich. Er durfte in der Natur keine Omen sehen.

»Wie nennt man das«, fragte er Charles, »wenn man der Natur Gefühle zuschreibt. Wie heißt der Fachausdruck?«

»Vermenschlichung der Natur«, antwortete Charles. Archery fröstelte. »Das Haus da ist es«, sagte er. Sie stiegen aus. Beide Stockwerke von Nummer 24 lagen im Dunkeln.

»Vermutlich ist sie im Bett.«

»Dann wird sie aufstehen müssen«, sagte Charles und klingelte. Er klingelte noch einmal, dann noch einmal. »Hat keinen Zweck«, sagte er. »Können wir hintenrum gehen?«

»Hier entlang«, sagte Archery und führte Charles in den Durchlaß aus Sandstein. Wie eine Höhle, dachte er und faßte die Mauern an. Er erwartete, daß sie sich feucht und kalt anfühlen würden, aber sie waren trocken und rauh unter seiner Hand. Sie kamen in einer dunklen Stelle zwischen den Lichtpfützen heraus, die von den Terrassentüren auf den Hinterseiten der Häuser verbreitet wurden. Auf sämtlichen Gärten lag ein gelbes, von schwarzen Streifen unterteiltes Viereck, nur aus Mrs. Crillings Fenster fiel keines.

»Sie wird ausgegangen sein«, sagte Archery, als sie das kleine Tor in dem Maschendrahtzaun aufstießen. »Wir kennen sie doch gar nicht. Wir wissen nicht, wohin sie sonst immer geht und wer ihre Freunde sind.«

Durch das erste Fenster sahen sie, daß die Küche und die Diele dunkel und leer waren. Um zur Terrassentür zu gelangen, mußten sie sich durch ein Gestrüpp nasser Brennesseln zwängen, worauf ihre Hände brannten.

»Schade, daß wir keine Taschenlampe dabeihaben.«

»Wir *haben* gar keine Taschenlampe«, wandte Archery ein. Er spähte hinein. »Mit Streichhölzern kann ich dienen.« Das erste, das er anzündete, zeigte ihm das Zimmer so, wie er es in Erinnerung hatte, ein wildes Durcheinander von Kleiderbergen und Zeitungsstapeln. Das Streichholz verlosch, und er ließ es auf den nassen Beton fallen. Im Licht des zweiten sah er, daß auf dem Tisch die Reste einer Mahlzeit standen, Brotscheiben, die noch in der Papierverpackung steckten, eine Tasse samt Untertasse, ein Marmeladenglas, ein Teller, den etwas Gelbliches und Eingetrocknetes bedeckte.

»Gehen wir wieder«, sagte er. »Sie ist nicht da.«

»Die Tür ist nicht abgeschlossen.« Charles drückte den Schnäpper nach oben und machte sie leise auf. Sofort schlug ihm ein eigentümlicher und nicht genau zu bestimmender Geruch nach Obst und Alkohol entgegen.

»Du kannst da nicht rein. Wir haben keinerlei Recht, hier einzubrechen.«

»Wer viel fragt, kriegt viel Antwort.« Charles' Fuß war schon über der Schwelle, doch er hielt inne und sagte über die Schulter zu seinem Vater: »Findest du nicht, daß hier etwas faul ist? Spürst du das nicht?« Archery zuckte mit den Schultern. Sie standen jetzt beide in dem Zimmer. Der Geruch war sehr stark, doch außer den verschwommenen Konturen der unordentlich herumstehenden Möbel konnten sie nichts erkennen.

»Der Lichtschalter ist links neben der Tür«, sagte er. »Ich finde ihn.« Er hatte vergessen, daß sein Sohn ein Mann war, daß das voll entwickelte Verantwortungsgefühl seines Sohnes sie hierhergeführt hatte. In diesem dunklen, übelriechenden Haus waren sie einfach ein Vater und sein Kind. Er durfte nicht wie Mrs. Crilling handeln und das Kind vorausschicken. »Bleib hier«, sagte er. Er tastete sich an der Tischkante entlang, schob einen kleinen Lehnsessel aus dem Weg, zwängte sich hinter das Sofa und suchte nach dem Schalter. »Bleib dort!« rief er, eindringlicher nun und in einem Anfall echter Angst. Als er gerade das Zimmer durchquert hatte, waren seine Füße mit den am Boden verstreuten Sachen in Berührung gekommen – ein Schuh, hatte er gedacht, ein auf die Vorderseite gefallenes Buch. Das Hindernis, das er jetzt vor sich hatte, war größer und massiver. Ein Kribbeln lief ihm über die Kopfhaut. Da waren Kleider, ja, und in diesen Kleidern steckte etwas Schweres und Unbewegliches. Er kniete sich hin und streckte zum Abtasten und Befühlen die Hände aus. »Allmächtiger…!«

»Was ist denn? Was, zum Teufel, *ist* denn? Kannst du das Licht nicht finden?«

Archery konnte nicht sprechen. Er hatte die Hände zurückgezogen; sie waren klebrig und naß. Charles war ans andere Ende des Zimmers gegangen. Das einströmende und die Dunkelheit vertreibende Licht bereitete physischen Schmerz. Archery schloß die Augen. Über sich hörte er, wie Charles einen Laut ausstieß.

Er öffnete die Augen, und das erste, was er sah, waren seine roten Hände. Charles sagte: »Schau weg!«, und er wußte, daß auch seine Lippen diese Worte hatten bilden wollen. Sie waren keine Polizisten, an Anblicke wie diesen nicht gewohnt, und beide hatten versucht, ihn dem anderen zu ersparen.

Beide mußten hinsehen. Mrs. Crilling lag auf dem Boden zwischen dem Sofa und der Wand und war wirklich tot. Die Kälte ihrer Leiche ging durch die rosa Falbeln, die sie vom Hals bis zu den Knöcheln einhüllten, auf Archerys Hände über. Er hatte diesen Hals gesehen und den Blick sofort von dem Strumpf abgewandt, der ihn umschlang.

»Sie ist ja ganz voller Blut«, sagte Charles. »Als ob – mein Gott! – als ob sie jemand damit begossen hätte.«

17

> Ich bin verstummt und still und schweige fern der Freude und muß mein Leid in mich fressen.
>
> *Psalm 39. Das Begräbnis der Toten*

»Das ist nicht Blut«, sagte Wexford. »Wissen Sie nicht, was es ist? Konnten Sie das nicht riechen?« Er nahm die Flasche, die jemand unter dem Sideboard gefunden hatte, und hielt sie in die Höhe. Zerschlagen, müde und völlig erschöpft saß Archery auf dem Sofa in Mrs. Crillings Wohnzimmer. Türknallen und Schrittgetrappel drangen zu ihnen herüber, während die beiden Männer des Chief

Inspectors das andere Zimmer durchsuchten. Die Leute von oben waren um Mitternacht nach Hause gekommen, in ausgelassener Wochenendstimmung, der Mann leicht betrunken. Die Frau war während Wexfords Befragung hysterisch geworden.

Man hatte die Leiche weggebracht; Charles schob seinen Sessel herum, damit er nicht auf die blutroten Cherry Brandy-Flecken sehen mußte.

»Aber warum? Warum ist das geschehen?« fragte er im Flüsterton.

»Ihr Vater weiß, warum.« Wexfords graue stechende Augen waren unergründlich und glanzlos, ihr Blick starr auf Archery gerichtet. Er hockte ihnen gegenüber auf einem niedrigen Stuhl mit hölzernen Seitenlehnen. »Was mich betrifft, so weiß ich es nicht, aber ich kann es mir denken. Ich werde das Gefühl nicht los, so was Ähnliches vor langer, langer Zeit schon mal gesehen zu haben. Vor sechzehn Jahren, um genau zu sein. Ein rosa Rüschenkleid, das ein kleines Mädchen nie mehr anziehen konnte, weil es voller Blutflecken war.«

Draußen hatte es wieder zu regnen begonnen, Wasser klatschte gegen die Fenster und ließ sie klappern. In *Victor's Piece* würde es jetzt kalt sein, kalt und schaurig wie in einer unbewohnten Burg inmitten eines Waldes nasser Bäume. Der Chief Inspector besaß einen unheimlichen sechsten Sinn, der fast an Telepathie grenzte. Archery zwang seine Gedanken in andere Bahnen, damit Wexford sie nicht erahnen konnte, aber die Frage kam, noch ehe er die Bilder aus seinem Geist zu vertreiben vermochte.

»Raus mit der Sprache, Mr. Archery, wo ist sie?«

»Wo ist wer?«

»Die Tochter.«

»Wie kommen Sie auf den Gedanken, ich wüßte das?«

»Hören Sie mal zu«, sagte Wexford. »Nach unseren Ermittlungen war die letzte Person, die sie gesehen hat, ein Apotheker aus Kingsmarkham. Ja, selbstverständlich klapperten wir als erstes sämtliche Apotheken ab. Der Mann erinnert sich, daß zusammen mit ihr zwei Männer und ein Mädchen im Laden waren, ein junger Mann und ein älterer, groß, blond, auf den ersten Blick als Vater und Sohn erkennbar.«

»Ich habe dort nicht mit ihr gesprochen«, sagte Archery wahrheitsgemäß. Er wollte nur noch schlafen, seine Ruhe haben und aus diesem Zimmer entkommen, in dem sie Wexford seit ihrem Anruf bei ihm festgehalten hatte.

»Mrs. Crilling ist seit sechs oder sieben Stunden tot. Es ist jetzt zehn vor drei, und um Viertel vor acht haben Sie das *Olive* verlassen. Der Barkeeper hat Sie um zehn wieder ins Hotel kommen sehen. Wohin sind Sie gegangen, Mr. Archery?«

Er saß da und schwieg. Vor Jahren – oh, vor Jahrhunderten! – war es in der Schule auch so gewesen. Man gibt es zu, man verpetzt jemand, sonst müssen alle dafür büßen. Komisch, er hatte Wexford schon einmal mit einer Art Rektor verglichen.

»Sie wissen, wo sie ist«, sagte Wexford. Seine Stimme klang laut, drohend und unheilschwanger. »Wollen Sie mitschuldig werden? Wollen Sie das wirklich?«

Archery schloß die Augen. Schlagartig wurde ihm klar, daß er wider Pflicht und Gewissen handelte. Er wünschte, daß genau das geschah, wovor Charles ihn gewarnt hatte, und obwohl es im Widerspruch zu seinem Glauben stand, ja sogar gottlos war, wünschte er es von ganzem Herzen.

»Vater...« sagte Charles, und als er keine Antwort erhielt, zuckte er mit den Schultern und sah Wexford aus matten, entsetzten Augen an. »Verdammt, was soll's denn. Sie ist in *Victor's Piece.*«

Archery merkte, daß er die Luft angehalten hatte. Mit einem tiefen Seufzer atmete er aus. »In einem der Schlafzimmer«, sagte er. »Starrt auf den Wagenschuppen und träumt von einem Sandhaufen. Sie hat mich gefragt, was man mit ihr machen würde, aber ich begriff nicht. Was wird man mit ihr machen?«

Wexford stand auf. »Nun, Sir...« Archery bemerkte das »Sir«, wie man das neuerliche Überstreifen eines Samthandschuhs bemerkt. »Sie wissen so gut wie ich, daß unsere Gesetze es nicht mehr erlauben, gewisse...« Sein Blick huschte zu der Stelle, wo Mrs. Crilling gelegen hatte »...gewisse grobe und schwere Verbrechen mit dem Tod zu bestrafen.«

»Lassen Sie uns jetzt gehen?« fragte Charles.

»Bis morgen«, sagte Wexford.

Der Regen schlug ihnen an der Haustür wie eine Woge oder ein Gischtschleier entgegen. Während der letzten halben Stunde hatte er auf das Wagendach getrommelt und war durch das halboffene Ausstellfenster gesickert. Das Wasser stand in einer kleinen Pfütze um Archerys Füße, doch er war viel zu müde, um darauf zu achten oder etwas dagegen zu tun.

Charles kam mit auf sein Zimmer.

»Ich sollte dich das jetzt nicht fragen«, sagte er. »Es ist fast schon Tag, und wer weiß, was uns morgen noch alles bevorsteht, aber ich muß es wissen. Ich möchte es gern wissen. Was hat sie dir eigentlich erzählt, das Mädchen in *Victor's Piece*?«

Archery hatte schon gehört, man könne in einem Zimmer auf und ab gehen wie ein wildes Tier, das in einem

Käfig eingesperrt ist. Er hatte sich nie träumen lassen, einmal so voller innerer Anspannung zu sein, daß er ein Ventil dafür finden mußte, indem er immer wieder das Zimmer durchmaß, wahllos Gegenstände aufhob und sie mit zitternden Händen wieder an ihren Platz stellte. Charles wartete, war zu zerschlagen, um auch nur Ungeduld zu zeigen. Sein Brief an Tess lag in einem Umschlag auf der Frisierkommode, daneben die Karte aus dem Andenkenladen. Archery nahm sie, knetete sie in den Händen herum und knickte den Büttenrand ein. Dann trat er zu seinem Sohn, legte ihm sanft die Hände auf die Schultern und sah ihm in die Augen.

»Was sie mir erzählt hat«, sagte er, »ist für dich nicht von Bedeutung. Es wäre wie – na, wie der Alptraum von jemand anders.« Charles rührte sich nicht. »Wenn du mir nur sagen würdest, wo du das Gedicht gesehen hast, das auf dieser Karte steht.«

Der Morgen war grau und kalt, ein Morgen, wie er von den 365 im Jahr vielleicht dreihundertmal vorkommt, wenn weder Regen fällt noch Sonne scheint, weder Frost noch Nebel herrschen. Es war ein Nichts von einem Morgen. Der Polizist auf der Kreuzung hatte sich die dunkle Jacke über die Hemdsärmel gezogen, die gestreiften Rolläden der Geschäfte waren hochgekurbelt, und in schleppende Schritte war Schwung gekommen.

Inspector Burden begleitete Archery auf den abtrocknenden Bürgersteigen zum Polizeirevier. Auf Burdens freundliche Frage, wie er geschlafen habe, gab Archery beschämt Antwort. Er hatte tief und fest geschlafen. Vielleicht hätte auch er traumlos geschlafen, wenn er gewußt hätte, was der Inspector ihm jetzt mitteilte, nämlich daß Elizabeth Crilling lebte.

»Sie ist durchaus bereitwillig mit uns mitgekommen«, sagte Burden und fügte ziemlich indiskret hinzu: »Um die Wahrheit zu sagen, Sir, habe ich sie noch nie so gelassen und – ja, wirklich im inneren Frieden erlebt.«

»Sie möchten nach Hause, nehme ich an«, sagte Wexford, als Burden sie in dem in Blau- und Gelbtönen gehaltenen Büro allein gelassen hatte. »Zur gerichtlichen Voruntersuchung und Verhandlung werden Sie noch einmal wiederkommen müssen. Sie haben die Leiche gefunden.«

Archery seufzte. »Vor sechzehn Jahren fand Elizabeth eine Leiche. Ohne die egoistische Eitelkeit ihrer Mutter, ihre Habgier nach etwas, das ihr nicht zustand, wäre es nie dazu gekommen. Man könnte sagen, diese Habgier rächte sich nun, lange nachdem sie ihr ursprüngliches Ziel verfehlt hatte. Andererseits ließe sich auch behaupten, daß Elizabeth einen Groll gegen ihre Mutter gehegt hat, weil Mrs. Crilling es ihr nie erlaubte, über Painter zu sprechen und sich ihre Ängste von der Seele zu reden.«

»Schon möglich«, sagte Wexford. »Das alles könnte der Auslöser gewesen sein. Vielleicht war es auch so, daß Mrs. Crilling, als Liz von der Apotheke in die Glebe Road zurückkam, Angst davor hatte, um ein neues Rezept zu bitten, weshalb Liz sie in der blinden Raserei der Süchtigen erdrosselte.«

»Darf ich zu ihr?«

»Leider nein. Ich beginne zu ahnen, was genau sie vor sechzehn Jahren gesehen und Ihnen gestern abend erzählt hat.«

»Nach meinem Gespräch mit ihr ging ich zu Dr. Crokker. Ich möchte, daß Sie sich das hier mal ansehen.« Er reichte Wexford den Brief von Oberst Plashet und deutete mit dem verbundenen Finger auf die entscheidende

Stelle. »Arme Elizabeth«, sagte er leise. »Sie wollte Tess zu ihrem fünften Geburtstag ein Kleid schenken. Falls sich Tess nicht sehr verändert hat, hätte sie sich nicht viel daraus gemacht.«

Wexford las, machte kurz die Augen zu und lächelte dann leicht. »Ich verstehe«, sagte er bedächtig und steckte den Brief zurück ins Kuvert.

»Dann habe ich also recht? Ich mache mir nichts vor, bilde mir nichts ein? Wissen Sie, meinem eigenen Urteil kann ich nicht mehr trauen. Ich muß die Meinung eines Fachmanns dazu hören. Ich bin in Forby gewesen, ich habe ein Foto gesehen, ich besitze einen Brief, und ich habe mit einem Arzt gesprochen. Wenn Sie die gleichen Fingerzeige gehabt hätten, wären Sie dann zu derselben Folgerung gelangt?«

»Sie sind wirklich sehr freundlich, Mr. Archery.« Wexford grinste breit und ironisch. »Ich höre mehr Klagen als Komplimente. Was nun Fingerzeige und Folgerungen anlangt, so wäre ich zu demselben Schluß gekommen, allerdings viel, viel früher.

Wissen Sie, es hängt ganz davon ab, nach was man sucht, und genaugenommen wußten Sie eben nicht, nach was Sie suchten. Die ganze Zeit über wollten Sie etwas widerlegen, was – Sie haben es selbst gesagt – nach Ansicht von Fachleuten hieb- und stichfest war. Auf was Sie jetzt gestoßen sind, erreicht den gleichen Zweck wie die andere Sache. Das heißt, für Sie und Ihren Sohn. Aber es verändert nichts an dem, was für die Justiz der Status quo ist. Wir hätten uns als allererstes gefragt, nach was genau wir eigentlich suchen, was der springende Punkt ist. Und wenn man den vor Augen hat, kann es Ihnen schnurzpiepegal sein, wer das Verbrechen beging. Aber Sie waren ganz auf den Mord fixiert.«

»Und habe dabei den Balken im eigenen Auge nicht gesehen«, sagte Archery.

»Um Ihr nächstes Gespräch beneide ich Sie wirklich nicht.«

»Komisch«, sagte Archery nachdenklich, als er aufstand und sich zum Gehen wandte, »obwohl wir beide so gegensätzliche Ansichten vertraten, hatten wir am Ende doch beide recht.«

Wexford hatte gesagt, er müsse wiederkommen. Aber er würde es kurz machen, kurz und blind, würde die Augen nur im Gericht aufmachen, das er von diesem Fenster aus sehen konnte, würde lediglich als Zeuge aussagen. Er hatte Geschichten gelesen, in denen Leute, die an unbekannte Orte gebracht werden sollten, mit verbundenen Augen in Autos mit verhängten Fenstern gesetzt wurden, damit sie nicht die Gegend sahen, durch die sie kamen. In seinem Fall würde die Anwesenheit derer, die er legitimerweise lieben durfte, ihn davon abhalten, eine Fata Morgana zu sehen und in Verbindung mit dieser Fata Morgana auf Gedanken zu kommen. Mary würde mitkommen und Charles und Tess, um ihn abzuschirmen. Dieses Zimmer würde er bestimmt nicht wiedersehen. Er wandte sich um, damit er einen letzten Blick darauf werfen konnte, doch falls er gehofft hatte, das letzte Wort zu behalten, wurde er enttäuscht.

»Wir hatten beide recht«, sagte Wexford und drückte Archery sacht die Hand. »Ich aus Vernunft, Sie aus Glauben. Was, alles in allem betrachtet, auch nur zu erwarten war.«

Vorsichtig und widerwillig, als ob sie Zigeuner oder einen Hausierer in Sachen Bürsten und Besen auf der Schwelle erwarte, machte sie ihnen die Tür auf.

»Ich hoffe, Sie können uns verzeihen, Mrs. Kershaw«, sagte Archery mit zu aufdringlicher Herzlichkeit. »Charles wollte mit Tess reden, und da es auf der Strecke lag...«

Besuch zu begrüßen, und sei es unwillkommenen Besuch, ohne dabei so etwas wie ein Lächeln zu zeigen, ist schwer. Irene Kershaw lächelte nicht, aber sie gab ein Gemurmel von sich, aus dem er den einen oder anderen Satzfetzen heraushörte: »...natürlich sehr willkommen«, »nicht gerechnet...« und »gar nicht vorbereitet...« Sie gelangten zwar in die Diele, doch es ging nicht ohne Umständlichkeiten ab und erforderte fast, sich an ihr vorbeizudrängen. Sie war ziemlich rot geworden und sagte zu Charles, nun durchaus klar verständlich:

»Tess ist auf einen Sprung zum Einkaufen, um noch fix ein paar Sächelchen für ihren Urlaub zu besorgen.« Archery bemerkte, daß sie ärgerlich war, aber nicht wußte, wie sie ihren Ärger an Leuten auslassen sollte, die erwachsen waren und gleichzeitig aus einem anderen Milieu kamen als sie. »Sie haben sich gezankt, nicht?« sagte sie. »Was wollen Sie eigentlich noch alles mit ihr machen – ihr das Herz brechen?« Anscheinend war sie zwar zu Gefühlen fähig, aber nachdem sie sie einmal gezeigt hatte, nicht in der Lage, sie zu beherrschen. Tränen traten ihr in die Augen. »Ach du meine Güte... das wollte ich nicht sagen.«

Archery hatte Charles im Auto alles erklärt. Er sollte Tess auftreiben, mit ihr unter vier Augen reden und es ihr sagen. Archery wandte sich an seinen Sohn: »Geh doch mal die Straße runter und sieh nach, ob du sie auf dem Rückweg triffst. Sie wird froh sein, wenn ihr jemand den Korb trägt.«

Charles zögerte, vielleicht deshalb, weil er um eine

Antwort auf Mrs. Kershaws Vorwurf verlegen war und ihm eine dermaßen übertriebene Redensart wie »ein gebrochenes Herz« nicht über die Lippen wollte. Schließlich sagte er: »Ich werde Tess heiraten. Das habe ich immer gewollt.«

Die Röte verflog von ihrem Gesicht und nun, da kein Anlaß dafür bestand, rollten die Tränen über ihre Wangen. Unter anderen Umständen wäre Archery das peinlich gewesen. Nun erkannte er, daß ihre gegenwärtige Stimmung – Tränen, ein halbherziger Unmut, der für sie der Leidenschaft noch am nächsten kam – sie empfänglicher für das machen würde, was er ihr zu sagen hatte. Unter dem faden, spießigen Äußeren verbarg sich offenbar eine müde Tigerin, ein Muttertier, das sich nur dann wachrütteln ließ, wenn ihr Junges bedroht wurde.

Charles ging zur Haustür hinaus. Nun allein mit ihr gelassen, fragte sich Archery, wo die anderen Kinder waren und wann Kershaw nach Hause kommen würde. Wieder mußte er feststellen, daß er keine Worte fand, wenn er allein in Gesellschaft mit dieser Frau war. Sie machte keine Anstalten, ihm entgegenzukommen, sondern stand steif und ausdruckslos da und tupfte sich mit den Fingerspitzen die Tränenspuren ab.

»Vielleicht könnten wir uns setzen?« Er machte eine unbestimmte Geste zu der Glastür hin. »Ich würde mich gern mit Ihnen unterhalten, die Sache gründlich besprechen, ich...«

Sie fing sich schnell wieder und suchte Zuflucht in ihrer Ehrbarkeit. »Möchten Sie Tee?«

Die Stimmung durfte sich nicht in Geplauder bei Kuchen und Tee verlieren. »Nein«, sagte er, »nein, wirklich...«

Sie ging ins Wohnzimmer voran. Dort standen die Bücher, die Reader's Digest, die Lexika und die Werke über Hochseefischen. Das Porträt von Jill auf der Staffelei war fertig, und Kershaw hatte den typischen Fehler des Hobbymalers gemacht, nicht im richtigen Moment aufzuhören, so daß die Ähnlichkeit unter den letzten Pinselstrichen verschwunden war. Im Garten, der sich mit der Unwirklichkeit und den schreienden Farben eines gestickten Kissenüberzugs vor ihm ausbreitete, leuchteten die Geranien so hell, daß sie ihm in den Augen weh taten.

Mrs. Kershaw setzte sich geziert und strich sich den Rock über die Knie. Heute, jetzt wo es wieder kühl war, trug sie ein Baumwollkleid. Sie zählte zu dem Typ Frau, dachte Archery, die voller Vorsicht ihre Winterkleidung immer noch einen Tag und noch einen trug, bis sie ganz sicher war, daß sich wirklich eine Hitzewelle über das Land gesenkt hatte. Dann, gerade wenn das warme Wetter zu Ende ging, dann endlich wurde das sorgfältig gebügelte Sommerkleid aus dem Schrank geholt.

Die Perlen waren wieder aufgereiht. Sie faßte mit der Hand an die Kette, zog sie dann aber, der Versuchung widerstehend, rasch weg. Ihre Blicke begegneten sich, und sie kicherte nervös, vielleicht weil sie merkte, daß ihm ihre kleine Schwäche nicht verborgen geblieben war. Innerlich stieß er einen leichten Seufzer aus, denn ihre Gefühle waren gänzlich verschwunden, und auf ihrem Gesicht zeichnete sich nur die verständliche Verwirrung einer Gastgeberin ab, die den Zweck eines Besuches nicht kennt und zu taktvoll ist, den Besucher danach zu fragen.

Er mußte – *mußte* – hinter dieser bleichen, zerfurchten Stirn etwas aufrütteln. Alle seine sorgfältig einstudierten Anfangssätze fielen flach. Gleich würde sie vom Wetter oder den Vorzügen einer Hochzeit in Weiß reden. Doch darauf griff sie dann doch nicht zurück. Er hatte die andere Standardbemerkung vergessen, die als Eisbrecher für eine Unterhaltung zwischen Fremden so nützlich ist.

»Und wie hat Ihnen Ihr Urlaub gefallen?« fragte Irene Kershaw.

Na schön. War auch nicht schlechter als sonst irgendwas.

»Forby ist doch Ihr Heimatdorf«, sagte er. »Als ich dort war, habe ich ein Grab besucht.«

Sie berührte mit der Handfläche die Perlen. »Ein Grab?« Einen Augenblick lang klang ihre Stimme so hart wie bei ihren Worten über gebrochene Herzen, dann war sie wieder ganz kreuzbraves Purley, als sie hinzufügte: »Ah, ja, dort liegt Mrs. Primero begraben, nicht?«

»Es war nicht ihr Grab, das ich besucht habe.« Leise zitierte er: »›Hirte, dein Lied ist verklungen...‹ Sagen Sie mir, warum haben Sie alle Werke, die er hinterließ, aufbewahrt?«

Daß es zu einer Reaktion kommen und diese Reaktion möglicherweise Zorn sein würde, hatte er erwartet. Er war auf blasierte Arroganz vorbereitet gewesen, ja selbst auf jene erdrückend dumme Antwort, die den Mrs. Kershaws dieser Welt so allerliebst ist: »Das müssen wir hier nicht erörtern.« Er hatte nicht gedacht, daß sie erschreckt und zugleich von einer Art ehrfürchtiger Scheu ergriffen sein würde. Sie duckte sich ein wenig in dem Lehnstuhl zusammen – falls sich ducken mit vollkommener Reglosigkeit verträgt –, und in ihre Augen, die jetzt weit aufgerissen waren und glänzten – trat die völlige Bewegungslosigkeit einer Toten.

Ihre Angst hatte die Wirkung, ihn zu erschrecken. Sie war so ansteckend wie ein Gähnen. Angenommen, sie bekam einen hysterischen Anfall? Sehr freundlich fuhr er fort:

»Warum haben Sie sie im Dunkel verborgen? Man hätte sie vielleicht veröffentlicht, hätte sie aufgeführt. Er hätte postum zu Ruhm kommen können.«

Sie zeigte keinerlei Reaktion, doch jetzt wußte er, was zu tun war, die Antwort tauchte wie eine Gottesgabe in ihm auf. Er mußte einfach sanft und hypnotisch weiterreden. Die Worte sprudelten hervor, Phrasen und Platitüden, Loblieder auf Werke, die er noch nie gesehen und die zu bewundern er keine Veranlassung hatte, Beteuerungen und Versprechungen, die er vielleicht nie erfüllen konnte. Die ganze Zeit über hielt er wie ein Hypnotiseur den Blick auf sie gerichtet, nickte, wenn sie nickte, und zeigte ein breites albernes Grinsen, als zum erstenmal ein winziges unbestimmtes Lächeln um ihre Lippen zuckte.

»Darf ich sie sehen?« wagte er sich vor. »Zeigen Sie mir die Werke von John Grace?«

Er hielt den Atem an, während sie mit quälender Langsamkeit einen Stuhl erklomm und die Hand zum obersten Brett des Bücherregals ausstreckte. Sie lagen in einer Schachtel, einem großen Lebensmittelkarton, der früher offenbar ein Gros Pfirsichdosen enthalten hatte. Sie faßte ihn mit eigentümlicher Ehrfurcht an, und da ihre ganze Sorgfalt auf ihn gerichtet war, purzelte der auf ihm liegende Zeitschriftenstapel zu Boden.

Insgesamt mußte es ein Dutzend gewesen sein, doch nur ein Titelbild stach Archery wie ein Stachel ins Auge. Blinzelnd wandte er den Blick von dem schön fotografierten Gesicht, dem hellen Haar unter einem Hut mit Junirosen. Er hatte darauf gewartet, daß Mrs. Kershaw das Wort ergriff, und was sie sagte, riß ihn aus seiner Erschütterung und Trübsal.

»Ich nehme an, Tess hat es Ihnen gesagt«, flüsterte sie.

»Es sollte eigentlich ein Geheimnis zwischen uns beiden sein.« Sie hob den Deckel von der Schachtel, so daß er die Schrift auf dem obersten Manuskriptblatt lesen konnte. »*Die Herde. Ein Gebet in Dramaform* von John Grace.«

»Hätten Sie es mir früher gesagt, hätte ich sie Ihnen gleich gezeigt. Tess sagte, ich solle sie jeden sehen lassen, der Interesse an ihnen zeigen und – und verstehen würde.«

Wieder sahen sie sich in die Augen, und Irene Kershaws bebender Blick wurde von dem seinen aufgefangen und gefestigt. Er wußte, daß seine Miene bewegt war und seine Gedanken zum Ausdruck brachte. Sie mußte sie gelesen haben, denn sie drängte ihm die Schachtel auf und sagte: »Da, nehmen Sie. Sie können sie haben.« Entsetzt und beschämt zog er die Hände weg und wich vor ihr zurück. Sogleich hatte er erkannt, was sie da tat, daß sie ihn mit ihrem kostbarsten materiellen Besitz abfinden wollte. »Nur fragen Sie mich nicht.« Sie stieß einen verhaltenen, erstickten Schrei aus. »Fragen Sie mich nicht nach ihm!«

Spontan, weil er diesen Blick nicht ertragen konnte, schlug er sich die Hände vors Gesicht. »Ich habe nicht das Recht, Ihr Inquisitor zu sein«, murmelte er.

»Ja, ja... Schon gut.« Die Hand, mit der sie ihn an der Schulter faßte, war ruhig und von neuer Kraft erfüllt. »Aber fragen Sie mich nicht nach ihm. Mr. Kershaw hat gesagt, Sie wollten etwas über Painter wissen – Bert Painter, meinen Mann. Ich werde Ihnen alles sagen, an was ich mich noch erinnere, alles, was Sie wissen wollen.«

Ihr Inquisitor und ihr Peiniger... Lieber ein rascher Dolchstoß als diese endlosen Folterqualen. Er ballte die Hände zur Faust, bis der einzige Schmerz, den er spürte, von der Verletzung ausging, wo die Glasscherbe eingedrungen war, und sah ihr über die vergilbten Blätter hinweg in die Augen.

»Von Painter möchte ich nichts mehr wissen«, erwiderte er. »Er interessiert mich nicht. Mich interessiert der Vater von Tess...« Ihr Stöhnen und das Gefühl der ihm den Arm zerkratzenden Finger konnten ihn nicht mehr aufhalten. »Und seit gestern abend weiß ich«, sagte er im Flüsterton, »daß Painter nicht ihr Vater sein *kann*.«

18

> ... Wie ihr es am schrecklichen Tage des Gerichts, wenn die Geheimnisse aller Herzen offenbar werden sollen, zu verantworten habt.
>
> *Die Einsegnung der Ehe*

Sie lag auf dem Boden und weinte. Für Archery, der hilflos daneben stand, war es ein gewisser Anhaltspunkt für das Ausmaß ihres völligen Zusammenbruchs, daß sie die Grenzen ihres Anstandsempfindens so weit überschritt, vor ihm auf dem Bauch zu liegen und zitternd zu schluchzen. Noch nie in seinem Leben war Archery an einem solchen Tiefstpunkt der Verzweiflung angelangt. Die Heftigkeit seines Bedauerns hatte etwas von der Panik dieser Frau, die heulte, als sei die Fähigkeit zu weinen schon lange in Vergessenheit geraten, als erprobe sie eine neue und aufwühlende Erfahrung.

Er wußte nicht, wie lange diese Hingabe an das Leid gedauert hatte oder noch dauern würde. In diesem Zimmer, das alles enthielt, was man zum Führen eines sogenannten »erfüllten Lebens« brauchte, gab es keine Uhr, und seine Armbanduhr hatte er abgelegt, um Platz für die Befestigung des Verbands an seiner Hand zu schaffen. Gerade als er schon glaubte, sie würde nie mehr aufhören, machte sie eine eigenartige Aufbäumbewegung, so daß sie wie ein malträtiertes, überladenes Lasttier auf den Boden sank.

»Mrs. Kershaw...« sagte er. »Mrs. Kershaw, vergeben Sie mir.«

Mit immer noch wogendem Busen erhob sie sich langsam. Das Baumwollkleid war zu einem lappigen Fetzen zerknittert. Sie sagte etwas, doch er verstand kein Wort und merkte, was geschehen war. Sie hatte ihre Stimme so überbeansprucht, daß sie versagte.

»Kann ich Ihnen ein Glas Wasser holen oder einen Kognak?«

Ihr Kopf wackelte hin und her, als gehöre er nicht zu ihrem Körper, sondern sei etwas einzelnes, das um eine Achse leierte. Ihre Stimme war ein heiseres Krächzen. »Ich trinke nicht.« In diesem Moment erkannte er, daß nichts die Schichten der Ehrbarkeit ganz durchbohren konnte. Sie fiel in den Sessel, aus dem sie seine Fragen aufgeschreckt hatten, und ließ die Arme schlaff an den Lehnen herunterhängen. Als er aus der Küche zurückkam und ihr das Glas Wasser gab, hatte sie sich soweit erholt, in kleinen Schlucken zu trinken und sich mit der gewohnten Vornehmheit über die Mundwinkel zu streichen. Er hatte Angst, etwas zu sagen.

»Muß sie es erfahren?« Die Worte klangen hohl, doch die Herbheit war daraus verschwunden.

Er wagte ihr nicht zu sagen, daß Charles es ihr vermutlich schon erzählt hatte. »Heutzutage macht das doch nichts«, sagte er und verwarf mit einem Wort das, was sein Glaube fast 2000 Jahre lang gelehrt hatte. »Niemand denkt sich heute noch etwas dabei.«

»Sagen Sie mir, was Sie wissen.« Er kniete sich zu ihren Füßen und betete inständig darum, daß seine Vermutungen ungefähr der Wahrheit entsprachen und sie nur wenige Lücken würde schließen müssen. Wenn er diese letzte Aufgabe doch nur gut bewältigen und ihr die Schande des Eingeständnisses ersparen konnte.

»Sie und John Grace«, begann er, »Sie wohnten in Forby nahe beieinander. Sie liebten sich, doch er kam ums Leben...«

Einer plötzlichen Regung folgend, nahm er das Manuskript zur Hand und legte es ihr behutsam in den Schoß. Sie hielt es, wie ein Gläubiger einen Talisman oder eine Reliquie hält, und sagte leise:

»Er war so gescheit. Die Sachen, die er schrieb, konnte ich nicht verstehen, aber sie waren schön. Sein Lehrer wollte, daß er aufs College ging, aber seine Mutter ließ ihn nicht. Wissen Sie, sein Vater hatte eine Bäckerei, und in der mußte er arbeiten.« Laß sie weitererzählen, betete er und rückte langsam ab, um sich auf die Sesselkante zu setzen. »Er schrieb trotzdem seine Gedichte und Stücke«, fuhr sie fort, »und abends lernte er immer auf eine Prüfung. Fürs Militär war er nicht gesund genug, er hatte Blutarmut oder so was.« Ihre Finger schlossen sich fester um das Manuskript, doch ihre Augen blieben trokken, der Tränenstrom war versiegt. Archery sah kurz das blasse spitze Gesicht von dem Bild im Andenkenladen vor sich, das erst jetzt in das von Tess überging und mit ihm verschmolz.

Einen kurzen Augenblick lang verweilte sein Blick mit schmerzlichem Mitleid auf Irene Kershaw. Ihre Erzählung war an einem Punkt angelangt, wo sie, sofern er es ihr nicht ersparte, jenen Bereich berühren mußte, der am demütigendsten für sie war.

»Sie wollten heiraten«, sagte er.

Vielleicht hatte sie Angst, die Worte zu hören, die er dafür wählen würde. »Bis auf das eine Mal haben wir nie etwas Unrechtes getan«, rief sie. »Hinterher – er war nicht so gemein wie andere Jungen, er schämte sich genauso wie ich.« Während sie sich rechtfertigte, hatte sie den Kopf von ihm abgewandt, und nun fuhr sie im Flüsterton fort: »Ich hatte zwei Ehemänner, und vorher war da noch John, aber aus so was hab ich mir nie viel gemacht.« Ihr Kopf fuhr wieder herum, und ihr Gesicht war feuerrot. »Wir waren verlobt, wir wollten heiraten...«

Archery war klar, daß er mit seinen Vermutungen jetzt nicht lockerlassen durfte. »Nach seinem Tod wußten Sie, daß Sie ein Kind erwarteten?« Sie nickte, stumm vor ungeheurer Verlegenheit. »Sie hätten nirgends hingehen können, Sie hatten Angst, deshalb heirateten sie Painter. Mal sehen, John Grace wurde im Februar 1945 getötet, und Painter kam Ende März aus Birma zurück. Sie müssen ihn schon von früher gekannt haben«, sagte er, ratend, improvisierend. »Vielleicht war er in Forby stationiert, ehe er in den Fernen Osten ging?« Ein unmerkliches Nicken belohnte ihn, und er war bereit, damit fortzufahren, die Lebensgeschichte eines anderen Menschen mit Hilfe einer regen Phantasie, eines Briefes aus Kendal, des Gesichts auf einem Foto und der blauen Flecken am Arm einer Frau aufzubauen. Er blickte von ihr auf und umklammerte fest seine Hand, um den Laut zu unterdrücken, der vielleicht nur ein Seufzer geworden wäre. Selbst ein Seufzer hätte es ihr verraten. An der offenen Terrassentür, vor dem Hintergrund des roten Blumenmeers, stand Kershaw, still, reglos und ganz Ohr. Wie lange stand er schon da? Wieviel hatte er gehört? Wie versteinert suchte Archery in Sekundenschnelle nach Leid oder Zorn in seiner Miene und sah eine Güte, die eine plötzliche Kraft in seinem Herzen hervorrief.

Vielleicht trieb er ein falsches Spiel mit dieser Frau, vielleicht beging er etwas Unverzeihliches. Für Selbstvorwürfe war es zu spät.

»Ich versuche mal, zum Ende zu kommen«, sagte er und wußte nicht recht, ob es ihm gelang, im gleichen Tonfall zu sprechen wie vorher. »Sie heirateten und ließen ihn in dem Glauben, er sei der Vater von Tess. Aber er hatte einen Verdacht, war das der Grund, weshalb er sie nie so liebte, wie ein Vater sein Kind liebt? Warum haben Sie es Mr. Kershaw nicht gesagt?«

Sie beugte sich vor, und er merkte, daß sie nicht gehört hatte, wie der Mann hinter ihr fast lautlos ins Zimmer getreten war. »Er hat mich nie über mein Leben mit Bert gefragt«, sagte sie. »Aber ich schämte mich so, mit so einem Mann verheiratet gewesen zu sein. Mr. Kershaw ist so gut – Sie kennen ihn nicht –, er hat mich nie gefragt, aber ein bißchen davon mußte ich ihm erzählen.« Mit einemmal war sie sehr beredt. »Bedenken Sie doch, was ich ihm sagen mußte, was ich mit in unsere Ehe brachte – nichts! Auf der Straße zeigten die Leute mit Fingern auf mich, als ob ich eine Mißgeburt sei. Das mußte er auf sich nehmen – Mr. Kershaw, der in seinem ganzen Leben noch nie mit Schmutz in Berührung gekommen war. Er sagte, er wolle mich fortbringen und mir ein neues Leben ermöglichen, er sagte, mir dürfe man keinen Vorwurf machen, ich sei unschuldig. Glauben Sie, ich wollte mir die einzige Chance, die ich je hatte, dadurch zunichte machen, daß ich ihm sagte, Tess sei – sei unehelich?«

Archery schnappte nach Luft und rappelte sich auf. Mit der Stärke seiner Blicke und seines Willens hatte er versucht, den Mann hinter dem Stuhl zu zwingen, auf dem gleichen Weg, wie er gekommen war, wieder zu verschwinden. Doch Kershaw rührte sich nicht von der Stelle, völlig reglos, scheinbar ein Mensch ohne Atem oder Herzschläge. Seine Frau war in sich versunken, ihre Lebensgeschichte hatte alle Außenreize abgeschwächt, doch nun schien sie die gespannte Atmosphäre in dem Zimmer wahrzunehmen, die lautlose Leidenschaft zweier Menschen, deren einziger Wunsch es war, ihr zu helfen. Sie drehte sich in dem Sessel um, deutete eine merkwürdige kleine Bittgeste an und stand auf, um ihrem Mann entgegenzutreten.

Der von Archery erwartete Schrei blieb aus. Sie taumelte ein wenig, doch was immer sie hervorstoßen wollte, wurde durch Kershaws feste Umarmung gedämpft und erstickt. Er hörte sie lediglich sagen: »Oh, Tom, oh, Tom!«, doch er war mit seiner Kraft so am Ende, daß ihm nur ein einziger dummer Gedanke durch den Kopf ging. Es war das erste Mal, daß er Kershaws Vornamen gehört hatte.

Sie kam an diesem Tag nicht mehr nach unten. Archery nahm an, daß er sie erst wiedersehen würde, wenn sie alle zwischen Blumen, Brautjungfern und Hochzeitskuchen zusammenkommen würden. Tess saß bleich und fast scheu in einem Sessel, Hand in Hand mit Charles, auf den Knien das Manuskript.

»Mir ist so komisch«, sagte sie. »Es kommt mir vor, als hätte ich eine neue Identität. Es ist, als hätte ich drei Väter gehabt, und der, der mir am fernsten ist, war mein wirklicher Vater...«

»Schon, aber hättest du dich nicht selbst für diesen entschieden, ein Mann, der so schreiben konnte?« warf Charles taktlos ein. Doch Tess blickte kurz zu dem Mann auf, den Archery mit Tom anzureden würde lernen müssen, und er wußte, daß sie ihre Wahl getroffen hatte. Sie hielt Archery den schweren Papierstapel entgegen. »Was sollen wir damit anfangen?«

»Ich könnte sie einem mir bekannten Verleger zeigen. Ich habe selbst einmal einen Teil eines Buches geschrieben...« Er lächelte. »Über Abessinierkatzen. Ich kenne jemand, der vielleicht daran interessiert wäre. Es wäre eine kleine Wiedergutmachung von mir.«

»Sie? Sie haben sich nichts vorzuwerfen.« Kershaw trat zwischen ihn und die Liebenden. Bloß eine Ehe kaputt gemacht, um eine andere zu stiften, dachte Archery. »Hören Sie mal«, sagte Kershaw, und die Bemühung, sich verständlich zu machen, schnitt tiefe Falten in sein Gesicht. »Sie haben nichts anderes getan als das, was ich schon vor Jahren hätte tun sollen: mit ihr reden. Ich konnte es nicht, verstehen Sie? Ich wollte um keinen Preis einen Fehler machen. Jetzt ist mir klar, daß man auch zu taktvoll sein kann, viel zu diplomatisch. Oh, es gab tausend kleine Hinweise darauf, daß sie sich aus Painter nie etwas gemacht hat, er ihr aber keine Ruhe ließ, ihn zu heiraten. Ich habe sie nie gefragt, weshalb sie sich anders besann, als er von Birma zurückkam. Ich hab wahrhaftig geglaubt, das ginge mich nichts an! Sie wollte mit Tess nicht über Painter sprechen, und ich stand Höllenqualen aus, einer Zwölfjährigen das klarzumachen.« Er griff an dieser Stelle nach der freien Hand seiner Stieftochter und drückte sie kurz. »Ich erinnere mich noch, daß ich sogar sauer auf Rene wurde, weil sie aber auch jedem Wort von mir zu widersprechen schien.«

Tess zitierte leise: »Kümmere dich nicht darum, was Vati sagt. Dein Vater war kein Mörder.«

»Und sie hatte recht, aber ich war taub dafür. Jetzt wird sie mit mir reden, wie sie in all den Jahren noch nie mit mir geredet hat. Sie wird auch mit dir reden, wenn du jetzt zu ihr nach oben gehst.«

Sie zögerte wie ein Kind, und ein scheues, unentschlossenes Lächeln zuckte um ihre Lippen. Doch Gehorsam – ein freudiger, vernünftiger Gehorsam – war in diesem Haus eine Selbstverständlichkeit. Archery hatte schon einmal eine Probe davon erhalten.

»Ich weiß nicht, was ich sagen, wie ich anfangen soll«, meinte sie, während sie sich langsam erhob. »Ich habe schreckliche Angst, sie zu verletzen.«

»Dann fang mit deiner Heirat an«, schlug Kershaw praktisch vor. Archery sah zu, wie er sich auf den Boden bückte, wo die Zeitschriften hingefallen waren. »Zeige ihr das und laß sie davon träumen, dich bald in etwas Ähnlichem zu sehen.«

Tess trug Jeans und eine weiße Bluse, eine Olivia oder Rosalind, die das ihr bisher vorenthaltene Geburtsrecht und damit auch eine neue Weiblichkeit fand. Sie nahm die Zeitschrift Kershaw aus der Hand und warf einen Blick auf das Titelbild, den aus einer Blumenpyramide bestehenden Hut, der das meistfotografierte Gesicht Großbritanniens schmückte.

»Das ist nichts für mich«, sagte sie, nahm die Illustrierte aber mit, und Archery sah ihnen nach, Charles' Geliebten aus Fleisch und Blut und seiner eigenen, einem papierenen Hirngespinst. Nichts für mich, nichts für mich...

»Wir müssen bald gehen«, sagte er zu seinem Sohn. »Es wird Zeit, daß deine Mutter etwas davon erfährt.«